KB151893

Second Edition

정신신체의학

PSYCHOSOMATIC MEDICINE

증상과 장애 그리고 치료

Symptoms, Disorder and Treatment

한국정신신체의학회

대표저자 정종현, 이상열

한국정신신체의학회
Korean Psychosomatic Society

Psychosomatic Medicine

정신신체의학

둘째판 1쇄 인쇄 | 2022년 6월 7일
둘째판 1쇄 발행 | 2022년 6월 24일

지 은 이 정종현, 이상열, 한국정신신체의학회
발 행 인 장주연
출 판 기 획 임경수
책 임 편 집 김수진
편집디자인 조원배
표지디자인 김재욱
일 러 스 트 유학영
제 작 담 당 이순호
발 행 처 군자출판사(주)
등록 제4-139호(1991. 6. 24)
본사 (10881) **파주출판단지** 경기도 파주시 회동길 338(서패동 474-1)
전화 (031) 943-1888 팩스 (031) 955-9545
홈페이지 | www.koonja.co.kr

ISBN 979-11-5955-896-2

정가 80,000원

Second Edition

정신신체의학

PSYCHOSOMATIC MEDICINE

증상과 장애 그리고 치료

Symptoms, Disorder and Treatment

편찬위원회 (가나다순)

Psychosomatic Medicine

집필진 (가나다순)

강원섭	경희대학교병원	양찬모	원광대학교병원
강희주	전남대학교병원	엄유현	가톨릭대학교 성빈센트병원
고영훈	고려대학교 안산병원	우정민	경북대학교병원
구본훈	영남대학교병원	은헌정	대자인병원
김선미	중앙대학교병원	이강준	인제대학교 일산백병원
김선영	화순전남대학교병원	이건석	한양대학교병원
김성민	가톨릭대학교 성빈센트병원	이경규	단국대학교병원
김성완	전남대학교병원	이광헌	동국대학교 경주병원
김원형	인하대학교병원	이문수	고려대학교 구로병원
김의중	노원을지대학교병원	이병철	한림대학교 한강성심병원
김재민	전남대학교병원	이상열	원광대학교병원
김종우	경희대학교병원	이영민	부산대학교병원
김종흔	국립암센터	이원준	서울깊은마음정신건강의학과의원
김태석	가톨릭대학교 서울성모병원	이재창	계요병원
김하린	울산대학교 서울아산병원	이재헌	Victoria Hospital, London Health Science Centre
나 철	석정웰파크병원	이정구	인제대학교 해운대백병원
남범우	건국대학교 충주병원	이종하	고려대학교 안산병원
문은수	부산대학교병원	임우영	건양대학교병원
박민철	신세계효병원	장승호	원광대학교병원
박종일	전북대학교병원	전덕인	한림대학교 성심병원
박주언	계요병원	전홍준	건국대학교병원
박혜윤	서울대학교병원	정석훈	울산대학교 서울아산병원
백종우	경희대학교병원	정수봉	계요병원
변선정	가톨릭대학교 의정부성모병원	정종현	가톨릭대학교 성빈센트병원
서정석	중앙대학교 광명병원	조소혜	영남대학교병원
서호석	차의과대학교 강남차병원	천영훈	인천참사랑병원
성형모	순천향대학교 구미병원	최재원	노원을지대학교병원
손인기	계요병원	하지현	건국대학교병원
송지영	송지영정신건강의학과	한덕현	중앙대학교병원
신일선	전남대학교병원	한진희	평택성모병원
신철민	고려대학교 안산병원	한창수	고려대학교 안산병원
양종철	전북대학교병원	홍정완	익산병원

서문

2022년도는 한국정신신체의학회가 창립된 지 30주년 되는 해이고, 2012년 정신신체의학 교과서가 발간된 지 10년째가 되는 해 입니다. 이러한 뜻깊은 해에 정신신체의학 교과서 2판을 발간하게 되었습니다.

정신신체의학은 질병을 신체와 정신의 이분법적 논리로 파악하지 않고 정신과 신체 및 환경의 산물로 이해하려는 의학의 큰 흐름이며 관점입니다. 지난 50여 년간 환원주의(reductionism)적 의학 발전에 따라서 질병의 병태생리는 더욱 세분화 되어왔고, 치료 역시 단순화하는 경향으로 흘러 왔습니다. 그러나 '마음과 몸의 상호작용' 그리고 신체질병과 정신장애의 상호관계에 대한 과학적 근거와 연구결과 들은 질병의 치료에서도 어느 한 가지의 획일적 방식보다는 생물정신사회적(biopsychosocial) 측면에서 통합적 접근이 필요함을 강조하고 있습니다. 그 결과 미국에서는 이미 정신신체의학 세부 전문의 제도가 시행되고 있고, 우리나라에서도 한국정신신체의학회에서 정신신체의학 전문가 과정을 운영하고 있습니다.

의학적 지식과 기술이 어느 시대보다도 세분화, 전문화된 오늘날, 역설적으로 정신신체의학에 대한 수요가 증가하고 있는 상황에서, 2012년도에 한국정신신체의학회 창립 20주년을 기념하여 정신신체의학 교과서 초판이 발간되었습니다. 당시 송지영 편집위원장님과 정신신체의학 전문가 중 해당 분야에 탁월한 경험을 가진 분들이 선정되어 집필되었고, 정신신체의학 교과서는 정신건강의학과 의사뿐만 아니라, 타 과 의사, 간호사, 임상심리사 그리고 의학의 통합적인 이해가 필요한 의과대학생에게 실속 있는 참고서가 되어 왔습니다.

지난 10여 년간 정신신체의학의 많은 발전이 있었고, 새로운 연구결과와 치료법 등이 소개되어 왔습니다. 따라서 한국정신신체의학회에서는 창립 30주년을 맞이하여 교과서 2판을 출판하였습니다. 2판 교과서는 42장의 챕터로 구성되어 있고 64명의 우리나라 최고의 정신신체 전문가가 집필진으로 참여하였습니다. 모든 집필진에게 지면으로 감사드립니다. 그리고 원고의 수집과 수정, 집필진에게 연락을 도맡아 해준 장승호 편집간사에게 미안함과 감사의 마음을 전합니다. 편집위원으로 참여해 주신 김선미, 문은수, 엄유현, 임우영, 장승호, 전홍준, 신철민 교수님에게 감사드립니다. 1년이라는 짧은 기간에도 불구하고 훌륭한 교과서 2판이 출판하게 된 것은 훌륭하신 편집위원이 함께 하였기에 가능하였다고 생각합니다.

2판 정신신체의학 교과서를 통해서 한국정신신체의학의 비전인 인류의 건강과 질병의 생물학적, 정신적, 행동적 그리고 사회적 요인과의 과학적인 다양한 상호작용과 이해가 증진되기를 기대합니다. 그리고 교육과 진료에 적용되고 확산되어가기를 소망합니다. 그래서 정신장애와 일반적인 신체질환 및 상태가 동반된 환자를 위한 생물정신사회적 의료 서비스를 통해 환자들이 치유되고, 삶의 질이 향상되기를 기원합니다.

"환원주의(reductionism)"의 원리는... 자연세계에 대해서 연구하고, 분석하고, 궁극적으로 묘사하는 특별한 방법을 강조한다는 점에서 흥미롭다. 방법적으로는 이것이 대개 매우 효과적일지라도, 인식론적으로는 매우 불충분하다. 모든 과학은 각각의 독립적인 개체의 복합물 부분의 축적을 넘어서서, 그러한 부분들의 성질만으로는 추측될 수 없는 방식으로 행동한다(반응한다)는 것을 받아들여야 한다.....환원주의의 흐름이 쇠락하겠지만, 여전히 생물학에서는 일반적으로 널리 알려져 있으며, 독단적으로 사용될 경우 특히 의학에서 위험하게 호도될 소지가 있다. - John Ziman-

2022년 6월

한국정신신체의학회

대표저자 정종현, 이상열

목차

PART 03

특정 환자 및 전문진료에서 정신신체의학

PART 1

총론

정/신/신/체/의/학
PSYCHOSOMATIC MEDICINE

1

CHAPTER

정신신체의학의 개념, 역사, 현황

정종현, 한진희

정신Psyche과 신체Soma 사이의 관계에 대한 관심은 초기의 의학에서부터 있어 왔고 히포크라테스Hippocrates와 같은 일부 의사들은 이 주제에 대해 능통하였던 것 같다. 즉 고대인들의 일반적인 질병관은 정신과 신체를 별개로 다루지 않았다. 이러한 경향은 예전의 관점을 아직도 고수하고 있는 동양의학적 전통에서 두드러진다. 정신신체의학의 역사는 매우 길지만 독립된 의학 분야로서 개념 정립이 이루어진 것은 비교적 최근에 이르러서라고 할 수 있다.

현대적 의미의 정신신체의학psychosomatic medicine은 의학의 한 분파로서 질병현상을 이해하고 설명하고자 노력하였으며 의학의 학문적 발전에 기여하였다. 또 다른 한 축은 정신신체의학적 관점과 방법론을 실제 임상에 적용하는 응용분야로서 환자의 치료에 목표를 둔 자문조정정신의학consultation-liaison psychiatry이 있는데, 이는 종합병원정신의학general hospital psychiatry의 발달과 그 궤를 함께 하여 왔다.

전통적 의미의 의학은 질병을 이해하는 데 초점이 맞추어져 있고 의료의 전문화와 관련기술이 발달함에 따라 점차 의사는 질병 자체 혹은 병이 든 기관organ을 진료 대상으로 보게 되었다. 정신신체의학은 중세 이후 의학의 물질적 환원론에 맞서 정신과 신체를 이분법적으로 보려는 관점을 수정하도록 촉구하였고 정신과 신체의 상호작용을 이해하는 데 기여하였다. 현대에 들어서는 의료환경이 변화함에 따라 질병의 치료라는 기존의 목표뿐만 아니라 질병의 치료 과정, 질병으로 인한 스트레스의 완화, 사후관리와 같은 의료 서비스적 측면 등 질병을 앓고 있는 사람이 겪는 문제 및 삶의 질과 관련된 문제가 점점 중요하게 인식되고 있다. 의학의 전문화, 세분화가 대세처럼 진행되는 오늘날 정신신체의학의 역할은 매우 독특하게 인식되며 중요한 것으로 자리매김하고 있다.

2003년 미국 정신건강의학과 및 신경과 전문위원회American Board of Psychiatry and Neurology에서는 자문조정정신의학을 기반으로 하는 '정신신체의학' 세부전문의subspecialty과정을 승인하였는데 이는 정신신체의학에 대한 의료계 내에서의 인식의 변화와 중요성을 단적으로 보여 준다.

1. 정신신체의학이란 무엇인가?

정신신체의학psychosomatic medicine은 정신과 신체의 관계를 의학적으로 다루고 연구하는 학문이라는 의미가 함축되어 있다. 역사적으로 정신신체의학은 의학적 탐구대상이었다기보다는 정신과 신체의 관계라고 하는 다소 철학적인 주제의 담론에서 출발하고 있다. 근세에 들어서도 정신신체의학은 정신분석학, 정신생리학, 스트레스 이론 등과 맞물려 다중적인 의미를 띄게 되었고 한동안 정신신체의학의 의미가 다소 불분명하게 보이는 시기도 있었다. 또 다른 논란거리는 그동안 '정신신체적psychosomatic'이라는 의미가 '심인성psychogenic'의 뜻으로 사용되기도 하고 '전인적holistic', 즉 전체론적 관점을 반영하는 것으로 보기도 하여 의미의 혼동이 더욱 가중되었다. 최근의 개념은 심인론보다는 전체론적이며 인본주의적으로 보는 입장이 우세하다. 앞에서 살펴보았듯이 정신신체의학은 범위가 넓고 개념적이며 학문적 탐구의 측면이 많다고 할 수 있다. 이에 비해 자문조정정신의학은 실제 내/외과적 치료환경에서 정서적 혹은 행동 장애를 나타내는 환자들을 평가하고 치료하는 데 필요한 기술과 지식을 다루는 전문분야라고 할 수 있다. 자문조정정신의학은 임상현장의 문제를 다루게 되므로 다양한 환자들이 혼재하는 종합병원의 환경을 토대로 한 종합병원정신의학의 발달에 힘입은 바 있다. 이를 굳이 종래의 정신신체의학과 비교한다면 자문조정정신의학은 정신의학이나 정신질환 자체보다는 내/외과 등 신체질환을 앓고 있는 임상적 상황에 치중해 있고 학술적 관심보다는 실제적이며 연구실보다는 병원환경에 걸맞게 조직화되어 있다고 할 수 있다. 그러나 최근에 정신신체의학과 자문조정정신의학은 거의 같은 의미로 사용되며 미국의 경우 2005년부터 자문조정정신의학을 기반으로 하는 정신신체의학 세부전문의를 배출하고 있다. 또한 한국정신신체의학회에서도 2008년도부터 정신신체의학 전문가 과정을 운영하고 있다.

종합병원정신의학 역시 자문조정정신의학과 비슷한 의미로 사용된다. 그러나 비정신건강의학과 영역에서 사용되고 있는 용어로서 통합의학integrative medicine이나 보완대체의학complementary and alternative medicine 등은 한의학이나 비의학적 개념이 들어 있으므로 정신신체의학과는 다르다. 이밖에 행동의학behavioral medicine 및 생관습관의학lifestyle medicine 역시 지엽적으로는 정신신체의학과 개념이 유사한 부분이 있으나 정신신체의학에 비해 이들은 보다 비특이적이고 다학제적이며 범위가 넓고 건강증진 프로그램이나 예방의학적 측면 등을 강조한다.

여기에서는 정신신체의학을 특화된 정신의학의 한 분야로서 신체적인 질병(혹은 증상)을 앓고 있는 환자에게 나타나는 정신의학적 병리현상을 진단하고 치료하는 전문분야로 범위를 한정하여 서술해 나가려고 한다. 조금 더 구체적으로는 신체질환과 정신질환이 공존하는 경우, 신체형 혹은 기능성 장애somatoform and functional disorders, 신체질환 혹은 그 치료의 직접적인 결과로서 정신장애가 발생한 상태 등이 여기에 해당된다고 하겠다.

2. 정신신체의학의 역사

정신신체의학은 오래된 역사에 비추어 비교적 최근에 개념이 정립된 정신의학의 전문분야이다. 한 분야의 개념이 역사적으로 변천되어오는 과정은 그것이 반드시 과학적이거나 합리적인 틀 속에서 발전한다는 의미는 아니다. 그러나 역사적 사건과 기술은 그 시대의 문화와 사상, 철학을 담고 있다는 점에서 앞으로의 발전에 대한 교훈적이고 참조적인 토양이 된다.

1) 고대와 중세

정신(마음)mind과 신체(몸)body 대한 인간의 관심은 아마도 인류의 시작과 함께해 왔다고 해도 과언이 아니다. 가장 초기의 역사적 기록이나 그 이전부터 구전으로만 전해져 오던 설화 등에서 원시사회에는 질병을 외부의 악령demon, ill-intentioned-spirit이 개인의 신체에 들어온 결과에 의한 것으로 이해하고 있었음을 알 수 있다. 따라서 질병에 대한 치료는 무속의식이나 축귀술exorcism 등이 주된 방법이었으며 때로는 뇌에 구멍을 뚫는 시술trepanation을 해서 병자로부터 악귀를 제거하려고 시도하였다. 흥미로운 점은 이러한 두부개공술의 결과 질병이 치유된 사례도 있었다고 하며 좋은 결과를 얻기 위해 의사-환자 관계doctor-patient relationship가 중요하다는 사실과 암시suggestion의 효과에 대해서도 알고 있었던 것 같다.

이 같은 믿음은 이집트, 바빌로니아 및 아시리아인들에게도 지속되는데 이집트의 제사장이자 뛰어난 건축가이며 의사이기도 한 임호텝Imhotep은 죠세르Djoser왕 사후에 그의 영혼이 다시 찾아올 수 있도록 하는 일종의 정신신체의학적 도구로서 4,500년 전에 이집트 최초의 계단식 피라미드를 건설한 바 있으며 그가 파피루스종이에 기록한 주술의식이나 섭생, 약물 등 의료 방법론들은 의학의 기본 텍스트로 간주되어 이후 서구의 의료에 많은 영향을 주었다.

정신신체의학적 측면을 강조한다면 중국과 인도 등의 고대 질병관은 서양의 그것에 비해 본질적으로 정신신체의학의 현대적, 개념적 틀에 훨씬 더 가까이 다가서 있다고 할 수 있다. 일찍이 중국의 중의학(한의학)에서는 희(喜), 노(怒). 애(哀). 락(樂), 애(愛). 오(惡), 욕(慾)의 칠정(七情)seven passions과 오욕 등의 감정이 우리 몸의 오장육부와 긴밀히 연결되어 이들 감정이 지나치게 과하거나 균형을 잃으면 질병의 원인이 된다고 보았다. 한편 산스크리트어로 기록된 고대 인도의 의학Vedic medicine도 심리적 상태와 신체기관이 서로 연계되어 있다는 상을 기본바탕으로 하고 있다.

히포크라테스(B.C.370-460)는 아마도 심리적인 요인이 질병과 건강에 영향을 준다는 사실에 대해 체계적인 접근을 한 최초의 의사로 보인다. 히포크라테스는 당대의 수많은 비과학적 믿음을 배격하고 근거와 관찰, 합리적인 추론에 따라 질병과 건강의 문제에 접근하려고 노력했다. 그가 제안한 4원소설(물, 불, 공기, 흙)과 4체액설(혈액, 점액, 황담즙, 흑담즙)의 기본 가정이 현대의 과학적 사실과 부합되지 않는다 하여도 체액 간의 조화와 균형을 강조함으로써 질병에 대한 체계적 추론과 윤리적, 합리적 접근방식을 견지하여 폭넓은 지지를 받았다. 그는 '뇌전증(간질)epilpsy'을 당대에 알려진 믿음과 같이 신성한 병sacred disease이 아닌 보통의 질병 중 하나로 보았고 산후정신병에 대해서 기술했으며 결핵 혹은 말라리아에 동반된 섬망delirium에 대해서도 기술하였다. 히포크라테스는 기후와 환경에도 관심을 두었고 '생물정신사회적biopsychosocial'접근을 강조하여 '의학의 아버지'라는 별명으로 불렸으나 오히려 '정신신체의학의 아버지'로 불리는 게 더 적절하지 않나 생각되기도 한다. 로마시대의 갈렌Galen은 히포크라테스를 추종하였으며 플라톤과 아리스토텔레스의 유산도 일부 계승하였다. 그는 당대의 이집트-그리스-로마로 이어지는 의학지식을 집대성하여 이후 중세시대가 지속되는 1,000년간의 토대를 만들었다. 정신신체의학적 측면에서 갈렌의 접근방식은 전체론적holistic 관점이기는 하나 정신과 신체의 상호작용보다는 원인론적 측면에서 심리적 요인을 다루는 편으로 회귀하는 양상을 띠었다.

로마를 정복한 게르만 부족들은 이전의 풍부한 경험의 소산인 그리스-로마적 방식의 합리적 의학 접근을 지양하고 교회의 가르침에 따라 죄와 영성의 문제, 종교재판, 악령과 마귀에 대한 믿음, 마녀사냥 등을 지향하였다. 이러한 암흑의 중세시대는 서기 500년부터 1,500년경까지 계속되었다. 이 당시의 질병관은 마귀의 사주에 따른 것으로 보는 견해가 지배적이었으며 치료를 위해서는 성직자에게 자신의 죄를 고백하고 처분을 감수해야 하는 방식이 일반적이었다. 의사의 권위는 땅에 떨어지고 액막이 부적amulets의 사용이 일상화되었다. 교황 Innocent 8세의 교서bull가 서문에 포함된 J. Sprenger와 H. Kramer의 'The Witch's Hammer (Malleus Maleficarum, 1487)'는 이 당시 상황을 말해주는 상징적 저서이자 당시 정신병 치료의 지침서였다.

약 1,000년간의 종교적 암흑기가 지나자 영성과 종교보다는 물질과 인간에 대한 관심이 부활하는 르네상스에 접어들게 되었다. 르네상스Renaissance (1400-1650) 시기에는 그 이전에 종교적 관심과 영적인 문제가 우세하던 것에 대한 자각과 반작용으로 인간의 건강에 대한 관심이 늘어나고 특히 신체기관의 기능과 구조에 대한 연구가 꽃피었으나 반대로 심리적 측면에 대한 관심은 크게 위축되는 결과를 낳게 되었다.

2) 근대

인본주의적 학문이 꽃피던 르네상스 시기에는 의학의 전반에도 히포크라테스적 사고가 부활하였고 인간의 본성에 대한 탐구로 이어졌으며 이러한 흐름은 계몽주의에 의해 만개하였다. 프랑스의 수학자이자 철학자인 데카르트R. Descartes (1596-1650)는 인간의 신체는 기계와 같아서 객관적 탐구의 대상이 될 수 있지만 인간의 정신 혹은 마음은 탐구의 대상이 될 수 없는 별개의 (신학적)영역으로 보았다. 또한 그는 이 두 영역은 송과선pineal gland에서 상호작용을 한다는 단서를 달았다. 데카르트에 의해 제기된 심신이원론mind-body dualism은 많은 추종자를 배출하여 정신이 배제된 신체의 연구를 촉진시키는 데 기여하였다는 비판을 받았으며 한편으로는 인간의 정신과 신체의 본성에 대한 아류의 철학적 담론을 불러일으켰다.

"내일 세상의 종말이 오더라도 나는 한 그루의 사과나무를 심겠다"는 명언을 남긴 네덜란드의 안경사이자 철학자인 스피노자Spinoza (1632-1677)는 범신론적 일원론monism을 주장했는데 그는 정신과 신체는 동일한 것의 다른 측면을 반영한다고 하였다(양면이론double aspect theory). 이와는 반대로 독일의 수학자이자 철학자인 라이프니츠G.W. Leibniz (1646-1716)는 정신과 신체는 애초부터 독립적으로 조화롭게 존재한다는 심신평행론psychophysical parallelism을 제안하였다. 심신일원론의 한 극단에 있는 비물질론(유심론, 관념론)immaterialism은 존재란 마음의 지각을 통해서만 이루어진다는 의미를 담고 있으며 주된 옹호자로는 영국의 조지 버클리 G. Berkely (1685-1753)를 들 수 있다. 그 반대쪽 극단에 있는 것이 유물론(물질론)materialism 으로 라 메트리J.O. La Mettrie (1709-1751)는 인간의 영혼이 신체의 상태에 완전히 종속되어 있다고 하였다.

부현상설epiphenomenalism은 영국의 철학자인 허드슨S.H. Hodgson (1832-1912)이 주창한 학설인데 그에 의하면 마음은 중추신경계 활동의 부수현상에 지나지 않으며 따라서 그림자가 개체에 직접 영향을 줄 수 없듯이 마음과 정서는 신체에 영향을 줄 수 없다는 입장이다. 헉슬리T.H. Huxley (1825-1895)는 이 견해를 받아들여 진화론적 관점에서 설명을 하려고 시도하였다. 또한 루이스G.H. Lewes (1817-1878)는 스피노자의 견해와 유사하게 양면일원론double aspect monism을 제안하였고 이외에도 클리포드W.K. Clifford (1845-1879)는 유심론적 일원론으로 볼 수 있는 마음덩어리 이론mind-stuff theory을 제창하였다.

전반적으로 근대의 합리주의와 계몽주의 시대가 기계론적 관점으로부터 일원론적 세계관을 표방하는 방향으로 옮겨가고 있었으나 19세기와 20세기 초반까지의 의학 및 정신의학의 흐름은 심신이원론 혹은 상호작용론적interactional 색채가 강하게 남아 있었다. 특히 후자는 신체와 정신이 서로 영향을 주고받는다는 관점이다. 1818년 독일의 수면의학 및 심리학자였던 하인로스J.C. Heinroth (1773-1843)는 1818년 심리적 원인에 의해 신체증상이 발생하는 과정을 기술하는 데 "정신신체psychosomatic"라는 용어를 처음으로 사용하였다. 정신신체관계를 함축하는 표현은 이미 이전에도 메스머F.A. Mesmer (1734-1815)가 최면hypnosis현상을 설명할 때 사용한 적이 있으나 그는 이를 자연 속에 존재하는 자기(磁氣), 즉 동물자기론amimal magnetism에 귀착시키는 오류를 범하고 말았다. 최면(催眠)은 후에 의학적 연구, 진단 및 치료방법으로 부활하였는데 프랑스인 두 명의 노력에 힘입은 바 크다. 한 사람은 파리의 Salpetriere 병원의 유명한 신경의학자인 샤르코J.M. Charcot (1825-1893)였고, 다른 한 사람은 낸시Nancy학교의 베른하임H. Bernheim (1840-1919)이었다. 두 학파는 최면의 본성에 관한 견해차로 대립하였지만 심리적 암시가 신체상태에 미치는 영향과 관련지식을 알려주는 데 기여하였다.

3) 현대

(1) 정신분석이론

정신분석psychoanalysis을 체계화시킨 프로이트S. Freud (1856-1939)는 처음에는 히스테리hysteria 환자를 치료하기 위해 샤르코로부터 최면을 배워 시도하였지만 곧 한계를 느낀 끝에 그 자신 스스로 자유연상free association법을 개발하여 임상에 이용하게 되었다. 프로이트는 이 방법을 이용하여 무의식적/심리적(갈등)요인을 제거하면 증상이 치료된다는 질병의 심인론psychogenesis을 확인하였다. 정신분석은 당시 경험적이기는 하나 상당히 체계화된 이론과 방법론에 근거하였고 이전과는 달리 심리적 방법을 이용하여 질병을 치료한다는 혁명적 발상을 담고 있었으며 점차 일반화된 치료의 한 양식modality으로서 유럽사회에 뿌리를 내리게 되었다. 더 나아가 정신분석은 정신과 신체를 연결하는 중요한 연결고리와 이론적 토대를 제공하였으며 도이치F. Deutsch (1884-1964)는 1922년 정신신체의학psychosomatic medicine 이라는 용어를 사용하였고 뒤이어 신체질환에 정신분석을 더 많이 적용하려는 실험적 시도가 전개되었다.

알렉산더F. Alexander (1891-1964)는 20세기 중반에 정신신체의학에 가장 많은 영향을 끼친 인물일 것이다. 프로이트의 제자이며 협력자였던 그는 미국으로 건너간 뒤 시카고 분석연구소Chicago Institute of Psychoanalysis를 설립하였고 그로덱G, Groddeck (1866-1934)의 영향을 받아 신체질환을 심리적으로 치료하는 연구에 관심을 두었다. 그는 7가지의 내과계 주요질환에 주목하였는데 본태성 고혈압, 소화성 궤양, 갑상선항진증, 궤양성 대장염, 신경 피부염, 류마티스성 관절염, 기관지 천식 등이 알렉산더가 정신신체질환으로 보았던 대표적 질환들이다. 그는 자율신경계가 연루된다는 측면에서 정신신체질환과 전환반응(히스테리아)을 구분하였고, 특정의 정신내적 갈등이 특정기관의 자율신경계를 억제하거나 과도한 활성을 초래하여 결국 질병으로 이행하게 된다(예를 들면, 억압된 의존욕구가 위액분비를 촉진시켜 소화성 궤양을 초래한다)는 소위 '특이성 이론specificity theory'을 주장하였다. 비슷한 시기에 던버Flanders Dunbar (1902-1959)는 알렉산더와는 달리 정신신체질환들이 특정의 갈등이 아니라 특별한 성격 양상과 연관이 있다고 하는 정신신체질환의 특정 성격이론specific personality theory을 제안하였다. 그러나 한편으로 그의 특이성 이론이 다소 과대 포장되어 있다고 보는 견해도 있다. 실제로 알렉산더는 정신신체질환의 발생에 생물유전학적, 사회환경적 여러 요인이 관여한다는 것을 강조했으며 궁극적으로는 생물정신사회biopsychosocial 모형을 지지했다.

특이한 갈등이나 성격패턴이 정신신체질환의 발생에 결정적으로 작용한다고 보는 특이성 이론에 대한 믿음은 알렉산더 이후 20세기 후반에 이르기까지 정신신체의학을 이해하는 큰 틀로 남았으며 생물학적인 소인이 환경과 상호작용하여 성격의 발달에 영향을 미치고 이러한 성격이나 행동패턴이 크고 작은 스트레스와 상호작용을 일으켜 건강을 유지하게 하거나 질병으로 유도한다는 오늘날의 관점과도 맞닿아 연결되어 있는 것 같다. 하버드 대학의 시프네오스P. Sifneos (1920-2008)와 네미아J. Nemiah (1918-2009)는 오랜 임상경험을 통해 정신신체질환의 원인으로 자신의 감정을 표현하거나 인식하지 못하며 판타지와 추상적 사고능력이 결여되고 정서적으로 위축된 상태를 보이는 소위 '감정표현부전증alexithymia'을 지목하였다. 감정표현부전증은 부정denial과 분열splitting 같은 방어기제의 원시적 형태로 간주되며 대뇌 조직화 과정의 장애로 보는 견해가 있다. 심리방어기제들은 스트레스하에서 정신생리적 각성을 조율modulating psychophysiologic arousal하는 데 필수적으로 동반되는 과정으로 보고 있다.

(2) 정신생리학과 스트레스 이론

정신신체의학에서 정신생리학적 접근psychophysiological approach의 효시는 파블로프I.P. Pavlov(1849-1936)의 동물에 대한 조건반사conditioned reflex 연구로 거슬러 올라간다. 음식과 함께 종소리를 반복해서 들려주면 조건화가 진행되며 나중에는 조건자극인 종소리만 들어도 타액반응이 일어나는데 이러한 조건화 현상은 인간에서도 유사한 반응을 나타낸다고 보았다. 미국의 생리학자였던 캐논W. Cannon (1871-1945)은 투쟁-도피 반응fight-flight response으로 초래된 개체의 생리적 흥분성이 이후의 질병상태와 관련이 있다는 관찰을 하였고 이때 정서적 스트레스가 중요한 역할을 한다고 보았다. 그는 또 개체가 스트레스에 대응하여 항상성(내적 평형상태)homeostasis을 유지하려는 현상을 관찰하였고 정서적 자극 후에 자율신경계가 어떤 방식으로 생리적인 반응을 나타내고 조절하는지에 대해서도 연구하였다.

울프H. Wolff (1898-1962)와 울프S. Wolf (1914-2005)는 스트레스에 대한 캐논의 연구를 생활스트레스의 측면으로 확장하여 질병이란 궁극적으로 생활스트레스에 적응하는 데 실패하였거나 적응을 할 수 없는 상태가 된 것으로 보았다. 그의 이러한 관점은 후에 한 개인이 스트레스적 생활사건을 경험한 후 대처하는 방식이, 뒤따르는 생리학적 효과의 크기를 결정하는 데 주요 인자가 된다는 관점으로 확장됨을 암시하는 것이다. 즉, 스트레스는 스트레스의 크기보다 개인의 삶이나 행복, 정서적 안정을 위협하는 것으로 지각될 때에만 스트레스로 작용한다고 생각하였다. 이들은 또한 특정 정서자극이 위장관의 생리적 상태와 관련되는 것(적개심에 의해 기능이 항진되고 슬플 때에는 기능저하를 보임)을 관찰하였다. 이들에게 스트레스에 대한 반응이란 개인이 처해 있는 상황과 지각된 스트레스 사건의 평가에 따라 결정되는 것으로 믿었으며 따라서 스트레스에 대한 인간의 반응은 대체로 비특이적인 요소가 많다고 보았다. 이들은 가족 간의 불화, 대상의 상실, 실직 등과 같은 위협적인 사건에 맞서 적응에 필요한 개인의 자원resource과 수용력이 정신생리적 반응양상의 유형과 정도를 결정하는 데 중요하다고 강조하였다.

셀리에H. Selye (1907-1982)는 동물이 독성 자극에 노출되면 일련의 생리학적 반응을 일으키는 현상을 관찰하고 이에 대해 체계적인 연구를 수행하였다. 그는 이 스트레스 반응이 3단계로 이루어져 있으며 스트레스의 급성반응인 경보반응alarm reaction 단계로부터 저항단계stage of resistance 그리고 마지막으로 탈진단계stage of exhaustion를 거치게 된다고 하였다. 그는 스트레스에 의한 이러한 신체적 반응을 일반적응증후군general adaptation syndrome이라고 불렀다. 그에 의하면 스트레스란 비특이적인 것이며 고통스러운 것뿐만 아니라 즐거운 자극도 스트레스가 된다고 보았다. 셀리에의 스트레스 모형은 신체적 혹은 정신적 스트레스가 어느 정도 예측 가능한 신체반응을 일으킨다는 시사를 주었으며 이후로 정신신체의학 영역에서 행동심리학적 지향의 스트레스 연구가 활성화되는 기폭제 역할을 하였다.

라자러스R. Lazarus (1922-2002)는 스트레스에 따른 일반적 반응보다 일반 개개인이 느끼는 개별적인 스트레스에 좀 더 주목하면서 인지적cognitive 요인의 중요성을 강조하였다. 그는 스트레스 사건에 따른 개인의 반응은 인지적 평가와 대처양식에 따라 좌우될 수 있다고 가정하였다. 그는 일련의 연구를 통해 스트레스 반응은 그 스트레스 사건에 대한 평가와 그것에 대처하는 능력과 믿음에 따라 달라지며 결과에 대한 긍정적 혹은 부정적 태도 등이 중요한 영향을 준다고 하였다. 결국, 스트레스는 현실에서의 실체보다 개인이 주관적 혹은 인지적으로 어떻게 평가하는가가 뒤따르는 정서적 혹은 생리적인 반응을 결정짓는 관건이라고 할 수 있다.

(3) 생물정신사회 모형

미국의 정신건강의학과 의사이며 동시에 내과 의사였던 엥겔G. Engel (1913-1999)은 1977년 생물정신사회 모형biopsychosocial model에 관한 논고를 사이언스지에 발표하여 큰 반향을 불러일으켰다. 그는 당대에 의학조류를 대변하던 생물의학적 접근방식biomedical approach이 지나치게 분석적이고 환원주의적reductionistic이며 임상의가 환자의 병소와 신체에 집착한 나머지 고통과 감정을 느끼는 인간으로서의 환자를 보지 못한다고 비판하였다. 그는 또 질병현상이 나타나는 데에는 생물학적 이상소견의 직접적인 영향만으로 설명할 수는 없으며 심리적, 사회적, 문화적 요소들이 증상의 발생과 회복에 광범위하게 작용한다고 보았다.

엥겔은 그의 이론적 토대를 와이즈P. Weiss (1898-1989)와 베르탈란피L. von Bertalanffy (1901-1972) 등이 고안한 체계이론systems theory에서 가져왔는데 체계이론에 의하면 자연계는 분자수준에서 세포와 기관, 개인과 가족, 사회, 국가, 그리고 생태계권으로 이어지는 계층구조로 이루어지며 각 수준의 단위체계는 고유의 특성을 공유하며 하위체계는 상위체계의 구성요소가 된다고 보았다. 엥겔은 임상의가 환자를 진료할 때 병소가 되는 조직과 기관뿐만이 아니라 병을 앓고 있는 개인과 그를 둘러싼 사회적 환경을 고려해야 한다고 주장하였다. 그는 이런 관점에서 환자-의사의 양자 간 체계two-person system를 특히 강조하였다. 엥겔은 교육 분야에도 관심이 많아 생물정신사회적 접근에 관한 여러 사례를 기술하였는데 다음에 예시하는 증례는 심근경색증환자가 겪는 두려움과 고통이 심장발작을 촉진할 수 있음을 보여주는 사례이다.

55세의 부동산업자인 남성 G가 심근경색발작 징후를 느껴 응급실을 방문하게 되었다. 그는 6개월 전에도 비슷한 증상이 생겨 심근경색myocardial infarction이라는 진단을 받은 상태였다. 그는 회사에서 가슴에 묵직한 느낌을 받은 초기에는 증상에 대해 부정denial하면서 일을 계속하다가 직장 상사가 환자의 행태를 이상히 여겨 병원검진을 권유한 후에야 겨우 따라 나섰다. 그 직장 상사는 "당신은 평상 시 근면하고 책임감도 강하지만 지금은 일보다 건강이 더 중요합니다"라고 G를 설득하였다. G는 병원에 도착하자 안도의 느낌을 받았으며 신체적 활력소견들도 안정되었다. 의료진들은 긴급시술 없이 통상적인 검사를 하는 것으로 결정하였다. 엥겔은 G의 심장이 심근경색으로 손상된 상태에서 초기에 중추신경계의 과민반응과 뒤따르는 교감신경계의 흥분 작용으로 심장에 오히려 더 많은 부담을 주고 결과적으로 심장의 허혈상태를 악화시키는 데 주목하였고 반면 직장 상사의 칭찬과 신뢰가 담긴 조언이 사태를 역전시키는 계기가 되었다고 설명하였다. 이후 안정된 상태에서 심장에 대한 일반검사를 받던 G는 이번 증상으로 두 번째 심근경색이 생긴 것은 아닌가 하는 불안감을 갖게 되었으나 내색을 하지 않았다. 그러다가 그는 의식을 잃고 실신했는데 다행히 심폐소생술과 응급처치로 소생하였다. 심장모니터 소견은 심실세동ventricular fibrillation이 생겼음을 알려주었다. G는 나중에 당시 초심자 전공의가 몇 차례 동맥천자를 시도하다가 잘 안되니까 동료를 찾으러 밖으로 뛰어나간 일과 그로 인해 무척 화가 나고 불안했던 사실을 기억해 냈다. 심장발작cardiac arrest에 대한 불안, 초심자의 실수에 따른 신뢰의 상실이 안정을 찾아가던 증상의 악순환을 활성화시켰다고 볼 수 있다는 것이다. 엥겔은 치료에 경각을 다투는 응급실과 같은 상황에서는 생물학적 문제에만 관심을 쓰기 마련이지만 그럴수록 환자의 반응과 심리적 교감에 더욱 신경을 써야 한다고 말한다. 엥겔의 생물정신사회 모형은 질병에 대한 일종의 다요인적 모델이며 단순한 한 가지 요인의 강조를 배격하고 병든 신체조직과 개인 그리고 환경의 상호관계를 중시하도록 유도하였다.

엥겔에 의하면 생물정신사회적 접근법이 인간화지향의 접근법이나 고객지향적 접근 방식과 비슷한 면이 있으나 확실한 차이가 있는데 그것은 생물정신사회적 방식이 체계이론을 따르고 있으며 과학적 기반 위에 있으므로 검증 가능하다고 믿었다. 생물정신 사회적 접근방식은 엥겔의 고유한 주장이라기보다는 고대 서양이나 동양의 의학에서는 보편적인 관점이라고 여겨지기도 한다. 생물정신사회 모형은 지난 30여 년 동안 부침(浮沈)이 있었으며 그 공과에 대한 논의가 분분하지만 어떤 결론을 내리기는 어렵다. 임상적으로 유용한 개념임에도 불구하고 엥겔이 전망한 것처럼 과학적으로 검증된 유일한 방법으로 남지 못했기 때문이다. 질병 현상에는 생물학적 요소와 심리학적 혹은 사회문화적 요소가 있지만 그것이 어떤 방식으로 작용하는지는 알 수 없는 경우가 많다.

원인적 · 양적 요인으로서 생물정신사회적 요인을 규명하려는 노력이 현재로서는 어려운 과제일지 모른다. 그러나 생물정신사회 모형이 새로운 유용한 관점의 틀을 제공하였다는 데에 이의를 달 사람은 없을 것이다.

(4) 기타의 모형들

20세기 후반기에 들어 나타난 의학적 모형으로 행동의학behavioral medicine과 통합의학integrative medicine 등이 있다. 행동의학은 다학제적 의학요로 출발하여 생물학적, 심리학적, 행동의학적, 사회과학적 지식을 통합하여 건강과 질병을 아우른다는 관점을 표방한다. 행동의학은 때때로 건강심리학health psychology과 혼용되어 사용되기도 하지만 실제로는 넓은 의미에서 정신신체의학의 전통적인 개념과 더 가깝다고 할 수 있다. 정신건강의학과에서의 전문적인 수련보다는 생체되먹임biofeedback이나 최면hypnosis, 신경생리학적 방법 neurophysiological methods 등 다양한 기법을 일차 의료현장에서 활용한다. 작업치료, 재활치료, 예방의학 및 일부 정신의학 영역에서 활용되는 경우가 많다.

통합의학은 대체의학alternative medicine을 전통의학과 결합시킨 것으로 간주된다. 이 역시 생물정신사회적 관점을 견지하고 있지만 전통의학의 갈래에서 벗어나 있다는 점에서 엄연한 차이가 있다. 최근에는 몇몇 의과대학과 병원 내에서 독립된 과가 개설될 만큼 인기를 구가하고 있으나 의학적 방법론을 충분히 충족시킬만한 객관적 검증도구가 미흡하다는 관점에서 비판적 시각이 있다.

4) 자문조정정신의학Consultation-Liaison Psychiatry

이제까지 정신신체의학의 부침의 과정을 개략적으로 살펴본다면 정신신체의학의 종래 개념은 이론적이며 가설적인 데 치우쳐 있었고, 정신역동적 관점으로 '정신신체질환'을 이해하고 치료하려는 많은 노력이 만족스러운 결과를 보여주지 못하는 가운데 1950년대 이후로는 실험실 중심의 정신생리 연구들이 정신신체의학 연구의 전면에 부상하게 되었다. 이러한 실험실 연구들은 심신과정 즉, 심리적인 요소들과 생리적인 지표들을 연결해 보려는 시도로 이해된다. 정신신체의학의 다른 한편으로는 종합병원을 중심으로 하여 임상적인 문제들을 진료 현장에서 해결해 보려는 좀 더 실용적 목적의 정신건강의학과와 내 · 외과 간의 협진 형태가 발달하였는데 이를 자문조정(연계/협진)정신의학이라 부른다. 경우에 따라서 정신신체의학은 좁은 의미의 순수 의학적 측면을, 자문조정정신의학은 임상적 응용분야를 지칭하기도 하나 최근에는 이 두 용어를 구분하지 않고 혼용해서 사용하는 추세이다. 리포프스키Z.L. Lipowski (1924-1997)는 많은 임상적 연구 활동을 통해 1970년대 이후 자문조정정신의학의 기틀을 세움으로써 정신신체의학에 공헌하였다.

3. 정신신체의학의 기능

정신신체의학의 기능은 자문조정정신의학의 기능과 동일한 의미로 간주되며 크게 임상기능, 교육기능, 연구기능으로 대별한다.

1) 임상기능Clinical function

임상기능은 말 그대로 환자를 돌보고 질병을 치료하는 것이다. 종합병원의 경우, 정신신체의학 전문의는 자문consultation을 받아 환자의 임상상태나 환자를 둘러싼 심리적 문제에 대하여 평가하거나 의학적 권고를 제안한다. 때로는 의학적 권고 수준이 아니라 환자의 진료 자체에 깊숙이 관여하여 협진(協診)을 하기도 하는데 이때는 치료팀의 일원이 되어 해당 과나 치료팀에 상주하게 되는 경우도 있다. 임상에서의 이러한 지속적 협진 과정을 조정liaison이라고 하며 자문조정 부서가 고도로 분화된 병원에서 볼 수 있다. 암 센터나 화상 센터 등 팀 접근이 이루어지는 곳에서 이와 같은 형태의 협진이 이루어지는 경우가 많다. 최근에는 적극적인 자문조정의 한 형태로서 사전예방적 자문조정정신의학proactive consultation- liaison psychiatry체계가 시도되고 있다.

자문은 주로 외래에서 이루어지는 환자의뢰referral와는 구분되는데 '의뢰'의 경우는 해당되면 환자의 진료를 맡아 달라는 즉 전과(轉科)transfer를 포함하는 의미가 담겨 있다고 보아야 한다.

자문조정은 감별진단이나 의료진과의 갈등의 조정, 의사소통의 문제 해소 등 몇몇 예외사항을 제외하면 정신신체의학 전문의의 직접 치료가 필요한 상황이 된다. 이 경우 자문의는 자문요청의사에 협조하여 필요한 약물과 수기를 처방하고, 전문적 식견에 의거하여 책임의 한계가 모호해지지 않도록 노력해야 한다.

2) 교육기능Educational function

정신신체의학 특히 자문조정정신의학 영역에서 교육기능의 의미는 각별하다. 자문조정에서 이 측면은 특히 조정liaison 영역에서 강조되는데, 환자는 물론 자문요청의사requesting physician, 간호사, 환자의 가족과 친구, 그리고 건강 관련 요원들에 이르기까지 그 대상은 매우 다양하다. 교육의 예로는 환자의 성격 양상에 따라 심리적 요구도가 달라질 수 있음을 이해시키고, 망상, 환각, 섬망 등 환자의 정신병리에 따라 정신증상이 어떻게 나타나고 이를 어떻게 다루어야 하는지, 기본적인 정신약물의 사용법은 어떤 것인지 그리고 시술에 대한 동의 능력의 평가가 필요한 사람은 어떻게 접근하는지 등 정신건강의학과 영역에 대한 수많은 편견과 몰이해에 대하여 끈기 있게 하나씩 가르쳐 나가야 한다.

외국의 경우 대학병원 등 대단위 종합병원에는 정신건강의학과 자문조정부서가 확립되어 있고, 자문조정 활동과는 별도로 수련과정에 있는 정신건강의학과 및 타 분야 전공의와 간호사, 심리사, 사회사업 요원이나 학생 등을 대상으로 하는 교육프로그램이 잘 짜인 곳이 많다. 정규 강좌를 통한 교육 이외에도 증례토론회, 대집담회grand rounds 혹은 공동사례회의 등도 유용한 교육기회를 제공한다.

교육기능과는 별도로 정신신체의학 전문의는 공공적인 요구에 부응하여 강제 입원 사유가 되는 자살시도자나 흥분하여 난폭한 환자 등에 대하여 행정 자문을 수행해야 하는 사례가 외국에서는 늘고 있어 행정기능administrative function을 주요기능으로 보기도 한다.

3) 연구기능Research function

정신신체의학에서의 정신과 신체의 상호작용에 대한 연구는 실험실에서 이루어지는 분자생물학 연구로부터 기초신경생리 연구, 동물연구, 임상연구, 집단연구, 횡문화적 연구에 이르기까지 넓게 퍼져 있다. 그 중에서도 정신신체의학 연구의 관심과 조명을 많이 받는 분야는 정신의학과 신체의학이 서로 만나는 접경지대에 관한 연구로 볼 수 있다. 이 분야에 관한 연구에서도 자문조정정신의학은 주도적인 역할을 해오고 있다. 특히, 정신신장의학psychonephrology, 정신종양학psycho-oncology, 정신산부인과학psycho-obstetrics and gynecology 등은 최일선에서 정신신체의학 연구를 주도하는 첨병들이다. 또한 정신건강의학과적 개입이 병원 재원일수를 단축시킬 수 있으며 결과적으로 의료경비를 줄일 수 있음이 증명되고 있다. 이러한 연구가 점차 중요해지는 이유 중의 하나는 관리의료managed care와 근거중심의학 evidence-based medicine으로 대변되는 현대의료의 흐름과도 무관하지 않다. 최근에는 뇌과학이 빠르게 발달하면서 정신질환의 이해와 정신신체과정을 새로운 관점에서 파악하려는 연구들이 나오고 있어 귀추가 주목된다.

정신신체의학 연구는 앞으로 정신신체의학의 특성을 살려 고유의 영역을 확대하면서 의학의 발전에 기여하는 한편, 정신신체의학의 정체성과 그 존립의 근거를 만들어가는 중요한 수단으로 자리매김하게 될 것이다.

4. 한국에서의 정신신체의학

한국에서의 정신신체의학의 역사는 일천하지만 최근에는 빠른 속도로 발전하고 있다. 국내의 전통의학의 기본바탕이 되는 한의학(韓醫學)은 정신과 신체가 서로 대응하며 상호 보완적이라는 관점을 가지고 있다. 그러므로 질병의 이해에 있어서는 서양의학에 비해 '정신신체의학적'이라 할 수 있으나 질병의 진단이나 병태생리에 관한 지식은 미흡하고 초보적인 수준에 머물러 있다고 할 수 있다. 때문에 현대의학적 측면에서 정신신체의학은 일제 강점기를 거쳐 해방된 이후부터라고 할 수 있다.

초기 국내의 정신신체의학은 독립적인 한 분야로서가 아니라 정신의학의 다른 갈래들처럼 일부 의사에게만 관심을 받았으며 전문적인 연구는 활발하지 않았다. 한국전쟁 이후 미국 등 외국에서 서양의학을 공부하고 국내로 돌아온 국내 정신건강의학과 의사들을 중심으로 사례발표가 산발적으로 있다가 1965년에는 대한의학협회지에 정신신체질환에 대한 특집이 게재되기도 하였다.

1980년대에 이르러 신체적 질환의 정신병리, 자문조정에 대한 연구가 활발해지고 관련 논문이 많이 나오면서 정신신체의학은 국내 정신의학계의 한 영역으로 확고하게 자리 잡게 되었다. 민성길은 자문상황에 대하여 조두영과 김현우는 신체증상의 정신역동에 대한 연구를 주도하였고 특히 조두영은 그의 경험을 집대성하여 저서『임상행동과학—종합병원정신의학(1985)』을 출간하기에 이른다. 뒤이어 고경봉은『스트레스와 정신신체의학(2002)』을 발간하였는데, 이는 그의 경험을 토대로 스트레스 및 정신신체의학에 관한 제반사항을 교과서적으로 기술한 것으로서 국내 정신신체의학의 위상을 한 단계에 높이는 데 기여하였다.

한국의 정신신체의학이 본격적으로 도약기를 맞은 것은 1992년에 한국정신신체의학회Korean Psychosomatic Society가 설립된 이후라고 할 수 있다. 정신신체의학의 발전을 통해 한국 의학의 발전을 도모한다는 취지에 맞추어 한국정신신체의학회는 대한신경정신의학회Korean Neuropsychiaric Association는 물론 대한의학회Korean Academy of Medical Science와도 연계를 가지고 있다. 1993년부터는 학회지『정신신체의학』을 발간하고 있고 2008년부터는 정신신체의학 전문가 과정을 학회 주도로 개설하여 학계에 큰 반향을 일으켰으며 일련의 과정 이수 및 시험을 통해 정신신체의학전문가를 배출하고 있다. 또한 2012년도에는 한국정신신체의학회에서『정신신체의학』교과서를 최초로 출판하였고, 2022년도에는 그 개정판을 출간하여 정신신체의학의 발전에 기여하고 있다.

참고문헌

1. 고경봉. 스트레스와 정신신체의학. 서울:일조각; 2002.
2. 김현우. 한국정신신체의학의 과거와 미래. 서울 2001년 한국정신신체의학회 춘계학술대회 초록집; 2001. p. 3-9.
3. 정도언. 정신신체의학 역사의 재조명. 정신신체의학 1993;KD: 3-13.
4. 한국정신신체의학회. 정신신체의학, 서울:집문당; 2012
5. American Psychiatric Association. Diagnostic and statistical manual of mental disorders. 5 ed. Washington, DC: American Psychiatric Association; 2013.
6. Boland R, Verduin M, Ruiz P. Kaplan & Sadock's Synopsis of Psychiatry. 12 ed. Philadelpia: Wolters Kluwer; 2021.
7. Levenson JL. Preface. Textbook of Psychosomatic Medicine, 2nd ed. Washington, DC: American Psychiatric Publishing Inc.; 2010.
8. Oldham MA, Desan PH, Lee HB, Bourgeois JA, Shah SB, Hurley PJ, et al. Proactive Consultation-Liaison Psychiatry: American Psychiatric Association Resource Document. J Acad Consult Liaison Psychiatry 2021;62:169-85.
9. Sharpe M, Toynbee M, Walker J, The HOME Study Proactive Integrated Consultation-Liaison Psychiatry (Proactive Integrated Psychological Medicine group). Proactive Integrated Consultation-Liaison Psychiatry: A new service model for the psychiatric care of general hospital inpatients. Gen Hosp Psychiatry 2020:66:9-15.
10. Stoudemire A, McDaniel JS. Psychological factors affecting medical conditions. In: Sadock BJ, Sadock VA, editors. Comprehensive Textbook of Psychiatry. Philadelphia: Lippincott Williams & WUkins; 2000. p. 1765-70.

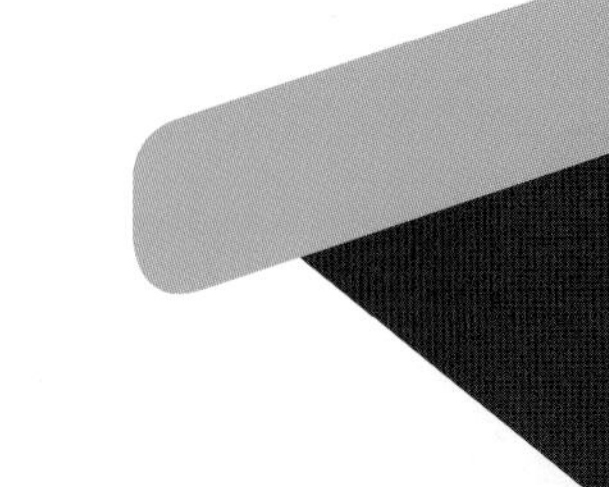

2

CHAPTER

신체질환자에서 정신의학적 평가

신철민, 고영훈

정신신체의학은 신체질환자에 대한 정신의학적 자문조정에 근간을 두고 있다. 이 분야의 전문가들은 암, 장기이식, HIV 감염과 같은 중증 질환이나 고혈압, 당뇨와 같은 만성 질환에서 공존하는 정신병리 문제를 다룬다. 정신신체의학 전문가는 암, 장기 부전, HIV 감염, 치매, 섬망, 동요, 정신병, 물질사용장애 또는 금단, 신체 증상 장애, 인격장애, 기분 및 불안 장애, 자살 생각, 치료 비순응, 공격성 및 기타 행동 문제 와 같은 복잡한 상태를 가진 환자의 치료를 돕는다. 이러한 문제들 외에도 정신신체의학 전문가는 환자의 신체질환과 심리적인 관계를 객관적인 관점에서 이해하고, 이를 진료 과정에 통합시킬 수 있도록 도와준다. 또한 신체질환자의 진료 과정에서 발생하는 윤리적이거나 법적인 문제 등도 정신신체의학의 주요한 영역에 해당한다. 따라서 신체질환자에 대한 정신신체의학적 평가는 인지, 정서, 행동 및 환자가 속해 있는 사회문화적인 이슈를 포함하는 넓은 범위의 인간 경험과 관련된 문제를 다루는 것이라고 할 수 있다. 신체질환자에서 동반된 정신의학적 문제는 환자의 고통, 질병 경과의 악화, 입원 연장, 치료비용의 증가를 야기하기 때문에 정신의학적 문제의 신속한 인지와 평가가 요구된다. 이번 장에서는 신체질환자에 대한 정신신체의학적 평가에 대한 내용을 정신건강의학과 자문 과정에서의 면담 및 정신상태검사 의학적 검사, 심리평가 영역으로 나누어 설명하고자 한다.

1. 종합병원에서 시행되는 정신건강의학과 자문

종합병원에서 근무하는 정신건강의학과 의사는 다양한 신체질환자를 접한다. 정신건강의학과 자문 과정에서 시행되는 진료는 정신건강의학과 진료실에서 환자를 접하는 것과 본질적으로 다르지 않다. 그러나 종합병원의 환경적 제약으로 인해 몇 가지 차이점이 있다. 정신건강의학과 진료실에서 보장되는 편안함, 조용함, 사생활 보호와 같은 요소가 일반적인 타과 병실에는 없기 때문에 환자를 대할 때 주의를 기울여야 한다. 의사, 간호사, 방문자, 병실 내 다른 환자의 존재로 인해 정신과에서 강조하는 사생활 보호의 원칙이 침해될 수 있다. 병든 상태, 신체 상태에 대한 몰두, 통증은 환자로 하여금 일반적으로 수행되는 정신의학적 평가에 집중하는 데 어려움을 줄 수 있다. 가령, 내외과 병실에는 편안한 진료실에 배치될 법한 화초, 그림, 조형물 대신 신체 모니터링 기기가 설치되어 있고 의료용 스탠드와 탁자에는 개인 소지품과 함께 의료용품이 흩어져 있을 수 있다. 정보를 얻기 위해 추가로 병실을 방문해야 할 경우가 많다는 점도 유념해야 한다.

환자는 정신건강의학과 의사의 방문 사실을 모르고 있거나, 환자가 사전에 방문을 요청하지 않은 경우가 많다. 이러한 현실을 인정하고 면담을 요청하는 것만으로도 환자의 협조를 얻을 수 있다. 병상에서 진료할 때 앉아서 환자와 눈높이를 맞추면 협조적 분위기가 형성될 수 있다. 그리고 방문 전후로 환자에게 작은 도움을 제공함으로써(예: 침대 높이를 조정하거나 물을 제공하거나, TV를 조정함으로써) 환영받는 분위기를 만들 수 있고 다음 방문도 용이해진다.

정신건강의학과 의사는 의학적으로 설명할 수 없는 신체 증상이나 통증 관리에 대해 상담할 때 환자가 겪고 있는 고통에 공감하는 것이 중요하다. 이렇게 하면 통증의 원인에 대한 판단을 하지 않으면서, 환자의 고통이 실제라고 공감한다는 느낌을 전달한다. 자신을 소개한 후에 통증이 있는 환자라면 첫 번째 질문은 이에 대한 것이어야 한다. 그렇게 하지 않으면 환자는 의사가 자신의 고통을 공감하지 못하고 자신의 증상을 믿지 않는 것으로 간주할 수 있다. 환자의 고통에 공감하는 질문으로 시작하면 친밀감을 형성하고 적절한 빠르기로 면담을 진행할 수 있다.

2. 자문 시 정신의학적 평가의 과정

1) 의료진과 직접 소통하기

정신건강의학과 자문을 요청한 이유 자체가 애매하고 부정확한 경우가 흔히 있다. 환자의 담당의가 기술한 의뢰 사유가 '자신이 담당하고 있는 환자에게 정신의학적 문제가 의심된다.'는 정도밖에 반영하지 못하는 경우도 많다. 따라서 의뢰한 의사와 자문을 요청한 이유에 대해 직접 이야기를 나눌 필요가 있다. 정신건강의학과 자문을 통해 얻고자 하는 것이 무엇인지에 대해 분명하게 표현해 달라고 요청할 수도 있다. 그리고 의뢰한 의사에게 정신건강의학과 의사가 방문할 예정이라는 것을 환자에게 미리 알려 달라고 부탁하고 가능하다면 직접 안내해 달라고 요청해 두는 것도 좋다. 신체질환자에 대한 정신건강의학과 자문 의뢰 사유 속에는 담당의의 환자에 대한 역전이 경험이 포함되기도 한다. 자문을 의뢰한 담당의와 직접 대면해서 환자에 관해 이야기할 때 정신건강의학과 의사는 환자와 상담할 때 사용하는 면담 기법들을 활용하면 도움이 될 수 있다. 즉 담당의가 표현하는 내용을 통해서 확인되는 정보뿐만 아니라 그 속에 숨겨진 메시지에도 주의를 기울여야 한다. 예를 들어 '담당의가 환자에게 화가 나 있는 것은 아닌가? 환자가 치료에 순응하지 않고 있는 것은 아닌가? 나이 어린 환자가 죽어가고 있다는 사실에 대해 치료진이 환자와 동일화를 경험하고 있지는 않은가? 신체질환에 대한 진단을 내리지 못하고 있어서 좌절감을 느끼고 있는 것은 아닌가?' 등과 같이 의뢰 사유 속에 숨겨진 메시지를 읽으려고 노력해야 한다. 더욱이 환자를 의뢰한 의사가 느끼는 감정은 자신도 자각하지 못하는 의식 아래에 머물러 있는 경우가 많다. 환자를 담당하는 간호사와 직접 이야기하는 것도 중요한 정보를 얻는 데 도움이 된다. 환자가 자신을 방문한 사람들에게 보이는 정서 행동 반응이나 가족과 환자간의 상호작용에 대한 정보도 담당 간호사를 통해 얻을 수 있다. 특히 담당 간호사와 환자에 대해 직접 이야기를 나누면, 의료진이 자신이 담당하고 있는 환자에 대해 관심을 보이고 있다는 인상을 심어줄 수 있다. 간호사는 환자에 대한 세밀한 정보까지 적극적으로 제공해 줄 가능성이 높아진다. 동시에 정신건강의학과 의사와 직접 대화를 나누게 되면 신체질환자가 나타내는 정신과 증상이나 행동상의 문제에 대한 간호사의 이해도가 증가하게 되므로 간호사의 심리적인 부담도 줄여줄 수 있다.

2) 의무 기록 검토

의뢰된 문제를 보다 분명하게 하고, 그 원인이나 진단을 확인하기 위한 과정으로서 의무 기록을 검토하는 것은 매우 중요하다. 의뢰된 문제의 원인에 대한 단서를 확인하고, 잠정적인 문제의 원인을 보다 분명하게 하기 위해서는 의무 기록을 자세히 살펴보아야 한다. 의무 기록 검토가 환자와의 면담을 대신할 수는 없지만 의무 기록을 검토하는 것은 개별 사례에 대한 자문의 방향을 설정하는 데 있어서 매우 중요하다. 또한 의무 기록 검토를 통해 담당의가 인지하기 못했던 정신의학적 문제를 추가로 확인할 수도 있다. 예를 들면, 의무 기록에 포함된 간호사 관찰 기록을 통해서 인지기능의 저하, 의식 상태의 혼탁, 불안, 초조와 관련된 환자의 행동 변화를 확인할 수 있다. 재활 치료 혹은 물리 치료 기록을 통해서 인지장애를 진단하고 적절한 돌봄 수준을 정하는 데 필요한 환자의 기능 정도를 가늠할 수 있다. 이외에도 치료 순응도, 식이 상태, 신체활동 정도, 대인관계 양상, 가족에 대한 반응 등 면담 과정에서 확인하기 어려운 부분까지 의무 기록을 통해 확인할 수 있다. 또한 가정폭력, 인위성장애, 꾀병, 성격장애와 같이 면담에서는 쉽게 드러나지 않는 문제의 단서들도 얻을 수 있다. 따라서 정신건강의학과 의사는 환자에 대한 의사의 기록 외에도 간호사를 포함한 전체 치료진의 기록을 세밀히 검토해야 한다.

3) 처방 약물 검토

과거 및 현재 처방 약물에 대해 확인하는 것이 중요하다. 정신기능에 영향을 줄 수 있는 약물 및 금단 증후군과 관련된 약물(벤조디아제핀 및 아편류와 같이 명백히 금단을 일으키는 약물과 항우울제, 항경련제, 베타 차단제와 같이 금단증상이 덜 저명한 약물)의 처방 및 복용 여부, 처방 시점 및 마지막 복용 시기 등을 확인한다. 의무 기록에 기재된 의사 처방을 확인하는 것 만으로는 충분하지 않다. 간호 기록과 실제 약물 투약 기록을 확인하여 처방한 약물이 제대로 투여되었는지 확인해야 한다. 또한 식이 상태에 따라 부작용 발생 정도나 체내 흡수율에 차이가 발생하는 약을 처방한 경우라면 실제 식사 여부 및 식사 시간에 따른 투약 여부도 같이 확인해야 한다. 자문의가 정신과 증상을 조절하기 위해 약물을 처방할 때는 약믈상호작용을 고려해야 하므로 신체질환을 치료하기 위해 처방된 약물에 대해서도 숙지하고 있어야 한다.

4) 추가적인 정보 획득

입원한 신체질환자를 정신신체의학적으로 평가할 때 환자의 병력만으로는 충분한 정보를 얻을 수 없는 경우가 흔히 있다. 입원한 환자로부터 병력 청취가 곤란한 경우(예: 졸음, 정신 착란 또는 혼수 상태인 환자의 경우)가 있다. 따라서 부수적 정보 제공자(예: 가족 구성원, 친구, 현재 및 외래 의료 제공자, 사례 관리자)의 자료가 매우 중요할 수 있다. 때로는 경찰관이나 보호관찰관 등이 제공해 주는 정보도 도움이 된다. 정신건강의학과 자문의는 다양한 정보를 종합하여 객관적으로 평가하는 것이 중요하다. 어느 한쪽의 정보에만 치우쳐 판단을 내려서는 안 된다. 특정 가족 구성원이나 타인은 자신의 생각만을 지나치게 강조하거나 환자의 문제에 과도하게 개입하려고 하거나 환자와 관련된 특정한 사실을 부인하고 숨기려 할 때도 있다. 예를 들어, 치매에 대해 부정적 인식을 가지고 있는 환자의 가족이 환자가 나타내는 치매의 초기 징후를 최소화하고 치매 환자의 우울증상을 과도하게 보고하는 경향이 있다. 진료 시에는 언제나 비밀 유지가 중요하므로, 이상적으로는 추가적 정보를 얻기 전에 먼저 환자의 동의를 얻어야 한다. 그러나 환자의 동의 능력이 저하되어 있거나 심각한 응급 상황이 진행 중인 경우에는 환자의 동의를 얻는 것이 불가능할 수 있다. 또한 특정 상황에서는 일부 정보 출처(예: 학대를 겪고 있는 여성의 배우자)에게 연락하는 것이 금기일 수 있다. 정신건강의학과 의사는 여러 곳에서 취합한 정보와 자료들을 모아서 종합할 때는 자료 출처의 신뢰도에 따라 정보의 중요도를 판단해야 한다.

5) 환자 면담

정신의학적 면담의 과정과 내용은 자문 환경에 맞게 조정되어야 한다. 정신건강의학과 의사는 라포rapport를 형성하고 환자에게 치료적 영향을 미치기 위하여 방문 목적을 설명한다. 환자의 신체적 불만에 대해 질문한 후에는 보다 적극적으로 접근하는 면담 방식을 취해야 하며 익명성anonymity, 중립성neutrality, 절제abstinence 같은 정신역동적 정신치료의 원칙에서 벗어나야 한다. 정신분석치료에서 흔히 볼 수 있는 긴 침묵은 정신의학적 평가를 원하지 않거나 인터뷰를 할 수 있는 체력이 부족한 신체질환자에게 적합하지 않다. 트라우마 사건을 자세히 탐구하는 것도 이상적이지 않을 수 있다. 일반적으로 환자가 과거의 어려움을 인정하고 퇴원 후 치료를 받을 수 있다는 관점을 제공하는 것으로 충분하다. 라포를 해칠 수 있는 엄격한 생물학적 접근이나 정신분석적 접근만을 평가 방식으로 채택하여서는 안 된다. 질병에 대한 환자의 믿음(무엇이 잘못되었는지, 원인이 무엇인지, 치료하면 어떻게 낫는지)을 이끌어냄으로써 이에 대한 감정적 반응과 행동을 적절히 다룰 수 있도록 하는 것이 중요하다. 정신건강의학과 의사는 시간의 제약을 받으며 일하지만 가능한 개방형 면담을 시행하는 것이 좋다.

6) 정신상태검사

신체질환자에 대한 정신신체의학적 평가의 핵심은 정신상태검사라고 할 수 있다. 정신상태검사는 계층적으로 구성되어 있기 때문에, 체계적으로 검사가 진행될 수 있도록 주의를 기울여야 한다. 인지기능에 결함을 갖고 있는 환자는 정신상태 검사 외에도 간이정신상태검사Mini-Mental Status Examination, MMSE가 추가로 평가되어야 한다. 정신상태검사의 필수 요소는 표 2-1에 기술하였다. 특정 인지 영역 세부 평가의 자세한 방법은 표 2-2에 기술하였다.

(1) 외양 및 행동

외양은 특정 시점에서 환자의 정신 상태에 대한 총체적인 표현이라고 할 수 있다. 우선 환자의 전체적인 신체상태를 확인한다. 예를 들어, 과체중인지, 병적인 비만 상태인지, 날씬한 체형인지, 메말라 있는지 등을 기록한다. 단정치 못하고 헝클어진 의복 상태나 개인위생이 좋지 않은 모습을 보인다면 자기 관리가 되지 않거나 특정 사고에 집착하고 있거나 혹은 정신적으로 혼란한 상태를 의미하는 것일 수도 있다. 급성 알코올중독 상태라면 홍조 띤 얼굴과 호흡 시에 나는 알코올 냄새로 확인할 수 있다. 창백하고 야위었으며 악취를 풍기고 헝클어진 옷차림을 하고 있다면 자기 관리가 되지 않는 주요우울장애나 정신병적 상태를 반영하는 것일 수도 있다. 비우성 반구에 병변이 있어 일측 무시hemi-neglect가 동반된 경우라면 환자가 자신의 신체 좌측 혹은 우측 중 한쪽만 제대로 옷을 입고 있는 양상을 나타낼 수 있다. 외관에 대한 평가에는 환자의 전반적 인상이나 특이한 행태(예: 삭발, 특이한 옷차림이나 화장, 이상한 습관 행동 등)에 대한 관찰 기록이 포함된다.

(2) 의식 수준

의식 수준은 의식과 각성 상태로 구분하여 평가한다. 기억 능력, 사고 능력 등의 정신기능의 총합은 의식을 결정하는 구성 요소이고, 의식의 명료성과 자극에 대한 반응성은 각성 상태를 추정하는 근거가 된다. 의식의 구성 요소들은 대뇌반구 기능에 따라 좌우되고, 각성 상태는 뇌간의 망상활성계Reticular Activating System, RAS의 활성에 따라 결정된다. 따라서 의식 손상을 보이는 환자는 의식 수준뿐만 아니라 다른 정신상태검사에서도 비정상적 결과를 보인다. 환자가 급격한 의식 상태의 변화를 나타내는 경우에 흔히 자문 의뢰된다. 수술 후 유발된 기면성 섬망lethargic delirium이나 초조성 섬망agitated delirium, 특정 약물에 의한 의식 수준의 변화, 대사 상태의 급격한 변화에 따른 의식 수준의 변화가 흔하다. 이러한 상태에서는 의식 수준이나 각성 상태의 변화 외에도 환각이나 망상 등의 정신병리가 동반되기도 한다.

(3) 주의집중력 및 지남력

정신상태검사와 가장 관련이 있는 주의 형태는 인지 작업에 집중할 수 있는 지속적 집중력이다. 환자의 주의집중력이 저하되어 있으면 정신상태검사 자체가 불가능하거나 정신상태를 평가했다 하더라도 그 결과를 그대로 받아들이기 어렵게 된다. 약물, 감염, 장기 부전과 같이 뇌 기능을 광범위하게 방해하는 요인에 의한 집중력 장애는 섬망의 특징이다. 주의력장애는 다른 인지기능 평가 과정에도 영향을 준다. 예를 들어, 주의력에 손상이 있는 환자는 기억력 검사 수행에도 문제가 나타날 가능성이 높다. 주의력 평가는 적정한 정도의 능력이 요구되면서도 자동적이지 않은 과업을 통해 검사할 수 있다. 지속적 집중력은 1월부터 12월까지를 거꾸로 말해보라고 하거나 MMSE에서 삼천리강산을 거꾸로 말하거나 100에서 7을 연속적으로 빼는 것과 같은 연속 뺄셈으로 잘 평가할 수 있다. 연속 뺄셈은 계산 능력이 아닌 집중력을 평가하기 위한 것이므로 환자의 고유의 능력과 교육수준에 맞게 과제를 조정해야 한다(예: 50에서 3을 연속하여 빼기, 20에서 1을 연속하여 빼기). 지남력장애의 소견은 뇌의 한군데 이상 영역의 인지기능장애와 관련된 것일 수 있다. 따라서 정신상태검사 시작 시점에 환자의 지남력을 검사하는 것이 좋다. 의무 기록에 환자의 지남력 이상에 대한 기록이 없다고 해서 지남력이 정상이라고 단정해서는 안 된다. 적절하게 평가하기 전에는 포착하기 힘든 지남력장애가 동반된 환자를 흔히 경험하게 된다.

(4) 기억력

서로 관련이 없는 세 가지 사물을 이야기해 주고, 이후 환자에게 각각의 이름을 다시 말해 보라고 한다. 이때 잘 따라 한다면 환자가 의사의 지시를 듣고 이해했다는 것을 확인할 수 있다. 3분 이후에 다시 그 세 가지 사물을 말해 보라고 환자에게 요청한다. 만약 세 가지 사물을 기억해 내지 못한다면, 기억을 등록하는 것이 문제인지 혹은 환자의 기억을 끄집어내는 데 문제가 있는지를 판단해야 한다. 기억을 등록하는 것이 문제라면 단서를 던져 주어도 회상하지 못 한다. 기억을 등록하는 것에는 문제가 없다면 회상할 수 있는 단서를 통해 기억을 끄집어낼 수 있다. 의미 기억은 상식이나("지금 누가 대통령입니까?") 이름 맞추기, 시각적 인지 실험 등을 통해 확인할 수 있다 환자가 자신의 과거에 있었던 일들을 기억해내는 능력은 삽화 기억과 과거 기억remote memory에 대한 검사이다. 의미 기억과 삽화 기억은 분명히 표현될 수 있으므로 서술 기억declarative memory의 범주에 포함된다. 반면에 작동 기억procedural memory은 자전거 타기처럼 배워서 체득된 행위나 기술에 대한 기억으로 말로 설명하기는 어렵고 오랜 시간이 지난 뒤에도 쉽게 나타나는 기억이다. 환자의 행동을 면밀하게 관찰하는 것으로도 작동 기억의 장애가 있는지를 확인할 수 있다.

(5) 실행기능

전두엽 기능에 의존하는 이러한 능력들은 정상적인 사회생활과 직업 수행 능력에 필수적이다. 전두엽 장애는 환자의 사회적 관계에서 종종 나타나며 탈억제, 충동성, 혼란, 의욕상실, 무동기를 보일 때 의심해 볼 수 있다. 전두엽 기능은 1분 안에 최대한 많은 수의 동물을 말하게 하는 언어유창성검사, 손동작 세 개를 순서대로 따라 해보게 하는 순차적 운동능력, 시험자가 책상을 한 번 치면 환자도 책상을 한 번 치고 시험자가 책상을 두 번 치면 환자는 책상을 치지 않는 go/no-go 검사, 특정 사물이나 대상의 공통점을 연상시키는 추상능력 검사를 통해 확인한다.

(6) 언어

뇌질환, 특히 우성 대뇌 반구의 손상과 관련된 질환은 환자의 언어 능력에 장애를 유발한다. 언어 능력의 장애는 단어 선택, 이해, 통사syntax능력의 결함을 의미한다. 환자의 자발적 언어 표현을 관찰하고, 속도, 리듬, 유창성 등을 확인한다. 환자의 언어 표현이 유창한지, 이해할 수 있게 구성되어 있는지를 관찰한 뒤에, 환자의 이해 능력을 판단한다. 만약 환자가 인공호흡기에 의존하고 있거나 정상적인 언어 표현을 할 수 없는 경우라면 "예", "아니오" 형식의 질문을 하여 언어 이해 능력을 평가할 수 있다. 읽기와 쓰기 능력도 평가한다. 표현실어증에서는 음성착어증phonemic paraphasia을 동반하고, 의사 표현 노력에도 불구하고 그다지 유창하지 않은 언어구사능력을 보이고, 전치사나 관사 같은 문법적 기능어는 적게 사용하지만 언어 이해능력은 잘 보존되어 있다. 반면에 수용실어증receptive aphasia; Wernicke's or sensory aphasia에서는 음성착어증과 의미착어증semantic paraphasia을 모두 동반하고, 유창한 언어구사능력을 보이지만 언어 이해능력의 현저한 손상을 나타낸다. 드물게 수용실어증 환자가 나타내는 언어 구사 및 이해능력의 손상을 1차성 사고장애라고 잘못 판단하여 정신건강의학과 자문을 의뢰하는 경우도 있다. 전반적실어증global aphasia은 표현실어증과 수용실어증의 특징을 모두 나타낸다. 전도성 실어증conduction aphasia은 검사자가 말하는 것을 그대로 따라하는 능력에만 선택적으로 장애를 보인다.

(7) 실행증

실행증은 기본적인 운동 능력과 감각 능력이 손상되지 않았음에도 불구하고 숙련된 행동(예: 드라이버 사용, 양치질)을 수행할 수 없는 것을 말한다. 이러한 능력은 환자에게 그러한 행동을 따라하도록 요청하거나 환자에게 익숙하지 않은 손 위치를 따라하도록 요청하여 검사한다. 구성 실행증은 일반적으로 시계 그리기 검사로 평가한다. 보행

실행증은 다리의 기본 운동 기능이 손상되지 않았음에도 불구하고 보행을 시작하고 유지하는 데 어려움이 있는 것으로 알 수 있다. 옷 입기 실행증은 몸에 의복의 공간적 배열을 조정하지 못하여 옷을 잘 입지 못하는 경우이다.

(8) 기분과 정동

기분mood은 환자의 전반적이고 지속적인 감정 상태를 말한다. 일반적으로 기분은 우울한, 화난, 고양된, 안정된, 과민한 등으로 기술된다. 정동(환자의 순간순간의 감정 상태) affect 은 범위, 강도, 변동성, 적절성 등의 영역으로 평가한다. 정동의 범위가 최대인지(환자가 면담 중에 넓은 범위의 정동 상태를 나타냄) 혹은 우울과 같이 특정 정동 상태에 제한적인지 평가한다. 정동의 강도는 극도의 분노에서부터 파킨슨 환자에서 보이는 단조로운 상태에 이르기까지 다양하게 나타난다. 갑작스러운 정동 변동성(예: 급격한 감정 변화와 같은)이 나타나는 것은 기분장애 외에도 중독 혹은 내과적인 질환에 의한 변화일 수 있다. 면담을 하는 동안 환자와 이야기를 나누면서 관찰되는 환자의 정동 상태를 통해 정동의 적절성을 평가할 수 있다.

자문의는 환자의 내과적인 상태를 고려하여 기분과 정동 모두를 주의 깊게 평가하고 해석해야 한다. 중증 질환에 이환된 환자가 분노나 우울 등의 기분 상태를 보이고 이를 극단적인 정동 상태로 표현하는 것은 드물지 않은 일이다. 그런데 정신건강의학과 전문의가 아닌 임상의가 이러한 감정 상태를 정신증상으로 잘못 해석하여 의뢰하는 경우도 있다. 기분과 정동의 장애는 뇌기능장애나 손상에 의한 결과일 수 있으며, 자극 과민성은 알코올 금단뿐 아니라 다양한 내과 질환에서 유발될 수 있다. 전두엽 손상이 동반된 환자는 정상적인 기분 상태에서 병적 울음이나 웃음 등과 같은 극단적인 정동 불안정성이 나타날 수 있다.

(9) 지각

정신상태검사에서 지각 이상은 환각과 착각의 유무에 초점이 맞추어 진다. 그러나 평가자는 임상적 면담과 정신상태검사에 앞서 환자가 적절한 의사소통을 할 수 있는 시력과 청력을 가지고 있는지 확인해야 한다. 이러한 의학적 상태를 인지하지 못한다면 환자의 지각 상태에 대해 잘못된 판단을 내릴 수 있다. 환각은 일차적인 정신질환에서 흔한 증상이지만 시각, 후각, 미각, 촉각 기관과 관련하여 현저하게 나타나는 이상 지각은 신체질환에서 이차적으로 기인할 수 있다. 환시는 조현병과 같은 정신질환에서도 나타나지만 뇌의 기능장애나 정신의학적인 병력이 없더라도 최근에 시력을 소실한 환자에서 나타날 수 있다. 환후와 환미는 경련질환 환자에서 환촉은 사지 절단amputation, phantom limb이나 물질사용장애 환자에서 흔히 관찰된다.

(10) 판단력과 병식

판단력은 자신의 행동 결과를 예측하여 문화적으로 적합한 방식으로 행동하는 능력을 말한다. 판단력의 장애 여부는 전통적으로 "길가에 우표가 붙여진 편지 한 통을 발견한다면 어떻게 하시겠습니까?"와 같은 질문에 대한 환자의 반응을 통해 평가된다. 하지만 환자가 이 질문에 대해서 "편지를 우체통에 넣는다"고 답했다 하여 판단력에 문제가 없다고 단정해서는 안 된다. 이와 같은 형식적으로 구조화된 질문에 적절하게 답하더라도 현실적인 상황에서는 부적절한 행동을 보일 수 있다. 평가할 당시에 관찰되는 환자의 행동이 판단력을 평가하는 가장 중요한 지표이다. 또한 환자의 현재 상황과 동떨어진 질문보다는 "코피가 멈추지 않는다면 어떻게 하시겠습니까?", "약이 다 떨어졌는데 의사와 연락이 닿지 않는다면 어떻게 하시겠습니까?"와 같이 현재 환자가 처한 문제와 부합하는 질문이 판단력을 평가하는 데 보다 더 효과적이다. 이와 유사하게 병식을 평가할 때도 환자가 가지는 자신의 질환, 치료, 생활환경에 대한 이해를 고려해야 한다.

표 2-1. 정신상태검사

의식 수준
각성, 기면, 졸음, 혼미, 혼수, 변동성은 섬망을 시사함
외양 및 행동
전반적 외양, 몸치장, 위생상태
협조, 눈맞춤, 정신운동 초조 혹은 지체
비정상적 운동: 틱, 진전, 무도증, 자세
주의집중력
경계vigilance, 집중concentration, 순간주의력, 선택적 주의력
지남력과 기억력
시간, 장소, 사람, 상황에 대한 지남력
최근 기억, 장기 기억, 즉각 회상
언어
말: 빠르기, 양, 유창성, 음율
이해력, 이름대기 능력
이상 언어: 실어증, 조음장애dysarthria, 쓰기언어불능agraphia, 읽기언어불능alexia, 음연상clang association, 신어조작증neologism, 반향언어echolalia
구성 능력
무시neglect, 집행기능, 계획 세우기 평가를 위한 시계 그리기
두정엽 기능의 평가 위한 육면체 그리기 혹은 오각형 겹쳐 그리기
기분과 정동
기분: 주관적으로 지속되는 감정
정동: 관찰된 감정 – 질, 범위, 적절성appropriateness
사고 형태와 내용
형태: 선형적linear, 우원증, 사고이탈, 와해된disorganized, 단절된blocked
내용: 망상, 의심, 관계사고, 자살생각 혹은 타살생각
지각
환청, 환시, 환후, 환미, 환촉
판단력과 병식
질병상태를 이해, 의사가 제안한 특정 치료의 결과를 이해
추론능력reasoning
논리적이거나 비논리적; 일관된 결정을 만들어내는 능력

표 2-2. 각 인지영역에 대한 세부 평가

인지 영역	평가
의식 상태와 각성	환자를 검진한다.
시간과 장소 지남력	환자에게 시간과 장소에 대해 직접 질문한다.
기억 등록(단기 기억)	세 가지 단어를 바로 따라 말하게 한다.
기억 회상(작업 기억)	다른 검사를 적어도 3분 수행한 후 앞서 기억하게 한 세 가지 단어를 기억하는지 물어본다.
장기 기억remote memory	환자의 나이, 생년월일, 삶의 중요한 사건, 역사적 사건을 물어본다(예: 대통령 이름, 역사적 사건이 일어난 연도).
주의집중력	7을 연달아 빼도록 한다(교육수준이 낮을 경우 3을 연달아 빼도록 한다). 삼천리강산을 거꾸로 말하게 한다. 순방향 및 역방향 숫자 외우기 검사를 시행한다. 월이나 요일을 거꾸로 말하게 한다.
언어	(환자의 교육수준에 맞게 적용한다)
언어 이해	검사를 수행하면서 환자의 언어 이해능력을 파악한다. 여러 물체를 가리키도록 요청하고, 제대로 가리키는지 관찰한다. 문구를 쓰게 한다.
이름 대기	시계, 펜, 덜 익숙한 물건을 가리키고 그 물건들의 이름을 물어본다.
유창성	환자의 발화로 평가한다. 1분 안에 환자에게 가능한 많은 동물 이름을 대도록 한다.
조음 articulation	환자의 발화로 평가한다. 환자에게 문구를 따라 하게 한다.
읽기	문장을 읽게 한다.
집행기능	환자에게 지속적인 단서 제공이 필요한지, 유도가 필요한지 평가한다.
명령 수행	세 단계 명령을 따라하게 한다.
구성 능력	오각형 그리기 검사를 한다. 시계를 그리게 한다.
운동 프로그램 기능	연속 손동작을 하게 한다. 양쪽 손바닥 번갈아 쥐고 펴기 검사alternating hand movements를 한다.
판단력과 이성적 사고	입원한 이유를 물어본다. 추상적 사고를 평가한다(공통점 찾기: 개/고양이, 빨강/초록). 간단한 사건이나 문제에 대한 판단을 물어본다.

7) 신체검사

면담과 정신상태검사는 일반적으로 정신건강의학과 의사의 주요 진단 도구로 생각되지만 신체 검사의 중요성을 잊어서는 안된다. 대부분의 정신건강의학과 의사는 환자에 대한 신체 검사를 수행하지 않는다. 그러나 정신건강의학과 자문의는 신경학적 검사 및 정신의학적 환자에서 일반적으로 동반할 수 있는 질환을 밝히기 위한 신체 검사에 능숙해야 한다. 최소한 자문 시에는 다른 의사가 수행한 신체 검사 결과를 검토해야 한다. 감별 진단과 관련된 중추신경계 기능에 대한 검사는 종종 정신건강의학과 의사에 있어 필수적이다. 진정상태 또는 혼수상태에 빠진 환자의 경우에도 간단한 관찰과 몇 가지 검사법으로 중요한 결과를 얻을 수 있다.

8) 의학적 검사

임상에서 자문의가 현장에 도착할 때면 필수 혈액검사와 소변검사가 완료되어 있는 경우가 많다. 자문의는 필수 검사 외에도 여타 혈액검사, 영상검사, 전기생리학적 검사 등 모든 검사 결과를 함께 검토해야 한다. 그 다음 자문의는 진단에 필요한 추가 검사가 필요한지 고려해야 한다.

(1) 실험실 검사

전혈 검사는 우울장애의 원인이 되는 빈혈이나 정신병적 증상을 야기할 수 있는 감염성 질환의 이환 여부를 확인하는 데 중요한 정보를 제공해 준다. 백혈구증가증은 급성 염증 반응이나 다른 감염성 질환, 리튬 복용, 신경이완제 악성증후군에서 나타날 수 있다. 백혈구감소증이나 무과립구증은 특정 정신약물에 의해서 유발될 수 있다. 혈청화학검사는 간질환, 식습관장애, 콩팥병, 영양실조, 저혈당증과 같은 정신증상을 유발하는 내과 질환을 평가하고 감별하는 데 도움이 된다. 혈청과 요를 이용한 독성검사는 의식의 혼탁이나 변화가 생기거나 약물남용과 중독이 의심되는 경우에 시행한다. 매독, 갑상샘, 비타민 B12 결핍, 엽산 농도를 확인하기 위한 혈액검사가 필요할 수 있다. HIV 환자에서 정신의학적 문제가 발생할 수 있다는 것을 간과해서는 안 된다. 가임기 여성의 경우 치료 옵션을 안내하기 위하여 임신 진단검사가 필요할 수 있다. 소변 검사, 흉부 방사선 촬영, 심전도는 노인 인구에서 특히 중요한 선별 도구이다. 뇌척수액 검사는 처음부터 시행해야 하는 검사는 아니지만 원인이 분명하지 않은 의식 상태 변화가 고열, 백혈구 증가, 수막자극증meningis과 함께 발생한 경우에는 고려해야 한다. 뇌 척수액 검사를 위한 요추천자가 시행되기 전에 두개내압 상승 가능성이 배제되어야 한다.

(2) 뇌영상 검사

정신건강의학과 자문의는 뇌영상에 익숙해야 한다. 뇌영상은 그 자체로 진단 도구로 사용되는 경우는 거의 없지만 신경정신병적 상태의 감별 진단에 도움을 준다. 대부분의 경우 컴퓨터 단층촬영보다 자기공명영상Magnetic Resonance Imaging, MRI이 선호된다. MRI는 정신건강의학과 의사가 특히 관심을 갖는 피질하 구조(예: 기저핵, 편도체 및 기타 변연계 구조)에 대해 높은 해상도를 구현한다. 또한 뇌간brain stem 및 후두와posterior fossa의 이상을 감지하는 데 탁월하다. 또한 MRI는 회백질 병변과 백질병변을 더 잘 구별한다. 전산화단층촬영Computed tomography, CT는 급성두개내출혈이 의심되는 경우(지난 72시간 이내에 발생한 경우)와 MRI가 금기인 경우(예: 금속 임플란트 환자)에 가장 유용하다. Dougherty와 Rauch(2004)는 다음과 같은 조건과 상황이 신경 영상을 고려할 가치가 있다고 제안하였다: ① 새로 발병한 정신병 ② 새로 발병한 치매 ③ 전기경련치료 시행 전 평가 ④ 원인을 알 수 없는 섬망 ⑤ 두부 외상의 병력이 있거나 50세 이상의 환자에서 비정상적인 신경학적 검사의 이상을 동반한 급성 정신상태 변화가 있는 경우.

담당의가 당면한 내과 문제와 관련된 뇌영상 소견에만 주의를 기울여서 임상적으로 중요한 뇌영상 결과를 놓칠 수도 있다. 그러므로 정신건강의학과 자문의는 영상 의학 전문의의 판정뿐만 아니라 뇌영상검사 결과를 포괄적으로 다시 확인할 필요가 있다. 또한 정신건강의학과 자문의사는 작은 이상(예: 뇌실 주위 백질 변화) 또는 만성 변화(예: 피질 위축)가 진단 및 치료에 중요한 의미를 가진다는 것을 명확히 인식하여야 한다.

(3) 전기생리학적 검사

뇌파검사는 뇌 활동을 평가할 수 있는 가장 널리 사용되는 검사이다. 뇌파검사는 특히 복합부분발작 또는 가성발작 등 뇌전증이 의심되는 환자에게 흔히 시행된다. 뇌파검사는 환자의 무언증이 신경계 이상인지 정신의학적 문제에서 기인하는지 구별하는 데 도움을 준다. 의식이 혼미한 환자에서 뇌파가 전반적인 둔화를 보인다면 섬망으로 진단하는 데 도움이 된다. 신체질환자를 담당하는 내과의가 섬망에서 나타나는 의식 변화나 행동 문제를 우울장애나 조현병 때문이라고 잘못 판단한 경우 뇌파 소견이 환자의 상태를 진단하는 데에 유용하게 활용될 수 있다. 다만, 뇌파검사 결과가 섬망의 특정 병인을 나타내는 경우는 거의 없으며 모든 섬망 환자에게 뇌파의 전반적 둔화가 나타나는 것은 아니다. 또한 뇌파검사는 급속하게 진행되는 치매 또는 심한 혼수 상태의 평가를 용이하게 한다. 그러나 뇌파검사는 검사의 낮은 민감도와 특이도 때문에 공간점유병소, 뇌경색, 두부 손상을 평가하는 데 효과적이지 않다. 복합부분발작 또는 심인성 발작이 의심되는 경우 비정상적인 전기생리학적 활동을 기록하기 위해 비디오 모니터링 또는 이동형 뇌파 모니터링ambulatory EEG monitoring을 통한 지속적인 뇌파 기록이 필요할 수 있다. 신경 영상 보고서와 마찬가지로 정신건강의학과 자문의는 뇌파 보고서를 잘 살펴야 한다. 정신건강의학과 의사가 아닌 경우 속파spike와 같이 극단적인 이상 징후가 없다면 검사 결과를 정상으로 판정하지만, 정신건강의학과 자문의는 속파 외에도 부분적 혹은 전반적인 둔화와 같은 뇌기능 장애를 시사하는 소견을 임상적으로 중요하게 여긴다. 다른 종류의 전기생리학적 검사들도 특정 임상 상황에서 유용할 수 있는데, 감각전위유발검사는 다발성 경화증과 전환장애를 구분하고 신경전도와 근전도검사는 신경계 질환과 꾀병을 가려내는 데 도움이 될 수 있다.

3. 선별검사

인지기능 이상이 의심되거나 정서적인 문제가 의심되는 경우 자문의가 침상선별검사bedside screening test를 시행하여 그 결과를 면담 평가 결과와 함께 활용할 수 있다. 선별검사는 환자에 대한 초기 평가 과정에서 중요한 부분이지만 검사가 간략하고 검사 범위가 제한되어 있으므로 정신기능의 한정된 범위에서만 평가가 가능하고 미세한 변화를 확인하는 데에는 민감하지 못 하다. 그러나 종합적인 신경심리학적 평가는 검사 시간이 오래 걸리고 신체질환자를 대상으로 검사를 시행하기 어려운 경우가 많다. 따라서 인지기능장애가 의심되는 경우라면 종합적인 심리검사를 시행하기 전에 인지기능에 대한 선별검사를 먼저 시행하고, 필요한 경우 종합적인 신경심리검사를 추가적으로 시행할 수 있다. 또한, 자문의가 환자와 직접 면담 평가를 시행하기 전에 선별 검사를 시행하여 그 결과를 얻을 수 있다면 인지기능 및 정서 상태를 평가할 때 도움이 된다. 또한 정신증상의 발생 가능성이 높다고 판단되는 경우라면, 의뢰 전에 주기적으로 선별검사를 시행하도록 신체질환자의 의료진을 상대로 교육해 두면 정신의학적 문제를 조기에 발견하고 자문 의뢰를 촉진하는 데 도움이 될 수 있다.

1) 인지기능검사

대부분의 검사는 방향 감각, 간단한 주의력, 단기 기억, 이해력, 반복, 이름 맞추기, 문법 구성 및 추상 기술 등의 영역을 평가한다. 포괄적인 영역을 검사하지만, 개별 영역에 대한 검사는 간단하게 구성되어 있으므로 활용도가 높고 시간을 절약할 수 있다. 반면에, 민감도나 특이도가 낮다는 제한점을 갖고 있다. MMSE는 비교적 신속하게 잠재적인 인지기능의 장애를 평가하는 데 유용하다. MMSE는 짧은 시간에 환자의 인지기능 전반에 대한 개관을 제공해주는 검사로 19개의 질문으로 이루어져 있다. MMSE 같은 간이검사가 인지기능의 총 변화량을 감지하고 추적 평가에 대한 기준치를 제공하기는 하지만, 경도의 의식 혼탁이나 미세한 인지기능의 결핍은 놓치기 쉽다. 특히, 인지기능 손상이 심하지 않고 교육 수준이 높은 환자를 평가하는 데에는 민감하지 못하다. 또한 환자가 시각/청각 장애가 있다거나, 삽관된 상태라거나 실어증 등으로 지시를 이해하지 못하는 경우에도 MMSE 시행과 그 결과를 받아들이는 데에 제한점이 있을 수밖에 없다. 또한 주의력이나 의식 상태의 변화가 있는 환자에서는 검사를 시행하기 어려울 뿐 아니라 결과를 그대로 받아들이기도 어렵다.

2) 기타 선별검사

인지기능장애 외에도 의료 현장에서 흔히 접하게 되는 선별 검사 도구를 활용하면 도움이 된다. PRIME-MD는 두 단계로 이루어진 평가 검사인데 일차 의료에서 흔히 경험하는 우울장애, 약물 남용, 불안장애, 신체형장애, 식이장애를 선별하도록 구성되어 있다. PRIME-MD의 첫 번째 단계는 환자에게 설문을 하고, 두 번째 단계는 임상의 주도의 평가 항목으로 이루어져 있다. PHQPatient Health Questionnaire는 PRIME-MD의 단축된 형태로 환자 자가 보고 형태만 포함되어 있다. PHQ는 원래 PRIME-MD에 포함돼 있는 기분 상태, 불안, 식습관, 알코올과 신체형장애에 대한 평가에 덧붙여, 외상후스트레스장애와 흔한 심리사회적 스트레스 촉발 요인에 대해서도 검사가 가능하다. PRIME-MD도 타당성을 인정받은 선별검사이기는 하지만, 검사가 용이하고 시간이 짧게 걸린다는 점에서는 PHQ가 좀 더 효율적이다. PRIME-MD와 PHQ 모두 내/외과 환자를 담당하고 있는 일차 의료의가 정신의학적 문제를 인식하고 발견하는 데에 도움을 주며 전반적인 정신의학적 문제의 진단율을 높이는 데 기여할 수 있다. CAGE는 알코올남용을 확인하기 위해 개발된 선별검사로, 총 4개의 질문 중 2개 이상에 해당하면 알코올남용이 의심된다고 알려져 있다

4. 정신건강의학과 자문에서 심리평가

1) 심리평가의 일반적 역할

심리평가는 환자가 보이는 정신의학적 장애의 원인을 이해하는 데 도움을 줄 수 있다. 기질적인 요인과 기능적 요인이 장애에 기여하는 정도나 환자가 나타내는 행동 및 성격적 특성과 관련된 발달론적인 원인에 대한 평가에 도움을 준다. 인지기능에 대한 평가 결과를 제공하며, 지능지수와 기능적/기질적 손상의 정도, 인지 양식 및 사고 내용, 현실 검증력에 대한 평가 결과를 제공한다. 심리평가를 통해 환자의 일반적인 정서 상태, 정서적 반응 양상, 대인관계에 대한 태도와 반응 양상 등을 확인할 수 있다. 환자에게 적합한 치료 유형을 판단할 때나 치료의 예후를 예측하는 데에도 도움을 줄 수 있다. 환자의 심리 상태를 정상 규준과 비교한 결과나 치료 전후 상태의 변화에 대한 결과를 제공해줄 수 있다. 따라서, 심리평가는 환자 상태를 정상 규준이나, 치료 전후의 상태와 비교 평가할 때 활용될 수 있다.

2) 지적 기능의 평가

지능의 개념화와 평가는 시간이 지남에 따라 발전해 왔다. 현재 모델은 다양한 유형의 인지 능력을 평가하는 여

러 하위 검사의 수행으로 지적 기능을 추정하는 차원 접근 방식을 강조한다. 지능 이론에 대한 논의는 이 장의 범위를 벗어나지만 일반적으로 지능지수는 일상 환경에서 수행하고 적응하는 능력을 측정하기 위해 사용된다. 웩슬러 지능검사는 지적 기능을 평가하는 데에 가장 널리 사용된다. 웩슬러 유아지능검사-4판(2-7세용), 웩슬러 아동지능검사 5판(6-16세용), 웩슬러 성인지능검사 4판(16-89세용)과 6-90세에 대한 웩슬러 지능검사 단축형이 있다. 모든 웩슬러 검사는 언어 및 비언어적 지능 등 유사한 인지 능력을 포괄하는 영역 점수뿐만 아니라 전체 지능지수 총점을 제공한다. 웩슬러 지능검사 단축형을 제외한 웩슬러 검사는 작업 기억과 처리 속도에 대한 복합 점수를 제공한다. 전체 지능지수 및 영역별 점수는 평균이 100이고 표준 편차가 15이다. 검사자는 규준 자료를 통해 특정 지수 점수가 통계적으로 다른 지수보다 높은 지를 판단할 수 있다. 지능지수 사이에 상당한 편차가 있는 경우 작업 요구에 따라 환자의 수행이 다를 수 있으므로 전체 지능지수의 추정에 주의해야 한다.

3) 신경심리검사

신경심리검사는 질병, 외상, 발달장애 등으로 인한 뇌기능장애의 진단, 평가, 치료적 개입을 위한 정보를 제공한다. 재활치료 계획을 세우고 직업훈련을 위한 예비 자료를 얻으며 법적 책임능력의 판단, 환자와 가족에 대한 상담 자료로 활용될 수 있다. 뇌영상 검사가 뇌기능장애와 관련된 병변 부위를 확인하는 데 효과적으로 활용되고 있지만, 신경심리검사는 뇌 영상 검사만으로 확인하기 어려운 중추신경계 손상이 의심되는 환자의 병인을 밝혀내는 데 중요한 역할을 한다. 예를 들어 법률적 판단에서 신경심리검사를 통해 외상성 뇌 손상, 외상후스트레스장애, 꾀병을 구분하는 데에 도움을 얻을 수 있다. 중추신경계 관련 장애를 가진 환자의 신경심리검사는 예후를 알려주고 치료법과 재활 방법을 안내해준다. 새로운 정보를 기억하는 데 문제가 있다고 의심되는 경우, 이것이 새로운 정보를 기억하는 것에 문제인지, 기억한 내용을 회상하는 데에 문제가 있는 것인지를 구분하는 데에도 신경심리검사가 유용하게 활용된다. 또한 신경심리검사는 환자의 인지기능 변화 여부, 치료 전후의 변화를 평가할 때 객관적인 지표를 제공해 줄 수 있다. 어떤 경우에는 심경심리검사가 진단적인 역할보다는 뇌 기능의 변화를 평가하는 것이 주된 역할이 될 때도 있다. 종합적인 신경심리검사는 시간과 비용이 많이 소요되므로 특정 영역의 평가만을 반복적으로 시행해야 하는 경우라면 몇 가지의 제한적인 검사만을 활용할 수도 있다. 신경심리검사마다 접근 방법에 차이가 있으나, 대부분의 검사는 인지, 지각, 감정 기능에 대해 기술하고 이러한 요소들을 통해 이끌어낸 진단이 무엇이며, 확인된 장애가 일상 기능에 어떻게 영향을 미치는지 알아내려 한다는 공통적인 목적을 갖고 있다. 구체적인 임상 상황에 따라 개별환자에게 최선의 검사법이 선택되어야 한다. 표 2-3은 정신신체의학 분야에서 신경심리검사가 적용되는 예시를 기술하고 있다.

표 2-3. 신경심리검사의 정신신체의학적 활용

1. 인지 및 행동 상의 장애를 유발하는 퇴행성 신경계 이상degenerative neurological condition과 그렇지 않은 경우static condition의 감별 2. 신경계 질환과 정신의학적 장애에 의한 증상의 감별 3. 난치성 경련 질환의 수술 치료 적합성의 판단 4. 급성 뇌 손상으로 인한 후유증에 대한 평가 및 치료와 예후에 적용 5. 심장, 호흡기, 간 및 신장 기능의 저하가 동반된 환자의 신경인지기능 평가 6. 새로운 치료법의 효과와 부작용에 대한 평가 7. 학습장애, 주의력결핍과잉행동장애 환자의 평가 8. 뇌기능장애, 뇌손상 환자가 직장(혹은 학업이나 독립적인 생활 등)으로 복귀할 수 있는 능력에 대한 평가 9. 의학, 법, 그리고 경제적인 의사결정 능력의 평가 10. 기능 수준 및 치료 반응에 대한 장기적인 추적 평가

(1) 환자 중심의 과정 지향 접근법

환자 중심의 과정지향 접근법에서는 의뢰된 문제를 중심으로 신경심리검사가 구성된다. 핵심적인 검사들을 이용해 주로 측정하지만 부가적인 검사법들이 추가되기도 한다. 인지 능력이나 행동 능력의 범위를 검사하기 위해 측정 과정이 변경되기도 하고 질적자료가 실제 검사 점수를 보완하기 위해 활용되기도 한다. 이러한 접근법의 장점은 실제 의뢰된 문제에 대한 답을 얻기 위해 가장 효과적인 검사법들로만 구성된다는 것이다. 반면에 지능지수와 같은 측정값들은 제한된 검사만으로는 결정될 수 없으며 종합적인 검사 측정치를 의뢰의에게 제공할 수 없다는 것이 단점이다. 더욱이 개별 검사들이 뇌기능 장애를 측정하는 검사법으로서 민감도와 타당도를 확보했다 하더라도 검사들을 모아 배터리battery 형태로 적용했을 때에도 신뢰도와 타당도를 확보할 수 있는지에 대한 평가는 이루어져 있지 않다. 하지만 이러한 접근법은 환자를 의뢰한 담당의가 일상적 기능의 제한이나 한계, 재활 가능성에 대해 관심을 갖고 있을 때는 유용하게 활용된다.

(2) 배터리 기반 접근법

환자 중심의 접근법과는 달리 배터리 기반 접근법Battery-based approaches은 명확하게 정의된 표본과 함께 표준화되고 타당성이 입증된 여러 개의 검사들이 모여 하나의 검사군을 이루어 측정하는 것이다. 배터리 검사 결과의 해석은 개인의 소검사 수행 능력의 수준과 양상을 표준화된 표본에서 얻어진 결과값과 비교하여 얻어진다. 환자 중심의 과정지향 접근법과 비교했을 때, 배터리 기반 접근법은 일반적으로 시간이 많이 걸리고, 개별 환자의 독특한 특징을 파악하는 데 제한점을 가지고 있다. 또한 배터리 검사가 인지기능의 종합적인 진단 평가를 내려주지 않으므로, 부가적인 검사법이 추가되는 경우가 많다. 환자에게서 관찰된 수행 능력의 질적인 특성에 따라서 소검사를 선택적으로 활용하기도 하는데 이렇게 검사하여 얻어진 결과는 전체 검사를 모두 시행하여 표준화된 검사 결과값과 비교할 때와 다른 결과를 얻을 수 있다.

① Halstead-Reitan 신경심리검사 배터리

Halstead-Reitan 신경심리검사 배터리Halstead-Reitan Neuropsychological Test Battery, HRNTB는 임상의학분야에서 가장 자주 쓰이는 신경심리검사 배터리이다. 1940년대 Halstead가 처음 개발한 이후 개선을 거듭해 오며 각기 다른 신경정신과 장애를 가진 수천 명의 환자들에게 적용되어 광범위한 규범적 자료를 구축했다. 검사 배터리는 다음의 다섯 개의 하위검사로 이루어져 있다. 1) 수용 능력 검사input measure, 2) 언어 능력 검사, 3) 공간/순차/조종 능력 검사, 4) 추상, 사고, 논리적 분석, 개념 형성 검사, 5) 운동 능력 검사output measure

개별 환자에서 측정된 결과는 나이, 교육수준, 성별에 따른 규범적 자료와 비교 가능하다. 법의학 분야에서처럼 엄격하게 표준화된 검사 과정이 필요할 때는 HRNTB가 추천된다. 그러나 입원환자의 상담의뢰처럼 시간이 한정되어 있고(전체 검사 시간은 7-8시간 정도 소요) 특정 인지기능에만 심도 있는 평가가 필요하면 HRNTB 전체를 측정하는 것은 유용성이 떨어진다. 많은 임상의들이 표준화가 되어 있다는 장점 때문에 HRNTB 검사의 일부분만을 활용해서 쓰기도 하며, 시간이 허용되는 범위 내에서 다른 검사법을 보완적으로 추가하기도 한다. 그러나 검사 배터리 전체를 완전히 측정하지 않는다면, 환자 중심의 과정지향 접근법과의 차별성이 사라지게 되고 표준화된 표본과 비교 해석할 때에도 전체 검사를 다 활용했을 때와는 달라질 수 있으므로 주의가 필요하다. HRNTB는 기억을 측정할 수 있는 소검사가 포함되어 있지 않고 훈련된 검사자가 시행할 수 있는 검사라는 것이 단점이다.

② Luria-Nebraska 신경심리검사 배터리

Luria-Nebraska 신경심리검사 배터리Luria-Nebraska Neuropsychological Battery, LNNB는 신경과 의사이자 신경심리학자인 Luria는 복잡한 인지 및 운동기능이 뇌의 특정 영역에 국한되지 않고 뇌 전체에 걸쳐 있는 다층적인 시스템의 통합적 기능을 반영한다고 주장했다. 따라서 서로 다른 환자가 같은 행동상의 결함을 나타내더라도 서로 다른 기저의 뇌기능장애가 있을 수 있고, 반대로 같은 뇌 병변이라 하더라도 개별 환자에 따라서 서로 다른 신경심리적 장애가 나타날 수 있다는 것이다. LNNB는 신경과 및 정신의학적 장애를 가진 환자를 대상으로 적용될 수 있으며 검사 결과는 규준 집단에서 얻어진 그것과 비교할 수 있다. LNNB는 HRNTB만큼 뇌기능장애 손상을 평가하는 데 민감한 검사법이지만, 검사에 소요되는 시간은 HRNTB보다 짧고, 검사 도구 및 검사 과정이 보다 간편하다. 그러나 LNNB의 통계적 특성과 검사에 활용된 임상 척도의 내용 타당도에 대한 의문이 제기되기도 했다. LNNB는 인지기능의 장애를 평가하는 검사이지만, 평가 영역이 특정한 인지/운동기능에만 한정되어 있다. 이러한 제한점 때문에 이를 보완해줄 수 있는 다른 검사와 함께 적용된다. 이렇게 다른 검사와 같이 시행되면 독립적인 배터리 검사로서의 표준화된 특성이 변화될 수 있다.

(3) 정신신체의학에서 신경심리검사의 활용

① 치매

치매 초기 단계라면 MMSE와 같은 선별검사나 뇌영상검사에서 특이 소견이 관찰되지 않을 수 있는데 이러한 경우 신경심리검사가 유용하게 활용된다. 신경심리검사는 비가역적인 퇴행성치매인지, 대사장애와 같은 다른 원인에 의한 치매인지를 구분하거나 피질성치매와 피질하치매의 감별에도 도움을 준다. 알츠하이머병과 같은 피질성 치매는 기억력장애, 언어장애, 시공간기능 및 실행능력의 이상과 자기에 대한 인식 저하를 특징으로 하며 전형적으로는 정상 정신운동 능력과 주의력을 보인다. 반면에 파킨슨병에서 나타나는 것과 같은 피질하치매는 정신운동 지체, 주의력 장애 그리고 감정 가변성emotional lability 등이 특징적으로 나타나며, 언어, 시공간기능, 인식 기억recognition memory 등은 정상적이다. 반복적인 신경심리검사는 장애의 정도와 변화, 치료 반응을 평가하는 데에 유용하다. 신경심리검사는 특정 기억장애와 퇴행성치매를 감별하는 데 도움을 주며, 치료법을 결정하는 데에도 역할을 한다. 신경심리검사는 신경외과적 수술 후에 예상되는 위험성과 이득에 대한 정보를 제공해 줄 수도 있다.

② 뇌졸중

신경심리검사는 뇌졸중을 경험한 환자의 신경인지 기능을 평가하는 데 중요한 역할을 한다. 신경심리검사는 뇌졸중에 의한 뇌 기능의 손상 부위와 해당 영역의 인지행동기능의 변화를 평가하는 데에 활용될 수 있으며, 기억력, 주의력, 판단력의 미세한 변화를 확인하는 데에도 도움이 된다. 우측 두정엽이나 전두엽 뇌졸중 환자는 자신의 손상이나 명백한 운동과 감각기능의 장애 조차도 인식하지 못할 수 있다. 이러한 환자는 자신이나 타인에게 해를 끼칠 수도 있는 잠재적인 위험을 인식하지 못한 채 행동할 수 있다. 신경심리검사는 이러한 손상을 객관적으로 평가하고 기록으로 남겨둘 수 있으며 검사 결과를 환자의 담당의와 가족에게 설명하여 환자의 행동을 조절할 수 있도록 도울 수 있다(예: 운전을 하지 않도록 권고). 대부분의 급성 신경계 장애와 같이 뇌졸중도 발생 이후 수 주 안에 상태가 급격히 바뀔 수 있다. 따라서 간략한 인지기능의 평가를 통해 비특이적인 염증 반응이나 뇌졸중으로 인한 손상이 해소되었는지 먼저 확인해야 한다. 정신의학적 후유증은 환자가 내과적으로 안정된 이후에 저명하게 나타날 가능성이 높다. 정신증상이 나타나는 경우 신경심리검사를 통해 뇌졸중에 의한 심리적 반응과 뇌졸중과 연관된 중추신경계 이상으로 인한 인지, 행동, 정서 증상을 구별하는 데 도움을 얻을 수 있다.

③ 외상성 뇌손상

심한 외상성 뇌손상 직후에는 의식의 혼탁이나 혼돈 상태가 발생하므로 신경심리검사의 활용이 제한된다. 의식 손상의 지속 기간과 인지기능의 회복 속도는 재활 후의 인지기능 회복에 대한 예후를 지표해줄 수 있다. Galveston 지남력 및 기억상실 검사는 중등도 이상의 두부 손상 전후의 지남력과 기억력을 평가하는 총점 100점의 16개 문항으로 이루어진 검사이다. 이 간이검사는 측정에 걸리는 시간도 짧고, 환자의 상태가 갑자기 변화하는 상태라도 반복해서 시행할 수 있기 때문에 임상적으로 유용하게 활용된다. 환자가 반복적으로 75점 이상의 손상을 나타내는 경우 뇌손상으로 인한 장애의 존재 여부와 기능에 미치는 영향을 평가하기 위해 신경심리검사를 시행하는 것이 바람직하다. 중등도 이상의 폐쇄성 뇌손상은 대부분 주의력, 기억력, 실행기능에 이상을 초래한다. 판단력과 논리적 사고 능력도 손상될 수 있으며 치료에 참여하려는 환자의 의지에도 영향을 준다. 이름 맞추기나 지각기능에 미세한 결손이 확인될 수 있지만, 이러한 기능과 관련된 뇌 영역의 손상이 없다면 이 기능에 심각한 장애가 발생하는 경우는 드물다. 외상성 뇌손상이 발생하기 전에 학습장애, 주의력결핍 과다행동장애, 약물남용, 두부 외상의 이전 병력이 있는 경우가 드물지 않다. 그러므로 외상 발생 전에 있었던 이런 장애들이 두부 외상 후 상태에 미치는 영향을 고려해야 한다. 외상 전후의 성격 구조나 정동 상태를 주의 깊게 평가하는 것도 환자의 기능적 결손이나 예후를 예측하는 데에 중요하다.

④ 우울장애와 치매의 감별

지적 수준이 높은 노인이 단어 찾기에 어려움을 느끼고, 주의력과 기억력의 저하를 경험하는 경우 자신이 치매의 초기 단계가 아닌가 걱정을 한다. 초기 치매의 감별 진단에는 정상적인 노화와 관련된 기억력 감퇴, 우울장애, 약물부작용, 대사 이상 등을 고려해야 한다. 우울장애에서는 주의력이 떨어지고 새 정보가 등록되지 않는 것을 주로 호소하게 된다. 이와 함께 정신운동지연, 수행 능력과 시공간 능력의 저하가 흔히 동반된다. 하지만 우울장애 환자에서 언어장애는 흔하지 않다. 치매에서는 기존의 기억을 소실하는 것이 전형적인 양상인 반면에 우울장애로 인한 기억장애는 부적절한 정보 입력에 기인하는 것이다. 주관적으로 이름 찾기의 어려움을 호소할 때 이와 관련된 정형화된 검사법이 감별 진단에 도움이 된다. 대체로 우울장애 환자에서는 이름 찾기 장애가 치매 환자에 비해 드물다. 그런데 최근의 연구들은 우울장애가 알츠하이머 치매나 다른 치매의 선행 증상일 수 있다고 보고하고 있다. 특정 유형의 노인 우울장애 환자 중에서는 피질하치매에서 나타나는 것과 유사한 신경심리검사 이상이 동반되기도 한다.

4) 심리검사

심리검사는 환자의 정서 상태, 성격 구조, 정신 증상, 동기 상태를 확인하기 위한 목적으로 시행된다. 객관적 검사, 투사적 검사, 행동 관찰, 환자 자가보고 결과와 전문가의 견해 등을 통합하여 평가하게 된다. 임상의가 예상하지 못했던 문제들을 확인하거나 임상의가 의심했던 문제가 있다 하더라도 일반적인 면담 과정을 통해서는 문제를 확인하기가 어려운 경우(예: 꾀병이나 잠재적인 정신병적 증상)에 심리검사가 도움이 된다. 의학적으로 심리검사가 활용되는 경우는 다음과 같다. 의심되는 질환의 감별 진단, 특정 치료적 접근에 대해 환자가 저항을 나타내거나 환자의 의학적 상태에 영향을 끼치는 정신적 요소들을 확인하고 심리사회학적 개입의 필요성을 평가할 때, 치료 결과 및 예후를 예측하거나 신경심리검사를 수행하기 전에 심리검사가 필요한 경우 등이 이에 해당한다. 신경심리검사와 심리검사를 모두 시행한 경우에는 환자가 자신의 고통을 의도적으로 과장하는지에 대한 정보도 얻을 수 있게 된다.

(1) 객관적 성격검사

성격검사 도구들은 대개 환자가 직접 자신의 견해, 신념, 증상, 경험 등에 관련된 여러 질문들에 응답하는 자기 보고 형태이다. 개개인의 응답에 대한 평정은 평가자 모두가 동의할 만한 객관적 형식에 맞추어 이루어진다. 이러한 질문 형식에는 환자가 단순히 주어진 진술에 동의 여부를 답하도록 하는 것도 있고 주어진 척도에 자신이 어느 정도 해당하는지를 보고하도록 하는 것도 있다. 일반적으로 질문에 대한 환자의 반응을 측정한 뒤 이를 표준 자료에서 얻어진 결과와 비교하게 된다. 하지만 신체질환자에게 자가 보고 형식의 검사 도구를 활용할 때에는 주의를 기울여야 한다. 정신의학적 환자를 대상으로 신뢰도와 타당도가 확인된 검사 도구라 하더라도 신체질환자에게는 적합하지 않은 경우가 있기 때문이다. 예를 들어 성격검사에서는 신체적인 증상에 대한 평가들도 포함되는데 신체질환자는 이러한 내용이 정신병리를 반영하기 보다는 신체질환에 기인하는 것일 수 있다. 따라서 신체증상 호소에 해당하는 영역에서 같은 결과를 얻었다 하더라도 정신의학적 환자와 신체질환자에서는 그 의미나 해석이 달라져야 한다.

① 다면적 인성검사Minnesota Multiphasic Personality Inventory, MMPI

MMPI는 가장 널리 활용되는 검사법으로, 1940년대 초 Hathaway와 McKinley에 의해 개발되었고, 이후에 MMPI-2라는 형식으로 재표준화되었다. MMPI-2는 총 567문항으로 구성되어 있으며, 피검사자가 각 문항에 대하여 '그렇다', 혹은 '아니다'의 두 가지 답변 중 하나를 택하게 되어 있다. MMPI는 3가지 타당척도와 10가지 임상척도에 관하여 점수를 얻게 되며 건강염려, 신경학적 장애, 정동증상, 사고장애, 자아 강도 등을 민감하게 반영하는 내용의 척도들이 포함되어 있다. 환자의 선입견 혹은 과장 여부에 대해서도 측정한다. 결과는 표준 자료와 비교 해석되며 환자가 주요 항목에 어떻게 반응했는지를 보고 추가적인 정보를 얻게 된다.

신체질환자의 증상이나 정상적인 경험에도 민감하게 반응할 수 있기 때문에 MMPI를 내 외과적인 질환을 가진 환자에게 적용하는 것이 적절하지 않은 경우도 있다. 예를 들어 경련성 질환, 외상성 뇌손상, 뇌졸중 환자들의 경우 신체증상에 대한 집착(척도 1), 전환(척도 3), 우울장애(척도 2), 사고장애(척도 8)를 평가하는 항목에서 높은 점수를 보이는 것이 임상에서 흔히 관찰된다. 이러한 경향을 극복하기 위해 전체 척도 점수를 평가할 때 특정 항목들을 제외하여 보정된 점수를 측정하는 것이 추천되기도 한다. 이렇게 해서 평가된 MMPI 결과는 환자가 경험하고 있는 오직 "순수"한 정신증상만을 반영할 것이라고 제시되기도 했다. 하지만 다른 연구자들은 위와 같은 신경심리학적 장애를 가진 환자가 보고하는 이상 경험과 그에 따른 MMPI 결과는 실제로 그들이 경험하고 있는 인지기능 저하, 정동 증상, 이러한 장애에 의한 성격 변화의 결과라고 주장하기도 한다. 그러므로 이러한 정신신체의학적 장애를 가진 환자들의 MMPI 결과는 정신의학적 환자에서와는 다르게 해석되어야 할 필요가 있다.

일반적으로 신체증상 항목들은 우울장애, 전환, 신체화, 신체형장애 등을 확인하기 위한 MMPI 척도에 다수 포함되어 있기 때문에 신체질환자들의 경우에는 이러한 척도에서 높은 점수를 나타내게 될 가능성이 높다. 메이요 클리닉에서 보고한 결과에 따르면, 일반적인 의학적 질환을 가진 외래 환자의 MMPI 자료를 분석한 결과 32.4%의 여성과 24.5%의 남성이 척도 1(건강염려증)과 척도 3(히스테리)에서 MMPI 표준자료와 비교했을 때보다 훨씬 높은 점수를 나타냈다고 하였다. 따라서 신체증상 항목을 많이 포함하고 있는 척도의 경우 신체질환자에서 그 결과를 해석할 때는 추가적인 주의를 기울여야 한다.

척도 1(건강염려증)과 척도 3(히스테리)의 점수가 높고, 척도 2(우울장애)의 점수가 낮은 경우 일반적으로 '거꾸로 된 Vconversion V'라고 부른다. 정신장애를 가진 환자들에서 이런 경향을 보이는 경우 일반적으로 '피검사자가 신체 증상을 심리적 문제로 생각하거나 대처하는 것을 회피하고, 개인적으로 고통 받는 어려움들을 사회적으로 수용될 만한 문제로 전환하거나 합리화시키고 있다.'라고 해석한다. 이런 환자들은 통찰력이 부족하며 자신들의 문제를 심리학적으로 해석하는 것에 대해 저항을 보이고 기괴한 신체 증상들을 호소한다. 하지만, 이 해석은 언급된 척도들의 점수가 전환장애를 겪고 있는 환자와 비슷한 단계까지 올라가는 신체질환자에게 그대로 적용하는 것은 적절하지 않다. 앞에서 설명한 바와 같이 신체질환에 의한 증상들이 MMPI 신체증상 항목의 점수를 높이게 된다. 따라서 '거꾸로 된 V' 양상을 설명할 만한 신체질환의 근거가 불분명한 경우라도 '거꾸로 된 V'가 신체형장애의 존재 여부를 증명할 수는 없다. 때로는 환자들이 보고하는 '의학적으로 설명될 수 없는 신체증상'이 신체적 혹은 정신적 원인에서 기인한 것이라기보다는 기능적인 장애로 해석하는 것이 타당한 경우도 있다. 그러므로 의학적 상황에서 신체 증상을 호소하는 환자들이 MMPI에서 '거꾸로 된 V' 양상을 보일 경우 환자의 심리사회적 배경, 신체검사 결과, 이러한 양상에 기여한 MMPI 항목들에 대한 검토가 필요하며, 다른 진단적 검사 결과들을 종합적으로 고려하여 해석해야 한다. 이러한 통합적인 검토 없이 전환장애라고 바로 결론지어서는 안 된다. 따라서 MMPI는 매우 유용한 도구이기는 하나 신체질환자의 경우 의학적 상태를 충분히 고려하여 그 결과를 해석해야 한다.

② 성격평가 질문지Personality Assessment Inventory, PAI

PAI는 344개의 항목으로 이루어져 있으며, 4개의 타당도 척도, 11개의 임상 척도, 5개의 치료 척도와 2개의 대인관계 척도에 관해 표준화된 점수를 얻을 수 있게 고안 되었다. 검사 결과는 정신의학적으로 건강한 모집단의 자료를 정신의학적 환자들에게서 얻은 자료와 비교한다. 정신병리의 종류와 심각도 측정 이외에도 자살성향, 공격성, 지각된 사회적 지지, 최근 스트레스의 정도, 정신건강의학과 치료에 대한 거부감 등에 대한 정보도 얻을 수 있다. MMPI

검사와 같이 신체질환자에게 PAI를 시행하고 그 결과를 해석할 때는 주의해야 한다. 신체질환은 임상 척도의 점수를 올리는 경향이 있고 전환장애나 신체형장애를 과도하게 진단할 가능성이 있기 때문이다. 그러므로 PAI가 신체질환자들에게 활용될 때에도 MMPI와 같이 주의를 요한다.

(2) 투사적 성격검사

이 검사는 지금까지 언급된 객관적 성격검사와는 달리 덜 구조화된 다량의 애매한 표준 자극과 과제를 피검자에게 부여하게 된다. 투사적 성격검사의 목적은 다량의 응답을 피검사자로부터 얻음으로써 정신의학적 장애에 대한 진단 추론을 가능케 하고, 현실검증력과 사고과정에 관한 장애를 찾아내는 것이다. 많은 임상의들이 환자의 응답에 대한 질적인 분석에 의존하나 검사의 양적 요소 역시 다른 성격 검사와 비교 가능한 수준의 신뢰도, 타당도 객관성을 갖는다. 하지만 투사적 성격검사는 신체질환자를 모집단으로 한 결과를 얻기가 힘들다는 한계가 있다. 또한 이 검사를 인지기능에 장애가 있는 환자들에게 활용할 때는 엄격한 주의가 요구된다. 현실적으로 정신병리를 측정하기 위해 집중력, 실행능력, 언어능력, 시공간능력이 부족한 환자들에게 이 검사를 활용하는 것은 부적절하다. 로르샤흐 테스트와 같은 투사적 성격검사가 적절하게 이용될 경우 개개인의 의학적 상태가 지각에 미칠 수 있는 영향에 대해 많은 정보를 얻을 수 있고, 치료 계획을 세우는 데에도 유용하게 활용될 수 있다. 하지만 더욱 중요한 것은 검사자가 이 검사 결과가 가져올 수 있는 오용에 대해 잘 이해하여야 하고 투사적 검사 결과가 지각장애를 유발하는 신체질환에 의한 것인지 실제 정신의학적 문제에 의한 것인지를 잘 구분하는 것이다.

(3) 정신신체의학에서 심리검사의 활용

① 정서적 요소와 신체증상

심리검사는 환자의 정서적 요소들이 신체적 증상에 어떤 영향을 끼치는지 알 수 있게 도와준다. 심리검사를 통해 환자가 현재 가지고 있는 만성적인 스트레스 상태에 대한 정보를 얻을 수 있다. 심리검사는 환자가 왜 억압과 부정적 경향을 보이고 치료 과정이나 도움에 저항하는지 그리고 질환에 대해 어떤 개인적 반응을 보이는지에 대해 평가할 수 있다. 이러한 요소들은 장애의 발병, 유지, 진행뿐만이 아니라 치료의 예후에도 영향을 미친다. MMPI와 PAI는 환자가 얼마나 치료를 거부하는지, 자신의 심리갈등에 대해 얼마나 능숙히 대응할 수 있는지 그리고 얼마나 자신의 고충경험을 직접적으로 인정하는지에 대한 정보를 제공해 준다. 심리검사 없이도 심리적 요소가 신체질환자의 신체증상에 미치는 영향을 임상적으로 추정할 수 있지만 심리검사 자료가 보완되면 임상적 판단에 추가적인 도움을 얻을 수 있다. 심리검사는 신체형장애나 전환장애 등의 진단에 도움을 줄 수 있고 이를 통해 불필요한 신경학적 진단검사를 하지 않도록 할 수 있다. 또한 심리검사는 신경과적인 문제가 있는 환자가 질환으로는 설명되지 않는 증상을 호소할 때 환자의 심리 상태를 평가하는 데에도 유용하게 활용될 수 있다.

② 의학적 질환에 대한 적응

환자의 대처방식, 심리사회적 역량, 성격구조는 신체질환 자체와 상호작용하게 된다. 심리검사를 통해 환자가 자신의 신체질환이나 의료진과 어떻게 상호작용하는지, 환자 본인의 의지와는 다른 결정이 내려질 때 어떤 반응을 나타내는지를 예상하는 데 도움을 얻을 수 있다. 심리검사는 신체질환으로 인해 의료진과 수동적인 관계를 맺을 수밖에 없는 환자의 정신의학적 구성 요소를 이해할 수 있도록 도와준다. 심각한 성격 문제가 있는 환자의 경우 특이한 신체증상을 호소하거나 치료진과 불필요한 마찰을 일으키기도 한다. 성격에 대한 신중한 평가와 조사는 환자와 치료진이 서로에게 적응을 못하거나 부정적인 마찰을 일으킬 수 있는 상황을 피할 수 있도록 도와줄 수 있다.

③ 신경과적 문제의 정서적 후유증

신경과적 장애는 대부분 인지적, 감정적 후유증을 유발한다. 환자가 가지고 있는 신경과적 장애의 중추신경계 증상을 신체질환에 대한 정서적, 감정적 반응과 구분하기 쉽지 않은 경우가 흔하다. 심리검사는 뇌질환을 가진 환자의 정신운동지연, 불안감, 인지기능의 문제, 정서적 불안정성 등이 환자의 신경과 질병에 어떤 관련성을 가지는지에 대한 정보를 제공해 줄 수 있다.

④ 의학 법률적 문제들

신경심리검사와 심리검사는 환자의 능력에 영향을 주는 인지적, 정서적 요인들에 대해 보다 객관적인 정보를 제공해 준다. 환자가 자신이 속해 있는 환경과 자신의 의사결정에 따른 결과를 바르게 이해할 수 있는 능력, 외부 환경의 요구에 대해 올바르게 대처할 수 있는 능력 등을 평가하여 의학 법률적 판단의 근거를 제공해 준다. 심리평가가 환자의 복잡한 기능과 그에 따른 능력을 판단할 때에 도움을 줄 수 있다. 또한 개인의 신체 손상 수준과 범위를 결정할 때에도 활용된다.

⑤ 꾀병

환자가 의도적으로 자신의 증상을 잘못 전달하거나 과장하는 경우가 있다. 경험이 풍부한 임상의라도 환자가 일부러 만들어낸 심리적, 인지적 결함을 구분하고 판단하기란 쉽지 않다. 이러한 경우 심리검사가 임상가의 의학적 판단에 도움을 줄 수 있다. MMPI와 PAI 모두 증상을 의도적으로 잘못 전달하기 위한 시도를 파악하는 척도를 포함하고 있다. 신경심리검사 수행 결과를 신중하게 분석하는 것은 환자들이 주관적으로 호소하는 증상과 객관적으로 나타날 수 있는 신체질환에 의한 증상을 구분하는 데에 도움을 준다. 또한, 보고된 증상에 대한 구조화된 면담이 있는데, 이것은 기존에 알려진 신체질환의 증상과 관련 없거나 일관되지 않은 신체증상을 민감하게 가려내는 '드물게 호소하는 증상 검사'이다. 증상타당도 검사는 잠재적인 꾀병을 가려내기 위해, 2개 중 1개를 반드시 고르는 강제의 양자택일 작업을 반복적으로 수행하게 한다. 꾀병 환자는 표준정규분포에서 자주 벗어나며, 보통 확률보다 수행 능력이 현저하게 떨어지며, 실제 두부손상이 있는 환자보다 수행이 더 떨어지는 양상을 보인다. 포틀랜드 수 인식 검사 The Portland Digit Recognition Test, K-사병진담검사, 증상 타당도 검사Symptom Validity Test도 이와 비슷한 용도로 활용되는 검사의 하나다.

참고문헌

1. 송지영. 꾀병 감별법: 감각 및 운동 이상을 중심으로. *정신신체의학* 2004;12(2):103-21.
2. Andrews, L. B. The psychiatric interview and mental status examination. *The American psychiatric publishing textbook of psychiatry* 2008;3-18.
3. Bostwick, J. M., & Philbrick, K. L. The use of electroencephalography in psychiatry of the medically ill. *The Psychiatric clinics*

of North America 2002;25(1):17-25.

4. Butcher, J. N. *Minnesota Multiphasic Personality Inventory-2: Manual for administration, scoring, and interpretation*: University of Minnesota Press. 2001.
5. Eshel, N., Marcovitz, D. E., & Stern, T. A. Psychiatric consultations in less-than-private places: Challenges and unexpected benefits of hospital roommates. *Psychosomatics 2016;57*(1):97.
6. Golden, C. J., Freshwater, S. M., & Vayalakkara, J. The Luria Nebraska Neuropsychological Battery. In *Neuropsychological assessment in clinical practice: A guide to test interpretation and integration*. Hoboken, NJ, US: John Wiley & Sons, Inc. 2000. pp. 263-89.
7. Keefe, R. S. The contribution of neuropsychology to psychiatry. *The American Journal of Psychiatry* 1995.
8. Kontos, N., Freudenreich, O., Querques, J., & Norris, E. The consultation psychiatrist as effective physician. *General hospital psychiatry 2003;25*(1):20-3.
9. Levenson, J. L. *The American Psychiatric Association Publishing textbook of psychosomatic medicine and consultation-liaison psychiatry*: American Psychiatric Pub. 2018.
10. Morey, L. C. *Personality assessment inventory*: Psychological Assessment Resources Odessa, FL. 1991.
11. Perry, S., & Viederman, M. Adaptation of residents to consultation-liaison psychiatry: I. Working with the physically Ill. *General hospital psychiatry 1981;3*(2):141-7.
12. Rorschach, H. Psychodiagnostics 1942.
13. Spitzer, R. L., Kroenke, K., Williams, J. B., Group, P. H. Q. P. C. S., & Group, P. H. Q. P. C. S. Validation and utility of a self-report version of PRIME-MD: the PHQ primary care study. *Jama 1999;282*(18):1737-44.
14. Stern, F. O., & Smith. *Massachusetts General Hospital Handbook of General Hospital Psychiatry-E-Book: Expert Consult*: Elsevier Health Sciences 2017.
15. Sullivan, K. Neuropsychological assessment of mental capacity. *Neuropsychology review 2004;14*(3):131-42.
16. Wechsler, D. Wechsler adult intelligence scale–Fourth Edition (WAIS–IV). *San Antonio, TX: NCS Pearson 2008;22*(498):816-27.
17. Wechsler, D. *WASI-II: Wechsler abbreviated scale of intelligence*: PsychCorp. 2011.
18. Wechsler, D. Wechsler preschool and primary scale of intelligence—fourth edition. *The Psychological Corporation San Antonio, TX*. 2012.
19. Wechsler, D. *Wechsler Intelligence Scale for Children-V* (Vol. 5): Person: Bloomington. 2014.
20. Wilde, E. A., Kim, H. F., Schulz, P. E., & Yudofsky, S. C. Laboratory testing and imaging studies in psychiatry. *The American psychiatric publishing textbook of psychiatry* 2014;89.

3 CHAPTER

질병에 대한 심리적 반응

전홍준, 하지현

정신건강의학과 의사는 의학적 질환이 있는 환자들의 행동적 정서적 반응을 조절하고, 고통을 감소하며, 최선의 결과가 나오도록 치료적 개입을 한다. 그리고 질병에 대한 환자들의 주관적 경험을 이해할 수 있도록 노력한다. 이때 의료진은 질병에 대한 다양한 정서/행동적 반응을 관찰할 수 있다. 현재 치료법이 없는 난치병을 용기와 유머감각으로 받아들이게 돕기도 한다(Druss and Douglas 1998). 반대로 쉽게 치료가 가능한 질병을 직면할 때도 분노, 두려움 또는 무망감 같은 격렬한 격렬한 감정때문에 헤어나오지 못하기도 한다. 지금까지 경험과 연구는 신체질환의 중증도나 만성도는 개인의 반응을 예측하지 못하며 질병에 대한 개인의 주관적 경험이 더 중요하다는 것을 보여준다(Lloyd 1997; Sensky 1997; Lipowski 1970).

질병에 대한 심리적 반응을 규정하는 정확한 방법은 없다. 현재 사용할 수 있는 심리역동적 구조, 대처 유형, 그리고 성격 유형을 종합해서 특정 환자의 반응을 이해하기 위해 최선을 다하는 것이 필요하다. 여기에서는 1) 의학적 질병과 입원의 스트레스 2) 질병에 대한 환자의 주관적 경험에 성격유형, 애착유형, 대처유형, 그리고 방어기제가 미치는 영향 3) 낙관주의와 비관주의 4) 부정 5) 질병에 대한 정서적 반응 그리고 6) 질병에 대한 행동적 반응으로 크게 나눠서 개관하여 제시하려고 한다.

의학적 질병과 입원의 스트레스

의학적 질병과 입원의 스트레스는 일반적으로 심각하며 몇가지 스트레스는 보편적이나 일부는 질병에 따라 다르고 특징적이다(Druss 1995). 한편 이와 별개로 병원 환경 자체가 스트레스의 원인이 된다(Gazzola and Muskin 2003; Kornfeld 1972). 많은 사람들은 병원을 고통스런 기억과 관련된 곳이라 생각한다. 입원은 환자들이 평소의 환경과 사회적 지지로부터 분리되게 만든다. 환자복을 입는 탈개인화, 사생활의 부재, 능동성의 박탈이 발생한다(Gazzola and

Muskin 2003). 낯선 기계, 정맥주사나 채혈, 병실에서 낯선 사람과 상호작용, 주변의 아픈 환자들은 일반적 입원 스트레스의 요소다(Kornfeld 1972; Muskin 1995; Perry and Viederman 1981).

모든 질환은 자기애적 손상을 불러온다(Strain and Grossman 1975). 몇몇은 진단을 받은 후에도 이를 부정하게 되고 자기애에 기반한 무의식적 불멸의 환상은 실제로 다치거나 병을 진단을 받았을 때 비로소 의식 위로 올라온다. 그리고 단번에 인격 전반, 삶 전반의 흔들림을 경험할 수 있다.

질병의 영향을 결정하는 한 가지 요인은 그 질병이 급성인지 만성인지의 여부이다. 급성이며 생명을 위협하지 않는 질병은 개인이 적응할 시간을 거의 주지 않지만, 그 영향은 단기적이다. 만성 질병은 환자들의 자기-개념을 영구적으로 바꾼다. 만성 질병으로 인한 어려움은 계속되며 일상생활의 일부가 된다. 정체성이나 신체 이미지의 변화는 혼란스러우며 종종 불안감을 유발한다. 이전에 가지고 있던 자기-개념이 흔들릴 위험이 있다.

병원에 입원하거나, 병으로 인해 일상생활에 제한을 받게 되는 것은 가족과 분리, 지인과 분리로 인한 고립, 단절의 경험을 준다(Heiskell and Pasnau 1991; Strain and Grossman 1975). 이는 버림받는 것에 대한 의식적 또는 무의식적 두려움을 촉발시킬 수 있다. 병원 환경이나 병동에서의 사생활의 부재는 추가적 스트레스를 유발한다(Kornfeld 1972). 신체 노출은 불편함을 불러일으킨다. 환자는 얇은 가운 만을 입은 채로 의사, 간호사, 그리고 수련생의 반복적인 검사 대상이 된다. 원치않는 자신의 사적인 측면을 노출해야 할 수도 있다(Perry and Viederman 1981). 이런 면을 감안해서 의료진은 재치 있고 공감적으로 환자를 편안하게 하고 치료적 관계를 유지해야 한다.

대장내시경이나 비위관 삽입, 기관내삽관과 같은 침습적인 경험부터 표면상으로 덜 침습적인 유방종의 미세바늘생검에서 직장 검사까지 많은 의료행위는 스트레스를 유발하는 신체 침입 경험을 포함한다(Gazzola and Muskin 2003). 환자들의 공포와 불편함은 이러한 시술들이 일상화가 된 의료진에게는 종종 인식되지 않아서 환자들은 공감적 지지를 받지 못했다고 느낀다.

질병이 장애로 이어질 때, 일상 생활 활동에 깊은 영향을 미칠 수 있는 추가적인 스트레스 요인이 된다(Westbrook and Viney 1982). 이전에는 일상적이고 의식적인 계획이 필요하지 않았던 것들이 심리적으로 그리고 현실적으로 굉장히 힘들어질 수 있다. 예를 들어 급성 재활치료실의 환자들은 다시 걷는 법을 배우기 위해 도움을 받는다. 이전에는 자동적이었던 것이 매우 어려워졌고 새로운 기술, 보조 장치, 그리고 다른 사람들의 도움이 필요해진 것이다. 자율성의 상실은 자존감의 손상으로 이어질 수 있다.

애착유형, 성격유형, 대처유형, 그리고 방어기제

암 진단을 받는 것과 같은 환경적 스트레스에 대한 반응에는 큰 개인차가 존재한다(Heim et al. 1993). 환경적 스트레스와 반사적 행동 반응과 같은 일반적 행동 모델들은 개인차를 설명하기 어렵다. Richard Lazarus (1999)는 건강심리학과 기타 분야들에서 전통적인 자극 → 반응 모델에서 개인의 주관적 경험에 대한 이해를 강조하는 보다 현대적인 자극 →유기체→반응 모델을 설명했다. 스트레스 요인에 대한 개인 간 차이는 중요하다.

정신건강의학과 의사들은 자주 병원 상황이나 그들의 질병에 대해 문제적 행동 또는 정서 반응을 보이는 환자들을 평가하도록 요청 받는다. 명시되는 자문의뢰 사유는 문제가 있다고 판단되는 행동적이나 정서적 반응, 예를 들어 분노를 보이거나 의학적 권고에 반대 서명을 하겠다는 협박 등이 있다. 자문 요청을 받은 정신건강의학과 의사는 질병에 대한 환자들의 주관적 경험을 이해하여 그들의 정서적 그리고 행동적 반응을 설명하고 그들(혹은 보호자)을 돕기 위한 개입을 설계한다.

어떤 스트레스 요인에 대한 개인의 반응에 영향을 미치는 주관적 요인들을 조사하는 연구에서는 애착 유형, 성격 유형, 대처 유형, 낙관주의/비관주의 그리고 방어기제와 같은 영역을 염두에 둔다.

1) 애착 유형

애착 이론은 환자들과 의료환경, 그리고 의료진과의 상호작용을 조사하는 데 도움이 된다. John Bowlby (1960)는 주 보호자와의 초기 상호작용이 개인의 내적 관계-관련 도식에 미치는 영향을 애착이론을 통해 발전시켰다.

애착은 4가지로 분류하는데, 안정형, 의존형, 거부형, 두려움형이다(Bartholomew and Horowitz 1991). 각 애착유형은 초기 삶의 경험으로부터 형성된 자신과 다른 사람에 대한 관점을 시사한다. 이러한 내부 관계 모델은 안정적이기에 환자-의사 관계에 영향을 미친다(Klest and Philippon 2016). 불안정 애착 유형을 가진 환자들은 의사에 대해 낮은 신뢰와 만족을 보고한다(Holwerda et al. 2013). 안정형 애착 유형을 가진 사람은 삶의 초기에 일관적으로 대응적 보살핌(responsive care)을 경험했기에 의존에 긍정적 기대와 편안함을 가진다. 거부형 애착유형은 일관적으로 무반응적인 보호자와 초기 경험으로부터 비롯된다. 적응하기 위해 다른 사람을 필요로 하는 욕구를 무시하고 극단적인 자립심을 중요하게 여기고. 타인을 신뢰하는 데 어려워한다. 거부형 애착 유형을 가진 사람들은 다른 사람들에게 다가가거나 자신의 정서적 경험을 드러내는 것을 싫어한다(Fonagy et al. 1996). 적대적, 거부적, 그리고 학대하는 보살핌을 생애 초기에 겪는 것은 자신과 다른 사람들에 대한 부정적 관점과 거절에 대한 공포와 다른 사람들을 신뢰하는 것에 대한 두려움을 갖는 두려움형 애착유형을 갖게 된다. 도움을 구하는 행동과 도움을 거부하는 행동들을 자주 번갈아가며 나타내고 종종 보살핌을 요구하지만 비순응적이고 예약을 놓치곤 한다. 사람들은 하나 이상의 애착 유형 특성들을 보일 수 있지만, 주요 유형이 무엇인지 식별해내는 것은 임상적으로 유용하다.

Ciechanowski와 동료들의 다양한 애착 유형을 가진 당뇨 환자 연구는 거부형과 두려움형 애착 유형은 당뇨 자기관리에 어려움이 있고, 혈당 강하제와 낮은 순응도, 높은 혈당 수치와 관계가 있음을 보였다(Ciechanowski and Katon 2006; Ciechanoski et al. 2001). 다른 연구에서는 애착 유형이 1) 통증 관리 전문 클리닉의 후속조치 빈도 2) 1차 진료, 보건 의료 비용과 활용 3) 증상 인식과 신체화 그리고 4) C형 간염 환자들에게서 의학적으로 설명될 수 없는 증상과 관련된 중요한 요소라고 보고했다(Ciechanowski et al. 2002a, 2002b, 2003).

2) 성격 유형

성격 유형은 각 성격장애에 해당하는 연속선상에 있는 것으로 대부분의 환자들은 하나의 유형에 국한되지 않고 여러 성격 유형에 속하는 특징을 보일 수 있다(Oldham and Skodol 2000). Kahana와 Bibring (1964)의 고전적이고 아직까지도 적절한 "의료 관리의 성격 유형Personality Types in Medical Management"에 따라 1) 의존적 2) 강박적 3) 연극성 4) 피학적 5) 편집증적 6) 자기애적 그리고 7) 조현성 유형이라는 7가지 성격 유형으로 나눌 수 있다. 개인의 특징적인 적응 수단은 스트레스 조건 하에 강화된다(Heiskell and Pasnau 1991). 따라서 입원이 필요한 의료 질환의 스트레스에 직면했을 때, 약간 강박적인 환자는 지나치게 융통성이 없고 통제적인 것처럼 보일 수 있다. 비슷하게, 중간 정도로 의존적인 사람은 '들러붙으려' 하거나 지나치게 애정에 굶주려 보일 수 있다. 이러한 성격 유형의 극단적인 형태를 지닌 환자들은 보호자를 좌절시키며 극심한 부정적 정서를 자주 불러일으킬 수 있다. Groves (1978)는 의사들을 가장 힘들게 하는 4가지 환자 유형으로 의존적인 사람, 특권의식을 가진 요구자, 조종하려는 도움 거부자, 그리고 자기 파괴적인 거부자를 열거했다.

3) 대처 유형

대처는 '고통을 야기하는 문제를 관리하거나 바꾸고(문제-중심 대처) 문제에 대한 정서적 반응을 조절(정서-중심 대처)하기 위해 개인이 사용하는 생각과 행동'으로 정의한다(Folkman et al. 1993, pp. 409-10). 여러 가지 유형으로 대처유형을 분류할 수 있다.

4) 스트레스 상황에서 다양한 대처 유형의 사용

Folkman 등(1986)은 8가지 대처 유형을 다음과 같이 제시하였다. 1) 맞서는 대처(상황을 변화시키기 위한 적대적이고 공격적인 노력) 2) 거리두기(상황으로부터 자신을 심리적으로 분리하려는 시도) 3) 자기-통제(자신의 감정과 행동을 규제하려는 시도) 4) 사회적 지지 찾기(다른 사람들에게서 감정적 지지나 정보를 찾으려는 노력) 5) 책임감 수용(문제에 대한 자신의 역할을 인지) 6) 탈출-회피 사용(문제나 상황에서 도망치거나 회피하려는 인지적 또는 행동적 노력) 7)계획적인 문제해결(상황을 변화시키기 위해 의도적이고 신중하게 노력) 8) 긍정적 재평가(상황을 긍정적인 시각으로 재구성하려 하는 노력)(Penley 등. 2002). 연구에 따르면 환자들은 주어진 상황에서 여러가지 대처 전략을 사용한다(Lazarus 1999). 사람들은 종종 다른 전략들에 비해 습관적이고 특정한 전략을 선호하지만 질병이나 입원과 같은 복합적인 스트레스 상황에서는 일반적으로 여러가지 전략을 사용한다(Lazarus 1999).

5) 특성과 상태로서의 대처

선호하는 대처 유형은 흔히 성격 유형과 관련된다. 대처 유형은 때때로 상태state뿐만 아니라 아니라 특성trait으로 여겨지기도 한다(Heim et al. 1997; Lazarus 1999). 따라서 환자들에게 이전에 스트레스 상황에서 어떻게 대처를 했었는지 물어보는 것이 유용하다. 효과적이었는지와는 관계없이 이전에 사용했던 전략을 사용하기 때문이다. 유방암의 다양한 진행단계에 있는 여성을 대상으로 한 연구에서는 대처 전략도 변화한다는 점을 발견했다(Heim 등. 1993, 1997). 유방암이 처음 발견되었을 때 그 여성은 상황의 불확실성에 대처하기 위해 친구와 배우자에게서 사회적 자원을 찾았다. 유방절제술과 병기결정 이후에는 계획적인 문제해결(화학요법을 정기적으로 따르고 종양학자가 처방하는 타목시펜을 고수하는 계획)로 바꾸었다.

6) 문제-중심 대처 vs 정서-중심 대처

대처 유형을 체계화할 수 있는 한 가지 방법은 전략이 문제-중심적인지 또는 정서-중심적인지 파악하는 것이다. 연구에 따르면 문제-중심 대처를 선택하는 환자들은 상황을 변화가능하거나 자신의 통제 하에 있다고 평가한다(Folkman et al. 1993; Richardson et al. 2017). 환자들은 자신의 통제 밖이라고 생각되는 상황에서 정서-중심 대처 유형을 선택할 수 있다(Folkman et al. 1993; Richardson et al. 2017). 의료 환경에서는 정신건강의학과 의사와 상담하여 상황에 대한 환자의 평가를 바꾸고 더 적응적인 대처 유형을 선택하도록 격려할 수 있다. 예를 들어, 당뇨병으로 처음 진단된 환자가 높은 혈당수치를 자신의 통제 밖이라고 잘못 인식한다면 회피나 부정과 같은 정서-중심 대처 전략을 선택할 것이다. 고혈당이 어떻게 치료가능한지를 교육하는 것으로 의료진은 환자가 식단 조절이나 운동과 같은 문제-중심 전략으로 바꾸도록 권장할 수 있다.

7) 대처 전략과 질병의 의미 간의 관계

Lipowski (1970)는 1) 도전으로서의 질병 2) 적으로서의 질병, 3) 처벌로서의 질병 4) 약점으로서의 질병 5) 구원으로서의 질병 6) 전략으로서의 질병, 7) 회복할 수 없는 손실이나 피해로서의 질병 그리고 8) 가치로서의 질병 등 8가지 질병개념을 제안했다. Lipowski는 대처 전략에 대한 환자의 선택은 기저에 있는 질병 개념에 부분적으로 좌우된다고 제안했다. 205명의 만성 신체질환 환자들을 대상으로 한 연구에서는 "도전으로서의 질병"과 "가치로서의 질병"이 "적응적인 대처와 정신적 웰빙"과 관련이 있다. 비슷한 개념인 "질병 인식"과 "질병 묘사"는 COPD 환자들과 암환자들의 대처 전략, 기능적 상태, 장애, 그리고 삶의 질과 관련이 있다(Kaptein et al. 2008; Richardson et al. 2017).

8) 방어기제

방어기제는 자동적인 심리적 과정으로, 마음이 심리적 위협이나 소망과 현실의 요구나 양심의 현실의 요구나 양심 사이의 갈등에 반응하여 작동한다. 방어는 보통 개인의 인식에서 벗어난 심리내적인 과정이다. 다양한 방어 기제에 대한 기본적인 이해는 정신건강의학과 의사가 환자를 평가하거나 질병에 대한 환자의 정서 또는 행동적 반응을 예측하고 설명하는 데 도움이 된다.

Vaillant (1993)는 방어 기제를 적응성에 따라 정신병적, 미성숙(또는 경계선), 신경증적, 그리고 성숙으로 구분할 것을 제안했다. 환자들은 대부분 다양한 상황이나 다양한 스트레스 수준 안에서 다양한 방어 기제를 사용한다

*정신병적 방어*는 외부 현실을 왜곡하는 극단적인 수준이 특징이다. 정신치료는 일반적으로 효과가 없으며, 항정신성 약물을 처방할 수 있다.

미성숙 방어는 성격장애, 특히 반사회적, 경계성, 연극성, 그리고 자기애성 성격장애를 지닌 환자에게서 특징적으로 나타난다. Vaillant (1993)는 이러한 많은 방어의 종류들이 다른 사람을 짜증나게 하고 거슬리게 한다고 보았다.

미성숙 방어와는 대조적으로, 신경증적 방어는 일반적으로 다른 사람들을 거슬리게 하기보다 더 사적으로 경험된다 – 신경증적 방어는 덜 대인관계적이며 정신적 억제를 종종 수반한다. 그들은 미성숙하거나 정신병적인 방어보

다 현실을 덜 왜곡하며 눈에 띄지 않을 수도 있다. 신경증적 방어는 정신건강의학과 의사가 치료하기에 적절하다고 여길 경우, 적절한 요령과 타이밍을 통해 효과적으로 해석될 수 있다.

성숙한 방어는 "갈등의 원인을 통합한다. 따라서 해석을 필요로 하지 않는다(Vaillant 1993, p. 67)." 질병과 같은 스트레스 요인에 직면해 있을 때 유머나 이타주의와 같은 성숙한 방어를 사용하는 것은 다른 사람들에 의해 존경받거나 영감을 줄 수 있다. 이러한 성숙한 방어는 정신건강의학과 의사에 의해 해석되는 대신 오히려 칭찬받는다. 이러한 방어는 부정적인 결과나 현실 왜곡 없이 욕구나 소망을 최대한으로 표현한다.

낙관주의와 비관주의

한 메타 분석은 다양한 조건 하에서 낙관주의와 신체적 결과 간의 정적 관계가 있다는 것을 보고했다(Rasmussen et al. 2009). 낙관적인 사람들은 성공을 자신의 노력에 의한 것이라고 해석하고 실패를 외부 사건에 의한 것이라고 해석한다. Tindle 등(2012)은 관상동맥 우회술을 경험한 환자들에게 낙관주의와 비관주의를 모두 측정하는 척도를 시행했을 때, 비관주의 점수가 아닌 낙관주의 점수가 우울장애를 가진 환자의 치료 결과를 예측한다는 점을 급성 관동맥 증후군 때문에 입원한 환자들 중, 낙관주의 점수가 높은 환자들은 입원 2주 후 신체적 활동이 더 높았으며 이후 6개월 동안 재입원 횟수가 더 적었다(Huffman et al. 2016). 유방암 환자의 심리적 기능에 대한 최근 리뷰에서는 매우 낙관적인 여성이 능동적인 대처 양식을 사용할 가능성이 높고 높은 수준의 웰빙과 삶의 만족도를 나타냈으며 질병 경험에서 더 많은 이득과 의미를 도출한 것으로 보고했다(Casellas-Grau et al. 2016). Gilboa 등(1999)은 낙관적인 남성 화상 환자에게서 더 나은 심리적 결과를 발견했다.

부정

부정denial은 "두려움, 불안, 그리고 다른 부정적 정동을 완화시키기 위해 어떤 사건의 전체 또는 일부 의미들을 의식적 또는 무의식적으로 거절하는 것"이다. 정신건강의학과 의사들은 처음 질병을 진단받은 것을 부정하는 환자의 평가를 위해 자문 요청을 받는다. 부정은 환자가 질병으로부터 감정적으로 압도당하는 것에서 보호해주는 적응적인 기능을 하기도 하지만, 진단, 치료, 그리고 생활 방식의 변화를 막거나 지연시키는 부적응적인 요소가 되기도 한다(Fang et al. 2016). 이런 자문 의뢰는 다양한 상황을 포함한다. 1) 환자가 진단을 거부하는 경우 2) 환자가 질병의 증상을 최소화하거나 그 의미를 인식하지 못하는 경우, 3) 환자가 치료를 피하거나 지연시키는 경우 또는 4) 환자가 진단이나 질병에 대해 아무런 정서적 반응을 보이지 않는 경우(Goldbeck 1997). 자문을 의뢰받은 의사의 첫 번째 과제는 환자가 부정을 하고 있는 것이 정확히 무슨 의미인지 파악하는 것이다. 부정의 심각도는 무엇을 부정하고 있는지, 억제, 억압, 정신병적 부정등 사용하는 주요한 방어기제가 무엇인지, 의식수준에 접근성이 어느정도인가에 따라 달라진다(Goldbeck 1997). 질병과 직면했을 때 억제와 같은 성숙한 방어를 사용하는 환자들은 실제로 부정을 하고 있는 것이 아니다. 오히려 그들은 질병과 치료에 대한 두려움을 나중까지 잠시 접어두기로 선택한 것이다. 두려움은 무의식적으로 깊숙하지 않으며 환자들이 원한다면 쉽게 접근할 수 있다. 이러한 환자들은 대부분 치료를 받아들이고 자신의 질병을 용기 있게 직면하며 감정이 자신을 압도하지 못하게 한다. 이러한 "부정"은 적응적인 것이다(Druss and Douglas 1988). 압도적인 질병에 효과적으로 대처하기 위해서는 어느 정도의 부정이 필요하다(Druss).

심각한 부정을 하는 환자들은 자신이 아프다는 것을 완강하게 부정하며 치료를 받고 싶어하지 않을 수 있다. 이미 치료를 받고 있는 경우에는 치료를 거부하며 비순응적이다. 이때는 의료진이 질병에 대해 반복적으로 교육하는 시도는 효과가 없다.

치료에 도움이 안되는 부정이 분명할 때의 개입 방법은 대개 부정을 초래하는 두려움과 같은 밑에 깔린 감정을 대상으로 접근한다. 환자의 부정을 바로 직면하는 것은 역효과만 있을 수 있기에 피하는 것이 좋다(Ness and Ende 1994; Perry and Viderman 1981). 예를 들어, 처음 당뇨 진단을 받은 17살 청소년은 다른 가족 구성원들이 당뇨 합병증으로 고생하는 것을 본 고통스런 기억들 때문에 이 진단을 받아들이거나 자신의 생활양식을 바꾸고 싶어하지 않을 수 있다. 의사는 "만약 식단을 바꾸고 혈당수치를 측정하고 인슐린을 규칙적으로 복용하지 않는다면 어머니와 같은 합병증으로 고생할지도 모른다"고 겁을 주고 싶을 수도 있다. 이러한 설명은 불안을 증가시켜 환자가 더 부정을 하게 만든다. 대신 온화하고 공감적이며 비판단적인 자세를 취하는 것이 더 효과적이다(Ness and Ende 1994).

질병에 대한 정서적 반응

정신건강의학과 의사는 환자가 질병이나 입원에 대한 분노, 두려움, 슬픔과 같은 정서적 반응을 관리하는 법을 익히는 데 도움을 달라는 자문요청을 받는다. 환자의 질병에 대한 주관적 경험과 주요 대처 유형과 방어 기제에 대한 이해를 통해 환자와 주치의가 환자의 분노를 이해할 수 있게 돕고 치료를 수용할 수 있는 동맹관계를 맺을 수 있도록 촉진할 수 있다.

질병에 대한 이야기를 공감적으로 경청하는 것은 주요한 감정 반응을 파악하게 돕고 질병의 주관적 의미가 무엇인지에 대한 잠재적 단서가 될 수 있다(Lazarus 1999). 질병은 여러 가지 의미를 지닐 수 있으며 그 의미는 질병이 진행됨에 따라 달라질 수 있다. 가장 지배적 정서가 많은 관심의 대상이 되지만, 그렇다고 유일한 관심사가 되어서는 안된다. 환자가 자신의 정서적 반응을 명명하고 그들이 왜 존재하는지 이해할 수 있게 되면, 자신이 이해받고 있다고 느낄 수 있다.

1) 분노

분노는 의학적 질병에 대한 반응 중 가장 흔한 반응이며 의사가 받아들이기 가장 어려운 감정이다. 일반적인 의사의 반응은 분노에 대해 의사도 반격하거나 거리를 두는 것이다. 숙련된 정신건강의학과 의사는 화가 난 환자에게 적절한 공감과 필요한 한계 설정을 제시할 수 있다. 분노를 보다 생산적인 대상으로 재치 있게 전환시키는 것과 같은 여러가지 방법이 가능하다. 의료진이 환자에 적절하게 대응하도록 돕는 것도 중요하다. 표출된 분노를 자연스러운 것으로 보고 정동의 강도를 분산시키는 것은 환자와의 협력 관계를 재정립하는 데 도움을 줄 수 있다.

2) 불안과 두려움

어느 정도 수준의 불안은 보편적으로 경험한다(Lloyd 1977). 불안의 정도는 개인과 상황에 따라 다를 수 밖에 없다. 현재 질환의 발병 전에 불안장애를 가진 환자들은 의학적 질병에 직면했을 때 심각한 불안증상을 경험할 가능성이 높다. 정신치료나, 질병과 치료에 대한 교육, 이완요법(Brown and Gerbarg 2012), 필요시 소량의 약물 사용은 불안 수준을 감소시킬 수 있다(Perry and Viederman 1981). 이때 환자가 무엇을 두려워하는지 – 통증, 죽음, 버림받는 것, 손상, 의존하는 것, 장애 등 – 를 잘 알아내고, 표현하도록 돕는 것이 중요하다. 안심만 시키는 것은 일반적으로 효과적이지 않다. 오히려 해로울 수도 있다. 환자의 특정 공포에 맞춘 공감과 안심은 상당한 안도감을 줄 수 있다(Perry and Viederman 1981).

3) 슬픔

질환은 상실의 감정을 발생시키고 동시에 슬픔의 원인이 된다(Lloyd 1977). 질병은 다양한 유형의 상실로 이어질 수 있다. 질병은 신체기능이나 사회적 기능의 손상, 일할 능력의 상실, 목표의 상실, 신체 일부의 손실과 같은 다양한 유형의 상실로 이어진다. 장기나 기능의 상실은 사지의 절단과 같은 외부적 상실만큼이나 심각하다. 슬픔은 질환에 이환된 환자의 적응장애의 흔한 증상의 하나다(Strain et al. 1998). 환자가 경험하는 슬픔을 애도의 과정으로 비유하는 것은 슬픔에서 회복하는 데 도움이 된다. 이때 환자나 의료진 양쪽에 잘 인식되지 않는 것은 상실에 대한 애도의 시간이 걸린다는 점이다. 이때 의사는 환자에게 적절한 희망을 전달하는 것이 중요하다. 비슷한 상황에 있었던 다른 환자들의 긍정적 결과를 묘사하는 것은 종종 도움이 될 수 있다. 환자의 슬픔이 정상적 애도반응 수준이지만 이때 항우울제를 처방하려고 할 수 있다. 그렇지만 시간이 걸리면 좋아질 문제로 보고, 다양한 관점에서 정신치료나 질환에 대한 교육, 지지체계의 점검등 약물이외의 개입을 먼저 생각해보는 것이 좋다.

4) 죄책감

어떤 환자들은 자신의 질병이 실제 혹은 상상 속의 죄에 대한 처벌로 경험한다. 질병이 환자의 탓이 아님을 명확히 하고 이 시기에 환자가 경험하는 죄책감을 가질 필요가 없다는 것을 명확히 해줄 필요가 있다. 특히 자신이 과거에 했었던 건강에 도움이 되지 않은 행동들이 죄책감을 불러일으킬 수 있고 이것이 과도한 자책으로 이어질 위험이 있다. 가족 구성원이 질병 때문에 환자를 부적절하게 비난한다면 교육이 매우 중요하다. 만약 환자가 신앙이 있다면 적절한 성직자와의 상담도 고려해 보아야 한다.

5) 수치심

질병은 보편적으로 자기애 손상으로도 경험된다. 자기애적인 성격을 가진 경우 수치심을 더 쉽게 경험한다. 오랜 흡연 이후 폐암이 걸리는 것과 같이 자신의 질병을 이전 행동의 결과로 보는 환자들도 수치심을 경험할 수 있다. 의사들은 비판단적인 입장을 취하고 비난하지 않는 것이 중요하다. 비판적이고 탐탁지 않아하는 반응은 환자의 수치심을 높이는 역효과를 나타내며, 종종 치료 회피로 이어진다. 예를 들어 당뇨병 케토산증 때문에 반복적으로 병원에 입원하는 비순응적인 당뇨병 환자는 의사와 간호사들을 좌절시킨다. 이때 자신의 질병을 심각하게 받아들이지 않는 것을 방지하기 위해 환자를 꾸짖고 싶은 유혹을 느낄 수도 있다. 하지만 이런 언행은 환자에게 수치심만 자극하고, 활동 변화에 동기를 부여하는 데 효과적이지 않고 비순응의 악순환을 악화시킨다.

질병에 대한 행동적 반응

질병에 대한 환자의 행동 반응은 매우 다양하다. 적응적인 반응은 단순하게 격려나 희망으로 이어질 수 있다. 질병이나 입원에 대한 행동적 반응이 부적응적이고 그로 인해 치료에 문제가 생긴 환자에 대한 평가를 요청받게 된다.

1) 적응적 반응

(1) 지지 찾기

어떤 질병을 진단받거나, 입원을 한다는 것은 매우 잘 지내던 사람에게도 큰 부담이다. 이때 사회적 지지 네트워크가 잘 발달되어 있는 경우 친구와 가족의 지원은 큰 도움이 된다. 사회적 지지는 유방암에 걸린 여성의 삶의 질, 웰빙, 목적 의식, 그리고 긍정적인 적응을 향상시킨다(Casellas-Grau et al. 2016). 평소 의존을 하는 것을 꺼리는 환자는 이런 시기에 도움을 구하는 데 어려움을 느낄 수 있다. 이에 대한 적절한 상담은 도움을 요청하는 것의 심리적 부담을 줄이는 데 도움이 된다. 환자 지지그룹으로 연계하는 것은 많은 환자에게 도움이 될 수 있다. 같은 질병에 직면한 다른 사람의 경험에서 배울 수 있고 다른 사람으로부터 소외감을 덜 느끼거나 외로움이 줄어들 수 있다.

(2) 이타주의

유방암 기금 마련을 위한 자원 봉사, 수술 전 환자와 만나 자신의 경험을 나누는 장기이식 옹호자가 되는 것 또는 에이즈 걷기 대회에 참가하는 것은 모두 질병에 대한 적응적 이타주의적 행동의 사례들이다. 질병의 일반적인 스트레스 중 하나는 개인의 자존감과 생산성에 미치는 영향이다. 환자들은 다른 사람들을 도움으로써 목적 의식과 만족감을 느껴 기분과 자존감을 향상시킬 수 있다. 정신건강의학과 의사들은 이타적 행동을 지지하고 격려해주기만 해도 충분하다. 심각한 질병을 가진 많은 환자들에게 연구에 대한 자발적 참여는 같은 효과를 가질 수 있다. 특히 말기 질환을 가지고 있는 환자들에게 연구에 참여하는 것은 미래의 새로운 치료 가능성에 기여함으로써 목적 의식과 희망을 제공할 수 있다.

(3) 삶의 우선순위에 대한 깨달음

심각한 질병을 겪는 것은 환자에게 삶에서 가장 중요한 것이 무엇인지에 대한 관점을 되찾는 데 도움을 준다. 심각한 질병을 맞닥뜨린 몇몇 환자들은 깨달음을 경험해 자신의 삶을 더 나은 방향으로 변화시킨다. 유방암 이후 "외상 후 성장"은 사회적 지지 찾기, 인지적 재구성, 긍정적 재평가, 참여, 만족감 등의 요인들과 관련이 있는 것으로 나타났다(Tedeschi and Calhoun 2004).

(4) 자신의 질병에 대한 전문가가 되는 것

질병에 대해 많이 배우는 것은 통제감을 만들 수 있다. 정보 자체는 긍정적이지 않더라도 환자들은 종종 현실이 자신이 상상했던 두려움보다도 더 관리가 가능하다는 점을 볼 수 있다. 몇몇 환자들은 의사를 신뢰하며 모든 것을 알지 않는 것을 원하기도 한다.

2) 부적응적 반응: 치료에 대한 비순응

치료 비순응은 흔하다(Abegaz et al. 2017). 추정치에 따르면, 최대 50%의 환자들이 자신에게 처방된 약물 요법에 순응하지 않는다. 환자들은 전형적으로 자신의 치료 순응도를 과대평가하며, 의사들은 순응도가 부족하다는 점을 알아차리지 못한다(Levenson 1998). 환자의 비순응도를 설명하는 기저 요인들을 올바르게 파악하고 다루어야 순응도를 개선시킬 수 있다. 환자들은 여러 이유로 순응하지 않는다. 여기에 정신 질환과 심리적 동기만이 관련된 유일한 요소는 아니다. 비용, 부작용 그리고 치료 복잡성과 같은 다른 요소들이 작용할 수 있다. 환자의 비순응의 정도와 그 맥락을 파악하는 것은 중요하다.

(1) 비순응의 심리적 동기 요인

Perry와 Viederman (1981)은 환자들이 치료 권장사항에 순응하지 않는 여러가지 심리적 이유를 설명하였다. 이유 중 하나는 수치심에 대해 방어하기 위한 비순응이다(Perry and Viederman 1981). 성병이나 HIV 환자는 질병을 매일 상기시켜주는 약을 중단할 수 있다(Blashill et al. 2011). 수치심을 유발시키는 질병 개념에 대응하기 위해 수행하는 능동적인 공감 작업은 이러한 동기를 감소시킬 수 있다.

비순응에 대한 또다른 심리적 동기는 무력감에 대항하는 것이다(Perry and Viedermen 1981). 당뇨병이 처음 진단된 청소년은 발달선에 있으므로 자율성이 매우 중요한 욕구로 작용한다. 자율성과 통제감을 느낄 수 있는 단 한가지 방법이 인슐린을 복용하지 않는 것이라고 생각해 중단할 수 있다. 치료를 해주는 의사나 질병이나 진단 자체에 대한 분노는 비순응에 대한 또 다른 심리적 동기가 될 수 있다.

(2) 정신장애의 동반이환과 비순응

동반이환된 정신장애, 특히 기분장애는 치료 비순응으로 이어질 수 있다. 우울증 환자는 흥미, 에너지, 집중력이 저하되어 의료진의 치료 지시사항을 모두 이해하기 어려울 수 있다. 우울장애 환자들은 자살 시도에 대한 간접적인 수단으로 치료를 중단할 수도 있다. 치료 비순응에 영향을 미칠 수 있는 다른 정신 질환들에는 정신증적 장애, 불안장애, 물질 사용 장애 그리고 인지 장애가 있다. 따라서 비순응적인 환자를 평가하기 위해서 정신병력과 증상의 종합적 평가가 꼭 필요하다.

(3) 비순응의 다른 요인들

비순응은 심리적 동기가 아닌 다른 현실적 요인에 기인할 수 있다. 치료 비용, 부작용, 그리고 복잡하거나 불편한 약물 투여 일정은 모두 고려되어야 하는 요인이다. 병원 방문을 위한 교통수단의 어려움, 융통성 없고 긴 근무 실정, 또는 육아 책임과 같은 다른 현실적인 장벽은 꾸준한 진료를 방해할 수 있다.

질병이나 치료에 대한 정보의 부족은 비순응에 대한 잠재적 기여 요인이 된다. 그러므로 환자와 가족에게 질병과 치료과정에 대한 교육은 좋은 순응을 위해 필수적이다.

환자와 의사가 가진 건강 신념의 불일치는 비순응을 설명할 비순응의 원인 중 하나다(Gaw 2001). 문화와 종교적 배경, 특히 환자가 가진 건강과 질병에 대한 신념과 가치를 이해하도록 노력해야 한다. 의사들은 질병과 치료 효과에 대한 환자의 설명 모델을 끌어내기 위해 시도해야 한다. 가능하다면 환자의 신념 체계 안에서 치료를 설명하려고 시도할 수 있다. 의사와 환자 간의 설명 모델 간의 차이를 적어도 인식하고 상호 인정하는 것은 치료 순응도와 의사-환자 라포의 형성을 향상시켜준다.

(4) 치료 순응을 증진시키기 위한 개입

약물 용량 감소, 모니터링/피드백, 그리고 교육을 포함하는 개입이 순응에 긍정적인 영향을 미치지만, 하나의 접근법이 모든 환자에게 효과를 지닌 것은 아니다(Kipalani et al. 2007; Marcum et al. 2017). 다음 기본 원칙들은 의사들이 환자의 치료 순응도를 증진시키는 데 도움이 될 수 있다(Becker and Maiman 1980; Chen 1991; Gaw 2001).

- 비판단적인 입장을 유지하며 환자에게 순응도에 대해 물어본다. 순응도를 높이기 위한 계획을 의사와 환자가 함께 짠다.
- 환자들이 자신의 질병과 치료에 대해 충분히 알게 한다.
- 인지적 결함(예, 지적 장애나 치매)은 비순응에 역할을 지닐 수 있다.
- 비순응의 근본적인 심리적 동기를 파악하고 구체적으로 다룬다.
- 동반이환된 정신 질환을 진단하고 치료한다.
- 가능한 경우 부작용, 비용, 그리고 치료 요법의 복잡성과 같은 치료-관련 요인들을 최소화한다.
- 비순응에 대한 문화적 이유를 파악하고 인지하며, 극복한다.
- 환자에게 수치심을 주거나 꾸짖고, 겁을 주지 않는다.
- 부정적인 강화보다 긍정적인 강화를 이용해 행동 변화를 촉진시킨다.
- 가족 구성원이 치료 계획에 대해 찬성한다면 그들을 환자 순응도 증진에 참여시킨다.

(5) 부적응적 반응: 의료적 권고에 반대하는 것

환자가 의료 조언에 반대를(against medical advice; AMA) 하겠다고 하는 경우, 정신건강의학과 의사의 자문을 의뢰하게 된다. 최근 리뷰에 따르면 미국의 자치주 병원 중 2.7%의 입원이 AMA 서명으로 인해 퇴원했다(Stearns et al. 2017). AMA를 서명한 환자의 30일 재입원률과 전체 사망률은 일반적 과정으로 퇴원한 환자에 비해 더 높다(Alfandre 2013). 종종 정신건강의학과 의사는 의료 조언에 반해 퇴원을 하고 싶어하는 환자의 결정 능력을 평가하도록 요청받는다(Kornfeld et al. 2009).

의료적 권고에 반대하여 퇴원을 하는 동기는 상당히 다양하며 치료 비순응의 동기와 비슷하다. 동기 중에는 1) 보호자/간병인에 대한 분노나 치료에 대한 불만족 2) 압도적인 두려움 또는 불안 3) 물질 갈망 또는 금단 4) 섬망 또는 치매 5) 정신증 또는 편집증 6) 병원을 떠나 외부 책임에 임하고 싶은 욕망(예, 육아, 직장, 법정 출두, 또는 집에 혼자 있는 반려동물) 그리고 7) 퇴원 계획에 대한 조급함이나 떠날 수 있을 만큼의 충분한 건강 회복이 있다.

이때 환자가 경험할 수 있는 좌절감에 대한 공감적 경청은 환자가 자신의 좌절감을 환기시키고 이해 받는다는 느낌을 제공하기 때문에 매우 중요하다. 공감적 경청은 환자를 치료에 다시 참여시킬 수 있도록 한다. 이를 위해 다음과 같은 원칙을 따르는 것이 좋다.

- 위협을 하나의 의사소통으로 이해한다. – 환자는 진정으로 떠나길 원하는 것인가, 또는 좌절, 분노, 불안 또는 다른 정동을 표현하고 있는지 구별해본다.
- 만약 환자가 충분히 화가 난 경우, 시스템이나 병원을 대신하여 사과한다.
- 겁을 주는 전략이나 부정에 대해 직접적으로 대립하는 것은 일반적으로 역효과를 낳기 때문에 피하는 것이 좋다.
- 가족 등 사회적 지지망을 참여시킨다.
- 환자가 질병과 치료 필요성에 대해 적절히 알고 있는지를 확인한다.
- 그럼에도 불구하고 퇴원하겠다고 하는 경우, 마음이 바뀌면 치료를 위해 복귀하도록 격려한다.

결론

의학적 질환은 이와 같이 많은 정서적, 인지적 반응을 발생시킨다. 그리고 이는 치료 과정과 결과에 영향을 미친다. 이번 장에서는 질병에 대한 심리적 반응, 입원과 병원생활이 주는 일반적 스트레스에 대해서 소개했다. 일반적인 질병 경험 스트레스보다 개인의 인식, 이해, 대처능력에 따라 심리적 반응은 달라진다. 그래서 자문 중에는 이에 대한 정확한 평가가 필요하다. 애착유형, 성격유형, 대처유형, 방어기제와 같은 정립되어 있는 개인의 유형을 잘 파악하면 어렵지 않게 환자 개인의 정신상태를 파악하고 특정한 질병 상태에서 보이는 반응을 이해한 후 적절한 개입을 제안할 수 있다. 한편 분노, 불안과 두려움, 슬픔, 죄책감과 수치심과 같이 질병행동에 영향을 미치는 정서적 반응을 심도 있게 이해해야 환자에게 공감을 갖고 접근하고 자문정신의학적 도움을 줄 수 있다. 순응도를 높이는 것은 치료 과정의 결과를 향상시키는 데 매우 중요하다. 의료진이 놓치기 쉬운 순응도에 부정적 영향을 미치는 요인들을 찾아내고 평가하여 피드백하고 의료진과 소통하며 환자에게 비순응적 요인의 수정을 제시할 수 있어야 한다.

참고문헌

1. Abegaz TM, Shehab A, Gebreyohannes EA, et al. Nonadherence to antihypertensive drugs: a systematic review and meta-analysis. Medicine (Baltimore) 2017;96(4):e5641.
2. Alfandre D. Reconsidering against medical advice discharges: embracing patient-centeredness to promote high quality care and a renewed research agenda. J Gen Intern Med 2013;28(12):1657–62.
3. Bartholomew K, Horowitz LM. Attachment styles among young adults: a test of a four-category model. J Pers Soc Psychol 1991;61(2):226–44.
4. Becker MH, Maiman LA. Strategies for enhancing patient compliance. J Community Health 1980; 6(2):113–35.
5. Blashill AJ, Perry N, Safren SA. Mental health: a focus on stress, coping, and mental illness as it relates to treatment retention, adherence, and other health outcomes. Curr HIV/AIDS Rep 2011;8(4):215–22.
6. Bowlby J. Attachment and Loss, Vol 1: Attachment. New York, Basic Books, 1969
7. Brown RP, Gerbarg PL. The Healing Power of the Breath. London, Shambhala, 2012
8. Casellas-Grau A, Vives J, Font A, Ochoa C. Positive psychological functioning in breast cancer: an integrative review. Breast

2016;27:136-68.

9. Chen A. Noncompliance in community psychiatry: a review of clinical interventions. Hosp Community Psychiatry 1991;42(3):282-7.
10. Ciechanowski P, Katon WJ. The interpersonal experience of health care through the eyes of patients with diabetes. Soc Sci Med 2006;63(12):3067-79.
11. Ciechanowski PS, Katon WJ, Russo JE, Walker EA. The patient-provider relationship: attachment theory and adherence to treatment in diabetes. Am J Psychiatry 2001;158(1):29-35.
12. Ciechanowski PS, Katon WJ, Russo JE, Dwight-Johnson MM. Association of attachment style to lifetime medically unexplained symptoms in patients with hepatitis C. Psychosomatics 2002;43(3):206-12.
13. Ciechanowski PS, Walker EA, Katon WJ, Russo JE. Attachment theory: a model for health care utilization and somatization. Psychosom Med 2002;64(4):660-7.
14. Ciechanowski P, Sullivan M, Jensen M, et al. The relationship of attachment style to depression, catastrophizing and health care utilization in patients with chronic pain. Pain 2003;104(3):627-37.
15. Druss RG. The Psychology of Illness: In Sickness and in Health. Washington, DC, American Psychiatric Press 1995.
16. Druss RG, Douglas CJ. Adaptive responses to illness and disability. Healthy denial. Gen Hosp Psychiatry 1988;10(3):163-8.
17. Fang XY, Albarqouni L, von Eisenhart Rothe AF, et al. Is denial a maladaptive coping mechanism which prolongs pre-hospital delay in patients with ST-segment elevation myocardial infarction? J Psychosom Res 2016;91:68-74.
18. Fitzpatrick MC. The psychologic assessment and psychosocial recovery of the patient with an amputation. Clin Orthop Relat Res 1999;(361):98-107.
19. Folkman S, Lazarus RS, Dunkel-Schetter C, et al. Dynamics of a stressful encounter: cognitive appraisal, coping, and encounter outcomes. J Pers Soc Psychol 1986;50(5):992-1003.
20. Folkman S, Chesney M, Pollack L, Coates T. Stress, control, coping, and depressive mood in human immunodeficiency virus-positive and -negative gay men in San Francisco. J Nerv Ment Dis 1993;181(7):409-16.
21. Fonagy P, Leigh T, Steele M, et al. The relation of attachment status, psychiatric classification, and response to psychotherapy. J Consult Clin Psychol 1996;64(1):22-31.
22. Fricchione GL, Howanitz E, Jandorf L, et al. Psychological adjustment to end-stage renal disease and the implications of denial. Psychosomatics 199;33(1):85-91.
23. Gaw AC. Concise Guide to Cross-Cultural Psychiatry. Washington, DC, American Psychiatric Publishing. 2001.
24. Gazzola L, Muskin PR. The impact of stress and the objectives of psychosocial interventions, in Psychosocial Treatment for Medical Conditions: Principles and Techniques. Edited by Schein LA, Bernard HS, Spitz HI, et al. New York, Brunner-Routledge, 2003. pp 373-406.
25. Geringer ES, Stern TA. Coping with medical illness: the impact of personality types. Psychosomatics 1986;27(4):251-61.
26. Gilboa D, Bisk L, Montag I, Tsur H. Personality traits and psychosocial adjustment of patients with burns. J Burn Care Rehabil 1999;20(4):340-6, discussion 338-9.
27. Goldbeck R. Denial in physical illness. J Psychosom Res 1997;43(6):575-93.
28. Groves JE. Taking care of the hateful patient. N Engl J Med 1978;298(16):883-7.
29. Hackett TP, Cassem NH. Development of a quantitative rating scale to assess denial. J Psychosom Res 1974;18(2):93-100.
30. Heim E, Augustiny KF, Schaffner L, Valach L. Coping with breast cancer over time and situation. J Psychosom Res 1993;37(5):523-42.
31. Heiskell LE, Pasnau RO. Psychological reaction to hospitalization and illness in the emergency department. Emerg Med Clin North Am 1991;9(1):207-18.
32. Holwerda N, Sanderman R, Pool G, et al. Do patients trust their physician? The role of attachment style in the patient-physician relationship within one year after a cancer diagnosis. Acta Oncol 2013;52(1):110-7.
33. Huffman JC, Beale EE, Celano CM, et al. Effects of optimism and gratitude on physical activity, biomarkers, and readmissions after an acute coronary syndrome: the Gratitude Research in Acute Coronary Events Study. Circ Cardiovasc Qual Outcomes 2016;9(1):55-63.

34. Kahana RJ, Bibring G. Personality types in medical management, in Psychiatry and Medical Practice in a General Hospital. Edited by Zinberg NE. New York, International Universities Press, 1964. pp108–23.
35. Kaptein AA, Scharloo M, Fischer MJ, et al. Illness perceptions and COPD: an emerging field for COPD patient management. J Asthma 2008;45(8):625–9.
36. Klest B, Philippon O. Trust in the medical profession and patient attachment style. Psychol Health Med 2016;21(7):863–70.
37. Kornfeld DS. The hospital environment: its impact on the patient. Adv Psychosom Med 1972;8:252–70.
38. Kornfeld DS, Muskin PR, Tahil FA. Psychiatric evaluation of mental capacity in the general hospital: a significant teaching opportunity. Psychosomatics 2009;50(5):468–73.
39. Leigh H. The patient's personality, personality types, traits and disorders in the CL setting, in Handbook of Consultation-Liaison Psychiatry. New York:Springer; 2015. pp 345–66.
40. Levenson JL: Psychiatric aspects of medical practice, in Clinical Psychiatry for Medical Students, 3rd Edition. Edited by Stoudemire A. Philadelphia, PA:Lippincott-Raven;1998. pp 727–63.
41. Levenson JL, Mishra A, Hamer RM, Hastillo A. Denial and medical outcome in unstable angina. Psychosom Med 51(1):27–35, 1989 2784580
42. Levine J, Warrenburg S, Kerns R, et al. The role of denial in recovery from coronary heart disease. Psychosom Med 1987;49(2):109–17.
43. Lipowski ZJ. Physical illness, the individual and the coping processes. Psychiatry Med 1970;1(2):91–102.
44. Lloyd GG. Psychological reactions to physical illness. Br J Hosp Med 1977;18(4):352–8.
45. Marcum ZA, Hanlon JT, Murray MD. Improving medication adherence and health outcomes in older adults: an evidence-based review of randomized controlled trials. Drugs Aging 2017;34(3):191–201.
46. Muskin PR. The medical hospital, in Psychodynamic Concepts in General Psychiatry. Edited by Schwartz HJ, Bleiberg E, Weissman SH. Washington, DC: American Psychiatric Press;1995. pp 69–88.
47. Muskin PR, Haase EK. Difficult patients and patients with personality disorders, in Textbook of Primary Care Medicine, 3rd Edition (Noble J, Editor in Chief). St Louis, MO: CV Mosby; 2001. pp 458–64.
48. Ness DE, Ende J. Denial in the medical interview. Recognition and management. JAMA 1994;272(22):1777–81.
49. Oldham JM, Skodol AE. Charting the future of axis II. J Pers Disord 2000;14(1):17–29.
50. Penley JA, Tomaka J, Wiebe JS. The association of coping to physical and psychological health outcomes: a meta-analytic review. J Behav Med 2002;25(6):551–603.
51. Perry S, Viederman M. Management of emotional reactions to acute medical illness. Med Clin North Am 1981;65(1):3–14.
52. Rasmussen HN, Scheier MF, Greenhouse JB. Optimism and physical health: a meta-analytic review. Ann Behav Med 2009;37(3):239–56.
53. Richardson EM, Schüz N, Sanderson K, et al. Illness representations, coping, and illness outcomes in people with cancer: a systematic review and meta-analysis. Psychooncology 2017;26(6):724–37.
54. Sensky T. Causal attributions in physical illness. J Psychosom Res 1997;43(6):565–73.
55. Staudenmayer H, Kinsman RA, Dirks JF, et al. Medical outcome in asthmatic patients: effects of airways hyperreactivity and symptom-focused anxiety. Psychosom Med 1979;41(2):109–18.
56. Stearns CR, Bakamjian A, Sattar S, Weintraub MR. Discharges against medical advice at a county hospital: provider perceptions and practice. J Hosp Med 2017;12(1):11–7.
57. Strain JJ, Grossman S. Psychological reactions to medical illness and hospitalization, in Psychological Care of the Medically Ill: A Primer in Liaison Psychiatry. New York; Appleton-Century-Crofts: 1975. pp 23–36.
58. Strain JJ, Smith GC, Hammer JS, et al. Adjustment disorder: a multisite study of its utilization and interventions in the consultation-liaison psychiatry setting. Gen Hosp Psychiatry 1998;20(3):139–49.
59. Tedeschi RG, Calhoun LG. Posttraumatic growth: conceptual foundations and empirical evidence. Psychol Inq 2004;15(1):1–18;
60. Tindle H, Belnap BH, Houck PR, et al. Optimism, response to treatment of depression, and rehospitalization after coronary artery bypass graft surgery. Psychosom Med 2012;74(2):200–7.

61. Vaillant GE. The Wisdom of the Ego. Cambridge, MA: Harvard University Press: 1993.
62. Westbrook MT, Viney LL. Psychological reactions to the onset of chronic illness. Soc Sci Med 1982;16(8):899-905.
63. Zervas IM, Augustine A, Fricchione GL. Patient delay in cancer. A view from the crisis model. Gen Hosp Psychiatry 1993;15(1):9-13.

CHAPTER

자문조정 정신의학의 기초

엄유현, 김태석

정신신체의학은 임상 진료 현장에서 자문조정 정신의학의 형태로 구현된다. 자문조정 정신의학 전문의들은 암, 감염, 이식 등의 내외과적 문제와 함께 동반되는 섬망, 우울, 불안과 초조, 정신증, 물질 사용 장애, 신체화 장애 등을 마주하게 된다. 내외과적 문제에 정신건강의학과적 문제들이 동반하게 되면 내외과적 질병 경과를 악화할 수 있고, 퇴원 시기를 늦추며 전반적인 의료 비용이 높아질 수 있기에 자문조정 정신건강의학과 전문의의 역할은 중요하다 할 수 있겠다. 자문조정 정신건강의학과 전문의는 타과 의사들의 요구를 이해하고 긴밀한 협력 속에 환자를 이해하고자 노력하는 것이 중요하며 충분한 수련을 통해 기본 능력을 함양해야 한다. 또한, 자문조정 정신건강의학과 전문의가 업무를 수행하는 진료 환경의 특수성을 이해하고 그 특수성에 따르는 장애물들과 어려움을 이해하고 조정하는 능력이 필요하다. 실제로 자문조정 정신건강의학과 전문의가 임상 진료 현장에서 시행하는 진단, 치료 과정은 일반 정신건강의학과적 병동, 외래에서 수행하는 그것과 다르지 않아 보일 수 있으나 진료 환경의 차이와 환자에게 주된 진료를 제공하고 있는 의사가 아니라는 점에서 분명 다른 점이 있다. 이런 차이를 극복하고 효율적인 진료 제공을 위해서는 자문조정 서비스 관련 기본 구조에 대해 이해하고 자문조정 서비스를 구성하고 있는 요소에 대해 이해하는 것이 중요하겠다. 이번 장에서는 종합병원에서 시행되는 정신건강의학과적 자문 및 조정과 관련하여 자문조정 정신건강의학과 전문의에게 필요한 기본 능력, 타과 의사들과의 관계에 있어 고려사항들, 자문조정 서비스의 구성요소들에 대해 다루고자 한다. 그리고 조정 정신의학liaison psychiatry의 기본 개념과 목표, 세부 내용을 논의하였다. 마지막으로 자문조정 정신의학 전문의가 진료 과정 중 흔히 마주하게 되는 법적 및 윤리적 문제에 대해 다루었다. 이런 이해들을 통해 자문조정 정신건강의학과 진료의 효과를 극대화하고 질병으로 고통받는 환자들의 회복을 돕는 데 크게 이바지할 수 있을 것이라 기대한다.

1. 자문조정 정신건강의학과 전문의

1) 자문조정 정신건강의학과 전문의의 기본적인 능력

자문조정 정신건강의학의 가장 기본적인 훈련은 정신건강의학과적 그리고 내외과적 지식 및 기술의 습득에서부터 시작된다고 볼 수 있다. 자문조정 진료를 수행하는 데 필요한 기본적인 지식과 기술에는 정신 병리학의 이해, 정신의학적 감별진단, 정신치료(정신역동치료, 지지정신치료, 인지행동치료), 종합병원 시스템에 대한 행정관리, 의료경제, 노인의학, 법의학이 모두 포함된다. 또한, 신체질환과 동반하는 다양한 정신건강의학과적 질환, 서로 다른 질환 간의 상호작용, 연령, 성별, 사회경제적 수준 그리고 기타 다양한 요소에 관련된 지식도 자문조정 정신건강의학에서 상당히 중요하다.

비록 많은 정신건강의학과 의사들이 전공의 시절에 정신건강의학과적 자문을 수련의 한 부분으로 수행하고 있지만 병원 혹은 대학마다 서로 다른 교육 수준과 임상적 경험으로 인해 자문 능력의 범위에도 차이가 발생한다. 일차 진료 세팅에서 마주하는 환자에서 주요 정신건강의학과 질환의 상당 부분이 진단되지 못한다는 사실이 알려지면서 정신신체의학 분야에 있어 적합한 자질과 전문성을 갖춘 정신건강의학과 자문의의 필요성이 점차 강조됐다. 능력과 전문성을 갖춘 정신건강의학과 자문의가 신체질환자의 정신건강의학과적 질환을 효과적으로 치료함으로써 환자의 치료 전반에 대한 순응도를 개선하고, 입원 기간을 줄이며, 의료 자원의 소비를 감소시킬 수 있다.

전문적인 정신건강의학과 자문의는 환자의 임상 기록을 종합적으로 검토하여 합리적인 감별진단과 치료적 접근을 해야 한다. 정신건강의학과적 전문 용어로 쓰인 정신 역동적 표현은 일반적으로 자문을 의뢰한 타과 의사에게는 거의 도움이 되지 않는다. 오히려 표준적인 정신건강의학과적 진단을 바탕으로 한 간결한 추정 진단과 명확한 치료적 방향을 일반적인 수준의 의학 용어들로 표현하는 것이 매우 유용하다. 또한, 정신건강의학과 자문의는 자문 과정에서 자신의 지식이나 능력 밖의 임상적 문제들을 접하게 되었을 때 주저하지 말고 타과 의사들에게 문의하여야 한다.

2) 타 임상과 의사들의 실제적인 요구

정신건강의학과로 자문 의뢰를 하는 타과 의사들은 정신건강의학과 자문을 통해 환자가 표현하고 있는 다양한 증상을 기반으로 하여 정신건강의학과 자문의가 명확한 진단을 내려주길 바라며 동시에 구체적인 치료를 시행해주기를 바란다. 정신건강의학과 자문의의 역할을 보조적인 도움을 주는 범위로 국한하는 타 임상과 의사들이 있고 정신건강의학과 자문의의 역할을 치료 전반에 걸친 전체적인 책임자 역할로 확장하는 타 임상과 의사들도 있다. 이처럼 자문 과정에 있어 타 임상과 의사들의 실질적인 요구의 차이가 있을 수 있기에 임상 상황에서의 우선순위, 타 임상과 의사들의 실질적인 요구에 대해 정확히 평가하는 것이 중요하다. 예를 들면, 환자가 수술에 대한 동의서를 제대로 작성할 수 있는 능력 보유 여부를 알고 싶어하는 외과 의사는 수술을 앞둔 환자의 심리적 측면에는 별다른 관심이 없을 수 있다. 의뢰한 타 임상과 의사의 요구에 대해 최적의 자문을 하는 것은 자문 의뢰 빈도를 늘리는 데 많은 도움이 될 수 있다.

3) 정신건강의학과 자문에 대한 실질적인 초기 접근

신체질환자를 대상으로 한 가장 적합한 정신건강의학과적 평가 방법에 대해서는 많은 논란이 있었다. 환자의 인격에 대한 정신 역동적 이해나 특히 신체질환이나 입원 상황이 환자에게 가지는 의미를 파악하는 것은 환자를 전반적으로 이해하는 데 도움이 되지만 너무 긴 자유 연상이나 침묵과 같은 정신분석적 기술들은 자문 환자에게는 적합하지 않다. 신체질환자들의 대부분은 과거에 정신건강의학과 외래 진료나 특별한 정신치료를 받아본 경험이 없고, 많은 경우 자문 면담 시 심리적으로 퇴행되어 있으며 대부분 정신건강의학과적 자문을 자발적으로 요청하지 않은 상태인 경우가 많아 정신건강의학과 자문의가 시행하는 정신 역동적 접근 방식이 적합하지 않을 때가 많다. 또한, 일부 환자는 인지 장애를 앓고 있어 이러한 형태의 접근이 처음부터 불가능한 예도 있다. 따라서 환자가 겪는 정신건강의학과적 문제에 대한 직접적이고 구체적인 의학적 접근 방식이 도움이 되는 경우가 많다.

자문 진료 과정에서 정신건강의학과 자문의가 환자-의사 간의 비밀을 완벽하게 보장하는 것은 불가능한 경우가 많은데, 그 이유는 환자의 주치의가 자문의로부터 자문에 대한 구체적인 답변을 원하기 때문이다. 때로는 최적의 평가를 위해 환자의 가족이나 친구들과 면담을 하는 경우도 있어 이러한 진료 과정의 특성을 미리 환자에게 충분히 설명해야 한다. 예를 들면, 자문 진료 초기 단계에 "나는 당신에 대한 나의 진료 소견과 치료를 위한 권고 사항을 요약하여 당신의 주치의에게 알려줄 것입니다" 그리고 "당신을 더욱 잘 이해하기 위해 당신의 가족이나 지인과도 면담하여 당신의 어려움에 대한 다른 사람들의 관점도 알아볼 것입니다"라는 언급을 하는 것이 좋다. 만일 환자가 정신건강의학과 자문의에게 자문 진료의 내용에 대한 비밀을 원한다면 정신건강의학과 자문의는 반드시 그 비밀이 진료 과정에서 어느 정도 환자의 주치의와 공유될 것임을 설명하고 이렇게 비밀을 공유하는 것이 환자에 대한 주치의의 이해를 향상해 결과적으로 더 좋은 진료를 받을 수 있음을 설명해야 한다. 이러한 접근 방법이 환자와 관련된 의료진 간의 분열 가능성을 최대한으로 줄일 수 있다.

정확한 감별진단 및 적절한 치료 계획을 세우는 데 있어 꼼꼼한 내외과적 및 정신건강의학과적 과거력 청취와 정신상태 검사는 매우 중요하다. 면담 초기에 가능한 한 빨리 환자와 좋은 관계rapport를 형성함으로써 얻고자 하는 것보다 많은 정보를 획득할 수 있다. 환자와 의미있는 상호 관계 형성을 위한 단계는 아래와 같다.

(1) 환자에게 친절하고 진심 어린 태도로 인사하고 환자의 손을 잡아주거나 베개를 고쳐주는 것과 같이 사소한 부분이라도 배려 깊은 행동을 한다. 환자의 방에 사진이나 책과 같은 개인 물품이 있다면 관심을 보이거나 칭찬하는 태도로 이야기한다. 이런 따뜻한 태도가 환자에게 충분한 보살핌을 받고 있다는 느낌이 들게 한다.
(2) 환자를 자리에 앉혀 편안하게 해주고 재촉하지 않는다.
(3) 따뜻한 눈 맞춤을 유지하고 약간 환자 쪽으로 기대어 선다. 면담 동안에는 면담 내용을 계속 받아 적거나 환자의 의료 기록이나 검사 결과를 보는데 너무 많은 시간을 소비하지 않는다. 면담 동안 환자의 반응을 관찰함으로써 환자가 이야기하는 요점을 더 잘 기억할 수 있고 가치 있는 정보를 더 얻을 수 있다.

환자와 좋은 치료적 동맹을 형성하기 위해서 정신건강의학과 자문의는 사소한 일이라도 환자가 불편을 느낄 수 있는 부분을 편안하게 해주는 표현들로 이야기를 시작해야 하는데, 예를 들면 "병원에 있는 것은 누구에게나 힘든 일이지요. 몸이 아픈 것도 좋지 않지만 낯선 곳에서 주변에 익숙하지 않은 사람들과 함께 지내는 것도 매우 어려운 일이에요. 당신은 어떤가요?"와 같은 말은 많은 도움이 된다.

개방형 질문들(예를 들면, 그것에 대해 조금 더 이야기해 주시겠습니까?)과 폐쇄형 질문들(예를 들면, 직업이 무엇인가요?)을 적절하게 조합하여 사용하는 것이 효과적이며 일반적으로 면담 동안 점점 더 개방적이고 실제 문제에 더 초점에 맞춘 질문으로 진행하는 것이 좋다. 보고서를 작성할 때나 자문을 의뢰한 주치의나 교수들과 토론을 할 때는 전문 용어를 사용하기보다는 간결하고 이해하기 쉽게 추정 진단과 권고 사항을 이야기하는 것이 좋다.

정신건강의학과 자문의는 자신의 전문 지식을 토대로 입원 기록, 과거 기록, 내외과적 의료진으로부터 얻은 정보, 환자 혹은 환자의 가족들로부터 얻은 평가 정보, 그리고 다양한 참고 자료로부터 얻어진 정보를 이용한다. 평가를 통해 얻은 환자에 관한 결과들은 자문 초진 기록에 충분히 요약한다. 보다 학술적인 상황이라면 정신건강의학과 자문의는 환자와 개인적으로 면담을 한 것 그리고 내외과적 및 정신건강의학과적 과거력, 가족력, 사회 환경적 정보를 수련의와 함께 상세히 기록해야 한다.

의과대학 학생이나 수련의들은 초기부터 표준화된 평가 방식을 이용하여 자문조정 정신의학을 배우는 것이 자문조정 정신의학에 더욱 쉽게 접근하는 방법이다. 환자의 침상에서 할 수 있는 표준화된 검사로는 시계 그리기, 간이 정신상태 검사 등이 있다.

4) 자문 과정

많은 환자에게 정신건강의학과 자문의의 첫 방문은 무척 두려운 경험일 것이다. 하지만 기본적인 자문 과정을 이해하며 질병으로 인해 고통 받고 있는 환자들을 이해하려는 태도가 중요하겠다(표 4-1)

표 4-1. 자문 조정 과정

1) 의뢰를 하는 타과 의사와 직접 환자의 증상에 대해 소통하기
2) 환자가 호소하는 증상과 연관된 병력과 약물력을 모으기
3) 환자의 방어기제와 진료환경을 고려하며 환자를 면담하고 진찰하기
4) 진단계획과 치료계획을 수립하고 이를 타과 주치의와 공유하기
5) 정기적인 추적관찰 하기

자문 시점에서 자문을 의뢰하는 주치의가 담당 환자와 긍정적인 환자-의사 관계를 형성하지 못할 수도 있고, 자문을 의뢰하는 의사가 환자의 어떠한 정신적 문제를 다루는 데 어려움을 느끼거나 스스로 자격 미달이라고 느낄 수 있다. 이러한 점을 고려하였을 때 정신건강의학과 자문의는 환자에게 직설적이고 대립하는 질문은 반드시 피해야 한다. 예를 들면, 정신건강의학과 자문의는 환자에게 "왜 당신은 내과 진료팀에게 협조하지 않나요?"라고 묻거나 자문을 의뢰한 의사에게 "당신은 왜 환자에게 이 검사를 반드시 해야 한다고 이야기하거나 환자에게 이제는 도와줄 수 없다고 이야기하지요?"라고 질문해서는 안 된다. 이러한 태도는 치료 관계를 더 악화시킨다. 또한, 자문을 의뢰한 주치의는 정신건강의학과 자문의가 환자에 대한 임상적으로 중요한 문제를 간과하였다며 자신들을 비난할 것에 대해 다소 염려한다. 정신건강의학과 자문의가 주치의에게 자문 결과에 대한 권고를 논의할 때는 반드시 지지적이어야 하며 비난하지 않는 태도로 대화를 하여야 한다. 이후 추가 방문을 거치면서 환자의 자문 원인이 된 정신건강의학과적 상태가 호전되었을 때 정신건강의학과 자문의는 환자-의사 관계에서 비롯된 다양한 사안들에 대해 처음보다 조

금 더 직설적으로 주치의와 이야기할 수 있다.

정신건강의학과 자문의는 환자나 환자의 가족들 그리고 친구들, 자문 의뢰한 주치의, 간호사, 사회사업가, 다른 건강 전문가들을 대상으로 더 많은 면담을 할 수 있고 이로 인해 환자에 대한 더 많은 정보를 얻을 수 있다. 정신건강의학과 자문의는 추가 방문을 통해 시간 경과에 따른 환자의 정신 상태 변화를 관찰할 수 있고 환자나 환자의 가족, 친구들로부터 얻은 정보를 바탕으로 환자의 병전 정신상태에 대해서도 이해할 수 있다. 입원 전, 입원 시, 전원을 했다면 이전 병원에서 입원 시, 현재 등으로 서로 다른 시점에 따라 환자가 복약하고 있는 약물을 파악하는 것이 중요하며 용법이 어떠하였는지도 세부적으로 알고 있는 것이 중요하다. 이 과정에서 제일 중요한 것은 환자에 관한 정보나 병력의 청취 시 개인 정보 보호와 비밀 보장이 우선시 되어야 한다. 또한, 가족, 친구들로 인해 환자의 증상이나 상태가 과소, 과대평가 될 수 있음을 알고 있어야 하며, 자문조정 정신건강의학과 자문의는 병력 청취를 통해 얻은 정보를 효과적으로 평가하여 그 중요도와 신뢰도를 구분하여 해석할 수 있어야 한다.

두려운 상태에서 환자들에게 나타나는 일반적인 방어 기전들(부정, 최소화, 좋은 행동 보이기 등)은 초기에 정신건강의학과 자문의가 진단을 내리는 데 부정적인 영향을 끼친다. 이런 요소들은 정신건강의학과 자문의가 첫 방문을 했을 때 자문을 하게 된 진짜 이유를 환자에게 명백하게 드러내지 않게 할 수도 있다. 환자와 면담 시에는 보통 정신분석적 정신치료나 심도 있는 외상 사건에 대한 분석은 적절치 못하며 시간의 제한이 있더라도 개방적인 질문을 통해 환자가 내외과적 질환에 대해 어떤 믿음을 가지고 있고 이로 인해 어떤 정서적, 행동적 반응을 하고 있는지 알아내는 것이 중요하다. 그리고 정신상태검사와 신체 진찰을 통해 환자의 객관적 상태 점검도 동반되어야 한다.

환자의 평가가 마무리되었다면 적절한 진단적, 치료적 계획을 수립하여야 하며 이는 직설적이고도 간결한 권고사항과 함께 회신서에 기재함으로써 의뢰한 타과 의사와 함께 공유하여야 한다. Wise 등(1987)은 정신건강의학과 자문의가 사전에 주치의의 허락을 받고 자문 결과에 따라 필요한 약물이나 검사 등을 직접 처방하는 것이 자문 결과 제시된 제안들의 시행 일치도를 높일 수 있다고 하였으나 많은 정신건강의학과 자문의 들은 이러한 접근 방식이 문제가 많다고 생각하고 있다. 정신건강의학과 자문의는 처방한 약물이 환자에게 어떤 의학적인 이유로 금기가 아닌 상태이며 주치의가 처방한 다른 약물과 상호작용이 없다는 것을 반드시 확신해야 한다. 또한, 정신건강의학과 자문의가 직접 처방하게 되면 이에 대한 더 많은 법적 책임을 지게 된다.

정신건강의학과 자문의는 일반적으로 자문 환자가 퇴원할 때까지 환자의 상태를 추적 관찰해야 한다. 추가 방문은 환자와 가족들 그리고 환자의 친구들이 정신건강의학과 자문의에 대해 더욱 편하게 느끼게 해주는 긍정적인 효과뿐만 아니라 치료 동맹 형성을 촉진한다. 이는 정신건강의학과적 징후와 증상을 보이는 환자들은 다시 또 이러한 증상들이 재발할 수 있어서 반드시 추적 과정이 필요하며 지속적인 추적 관찰은 정신건강의학과 자문의에 대한 자부심을 심어주고 정신건강의학과 의사가 언제든지 원하면 어떠한 임상적 상황에서도 도움을 줄 수 있다는 것을 다른 치료진이나 환자 또는 환자 보호자에게 인식시켜 줄 수 있다. 또한, 추적 방문을 통해 정신건강의학과 약물에 대한 용량, 효과 그리고 부작용에 대해서도 적절하게 모니터할 수 있다. 특히, 내외과적 신체질환이 있는 환자들은 거의 정신건강의학과 약물 이외의 다른 약물도 함께 복용하기 때문에 약물의 적절한 혈중 치료 농도 유지와 치료적 효과를 위해 추가적인 환자 방문 및 검사실 검사는 필요하다. 약물 부작용은 환자의 정신건강의학과 자문 치료의 순응도를 떨어뜨릴 수 있으므로 가능성 있는 부작용을 최소화시키는 것이 매우 중요하다. 마지막으로 환자가 퇴원 후라도 때에 따라서는 정신건강의학과 외래 진료를 지속해서 찾을 수 있게 연계함으로써 치료의 연속성을 유지해야 한다.

2. 자문조정 서비스 관련 주요 구조

1) 병원 행정

종합병원에서 자문조정 정신의학을 새로 수립하고 재정비해야 하는 자문조정 정신건강의학과 의사는 자신이 소속되어 있는 병원 환경에 대해 더 세밀한 조사를 통해 자문조정 서비스 계획을 수립해야 하지만 정신건강의학과 전공의 프로그램에 관한 기존 연구 따르면, 정신건강의학과 전체 프로그램의 30.5%에서 행정적인 측면을 고려한 자문조정 정신의학의 교육 프로그램을 제공하지 않고 있다. 자문조정 정신건강의학과 의사는 새로운 자문조정 서비스를 수립하기 위해 각 서비스에 대한 필요도와 이용 가능한 잠재적 자원에 대해 최대한 많이 알아야 한다. 이것은 어떤 서비스를 목표로 할 것인가(예를 들면, 입원 환자를 대상으로 한 서비스 혹은 외래 환자를 대상으로 한 서비스, 종양학과 관련된 서비스, 외상 환자와 관련된 서비스, 이식 환자를 대상으로 한 서비스, 산부인과 여성 환자를 대상으로 한 서비스 등)를 선택하는 것으로 매년 병원과 특정 서비스에 대한 통계 자료를 산출하고 관련된 교수, 임상강사, 그리고 다른 스태프와의 지속적인 회의를 가지며 목표로 정해진 서비스가 임상 현장에서 자원의 이용 가능성을 산출하여 이를 경쟁 병원들의 평균 스태프 수와 비교해 보아야 한다. 비용 효과적인 측면에서 가장 효과적인 서비스와 현재 가장 필요로 하는 임상적 활동 등에 선택 및 집중을 함으로써 적절한 진료를 제공할 수 있다. 또한, 현시대의 자문조정 정신의학 서비스 관리자는 해당 지역의 진료비용 청구 관행과 관련된 사안들 및 서비스 수익을 증가시키기 위한 전략적 계획 수립에 익숙해 져야 한다. 자문조정 정신건강의학과 의사가 자문조정 서비스를 병원에 최적으로 적용할 수 있는 기본적인 정보를 정리한 후 병원의 핵심 관계자를 방문하는 것은 중요하다. 이러한 방문은 서비스를 가시화하고, 자문조정 정신건강의학과 의사가 병원 내 잠재적인 문제들을 인식하고 있다는 것을 보여 줄 수 있다. 자문조정 정신건강의학과 의사는 병원 핵심 관계자를 가능하면 초기에 만나야 하고 주기적으로 그들과 함께 서비스가 얼마나 잘 진행되고 있는가에 대한 평가를 함께 해야 한다. 평가할 때는 병원장, 내-외과의 전공의 수련 담당 교수 그리고 타 부서 책임자들이 포함되어야 한다. 어떤 문제가 발생하였을 때는 간호팀과 사회 사업팀, 원목팀, 자원봉사팀 그리고 안전 관리팀의 관리자도 만나는 것이 도움이 된다.

2) 의과대학생

의과대학 본과 3, 4학년 학생들은 일반적인 정신건강의학과 실습이나 심화 실습으로 자문조정 정신의학 서비스에 대한 기본을 공부한다. 의학과 학생들은 실습 과정 중 인간 발달에 대한 지식 및 정신건강의학과 면담, 새로운 자문 기술에 대한 지식뿐만 아니라 기초적인 정신 병리와 관련된 지식을 모두 통합해야 한다. 따라서 학생들은 자문조정 정신건강의학과 의사의 감독하에 그들의 면담 기술을 개선하고 정신상태 검사를 익숙하게 수행할 수 있는 기술에 대해서도 배워야 하며 정신 병리적 측면과 신체질환이 있는 환자에 있어 정신건강의학과적 문제에 대한 측면도 이해할 수 있어야 한다. 신체와 정신을 통합적으로 파악하는 전인적 치료의 중심에는 자문조정 정신의학이 있다. 미국의 경우, 많은 자문조정 정신건강의학과 교수들이 학생 교육에 있어 적극적으로 활동하는 것도 그러한 이유 때문이다. 학생들이 자문조정 정신의학을 적절히 경험해 보는 것은 정신건강의학과 전공의 선발 프로그램을 위해서도 유용한 전략으로 정신건강의학과에 관심이 있는 많은 학생들이 정신건강의학과 의사가 타 임상과 의사들과 어떻게 상호작용하는지 이해할 수 있도록 한다.

3) 정신건강의학과 전공의와 임상강사

정신건강의학과 전공의는 수련 기간 중 자문의 전반적인 과정, 생물정신사회 모델, 신체질환자의 정신건강의학과 관련 특정 임상 증후군 그리고 정신건강의학과적 치료 방법에 대한 지식을 반드시 습득해야 한다. 또한, 정신건강의학과 전공의는 신체질환이 있는 환자를 대하거나 타 임상과 의사들과 함께 일을 하는 데 있어서 자신감을 획득하고 이러한 자신감을 확장해 나가야 한다. 전공의 교육 프로그램을 수립할 때는 정신병리, 법의학 그리고 생물학적 및 비 생물학적 치료들과 관련된 사안에 대해 충분히 고심해야 하며 종합병원에서 비정신건강의학과 의사와 어떻게 상호작용하는 지도 고려해야 한다. 프로그램 담당 교수는 자문조정 정신의학 훈련을 위해 1996년에 출판된 미국정신신체의학회의 가이드라인을 좋은 참고 문헌으로 사용할 수 있다.

일반적으로 정신건강의학과 전공의는 수련 기간 중 신체질환이 있는 환자를 진료하는 데 필요한 기본적인 내외과적 지식을 습득해야 한다. 정신건강의학과적 증상이 동반되는 신체질환과 신체 증상이 동반되는 정신건강의학과 질환에 능숙해지는 데 필요한 기술 그리고 정신건강의학과적 약물들과 내과적 혹은 외과적 약물 간의 상호작용을 판단할 수 있는 기술이 필요하다. 또한, 신경과 질환에 대한 진단과 치료도 어느 정도 필요하며 전공의가 일반 병동에서 숙련된 정신건강의학과 자문을 하는 경험을 축적해야 한다. 임상 경험에는 감독자의 지시 감독하에 정신건강의학과적 자문-조정과 관련이 있는 내과적 또는 신경과적 문제들에 대해 진단과 치료 과정이 최소 2개월 이상 포함되어야 한다. 그 외에도 일반 자문조정 정신의학이 포함되어야 하며 급성 및 만성 약물, 알코올 문제도 포함되어야 한다.

자문조정 세부 전공 임상강사들은 전공의 때 습득한 자문조정 기술과 지식을 더 개선하고 확장해야 한다. 임상강사들은 종종 더 복잡한 임상적, 법적, 그리고 행정적 문제들을 다루게 된다. 자문조정 정신의학에서 하나의 세부 분야(예, 통증)에 대한 보다 전문화된 경험은 필수적이다(표 4-2).

표 4-2. 종합병원에서 전문적으로 특화된 대표적인 자문조정 정신의학의 영역

심장 질환	산부인과 질환
호흡기 질환	소아과 질환
투석	재활
후천성 면역 결핍증	장기 이식
화상	척추 손상
혈액암 및 고형암	외상성 뇌손상
중환자실	통증
신경계 질환	종합병원 행정
피부과 질환	의료 경제

4) 타 임상과 의료진 및 병원 직원

타 임상과 의사들은 종종 다양한 주제에 관한 자문조정 정신건강의학과 의사의 강의나 토론, 그리고 자문조정 회진을 호의적으로 받아들이는데 이는 그들이 정신건강의학과적 자문조정 활동, 그리고 자문조정 정신의학 서비스 교육을 받는 동안 자문조정 정신건강의학과 의사와 상호 교류를 할 수 있기 때문이다. 또한, 자문조정 서비스에는 사회사업가, 간호사, 임상심리사, 그리고 의사가 아닌 다른 병원 직원들이 포함될 수 있다. 이와 같은 관계자들은 다양한 배경과 이력을 가지고 있어서 그들의 업무에 대해 그들 자신만의 시각과 방침을 가지고 있다. 예를 들어, 간호사들은 이완 훈련을 교육하는 것이나 환자를 집단적으로 교육하는 것 그리고 질병에 대한 예방적 방법에 대해 환자 및 비전문가 집단을 상대로 교육하는 것 혹은 순응도를 개선하는 것과 같은 분야에서는 대부분의 정신건강의학과 의사보다 더 많은 훈련을 받을 것이다. 의사가 아닌 병원 관계자들은 정신건강의학과적 자문 및 추적 관찰을 하는 동안 정신건강의학과 의사로부터 지휘 감독을 받음으로써 의학적 문제 및 생물정신사회 모델에 대한 그들의 기술과 지식을 보완해 나갈 수 있다.

5) 병원 내 단위별 진료

종합병원 내에서 자문조정 정신건강의학과 의사는 여러 분야에서 진료 단위의 한 부분으로서 기능할 것이다. 예를 들면, 통증클리닉에서는 통증 환자의 평가와 치료를 위해 신경과, 신경외과, 재활의학과, 마취과, 정신건강의학과, 물리치료사 등이 함께 진료할 수 있다.

자문조정 정신건강의학과 의사는 환자에 대해 타 임상과 의료진에게 유용한 자문을 제공하는 것은 물론 타 임상과 의료진들의 스트레스 관리 및 교육 서비스를 제공할 수 있어야 하며 종합병원 내에서의 정신건강의학과의 중요성을 알리는 홍보 대사의 역할도 할 수 있어야 한다.

외래 자문조정 관련 클리닉을 설립하는 것은 자문조정 정신건강의학과 의사가 지속적인 진료를 할 수 있게 하고 환자가 입원 당시 나타났던 문제들에 대해 추적 관찰할 수 있게 한다. 또한, 이러한 클리닉은 외래 환자 전용 병원에서도 충분히 서비스를 제공할 수 있게 한다.

3. 성공적인 자문조정 서비스 확립을 위한 핵심 요인

성공적인 자문조정 서비스를 수립하고 확장하기 위해 임상적, 교육적, 행정적, 재정적, 학문적 그리고 연구적 지식 및 기술들을 활용해야 한다. 이러한 과업의 우선순위는 자문조정 서비스를 제공할 의료 환경에 따라 매우 다양하다. 예를 들어, 학술적인 의료 환경에서는 사실상 자문조정 서비스가 성공하기 위해 앞서 언급한 모든 기술이 필요하다. 자문조정 정신건강의학과 교수들은 진료의 차별화를 위해 진료 과정에서 서로 충돌할 수 있는 다양한 임상 문제들에 대해 적절하게 조정하는 것이 필요하다. 적절한 의사소통, 입원 기간 중 충실한 추적관찰, 구체적이고 실제적인 의견 제시그리고 필요한 경우 정신건강의학과 외래에서의 추적관찰과 같은 것들은 자문조정 정신건강의학과 의사 자신만의 확고한 기반을 확장하기 위한 기본적인 요소들이다.

적절한 정신건강의학과적 자문조정 서비스는 정신건강의학과적 동반 질환이 있는 많은 신체질환자에 대한 의료의 질을 개선할 것이다. 또한, 정신건강의학과적 동반 질환의 역할에 대한 일반 의사들의 이해가 증가하는 것과 함께, 환자의 병원 생활은 더욱 편안해질 것이고 더 효과적일 것이며, 재원 기간도 짧아질 것이다. 타과 의사들이 신체질환자의 정신건강의학과적 상태에 대한 인식이 증가할수록 더 많은 정신건강의학과 자문을 유도할 것이며 효과적인 정신건강의학과적 개입의 기회를 증가시킬 수 있다. 정신건강의학과로 의뢰된 환자를 즉시 진료하고 입원 기간에 환자의 상태를 추적 관찰하며 퇴원 후 정신건강의학과 외래 추적관찰까지 연계하면서 실질적인 치료적 제안을 할 수 있을 때 정신건강의학과 자문의는 매우 바쁜 종합병원 생활을 하게 되겠지만 위 역할을 훌륭히 수행해 냈을 때 충분히 존경받게 될 것이다.

4. 조정 정신의학Liaison Psychiatry

타 임상과로부터 정신건강의학과로 의뢰되는 환자를 진료하는 데 있어 조정 정신의학의 개념은 기존의 정신건강의학과 자문보다는 더 적극적인 의미가 있다. 단순히 수동적으로 상황에 따른 정신건강의학과 자문이 아닌 소속 병원의 의료 시스템에 대한 정확한 이해를 바탕으로 정기적인 교육과 토론을 통해 타 임상과 의료진의 정신건강의학과 진료에 대한 충분한 인식과 적극성을 유도하여 정신건강의학과적으로 취약성이 있는 신체질환자를 능동적인 흐름을 통해 포괄적으로 돌보는 개념이다. 따라서 자문 정신의학consultation psychiatry과 조정 정신의학liaison psychiatry의 차이를 분명히 정의하는 것이 중요하다. 미국 하버드 대학교 정신건강의학과 Hackett과 Cassem 교수는 이에 대해 다음과 같이 기술하였다.

자문서비스와 자문조정서비스는 분명히 구분되어야 한다. 자문서비스는 타 임상과에서 환자의 진단 혹은 치료 문제에 대해 그들이 요청하는 경우에만 출동하는 응급구조의 성격을 갖는다. 최악의 경우, 자문서비스는 병원 차트에 추후계획에 대해 간단한 메모를 남기는 정도로 끝나버리는 때도 있으며, 환자에 대한 실제적인 정신건강의학과 진료 여부는 전적으로 정신건강의학과로 의뢰한 주치의의 결정에 달려 있다. 이에 반해 자문조정서비스는 추가적인 인력과 비용, 동기 부여가 필요하다. 병동에서 정신건강의학과적 문제를 나타내는 환자를 간단히 면담하는 것 이상의 충분한 정신건강의학과적 자문 시간을 할애할 수 있도록 인력이 필요하다. 또한, 자문조정 정신건강의학과 의사가 회진을 돌고 각 환자에 대해 주치의와 의논하고 잠재적인 정신건강의학과적 문제를 포착할 수 있는 시간이 충분히 주어져야 한다. 자문조정 서비스는 정신건강의학과학과 의학의 접점에 위치하며 정신건강의학과 의사가 전통적인 자문서비스의 역할을 할 뿐 아니라 진료-수술 팀의 진정한 일원이 되도록 하는 것이다. 조정관계liaison relationship를 수립한다는 것은 정신건강의학과 의사가 의뢰된 환자뿐 아니라 한 병동 내 입원한 모든 환자의 정신건강의학과적 및 의학적 문제의 공존 상태에 대한 접근성을 갖고 있다는 것을 의미한다. 역학적 용어로 표현하면 의료 환경 내의 모든 정신건강의학과 질환의 유병률을 볼 때 조정 정신의학은 분모를 다루고자 하며 자문 정신의학은 분자만을 다룬다"고 볼 수 있다.

1) 조정 정신의학의 목표

비록 자문consultation 자체가 조정 정신의학의 가장 중요한 부분이지만, 그 외에도 다양한 목표가 있다. 조정 정신의학의 목표는 다음과 같다.

① 정신 건강의 1차, 2차, 및 3차 예방의 시행
② 임상 사례의 발견 및 분류
③ 타과 의료진의 정신 질환에 대한 평가와 치료, 의뢰 능력 향상을 위한 지속적인 교육
④ 자문조정 전문가로서 기본적인 생물정신사회적 지식의 함양
⑤ 병원 내에서 정신 질환의 발견 및 치료를 증진하는 구조적, 방법적 변화의 촉진

(1) 정신 건강의 1차, 2차, 및 3차 예방

Caplan이 제시한 질병 예방 모델을 정신의학에 적용하는 경우, 정신건강의학과적 증상의 발생을 사전에 막는 것을 1차 예방, 정신건강의학과적 증상이 발생하였을 때 이를 조기에 진단하고 치료하는 것이 2차 예방 그리고 정신건강의학과적 증상의 재발을 막거나 향후 재발 시 조기 치료를 도모하는 것을 3차 예방이라고 볼 수 있다. 이와 같은 예방 모델을 조정 정신의학에 최적으로 적용하는 것이 병원 의료의 전반적인 질을 높일 수 있다.

1차 예방은 조기 개입을 통해 정신건강의학과 질환의 발생을 막는 것이다. 심장 수술을 앞둔 모든 환자를 대상으로 정신건강의학과적 면담을 시행하는 것을 1차 예방의 예로 들 수 있다. 이과 같은 조기 개입으로 섬망의 발생을 최소화할 수 있다. 2차 예방의 경우 의료진은 질병을 일으킨 생물학적, 심리적, 사회적인 요인을 감소시키기 위한 여러 가지 특화된 전략을 사용한다. 질병 자체로 인한 스트레스를 다루고 불안, 우울 및 스트레스를 악화시키고 회복을 늦추는 환자의 기질적인 성향을 관리한다. 3차 예방에서 자문조정 정신건강의학과 의사는 신체질환자의 급성 정신건강의학과적 삽화 이후 생길 수 있는 심리적인 후유증(예를 들면, 신체적인 상태는 호전되었음에도 기분장애, 불안, 공포 등으로 인해 일상생활로 복귀하거나 성생활에 임하는 못하는 경우)을 호전시키기 위해 노력한다. 3차 예방은 환자가 자신의 정신적 한계를 빠르게 인식하는 데 이바지하여 질병의 재발을 줄인다. 질병의 재발을 막기 위해서는 퇴원 후에도 숙련되고 전문적인 외래 추적이 필요할 수 있다.

(2) 정신건강의학과적 문제의 발견과 진단

병원 환경에서 정신건강의학과적 개입이 필요한 환자를 적극적으로 찾아내어 관리하는 것은 단순히 타 임상과 주치의의 자문 의뢰를 기다리는 것과 다르다. 자문조정 정신건강의학과 전문의들은 흔히 이러한 적극적인 정신건강의학과 개입에 많은 어려움을 겪곤 한다. 이런 어려움은 정신건강의학과 의사와 타 임상과 의료진과의 다양한 관계 때문일 수도 있고 환자나 의료진이 갈등을 드러내지 않으려는 경향 때문에 심리적 문제가 뚜렷이 나타나지 않기 때문일 수도 있다. 조정 방법 중 하나는 타 임상과 의료진이 담당 환자로 인한 좌절감을 말로 표현하도록 격려하는 것이며 때로는 의료진의 감정 상태가 협진의 주된 목적이 되기도 한다. 타 임상과 의료진에 대한 개입에 있어서 때로 환자에 대한 분노, 환자가 죽기를 바라는 공격성 등과 같은 격렬한 감정과 갈등을 언어로 표현하게 하려면 자문조정 정신건강의학과 의사와 타 임상과 의료진과의 특별한 관계 형성이 필요하기도 하다. 단순한 자문서비스의 경우 정

신건강의학과적 접근에 대해 동기가 작고 환자에 대한 정보가 적은 주치의의 협진에 수동적으로 의지하기 때문에 주치의와 자문 정신건강의학과 의사 간의 의사-의사 관계는 미약할 때가 많다.

자문조정 서비스는 앉아서 의뢰를 기다리는 자문서비스와는 달리 주치의들이 정신건강의학과적 동반 질환을 적극적으로 찾아내고 추정 진단하여 의뢰할 수 있도록 적절한 정보를 얻는 방법을 가르친다. 의학적인 질병이나 약물로 인한 정신건강의학과 질환은 병원 환경에서 자주 발생하는 정신신체학적 질환의 원형이지만 실제 진료 환경에서는 발견되지 않는 경우가 흔하다.

주치의들이 환자에게 정신건강의학과적 문제가 있다는 것을 인지하지 못한다면 협진을 의뢰하기 어렵다. 따라서 정신건강의학과적 개입이 필요한 사례를 발견하고 분류하는 전략은 조정 정신의학에서 가장 중요한 요소이다. 예를 들면, 인지기능 장애, 우울, 불안, 약물 남용 등의 진단을 위한 선별검사들을 활용할 수 있다. 정신건강의학과적 문제에 대해 제대로 훈련된 의사가 직접 면담 하는 것이 최고의 선별 방법이겠으나 현실적으로 어려운 경우가 많다. 각각의 정신건강의학과적 문제에 대해 쉽게 사용할 수 있는 선별도구들을 주치의와 잘 상의하여 진료 현장에서 적극적으로 사용할 수 있도록 독려해야 한다. 그러나 자문조정 정신건강의학과 의사들은 이와 같은 선별도구들이 위음성이나 위양성의 결과를 나타낼 수 있다는 것에 항상 주의해야 한다. 그러기 위해서 자문조정 정신건강의학과 의사는 먼저 병원에 입원하는 환자의 정신건강의학과적 동반 질환을 선별할 수 있는 도구를 준비하고 담당 주치의를 위한 지침을 제공해야 한다. 그리고 위와 같은 의심 상태를 확인하거나 배제할 수 있는 프로토콜을 만들고 정신건강의학과적 동반 질환이 발견된 환자에서 진단 및 치료 계획을 알고리즘의 형태로 구축해야 한다.

(3) 의료진과 가족에 대한 평가

조정 정신의학은 신체질환자의 심리적 문제에 대한 정신건강의학과적 치료가 단순히 자문조정 정신건강의학과 의사만의 책임이 아니라 그 환자의 진료를 담당하고 있는 주치의, 간호사, 사회사업가, 중요한 가족 구성원 또는 그 병동의 심리적 환경을 조성하는 여러 구성원의 공동 책임이라는 것을 전제로 한다.

자문조정 정신건강의학과 의사의 주요 역할 중 하나는 환자가 의료진과 가족에게 주는 스트레스의 정도와 의료진과 가족이 환자의 질병에 대한 적응력 그리고 그들이 심리적 지지를 제공할 능력이 되는지를 평가하는 것이다. 이런 경우 조정 정신의학의 목표는 정신건강의학과적 상태를 인지하고 면담하며 간단한 정신건강의학과적 중대에 대한 기본적인 지식을 가르치는 것까지로 확대될 수 있다. 이것은 정신건강의학과 질환이 있는 환자의 대부분이 실제 정신건강의학과 의사와 만날 수 없는 담당 임상과 외래에서 진료를 받는 경우가 많기 때문이다. 정신건강의학과 의사는 환자의 주치의와 함께 환자를 평가하고 환자와 환자의 가족, 주치의 모두에게 진료 결과, 치료 계획에 대한 정보를 제공해야 한다. 또한, 자문조정 정신건강의학과 의사가 동반한 상태로 두세 차례의 회진이 이루어져야 한다.

(4) 타 임상과 의료진의 자율성 증진

자문조정 정신건강의학과 의사는 신체질환자의 정신건강의학과적 문제에 대한 진료 지침을 마련하여 배분함으로써 타 임상과 의료진과 간호사의 자율적인 기능을 촉진할 수 있다. 미국의 의학연구소Institute of Medicine에서는 타당성validity, 신뢰도와 재현성reliability & reproducibility, 임상 적용 가능성clinical applicability, 임상적인 유연성clinical flexibility, 명확성clarity, 다 학제 과정multidisciplinary process, 계획된 검토과정scheduled review, 문서화documentation를 이러한 진료 지침이 반드시 갖추어야 할 여덟 가지 기준 항목으로 제시하였다.

(5) 병원 진료 환경의 구조적 변화

자문조정 정신건강의학과 의사는 병원 내의 정신건강의학과 및 타 임상과의 구조적인 변화를 일으키기 위해 노력해야 한다. 정신건강의학과적 내과 병동(내과 소속)psychiatric-medical unit과 내과적 정신건강의학과 병동(정신건강의학과 소속)medical-psychiatric unit에서 일반 병동에 있기에는 정신건강의학과적으로 문제가 많은 환자를 보살피거나 정신건강의학과 병동에 있기에는 내과적인 문제가 많은 환자를 보살피는 것이 하나의 예이다. 이와 같은 환경에서 자문조정 정신건강의학과 의사가 일반 병동의 간호팀과 협력하여 환자를 관리할 수 있다.

자문조정 클리닉에서는 퇴원 후에도 지속해서 심리적 문제를 호소하는 신체질환자를 추적 관찰할 수 있다. 일반적인 정신건강의학과 외래에서는 의학적인 질병 상태에 있는 환자들을 다루기가 어려운 경우가 많아서 조정 정신의학의 개념이 반영된 외래 진료를 갖추기 위해서는 종합병원 차원에서의 적절한 설비와 원조가 필요하다. 또 다른 모델은 암센터 내에서 정신건강의학과 의사가 소속되어 진료하는 것과 같이 자문조정 정신건강의학과 의사가 어떤 특정 신체질환을 위한 진료팀의 일원으로 참여하는 것이다. 그런 경우 자문조정 정신건강의학과 의사는 특정 질환의 진단과 치료뿐 아니라 팀 내의 교사이자 조언자, 협력자의 역할도 담당한다.

2) 타 임상과 의사의 정신건강의학과적 교육 훈련 모델

타 임상과 의사(1차 진료 의사 및 임상과 전문의 포함)에게 정신 건강의 개념을 가르치는 일은 조정 정신의학의 가장 중요한 기능 중 하나이다. 미국 National Institute of Mental Health와 Health Resources Services Administration의 지원을 받아 시행한 연구에서 일차 진료에 있어 정신건강의학과적 교육 훈련의 모델을 제시하였다.

(1) 자문 모델Consultation model: 전통적인 자문 의뢰 체계에 따르는 모델로서 정신건강의학과 의사는 타 임상과 의사로부터 의뢰를 받고 각 환자의 임상 상황에 맞춰 주치의를 교육하게 된다. 교육은 주로 자문 내용이 담긴 의무기록이나 주치의와의 의사 교환의 형태로 진행된다.

(2) 조정 모델Liaison model: 전통적인 자문 모델에 기본적인 정보와 기술을 가르치기 위해 형식과 구조를 갖춘 교수법이 추가된다. 매주 합동 회진이나 매달 점심 미팅 등 교육을 위한 형식이 갖추어져야 한다. 교육 회의에는 의학과 정신건강의학과학 분야의 교수와 수련의, 의과대학생, 전임의, 간호사, 사회사업가 등이 참여해야 한다. 정신건강의학과 의사가 진료 및 교육을 위해 진료팀의 지속적인 일원이 되는 예도 있다.

(3) 브릿지 모델Bridge model: 정신건강의학과에 소속된 정신건강의학과 의사가 한 곳의 교육 단위(예: 병동 하나)에 배정되어 시간 대부분을 보내는 것이다. 조정 모델과 마찬가지로 교육 형식이 갖추어져 있다.

(4) 하이브리드 모델Hybrid model: 일차 진료를 담당하는 팀의 일원인 정신건강의학과 의사나 심리학자, 사회사업가 등의 행동과학자behavioral scientists가 정신 건강에 대한 교육을 맡는다. 교육 담당자의 재량에 따라 교육의 초점이 결정되며 흔히 정신건강의학과 의사가 아닌 행동과학자의 경우 의사소통기술, 의사-환자 관계의 문제, 가족 내 갈등, 질병에의 적응 및 순응도 등을 주로 강조한다.

(5) 자율적 정신건강의학과 모델Autonomous, psychiatric model: 부서 단위로 정신건강의학과와 직접적인 관련이 없는 정신건강의학과 의사 혹은 행동과학자가 일차 진료 팀에 의해 직접 고용되어 교육을 맡는다.

(6) 박사 후 전공 수련 모델Postgraduate specialty training model: 일차 진료 의사가 정신건강 분야에서 1-2년의 수련을 받아

정신건강의학과 질환을 감지하고 진단하며 치료하는 데 있어 상당한 경험을 쌓는다. 본질적으로 일차 진료 의사가 의학 정신건강의학과학medical psychiatry에서 일종의 전임의 과정을 밟는 것을 의미한다.

(7) 더블 보드 수련 모델Double-board training model: 일차 진료 의사가 내과 혹은 외과 등 자신의 전공 분야 외에 정신건강의학과에서도 정식 수련을 거친다. 즉, 일차 진료 의사가 정신건강의학과 수련을 완전히 마친 전공의에 비견하는 역량을 갖추는 것이다. 이와 같은 수련과정은 비용과 기간이 많이 들고 정신건강의학과 문제에 주로 집중하는 의사를 만드는 결과를 낳기도 한다.

또 다른 형태의 분류법으로 Greenhill은 교육보다는 임상에서의 진료를 기준으로 한 다섯 가지 형태의 조정 정신의학의 모델을 제시하기도 하였다.

(1) 기초 조정 모델Basic liaison model: 정신건강의학과에서 파견된 정신건강의학과 의사가 일반 병동에 배치되어 진료 및 교육을 하는 형태이다.
(2) 중환자 케어 모델Critical care model: 일반 병동보다는 중환자 영역에 정신건강 전문가를 배치하는 모델이다. 목표는 환자 진료 및 의료진 협진이다. 정신건강의학과 의사는 해당 병동의 팀원이 되어야 한다. 교육 내용에는 행동 및 정신 역동적 모델 외에도 생물 정신의학적 모델이 추가되어 있으며 심각한 내과적 질병을 앓고 있는 환자에서의 정신건강의학과 약물 사용 및 약물 간 상호작용 등에 관한 내용을 포함한다.
(3) 생물학적 모델Biological model: 신경과학, 정신 약물학, 심리학적 치료를 보다 강조하며 중환자 케어 모델에 비해 좀 더 까다로운 형태이다. 정신건강의학과 의사는 정신건강의학과적, 심리적, 정신약물학적 및 환경적 조작을 통해 진단 중심의 치료팀의 일원으로 활약한다. 진단과 치료에 있어 생물학적 기준이 무엇보다 중요시된다.
(4) 사회적 환경 모델Milieu model: 환자의 진료 과정에 있어 의료진의 반응과 상호작용, 대인 관계 이론 및 치료적 환경 등 집단에 관련된 면을 중시한다. 정신건강의학과적 내과 병동의 개념이 생기기 이전에 도입된 모델이다.
(5) 내장 모델Integral model: 의료에 대한 사회적 압박으로 인해 발생한 모델이다. 의사의 임상적 분류보다는 병원의 관리에 좀 더 의존하는 방식이다. 앞서 언급된 조정 프로그램들이 의사와 환자의 협진 의뢰 및 의사들 간의 협력 관계에 의존한다면 이 모델은 모든 치료가 심리적 돌봄psychological care을 포함한다는 개념이다.

통합적인 자문조정 정신의학 서비스는 의료 환경 내의 정신 건강 측면이 소외되는 현실과 전통적인 자문 모델의 한계를 극복할 것이다. 이와 같은 통합적인 모델이 병원의 상부 구조에 영향을 미치게 된다면 환자의 정신 사회적 요구를 찾아내고 치료하는 것이 종합병원 환자 진료의 기본적인 요소로 자리 잡을 수 있다. 이를 위해 신체질환자의 정신건강의학과적 중재가 의학적 신체질환의 예후와 정신건강의학과적 동반 질환, 치료비용(주로 재원 기간), 퇴원 후 상태, 삶의 질과 치료에 대한 만족도에 미치는 영향을 측정하려는 다각적인 노력이 필요하다. 조정 정신의학의 적용으로 인한 비용이 비용-효율성과 비용 절감으로 인해 보상될 수 있다는 점이 드러난다면 종합병원 내에서 환자의 정신 사회적 필요를 찾아내는 것이 보편화될 것이다.

내외과를 전공하는 의사들은 다양한 이유로 점차 정신건강의학과 의사보다는 다른 정신 건강 전문가에게 환자의 정신적 문제에 대한 치료를 맡겨오고 있다. 여기에는 여러 이유가 있는데 이들 행동과학자들은 정신건강의학과 의사보다 적은 비용이 필요하며 진료팀과 융합이 더 쉽고 정신건강의학과의 전통적인 분류 체계보다 편리한 문제 위주의 진단 체계를 사용하며 퇴원 후에도 환자의 문제점을 추적하려는 경향이 있기 때문이다. 조정 정신의학은 이와 같은 내외과 진료팀의 요구를 현실적으로 다루려고 노력하고 있다. 정신건강의학과 의사가 아닌 행동 과학자를 일차 진료의의 임상과 교육의 안내자로 두는 것에는 향정신성 약물과 내과적 약물 간의 상호작용 분야에 대한 적절한 지식을 제공하지 못한다는 점에서 큰 문제가 있다. 정신건강의학과 의사는 향정신성 약물의 약동학과 이것이 다양한 신체 기관에서 어떠한 영향을 주는지에 대해 알아야 한다. 또한, 대부분의 신체질환자는 어떠한 형태로든 다양한 약물치료를 받고 있으므로 자문조정 정신건강의학과 의사는 약물 상호 작용에 대한 최신 지견을 검토하고 적절히 기술할 수 있는 방법을 지속해서 개발해야 한다. 일차 진료 의사 및 타 임상과 의사가 효과적으로 우울장애를 진단하고 치료하며 향정신성 약물과 내과적 약물 간의 상호작용을 다루고 새로운 부작용에 대한 정보를 지속해서 얻기 위해서는 정신건강의학과와 적절한 자문 모델을 통한 교육 및 훈련 이상의 연결점을 가져야 한다. 전통적인 자문 모델은 이러한 측면을 수용하기에는 상당히 부족하며 현재 입원 환경에서 흔히 시행되고 있는 조정 모델도 또한 마찬가지다. 이보다는 일차 진료의가 좀 더 적절하게 환자를 평가하고 치료하며 의뢰할 수 있도록 정신건강의학과와 일차 진료 사이에 교육적인 관계가 성립되어야 한다. 조정 정신의학은 종합병원의 모든 환자를 대상으로 하며 그 개념적 토대는 질환의 조기 발견 및 치료를 목표로 한다. 조정 정신의학은 다른 의료 분야와의 소통에 있어 새롭고 경쟁력 있는 연결 고리가 될 것이다.

5. 자문조정 정신의학에서의 법적, 윤리적 문제

의사로서 현실적으로 크게 의식하고 있지 못하는 경우가 많지만 의학적 결정, 고지된 동의, 심폐소생술, 뇌사, 장기이식, 생명유지를 위한 치료의 철회, 의료 자원의 배분 등으로 인한 다양한 윤리적, 법적 문제들이 의료 현장에서 매일 빈번하게 발생하고 있다. 높은 수준의 정신 건강 서비스를 제공하기 위하여 진료 영역에서 법적 및 윤리적 문제에 능통한 정신건강의학과 의사에 대한 요구가 점점 증가하고 있는 현실을 고려할 때 신체질환자의 정신건강의학과적 문제를 주로 돌보고 있는 자문조정 정신건강의학과 의사의 경우 이러한 문제에 더 다양한 지식을 갖추어야 한다.

윤리적인 바탕에서 스스로 의사결정이 가능한 환자는 자신의 치료에 관해 독자적으로 판단을 내릴 수 있는 법률적 권리를 갖게 된다. 환자의 이익을 최대로 고려하고 부적절한 치료를 하지 않는 것, 환자의 존엄과 자율성에 대한 존중과 같은 기본적인 윤리 원칙들은 의사-환자 관계에서 도덕적, 윤리적 기반이 된다. 협진을 시행하는 정신건강의학과 의사나 타 임상과 의사들은 환자가 스스로 결정을 내릴 수 없는 상태일 때에는 환자의 법적 보호자에게 동의를 구해야 하는 법률적, 윤리적 의무를 가진다. 또한, 사회적 관점에서 의료 자원의 공정한 배분은 중요한 윤리 항목이다. 따라서 정신건강의학과 환자들도 일반 환자들과 동등한 의료 자원을 배분받을 권리를 가진다.

1) 비밀유지와 증언 면책권

비밀유지란 환자가 비밀이 유지되는 면담을 시행할 수 있는 권리를 의미하며 증언면책권이란 환자의 비밀 정보를 가지고 있는 정신건강의학과 의사가 그 내용을 법률적 절차에서 노출하지 않도록 할 수 있는 환자의 권리를 의미한다. 일단 의사-환자 관계가 형성되면 의사는 자동으로 환자의 정보 노출을 하지 말아야 하는 의무를 가지게 된다.

그러나 이러한 의무는 절대적인 것은 아니며 소아 학대, 법원 명령, 비밀유지가 자신이나 타인에 대한 위험성이 존재할 경우, 의료 소송 문제, 범죄의 위험성, 공공복리를 우선으로 해야 하는 경우, 치료를 위해 의료진 간 정보 교환이 필요한 경우는 예외적으로 비밀유지의무를 지키지 않는 것이 좀 더 윤리적이며 합법적일 수 있다. 이러한 상황을 제외하면 정신건강의학과 의사는 환자의 보호자나 제3자에게 환자에 대한 정보를 노출하기 전에 반드시 환자의 동의를 구해야 한다. 입원 환자의 경우 환자의 치료를 위하여 다수의 의료진이 환자의 정보를 공유하는 경우가 있다. 이러한 경우에도 정신건강의학과 의사는 환자의 정보를 노출할 권리를 전적으로 부여받은 것으로 가정하지 말아야 한다. 모든 정보의 노출은 환자의 이익을 위하여 최선의 치료를 시행하기 위한 목적으로 이루어져야 한다. 때로는 환자의 정신상태에 대한 지나치게 자세한 노출을 자제해야 한다. 증언 면책권도 소아 학대에 대해 보고를 하거나, 시민을 보호할 공공복리를 우선해야 하는 경우 법원 명령에 따른 평가, 범죄에 대한 조사 과정, 환자의 정신상태가 소송에 관련된 경우에는 예외가 될 수 있다. 공인되지 않은 비밀유지 의무 위반은 환자에게 심각한 감정적 위해를 줄 수 있다. 결과적으로 의사는 이러한 공인되지 않은 비밀의무를 위반할 경우 법적, 윤리적 책임을 지게 된다.

2) 고지된 동의informed consent와 치료를 거부할 권리

치료를 거부할 권리는 고지된 동의와 매우 밀접한 관련이 있다. 동의를 철회함으로써 환자는 치료를 거부할 권리를 표현하게 된다. 그러나 드문 경우에는 법원이 환자의 의지에 반하여 치료 명령을 내리는 경우가 있다. 여기에는 태아의 생명이 위험한 경우, 소아의 치료에 관한 경우, 수혈과 같이 치료로 완전한 회복이 가능한 경우, 자살을 시도한 환자의 경우 등이 포함된다.

고지된 동의는 두 가지 법률적 이론에 근거한다. 첫째는 모든 사람은 자신의 신체에 무엇을 행하고, 행하지 않는 것에 관해 결정한 권리를 스스로 가지고 있다는 것이다. 둘째는 의사-환자 관계에 있어 의사의 의무는 환자의 상태에 대한 모든 사실을 정직하게 다루는 책임으로 적절한 의학적 서비스를 제공할 의무라는 점이다. 고지된 동의의 가장 중요한 목적은 환자의 자율성을 향상해 합리적인 의학적 결정을 촉진하는 것이다. 고지된 동의는 다음의 세 가지 요소를 반드시 포함해야 한다.

① 능력Competency: 환자의 의사결정 능력에 대한 평가를 통해 환자가 스스로의 치료에 대해 내린 결정을 수용할지 결정해야 한다.

② 정보Information: 환자 또는 법적 보호자는 합리적인 정보를 받아야 한다(그림 4-1).

③ 자발성Voluntariness: 환자는 반드시 자발적으로 치료에 대하여 동의하거나 거부하여야 한다.

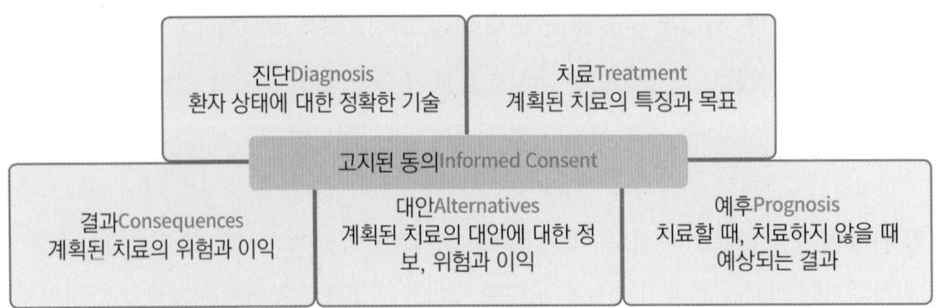

그림 4-1. 고지된 동의Informed consent에 포함되어야 할 합리적인 정보

응급상황, 환자의 판단 능력 저하, 치료적 면책 상황, 환자의 치료적 참여 포기waiver의 경우는 고지된 의무와 치료를 포기할 권리에 있어 예외 상황이다. 응급상황에서 환자의 동의를 구할 수 없을 때 법률에서는 고지된 동의에 대한 예외를 인정한다. 그러나 이러한 예외가 인정되기 위해서는 두 가지 전제 조건이 필요한데, 첫째, 응급상황이 반드시 급박하고 심각해야 하며, 둘째로 주변의 환경적 상황이 아닌 환자의 상태 자체가 응급상황이어야 한다는 점이다. 환자가 스스로 판단 능력이 없을 때는 환자의 동의가 필요조건은 아니지만, 그 대신 반드시 환자의 법적 보호자에게 동의를 얻어야 한다. 세 번째 예외인 치료적 면책은 실제 임상에서 적용하기가 매우 어려운 경우가 많다. 정신건강의학과 의사가 환자에 대한 정보의 제공이 환자의 건강과 복리에 악영향을 줄 수 있다고 판단했을 때 고지된 동의는 필요하지 않을 수 있다. 법원은 환자에게 정보를 제공하는 것이 환자의 질병 경과를 악화시키거나 이성적인 판단을 할 수 없게 만들 때만 치료적 면책을 인정하는 경향을 보인다. 마지막으로 환자가 자신의 치료에 대한 정보를 받는 것을 자발적으로 포기한 경우에는 동의를 구하지 않을 수도 있다. 이러한 예외 사항을 제외하고 의사가 사전에 고지된 동의 없이 환자를 치료하게 되면 그에 따른 법적 책임을 질 수 있다.

3) 치료에 대한 의사결정에서 환자의 판단 능력

자문조정 정신건강의학과 의사는 타 임상과 주치의로부터 때때로 자신의 담당 환자의 정신적 판단 능력에 대해 평가해 달라는 요청을 받는다. 판단 능력competency이란 어떠한 의사결정에 대해 육체적, 정신적, 법률적 자격이 충분한 상태라고 정의하는데, 이는 실제 매우 모호한 개념이다. 일반적으로 판단 능력이란 법률적인 활동이나 역할을 할 수 있는 정신적, 인지적, 행동적 능력의 개념이다.

임상 진료 현장에서 환자의 판단 능력이란 과학적 혹은 법적으로 정의된 상태가 아닌 임상 상황에 지배를 받는 경우가 많다. 예를 들면, 정신건강의학과에서 정서 장애에 의해 판단 능력이 감소하는 경우가 많다. 심한 우울장애 환자의 경우 인지적 기능은 보존되어 있음에도 무망감, 무가치감등으로 인하여 치료를 거부할 수 있다. 조증 환자의 경우 약의 위험성은 과대평가하고 장점은 과소평가할 수 있다. 조현병 환자의 경우 약이 자신에게 해를 줄 것이라며 두려워할 수 있다. 따라서 법률에 근거한 판단 능력과 실제 의료 현장에서 느끼는 판단 능력에 대한 정의는 미묘한 차이가 나타날 수 있다. 그러나 대체로 임상적으로 판단 능력은 다음과 같이 규정될 수 있다.

① 계획된 특정 치료의 선택에 대하여 이해하는 능력.
② 치료적 선택을 할 수 있는 능력.

③ 치료적 선택에 대하여 언어적, 비언어적으로 의사소통할 수 있는 능력.

법적 연구를 기반으로 한 환자의 판단 능력은 다음과 같이 정의될 수 있다.

① 선택에 대한 의사소통.
② 제공된 정보의 이해.
③ 이용 가능한 다양한 선택권에 대한 이해.
④ 이성적인 의사결정.

정신건강의학과 의사들은 대체로 환자가 판단 능력이 없다고 판단하는 기준을 이성적인 의사결정이 없다는 측면만을 강조하려 한다. 그러나 법원의 경우, 선택에 대한 의사소통 여부와 제공된 정보에 대한 이해가 가능한지에 여부를 환자의 판단 능력 평가에 있어 우선시한다. 정신 질환 자체가 환자의 무능력을 의미하지는 않는다. 정확한 판단 능력 평가를 위해서 환자의 질환이 특정 영역에서 어떠한 능력 감소를 유발하는지에 대한 면밀한 평가를 진행해야 한다.

4) 죽을 권리

환자의 죽을 권리에 대한 법적 결정은 환자가 판단 능력이 있는지가 중요한 요소이다.

(1) 판단 능력이 없는 환자

1990년 미국 미주리주의 Nancy Cruzan의 판례는 판단 능력이 없는 환자와 죽을 권리에 대한 많은 정보를 제공하였다. Cruzan은 지속적인 식물인간 상태로 7년을 병원에서 생활하였다. 법원은 그녀의 명확한 의사 표현 없이는 음식과 물 등의 생명을 지속하기 위한 의료적 행위를 중단하지 못하도록 결정했다. 이러한 법원 결정이 의사에게 주는 가장 중요한 의미는 진행하고 있는 질병을 치료하는 의사는 사전에 향후 치료에 대한 환자의 결정에 대해 논의해야 한다는 점이다. 환자가 의사결정에 있어 무능력해지기 전에 향후 연명 치료에 대한 환자의 동의 여부를 문서화된 동의서로 작성해야 한다.

(2) 판단 능력이 있는 환자

말기 질환으로 인하여 지속해서 고통을 받고 있어 추후 치료에 대한 중단을 고려하는 판단 능력이 있는 환자에 대한 고려가 점차 증가하고 있다. 그러나 의사결정의 판단 능력이 있는 환자에게서도 이러한 연명 치료를 중단할 권리는 절대적으로 적용되고 있지는 않다. 이러한 상황을 법적으로 고려할 때 다음의 4가지에 관한 판단이 필수적이다.

① 생명의 보존.
② 자살 방지.
③ 의학의 진실성에 대한 보호.

④ 무고한 제3자의 보호.

그러나 현시대의 경우, 판단 능력이 보존된 환자의 연명 치료 중단 의사는 환자의 권리로서 존중하는 방향으로 나아가고 있다.

(3) 심폐소생술 금지Do-Not-Resuscitate, DNR 지시

심장마비와 같이 응급상황인 경우, 심폐소생술의 즉각적인 시행에 있어 환자의 향후 결과에 대한 생각이나 판단을 할 여유를 주지 않는다. 일반적으로 심폐소생술로 소생 된 환자는 그 시행에 대한 선호나 비 선호에 대한 환자의 생각이나 표현을 한 경험이 없게 된다. 환자의 자율성에 대한 윤리적 원칙을 고려하면 환자나 환자의 법적 보호자가 심폐소생술 시행에 대한 결정권을 가지는 것은 지극히 정당하다. 그러나 심폐소생술을 하지 않기로 한 일부의 환자나 법적 보호자들은 환자의 생명을 포기한 것과 같은 감정을 느낄 수 있다. 정신건강의학과 의사는 이러한 반응을 인지하고 충분히 지지할 수 있어야 한다. 의사결정에 관한 판단 능력이 있는 환자의 심폐소생술 금지 결정은 존중되어야 한다. Schwarz(1987)는 심폐소생술 금지 결정 시 다음과 같은 2가지 요소를 고려해야 한다고 하였다.

① 심폐소생술 금지 결정은 의사와 환자 또는 법적 보호자가 모두 동의하여 이루어져야 한다.
② 심폐소생술 금지 지시는 결정 시간과 날짜 및 그 이유가 문서화 되어야 한다.

5) 의사 협조 자살physician-assisted suicide

의사의 협조에 의한 자살에 대한 법적 인식이 높아져 가면서 정신건강의학과 의사들은 협진 과정에서 이에 대한 주요 역할을 하도록 요청받고 있다. 그러나 법원은 죽음을 촉진하는 의료 행위가 환자의 치료를 거부할 권리의 연장선에 있지 않음을 밝힌 바 있다.

6) 환자 가족의 대리 판단

환자가 판단 능력이 없을 때, 환자의 법적 가족들의 동의에만 근거하여 대체로 판단하는 것은 법률적으로 위험할 수 있다. 그러나 판단 능력이 소실된 환자의 가족이 대리의사 결정자로 선택되는 것은 다음과 같은 이유에서 추천되고 있다.

① 가족은 일반적으로 환자에 대해 가장 관심이 있다.
② 가족은 일반적으로 환자의 목표, 취향, 가치에 대하여 가장 잘 알고 있다.
③ 가족은 치료에 있어서 하나의 사회적 단위의 기능을 한다.

7) 자발적 입원

일단 환자가 입원하면, 자발적 입원 또는 비자발적 입원과 관계없이 병원은 환자에게 합당한 치료를 제공해야 할 의무를 지닌다. 내외과적 문제로 입원한 환자가 정신건강의학과 병동으로 전과하게 되면 환자는 스스로 퇴원을 요구할 수도 있다. 정신건강의학과 병동이 환자에게 공포감을 주거나 불안감을 줄 수 있기 때문이다. 자발적으로 입원한 환자가 퇴원을 요구할 때 환자의 상태가 법률적 강제 입원에 해당하는 단계가 될지라도 별다른 법적 과정이 없이 퇴원을 막는다면 소송의 문제가 발생할 수 있다. 환자의 권리를 보호하기 위하여 환자는 자발적 입원의 종류에 대하여 사전에 충분한 정보를 받아야 한다.

자발적 입원 환자는 의학적 권고에 반하여 퇴원을 요구할 수도 있다. 환자가 스스로나 타인에 대한 위험이 없는 경우 정신건강의학과 의사는 치료의 목적으로만 퇴원 문제를 다루어야 한다. 위험하지 않은 판단 능력 없는 자발적 입원 환자의 경우 본인의 의사와 반하여 입원이 유지될 수 있는 예도 있는데 이때에는 능력 없음에 대한 법률적 판정을 받아야 하고 보호자가 동의해야 한다.

8) 비자발적 입원

자문조정 서비스를 시행하는 정신건강의학과 의사는 판단 능력이 보존된 환자에서 자살이나 폭력 위험에 대해 평가를 하고 비자발적 입원과 같은 적절한 정신건강의학과적 개입을 시행할 수 있어야 한다. 여기에는 세 가지 기준이 있는데,

① 정신질환이 있을 것.
② 자신이나 타인에게 위험할 것.
③ 기본적인 욕구 충족을 허용할 수 없을 것

이다. 미국의 경우, 일부 주에서는 여기에 추가하여,

① 발달 장애 환자.
② 물질 의존 환자.
③ 정신장애인.

등도 비자발적 입원의 대상이 될 수 있다고 규정하고 있다.

의사들은 환자에 대하여 법률적인 위임을 받은 사람이 아님을 명심해야 한다. 다만 정신건강의학과 의사의 합리적이고 전문가적 판단을 통한 비자발적 입원의 경우는 법률적 책임의 면책이 인정되고 있다.

국내에서는 2017년 5월 30일 정신건강복지법이 개정되면서 강제입원제도의 개선을 통한 인권 보호 장치의 강화를 도모하는 목적으로 비자발적 자발적 입원으로 이분화되어 설명됐던 입원 유형이 자의입원, 동의입원, 보호의

무자에 의한 입원, 행정입원으로 세분되었다. 국내 정신건강의학과 입원 유형에 대해서는 표 4-3에 간략히 정리되어 있다.

표 4-3. 정신건강의학과 입원 유형

	보호의무자에 의한 입원	행정입원	자의입원	동의입원
	비자발적		자발적	
입원 요건	1) 입원치료가 필요한 정신질환자 2) 자 · 타해 위험이 있는 자 1)&2) 요건 모두 충족	정신질환으로 자 · 타해 위험 발견 → 정신건강의학과전문의 또는 정신보건전문요원의 신청	정신질환 또는 정신건강상 문제가 있는 사람	정신질환자
입원 신청 주체	보호의무자 2인	시장 · 군수 · 구청장	본인	본인+보호의무자 1인
퇴원의사 표시의 주체	본인 또는 보호의무자	시장 · 군수 · 구청장의 입원 해제	본인	본인

9) 격리와 강박

격리와 강박에 대한 정신건강의학과적 결정에 대한 법적 판단은 매우 복잡하다. 일반적으로 격리와 강박에 대한 적응증과 금기가 존재한다(표 4-4). 그러나 정신건강의학과 의사는 임상 현장에서 일반적인 격리와 강박의 금기를 어쩔 수 없이 받아들이지 못하고 격리와 강박을 시행할 수밖에 없는 상황을 흔히 경험하게 된다.

표 4-4. 격리와 강박의 적응증과 금기

적응증indications
환자 자신이나 타인에 대한 즉각적인 위해를 방지하기 위해
치료 프로그램이나 치료적 환경에 대한 심각한 파괴를 방지하기 위해
행동치료의 일환으로 전체적인 치료 과정에 도움을 주기 위해
감각적 과민성을 줄이기 위해[1]
환자가 합리적인 이유로 자발적으로 요청할 경우
금기contraindications
극도로 불안정한 내과적 혹은 정신건강의학과적 상태의 경우[2,3]
감소된 자극을 견디어 낼 수 없는 섬망 혹은 치매 환자의 경우[2,3]
자살 시도를 하는 경우[2,3]
심각한 약물 부작용이나 약물을 과량 복용한 경우[3]
약물 용량에 대하여 집중적인 관찰이 필요한 경우[2]
환자에 대한 처벌이나 의료진의 편의를 위한 경우

[1]격리만 가능하다
[2]격리와 강박에 있어 철저한 감독과 직접적인 관찰을 제공할 수 없는 경우에 해당 한다
[3]종합병원에서 신체질환자의 격리는 가능할 수 있다

자문조정을 시행하는 정신건강의학과 의사는 때때로 의식 수준이 저하되거나, 내과적으로 불안정한 환자에 대한 강박을 권유할 수 있다. 이러한 환자들의 경우 강박을 시행하지 않게 되면 비위관, 동맥 수액선, 대동맥 내 풍선펌프 등을 뽑거나, 더 나아가서는 낙상할 수 있어 환자 자신에게 해를 가할 수 있다. 법원은 격리와 강박은 자신이나 타인에게 해를 끼칠 수 있고 이에 대한 다른 대안이 없는 경우에 한정하여 시행해야 한다고 규정한다. 격리 및 강박 시에는 다음과 같은 점을 심사숙고해야 한다.

① 격리 및 강박은 반드시 적절한 의료진에 의해 서면 지시로 이루어져야 한다.
② 격리 및 강박은 제한된 시간 동안 이루어야 한다.
③ 환자의 상태가 정기적으로 점검되고 이는 서류로 작성되어야 한다.
④ 격리 및 강박의 연장은 반드시 재평가 시행 후 이루어져야 한다.

10) 정신건강의학과적 의료과실

정신건강의학과적 의료과실도 의학적 의료과실이다. 의료과실이란 표준적인 전문치료를 벗어난, 사람에게 손상을 줄 수 있는 행위를 시행한 것을 의미한다. 정신건강의학과 의사가 환자에 대한 의료과실로 인해 법적 책임을 져야 할 경우는 다음의 네 가지 요건을 모두 충족시킨 경우이다.

① 의무Duty: 치료의 의무는 의사에게 있다.
② 일탈Deviation: 치료의 의무를 위반하였다.
③ 피해Damages: 환자가 실제로 피해를 입었다.
④ 직접적인 인과관계Direct causation: 일탈이 피해의 직접적인 원인이어야 함.

의사에게 의료 행위에 있어 일부 태만이 있었다 하더라도 위의 네 가지 요건이 모두 충족되지 않으면 의사에게 법적 책임을 물을 수는 없다.

자문조정을 시행하는 정신건강의학과 의사는 의학적 치료에 관련된 의사결정을 내리기 위한 환자의 판단 능력을 둘러싼 각종 법률적 사안들에 대하여 반드시 이해해야 한다. 비록 자문조정 정신건강의학과 의사가 변호사 정도의 법적 지식을 갖출 할 필요는 없지만 임상 현장에서 빈번하게 발생하는 법적 사안들에 대한 철저한 이해는 효과적인 치료의 필수 요소이다.

참고문헌

1. Accreditation Council for Graduate Medical Education. Special requirement for residency training in psychiatry. In: Graduate Medical Education Directory 1993-1994. Essentials and Information Items From Graduate Medical Education Directory. Chi-

cago: American Medical Association; 1993-1994. p.121-6.
2. Accreditation Council for Graduate Medical Education. Program Requirements for Residency Training in Psychiatry. Chicago: Residency Review Committee for Psychiatry; 1998.
3. Caplan C. Principles of Preventive Psychiatry. New York: Basic Books: 1964.
4. Field MJ, Lohr KN, editors. Clinical Practice Guidelines: Directions for a New Program. Washington DC: National Academy Press; 1990.
5. Gitlin DF, Schindler BA, Stern TA, Epstein SA, Lamdan RM, McCarty TA, Nickell PV, Santulli RB, Shuster JL, Stiebel VG. Recommended guidelines for consultation-liaison psychiatric training in psychiatry residency programs. A report from the Academy of Psychosomatic Medicine Task Force on Psychiatric Resident Training in Consultation-Liaison Psychiatry. Psychosomatics 1996;37:3-11.
6. Greenhill MH. The development of liaison programs. In: Usdin G, editors. Psychiatric Medicine. New York: Brunner/Mazel; 1977. p.115-91.
7. Hackett T, Cassem N, editors. The Massachusetts General Hospital Handbook of Psychiatry. St. Louis: Mosby; 1979.
8. Levenson JL, editors. The American Psychiatric Publishing Textbook of Psychosomatic Medicine. 3rd ed. Washington DC: American Psychiatric Publishing Inc.; 2019.
9. Schwartz HR. Do not resuscitate orders: the impact of guidelines on clinical practice. In: Rosner R, Schwartz HR, editors. Geriatric Psychiatry and the Law. New York: Plenum: 1987. p.91-100.
10. Simon RI. Clinical Psychiatry and the Law. 2nd ed. Washington DC: American Psychiatric Press; 1992.
11. Simon RI. Concise Guide to Psychiatry and Law for Clinicians. Washington DC: American Psychiatric Press; 1992.
12. Strain JJ, George LK, Pincus HA, Gise LH, Houpt JL, Wolf R. Models of mental health training for primary care physicians: a validation study. Psychosom Med 1987;49:88-98.
13. Wise MG, Rundell JR, editors. The American Psychiatric Publishing Textbook of Consultation-LIaison Psychiatry: Psychiatry in the Medically Ill. 2nd ed. Washington DC: American Psychiatric Publishing Inc.; 2002.
14. Wise TN, Mann LS, Silverstein R, Steg J. Consultation-liaison outcome evaluation system (CLOES): resident or private attending physician's concordance with consultant's recommendations. Compr Psychiatry 1987;28:430-6.
15. Herd JA. Physiological basis for behavioral influences in arteriosclerosis. In: Dembroski TM, Sch-midt TH, Blumchen G, editors. Behavioral basis of coronary heart disease. Basel: Karger;1983. p.304-64.

5

CHAPTER

스트레스의 이해

문은수, 이재헌

1. 스트레스의 개념 및 의학적 모델

1) 스트레스의 의학적 모델 태동

스트레스stress는 현대에는 일상적으로 많이 사용되는 용어이지만 이전까지는 물리학에서 사용하는 용어로서 '외부의 힘에 의해 압축 또는 신장된 이후에 원래의 크기와 형태로 돌아올 수 있는 탄성'이라는 의미로 쓰였다. 지금의 의미와 가장 가까운, 의학적 의미를 가지고 사용된 것은 Selye가 개념을 정립한 이후이다. Selye는 스트레스를 '유해한 자극에 대한 신체의 비특이적인 반응'으로 보았다. 즉, 스트레스는 '적응하기 어려운 환경이나 조건에 처할 때 유기체가 경험하는 신체적, 심리적 긴장이나 장애'라고 할 수 있다. 그러나 스트레스라는 용어가 개체에 부담을 주는 외적 사건이나 유해한 자극 또는 환경을 의미하기도 하고, 이러한 원인에 의한 개체의 반응결과라는 의미로 혼용이 되었다. Selye는 이러한 개념적 혼동을 피하기 위하여 스트레스의 개념을 스트레스원stressor과 스트레스 반응stress response이라는 용어로 세분화시켰다(그림 5-1). 스트레스원은 개체의 항상성을 깨뜨리거나 위협할 수 있는 자극을 의미하며, 스트레스 요인이나 인자와 같이 다양한 용어로 사용되기도 한다. 반면에 스트레스 반응은 항상성을 회복하기 위해 보일 수 있는 개체의 반응이라고 할 수 있다. 이때의 항상성이란 개념은 1932년 Cannon에 의해서 주장된 것으로 혈압이나 혈당, 세포 내 삼투압과 같은 다양한 생리적 지표들이 일정한 범위로 조절되는 것을 말한다. 개체 내부에서도 변화에 적응하여 항상성을 유지하기 위한 움직임이 일어나지만, 개체와 외부세계 사이에서도 항상성을 유지하기 위한 적응의 과정이 일어난다는 것이다.

2) 투쟁-도피반응 모델

Walter Cannon은 대뇌 피질이 위협을 인식하고, 시상하부를 통해 자율신경계를 활성화시키고 부신수질을 자극하여 에피네프린과 노르에피네프린을 분비하게 된다는 것을 발견하였다. 즉, 위협상황에 대처하기 위하여 투쟁-도피 반응fight-flight response을 일으키는 것이다(그림 5-1). 개체가 낮은 수준의 스트레스를 경험할 때에는 스트레스 반응을 견뎌낼 수 있지만 그 강도가 높아지거나 스트레스가 지속될 때는 생물학적 체계가 파괴될 수 있다.

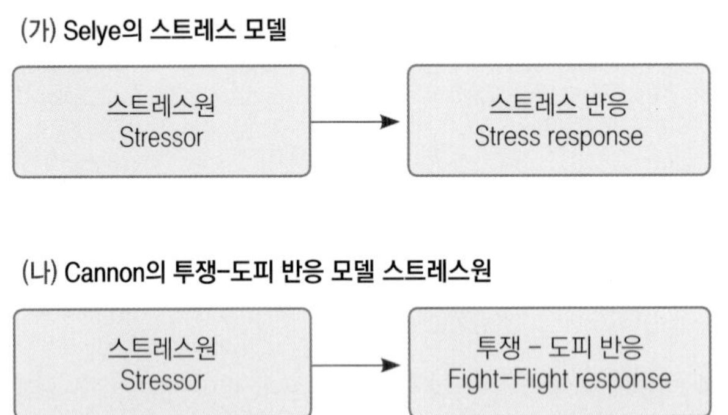

그림 5-1. 스트레스원과 스트레스 반응. (가) Selye는 스트레스원은 스트레스 반응을 일으킨다는 개념을 구체화하였다. (나) Walter Cannon은 스트레스원에 의한 스트레스 반응이 인간에서는 투쟁-도피 반응으로 나타난다고 보았고, 이를 투쟁-도피반응 모델로 설명하였다.

3) 일반 적응 증후군

Selye는 '반응으로서의 스트레스'를 강조한 Cannon의 이론을 체계화하였다. 그는 많은 실험을 통해 여러 가지 유해한 자극들이 모두 동일한 병적 변화를 일으킨다는 사실을 발견했다. 그는 이러한 결과를 토대로 다양한 종류의 자극들이 동물과 인간에서 동일한 질병을 일으킬 수 있다고 보았다. Selye는 이러한 과정이 특정한 자극에 따라 특정한 질병이 있는 것이라 아니라 어떤 자극이라고 하더라도 공통되는 반응을 보일 수 있다는 점에 주목하여 일반적응 증후군general adaptation syndrome이라고 명명하였다(그림 5-2). 즉, 스트레스원에 오랫동안 노출이 되면 개체는 적응에 어려움을 겪게 되고, 점차 저항력이 소진exhaustion되어 건강에 부정적인 결과를 초래할 수 있다는 것이다. 일반적응 증후군에서는 스트레스 반응의 단계를 경보단계alarm stage, 저항단계resistance stage, 탈진단계exhaustion stage의 세 가지로 구체화하였다. 첫 번째 경보단계는 교감신경계가 활성화되어 신체가 각성됨으로써 스트레스 상황에 맞서 싸우거나 도피할 수 있도록 준비한다. 첫 번째 경보단계에서는 스트레스가 신체 손상을 일으키기 이전이므로 휴식을 취하면 다시 정상적으로 회복할 수 있다. 그러나 경보단계에서 스트레스가 해소되지 않고 지속되면 두 번째 저항단계로 진행한다. 저항단계는 스트레스 상황을 이겨내기 위해 여러 신체자원을 동원하는 시기이다. 따라서 이 시기에는 신체손상이 일어나기 시작한다. 저항단계에서 끝나지 않고 스트레스가 여전히 지속된다면 세 번째 탈진단계로 진행할 수 있다. 탈진단계에서는 스트레스를 조절하는 장기와 시스템이 점차 소진되고 결국에는 질병이 발생하게 된다.

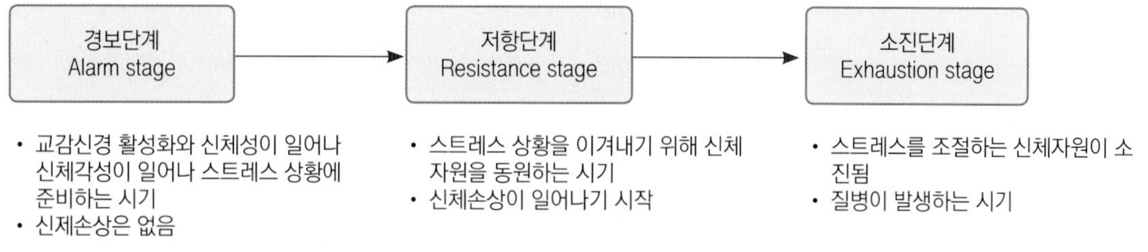

그림 5-2. 일반적응증후군. Selye는 특정한 자극이 특정한 질병을 일으키는 것이 아니라 어떤 자극이라고 하더라도 공통되는 일반적인 적응과정이 있다고 보았고, 이를 일반적응증후군의 모델로 설명하였다.

4) 스트레스 교류적 모델

스트레스원이 스트레스 반응을 일으키는 과정에서 스트레스 대처나 사회적 지지와 같은 요인들이 스트레스 반응에 영향을 미칠 수 있다. 즉, 스트레스 반응에 영향을 미치는 여러 요인들의 역할들을 강조하는 관점을 스트레스의 교류적 모델이라고 한다(그림 5-3). 여기에서는 스트레스 사건이나 자극 또는 환경에 대한 개인의 지각이 중요하게 작용한다. 즉, 스트레스원 자체 보다는 스트레스원에 대한 주관적 해석에 따라 스트레스가 될 수도 있고, 안될 수도 있다는 것이다. 동일한 스트레스원에 대해서도 사람마다 그것을 지각하는 것이 다를 수 있으며 그에 따라 스트레스 반응이 다를 수 있는 것이다.

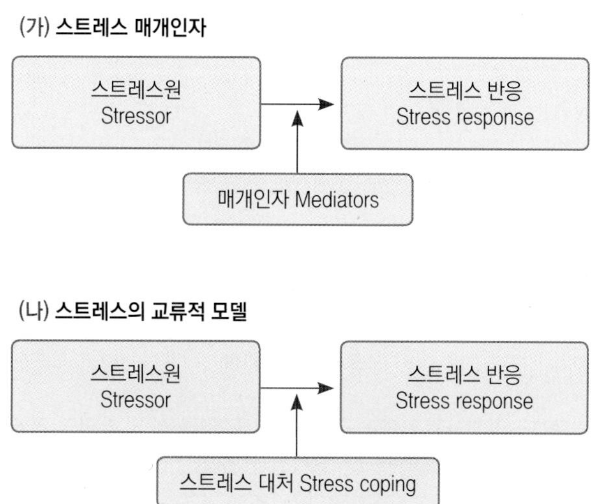

그림 5-3. 스트레스의 교류적 모델. (가) 매개인자들은 스트레스 반응에 영향을 미칠 수 있다. (나) 스트레스 대처나 사회적 지지와 같은 매개인자들이 스트레스 반응에 영향을 줄 수 있다는 점을 스트레스의 교류적 모델로 설명할 수 있다.

5) 스트레스 조절 모델

앞서 스트레스의 교류적 모델에서 언급하였듯이 스트레스 반응에 영향을 미치는 다양한 요인들이 있을 수 있다.

스트레스 조절 모델은 교류 모델의 일부라고 볼 수 있으며 스트레스 조절 부분이 강조된 모델이라고 할 수 있다(그림 5-4). 스트레스원의 종류나 특성에 따라 스트레스 반응이 달라질 수 있지만, 개인이 직면한 스트레스원에 대한 개인의 스트레스 지각이나 대처방법도 중요한 영향을 미칠 수 있다. 즉, 동일한 스트레스 자극에 대해서도 미리 예측할 수 있거나 스스로가 통제할 수 있는 정도이거나 스트레스 상황을 본인 해결할 수 있다고 평가한다면, 실제로 개인이 지각하는 스트레스의 정도는 적을 수 있다. 반대로 전혀 예측할 수 없거나 스스로 통제하기 힘든 스트레스 상황이거나 과거에 자신이 해결해 본 경험이 없거나 자신의 능력으로 해결할 수 없는 상황으로 해석한다면, 개인이 실제로 지각하는 스트레스 정도는 아주 클 수 있다. 다시 말하면, 스트레스 사건이 개인에게 지각되는 정도는 스트레스 상황의 예측가능성predictability과 통제가능성controllability 및 개인의 평가appraisal에 따라서 다를 수 있다. 그리고 지각된 스트레스 상황에 개인이 어떻게 대처하는가에 따라 스트레스의 결과는 서로 달라질 수 있다. 문제를 적절하게 해결하려는 노력이나, 스트레스의 결과를 최소화하기 위한 개인의 노력이나 전략은 스트레스로 인한 신체적 정신적 반응을 최소화할 수 있다. 이처럼 스트레스원이라고 할 수 있는 스트레스 사건으로부터 스트레스 반응결과에 이르기까지의 일련의 과정 중에 개인이 어떻게 스트레스를 지각하고 대처하는지가 영향을 줄 수 있는 점을 고려하여 전체적인 스트레스의 조절 과정을 이해하려는 모델이 스트레스 조절 모델이라고 볼 수 있다.

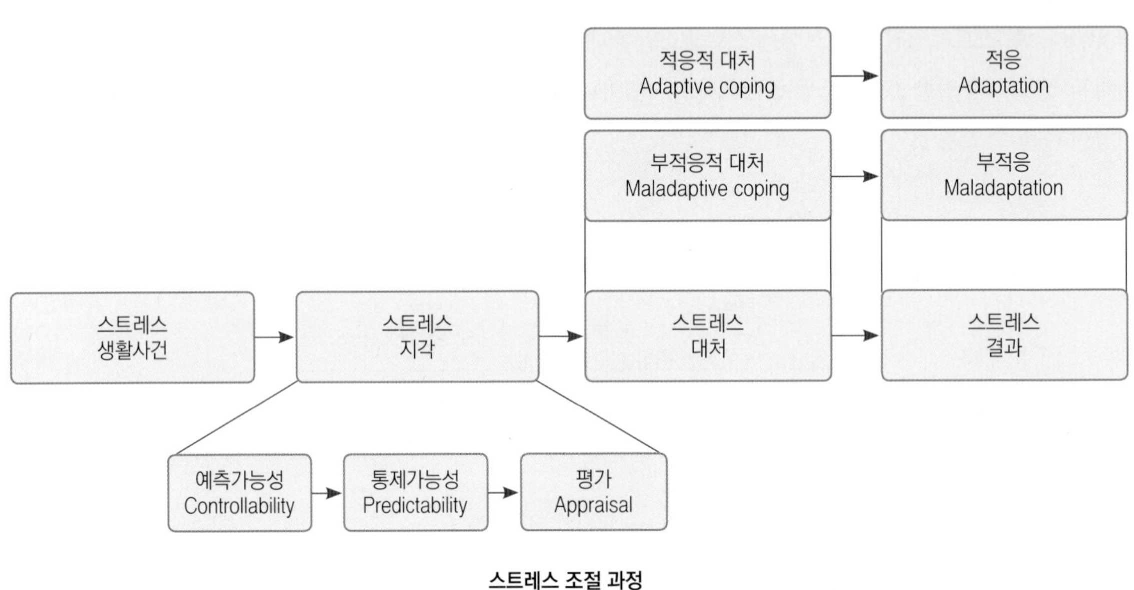

그림 5-4. 스트레스 조절 모델. 스트레스 생활사건은 예측가능성이나 통제가능성 및 개인의 평가에 따라 스트레스 지각의 정도가 달라질 수 있으며, 개인의 대처방식에 따라 스트레스의 결과가 달라질 수 있다.

6) 스트레스 유발 모델

Hammen 등은 개인의 특성이나 특정한 질병상태로 인해 개인이 스트레스 사건을 유발하는 경우가 있다고 보았다. 사회적 관계에서 갈등이 생긴 경우, 서로 사과하고 넘어가게 되면 큰 스트레스 사건이 되지 않을 수 있지만 그러한 일들로 인해 감정조절을 하지 못하고 고성이 오가거나 몸싸움이 일어나면 그 일이 큰 스트레스 사건으로 진행할 수 있다. 질병으로 인해 스트레스가 유발되는 경우도 있다. 평소에는 아무런 어려움 없이 처리할 수 있었던 일들에 대해 기분이 불안정한 경우에는 공격적이거나 충동적인 말 또는 행동으로 대처하여 사회적인 갈등을 일으키고 그 결과 스트레스가 증가될 수 있는 것이다.

7) 스트레스 자원유지 모델

Hobfoll은 스트레스원이 스트레스 반응에 영향을 미치는 제3의 변수로서 사회적 자원의 개념을 도입한 자원유지 모델을 주장하였다(그림 5-5). 자원유지 모델은 크게 3단계의 과정으로 진행되며, 첫 번째는 각 개인이 소유하고 있는 자원의 손실에 대한 위협을 느끼는 단계이고, 두 번째는 실제적인 자원 손실이 발생하는 단계이며, 그리고 세 번째는 자원의 손실에 대한 새로운 자원 보충의 부족이나, 자원의 결핍이 생기는 단계이다. 이 3단계의 과정에 의해 사회적 자원이 스트레스가 발생에 영향을 준다고 보았다. 즉, 개인이 가지고 있는 자원이 부족해질 수 있는 위협상황이나 실제 자원 손실 상황들이 스트레스를 유발한다고 보았고, 손실한 자원을 보충할 수 있을 때는 그러한 스트레스가 중재될 수 있지만, 자원을 보충할 수 없는 상황일 때는 스트레스 반응이 증가할 수 있다. 스트레스 반응에 영향을 줄 수 있는 사회적 자원으로는 사물이나 조건, 능력 등을 얻을 수 있도록 해주는 도구나 수단으로서의 통제력mastery, 자기 존중심self-esteem, 사회경제적 지위socioeconomic status 등이 대표적인 예이다.

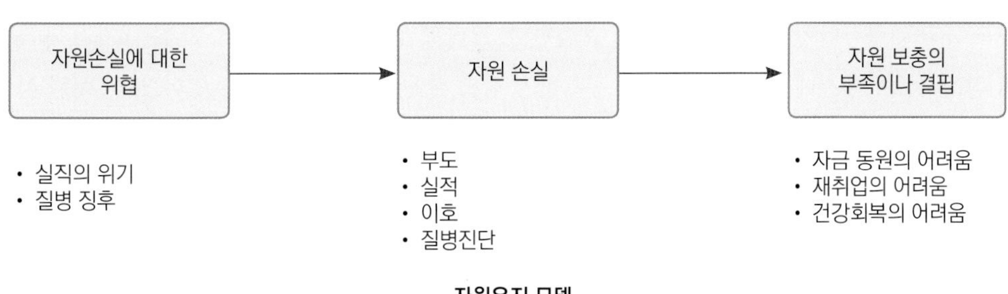

그림 5-5. 자원유지모델model of conservation of resources. 첫 번째 자원손실에 대한 위협 단계는 실직의 위기나 질병징후와 같은 상황을 말하고, 두 번째 자원의 손실 단계는 부도, 실직, 이혼, 질병진단 등을 말하며 세 번째 자원의 손실로 인한 새로운 자원 보충의 부족이나 결핍이 발생하는 단계는 자금 동원의 어려움, 재취업의 어려움, 건강회복의 어려움 등을 예를 들 수 있다.

8) 누적 스트레스 모델

스트레스의 초기 연구에서는 질병을 일으킬 수 있는 중요한 스트레스를 찾기 위한 노력들이 주로 이루어졌다. 반면에 각 범주의 스트레스의 총량에 대한 고려가 없기 때문에 발생빈도가 간과되었다. 그리고 발생빈도가 낮은 큰 트라우마 보다 자주 일어나는 작은 스트레스들이 모여서 더 큰 역할을 할 수도 있다는 점을 간과하였다. 큰 영향을 미치는 하나의 스트레스 사건도 중요하지만, 여러 가지 작은 스트레스의 누적효과도 신체적 정신적인 건강의 위험요소가 될 수 있다.

9) 스트레스-질병 모델

일반의학적인 관점에서 질병은 특정병인론에 따라 그 병을 일으키는 특정한 원인이 있다고 본다. 예를 들면, 결핵균이 결핵이라는 질병을 일으킨다는 것이다. Seligman은 헤어날 수 없는 스트레스 상황이 지속되면 학습된 무기력learned helplessness 상태가 되어 우울장애가 발생할 수 있다고 보았다. 이를 특정병인론적인 관점에서 볼 때 스트레스 상황에서 학습된 무기력은 우울장애의 병인이라고 볼 수 있다. 하지만 병인론적인 관점에서 본다면, 스트레스가 질병을 유발하는 모델은 제한적일 수밖에 없다. 대부분의 경우는 스트레스가 질병을 일으키는 직접적인 원인이라고 말하기 어렵다. 그러나 여러 연구들의 결과에서 보듯이 스트레스는 여러 가지 질병을 일으킬 위험성을 증가시킬 수 있다. 이러한 점을 고려할 때 스트레스는 질병을 일으키는 유발인자로 보거나 해당 질병에 대한 취약성을 증가시키는 요인으로 보는 스트레스 취약성 모델로 설명할 수 있다.

10) 스트레스-취약성 모델stress-diathesis model 및 스트레스-개인회복력 모델

스트레스-취약성 모델stress-diathesis model은 정신질환에 대한 취약성을 가지고 있는 경우에 다양한 스트레스가 가해지면 정신질환이 유발된다고 보는 것이다(그림 5-6). 이 모델은 정신질환에 대한 소인이라고 볼 수 있는 취약성과 환경적 스트레스 간의 상호작용에 초점을 둔다. 정신질환에 대한 취약성은 선천적인 유전적 특성뿐만 아니라 바이러스, 뇌졸중 등의 후천적인 생물학적 뇌 변화도 포함한다. 그리고 우울장애 환자에서 보이는 3가지 왜곡된 인지유형triad처럼 환경적 스트레스에 반응하는 개인의 독특한 방식도 취약성에 포함이 될 수 있다. 또한 어린 시절에 부정적인 생활 사건을 경험한 경우도 취약성에 해당한다.

취약성과 반대되는 개념으로 개인의 회복력resilience 또한 스트레스가 질병발생에 영향을 미치는 중요한 요인이 된다. 취약성은 스트레스가 질병을 발생시키는 과정에 기여할 수 있지만, 반대로 개인의 회복력은 스트레스 상황에서도 질병이 발생하지 않도록 하는 보호인자로 작용할 수 있다. 또한 위기 상황에서 고통스러운 스트레스를 경험하지만 그 위기를 극복한 이후에는 오히려 개인의 정신적인 성장을 이루는 경우도 있다.

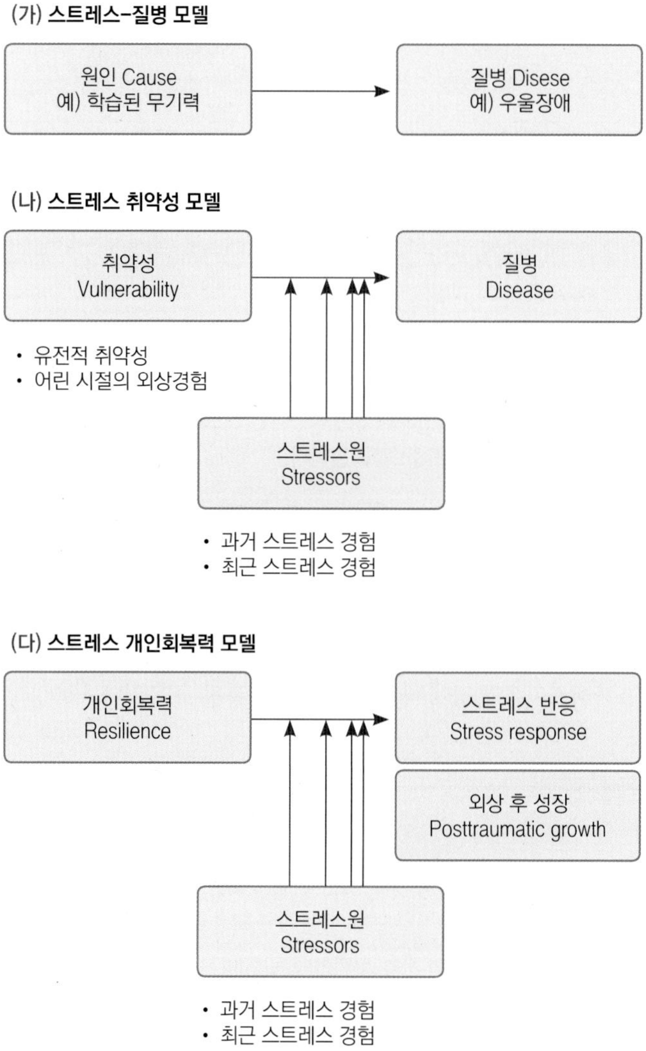

(가) **스트레스-질병 모델**

원인 Cause 예) 학습된 무기력	→	질병 Disese 예) 우울장애

(나) **스트레스 취약성 모델**

취약성 Vulnerability → 질병 Disease

- 유전적 취약성
- 어린 시절의 외상경험

스트레스원 Stressors

- 과거 스트레스 경험
- 최근 스트레스 경험

(다) **스트레스 개인회복력 모델**

개인회복력 Resilience → 스트레스 반응 Stress response / 외상 후 성장 Posttraumatic growth

스트레스원 Stressors

- 과거 스트레스 경험
- 최근 스트레스 경험

그림 5-6. 스트레스-질병 모델과 스트레스-취약성 모델. (가) 학습된 무기력을 유발하는 스트레스 상황은 우울장애의 원인이 된다. (나) 한편, 스트레스는 대부분의 질병을 일으킬 수 있는 유발인자가 되거나 질병에 취약한 상태로 만들 수 있다. (다) 반면에 개인의 회복력은 스트레스 상황을 극복할 수 있게 하는 힘이 되며, 어려움을 극복한 이후에 정신적인 성장으로 이어지는 경우도 있다.

2. 스트레스원의 유형

Selye는 스트레스원에 대한 스트레스 반응상태를 구분하기 위해 1976년에 유스트레스eustress와 디스트레스distress라는 용어를 도입하였다(그림 5-7). 적응적인 결과를 가져올 수 있는 스트레스 반응을 유스트레스라고 하고, 비적응적인 결과를 가져올 수 있는 스트레스를 반응을 디스트레스로 구분한 것이다. 즉, 유스트레스는 행복하게 하며, 도움이 되며, 바람직하고, 스스로 원하는 것이며, 기회가 되고, 자신의 기능의 향상시킬 수 있는 스트레스원을 말한다. 반면에 디스트레스는 불편하게 하고 해로우며, 바람직하지 않고 원하지 않으며, 위기 상황이나 기능을 저하시킬 수 있는 스트레스원을 말한다.

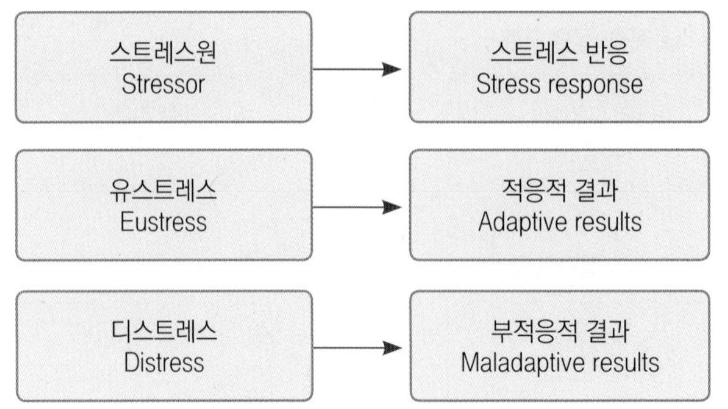

스트레스 원과 스트레스 반응과의 관계

그림 5-7. 스트레스원과 스트레스 반응과의 관계. 유스트레스는 적응적인 스트레스 반응을 보이는 스트레스원을 말하며, 반대로 디스트레스는 비적응적인 스트레스 반응을 보이는 스트레스원을 말한다.

스트레스 반응을 일으키는 요인인 스트레스원은 실제로 다양하다. 물리환경적, 신체적, 심리적, 사회관계적, 그리고 직무 스트레스원 등과 같이 다양한 요소들이 스트레스를 유발할 수 있다. 표 5-1에 소개되는 여러 가지 종류의 스트레스원은 흔히 언급되는 스트레스원이며 실제로는 더 많은 스트레스원이 존재할 수 있다. 또한 스트레스원의 유형 분류 시 어떤 종류의 스트레스원은 특징에 따라 영역 간에 중복될 수도 있다.

표 5-1. 여러가지 종류의 스트레스원

유형	스트레스원의 예
물리환경적 스트레스원	대기의 오염, 과도한 소음, 자외선, 좁은 공간, 부족한 환기, 부족한 조명, 덥거나 추운 온도, 부족한 일조량, 비위생적인 환경, 나쁜 작업 환경 등
신체적 스트레스원	과도한 신체활동의 지속, 무리한 운동, 지나친 다이어트, 고지방식, 고혈당식, 유해물질 섭취 등
심리적 스트레스원	부담감, 비교의식, 열등감, 완벽주의, 불확실성 등
사회관계적 스트레스원	사회관계의 역할 경계의 모호성, 의견충돌, 문제해결방식의 차이, 공감의 부재, 개인적 성향차이, 문화행동적 차이, 가치관의 차이, 종교적 신념의 차이 등
직무 스트레스원	과도한 업무, 업무경계의 불명확성, 비윤리적인 업무지시, 불공평한 업무분담, 업무결과에 대한 책임, 승진에 대한 부담, 직장 동료들과의 관계, 직장 선후배와의 갈등 등

3. 스트레스 반응

스트레스원으로 인해 일어나는 스트레스 반응은 다양하다. 스트레스 반응의 기간에 따라서 급성 스트레스 반응과 만성 스트레스 반응으로 구분할 수 있다. 또한 스트레스 반응의 유형이나 영역에 따라 감정적 스트레스 반응, 인지적 스트레스 반응, 행동적 스트레스 반응, 생리적 스트레스 반응, 생화학적 스트레스 반응, 면역학적 스트레스 반응 등과 같이 다양한 스트레스 반응이 있다(표 5-2).

표 5-2. 여러 가지 종류의 스트레스 반응

유형	스트레스 반응의 예
감정적 스트레스 반응	과민함, 우유부단함, 공허감, 혼란, 불안, 우울, 신경과민, 분노, 근심, 걱정 등
인지적 스트레스 반응	기억력저하, 집중력 저하, 업무수행능력저하, 사고왜곡, 정보 습득력 저하, 의사결정곤란 등
행동적 스트레스 반응	회피행동, 쾌락추구행동, 음주, 흡연, 인터넷중독, 게임중독, 도박중독, 일탈행위, 식사량저하, 과식, 폭식, 불면, 과수면
생리적 스트레스 반응	혈소판증가, 혈액응고인자 증가, 피로, 두통, 불면, 근육 긴장, 통증, 숨가쁨, 위경련, 구역질, 손떨림, 안면홍조, 빈뇨, 기침 등
신경학적 스트레스 반응	교감신경 활성화, 부교감신경 활성저하
생화학적 스트레스 반응	아드레날린증가, 노르아드레날린 증가, 세로토닌감소, 도파민 증가
면역학적 스트레스 반응	세포성 면역저하
대사내분비적 스트레스 반응	혈당증가, 콜레스테롤 증가, 코티솔 증가

생명을 위협하는 스트레스 상황에 직면하게 되면 인간은 그 상황에 맞서 싸우거나 도망가거나 하는 반응을 보이게 된다. 인체는 스트레스 상황에 적절하게 반응할 수 있도록 여러 생리적인 상태를 변화시킨다. 근육과 뇌에 더 많은 혈액을 보내고 순간적으로 많은 양의 에너지를 공급할 수 있도록 생리적인 변화들이 일어난다. 근육과 뇌에 더 많은 혈액을 보내기 위하여 맥박과 혈압이 상승하고, 더 많은 산소를 얻기 위해 호흡이 빨라진다. 즉각적으로 행동을 할 수 있도록 근육이 긴장된다. 중요한 장기인 뇌, 심장, 대근육으로 가는 혈류가 증가하는 반면, 피부, 소화기관, 신장, 간으로 가는 혈류는 감소한다. 에너지 동원을 위해 당, 지방, 콜레스테롤의 양이 증가한다. 출혈을 방지하기 위해 혈소판, 혈액응고인자가 증가한다. 이러한 기능들을 효과적으로 조절하기 위하여 자율신경계는 교감신경이 활성화되고, 부교감신경의 활성도는 줄어든다. 이러한 스트레스 상황으로 인한 생리적 변화로 인해 피로, 두통, 불면, 근육긴장과 통증, 숨가쁨, 위경련, 구역질, 손떨림, 안면홍조, 빈뇨, 기침 등의 신체 증상이 나타날 수 있다. 이런 증상들은 스트레스가 경감되면 대부분 소실되지만 스트레스가 적절하게 조절되지 못하고 지속되면 질병으로 이어질 수 있다.

스트레스는 세포성 면역체계에 영향을 줄 수 있다. 스트레스가 증가할수록 CD4 세포와 CD4/CD8비는 감소하며 CD8 세포는 증가한다. 메타분석 결과에서도 만성적 스트레스가 CD4 세포와 음의 상관관계가 있다고 알려졌다. 그러나 CD8 세포에 대해서는 아직 일치된 결론에 이르지 못하고 있다. 즉, 고도의 스트레스 상황에서는 면역방어기제를 동원하게 되어 면역수치가 증가하는 반면에 스트레스가 만성화될 경우에는 가용자원을 이미 소진한 상태가 되어 면역 수치의 증가는 일어나지 않을 수 있다.

스트레스 반응 기전과 관련된 생화학적 변화는 다음과 같다.

1) 에피네프린/노르에피네프린

급성 스트레스에 노출된 후 수 분 내에 증가한다. 반감기는 수 분 이내이다. 에피네프린과 노르에피네프린이 분비되면 심장박동수와 호흡수를 증가시켜서 투쟁-도피반응에 관여하게 된다. 만성적인 스트레스는 노르에피네프린 분비를 증가시키는데, 동물실험에서 동일한 스트레스를 계속해서 주었던 경우 노르에피네프린의 내성이 일어났지만 새로운 스트레스를 주었을 경우에는 노르에피네프린의 분비가 증가했다. 즉, 동일한 스트레스에 대한 자율신경계의 반응은 감소하지만, 이어서 일어나는 다른 스트레스에 대해서는 그 반응이 더 민감해진다.

2) 세로토닌

심리적 스트레스는 세로토닌의 전구물질인 트립토판의 결핍을 유발하여 기분변화를 일으킬 수 있다. 이러한 세로토닌의 변화를 해소하기 위하여 세로토닌의 합성을 증가시키고, 세로토닌 수용체의 발현에 변화를 일으킬 수 있다. 그러나 만성적인 스트레스 상황에서는 전염증성 사이토카인pro-inflammatory cytokine이 증가하게 되며 이러한 변화를 해소하기 위해 항염증성 사이토카인anti-inflammatory cytokine의 증가를 유발하게 된다. 그러나 이러한 균형이 깨지게 되면 인돌아민 이산소화효소indoleamine dioxygenase (IDO) 효소가 활성화되고 트립토판에서 키누레닌kynurenine으로 대사되는 과정이 가속화된다. 그 결과 세로토닌은 저하하고 우울증상이 나타나게 된다. 이러한 상태가 지속되면, 신경가소성도 감소하게 되며 해마, 전두엽 등의 뇌 부위에서 신경세포가 위축되어 인지기능저하로 이어지게 된다.

3) 도파민

급성 스트레스에 노출되면 중피질 도파민 신경회로mesocortical dopamine pathway와 중변연계 도파민 신경회로mesolimbic dopamine pathway가 활성화된다. Levielle 등과 Herve 등은 스트레스로 인해 대뇌의 중피질 신경원이 활성화되어 도파민이 상승한다고 보았다. Herman 등은 조절할 수 없는 자극을 준 이후에는 전두엽 피질과 연관되는 A10 신경원들이 민감한 반응을 보이면서 도파민 합성과 이용이 증가하였지만 조절 가능한 스트레스를 주었을 때는 도파민의 변화가 없다는 것을 발견하였다.

4) 코티솔

스트레스 상황에서는 코티솔이 증가한다. 코티솔은 스트레스 상황을 극복하기 위하여 에너지를 재분배시켜주는 역할을 한다. 코티솔은 시상하부-뇌하수체-부신 축hypothalamus-pituitary gland-adrenal gland axis, HPA axis에 의해 분비 또는 조절된다. 시상하부는 코르티코트로핀분비호르몬corticotropin-releasing hormone, CRH을 분비하고, CRH는 뇌하수체에서 부신피질자극호르몬adrenocorticotropic hormone, ACTH을 분비하고 ACTH는 부신에서 코티솔을 분비한다. 코티솔은 염증반응을 감소시키고, 혈압을 유지하며, 면역체계를 억제하고 스트레스를 조절하는 역할을 한다. 스트레스원에 노출된 지 15-30분 후 코티솔은 최고도로 증가한다. 부신피질자극호르몬은 스트레스원에 노출된 지 2시간 동안 증가한다. 그 후에도 스트레스원에 계속해서 노출되면, 코티솔과 부신피질자극호르몬은 감소하게 된다. 반면에 만성적인 스트레스에 노출되면 과도한 코티솔의 분비에 의해 억제성 되먹이 기전negative feedback의 조절이 손상된다. 따라서 CRH, ACTH의 분비를 감소시키지 못하고 CRH, ACTH가 지속적으로 증가한 상태가 유지되어 코티솔의 분비가 억제되지 않고 증가한 상태가 지속될 수 있다.

5) 프로락틴

프로락틴은 극심한 스트레스 상황에서 분비가 증가할 수 있다. 의대생들의 시험과 같은 스트레스에서 코티솔은 증가하지만 프로락틴은 증가하지 않았다. 그러나 수술을 기다리는 환자나 낙하산 훈련, 경쟁적 구두시험과 같은 스트레스 상황에서는 코티솔이 증가할 뿐만 아니라 프로락틴도 증가하였다. 즉, 코티솔은 대부분의 스트레스에서 분비가 증가하지만 프로락틴은 스트레스의 강도가 큰 경우에만 분비된다고 볼 수 있다.

그 외에도 테스토스테론, thyroxine, vasopressin, oxytocin, angiotensin II, vasoactive intestinal polypeptide 등이 스트레스에 의한 반응기전에 관여하는 것으로 알려져 있다.

4. 스트레스 평가

스트레스는 다양한 방법으로 평가될 수 있다(표 5-3). 우선, 자가보고형 설문지와 같은 평가척도를 토대로 스트레스 평가가 가능하다. 또한 피부저항의 변화나 심박변이도 또는 스트레스 호르몬의 상태에 대한 평가들을 통해 스트레스에 대한 반응정도와 영향력을 측정할 수 있다.

표 5-3. 스트레스 평가 방법

평가유형	평가방법 또는 평가지표의 예시
평가척도를 활용한 평가	생활차트life chart 사회재적응평가척도social readjustment rating scale (SRRS) 생활경험척도life experience survey (LES) 스트레스 지각척도perceived stress scale (PSS) 스트레스 반응척도stress response inventory (SRI) 대처방법 평가척도ways of coping scale (WCS) 스트레스 상황 대처척도coping inventory for stressful situations (CISS) 스트레스 해소행동 체크리스트behavioral checklist for coping with stress (BCCS)
피부저항을 통한 평가	갈바닉 피부반응galvanic skin response (GSR) 정신 갈바닉 반사psychogalvanic reflex (PGR) 피부전도반응skin conductance response (SCR) 피부 전도도skin conductance level (SCL) 교감 피부 반응sympathetic skin response (SSR) 피부전도반응electrodermal response (EDR) 피부전도도electrodermal activity (EDA)

심박변이도를 통한 평가	# 시간 영역 분석 NN 간격 표준편차the standard deviation of the NN interval (SDNN) 5분간 NN 간격 평균의 표준편차the standard deviation of the average of NN intervals in all 5 min segments of the entire recording (SDANN) 연속되는 NN 간격 차이제곱 평균의 제곱근the square root of the mean squared differences of successive NN intervals (RMSSD) 5분간 NN 간격 표준편차의 평균the meean of the standard deviations of all NN intervals for all 5 min segments of the entire recording (SDNN index) 인접한 NN 간격 차이의 표준편차the standard deviation of differences between adjacent NN intervals (SDSD) 연속되는 NN간격 차이가 50 밀리세컨드 이상인 수the number of interval differences of successive NN intervals greater than 50 millisecond (NN50) 전체 NN 간격의 총 개수에서 NN50이 차지하는 비율the proportion derived by dividing NN50 by the total number of NN intervals (pNN50) # 주파수 영역 분석 극저주파 영역very low frequency (VLF) 저주파 영역low frequency (LF) 고주파 영역high frequency (HF) 저주파/고주파 영역 비율low frequency/high frequency ratio (LF/HF ratio)
스트레스 호르몬 및 시상하부-뇌하수체-부신 축에 대한 평가	코티솔 농도(혈액, 타액, 땀, 소변) 부신피질자극호르몬adrenocorticotropic hormone (ACTH)농도 코르티코트로핀분비호르몬corticotrophin releasing hormone (CRH)농도 코티솔각성반응cortisol awakening response (CAR) 덱사메타손억제검사dexamethasone suppression test (DST) 코르티코트로핀분비호르몬검사corticotrophin releasing hormone (CRH) test 덱사메타손억제-코르티코트로핀분비호르몬검사dexamethasone-suppressed corticotrophin releasing hormone test (DEX-CRH) test

1) 평가척도를 활용한 평가

다양한 평가척도를 활용하여 스트레스를 평가할 수 있다. 스트레스 평가척도는 다양한 종류가 개발되어 있으며 스트레스 사건의 경험, 스트레스 지각, 스트레스 반응, 스트레스 대처방법 및 스트레스 해소행동에 걸쳐 다양한 스트레스 영역의 특성들을 평가한다. 사회재적응평가척도social readjustment rating scale, SRRS는 Holmes Rahe 등이 개발한 자가보고형 척도로 개인의 생활에서 주요한 변화를 초래하는 사건을 스트레스 요인을 정의하였고 그 영향력을 정량화하고자 하였다. 생활경험척도life experience survey, LES는 Sarason 등이 개발한 자가보고형 척도로 총 57개의 생활사건에 대한 지난 1년 동안의 경험여부와 긍정적 생활사건의 개수, 부정적 생활사건의 개수, 총 생활사건의 개수, 그리고 전체 영향력 점수를 조사한다. 스트레스 지각척도perceived stress scale, PSS는 Cohen 등이 개발한 자가보고형 척도로 지난 한 달 동안의 일상 생활사건들에 대한 예측정도와 통제불가능성 및 과도한 부담에 대한 개인의 감정과 생각을 묻는 문항으로 이루어져 있다. 스트레스 반응척도stress response inventory, SRI는 고경봉 등에 의해 개발된 척도로 스트레스 반응을 생리적, 정서적, 인지적, 행동적 측면에서 다각도로 측정할 수 있다. 스트레스 상황 대처척도coping inventory for stressful situations, CISS는 Endler와 Parker에 의해 개발된 자가보고형 척도이다. 스트레스 상황에서 대처하는 방식을 측정하며 감정형, 과업형, 회피형의 대처방법을 평가한다. 스트레스 해소행동 체크리스트behavioral checklist for coping with stress, BCCS는 문은수 등에 의해 개발된 자가보고형 평가도구로 주요한 스트레스 해소행동을 중심으로 개인의 스트레스 해소행동 양상을 평가하며 개인적인 활동형, 사회적 활동형, 쾌락추구형, 강박충동형으로 구분하여 평가한다.

2) 피부저항을 통한 평가

스트레스 상황에서는 피부저항에 변화가 일어난다. 자율신경계는 근육과 혈관 및 땀샘의 기능에 변화를 일으킬 수 있고 이러한 변화는 피부저항의 측정을 통해 확인될 수 있다. 피부저항의 변화를 통해 스트레스의 정도와 반응양상을 평가할 수 있다.

3) 심박변이도를 통한 평가

심장박동수는 자율신경계에 의해 조절된다. 교감신경이 활성화되면 교감신경 말단에서 에피네프린과 노르에피네프린이 분비되며 5초 이후에 심장박동이 빨라진다. 반면에 부교감신경이 활성화되면, 미주신경 말단에서 분비되는 아세틸콜린에 의해 심장박동이 느려지는데 이는 1초 이내로 매우 빠르게 일어나고 효과가 사라지는 것 역시 매우 빠르다. 부교감신경에 의한 심장박동수의 감소반응은 교감신경에 의한 심장박동수의 증가반응에 비해 빠른 양상을 보이므로 이러한 특징을 이용해서 교감신경과 부교감신경의 활성화 정도를 측정할 수 있다. 즉, 심장박동간의 간격은 교감신경과 부교감신경의 활성화의 정도에 따라 증가하거나 감소할 수 있다. 이러한 심장박동간의 간격의 변화 정도를 심박변이라고 하며, 심박변이도가 클수록 스트레스 상황에 대한 적응력이 좋다고 말할 수 있다. 반대로 스트레스 상황에서는 심장박동수가 증가하여 심장박동간의 간격이 줄어들면 주기-길이 의존성cycle-length dependency에 의해 심박변이도는 감소하게 된다. 급성기 스트레스 상황에서는 심장박동수가 증가하고 심박변이도가 감소하지만, 스트레스가 해소되고 나면, 부교감신경의 활성화로 인해 심장박동수가 정상화되고 심박변이도 증가하게 된다. 하지만, 만성적인 스트레스 상황에서는 부교감신경보다 교감신경이 활성화되어 있기 때문에 심박변이도가 계속해서 감소해 있다. 이러한 특성을 활용해서 스트레스 정도와 회복탄력성을 평가하는 것이 심박변이도 검사이다. 심박변이도 검사에서는 심장박동간 간격을 NN 간격normal-to-normal interval, NN interval이라고 부르며, NN 간격의 표준편차standard deviation of the NN interval, SDNN를 계산하여 심박변이도를 평가한다(표 5-3). 그 외에도 또한 NN 간격을 주파수 분석을 하여 0.15-0.4 Hz의 고주파수 영역high frequency, HF, 0.04-0.15 Hz의 저주파수 영역 low frequency, LF, 0.003-0.04 Hz의 초저파수 영역very low frequency, VLF으로 각각 분류하기도 한다. HF는 심박변이가 큰 경우를 의미하며, 부교감신경이 활성화된 정도를 반영한다. 즉, 지속적인 스트레스 상황에서는 HF는 감소한다. 반면에 LF는 교감신경의 활성화를 반영하는 것으로 볼 수 있다. LF/HF는 자율신경계의 균형/불균형을 의미하며 값이 클수록 교감신경계가 상대적으로 활성화되어 있고 부교감신경계가 상대적으로 비활성화되어 있다고 볼 수 있다.

4) 스트레스 호르몬 및 HPA 축에 대한 평가

코티솔 호르몬의 농도를 측정하여 스트레스 반응성과 정도를 평가할 수 있다. 코티솔 호르몬의 농도는 일반적으로 혈액에서 측정하지만, 측정을 간편하게 하기 위해 타액이나 땀에서 분비되는 코티솔 또는 소변 내의 코티솔 대사물인 6MTs의 측정을 통해 혈중 코티솔을 추정하기도 한다. 코티솔의 농도는 스트레스 반응에 따라 달라지기도 하지만 스트레스의 강도와 노출된 시간에 따라 스트레스 호르몬을 분비하는 HPA 축의 변화가 있을 수 있으므로 덱사메타손 억제검사dexamethasone suppression test, DST를 통해 코티솔에 의한 CRH 억제 되먹임기전의 반응양상을 조사할 수 있다. 검사 전날 덱사메타손을 복용하는데 HPA 축의 억제 되먹임기전의 손상이 없는 경우에는 덱사메타손으로 인해 코티솔이 증가되면 억제되먹임기전이 작동하게 되어 혈중 코티솔은 감소한다. 반대로 만성적인 스트레스로 인해 코티솔이 지속적으로 증가한 경우에는 억제 되먹임기전이 손상되어 복용한 덱사메타손에 의한 혈중 코티솔 감소가 일어나지 않는다. 또한 CRH를 투여하면 ACTH의 분비가 증가되고 이어서 증가된 ACTH가 코티솔의 분비를 증가시킨다. 이러한 원리를 활용하여 CRH를 투여한 후 코티솔의 분비 반응을 평가하는 CRH test를 시행할 수 있다. DST와 CRH test를 결합한 DEX-CRH test를 통해 HPA 축의 특성을 평가하여 스트레스에 노출된 정도와 스트레스 반응양상을 구체적으로 평가할 수 있다.

한편, 코티솔의 분비는 일주기 리듬을 보인다. 하루 동안에 코티솔은 점차 감소하다가 밤이 되면 점차로 증가하게 되고 잠이 깰 아침 무렵에 코티솔의 농도가 가장 높다. 그런데 잠에서 깨고 난 이후에 이러한 정도는 일시적으로 더 증가하는 경향을 보인다. 만성적인 스트레스 상황에서는 기상 시 코티솔의 분비반응이 둔화된다. 따라서 아침 기상 직후에 코티솔을 측정하여 코티솔의 분비양상의 둔화 정도를 확인하는 방법으로 만성적 스트레스의 정도를 평가할 수도 있다.

5. 스트레스와 정신질환

1) 기분장애

스트레스는 기분장애와 관련성이 많다. 많은 임상연구들은 부정적인 생활사건이나 만성적인 스트레스가 우울장애와 관련이 있음을 보고하고 있다. 또한 주요우울장애는 증가된 뇌척수 CRH 수준, 증가된 혈장 코티솔 및 코르티코트로핀(ACTH) 수준, 증가된 소변의 유리 코티솔, 증가된 뇌척수액 코티솔 및 덱사메타손에 대한 코티솔 내성과 같은 HPA 축의 과활동성과 관련된 것으로 보고되었다. 정신병적 우울장애가 고코티솔혈증에 의해 매개될 수 있다는 증거도 있다. 아동학대와 같은 스트레스는 CRH 과분비를 유발하고 기분장애에 대한 취약성 요인이 될 수 있는 신경호르몬의 손상을 유발할 수 있다. 최근 연구에서는 유전적 변이가 글루코코르티코이드 수용체에 대한 글루코코르티코이드 수용체 표적 유전자의 전사 반응성을 변경한다는 것을 보여주었다. 이는 스트레스가 많은 생활사건 이후 주요우울장애가 발병할 위험이 코티솔 방출에 대한 개인의 민감성에 의해 영향을 받을 수 있음을 시사한다. 많은 연구에 따르면 유전자나 생활 스트레스만으로는 우울장애의 발병 위험도에 유의미한 영향을 미치지 않았기에 상호작용이 중요하다고 볼 수 있다. 후성 유전학은 스트레스와 우울장애의 발병을 연결하는 메커니즘을 잘 설명해 준다. 스트레스는 염색질 리모델링, 히스톤 아세틸화 또는 메틸화 또는 DNA 메틸화를 통해 유전자 발현에 영향을 미칠 수 있다. 동물연구에서 만성적인 사회적 스트레스는 측좌핵에서 특정 DNA 메틸트랜스퍼라제(DNMT3A)의 전사를 증가시키고, 이어서 우울 행동을 증가시킨다는 점을 확인하였다. 그리고 이러한 영향은 해당 영역의 DNA 메틸화를 선택적으로 차단함으로써 역전될 수 있었다. 따라서 유전자와 스트레스의 상호작용을 통해 우울이 발생하게 된다고 볼 수 있다.

2) 불안장애

스트레스와 우울장애에 관한 방대한 문헌에 비해 스트레스와 불안장애 사이의 연구는 적다. 그럼에도 불구하고 공황장애는 스트레스 사건과 관련하여 종종 발병하고 재발한다는 것이 분명하다. 특히, 대인관계 갈등이나 심각한 질병이 공황장애를 유발할 수 있다. 공황장애를 가진 환자가 종종 신체적 감각을 생명을 위협하는 것으로 해석할 가능성이 있다는 사실을 감안할 때, 공황장애 환자와 가까운 사람에게 질병이 발생하면 공황증상이 악화될 수 있다는 것은 놀라운 일이 아니다. 스트레스와 범불안장애와 관련한 장기간의 연구에서는 최근에 발생한 유해한 생활사건이 후기발병 범불안장애의 위험요소로 확인이 되었다. 또 다른 연구에서는 상실과 학대와 관련된 스트레스 요인이 특히 불안장애의 발병을 예측하는 경향이 있다는 것을 발견했다. 초기 생활 스트레스 요인의 영향과 관련하여 어린 시절의 정서적, 신체적 또는 성적 학대와 같은 특정 유해 초기 생활 사건이 특히 여성에서 공황장애의 후기 발병에 대한 위험요인이라는 증거가 증가하고 있다.

3) 외상후스트레스장애

DSM-5는 스트레스와 관련된 질병카테고리를 포함하고 있다. 여기에는 외상후스트레스장애와 급성스트레스장애가 포함된다. 급성스트레스장애는 폭력적 폭행이나 심각한 사고와 같은 외상(종종 생명을 위협하는) 사건 이후에 발병하며 현저한 해리증상(예: 현실감 상실, 마비)이 나타난다. 급성스트레스장애가 외상 후에 발생하면 외상후스트레스장애의 후속 발병위험이 몇 배 증가한다. 외상후스트레스장애를 유발할 수 있는 외상적 스트레스 요인 중에는 자연재해와 같은 비교적 드문 사건과 범죄 피해와 같은 사건이 있다. DSM-5의 이전 버전에서는 외상후스트레스장애 진단을 받기 위해서는 외상성 사건이 "정상적인 인간 경험의 범위를 넘어서야 한다"고 언급했다. 그러나 역학연구 결과를 고려할 때 생명을 위협하는 정도의 스트레스도 외상후스트레스장애를 유발할 수 있다고 보고 있다. 외상후스트레스장애 환자의 신경내분비검사 결과는 만성 스트레스 이후의 변화나 주요우울장애에서 관찰되는 것과는 다르다. 만성적인 스트레스나 주요우울장애는 고코티솔증과 관련이 있지만 외상후스트레스장애는 저코티솔증과 관련이 있다. 이러한 차이가 생기는 원인은 아직 분명하게 밝혀지지는 않았지만 심리적 스트레스의 결과로 발생하는 정신질환은 서로 이질적일 수 있다. 외상후스트레스장애의 발생위험과 관련된 요인으로는 스트레스 요인의 크기 및 근접성, 신체적 손상의 발생(경미한 외상성 뇌 손상 포함), 외상성 해리의 발생이 포함된다. 그 외에 개인적인 특성도 외상 노출 후에 생기는 외상후스트레스장애와 관련이 있다. 여기에는 여성, 유전적 취약성, 유아기 트라우마에 대한 노출 이력이 포함된다. 또한 최근에는 심리적 회복력이 중요하게 고려되고 있다. 심각한 외상성 스트레스 요인은 거의 필연적으로 단기적인 증상과 기능저하를 초래하지만 일부 개인은 그러한 외상성 스트레스로부터 빠르게 회복하여 지속적인 만성 스트레스에도 불구하고 매우 잘 지내기 때문이다. 심리적 회복력의 개인차와 스트레스 결과의 차이에 대한 신경생물학적 메커니즘에 대한 연구가 현재 활발하게 이루어지고 있다.

6. 스트레스와 신체질환

1) 심혈관계 질환

대표적인 스트레스 관련 질환인 우울장애는 관상동맥질환의 위험 증가, 심근경색, 울혈성심부전 또는 승모판 교체 후 이환율 및 사망률 증가와 관련이 있다. 죽상동맥경화증은 현재 일련의 단계를 포함하는 염증 과정으로 생각되며 각 단계는 스트레스나 우울장애의 영향을 받을 수 있다. 혈관 구조 내의 활성화된 대식세포는 IL-1, IL-6 및 TNF와 같은 전염증성 사이토카인을 분비하여 차례로 세포점착물질cellular adhesion molecule의 발현을 유도한다. 혈관내피에 대한 면역세포의 응집 및 전염증성 사이토카인의 방출로 내피활성화가 발생하여 면역세포의 추가 결합을 촉진하게 된다. 중요한 것은 심리적, 신체적 스트레스 요인이 전염증성 사이토카인의 방출을 증가시키고 면역세포를 혈관내피에 결합하는 점착물질의 발현을 유도한다는 것이다. 우울장애, 수면장애, 염증 및 동맥 손상 복구는 심혈관질환을 촉진하는 악순환을 형성할 수 있다. 1,794명의 캐나다인을 대상으로 한 연구에서 우울장애와 염증지표의 상승은 관상동맥질환의 위험증가와 관련이 있었다. 관상동맥질환 환자에 대한 다른 연구에서 우울장애의 중증도는 CRP 및 IL-6 상승과 관련이 있었다. 이 연관성은 신체활동부족이나 흡연 또는 비만과 같은 행동요인과 관련되어 있고, 후성유전학의 메커니즘이 우울장애와 심혈관질환 사이의 연관성을 증가시키는 것으로 보고있다.

2) 감염병

우울장애 동물모델에서 피할 수 없는 스트레스가 면역 기능의 변화를 통해 감염 및 단순 포진과 같은 바이러스성 질병에 대한 감수성을 증가시킨다는 증거가 있다. 인간 대상의 전향적 역학 연구와 실험적인 바이러스 감염 연구에 따르면 심리적 스트레스를 더 많이 호소하는 사람은 Epstein-Barr 바이러스 감염 및 감기와 같은 특정 전염병의 발병률과 중증도가 더 높았다.

3) 아토피 피부염

아토피 피부염은 표피피부장벽 기능장애, 염증성 침윤, 과도한 가려움증을 특징으로 하는 만성재발성피부질환이다. 심리적 스트레스는 면역반응에 대한 직간접적인 영향을 통해 아토피 피부염의 진행에 기여한다. 아토피 피부염 환자의 피부 생검에서 Th2 세포, 사이토카인 및 호산구 수치가 증가했으며 스트레스에 대한 반응으로 IgE 생성이 증가했다. 또한 아토피 피부염과 높은 특성불안을 가진 환자는 IgE 수치가 높았다. 수많은 연구에서 심리적 스트레스가 가려움증을 악화시키는 것으로 나타났다. 항우울제와 인지행동치료cognitive behavioral therapy (CBT)를 포함한 심리적 개입 모두 가려움증과 심인성 가려움증을 호전시킨다.

4) 류마티스 관절염

전염증성 사이토카인은 HPA 축을 자극하여 글루코코르티코이드를 분비함으로써 면역반응을 억제한다. 그러나 류마티스 관절염과 같은 자가면역 질환에서는 역조절counterregulatory 글루코코르티코이드 반응이 완전히 달성되지 않는 것으로 생각된다. 류마티스 관절염 환자는 염증 정도에도 불구하고 HPA 축의 상대적인 기능저하를 보인다. 연구데이터에 따르면 만성 스트레스는 피로, 통증 및 기능적 제한을 포함한 질병의 증상과 상관관계가 있는 전염증성 사이토카인 IL-6의 생산 증가를 유발한다. 스트레스 요인을 가지고 있는 류마티스 관절염 환자들 중 우울장애가 있는 그룹에서는 질병 진행과 연관된 바이오마커인 IL-6가 증가되어 있었다. 류마티스 관절염 치료에 사용되는 IL-6 수용체 차단제인 tocilizumab은 통증, 삶의 질, 신체 기능 및 피로를 개선하는 것으로 나타났다.

5) 암

최근 암 환자들을 대상으로 임상 결과에 영향을 미치는 개인별 차이를 주제로 한 연구가 많이 시행되고 있다. 즉, 급성 질환 모델에서 만성 질환으로 재개념화되고 있는 추세이다. 특히, 연구자들은 암 환자의 삶의 질에 영향을 미치는 정신신경면역학적 경로를 개념화하기 시작했다. 증가된 사이토카인은 흑색종, 유방암 및 골육종의 암 병기 그리고 유방암 생존자의 치료 후 피로와 관련이 있었다. 최근의 보고에 따르면 새로 진단된 유방암 환자의 기억력 결핍은 활성화된 면역 반응과 관련이 있었다. 스트레스와 연관된 많은 사건 및 우울장애는 다양한 암에서 높은 사망률과 관련이 있는 것으로 알려져 있다. 난소암 환자에 대한 연구에서 사회적 애착이 더 큰 사람들은 사망할 가능성이 더 낮았다. 더욱이 사회적 고립이나 외로움은 연령대에 따라 이환율과 사망 위험의 예측인자였다. 정신신경면역학과 암의 관계에 대한 자료들은 여전히 제한적이지만 임상에서는 암환자 치료를 향상시키기 위해 면역기전을 규명하려는 시도들이 지속되고 있다.

7. 치료와 관리

1) 약물치료

스트레스 요인은 대부분의 정신질환을 악화시킨다. 따라서 우울장애나 정신병적장애 같은 주요 정신질환이 있는 경우에는 해당 질환을 적절한 약물치료를 통해 치료하는 것이 중요하다. 또한 저용량 벤조디아제핀와 같은 불안완화제나 단기 수면제의 사용은 환자가 비정상적인 스트레스 요인을 이겨내는 데 도움이 될 수 있다. 그러나 불안완화제나 수면제는 약물의존의 위험이 있고 심리치료의 효능을 반감시킬 수 있기 때문에 논란이 있다. 반면에 급성 스트레스 위기에 처한 환자에게 도움이 될 수 있는 약물을 처방하지 않는 것이 윤리적이지 않다는 견해도 있다.

2) 인지행동치료

William James는 스트레스에 대한 가장 큰 무기는 한 생각을 다른 생각과 비교하여 선택할 수 있는 능력이라고 말했다. CBT는 개인이 스트레스가 많은 생활 사건에 대한 반응을 더 잘 관리하도록 돕는 데 점점 더 많이 사용되고 있다. 이러한 치료 방법은 스트레스 사건에 대한 인지적 평가와 이러한 평가와 관련된 대처노력이 스트레스 반응을 결정하는 데 중요한 역할을 한다는 개념에 기반한다. Lazarus 등은 대부분의 CBT 스트레스 관리의 개념적 기반이 되는 스트레스 및 대처 모델을 개발했다. 이러한 모델은 스트레스에 대한 반응을 매개하는 데 특히 중요한 두 가지 유형의 인지평가가 있다고 주장했다. 첫 번째 일차적 평가는 개인이 주어진 사건의 중요성이나 의미를 평가하는 방식을 의미한다. 이차적 평가는 스트레스 사건에 대해 할 수 있는 일과 그 일이 효과가 있는지 여부를 평가하는 과정을 말한다. 학습 이력, 개인의 대처기술 레퍼토리의 폭, 특정 대처기술의 숙달, 기술이 효과적일 것이라는 기대 등 여러 요인이 이러한 이차적 평가에 영향을 미칠 수 있다. 스트레스 관리에 대한 CBT 접근방식은 세 가지 주요 목표를 가지고 있다. 첫 번째 목표는 개인이 스트레스 사건에 대한 자신의 인지적 평가를 더 잘 인식하도록 돕는 것이다. 두 번째 목표는 스트레스 사건에 대한 평가가 부정적인 감정 및 행동 반응에 어떻게 영향을 미칠 수 있는지에 대해 개인을 교육하고 이러한 평가를 변경할 수 있는 능력을 재개념화하도록 돕는 것이다. 세 번째 목표는 개인에게 다양한 효과적인 인지 및 행동 스트레스 관리기술을 개발하고 유지하는 방법을 가르치는 것이다.

CBT 스트레스 관리 프로그램은 다양한 임상상황에서 시도되어 왔다. 예를 들어, 유방암 수술 후 회복 초기 단계에 있는 개인은 유방암치료와 관련된 어려움뿐만 아니라 아니라 직장과 가정생활에 큰 지장을 받았다. 따라서 연구자들은 새로 수술을 받은 유방암 환자에 대한 연구를 수행했다. 약 200명의 환자가 (1) 스트레스 관리 기술에 중점을 둔 포괄적인 CBT 프로그램 또는 (2) 교육세미나의 두 그룹 중 하나에 무작위로 할당되었다. CBT 그룹의 환자들은 10주 동안 매주 그룹으로 만나 이완, 문제 해결 및 주장 훈련에 대한 훈련을 받았다. 3개월 말에 CBT 그룹 환자는 암에 대한 침입적 사고, 암 관련 불안 및 정서적 고통에서 대조군보다 유의하게 더 큰 개선을 보였다. 이 환자들에게 다시 연락을 취하여 스트레스 관리에 대해 평가했을 때, 중재 후 최대 15년까지 우울 증상이 유의하게 낮고 삶의 질은 개선된 것으로 나타났다. 한편, HIV도 질병 자체와 불완전한 치료법 모두에서 심각한 스트레스 부담을 수반하는 낙인이 찍힌 질병이다. 여러 연구에서 전 세계의 HIV 양성 환자에게 유사한 인지 행동 스트레스 관리 중재를 적용했다. 최근 한 연구에서는 71명의 저소득, 소수 인종, HIV 양성 및 HPV 양성 여성을 CBT 스트레스 관리 또는 질병교육 대조군에 무작위로 배정했다. 이 연구에서는 대조군에 비해 CBT 치료군에서 우울증상이 더 많이 감소하였고, 면역기능이 더 강화되었다. 미국, 이란, 아프리카 및 기타 지역의 HIV 양성 환자에 대한 여러 연구에서도 CBT 스트레스 관리가 우울증상을 유의하게 감소시키고 웰빙과 수면의 질을 높였다. 또한 CBT 스트레스 관리는 기능성소화불량을 완화시키고, 전립선암 생존자의 웰빙을 향상시키며, 만성적으로 설명되지 않는 의학적 증상을 가진 환자의 증상을 개선시키고 의료비용을 감소시켰다. CBT가 스트레스 관리에 사용되는 경우 광범위한 스트레스 관리 기술에 대한 교육에 활용된다. CBT 스트레스 관리 프로그램의 핵심적인 5가지 기술은 자기관찰, 인지재구성, 이완훈련, 시간관리 및 문제해결이다.

(1) 자기관찰

개인이 문제 상황에 어떻게 반응하는지 더 잘 인식하도록 돕는 가장 효과적인 방법 중 하나는 자신의 행동을 매일 기록하도록 하는 것이다. 매일 발생하는 스트레스 사건에 어떻게 반응했는지 기록하게 하는 일기 형식이 자주 사용된다. 일기는 선행사건, 행동 및 결과의 세 가지 항목으로 작성하도록 한다. 선행사건 항목을 작성할 때에는 환자가 스트레스를 받는 것으로 인식한 특정 환경이나 사건을 기록하게 한다. 그 사건은 배우자와 말다툼을 하거나 동료와 대면하는 것과 같은 대인관계 스트레스 요인이 될 수도 있고, 통증 증상의 발생이나 주요 자연재해와 같은 개인 내 스트레스 요인이 될 수도 있다. 스트레스 요인에 대한 개인의 평가를 확인하기 위해 환자에게 0에서 100까지의 척도(예: 0 = 전혀 스트레스를 받지 않음, 100 = 지금까지 경험한 가장 스트레스가 많은 사건)로 그 사건에 대해 평가하도록 할 수 있다. 행동 항목을 작성할 때에는 스트레스 사건에 대한 환자의 행동 반응을 기록하게 한다. 행동이라는 용어는 공공연한 행동적 반응뿐만 아니라 보다 은밀한 인지적, 정서적, 생리적 반응을 포함하도록 광범위하게 정의된다. 따라서 행동 항목을 작성할 때에는 개인의 특정 대처행동(예: 회피), 스트레스 요인에 대한 인지적 반응(예: "나는 압도되어 지금 처리할 수 없습니다."), 부정적인 감정(예: 혼자 일을 함), 혐오적인 생리적 반응(예: 발한 증가, 심박수 또는 메스꺼움 증가)등을 표기하게 된다. 마지막으로 결과 항목을 작성할 때에는 자신의 행동에 대한 결과를 기록하게 한다. 자기관찰은 여러 가지 이유로 효과적이다. 첫째, 개인이 일반적으로 알아차리지 못하는 행동을 더 잘 인식하게 된다. 예를 들어, 사회적 불안을 다루는 스타일이 회피인 개인은 다소 자동적인 방식으로 잠재적인 스트레스 상황을 피할 수 있다(예: 일상적으로 초대를 거부함). 매우 미묘한 형태의 회피(예: 파티에 일찍 도착 또는 퇴장)를 사용할 수도 있고 두려움에 직면할 기회가 거의 없도록 생활 방식(예: 혼자 일을 함)을 조정할 수도 있다. 자신의 행동을 기록함으로써 개인은 종종 이러한 행동 패턴을 인식하기 시작할 수 있다. 둘째, 자기관찰은 자신의 행동 반응이 선행사건이나 결과와 어떻게 연결되어 있는지를 알 수 있도록 도와준다. 매일 일기를 쓰는 참가자는 다양한 이벤트에 따라 자신의 반응이 다양하게 나타나는 경우가 많다. 예를 들어, 스트레스가 많은 사건(예: 중요한 업무 마감일 준수)에는 효과적으로 대처할 수 있지만 다른 스트레스가 많은 사건(예: 십 대 아들 또는 딸과의 말다툼)에는 대처할 수 없다. 자기관찰은 대처노력과 인지평가, 감정 및 생리적 반응이 이를 설명하는 역할을 강하게 된다. 24시간 변화를 기록할 수 있는 앱을 사용하면 증상 및 상황 요인(사건, 사회적 맥락 등)을 실시간으로 쉽게 기록할 수 있다. 생태학적 순간 평가라고 하는 이 접근방식을 사용하면 스트레스와 대처 과정을 발생에 훨씬 더 가깝게 포착할 수 있으며 자기관찰의 정확성과 타당성을 높일 수 있다. 예를 들어 불안 악화의 타이밍을 자동으로 그래프로 표시하면 환자가 일상적인 스트레스 요인을 더 잘 이해하고 반응을 변경하기 위해 패턴을 식별하는 데 도움이 될 수 있다.

(2) 인지재구성

CBT의 특징은 인지가 스트레스와 대처과정에서 중심적인 역할을 한다는 것이다. CBT에서 스트레스 사건에 대한 인지평가는 스트레스 관련 반응을 결정하는 핵심요소로 간주된다. 즉, 스트레스 관리에 대한 CBT 접근방식의 핵심은 부적응적인 생각, 신념 및 기대를 인식하고 변경하도록 돕는 것이다. 인지행동치료자는 고통받는 개인이 기능장애 또는 부적응적 사고패턴을 재구성하도록 돕는다. 이러한 인지재구성은 인지 모델과 기본 인지가 정서적 반응의 주요 결정요인이라는 개념에 대해 환자를 교육하는 것으로 시작된다. 인지 모델에 따르면 과도한 감정적 반응이나 기능장애가 생기는 것은 인지 왜곡의 결과이다. 인지재구성의 두 번째 단계는 역기능적 사고를 모니터링하고 분석하는 것이다. 부정적인 생각은 부정적인 감정과 연결될 수 있다. 각 생각을 주의 깊게 분석하면 논리에 내재된 오류도 드러나게 된다. 특정 유형의 오류 또는 인지 왜곡은 매우 자주 발생하며, 따라서 개인이 이를 인식하도록 가르칠 수 있다. 인지재구성의 세 번째 단계는 인지 왜곡에 도전하고 변화시키는 것이다. 참가자들은 종종 자신의 부정적인 생각에 적용할 수 있는 "핵심 질문" 목록을 제공 받는다. 사고의 근본적인 논리적 문제를 식별하는 데 유용한 하나 또는 두 개의 질문을 선택하도록 요청받게 되며 마지막으로 참가자는 상황에 대한 보다 정확하고 유용한 인지 반응을 나타내는 합리적인 반응을 개발하게 된다. 합리적 반응이 효과적이려면 자주 사용되어야 하며 이상적으로는 부정적인 생각이 발생할 때마다 사용해야 한다. 이러한 일이 발생하는지 확인하기 위해 환자는 스트레스 사건에 자신을 노출하고 부정적인 생각을 모니터링하며 보다 적응적인 사고패턴으로 대응하도록 숙제를 부여받는다. 그들은 또한 감정과 행동의 변화 측면에서 그 결과를 기록하도록 지시를 받게 된다. 인지재구성은 스트레스 관리에 관심이 있는 연구자들 사이에서 점점 더 주목받고 있다. 최근 관심을 받고 있는 가장 흥미로운 주제 중 일부는 인지재구성이 스트레스 및 대처와 관련된 뇌 과정을 어떻게 변화시키는지, 인지 변화가 치료 중 달성된 갑작스러운 이득과 어떻게 관련되는지를 포함한다.

(3) 이완훈련

이완훈련은 스트레스 관리에 매우 도움이 될 수 있다. 개인이 이완하는 법을 배우면 전반적인 근육 긴장이 감소하고 전반적인 각성수준도 감소한다. 긴장을 풀 수 있는 사람은 스트레스 사건에 직면했을 때 더 합리적으로 생각하고 부정적인 인식을 재구성할 가능성이 더 높다. 또한 그들은 더 잘 쉬고 더 잘 자기 때문에 스트레스와 관련된 피로를 줄일 수 있다. 마지막으로 이완훈련은 부적응 행동패턴을 줄이는 데 도움이 될 수 있다. 점진적 이완훈련은 일반적으로 주요 근육 그룹을 천천히 긴장시키고 이완시키는 일련의 구조화된 운동으로 구성된다. 운동은 치료 세션 중에 소개되며 환자는 집에서 매일 연습하도록 권장된다. 이완훈련에서 가장 중요한 작업 중 하나는 환자가 스트레스가 되는 힘든 일상생활 속에서 이완기술을 사용할 수 있도록 돕는 것이다. 익숙해지고 효과적인 활용을 위해 여러 기술이 사용되는데 첫 번째는 차등이완법이다. 차등적으로 이완을 하면 참가자는 일상적인 작업에 참여하고 작업을 수행하는 데 필요한 근육만 사용하도록 지시받게 된다. 예를 들어, 이름을 쓸 때 손과 팔 근육의 활동이 필요하지만 얼굴, 몸통, 다리, 발의 근육은 깊이 이완될 수 있다. 차등 이완은 처음에 요구사항이 최소화되는 비교적 쉬운 상황(예: 앉거나 서 있는 경우)에서 시행된다. 그러나 시간이 지남에 따라 환자는 스트레스가 많은 상황에서 차등 이완을 사용하는 방법을 배우게 된다. 두 번째 일반화 방법은 간이 연습이다. 이것은 훈련자가 심호흡을 한 후 천천히 내쉬면서 얼굴의 근육에서 목, 어깨, 몸통, 다리의 근육으로 아래로 흐르는 이완 감각에 초점을 맞추는 간단한 이완 절차로 구성된다. 간이 연습은 약 30초가 걸리므로 하루 동안 반복적으로 수행할 수 있다. 자주 연습하면 자동적이고 습관적으로 이완을 할 수 있다.

(4) 시간관리

시간관리법은 개인이 삶의 균형감각을 회복하도록 돕기 위해 고안되었다. 시간관리 기술훈련의 첫 번째 단계는 현재의 시간 사용 패턴에 대한 인식을 향상시키기 위한 것이다. 이 목표를 달성하기 위해 개인은 일, 가족, 운동 또는 여가 활동과 같은 중요한 범주에서 보낸 시간을 기록하면서 매일 시간을 보내는 방법을 기록하도록 지시받게 된다. 시간관리법의 두 번째 단계는 개인이 우선순위를 설정할 수 있도록 설계되었다. 우선순위를 정할 때 긴급성과 중요성 사이에 차이를 두어야 한다. 이 둘을 구분하기 위해 한 축에는 중요도 차원이 있고 다른 축에는 긴급 차원이 있는

표를 구상하는 것이 좋다. 그런 다음 환자는 표의 각 사분면에 삶의 활동 예를 입력하고 관찰한 패턴을 반영하도록 한다. 개인은 중요하지 않은 사분면 또는 긴급하지 않은 사분면에 있는 활동을 하는 데 많은 시간을 할애한다는 사실을 알 수 있다. 또는 긴급하지는 않지만 중요한 사분면의 활동에 참여하는 데 시간을 거의 또는 전혀 사용하지 않는다고 보고할 수 있다. 환자는 운동, 휴식, 휴식 또는 자원봉사와 같이 중요하지만 덜 긴급한 활동에 우선순위를 부여함으로써 얻을 수 있는 이점에 대해 논의하도록 권장된다. 그들은 또한 그러한 의미 있는 활동에 참여하는 데 소요된 시간과 활동에 우선순위를 두는 시간을 일치시키도록 지시받게 된다. 목표설정은 개인의 장기적인 우선순위에 맞는 특정행동 변화목표에 중점을 둔다. 첫째, 개인은 다음 주에 달성할 목표를 우선적으로 확인해야 한다. 예를 들어, 다음주의 목표는 체중을 감량하거나 운동 프로그램에 등록하는 것일 수 있다. 둘째, 그 목표가 합리적이고 구체적이며 개인적으로 의미가 있는지 비판적으로 분석해야 한다. 셋째, 목표를 달성할 시간 프레임으로 수정해 주십시오(예: 1주)을 재확인해야 한다. 이 단계는 효과적인 시간관리의 장애물인 미루는 문제점을 줄이는 데 있어서 중요하다. 마지막으로 목표 달성을 위한 개인의 노력을 검토한다. 오랫동안 무시되어 온 목표를 성공적으로 완수하면 매우 보람을 느낄 수 있다.

(5) 문제해결

문제해결에는 몇 가지 기본 단계가 포함된다. 첫 번째는 문제 식별이다. 이 단계에서 개인은 문제가 있는 행동, 생각, 감정 및 생리적 반응과 같은 스트레스 사건의 주요 문제 측면을 식별하려고 시도한다. 지나치게 부정적인 생각(예: "우리는 이 사건에서 결코 회복하지 못할 것이다."), 두려움, 분노, 우울과 같은 부정적인 감정 및 생리적 반응(예: 근육 긴장, 피로 및 수면 문제)과 같이 자신에게 문제가 있는 반응의 다양한 측면을 이해하도록 돕는 것은, 향후 치료 전략을 수립하는 데 도움이 된다. 예를 들어, 주로 신체 문제(긴장 증가)인 경우 이완 기반 전략이 가장 효과적일 수 있다. 문제해결의 두 번째 단계는 대안을 만드는 것이다. 브레인스토밍은 다양한 문제해결 대안을 찾는 데 사용된다. 브레인스토밍의 규칙은 다음과 같다. 솔루션이 당장 합리적으로 보이지 않더라도 가능한 한 많은 솔루션을 제시하게 하고, 비판은 허용되지 않으며, 솔루션을 혼합하고 일치시키려는 시도가 있어야 한다. 문제해결의 세 번째 단계는 대안을 평가하고 최상의 솔루션을 선택하는 것이다. 이 프로세스를 시작하기 위해 참가자는 각 솔루션이 긍정적인 결과를 얻을 가능성을 평가하도록 요청할 수 있다. 참가자가 이러한 평가를 내리는 방식에 영향을 미치는 몇 가지 요소(예: 비용, 리소스 가용성, 솔루션이 다른 사람에 미치는 영향)를 논의하는 것이 종종 도움이 된다. 문제해결의 마지막 단계는 선택된 솔류션을 구현하는 것이다. 참가자들은 기본적으로 문제 상황에서 최상의 솔루션을 적용하려고 시도한 다음 치료자와 함께 진행 상황을 검토한다. 문제해결 기술의 개발이 재발 방지 및 CBT 효과의 유지에 중요하다는 인식이 커지고 있다. 문제 상황을 적절하게 인식하고 효과적인 대처 방안을 정한 뒤 문제를 실제로 해결하는 방법을 배우면 여러가지 이점이 있다. 첫째, 그들은 종종 문제를 예상하고 그것을 피하기 위한 계획을 세울 수 있다. 둘째, 그들은 역경에 더 효과적으로 대처하고 역경 후에 대처노력을 통해 심각한 재발을 예방할 수 있다. 마지막으로, 그들은 자신의 문제를 정확히 식별하고 해결할 수 있는 일종의 "자기 치료"에 참여하는 법을 배웠기 때문에 치료종결을 더 잘 준비할 수 있다.

3) 명상법

명상은 의식세계를 확장시키고 영적 성장을 도모하는 정신훈련으로 묵상이나 기도, 참선이나 염불, 요가 등을 명상의 일종으로 볼 수 있다. 명상은 한 번에 한 가지 일에만 무심히 정신을 집중하는 방법으로서, 일을 잠시 멈추고 그 순간 생겨나는 느낌에 집중함으로써 스트레스와 내적 혼란을 감소시키고 내적 조화와 자기성찰을 이루기 위해 정신을 집중하는 것이다. 따라서 특정 종교인만 행할 수 있는 수행법이 아니다. 명상 상태는 휴식을 취하는 상태와 같아 이완 시에 나타나는 알파파가 나타나고 맥박이나 호흡 속도가 느려지며 산소소모량이 20% 정도 저하되고 스트레스가 있거나 피로할 때 증가하는 혈액 내 젖산lactic acid 농도가 낮아지게 된다. 명상에 필요한 네 가지 요소는 조용한 환경, 편안한 자세, 순수한 태도, 마음을 머물게 할 대상이나 생각이다.

4) 바이오피드백

바이오피드백은 기기를 사용하여 정신생리적 과정을 인식함으로써 불수의적인 반응의 자기조절을 증가시키고 스트레스를 감소시키는 것이다. 생리적 신호는 대부분 신경과 근육의 화학적 변화로 인해 나타나는 생물학적 전류이며 바이오피드백 기기를 통해 근육긴장, 피부표면온도, 뇌파활동, 심장박동, 발한 등의 상태를 알 수 있다.

5) 운동

규칙적인 운동은 신체적으로나 심리적으로 모두 유익하다. 운동은 집중력 개선, 의욕 증가, 심폐기능 강화와 스트레스 반응 감소에 효과적이고, 심장질환의 위험이나 불안과 분노를 감소시키며, 기분과 면역반응 및 수면의 질을 호전시킬 수 있다. 운동 중에는 세로토닌 및 노르에피네프린이 분비되면서 보다 이완되고 낙천적인 상태가 될 수 있으며 스트레스에 대한 저항력도 훨씬 커진다. 운동은 주 3회 이상, 약간의 땀이 날 정도의 유산소 운동이 좋은 것으로 알려져 있다. 운동은 긍정적인 자아상과 자신감을 증가시키고 부교감신경계를 활성화하여 교감신경의 흥분을 감소시키며 분노 혹은 울분의 부정적 정서를 발산시키고 정신적 안정감을 준다. 운동은 치료적 또는 예방적인 목적으로 실천될 수 있으며 걷기, 조깅, 달리기, 스트레칭, 댄스, 자전거 타기, 스키, 수영, 골프, 에어로빅, 볼링 등이 스트레스 관리에 효과적일 수 있다.

참고문헌

1. 우종민. 스트레스의 이해. 한국정신신체의학회 편저. 정신신체의학. 서울: 집문당, 2012. p. 176-216.
2. Antoni MH. Psychosocial intervention effects on adaptation, disease course and biobehavioral processes in cancer. Brain Behav Immun. 2013;30 Suppl:S88-S98.
3. Beck AT, Weishaar M. Cognitive therapy. In: Wedding D, Corsini RJ, eds. Current Psychotherapies. 10th ed. Belmont, CA: Brooks/Cole Cengage Learning; 2013:231.
4. Chrousos GP. Stress and disorders of the stress system. *Nat Rev Endocrinol 2009;5*(7): 374-81.
5. Feder A, Nestler EJ, Charney DS. Psychobiology and molecular genetics of resilience. Nat Rev Neurosci 2009;10(6):446-57.
6. Golbidi S, Frisbee JC, Laher I. Chronic stress impacts the cardiovascular system: animal models and clinical outcomes. Am J

Physiol Heart Circ Physiol 2015;308(12):H1476 – H1498.
7. Gold PW. The organization of the stress system and its dysregulation in depressive illness. Mol Psychiatry 2015;20(1):32 – 47.
8. Goyal M, Singh S, Sibinga EMS, et al. Meditation programs for psychological stress and wellbeing: a systematic review and meta-analysis. JAMA Intern Med 2014;174(3):357 – 68.
9. Hagger MS. Conservation of resources theory and the 'strength' model of self-control: conceptual overlap and commonalities. *Stress Health 2015;31*(2):89-94.
10. Haglund ME, Nestadt PS, Cooper NS, Southwick SM, Charney DS. Psychobiological mechanisms of resilience: relevance to prevention and treatment of stress-related psychopathology. Dev Psychopathol 2007;19(3):889 – 920.
11. Hammen, C. Generation of stress in the course of unipolar depression. *J Abnorm Psychol 1991;100*(4):555-61.
12. Hirohata S, Abe A, Murasawa A, Kanamono T, Tomita T, Yoshikawa H. Differential effects of IL6 blockade tocilizumab and TNF inhibitors on angiogenesis in synovial tissues from patients with rheumatoid arthritis. Modern Rheumatology 2016:1 – 22.
13. Lopez CR, Antoni MH, Pereira D, et al. Stress management, depression and immune status in lower income racial/ethnic minority women co-infected with HIV and HPV. J Appl Biobehav Res 2013;18(1):37 – 57.
14. Mak WW, Ng IS, & Wong CC. Resilience: enhancing well-being through the positive cognitive triad. *J Couns Psychol 2011;58*(4):610-7.
15. McHugh PR, Treisman G. PTSD: a problematic diagnostic category. J Anxiety Disord 2007;21(2):211 – 22.
16. Mezuk B, Ratliff S, Concha JB, Abdou CM, Rafferty J, Lee H, & Jackson JS. Stress, self-regulation, and context: Evidence from the Health and Retirement Survey. *SSM Popul Health 2017;3*:455-63.
17. Patel SK, Wong AL, Wong FL, et al. Inflammatory biomarkers, comorbidity, and neurocognition in women with newly diagnosed breast cancer. J Natl Cancer Inst. 2015;107(8). pii: djv131.
18. Réus GZ, Fries GR, Stertz L, et al. The role of inflammation and microglial activation in the pathophysiology of psychiatric disorders. Neuroscience 2015;300:141 – 54.
19. Rubino C, Perry SJ, Milam AC, Spitzmueller C, & Zapf D. Demand-control-person: integrating the demand-control and conservation of resources models to test an expanded stressor-strain model. *J Occup Health Psychol 2012;17*(4):456-72.
20. Salomon RE, Tan KR, Vaughan A, Adynski H, & Muscatell KA. Minimally-invasive methods for examining biological changes in response to chronic stress: A scoping review. *Int J Nurs Stud 2020;103*:103419.
21. Scher CD, Ingram RE, & Segal ZV. Cognitive reactivity and vulnerability: empirical evaluation of construct activation and cognitive diatheses in unipolar depression. *Clin Psychol Rev 2005;25*(4):487-510.
22. Seligman ME, Weiss J, Weinraub M, & Schulman A. Coping behavior: learned helplessness, physiological change and learned inactivity. *Behav Res Ther 1980;18*(5): 459-512.
23. Shaffer F, Meehan ZM, & Zerr CL. A Critical Review of Ultra-Short-Term Heart Rate Variability Norms Research. *Front Neurosci 2020;14*:594880.
24. Shaw W, Dimsdale J, Patterson T. Stress and life events measures. In: A John Rush Jr. ed. Handbook of Psychiatric Measures. Washington, DC: American Psychiatric Association;2000:221.
25. Stagl JM, Bouchard LC, Lechner SC, et al. Long-term psychological benefits of cognitivebehavioral stress management for women with breast cancer: 11-year follow-up of a randomized controlled trial. Cancer 2015;121(11):1873 – 81.
26. Ulrich-lai YM, Herman JP. Neural regulation of endocrine and autonomic stress responses. Nat Rev Neurosci 2009;10(6):397 – 409.
27. Zannas AS, West AE. Epigenetics and the regulation of stress vulnerability and resilience. Neuroscience 2014;264:157 – 70.

2 PART

증상과 장애

섬망

변선정, 홍정완

섬망은 지남력 및 주의력의 저하로 대표되는 전반적인 인지기능의 장애 및 행동, 수면-각성주기, 사고, 언어, 지각 등의 영역에서 장애를 유발하는 복잡한 신경정신질환으로서 모든 의료적 상황들, 특히 노인 및 뇌 손상이나 치매와 같은 기존의 인지기능 장애를 지닌 환자들에서 흔히 발생되는 질환이다. 섬망은 수 시간 내지는 수일에 걸쳐서 급격하게 발생하며 심한 증상의 기복을 보이는 것을 특징으로 한다. 섬망은 라틴어인 Deliria에 어원을 두고 있으며 'de'는 무엇인가로부터 벗어났음을, 'liria'는 밭이랑을 의미하는 것으로서 기존의 정상적인 궤도로부터 벗어났다는 의미를 지니고 있다.

섬망은 히포크라테스 시대부터 꾸준히 관찰되고 기술되어 왔으며, 최근까지도 발생 상황 및 임상양상에 따라 급성뇌증후군acute brain syndrome, 급성뇌부전acute brain failure, 독성정신병toxic psychosis, 중환자실 정신증ICU psychosis 등으로 불렸으나 현재는 섬망delirium이라는 용어가 이들 용어들이 지닌 의미를 아우르는, 전반적인 인지기능저하의 급격한 변화를 가장 잘 반영한 개념으로 사용되고 있다.

1. 역학 및 위험인자

1) 역학

섬망은 어느 연령에서든 발생할 수 있으나 일반적으로 나이가 들수록 높은 유병률을 보이는 것으로 나타나고 있다. 이는 연령의 증가에 따른 콜린계 기능cholinergic function 의 감소와 연관이 있는 것으로 보고 있다. 섬망의 유병률은 나이 및 기저 질환에 따라 10-80%까지 다양하게 보고되고 있다. 일반 노인인구 집단에서의 섬망 유병률에 대한 체계적 고찰연구에서는 0.5-34.5%의 유병률을 보고하였고 여러 단면적 연구들을 통해서 밝혀진 바로는 내과계 중환자실에 입원해 있는 환자의 60-80%, 응급실을 방문한 환자의 10-14% 가량에서 섬망이 발생함은 물론 노인 거주시설의 65세 이상 노인들을 대상으로 한 전향적 코호트 연구에서는 60%까지도 보고되고 있다(표 6-1). 또한 소아의 경우 성인에 비해 특히 섬망에 취약한 것으로 알려져 있는데, 이는 소아의 경우 아직 뇌가 미성숙된 상태(특히 cholinergic system)이기 때문에 제반 유발 인자들로 인해 쉽게 섬망이 유발될 수 있는 것으로 추정하고 있다. 특히 열성 진환 및 특정 약물들에 의한 섬망이 많은 것으로 보고되고 있으나 정확한 유병률에 대한 보고는 아직 없는 상황이다.

표 6-1. 특정 의학적 상황에서의 섬망 유병률

일반 내과 병동	10-18
HIV/AIDS	30-40
내과 집중치료실	60-80
일반 외과 병동	10-60
뇌졸중 후	13-48
관상동맥치환술 후	25-32
개흉술 후	50-67
노인	
소수술 후(백내장) 외래 환자	4.4
입원 중	10-15
요양시설	15-60
고관절 치환술	21-63
암 환자	
일반적 유병률	25-40
입원 중인 암 환자	25-50
골수 이식 환자	73
말기 암 환자	up to 85

2) 원인 및 위험인자

섬망을 유발하는 원인은 단 한 가지 원인으로 인한 경우도 있지만 여러 가지 원인들이 합쳐져서 섬망을 유발하는 경우도 있다. 제반 연구들에 따르면 섬망을 유발하는 원인에 있어서 단 한 가지 원인에 의한 경우는 50% 미만인 것으로 보고되고 있다. 또한 전혀 원인을 찾을 수 없는 경우도 10%에 달하는 것으로 보고되었다.

섬망의 원인에 있어서 연령에 따른 차이가 존재하는데 노인들에서는 여러 약물을 한꺼번에 복용하는 것polypharmacy이, 소아에서는 약물 과량 복용으로 인한 독성이나 이물질 흡인으로 인한 저산소증이 많이 보고되었으며 청소년층의 경우 불법적인 약물남용(대마초, 본드 등)이 가장 많은 원인인 것으로 조사된 바 있다.

섬망의 신경학적 병인론을 설명하는 다양한 가설들이 존재한다. 그러나 섬망 자체가 워낙 다양한 원인들에 의해 발병하는 만큼 단일한 가설만으로 섬망의 발병 기전을 설명해 내기는 불가능하다. 그러나 섬망이 다양한 임상양상을 지니고 있다고는 하지만 모든 섬망이 유발 원인과 상관없이 지남력 및 주의력 저하와 같은 몇몇 핵심 증상들을 공유하고 있다는 점에서 궁극적으로는 공통된 신경학적 최종 경로를 통해 증상이 표현된 것으로 볼 수 있다. 이러한 최종 신경학적 경로에 뇌 내 아세틸콜린 활성의 저하가 기여하는 것으로 여겨진다. 실제로 다양한 종류의 약물들 및 약물의 대사산물들이 항콜린성 작용을 지니고 있으며, 이로 인해 뇌 내 아세틸콜린 활성의 저하가 유발됨은 물론, 저혈당, 저산소증 및 치아민thiamine이 결핍된 경우에도 글루코스의 산화과정 및 아세틸콜린의 형성을 조절하는 acetyl coenzyme A의 형성에 영향을 끼쳐 아세틸콜린의 활성을 저하시킨 것으로 알려져 있다. 또한 알코올 금단증상, 아편계 약물중독, 간성 뇌증의 경우에서 보는 것처럼 도파민 활성의 증가 또한 섬망의 발생에 기여한다. 도파민의 활성을 감소시키는 항정신병약물 이 섬망의 치료에 효과를 나타내는 것도 이를 뒷받침하는 증거라 할 수 있다. 이외에도 GABA, serotonin, histamine 등의 신경전달물질이 섬망의 발생에 관여하는 것으로 알려져 있으나 일관된 결과는 없다. 따라서 섬망 발생의 최종 공통 경로로서 저콜린-과도파민 상태hypocholinergic-hyperdopaininergic state 가설이 설득력 있게 받아 들여지고 있다.

스트레스-취약성 모델stress-vulnerability model에 따르면 섬망은 기존의 선행요인predisposing factor에 유발요인precipitating factor이 더해짐으로 인해 발생하는 것으로 알려져 있다(표 6-2 참조). 이 모델에 있어서 기존의 선행 요인이 섬망의 유발에 있어서 강력한 위험 인자로 작용하게 되는데 이러한 선행 요인들 중 치매와 같은 기존의 인지기능장애가 있는 경우 치매가 없는 환자군에 비해 섬망의 발생률이 2-3.5배 가량 높아지는 것으로 알려져 있다. 결국 섬망 발생에 있어서 가장 중요한 위험 인자는 연령과 기존의 인지기능장애의 존재 여부라 할 수 있다. 복용 중인 약물 또한 섬망을 유발하는 중요한 위험 인자 중 하나이며 또한 미리 대처할 수 있다는 점에서 중요한 의미를 지닌다. 약물에 의한 섬망은 전체 섬망 발생의 20-40% 가량을 차지하고 있으며 다약제복용polypharmacy, 약물중독 및 금단증상으로 인한 경우가 가장 흔하다. 약물 자체가 지니고 있는 항콜린성 작용 또한 섬망의 발생에 중요한 원인이 될 수 있다. 일례로 노인에서 가장 빈번하게 처방되는 약물들에 대한 분석 결과 이들 상의 25가지 약물들 중 10가지의 약물이 항콜린성 작용으로 인해 정상노인에서도 기억력 및 집중력의 장애를 유발하는 것으로 보고된 바 있다. 이러한 약물들에는 cimetidine, prednisolone, theophylline, digoxin, ranitidine, furosemide과 같은 내과적 상황에서 흔히 쓰이는 약물들이 포함되어 있으므로 노인에서 이들 약물을 사용할 때는 주의를 기울일 필요가 있다.

표 6-2. 섬망 발생의 선행 요인 및 유발 요인

선행 요인	유발 요인
65세 이상 노인 인지장애(치매) 탈수증 기능적 의존 상태 혹은 움직이지 못하는 상태 입원 당시 감염 영양 결핍 다수의 동반 질환들 여러 가지 약물 복용 만성적인 신장장애 혹은 간 장애 심각한 질환, 집중 치료실로의 입원 시각 혹은 청각장애	전해질 불균형 환경적 요인들 (예: 심한 소음, 수면 방해, 불필요한 자극) 저산소증, 저혈당증, 허혈상태 처방 약물들(특히 항콜린성약물들, 마취제, 수면-진정제) 통증 수면 박탈 수술 도뇨관 강박 사용 알코올, 불법적 약물 혹은 벤조디아제핀계 약물로 인한 금단

이외에도 많은 약물들이 섬망을 유발하는 것으로 알려져 있다(표 6-3). 따라서 이러한 약물들의 사용을 최소화해야 하며 특히 수술 전후에 부득이하게 사용할 경우 보다 집중적인 모니터링을 필요로 한다. 그러나 아편계 진통제의 사용에 있어서는 비록 이들 약물들이 섬망을 유발할 수 있지만 제대로 통증이 조절되지 않는 경우, 통증 자체로 인해서도 섬망이 유발될 수 있는 만큼 최소한의 적정 용량 사용과 함께 섬망 발생에 대한 임상적 주의를 기울이는 것이 중요하다. 정신약물들 중에서는 특히 benzodiazepine계 약물의 경우 알코올금단섬망의 치료 및 기타 다른 섬망의 치료에도 진정 및 수면 유도를 목적으로 흔히 처방되지만 이 약물 자체가 섬망을 유발할 수 있다는 점은 주의해야 할 사항이다. 항정신병약물의 경우 저역가 약물인 chlorpromazine이 가장 빈번하게 섬망을 유발하며 비전형 항정신병약물 중에서도 risperidone의 경우 섬망이 유발된 사례들이 수차례 보고된 만큼 항정신병약물의 사용에 있어서도 주의를 필요로 한다. 또한 알코올의존증 환자 등에서 강박과 같은 정신의학적 처치가 시행될 경우 과도한 발한으로 인한 전해질 불균형 및 탈수 증상으로 인해 섬망이 유발되거나 가중될 수 있다는 점을 명심해야 한다. 영양 결핍, 만성질환, 간부전 혹은 신부전 등으로 인한 혈중 알부민 농도의 저하도 섬망을 유발하는 중요한 위험인자로 작용할 수 있다. 저알부민혈증은 알부민에 의해 혈 내로 이동해야 할 많은 약물들의 생체이용률bioavailability을 급격히 증가시키게 함으로써 섬망과 같은 약물 부작용을 유발하게 된다. 혈중 요소 농도의 증가로 인한 요독증uremia 상태가 되면 뇌혈류장벽blood brain barrier의 투과성을 증가시킴으로 인해 기타 약물로 인한 부작용을 증가시키게 되고 결국 섬망을 유발할 수 있다. 따라서 혈액학적 검사상 혈중 크레아티닌 농도가 2.0 mg/dL 이상인 경우 섬망 발생에 대한 주의를 요한다. 입원 전 알코올중독 혹은 니코틴 중독이었던 환자들의 경우 입원 후 금주, 금연으로 인한 금단 섬망의 발생 가능성이 높은 만큼 입원 당시 환자의 동반된 물질 의존 상태 에 대한 파악이 기본적으로 이루어져야 한다. 니코틴중독으로 인한 금단증상의 경우 서맥, 집중력 저하, 불안, 식욕 증가, 불쾌감, 우울, 변비, 통증에 대한 감수성 증가 등의 증상을 보일 수 있으므로 이에 대한 주의 깊은 관찰을 필요로 하며 니코틴 금단증상으로 진단 내려지는 경우에는 니코틴 패치를 사용하도록 한다.

표 6-3. 섬망을 유발하는 것으로 알려진 약물들

High risk	Medium risk	Low risk
Opioid analgesic	Alpha-blockers	ACE inhibitors
Antiparkinosnian agents	Antiarrhythmics	Antihistamines
Antidepressants	Antipsychotics	Antibacterials
Benzodiazepines	Beta-blockers	Anticonvulsants
Centeally acting agents	Digoxin	Calcium channel blockers
Corticosteroids	NSAIDs	Diuretics
Lithium		H2-antagonists

2. 임상양상

1) 전구 증상

일부 환자들에서는 섬망의 발생에 앞서 뇌파상 서파의 출현과 함께 섬망의 전구 증상으로 의식의 변화 및 수면 양상의 변화를 동반하기도 한다. 섬망 검사 척도(DRS-R-98)를 통한 연구에서는 섬망의 발현에 앞서 나타난 증상으로 지남력 상실, 집중력 저하 및 기억력 저하가 가장 많았던 것으로 보고된 바 있다. 또한 섬망으로 진행되기 전 약화된 형태의 섬망subsyndromal delirium이 관찰되기도 하는데 일반적으로 의식의 혼탁, 집중력 저하, 지남력 상실 혹은 지각의 변화 중 한 가지 이상이 나타날 경우 뒤이은 섬망의 발생에 대한 주의를 필요로 한다. 이러한 경한 섬망 자체도 입원 기간을 증가시키고 퇴원 후 기능저하를 유발함은 물론 사망률을 높일 수 있으므로 주의를 요한다. 소아에서는 갑작스러운 퇴행 행동을 보이는 경우에도 섬망으로 이행하는지를 주의 깊게 관찰해야 한다. 또한 섬망이 동반된 환자에서 신경학적 검사상 원시반사primitive reflex가 나타날 수 있는데 이러한 원시반사의 출현은 전두엽 기능의 장애를 시사하는 것으로서 특히 저활동형 섬망hypoactive delirium과 연관이 있다.

2) 임상 증상

섬망을 유발하는 다양한 원인들과 상관없이 섬망은 몇 가지 핵심 증상들을 지니고 있다. 질환의 경과에 있어서 갑작스러운 증상의 발현과 기복을 보이는 점은 섬망의 경과에 있어서 중요한 특징이다. 진단 기준상의 핵심증상을 규정하는 데 있어서 체계적인 연구 결과들의 축적을 통해 나름대로 변화가 있었다. DSM-IV에서는 의식consciousness수준의 변화(예를 들면 주위 환경을 인지할 수 있는 명료함)를 진단기준으로 언급하였는데 2013년 5월 발표된 DSM-5에서는 의식이라는 단어 대신 인식awareness라는 단어를 사용하였으며 혼수상태와 같이 각성수준이 현저히 낮은 경우는 배제하였다. 또한 DSM-5에서는 원인에 따른 아형을 명시하도록 하였다. DSM-IV & DSM-IV-TR 과 DSM-5간의 섬망에 대한 진단기준상의 차이는 (표 6-4)에 제시하였다.

표 6-4. 섬망에 대한 진단기준의 차이

	DSM-IV & DSM-IV-TR	DSM-5
주의력, 인식 및 의식의 장애	의식의 장애(예: 환경에 대한 의식의 명료함이 감소됨. 주의를 집중하거나 유지하거나 이동시키는 능력의 감퇴가 동반됨	주의의 장애(즉, 주의를 기울이고, 집중, 유지 및 전환하는 능력 감소)와 인식의 장애(환경에 대한 지남력 감소)
인지기능 장애	인지의 변화(기억력 결핍, 지남력 장애, 언어장애, 지각장애)가 있으며 기존의 이미 형성된 또는 발생하고 있는 치매로는 잘 설명되지 않음	부가적 인지장애: 기억 결손, 지남력 장애, 언어장애, 시공간능력 또는 지각장애. 다른 신경인지장애로 더 잘 설명되지 않음
각성 수준		혼수와 같은 각성수준이 심하게 저하된 경우에서 일어나지 않음

	DSM-IV & DSM-IV-TR	DSM-5
경과	장애가 짧은 시간(대개 수 시간에서 수일)에 걸쳐 나타나며, 하루의 경과 중에도 변화하는 경향이 있음	장애는 단기간(몇시간 또는 며칠)에 걸쳐 발생하고, 기저 상태의 주의와 의식으로부터 변화를 보이며, 하루 중 심각도가 변하는 경향이 있음
원인	의학적 상태에 의한 섬망으로 진단: 일반적 의학적 상태의 직접적인 생리적 결과로 인해 장애가 초래되었다는 병력, 신체진찰 또는 검사 소견상의 증거가 있음	물질 중독 섬망, 물질 금단 섬망, 약물치료로 유발된 섬망, 다른 의학적 상태로 인한 섬망을 구별하여 명시

ICD-10 에서는 인지기능의 장애 이외에도 정신운동장애, 수면-각성주기 장애 및 정서장애를 진단 지침상에 규정하고 있음은 물론 유병기간을 6개월 이내로 제한함으로써 섬망의 가역성reversibility를 강조하였다. 그러나 섬망의 가역성에 있어서는 이후의 여러 연구 결과들을 통해 상당수의 섬망이 6개월 이상 지속됨이 밝혀진 바 있다.

섬망에서 나타날 수 있는 다양한 증상들은 (표 6-5)에 기술되어 있다. 여러 가지 섬망의 증상들 중 특히 주의력의 저하는 거의 모든 환자들에게서 나타나는 증상이며, 빈도상으로도 지남력의 장애보다 더 빈번하게 나타나는 증상이다. 때문에 섬망을 진단하는 데 있어서 가장 중요한 증상이라 할 수 있다. 이러한 집중력의 저하는 전전두엽, 두정엽 및 피질하 영역의 장애들이 복합적으로 작용한 결과로 여겨지고 있다. 기억력의 장애는 단기 기억 및 장기 기억 모두 영향 받을 수 있으며 섬망으로부터 회복된 이후에도 섬망이 있었던 기간 전부 혹은 일부를 기억 못할 수 있다.

표 6-5. 섬망의 증상 및 징후

인지기능의 광범위한 결핍
주의력
지남력
기억력 (단기 및 장기, 언어 및 시각)
시공간구성능력
실행 기능들
시간적 경과
급성 혹은 갑작스러운 발생
증상들의 심각도가 변화함
가역적(대개의 경우)
정신증
지각장애(특히 시각)
망상들
사고장애(사고 이탈, 우원증, 연상의 이완)
수면-각성 주기 장애
정신행동증상(과활동, 저활동, 혼합형)
언어 장애
변화된 혹은 불안정한 정동

지각 장애의 경우 착각이나 환각의 형태로 나타나는데 환각의 경우 환시가 환청보다 흔하며, 특히 알코올 금단 섬망의 경우 저명한 환시를 동반하게 된다. 섬망 상태에서 나타나는 망상은 일반적으로 피해망상을 보이는 경우가 많으나 조현병이나 망상 장애에서 나타나는 피해망상보다는 덜 체계화되고 모호한 형태로 나타난다. 망상은 섬망환자의 약 1/5에서 나타나는 것으로 알려져 있으며 이러한 피해 사고는 공격성과 치료진에게 위해를 끼칠 수 있는 요

인이 될 수 있다. 연령에 따라 섬망의 임상양상은 다소의 차이를 보일 수 있다. 노인의 경우 성인과 비교했을 때 제반 증상들의 두드러진 차이는 보이지 않으나 인지장애 증상들이 보다 심하게 나타난다. 소아 및 청소년의 경우 성인에 비해 보다 급격한 발병을 보이며 환시가 더 흔하게 나타나고 망상이 있을 경우 더 심한 양상으로 나타난다 또한 감정의 변화와 초조 증상이 더 심하게 나타난다. 이에 비해 수면-각성주기의 변화나 인지기능의 저하는 성인에 비해 덜 심한 형태로 나타난다.

3) 섬망의 아형

다양한 증상으로 이루어진 섬망을 병태생리, 원인 및 증상을 토대로 아형을 분류하려는 시도들이 있었으나 아직까지 명확한 아형이 존재하는지에 대해서는 의문이다. 그럼에도 불구하고 비교적 명백하게 구분할 수 있는 정신운동증상을 기준으로 아형을 나눈 Lipowski의 방법은 임상적으로 설득력을 얻고 있다. Lipowski는 섬망을 과활동형hyperactive, 저활동형hypoactive 그리고 혼합형mixed으로 분류하였으며 운동성 증상을 기반으로 한 분류지만 언어장애, 감정 변화, 사고장애 및 지각장애와 같은 비운동성 증상들을 함께 포함시켰다(표 6-6). 이러한 비운동성 증상들 중 망상, 환각, 기분의 변화, 와해된 언어 및 수면장애는 과활동형 섬망에서 더 흔하게 나타나는 것으로 알려져 있다.

표 6-6. 섬망의 정신행동증상에 따른 분류

	과활동형	저활동형
운동증상	증가된 행동 수준 증가된 행동 속도 행동에 대한 통제력의 상실 안절부절 못함 및 배회	감소된 행동 수준 감소된 행동 속도 무감동 및 무관심
비운동증상	말하는 양, 속도, 크기의 증가 말하는 내용의 변화 (예: 노래 부르기, 소리 지르기, 웃기) 환각들 과각성, 쉽게 놀람	말하는 양, 속도, 크기의 감소 저하된 각성 과수면 사회적 위축

전체 섬망 중 어떤 아형이 가장 많은지에 대한 연구는 어떠한 측정도구를 사용하여 평가했는지에 따라 많은 차이를 보이나 대부분 혼합형이 가장 많으며 다음으로 저활동형, 과활동형의 순인 것으로 보고되고 있다. 또한 섬망의 원인에 따라서도 나름대로 발현되는 아형의 차이를 보일 수 있는데 약물에 의해 발생한 섬망의 경우 과활동형이 가장 많이 나타나며 이에 반해 저산소증을 포함하는 대사장애가 원인인 경우에는 저활동형이 보다 빈번하게 나타난다. 일반적으로 예후에 있어서는 과활동형이 보다 나은 예후를 보이는 것으로 알려져 있다. 과활동형 섬망의 경우 입원 기간이 더 짧으며 보다 낮은 사망률을 보임은 물론 섬망으로부터 완전히 회복되는 비율도 더 높은 것으로 나타났다. 이에 비해 저활동형 섬망은 발견하기 쉽지 않고 우울장애 등으로 오진 되는 비율도 높을 뿐 아니라 예후도 나쁘다. 저활동형 섬망의 예후가 나쁜 이유는 단순히 정확한 진단이 늦어지기 때문만은 아니며 몇몇 연구들을 통해 드러난 것처럼 저활동형 섬망에 대한 적극적인 선별검사와 임상적 개입을 시행함에도 불구하고 여전히 나쁜 예후를 보인다는 점은 주로 저활동형 섬망을 유발하는 원인들과 연관이 있는 것으로 추측되고 있다. 그러나 이러한 정신행동

증상에 따른 아형의 분류는 기저가 명확히 구분되는 신경생리학적 근거를 지니고 있지 않다. 이제까지 여러 연구들이 있었지만 아형에 따른 뇌 하정 부위의 손상이 입증된 바 없으며 뇌파검사상에서도 과활동형과 저활동형 모두 전반적인 서파 소견을 보이는 등 두드러진 차이를 보이지 않는다. 또한 신경영상학적 검 사 상에서도 아형 간의 구분되는 특징은 관찰되지 않고 있다는 점에서 이러한 정신운동증상에 따른 아형의 분류는 한계를 지니고 있다.

3. 진단 및 평가 도구들

1) 기본적인 평가

DSM 진단체계상에서 섬망에 대한 진단 기준이 만들어지기 시작한 것은 DSM-III부터이다. 이후 DSM 진단체계가 수정 보완을 거듭해 오면서 의식 수준의 변화를 보다 명확히 규정하기 위한 노력들이 있었다. 의식의 장애는 모든 노인 섬망 환자에서 100% 나타나는 증상이지만 치매를 가진 환자에서도 나타날 수 있으며 또한 의식 수준은 정상일지라도 주의력이 감소되는 경우도 있기 때문에 DSM-IV에서는 의식장애와 함께 주의력 저하를 강조하기 시작했다. 일반적으로 치매 진단에 있어서 DSM 진단 기준을 이용한 임상적 평가가 가장 중요하며 뇌파검사와 함께 간이정신상태검사(MMSE)를 비롯한 제반 척도들을 통해 환자를 추적 관찰하는 것이 가장 정확한 방법이지만 환자가 지닌 기저 질환의 심각도에 따라 뇌파검사는 물론 제반 인지기능검사를 시행하는 데 있어서 현실적인 제약이 따르는 것도 사실이다. 섬망 환자에게 시행되어야만 하는 기본적인 평가 사항은 (표 6-7)에 제시하였다. 기본적인 실험실검사 항목들은 섬망을 지닌 모든 환자들에게 반드시 시행되어야 하며 임상적으로 필요한 경우 추가적인 검사를 시행하도록 한다.

표 6-7. 섬망 환자에 대한 평가

신체상태에 대한 평가 　과거력 　이학적 검사 및 신경학적 검사 　생체징후 및 수술 후 상태인 경우 마취 기록 검토 　의무 기록들에 대한 검토 　복용중인 약물에 대한 검토 및 현재 행동 변화와의 연관성 검토 정신상태에 대한 평가 　면담 　인지기능검사 기본적인 실험실 검사들 　Blood chemistries (electrolyte levels, glucose, calcium, albumin, BUN, Cr, AST, bilirubin, ALP, magnesium, phosphate) 　VDRL test 　Complete blood count with differential count 　Serum drug levels (e.g., digoxin, theophylline, phenobarbital, cyclosporine, lithium) 　Arterial blood gas or oxygen saturation measurement 　Urinalysis and collection for culture and sensitivity 　Urine drug screen 　Electrocardiography 　Chest radiography 부가적인 검사들 　Electroencephalography 　Lumbar puncture 　Brain CT or MRI 　Additional chemistries(e.g., heavy metal screen, B12 and folate level) 　Lupus erythematosus(LE) Prep, antinuclear antibody test, HIV test

섬망을 유발하는 질환들 중에서도 몇몇 질환들은 응급 상황으로서 초기에 적절한 평기를 통해서 조기 발견 및 조기 치료가 이루어져야만 하며 그렇지 않을 경우 환자에게 비가역적 손상을 남길 수 있다. 이러한 질환들은 기억하기 쉽도록 각 질환들의 앞 자를 따서 WHIMPS라고 칭한다(표 6-8).

표 6-8. 섬망 발생 시 고려해야 할 응급 질환들

W	Wernicke's encephalopathy or Withdrawal
H	Hypoxemia, Hypertensive encephalopathy, Hypoglycemia, Hypoperfusion
I	Intracranial bleeding or Infection
M	Meningitis or Encephalitis
P	Poisons or Medications
S	Status epilepticus

Wernicke's encephalopathy는 의식 혼탁, 운동실조증, 외안근 마비를 특징으로 하며 즉각적인 치아민thiamine 보충이 이루어져야만 한다. 만성적인 영양 결핍을 지닌 환자들에서 많이 나타나며 특히 알코올 의존증 환자들에게 많이

나타난다. 평소 술만 마시고 식사를 거의 하지 않는 등 만성적이고도 불충분한 영양 섭취를 하기 때문이다. 이때 적절한 처치가 이루어지지 않을 경우 알코올에 의해 유도된 지속적인 기억상실 장애로 발전할 수 있다. 따라서 환자의 음주 과거력 및 알코올로 인한 내과적 질환, 간기능검사 이상 소견, 증가된 적혈구 평균용적mean corpuscular volume, MCV 등이 관찰될 경우 이를 의심해야 한다. 또한 과반사hyperreflex 및 교감신경계 흥분 증상들(빈맥, 떨림, 발한, 과각성)이 나타나는 경우 제반 약물의 금단증상을 고려해야 한다. 저산소증 혹은 고혈압성 뇌증의 진단을 위해서 동맥혈 가스분석 혹은 산소포화도 및 최근 생체 징후의 변화가 검토되어야 하며, 특히 당뇨병 환자의 경우 기존의 경구 혈당강하제 등으로 인해 저혈당이 유발되었는지 여부를 확인할 필요가 있다. 심한 빈혈, 부정맥, 심박출량의 저하 등도 섬망의 원인이 될 수 있다. 만약 환자가 두통 여부와 상관없이 짧은 기간 동안일지라도 의식 상실이 있었거나 국소적인 신경학적 징후가 나타난다면 반드시 뇌 내 출혈을 의심해 보아야 하며 즉각적인 뇌영상검사 및 신경학적 평가가 이루어져야 한다.

2) 감별 진단

섬망을 진단하는 데 있어서 가장 중요한 것은 치매 감별이다. 섬망이 특히 노인에서 많이 발생하는 만큼 초기 단계에서 적절한 평가를 통해 원인을 해결하는 것이 중요하다. 또한 섬망과 치매는 공존할 수 있는데 섬망이 치매의 첫 증상으로 나타나기도 하고 치매 말기에 이르러서 인지기능의 저하가 심해진 경우에는 만성적인 섬망 상태를 유발하기도 한다. 일반적으로 치매는 만성적이고도 점진적으로 발병하는 데 비해서 섬망은 급성으로 빠르게 발병한다는 특징이 있으며, 무엇보다도 치매는 의식 수준이 명료하게 유지되는 것에 비해 섬망은 의식의 혼탁 및 의식 수준의 저하와 변화가 초래됨을 물론 주의력 저하가 특징이다. 기억력 장애에 있어서도 두 질환은 차이를 보이는데 치매의 경우 기억의 저장storage이 안 되는 것에 비해 섬망은 기억 등록registration의 장애를 보인다.

정신건강의학과 영역에서 섬망과 감별을 필요로 하는 질환은 치매 이외에도 우울장애와 정신증이 있다. 저활동형섬망의 경우 우울장애와의 감별이 어려울 수 있다. 또한 심한 우울장애가 있는 경우 식사를 거의 하지 않아 탈수 및 영양결핍에 의한 섬망이 유발되기도 한다. 그러나 우울장애의 경우 발병이 보다 점진적으로 이루어지며 기분증상이 주를 이루는 특징이 있다.

섬망에서도 망상이 나타날 수 있지만 조현병에서와는 달리 고정되고 체계화된 망상을 보이는 경우는 드물다. 또한 섬망에서는 환청보다는 환시가 나타나는 경우가 많다는 점도 조현병과의 차이점이다. 섬망과 감별 진단하기 위한 치매, 우울장애, 정신증의 임상적 차이점은 (표 6-9)에 제시하였다.

임상 양상에 따른 구분이 어렵거나 더 높은 진단적 정밀도가 요구되는 상황에서는, Delirium Rating Scale-Revie-sed-98 (DRS-R-98, Trzepacz 등, 1988)과 CTD (Cognitive Test for Delirium, Hart 등, 1997)와 같은 도구들이 섬망과 다른 신경정신 증상들을 감별해내는 데 도움을 준다. Abbreviated Cognitive Test for Delirium은 CTD를 2차례 검사(주의집중 지속시간 및 그림에 대한 재인기억)의 형태로 단축시킨 것이다. 환자에게 먼저 일련의 그림들을 보여주고 나서 다시 여러 장의 그림들 중 자신이 본 그림이 맞는 경우 고개를 끄덕이게 하는 방식으로 진행하게 된다. 따라서 이 검사는 기관 내 삽관 등으로 인해 의사소통이 불가능 환자에게도 사용할 수 있다는 장점이 있다.

표 6-9. 섬망과 감별을 요하는 정신질환

	섬망	치매	우울장애	정신증
발병	급성	서서히 진행	다양	천천히
기간	짧다	장기간	다양, 재발성	다양, 재발성
경과	변동성	진행성	다양	다양
의식 수준	혼탁	말기까지는 정상	전반적으로 정상	정상
주의력	저하	초기에는 유지 됨	저하	저하
인지기능	손상됨	손상됨	다양	정상
환각	흔함(환시)	흔하지 않음	드묾	흔함(환청)
망상	체계적이지 않은 망상	흔하지 않음	피해망상 가능	지속적인 망상
지남력	저하	저하	대개는 정상	정상
단기기억	저하	저하	정상	정상
언어기능	조리없음	실어증	정상	정상
정신행동증상	처져있거나 흥분상태	정상	다양	다양
불수의적 운동	있음	없음	없음	없음

3) 섬망 평가 도구

섬망을 예방하기 위해서는 알려진 위험인자들을 정확히 파악하고 섬망이 발생하지 않도록 조기에 개입하는 것이 중요하며 섬망이 발생한 후에는 얼마나 빠르고 정확하게 섬망을 진단해 내느냐가 중요한 관건이다. 연구에 따르면 일반 의사들이 섬망을 진단해 내는 것은 30-50%에 불과하며 또한 섬망 환자의 약 50% 정도는 잘못된 진단으로 정신건강의학과에 의뢰된다고 한다. 또한 우울장애로 정신건강의학과에 진료 의뢰된 환자의 37%가 섬망 환자였다는 보고도 있다. 이렇듯 섬망의 진단율이 낮은 이유는 섬망이 가지고 있는 증상의 가변성에 기인하는 것이며 또한 저활동형 섬망이 대부분을 차지하는 점도 진단을 어렵게 하는 원인이다. 따라서 정신건강의학과 전문의가 아닌 일반 의사 및 간호사들이 섬망을 인지하기는 쉽지 않으며, 정신건강의학과 전문의라 할지라도 환자에 대한 지속적이고 면밀한 관찰이 수행되지 않는다면 섬망은 간과되거나 오진될 여지가 많다. 이러한 문제들을 극복하기 위해서 여러 상황에 맞는 다양한 선별검사 도구들이 개발되었다. 그러나 최근 연구에서 드러났듯이 미국 내 의사들 중에서도 40%만이 섬망에 대한 규칙적인 모니터링을 시행하고 있으며 그나마 이들 중 16%만이 모니터링 과정에서 섬망을 선별해 내기 위한 특정 척도들을 사용하고 있다. 이러한 원인은 타과 의료 인력들의 섬망에 대한 인식 및 교육 부족, 지속적인 섬망에 대한 관찰이 부가적인 업무로 작용하는 점, 적절한 선별검사 선택의 문제 등에 기인한 것으로 보인다. 하지만 최근 모든 노인 및 중환자에 대한 치료 지침들은 반드시 섬망에 대한 규칙적인 선별검사를 시행하도록 권고하고 있으며 이러한 선별검사를 시행함에 있어서 환자의 상태에 맞는 검사 도구들을 사용할 것을 권고하고 있다. 섬망 환자의 진단에 있어서 가장 기본이 되는 것은 DSM-IV, 그리고 DSM-5 이다. 섬망의 진단은 보통 2단계로 이루어지며, 간단한 선별검사에서 양성소견을 보이는 환자를 대상으로 좀 더 구체적인 진단 기준을 적용한다.

(1) 선별 및 진단 도구들

섬망에 대한 선별, 진단, 증상의 심각도 등을 평가하기 위한 많은 검사 도구들이 개발된 상태이다. 대부분의 검사 도구들은 환자의 곁에서 24시간 임상적 관찰을 유지하면서 환자 의식 상태의 변화를 확인해야 하는 섬망의 특성상 정신건강의학과 전문의가 아닌 병동 및 중환자실의 간호 인력도 충분히 평가를 시행할 수 있도록 디자인되었다.

Confusion rating scale (CRS, Williams 등, 1998)와 Nursing delirium screening scale (Nu-DESC, Gaudreau et al. 2005)가 대표적인 예로서 CRS의 경우 지남력, 부적절한 행동, 부적절한 의사소통 및 착각 혹은 환각의 4가지 영역에 대하여 0점(없음), 1점(있으나 경 함), 2점(명백함)으로 평정하며 간호사의 근무 교대시간에 맞춰 8시간마다 낮, 저녁, 야간의 3 회에 걸쳐 평가하도록 되어 있다. Nu-DESC는 기존의 CRS에 '정신행동 지체' 의 항목을 추가하여 저활동형 섬망에 대한 선별이 가능하도록 한 검사이며 두 가지 검사 모두 시행하는 데 1분이 채 안 되는 간단한 검사이다.

NEECHAM Scale (Neelon 등, 1996)은 간호 영역에서 가장 흔하게 쓰이는 평가 도구이다. 급성기 질환을 지닌 입원환자의 평가를 위해 고안되었으며 중환자실에서도 유용 하게 쓰일 수 있다. 3가지 영역(인지기능, 행동, 신체 징후)에 각각 3가지 항목들로 구성되어 있으며 특히 신체징후의 영역에서 생명징후와 산소포화도, 요실금 여부에 대한 평가를 추가하여 객관성을 높인 검사이다. 민감도는 높지만 특이도가 다소 낮음으로 인해 간이정신상태검사와 같은 다른 검사 도구와 함께 사용하도록 권장되고 있다.

Delirium Rating Scale (DRS, Trzepacz 등, 1988)은 10개의 항목으로 이루어진 검사 도구로서 섬망에 대한 진단은 물론 심각도까지 평가할 수 있도록 고안된 도구이다. 그러나 이 검사 도구의 몇몇 항목들은 의미가 없거나 반복검사가 어려워 DRS-R-98(Trzepacz et al. 2001)이 단축형의 형태로 개발되었으며 이는 반복검사가 가능하도록 하여 섬망 환자의 추적관찰이 가능한 검사 도구이다. Confusion Assessment Method (CAM, Inouye 등, 1990)은 종합병원에서 섬망의 진단을 위해 비정신건강의학과 의사 혹은 간호사들 사이에서 가장 널리 쓰이는 검사 도구이다. CAM은 DSM-III-R을 기반으로 개발된 도구로서 섬망으로 진단 내리기 위한 대표적인 증상 4개 중 3개 이상이 있는지를 찾아가는 알고리즘(part I)과 현재 관련 증상의 발현 여부에 대해 묻는 11개 항목의 전체 척도(part II)로 구성되어 있다. Part I은 섬망을 선별해 내기 위한 목적으로 4개의 핵심 증상(급성 발병 및 증상의 변화 주의력 저하, 와해된 사고, 의식 수준의 변화)으로 구성되어 있으며 Part II는 다른 질환과의 감별을 위한 5개의 관련 증상들(지남력장애, 기억장애, 지각장애, 정신행동성 초조, 정신행동성 지체, 수면주기의 변화)로 구성되어 있다. 임상에서는 일반적으로 간이정신상태검사와 함께 환자를 평가하도록 되어 있으며 일반적인 입원 환자 외 에도 응급실 내원 환자, 노인 거주 시설 환자, 중환자실 입원 환자 등을 평가하기 위해 기존의 CAM을 대상 환자의 특성에 맞도록 수정한 형태로도 개발되어 있다.

중환자실은 섬망이 가장 빈번하게 발생하고 이에 대한 조기 발견과 조기 개입이 필수적인 장소임에도 불구하고 기존의 섬망을 측정하는 도구들로는 임상적 적용에 많은 한계를 지니고 있다. CAM-ICU (Ely등, 2001)는 중환자실에서 기관 내 삽관, 인공 호흡기 등으로 인해 언어적 의사소통이 어려운 환자를 대상으로 사용이 가능하며 높은 민감도와 특이도를 지닌 대표적인 검사 도구이다. 간이정신상태검사 와 함께 사용하는 기존의 CAM 과는 달리 CAM-ICU 에서는 의사소통이 불가능한 환자의 특징을 감안하여 개발된 주의력 선별검사로서 일반적으로 Richmond Agitation-Sedation Scale (RASS, Sessler 등, 2002)과 함께 사용하게 된다. 중환자실의 의사소통이 불가능한 환자에게

RASS 와 CAM-ICU 이용한 평가 방법은 (그림 6-1)에 제시하였다. CAM-ICU는 의사소통이 불가능한 점을 고려하여 '주의력 저하'와 '와해된 사고'의 평가는 다른 방법을 채택하고 있다. 주의력 저하 항목의 경우 일련의 철자(예: S A V E H A A R T)를 천천히 불러주면서 'A' 가 나올 때마다 치료자의 손을 쥐도록 하거나 일련의 그림들을 먼저 보여 준 후 나중에 한 차례 더 보여주면서 아까 봤던 그림인지 묻는 질문을 통해서 3회 이상의 오류를 보이는 경우 주의력 저하가 있는 것으로 판정한다. 한국어판 CAM-ICU의 경우 "사 아 바 에 아 하 아 아 라 타"를 천천히 불러주면서 "아"가 나올 때 마다 치료자의 손을 쥐도록 한다(허은영 등, 2011). 와해된 사고 항목의 경우에는 "돌이 물에 뜹니까?' "바다에는 고기가 사나요?"와 같은 질문에 대해 고개를 끄덕여서 답하도록 하여 2회 이상의 오류를 범한 경우 문제가 있는 것으로 판정한다. 중환자실에서 섬망에 대한 조기 진단과 조기 개입을 향상시키기 위해서는 중환자실 치료팀 중에서 정규적으로 섬망을 추적 관찰할 담당자를 지정해 놓는 것이 필요하다. 그런 점에서는 24시간 환자를 돌보는 간호사가 이 업무를 담당하는 데 가장 적합하다 할 수 있다. 또한 환자의 특성에 맞는 선별검사 도구를 정하여서 동일한 검사 도구로 반복검시가 이루어지도록 해야 하며 모든 병원 내에 섬망을 진단하기 위한 표준화 된 업무 지침이 확립되어 있어야 한다. 또한 관련 직원들에 대한 정규적인 교육과 평가가 필요하다. 마지막으로 섬망을 위한 제반 선별검사 도구들은 단순히 섬망을 발견해 내기 위한 선별도구일 뿐이지 확정 진단이 될 수 없음을 상기시키고 정신과 진료의뢰를 통한 적절한 개입이 이루어지도록 해야 한다.

Richmond Agitation-Sedation Scale (RASS)

+4	Combative	Combative, violent, immediate danger to staff
+3	Very agitated	Pulls or removes tube(s) or catheter(s); aggressive
+2	Agitated	Frequent nonpurposeful movement, fights ventilator
+1	Restless	Anxious, apprehensive but movements are not aggressive or vigorous
0	Alert and calm	
−1	Drowsy	Not fully alert, but has sustained awakening to voice(eye opening & contact〉10sec)
−2	Light sedation	Briefly awakens to voice(eye opening & contact〈10sec)
−3	Moderate sedation	Movement or eye opening To voice (but no eye contact)
−4	Deep sedation	No response to voice, but movement or eye opening to physical stimulation
−5	Unarousable	No response to voice or physical stimulation

Sedation and Delirium Assessments: A Two Step Approach

Step One: Sedation Assessment (RASS)
If RASS is −4 or −5, then stop & Reassess patient at later time
If RASS is above −4(−3though+4) then Proceed to Sttp 2

Step Two: Delirium Assessment
(CAM−ICU)

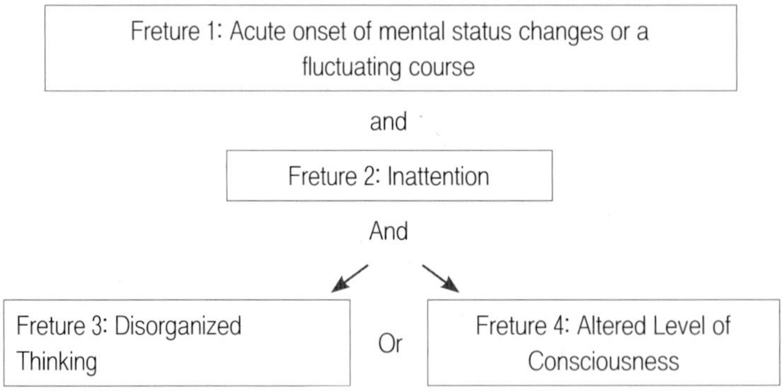

Freture 1: Acute onset of mental status changes or a fluctuating course

and

Freture 2: Inattention

And

Freture 3: Disorganized Thinking

Or

Freture 4: Altered Level of Consciousness

= DELIRIUM

그림 6-1. RASS와 CAM-ICU를 이용한 섬망 진단 알고리즘

4. 치료

일단 섬망이 진단 내려진 후에는 의심되는 원인을 밝히고 이를 교정하기 위한 치료적 개입이 이루어져야 한다. 섬망은 높은 사망률과 연관성이 있기 때문에 조기 발견과 조기 개입이 무엇보다 중요하다. 섬망의 원인이 비교적 뚜렷할 때는 그를 해결하는 것이 중요하다. 예를 들어, 특정 결핍(혈액, 산소, 치아민, 비타민 B12, 싸이록신, 포도당 등)이 있을 때는 보충해주고 병적 상황(저혈압의 경우 혈량 보충, 폐부종의 경우 이뇨제, 감염의 경우 항생제, 저칼슘혈증의 경우 칼슘 보충, 급성 리튬 중독의 경우 투석)을 치료한다. 섬망의 치료는 약물치료, 환경 조정, 환자 및 가족들에 대한 정신사회적 지지의 3가지 영역으로 나눌 수 있다.

1) 예방적 처치 및 비약물학적 개입

우선적으로 환자에게 환경적인 안정감을 제공해 주는 것이 섬망의 예방에 있어서 가장 중요하다. 하루 종일 병실 내 적절한 조명이 유지되도록 하는 것이 중요하며 방의 배치에 있어서도 되도록 외부로 창이 나 있는 방을 통해 하루의 시간 변화를 인지 할 수 있도록 해주는 것이 좋다. 낮 시간 동안에는 커튼을 열어두도록 하며 지남력이 저하될 수 있는 밤 시간에는 야간 등을 켜두는 것이 필요하다. 방은 되도록 다른 환자 치료진이 자주 드나들어 방해가 되지 않도록 1인실을 사용하는 것이 좋다. 무엇보다도 방안에 조용한 분위기가 유지될 수 있도록 제반 환경을 조성해 놓아야 한다. 병실 내에 커다란 시계와 달력을 걸어줌으로써 환자의 지남력 유지를 돕고 환자가 집에서 사용하는 개인 용품들, 액자 등을 병실에 배치해 놓아서 보다 익숙한 분위기를 조성해 준다.

가족 및 친지의 방문을 격려하는 것 또한 필요하다. 병실 내 라디오나 TV 또한 환자가 외부에 대한 관심을 유지할 수 있도록 돕고, 긴장을 줄여줄 수 있다는 점에서 권장된다. 환자가 적절한 양의 음식과 수분을 섭취하는지를 확인하고 유지할 수 있도록 해야 하며 변비가 생기지 않도록 하는 등 적절한 배뇨기능이 유지되도록 한다. 약물사용 기록에 대한 철저한 검토를 통해 기존에 투여되던 약물들 중 불필요한 약물이나 섬망을 유발할 수 있는 약물들은 투여를 중단하도록 한다. 시각 혹은 청각이 떨어지는 환자에게는 돋보기나 보청기 등을 제공하도록 한다. 환자가 침상에 누워만 있지 않도록 적절한 운동을 유도하는 것이 필요한 만큼 정규적인 보행, 마사지 등을 제공하고 낮 시간에 자지 않고 깨어 있도록 격려해야 한다. 치료진의 방문 때마다 환자에게 명료하고 자세하게 오늘의 날짜, 시간, 장소 등에 대해 다시 상기시키며 치료진은 모두 이름표를 달고 있어 환자가 자신의 이름을 기억하도록 유도한다. 또한 환자의 움직임을 제한할 수 있는 흉관chest tube, 도뇨관foley catheter 및 기타 라인들은 가능한 한 빨리 제거해 주는 것이 필요하다. 환자에 대한 강박은 최대한 피하도록 하는 것이 원칙이다. 병실은 자주 바뀌지 않도록 하며 치료진의 잦은 교체도 환자의 혼란을 가중시킬 수 있다. 또한 내•외과 병동에서 흔히 범하는 오류 중에 하나가 섬망이 있는 환자들을 모아서 치료하는 것인데 섬망이 있는 환자들끼리 같은 공간에서 치료할 경우 서로에게 악영향을 끼치고 혼란을 가중시켜 회복을 느리게 할 수 있다. 섬망으로부터 회복된 후에는 환자가 자신의 경험에 대해 불안해하지 않도록 안심시키며 섬망이 입원 중에 흔히 일어날 수 있는 일시적인 현상임을 이해시키는 것이 필요하다. 앞서 기술한 병실 내에 커다란 달력 걸어주기, 야간 조명 및 치료진이 지남력을 재확인시켜주는 등 환자의 지남력 유지를 위한 방법들이 도움이 되지만 명심해야 할 점은 이러한 환경에 대한 조작만으로는 섬망을 치료할 수 없다는 점이다. 그러나 무엇보다도 가장 효과가 있었던 것은 치료진이 얼마나 환자 곁에 밀접하게 붙어 있는가이며 치료진의 적극적이고 지속적인 관찰 및 개입만으로도 섬망의 발생까지 줄일 수 있는 것으로 보고되고 있다. 비약물적 치료 개입들은 섬망 발생 비율 자체를 줄여주지는 못하지만 환자 초조 및 불안을 경감시켜줄 수 있으며 섬망이 지속되는 기간 및 심각도를 줄여줄 수 있다.

2) 약물학적 개입

약물은 그 자체로 섬망 발생의 약 1/3을 차지하는 만큼 섬망에 대한 약물치료는 치료적 의미를 갖는 동시에 그 자체로서 위험인자가 될 수 있다. 특히 수면 유도 및 진정을 목적으로 쓰이는 benzodiazepine 및 아편계 진통제의 사용은 신중해야만 한다. 사망 발생 빈도가 가장 높은 중환자실의 경우 통증과 불안의 경감, 산소 소모량 및 스트레스 반응을 줄이기 위해서, 혹은 인공호흡기에 적응시키기 위해서 이러한 약물의 사용이 불가피할 수 있다. 하지만 이러한 약물들의 빈번한 사용은 중환자실 입원 기간 및 인공호흡기에 의존하는 시간을 늘리고 또 그 자체만으로도 섬망을 유발하거나 진정 상태로 인해 적절한 신경학적 검사가 불가능하기 때문에 저활동형 섬망의 발견을 어렵게 한다. 때문에 NICE 임상가이드라인(Young et al. 2010)은 섬망에서 holoperidol의 신중한 사용을 권장했으며, 환자가 심한 동요 또는 정신병적장애를 겪고 있거나 환자의 섬망 증상이 필수 치료 측면에서 최적의 치료 제공을 방해하는 경우, 환자나 다른 사람에게 심각한 신체적 상해 위험이 있는 상황에서 이러한 약물적 개입이 정당화된다고 하였다. benzodiazepine의 경우 알코올 및 약물 금단증상의 치료에 있어서 중요한 치료 약물이기는 하지만 의존성을 유발할 수 있음은 물론 그 자체로 섬망이나 탈억제disinhibition, 호흡억제 등의 부작용을 초래할 수 있기에 최대한 사용을 자제해야 한다. Benzodiazepine에 의한 섬망 발생률은 이 약물의 사용량에 비례하는 것으로 알려져 있다. 알코올 및 약물에 의한 금단 섬망이 아닌 한 섬망의 치료에 benzodiazepine을 단독으로 사용하는 것은 추천되지 않으며 사용한다면 haloperidol 단독 치료로는 반응이 없는 심한 섬망의 초조 증상에 대해 haloperidol과 함께 사용하는 것이 권장된다. benzodiazepine을 사용할 경우 이 약물로 인한 제반 부작용들을 피하기 위해 용량은 haloperidol의 1/2 이하로 사용하는 것이 바람직하다.

중환자실에서 사용하게 되는 진통제들의 경우 대부분이 섬망을 유발할 수 있으나 일반적으로 fentanyl, midazolam과 같은 약물들이 높은 지용성으로 인해 작용 시간은 빠르지만 섬망을 보다 잘 유발하는 반면 morphine은 이들 약물에 비해 섬망을 덜 유발하는 것으로 알려져 있다. 하지만 morphine의 경우 혈압 저하의 부작용이 다른 약물들보다 심하고 변비를 유발할 수 있다는 단점이 있다. 현재까지 연구된 바로는 alpha 2 agonist인 dexmedetomidine이 수술 후 수면/진정 유도에 있어서 섬망 발병률이 가장 낮은 안전한 약물로 알려져 있다.

현재까지 섬망의 치료제로서 미국 식품의약품 안정청(FDA)의 승인을 받은 약물은 없다. 그러나 haloperidol은 항콜린성 작용이나 혈압 강하 부작용이 없고, 호흡 중추를 억제하는 효과도 없으며 심장에 대한 독성도 다른 약믈에 비해 적다는 점에서 섬망의 치료에서 일차적으로 사용되어 왔다. 또한 근육주사나 혈관 내 주사와 같은 비경구 투여 가 가능하다는 점도 장점이다. 섬망의 치료에 있어서는 경구 투여보다도 비경구투여가 보다 선호되는데 정맥주사로 투여할 경우 경구 투여에 비해 2배 이상 강한 효과를 보이는 반면 추체외로증상 등의 부작용은 적은 것으로 알려져 있다. 또한 5-20 mg의 bolus injection이 가능하며 조절되지 않는 심한 경우에는 15-20 mg/hr (1,000 mg/day까지 가능)으로 지속 투여할 수 있다. haloperidol 고용량 치료가 비교적 안전하기는 하지만 AIDS 환자나 외상성 뇌손상 환자 혹은 루이체치매Lewy body dementia 환자에서는 추체외로증상의 발현이 높은 만큼 주의해서 사용해야 한다. haloperidol

로 인한 추체외로증상은 비경구투여보다는 경구로 투여했을 경우 발생가능성이 약 4배가량 높아지는 것으로 알려져 있다. haloperidol 사용에 있어서 무엇보다도 주의해야 할 사항은 심장에 대한 독성이다. haloperidol은 심전도상 QTc 간격의 증가를 초래하며 torsades de pointes(다초점성 심실 빈맥multifocal ventricular tachycardia)를 유발할 수 있다. 미국정신의학회American Psychiatric Association의 치료 지침에 따르면 QTc 간격이 450 msec을 넘거나 이전 심전도상의 결과보다 25% 이상 증가한 경우에는 haloperidol을 감량하거나 중단하고 심장내과 전문의에게 의뢰하도록 규정하고 있다. 조사된 바에 의하면 haloperidol의 사용 중 torsades de pointes 위험성이 높은 경우는 여성, 기존의 심장 질환이 있었던 경우, torsades de pointes를 유발할 수 있는 다른 약물과 함께 사용한 경우, haloperidol을 고용량 사용한 경우의 순이었다. 혈관 내 haloperidol 주사는 드물고 거의 대부분 hypovolemia가 있는 경우 발생한다. 혈관 주사가 필요한 환자의 경우 사용 전 혈액검사를 통해 칼슘과 마그네슘 수치를 확인하고 심전도를 통해 QTc를 확인하며, 사용하는 동안에는 이들을 규칙적으로 모니터링 할 필요가 있다.

소아에서 발생한 섬망에 대한 haloperidol 치료에 관한 연구는 아직까지 체계적인 연구가 없으나 추체외로증상의 발현 없이 비교적 안전하게 쓸 수 있는 것으로 알려져 있다. 용량은 일반적으로 청소년에서 경한 경우에는 0.5-1 mg, 중등도 2-5 mg, 심한 경우 5-10 mg으로 시작하며 노인에서는 경증 0.5 mg, 중등도 1 mg, 심한 경우 2 mg으로 초기 용량을 시작하도록 한다.

chlorpromazine이나 thioridazine과 같은 저역가 약물들은 항콜린성 부작용, 저혈압, 심장 독성 등을 유발할 수 있으므로 경구 투여는 추천되지 않으며 사용한다면 10-100 mg의 저용량으로 사용해야 한다.

여러 가지 비정형 항정신병 약물의 효과에 대해서는 다양한 연구들이 있었으나 아직까지 haloperidol의 효과를 뛰어넘는 일관된 효과는 입증되지 않고 있다. risperidone의 경우 하루 평균 1.6-1.7 mg의 용량에서 섬망의 심각도를 줄여준다는 보고가 있었으나 약 30%의 환자에서 졸리움을, 10%에서는 약물에 의한 경한 파킨슨 증상을 유발하는 것으로 보고되었다. 또한 risperidone 자체만으로도 섬망이 유발되는 사례들이 여러 차례 보고된 만큼 사용에 있어서 주의를 요한다. 일반적으로 섬망 치료에 사용할 경우 2 mg/day 이하로 사용할 것이 추천되고 있다.

Olanzapine의 경우 haloperidol과 비교했을 때 섬망 치료에 있어서 비슷한 효과를 나타내는 반면 추체외로 부작용이나 심장 독성은 보다 적다는 점에서 사용해 볼 수 있으나 olanzapine이 지니고 있는 항콜린성 부작용으로 인해 사용에 있어서 주의를 요한다. Quetiapine 역시 몇몇 연구에서 섬망의 기간을 줄여주고 부작용은 덜한 것으로 보인 바 있으나 섬망을 유발한 예 또한 보고되고 있다.

아직까지 섬망에 대한 비전형 항정신병 약물의 효과나 지침이 확립된 것은 없으나 haloperidol의 사용이 불가능한 경우에는 risperidone이나 quetiapine이 비교적 효과나 안정성 면에서 추천할만하다. 항콜린성약물에 의한 섬망의 경우 physostigmine이 추천된다. physostigmine의 경우 부작용 발현이 적고 회복 기간을 앞당기는 효과를 기대할 수 있으나 경련을 유발할 수 있는 만큼 신중한 사용이 필요하다. 이 밖에도 항콜린성 섬망에 대한 치료로 rivastigmine, donepezil 등을 사용해 볼 수 있다. 또한 치료 초기의 적절한 수면 조절은 섬망의 예방 및 치료에 있어서 중요한데 수면 위생을 통한 비약물치료적 접근이 우선시 되어야 하며 수면제를 사용할 경우 항콜린성 효과를 지닌 삼환계항우울제나 항히스타민제, benzodiazepine계 약물들은 피하고 melatonin계 약물을 사용한다. 수면 유도를 위해 항우울제를 사용한다면 trazodone이나 mirtazapine이 추천된다. 몇몇 무작위 배정-대조군에 의한 임상시험에서는 규칙적인 간격의 예방적 ramelteon, ondansetron 투여가 섬망의 발생을 줄였다는 보고가 있으나, 아직 약제의 사용이 섬망의 발생을 예방할 수 있는가에 대해서는 확립된 근거가 부족한 상황이다.

5. 예후

전형적인 섬망은 약 10-12일간 지속되지만 짧게는 1주 미만에서 길게는 2달까지도 지속될 수 있다 대부분의 환자들이 회복되지만 퇴원할 때까지 충분히 회복되는 환자는 4-40%에 불과하며 노인 환자의 경우에는 이보다 더 적어서 15%에 불과하다.

일반적으로 섬망은 높은 사망률과 연관이 있는 것으로 알려져 있다. 이러한 높은 사망률을 보이는 이유는 섬망을 유발한 기저의 원인들에 기인한 것일 수 있으며, 이 밖에도 섬망 기간 중 초래되는 신경계, 내분비계 및 면역기능의 혼란에 의한 간접적 영향이나 섬망으로 인해 초래되는 뇌 내의 신경화학적 부작용 때문일 것으로 추정하고 있다. 또한 무엇보다도 섬망 상태에 있는 환자는 제반 치료적 처치에 전혀 협조가 되지 않으며 급성기 이후의 재활 치료를 제대로 받을 수 없는 상황이 되기 때문일 수 있다.

섬망이 있는 환자에서 입원 기간 중 사망률은 4-65%까지로 보고되고 있다. 노인 환자의 경우 이보다 더 높은 수치로서, 섬망이 있었던 노인 환자에서 입원 기간 중 사망률은 22-76%에 이르는 것으로 알려져 있다. 또한 이러한 높은 사망률은 퇴원 이후에도 지속된다. 섬망을 경험한 환자들의 경우 치매로 진단받은 환자에 비해 입원 기간 중 사망할 위험성이 5.5배 높은 것으로 보고된 바 있다. 아형에 따른 사망률은 저활동형이 38%, 혼합형이 30%, 과활동형이 10%로 조사된 바 있다. 이러한 이유는 저활동형 섬망이 흔히 간과되고 처치가 늦어지는 것과 연관이 있을 것으로 추정하고 있다. 과활동형 섬망은 저활동형 섬망에 비해 사망률이 낮음은 물론 입원 기간도 짧으며 완전한 회복의 비율도 더 높다. 섬망으로 인한 사망률은 고령일수록, 보다 심한 의학적 문제를 가지고 있었을 경우, 치매를 동반한 경우 더 높아진다. 최근의 중환자실에 입원 환자에 대한 전향적 코호트 연구에 따르면 섬망이 있었던 환자들의 경우 여러 변인들을 교정한 이후에도 6개월 내에 사망할 확률이 300%나 높은 것으로 보고된 바 있다.

비록 섬망이 사망률을 높이게 되는 정확한 기전이 아직 밝혀지지 않았지만 섬망의 존재 여부가 입원 기간 중은 물론 퇴원 이후에도 사망률을 높이는 나쁜 예후 인자로 작용하는 것은 분명하다. 섬망에 대한 적극적인 치료가 입원 기간과 그에 수반되는 비용을 줄여주는 것은 확실하지만 사망률 자체를 줄여주는지에 대해서는 아직 확립된 결과는 없으나 적어도 임상적으로 좋은 영향을 끼칠 것은 분명하다.

참고문헌

1. American Psychiatric Association. Practice guideline for the treatment of patients with delirium. Am J Psychiatry 1999; 156(suppl): 1 -20.
2. Bogardus ST, Desai MM, Williams CS et al. The effects of a targeted multicomponent delirium intervention on post-discharge outcomes for hospitalized older adults. Am J Med 2003;114:383-90.
3. Cole MG, Dendukuri N, McCusker J, Han L. An empirical study of different diagnostic criteria for delirium among elderly medical inpatients. J Neuropsychiatry Clin Neurosci 2003;15:200-7.
4. Cole MG. Delirium in elderly patients. Am J Geriatr Psychiatry 2004; 12(1) :7-21.
5. Devlin JW, Fong JJ, Fraser GL, Riker RR. Delirium assessment in the critically ill. Intensive Care Med 2007;33:929-40.
6. Ely EW, Margolin R, Francis J et al. Evaluation of delirium in critically ill patients: validation of the Confusion Assessment Method for the Intensive Care Unit(CAM-ICU). Crit Care Med 2001;29:1370-9.
7. Fann JR. The epidmiology of delirium: a review of studies and methodologiacl issues. Semin Clin Neuropsychiatry 2000;5:86-92.

8. Gaudreau JD, Gagnon P, Harel F, Roy MA. Impact on delirium detection of using a sensitive instrument integrated into clinical practice. Gen Hosp Psychiatry 2005;27:194-9.
9. Heo, E. Y., Lee, B. J., Hahm, B. J., Song, E. H., Lee, H. A., Yoo, C. G., ... & Lee, S. M. Translation and validation of the Korean confusion assessment method for the intensive care unit. BMC psychiatry 2011;11(1):1-4.
10. Inouye SK, Charpentier PA. Precipitating factors for delirium in hospitalized elderly patients: predictive model and interrelationships with baseline vulnerability. JAMA 1996;275:852-7.
11. Leentjens AF, Schieveld JN, Leonard M, Lousberg R, Verhey FR, Meagher DJ. A comparison of the phenomenology of pediatric, adult, and geriatric delirium. J Psychosom Res 2008;64(2):219-23.
12. Liptzin B, LevkofF SE. An empirical study of delirium subtypes. Br J Psychiatry 1992;161:843-5.
13. Meagher DJ, O'Hanion D, O'Mahony E, et al. Use of environmental strategies and psychotropic medication in the management of delirium. Br J Psychiatry 1996;68:512-5.
14. Meagher DJ, Moran M, Raju B, Gibbons D, Donnelly S, Saunders J, Trzepacz Phenomenology of delirium. Assessment of 100 adult cases using standardised measures. Br J Psychiatry 2007;190:135-41.
15. Moraga AV, Rodriguez-Pascual C. Acurate diagnosis of delirium in elderly patients. Curr Opin Psychiatry 2007;20:262-7.
16. Schwartz TL, Masand PS. The role of atypical antipsychotics in Psychosomatics 2002;43:171-4.
17. Stagno D, Gibson C, Breitbart W. The delirium subtypes: the treatment of delirium. a review of prevalence, phenomenology, pathophysiology, and treatment response. Palliat Support Care 2004;2:171-9.
18. Trzepacz PT. Is there a final common neural pathway in delirium? Focus on acethylcholine and dopamine. Semin Clin Neuropsychiatry 2000;5:132-48.

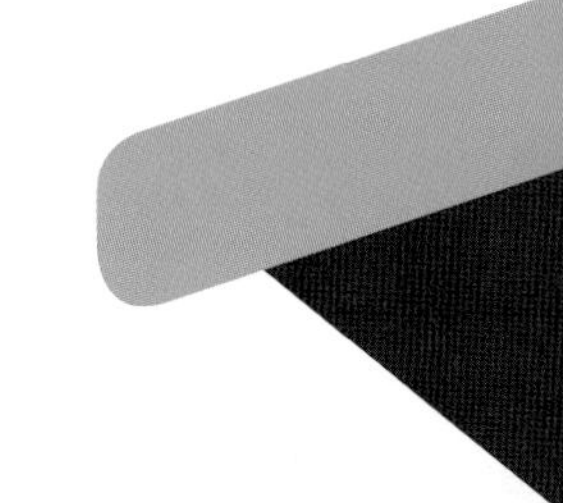

7
CHAPTER

치매

신일선

1. 치매의 개념과 임상적 접근

치매는 명료한 의식 상태에서 뇌의 질병으로 인해 지적기능이 전반적으로 황폐화되는 증후군이다. 치매로 진단하기 위해서는 인지기능 저하로 인해 일상생활능력activities of daily living, ADL과 사회적 또는 직업적 활동의 장해가 있어야 한다. 치매는 DSM-5Diagnostic and Statistical Manual of Mental disorders-5th edition의 주요 신경인지장애로 바뀌었지만, 치매라는 용어는 여전히 임상에서 사용하고 있다. 주요 신경인지장애의 DSM-5 진단기준은 표 7-1에 제시하였다. 치매에서 성격의 황폐화와 비인지적인 정신병리 증상은 아주 흔하다. 치매에 대한 ICD-10International Classification of Diseases and Related Health Problems-10th revision 진단기준은 적어도 6개월 동안의 증상이 있어야 하지만, DSM-5 진단기준에서는 기간을 명시하지 않았다. 대부분의 치매가 진행성이지만 일부 치매에서는 안정적이고 회복이 가능하다.

표 7-1. 주요 신경인지장애의 DSM-5 진단기준

A. 하나 또는 그 이상의 인지 영역(복합적 주의, 집행기능, 학습과 기억, 언어, 지각-운동, 또는 사회인지)에서 인지저하가 이전의 수행수준에 비해 현저하다는 증거는 다음에 근거한다. 1. 환자, 환자를 잘 아는 정보제공자 또는 임상의가 현저한 인지기능 저하를 걱정, 그리고 2. 인지수행의 현저한 손상이 가급적이면 표준화된 신경심리검사에 의해, 또는 그것이 없다면 다른 정량적 임상평가에 의해 입증 B. 인지결손은 일상활동에서 독립성을 방해한다(즉, 최소한 계산서 지불이나 치료약물 관리와 같은 일상생활의 복합한 도구적 활동에서 도움을 필요로 함). C. 인지결손은 오직 섬망이 있는 상황에서만 발생하는 것이 아니다. D. 인지결손은 기타 정신장애(예, 주요 우울장애, 조현병)로 더 잘 설명되지 않는다.

경도인지장애mild cognitive impairment, MCI는 정상노화의 인지기능 변화와 치매 사이의 이행단계이다. 경도 신경인지장애의 DSM-5 진단기준은 MCI와 유사하게 구성되었다. MCI는 기억력이나 다른 영역의 인지기능 저하가 경하

게 있지만 ADL은 유지되어 치매가 아닌 상태이다. 여러 연구에서 치매는 아니지만 인지기능 장애가 있는 사람들이 치매로 진행될 위험이 높다고 하였다. 그러나 MCI는 이질적이기 때문에 MCI 환자 모두가 치매로 진행되는 것은 아니며 일부에서는 오히려 인지기능이 호전되기도 한다.

2. 역학, 병인 및 위험인자

치매 증후군을 유발할 수 있는 장애는 표 7-2에 제시하였다. 2008년 미국의 65세 이상 인구에서 보정된 전체 치매 유병률은 약 8.2%로 보고되었다. 유럽과 다른 나라들에서 시행된 역학조사에서도 미국과 유병률이 유사하였다. 알츠하이머형 치매dementia of Alzheimer's type, DAT의 유병률은 치매의 약 55-75%로 치매의 원인 질환 중 가장 많고, 혈관성 치매vascular dementia, VaD의 유병률은 약 15-30%로 두 번째로 흔하다. 최근 연구에서 고소득 국가의 치매 유병률이나 발생률은 진정되거나 감소하였다. 국내 중앙치매센터에서 발간한 '대한민국 치매현황 2020' 보고서에 따르면 65세 이상의 노인 치매 환자는 2018년 약 75만 명으로 치매 유병률은 10.2%였다. 치매는 국가적으로 막대한 부담을 주고 있는데 2019년 국내 치매 환자 총 진료비는 약 2.5조원, 노인장기요양급여 비용은 약 4.5조원으로 추산되었다.

표 7-2. 치매 증후군을 유발할 수 있는 장애

치매 증후군을 유발할 수 있는 장애
퇴행성 장애
피질: 알츠하이머병, 전두측두엽 퇴행, 루이소체 치매
피질하: 파킨슨병, 헌팅턴병
정신 장애: 우울장애, 조현병
혈관성 치매: 혈관 질환
뇌수두성 치매
중추신경계 감염-연관 치매: 사람면역결핍바이러스-연관 치매, 신경매독, 프리온 질환
다른 의학적 상태로 인한 치매: 대사성 치매, 신생물 치매
물질/약물-유발 치매: 알코올, 약물, 금속, 산업용 물질과 오염 물질
외상으로 인한 치매: 외상후 뇌손상, 경막하 혈종
다중 병인으로 인한 치매

종합병원에서 치매가 흔히 발견된다. 한 연구에서 퇴원 환자 중 치매 유병률은 3.9%였으며 나이가 많을수록 증가하였다. MCI의 유병률은 65세 이상 노인에서 3-19%였고, DSM-5 경도 신경인지장애 유병률은 55세 이상에서 약 4%였다. 요양원과 같은 시설에서는 치매의 유병률이 더 높은데 특히 중증 치매가 더 높았다. 치매에서 비인지적인 정신병리 증상을 행동심리증상behavioral and psychological symptoms of dementia, BPSD으로 불리는데 가장 흔한 증상은 무감동, 우울, 초조 또는 공격성이다. 우울장애는 환자와 간병인 모두에게 부정적인 영향을 주고, 정신병적 증상은 급격한 인지적 황폐화와 연관된다.

DAT의 위험인자는 고령, 여성, 낮은 교육수준, 가족력, 다운 증후군, 두부외상, 아포지단백 Eapolipoprotein E, APOE, ε4 대립유전자, 알루미늄, 흡연, 고혈압, 당뇨병, 고호모시스테인혈증, 우울장애, MCI, 사회적 고립 등이다. MCI 환자는 MCI가 없는 사람에 비해 3배 이상 유력 DAT로 진행된다. VaD의 위험인자는 고령, 남성, 이전 뇌졸중, 뇌졸중 위험요인(고혈압, 심장병/심방세동, 흡연, 당뇨병, 하루 3잔 이상의 과도한 음주, 고지질혈증, 고호모시스테인혈증,

낮은 혈청 엽산, 이전의 정신감퇴) 등이다. 잠재적으로 예방 가능한 위험인자로는 낮은 교육수준, 고혈압, 비만, 당뇨병, 흡연, 신체적 무활동, 우울장애 등이 있다.

가족성 DAT는 상염색체 우성 양식으로 유전되고, 조기 발병하고 진행이 빠르다. DAT 원인 유전자로는 14번 염색체에 위치한 presenilin-1, 1번 염색체에 위치한 presenilin-2, 21번 염색체에 위치한 amyloid 전구단백 유전자가 있다. 산발성 DAT의 위험인자로 알려진 대표적인 유전자로는 19번 염색체에 위치한 APOE ε4 유전자가 있다.

3. 일반 임상양상

1) 치매 증후군

임상양상은 치매의 유형과 심각도에 따라서 크게 다를 수 있고, 그 특징은 치매의 감별진단에 중요하다. 퇴행과정의 대부분 증례(특히 DAT, 일부 VaD, 내분비병증, 뇌종양, 대사질환, 약물남용 등으로 인한 치매)에서 증상은 서서히 발병하고, 치매 증후군의 징후는 초기에 포착하기 어려워서 환자와 가족이 간과할 수 있다. 대조적으로 중증 뇌경색, 두부외상, 뇌 저산소증이 동반된 심장정지, 뇌염 후에는 급격하게 발병할 수 있다.

치매 증후군은 퇴행과정에서 심각도의 단계를 따라서 진행되는데 DAT에서 매우 특징적이다. 아주 초기의 기억력 장애 소견은 포착하기 어렵다. 언어능력도 저하되는데, DAT에서는 유창하게 말을 하고 주어진 말은 잘 따라하지만 물건 이름이 쉽게 떠오르지 않으며 알아듣지 못하는 초피질성 감각실어증 양상을 보인다. 시공간 능력이나 집행기능의 저하로 방향감각이 떨어지거나 문제대처능력이 저하될 수 있다. 보다 복잡한 문제에 직면하거나 구체적인 검사를 수행하면 결손은 분명해진다. 치매의 초기 단계에서는 용돈관리, 전화사용, 요리, 대중교통 이용, 약 챙겨먹기 등의 사회생활에 필요한 도구적 ADL에 지장을 주지만, 중기 이후에는 옷입기, 식사하기, 보행 등의 자신의 몸을 돌보는 기초적인 ADL에도 장애가 초래되어 독립적인 생활이 불가능하게 된다.

DAT와 같은 퇴행성 장애에서의 치매 증후군은 심각하게 황폐화로 진행된다. 환자는 완전히 지남력을 상실하고, 의사소통이 불가능하며, 소변과 대변을 가리지 못하게 된다. DAT는 대부분 사고나 폐렴 및 요로감염과 같은 감염질환으로 사망한다.

치매에서 BPSD는 흔히 질병의 경과 중에 나타난다. 이러한 증상들은 망상, 환각, 초조/공격성, 우울/낙담, 불안, 무감동, 탈억제, 과민, 이상 운동증, 야간행동, 식욕과 식습관의 변화 등이다. BPSD가 동반될 경우, 치매 환자의 기능을 저하시키고, 인지기능의 악화를 초래하며, 환자와 간병인의 삶의 질을 떨어뜨린다. 치매 초기에는 우울과 불안이 흔하고, 치매가 진행되면 공격성, 초조, 무감동이 더 흔하다. BPSD는 인지기능이나 기능저하가 현저하기 전인 치매의 전구 단계에서도 관찰된다.

치매 증후군의 경과는 치매의 유형에 따라서 다양하며, 감별진단과 연관된다. 두부외상과 연관된 치매는 인지결함이 안정적인 반면에 VaD는 단계적인 악화나 계단식 경과를 보인다. 일단 치료를 시작하면서 잠재적으로 가역성 장애(대사성 또는 독성상태, 비타민 결핍, 약물사용, 정상압수두증, 경막하 혈종 또는 뇌종양과 연관된 치매)에 의해 유발된 치매에서는 증상이 경감될 가능성이 있다. 이러한 가역성 장애로 유발된 치매를 가역성 치매라고 부른다. 치매의 가역적인 원인을 치료했다고 해도 치매 증상이 항상 완전히 회복되지 않을 수 있다. 치매의 약 25%에서 이러한 가역적 상태가 비가역적인 질병의 악화에 원인이 될 수 있기 때문에 퇴행성 치매 환자에서도 가역적 상태를 체계적으로 조사하는 것이 중요하다.

2) 임상병리적 연관성

일부 임상 특성이 특정 뇌 부위와의 연관성을 시사하고 인지적이고 비인지적인 현상의 기저 병리를 이해하는 데 도움이 된다. 피질 치매는 공존하는 병리가 피질하 영역에 있더라도 피질에 기능이상이 우세한 치매에 대한 개념적인 용어이다. 피질 치매는 대뇌피질의 기능장애, 특징적으로 건망증, 실어증, 실행증, 실인증 등을 보인다. 피질 치매는 DAT, 루이소체 치매dementia with Lewy bodies, DLB, 픽병과 같은 전두측두엽 치매frontotemporal dementia, FTD를 포함하는 국소 피질위축 증후군이 포함된다. 피질하 치매는 일차적으로 백질과 기저핵, 시상, 피질하 구조의 전두엽 투사를 포함하는 심부 회백질이 주로 관여된다. 피질하 치매는 실어증, 실독증, 실인증 등이 없고, 무감동, 무기력증, 정신운동성 지연, 주도성의 상실이 있고, 활력, 신체적인 힘과 정서적인 욕동의 전반적인 상실이 흔하다. 피질 치매와는 달리 건망증은 힌트를 주면 기억에 도움이 된다. 뇌병리의 직접적인 결과로 초래되는 우울장애와 정동 증후군이 더 흔하고 심하다. 피질하 치매는 사람면역결핍바이러스, 헌팅턴병, 파킨슨병으로 인한 치매가 포함된다. 혼재성 치매는 피질과 피질하 양상의 두 가지가 혼재된 임상 증후군을 유발하는 질병과정을 포함한다.

4. 치매의 임상 유형과 병태생리

1) 피질 치매

(1) 알츠하이머형 치매

대부분 DAT 환자는 65세 이후 늦게 발병하지만, 조기발병이 드문 것은 아니다. 서서히 발병하고 천천히 진행하는 경과는 진단과정에서 가장 특징적이고 중요하다. 기억력 장애는 가장 먼저 흔하게 나타나는데, 새로운 정보습득이 감소되며 대개 최근 기억에서부터 과거로 진행되는 것이 특징이다. 기억력 검사에서 회상하지 못한 단어에 대한 힌트를 주어도 기억해내지 못하고, 침습과 오재인false recognition이 흔하다. 명칭 실어증이 동반된 유창성 실어증, 착어증, 보속증 등의 언어장애가 나타날 수 있다. 환자가 더 이상 정확하게 이름을 댈 수 없을 때에도 사물을 인식하고, 동시에 적절하게 사용할 수 있는 능력이 남아있다. 중기 단계에서 걸음걸이 장애가 흔하다. 질병의 후기 단계에는 가족을 포함한 얼굴에 대한 실인증이 있다. 근육긴장 상태가 변하면서 전두엽 징후뿐만 아니라 파악반사가 흔하게 나타난다.

신경소실에 따른 대뇌실질의 위축으로 대뇌고랑이 넓어지고 뇌실이 확장되면서 피질이 위축된다. 가장 심한 변화는 해마를 포함한 내측 측두엽에서 발생된다. 두정측두엽의 연합영역과 다소 적지만 전두엽이 또한 관여된다. 특징적인 현미경 소견은 신경세포 소실, 특히 피질에 있는 시냅스 소실, 노인반, 신경원섬유매듭, 신경세포의 과립공포

변성, 아밀로이드 혈관병변 등이다. DAT의 원인은 아밀로이드 가설이 유력하지만, 정확한 발병기전에 대해서는 잘 알려져 있지 않았다. 여러 연구에서 DAT의 콜린성 결핍가설을 지지하고 있으며, 장기강화 작용과 연관된 글루타메이트 수용체 중 NMDA N-methyl-D-Aspartate 수용체가 DAT의 병인과 연관될 가능성이 보고되고 있다. 또한 혈관성 인자가 DAT의 임상증상의 존재와 심각도를 결정하는 데 중요한 역할을 할 수 있다.

(2) 루이소체 치매

DLB는 DAT 다음으로 흔한 퇴행성 치매로서 주의력과 각성 등의 인지기능의 기복, 반복적이고 생생한 환시, 파킨슨병의 운동증상이 핵심증상을 이룬다. 다른 시사적인 양상은 REM수면 행동장애, 항정신병약물로 유발된 추체외로 부작용에 대한 심한 민감도, 기저핵에서 도파민 전달체 흡수율의 저하 소견이다. 초기의 특징적인 인지저하 소견은 주의력 및 집행기능 저하, 시공간능력의 손상이다. 초기에는 기억력 저하가 뚜렷하지 않고 재인기억이 상대적으로 유지될 수 있다. DLB는 파킨슨병의 고전적인 추체외로 양상과 함께 DAT를 시사하는 피질 징후를 보인다. DLB는 특징적으로 루이소체가 피질, 특히 변연계에 존재하는 반면, 파킨슨병은 피질하 영역에서 발견된다. 루이소체는 신경세포 내에 비정상적으로 인산화된 신경섬유 단백질 및 ubiquitin과 α-synuclein이 응집된 것이다. 파킨슨병 치매와 DLB와의 가장 중요한 감별점은 파킨슨증과 치매가 발생하는 시간적 순서이다. 치매가 파킨슨증과 동시에 출현하거나 파킨슨증보다 1년 내에 발생하면 DLB로 진단할 수 있다.

(3) 전두측두엽 치매

FTD는 행동, 집행기능, 언어에서 점진적인 변화를 특징적으로 보인다. 보통 45-64세 사이에 주로 발병하며, 증상 시작 이후 생존기간은 6-11년이다. DAT와 구별되는 가장 특징적인 양상은 인격변화와 신경정신과적 증상이다. 이러한 증상은 아주 현저하고, 인지기능 저하에 선행하여 나타난다. FTD는 DAT에 비해 집행기능과 언어 유창성에서 더 장애를 보이지만, 단어목록 회상능력, 구성능력, 계산능력 등에서는 더 기능이 낫다. 대부분의 경우 FTD는 기억력 장애보다는 집행기능 장애가 더 심하고, DAT는 집행기능보다는 기억장애가 더 심하다. FTD의 정신증상은 탈억제, 무감동 또는 무기력, 동정 또는 공감의 상실, 상동적 또는 강박적 행동, 과탐식과 식이변화 등이 포함된다.

전두측두엽 영역에서의 신경세포 소실, 신경아교증 및 미세공포 변화를 보인다. DAT와는 달리 FTD는 병리적으로 상당히 이질적이어서, 크게 tau 양성 봉입체가 있는 경우, unbiquitin 양성과 tau 음성 봉입체가 있는 경우, 두드러진 조직병리적 소견이 부족한 경우 등의 3가지로 나눌 수 있다. FTD 환자의 신경생화학적 연구에서 신피질 콜린성 기능은 유지되지만 세로토닌성 기능은 감소되었다. 진행성비유창성실어증는 진행성으로 언어가 유창하지 않고 발음이나 단어 선택에 어려움을 보이며 의미치매는 진행성 의미 실어증과 연상 실인증을 보인다.

2) 피질하 치매

(1) 헌팅턴병

헌팅턴병은 상염색체 우성으로 유전되는 질환으로 행동증상과 무도형 운동이 특징적이다. 헌틴톤병에서 보이는 치매증 후군은 피질하 치매의 주된 특징을 보인다. 헌팅턴병은 유년기에 발병하기도 하지만 보통 30-40대에 발병한다. 인지적이고 비인지적인 정신병리는 운동이상 전에 나타날 수 있다. 인지 변화는 특히 집행기능에서 두드러진다.

정신증상은 병의 초기에 흔히 나타나며 우울장애, 낮은 자존감, 죄책감, 불안이 흔하며, 자살위험이 증가한다. 정신병은 병의 후반기에 흔하며, 조현병과 감별하기 어려울 수 있다. 헌틴톤병는 미상핵과 피질선조체 경로가 위축되고 GABA 사이신경세포가 소실되는 신경병리를 보인다.

(2) 파킨슨병

파킨슨병 환자에서 진행성으로 피질하 치매 증후군이 나타날 수 있다. 치매 위험은 병의 지속기간의 길어지면서 증가하고, 진단 후 10년 후에는 50%에 도달한다. 특징적인 인지저하는 DLB와 유사하다. 무감동, 우울이나 불안한 기분, 환각, 망상, 과도한 주간 졸음과 같은 행동양상이 존재하면 치매로 진행될 가능성이 높아진다. 흑질의 병리만으로는 파킨슨병에서 치매로 진행하기에는 충분하지 않으며, 다른 피질하 핵, 변연계, 뇌 피질로 병리가 퍼져야 한다. 주된 퇴행성 병리는 루이소체이다.

(3) 윌슨병

특징적인 추체외로 징후가 있는 피질하 치매를 윌슨병에서 볼 수 있다. 청소년기 또는 초기 성인기에 발병한다. 인지결손은 경하고, 정신증은 흔하지 않다. 그러나 우울 증후군, 과민성, 탈억제, 인격변화, 충동조절장애 등은 흔하다. 이러한 증상의 심각도는 신경학적 징후의 심각도와 나란히 나타난다. 정신병리 소견은 기저핵에서 구리의 파괴적인 침착으로 유발된다.

(4) 정상압수두증

정상압수두증은 아주 특징적인 신경정신과적 증후군으로, 서서히 진행되는 보행장애, 인지기능장애와 요실금이 주증상이다. 보행장애는 경직성 하반신불완전마비의 경직된 걸음걸이와 유사하며 균형을 잘 유지하지 못하며, 보행장애가 점차 심해지면 발을 끌거나 바닥에 달라붙는 듯한 모습을 보이기도 한다. 인지기능장애는 특히 심한 무감동과 함께 나타나며, 피질하 치매의 양상을 보인다. 인지기능은 전두엽 병변을 시사하는 주의력, 정신운동속도, 기억력의 저하를 주로 보인다. 요실금은 보통 보행장애에 이어서 질병의 후반기에 나타난다. 정상압수두증은 회복될 수 있는 잠재적인 가역성 치매이며, 우선적 치료는 shut 수술이다.

3) 혼재성 치매와 파종성 뇌질환 치매

(1) 혈관성 치매

VaD는 뇌혈관 또는 심혈관 병리로 인한 허혈성, 허혈-저산소성 또는 출혈성 뇌병변의 결과로 생긴 치매로 정의된다. VaD의 임상소견은 이질적이고, 병변의 크기, 범위, 백질의 침범정도 및 위치에 따라 좌우된다. VaD로 진단하기 위해서는 뇌혈관 질환이 존재하고, 이러한 뇌혈관 질환이 인지저하와 직접적인 연관이 있어야 하고 뇌영상 검사상 인지장애를 설명할만한 충분한 뇌혈관 질환이 존재해야 한다. VaD의 사망률은 DAT보다 더 높으며 평균 생존율은 3-5년이다. VaD에서는 피질과 피질하 증후군의 혼재가 흔하다. VaD의 인지적 변화는 DAT에 비해 일정하지 않으며 인지기능 장애는 혈관병변의 위치에 따라 다양하게 나타날 수 있다. VaD의 경과는 고전적으로 계단식 악화, 인지장애의 조각난 형태로 기술되지만 피질하 VaD 환자는 피질하 소혈관 질환이 있으며 DAT 환자와 같이 서서히 발병하여 천천히 진행하는 임상경과를 보인다. 피질하 VaD는 기억력 저하는 대체로 가벼운 편이고, 기억 회상은 손상이 되어 있지만 재인은 상대적으로 보존되어 있다. 피질하 VaD는 전두엽-선조체 회로를 차단하는 피질하 병리가 흔하기 때문에 주의력, 정보처리과정, 집행기능에서 인지기능 결손을 보인다. VaD의 비인지적인 증상은 우울장애와 무감동이 흔하다.

(2) 프리온 치매

크루이츠펠트-야콥병Creutzfeldt-Jakob disease, CJD은 전염물질인 프리온 단백에 의해 유발되는 매우 드문 치매의 원인질환이다. 산발성 CJD가 가장 흔하며, 평균 생존율이 6개월이고 90% 환자가 1년 내에 사망한다. 산발성 CJD는 대부분 중년기에 서서히 발병하여 급격하게 진행하며, 정신증상, 치매, 간대성 근경련, 시각이나 소뇌기능 장애, 추체로와 추체외로 기능장애, 무동성 무언증 등이 나타난다. 병리적 소견은 피질과 피질하 구조 양쪽에 넓게 퍼진다. 신경세포에 해면모양 변화가 특징적이고, 신경세포 소실과 별아교세포 증식이 일어난다. 뇌파검사 상에서 특징적으로 주기적인 예파가 나타난다. 변이형 CJD는 산발성 CJD에 비해 조기 발병하고, 임상증상, 경과 및 검사소견이 다르다.

(3) 감염과 연관된 치매

과거에 후천면역결핍 증후군 치매복합체로 불리는 사람면역결핍바이러스-연관 치매는 현재 감염질환에 의해 유발되는 가장 흔한 치매이다. 인지기능 이상이 후천면역결핍 증후군의 가장 초기 단계에서 나타날 수 있고, 유일한 임상양상일 수도 있다. 사람면역결핍바이러스-연관 치매는 현저한 집행기능 저하, 정신운동성 지연, 높은 수준의 주의력과 학습을 요하는 과제 수행의 어려움 등이 있는 피질하 치매이다. 비인지적 정신병리(무감동, 정서적 둔감, 부적절한 또는 공격적인 정동)는 사람면역결핍바이러스에 감염된 환자에서 또한 흔하다.

신경매독은 질병의 경과 중에 어느 때라도 나타날 수 있는 매독의 심각한 합병증이다. 신경매독 치매의 경과 초기에 환자는 건망증이 있고, 탈억제, 무관심, 또는 판단력 저하 등의 성격변화를 보인다. 시간이 지남에 따라, 조증, 우울장애, 또는 정신증과 같은 정신증상이 나타날 수 있다.

단순포진뇌염은 신경학적 및 인지기능 후유증을 유발할 수 있다. 포진뇌염은 측두엽에 호발하며 기억상실증, 실어증 증후군이 흔하고, 치매를 보일 수도 있다.

(4) 대사성 및 독성 치매

대사성 및 독성 치매는 자문의인 정신건강의학과 의사에게는 특별히 관심이 가는 질병이다. 왜냐하면 이러한 질병은 의학적 세팅에서 비교적 흔하고 잠재적으로 가역적이기 때문이다. 이런 상태의 치매는 피질하 치매의 양상이 우세하지만 혼재성으로 나타날 수도 있다. 의학적 상태에 대한 치료로 인지장애가 호전되거나 안정된다면 진단할 수 있다. 이러한 상태의 신경병리는 잘 알려져 있지 않다. 해마 신경세포들은 무산소 손상에 아주 취약하며 또한 심한 고콜레스테롤혈증과 반복적이고 심한 저혈당에 취약하다. 악성빈혈에서 보이는 비타민 B12 결핍는 피질성 백질, 시각로, 소뇌다리 영역에서 파종성 퇴행과 연관된다. 펠라그라에서는 니코틴산과 다른 비타민 B 결핍으로 신경세포가 파괴될 수 있다.

알코올성 치매는 만성 알코올 중독의 합병증이며 50세 이후에 더 흔하다. 알코올성 치매의 병태생리는 충분히 이해되진 않았지만 알코성 신경독성, 티아민과 다른 비타민 B 결핍, 외상성 뇌손상 등의 복합적인 원인에 의한 것으로 생각된다. 인지결손은 코르사코프 정신병과 같은 기억상실 증후군에서 보다 전반적이다. 신경병리적 변화는 피질위축과 수초집의 용해가 동반된 신경섬유의 붕괴가 일어난다.

약물복용의 만성적 중독에서 치매 증후군이 발생될 수 있다. 발병은 서서히 일어나고, 경과도 서서히 진행 된다. 의사는 이러한 가역성 치매의 가능성에 주의해야 한다. 진정수면제, 항정신병약물, 심혈관 치료제, 진통제 등의 과다복용은 치매와 유사한 증상을 유발할 수 있다. 벤조디아제핀은 선행성 기억상실증과 기억강화와 연속적인 기억인출의 장애를 유발한다고 알려져 있다. 노인 환자는 치매 증후군이 발병하는 데 보다 취약하다. 인지기능의 황폐화 증후군이 코케인 사용자, 대마의 과다 사용자에서도 보고되고 있다.

(5) 종양과 연관된 치매

종양질환이 뇌의 어떤 부위에든 영향을 주고 종양의 위치나 크기, 종양성장의 신속함, 두개 내 압력을 증가시키는 경향 등에 따라서 다양한 종류의 신경정신과적 증상을 유발할 수 있다. 암 환자에서 치매는 중추신경계에 일차적 또는 전이 종양에 의한 것일 수 있고, 신생물딸림 증후군paraneoplastic syndrome으로 나타날 수도 있다.

(6) 외상성 뇌손상 후 치매

다양한 인지장애는 외상성 뇌손상 후 아주 흔하다. 증상은 병변 부위에 따라 다양하다. 가장 흔한 인지장애는 기억장애, 지속하는 성격변화, 언어 장애, 주의력 장애, 집행기능 장애 등을 포함한다. 외상성 뇌손상 환자는 생의 후기에 DAT와 같은 신경퇴행성 질환의 위험이 증가한다. 치매는 외상성 뇌손상 증례의 소수에서 발생되며 우울, 조증, 정신병적장애 등과 같은 이차성 정신의학적 증후군뿐만 아니라 발작과 신경학적 결함이 동반될 수 있다. 잠재적으로 가역적인 경막외 또는 경막하 혈종으로 인한 치매는 외상성 뇌손상 후에 흔히 볼 수 있다.

4) 우울장애

치매와 우울장애의 연관성은 복잡하다. 노년기 우울장애는 인지기능 저하 특히 집행기능 저하가 흔하다. 노년기 우울장애가 있는 일부 노인에서는 치매 증후군으로 진행할 수 있다. DAT와는 대조적으로 우울장애의 치매 증후군에서는 실어증, 실행증 등의 피질 징후는 보기 드물고 격려와 자료의 조직화는 기억력 수행을 향상시킨다. 우울장애의 치매 증후군는 잠재적으로 회복 가능하고 성공적인 우울장애의 치료로 소실되는 경향이 있다. 그러나 상당수에서 지속적인 치매 증후군이 지속될 수 있고, 심한 우울장애 환자에서 치매의 위험이 증가하기 때문에, 인지기능의 모니터링과 추적을 요한다.

5. 진단 및 감별진단

1) 임상병력

임상적 병력은 진단과정에서 아주 중요하다. 신뢰할만한 간병인을 통해서 정보를 얻고 체계적인 정신상태검사를 시행한다. 병력청취에서 기억력이나 다른 인지기능의 황폐화의 구체적인 증거를 조사하는 것이 중요하다. 치매의 진단을 만족할 수 있는 구체적이고 납득할 만한 사례가 필요하다. 자문의는 직장생활이나 ADL에서 인지적인 문제의 존재, 정도, 결과를 평가해야 한다. 병전능력에 비해 인지기능이 저하되었다는 정보를 얻기 위해서는 다른 사람의 정보가 필요하다. 인지장애의 발병과 진행의 양상도 조심스럽게 평가되어야 한다. DAT는 서서히 시작되는 질병이기 때문에 명백해지기 전까지는 수년간 쉽게 발견되지 않을 수도 있다. 인격과 행동의 변화가 인지적인 어려움과 동반되는지 그리고 정신병리적인 징후나 증상, 예를 들면 무감동이나 주도성의 상실이 존재하는지 평가하는 것이 중요하다.

2) 정신상태검사

체계적이면서 기본적인 병상 또는 진료실의 정신상태검사가 치매의심 환자에서 필요하다. 임상가는 표준화된 평가방법에 익숙해야 한다. 간이정신상태검사Mini-Mental State Examination, MMSE는 임상이나 연구에서 널리 사용되는 표준화된 평가도구이다. MMSE의 수행성적은 나이와 교육수준에 영향을 받기 때문에 이에 대한 고려가 필요하다. 변형된 Mini-Mental State, 몬트리올 인지평가Montreal Cognitive Assessment는 경도인지장애와 피질하 치매에 더 민감하다. MMSE을 통해서 잘 평가할 수 없는 집행기능은 전두엽평가배터리나 시계 그리기를 이용하여 병상에서 쉽게 평가할 수 있다.

신경심리학적 검사는 임상적인 평가에 부가적인 것으로 조기 치매를 경도인지장애나 정상노화와 감별하거나 치매의 유형을 감별할 때 특히 유용하다. 그러나 신경심리검사가 임상적인 판단을 대체할 수는 없으며, 모든 증례에서 필요한 것은 아니다. 국내에서 치매 평가를 위해 주로 사용되는 표준화된 신경심리검사로는 한국판 CERADConsortium to Establish a Registry for Alzheimer's Disease, 서울신경심리검사Seoul Neuropsychological Screening Battery와 LICALiteracy Independent Cognitive Assessment가 있고, 중증 치매 평가를 위해 한국형 SIBSevere Impairment Battery가 있다. 치매의 BPSD를 평가하는 척도로는 신경정신행동검사Neuropsychiatric Inventory가 널리 사용된다. 우울증상은 노인우울척도나 코넬치매우울척도를 이용하여 평가할 수 있다.

3) 치매평가척도

알츠하이머병 평가척도Alzheimer's Disease Assessment Scale는 DAT에 대한 민감도를 향상시키기 위해서 고안되었고 국내에서 알츠하이머병 평가척도 한국판이 개발되어 있다. 교육과 문화적인 요인들이 이러한 도구로 측정된 인지기능 평가결과를 해석하는 데 고려되어야 한다. 전반적 퇴화척도Global Deterioration Scale, 임상치매척도Clinical Dementia

Scale은 전반적인 치매의 단계를 평가하며, 임상치매척도는 특히 널리 사용되고 있다. 기능의 결손을 평가하는 척도가 있는데, Lawton과 Brody가 개발한 척도 또는 FAST Functional Assessment Staging이 있다. 국내에서 일상활동평가-복합 Seoul-instrumental ADL, 일상활동평가-기초 Seoul-ADL가 개발되었다. 이러한 척도로 이용하여 치매의 심각도를 경도, 중등도, 중증으로 분류할 수 있는데, 경도는 도구적 일상생활의 도구적 활동의 장애, 중등도는 기본 일상생활의 기본적 활동의 장애, 중증은 일상생활의 전적인 의존상태를 말한다.

4) 신경학적 검사

신경학적 검사는 진단과 감별진단을 위해서 중요하다. 신경학적 평가에는 보행의 어려움, 실행증, 원시반사 등을 평가해야 하며, 임상정보에 따라서 필요한 검사를 시행해야 한다. 초기 DAT에서는 신경학적 이상소견이 관찰되지 않는 경우가 대부분이지만, 중등도 이상으로 진행되면 추체외로계 이상, 보행장애나 간대성 근경련 등이 나타날 수 있다.

5) 감별진단

치매의 감별진단을 위해서는 코르사코프 정신병과 같은 기억상실 증후군, 노인에서 신체쇠약으로 인한 인지저하, 나이와 연관된 기억장애 등을 배제해야 한다. 가성치매 증후군은 수행을 방해하는 동기나 정서적인 요인의 결과로 생기는데, 그 외 급성 정신병적 삽화, 전환장애, 가장성장애, 꾀병 등이 포함된다. 조현병, 갠서 증후군, 우울장애 등과의 감별진단이 필요하다. 노인 환자의 우울장애에서 치매를 의심할 수 있는 소견인 기억력 저하, 느려진 사고, 자발성의 부족 등이 나타날 수 있다. 섬망은 치매가 동시에 존재하는지 알기 어렵고, 의식수준의 기복이 없는 섬망은 치매와 구별하기 아주 어렵다. 섬망의 진단은 전반적인 인지장애가 심각한 의학적 상태에서 급격한 발병, 의식수준의 기복, 주의력의 장애, 사고의 지리멸렬, 환시 또는 다른 지각장애, 수면-각성주기의 장애 등이 동반될 때 가능하다. 확정적인 진단은 급성의 내과적인 질병이 회복된 후 추적할 때까지 미뤄야 하는 경우가 자주 있다.

MCI는 유병률이 높고 치매로 진행률이 높기 때문에 상당한 관심이 필요하다. MCI의 인지저하는 치매와 달리 ADL에서 독립성을 방해할 정도로 충분하지 않아야 한다.

배제해야 할 질환을 검토한 후 치매 증후군이 확인되면 자문의사는 증후군이 피질, 피질하 또는 혼재성 유형인지를 결정한다. 인지기능 장애의 발병과 진행, 정신병리 소견, 다른 의학적 상태의 존재 등이 치매의 유형을 결정하는 데 단서를 제공하게 된다. 의학적인 상태 또는 독성효과로 인해 잠재적으로 가역적인 치매의 유형에 대해 조사해야 하며 이는 진단과정에서 중요한 단계이다. 이러한 상태는 일반 종합병원에서 더 흔하다. 선별검사는 감염, 대사, 종양 질환과 물질로 유발된 치매와 관련된 상태를 확인하기 위해 사용된다. 특정 검사는 환자의 나이, 의학적 동반이환, 과거력, 신체검사 등의 다양한 인자에 의해 결정된다.

6) 신경영상 및 뇌파검사

신경영상은 임상진단에 부가적으로 유용하다. 신경영상이 질병의 진행된 증상이나 긴 병력의 경우에는 불필요할 수 있지만 뇌 CT와 뇌 MRI는 정상압수두증, 경막하 혈종, 뇌종양 등과 같은 가역적 상태를 배제하는 데 아주 유용하다. 따라서 뇌영상은 이러한 상태를 시사하는 병력이나 소견을 보이는 환자에서는 일상적으로 고려되어야 한다.

DAT에서 CT와 MRI 두 가지는 진단에 도움이 되지만 뇌영상 소견이 특이적이지는 않다. 특히 전반적인 뇌위축은 치매가 없는 노인 환자에서도 볼 수 있다. 질병의 초기 소견은 뇌 CT, 특히 뇌 MRI상의 내측 측두엽과 해마의 위축이다. 뇌 SPECT와 뇌 FDG-PET는 뇌 관류와 뇌 혈당대사를 측정하여 진단을 내리는 데 유용한 검사이다. 뇌 SPECT는 특히 FTD나 DLB에서 초기에 혈류의 변화를 발견하는데 유용하다. DAT의 주요한 바이오마커로는 PET에서 측두두정엽 대사 저하와 아밀로이드 뇌영상에서 amyloid 침착 양성 소견이다. VaD에서 뇌영상은 진단과 감별에 많은 도움을 주는데 특히 뇌 MRI가 병변의 위치 정도 및 특성을 파악하는 데 유용하다. CJD에서 뇌 MRI, 특히 확산강조영상은 피질과 심부 회백질에서 고음영 소견을 보여 진단적으로 유용성이 높다.

뇌파검사는 이상이 흔하고 상대적으로 비특이적이기 때문에 치매의 감별진단에는 유용성이 제한된다. 섬망에서의 특징적인 서파 활동은 후기 DAT 경과까지 보이지 않는다. CJD 환자에서 특징적인 뇌파소견은 이상 또는 삼상의 주기적 예파 양상이고, 간성 뇌병증에서는 삼상파를 보인다.

7) 뇌척수액 분석

요추천자는 치매 평가에서 일상적으로 시행되진 않지만 매독 양성이나 수두증, 중추신경계 감염, 혈관염, 면역억제 또는 전이성 암 등이 의심되거나 조기발병, 급격하게 진행되는 치매 또는 비특이적 임상양상을 보이는 환자에서는 고려되어야 한다. 전체 tau 또는 인산화 tau의 증가, amyloid 베타1-42의 감소와 같은 신경퇴행의 뇌척수액 바이오마커는 DAT와 강한 연관을 보여준다.

6. 임상경과, 예후 및 결과

치매의 경과와 예후는 일반적으로 질병-특이적이지만 다양한 요인에 의해 영향을 받을 수 있다. 정상압수두증, 경막하 혈종, 뇌종양은 적절한 시기에 외과적인 수술을 시행한다면 비가역적인 뇌손상이 일어나기 전에 극적인 호전을 보일 수 있다. 의학적으로 동반이환은 DAT 환자의 2/3에서 존재하고 인지기능과 자기관리의 심한 장애와 강하게 연관된다. 의학적 질병의 적절한 관리는 DAT에서 인지기능을 호전시킬 수 있는 잠재력을 제공할 수 있다. 감염과 연관된 치매는 질병-특이적인 경과를 취한다. 치료받지 않은 HIV 치매는 일반적으로 수개월에 걸쳐서 빠르게 진행되어, 심각한 전반적 치매, 함구증, 사망에 이르게 된다. 그러나 경과는 다양하며, 항레트로바이러스 치료로 환자는 수년간 생존할 수도 있다. 중추신경계 매독이나 만성 염증성 질병에서 치매의 경과도 또한 다양하다. 조기에 치료가 시행된다면 인지기능이 향상될 수 있다. 파킨슨병에서 치매의 경과는 적절한 도파민 작용제와 다른 표준치료에 의해 유의하게 호전된다. 인지기능 장애가 있는 알코올중독 환자에서는 티아민 투여의 조기치료가 중요하다.

환자의 일상에서 주요한 사건이나 변화가 일어나면 행동장애의 삽화를 촉발할 수 있다. 요로감염과 폐렴과 같은 의학적 질병 또는 벤조디아제핀이나 알코올의 사용은 섬망의 삽화를 촉발할 수 있다. 병전 적응이 좋고, 지능과 교육수준이 높은 경우는 일반적으로 인지적인 결손이나 장애를 더 잘 보상할 수 있다. 가족과 간병인의 지지가 치매의 경과뿐만 아니라 정서적이고 심리적인 증상의 존재 여부에 중요하게 작용할 수 있다.

DAT 발병 후 중앙 생존기간은 이전에 추정했던 것보다 훨씬 짧다. 나이와 강하게 연관된다. 중앙 생존기간은 DAT와 VaD와 유의한 차이는 없었다. DAT로 인한 사망 상대 위험도는 DAT가 없는 사람에 비해 3-4배 더 높다. 여성과 조기 발병 또는 아주 늦게 치매로 발병하는 사람이 더 빠르게 황폐화 되고, APOE ε4 대립유전자가 존재하면 진행속도가 더 빨라질 수 있다. 일부 연구결과에서 파괴적인 증상 또는 무감동, 우울 또는 정신병적 증상의 존재는 더 빠른 인지적 황폐화를 예견하였다.

DAT에서 기능장애는 인지장애의 심각도와 크게 연관되었고 기능저하 속도는 중등도 치매 환자보다는 경도와 중증도 치매 환자에서 더 느렸다. 심한 신경정신과적 증상이 있는 환자에서 기능장애가 더 빠르게 발생된다. 요양원 입소는 치매의 심각도 및 신경정신과적 증상과 상당히 연관된다. 치매 환자를 돌보는 것은 부양자에게 부정적인 영향을 준다. 특히 신경정신과적 증상을 견디는 능력이 요양원 입소의 가능성을 감소시킨다.

DLB의 지속기간은 1.8-9.5년으로 다양하다. 조기발병 DLB 환자는 더 빠르게 황폐화되고, 일부 DLB 환자는 급격하게 치명적인 경과를 보일 수 있다. FTD는 DAT와 비교할 때, 다른 인지기능보다는 집행기능의 황폐화 속도가 빠르다고 보고되었다. 시간이 흐르면서 FTD 환자는 전반적인 인지장애와 운동결손으로 진행되며 진단 후 3-5년경에 대개 사망한다.

헌팅턴병과 같은 피질하 치매의 후기 단계에서는 무감동이 아주 심하고 심각한 자기무시가 나타나고 환자의 상태는 운동불능함구 상태와 유사할 수 있다. 피질하 치매의 지속기간은 다양하여 헌틴톤병은 10-15년, 진행성핵상마비는 5-10년이다. 파킨슨병의 생존기간은 적절한 치료가 제공된다면 12-14년이고 윌슨병 환자는 비가역적 간과 뇌손상이 일어나기 전에 증상이 penicillamine으로 적절하게 치료된다면 정상 생존기간이 된다.

VaD의 경과는 개인 간에 상당한 차이가 있으며, 일부 환자에서는 진행되지 않는 경과를 가질 수 있다. VaD에서 인지감퇴의 평균 속도는 DAT와 유사할 수 있지만, 사망률은 평균 생존율이 3-5년으로 VaD에서 더 높다.

7. 치료

1) 일반원칙

치매 환자는 인지 저하와 신경정신과적 증상과 더불어 다양한 의학적 문제들이 흔하다. 치매 치료의 일반원칙은 다음과 같다. 1) 다양한 치료계획을 수립하고, 각 환자를 위해 치료를 개별화한다. 그리고 치매의 단계에 따라서 치료를 조정해야 한다. 2) 응급상태에 대처하여 적절한 진료를 제공한다. 자살 가능성, 자해(낙상 또는 배회), 사고(화재) 등에 대해 평가한다. 초조와 난폭 가능성도 평가한다. 3) 치매와 원인적으로 연관된 잠재적으로 가역성인 내외과적 상태(예, 갑상샘기능저하증, 경막하 혈종)에 대해 조기에 치료를 시작한다. 4) 환자를 정기적으로 진료한다. 치료가 시작될 때 정기적으로 방문하고, 그 후에는 4-6달 간격으로 추적 조사한다. 특별한 상황이 발생되었다면 더 잦은 방문이 필요하다. 5) 적절한 의료 진료를 제공한다. 환자의 신체건강, 높은 영양식, 적절한 운동을 유지하도록 한다. 심폐기능이상, 통증, 요로감염, 욕창, 시력과 청각문제 등의 동시이환된 의학적 상태를 발견하고 치료한다. 의인성 사고(욕창, 흡인폐렴, 대변막힘 등)을 돌본다. 다른 의학적 질병을 위해 복용하는 불필요한 약물을 엄격하게 조절한다. 6) 기저질환을 조절하고, 비가역성 치매의 진행을 지연시키기 위해 노력한다. VaD와 DAT 모두에서 혈관성 문제(고혈압, 고지혈증, 비만, 심장질환, 당뇨병, 알코올 의존, 흡연)를 예방하고 치료한다. 약물치료와 다른 치료를 통해서 인지저하를 치료한다. 7) 다른 일반적인 방법을 사용한다. 레크리에이션과 활동요법 등의 일반적인 건강대책을 사용하다. 운전과 위험한 도구의 사용을 제한한다. 치매의 초기 단계에서도 치매가 사고위험을 증가시킬 수 있다는 것을 환자와 가족에게 알려주어야 하고, 치매가 중등도와 심각한 단계로 이르면 운전을 해서는 안 된다. 8) 신경정신과적 증상을 발견하고 필요하다면 적극적으로 치료한다. 9) 환자를 위한 심리적인 지지와 치료를 제공한다. 달력, 시계, 텔레비전 등과 같은 지남력을 유지할 수 있는 보조물을 제공한다. 매일의 활동을 평가하고, 필요하다면 거들어 준다. 자극지향, 회상치료, 인지 또는 현실치료 등의 특별한 기법을 사용한다. 10) 사회적 치료를 제공한다. 가족 간병인을 교육한다. 유언, 대리위임권, 재산문제 등에 대해 조언하고 지지집단과 지역사회 기관을 소개한다. 11) 간병인에 지지를 제공하고 필요하면 우울장애 등을 치료한다. 12) 모든 치매에서 장기치료를 준비하고 돌봄단체와 함께 조정한다. 기억클리닉, 지역사회 자원, 노인 낮병원, 외래 세팅에서 다학제적 재활, 지지집단(예를 들면 알츠하이머협회), 가족 간병인을 위한 유예가료respite care 등을 활용하고, 간병인이 없다면 요양원이나 호스피스와 같은 장기시설을 고려한다. 13) 건강관리전략을 통합한다. 치매의 조기발견과 치료를 위한 캠페인과 같은 대중인식 캠페인을 지원한다.

2) 약물치료

임상가는 신경정신과적 증상의 치료를 위해 먼저 비약물적인 개입을 해야 한다. 치매 환자를 위한 향정신성 약물의 사용원칙에 대해서는 표 7-3에 제시하였다. 치매 환자에서 특정한 향정신성 약물의 효과는 제한적이기 때문에 약물의 선택은 임상적인 근거, 약물의 부작용 측면, 환자의 특성에 기초해야 한다.

표 7-3. 향정신성 약물의 사용원칙

1. 초조 또는 행동장애가 있을 때 아래와 같은 원인을 고려한다.
   - 의학적 상태, 통증, 다른 정신의학적 상태, 또는 수면상실 등
   - 배고픔, 변비, 스트레스가 많은 환경, 주거상태의 변화 또는 대인관계의 어려움
2. 필요한 약물의 전체 양을 최소화하기 위한 전략을 사용한다.
   - 진정제를 적절하게 투여하기 위한 간병인 교육
   - 경한 증상 또는 한정된 위험은 지지, 안심 그리고 기분전환으로 해결되기도 한다.
3. 치매 환자는 흔히 신체적으로 약하고, 신장 청소기능이 저하되고, 간대사가 느리다는 것을 명심한다.
4. 표적증상을 명확히 정한다.
5. 일반적인 초기용량의 1/4에서 1/3으로 시작한다. 용량증가는 더 적게 하고 용량사이의 간격은 더 늘린다. 가장 낮은 효과적인 용량을 사용한다.
6. 다중약물요법을 피한다.
7. 아래의 경우에 방심하지 않는다.
   - 의학적인 상태와 약물상호작용
   - 흔하고 성가신 부작용: 기립성 저혈압, 중추신경계 진정(인지기능을 악화시키고, 낙상을 유발하기도 함), 추체외로 부작용에 민감
   - 특이체질의 약물효과: 정신혼동; 안절부절증; 증가된 진정; 향정신성 약물 치료의 항콜린성 효과에 대한 취약성
8. 항콜린성 약물은 용량을 줄이거나 다른 약물로 교체한다.
9. 향정신성 약물치료의 위험과 이득을 지속적으로 재평가한다.

(1) 정신증과 초조의 치료

항정신병약물이 치매환자에서 정신병적 증상과 초조를 치료하기 위해 통상적으로 사용되고 있다. 그러나 뇌졸중과 사망위험의 증가와 제한된 효능으로 인해 항정신병약물의 일상적인 사용은 더 이상 권고되지 않는다. 항정신병약물은 환자나 간병인의 안전이 위협하는 심한 초조 또는 중증 정신병적 증상에 사용될 수 있다. 재발 위험과 가능한 부작용을 고려하여 주기적인 중단을 시도해야 한다. risperidone과 olanzapine은 일부 정신증상을 상당 정도 호전시킨다. 정형 항정신병약물은 파킨슨병이나 DLB 환자에서 추체외로 효과에 대한 극심한 민감도 때문에 피해야 하지만, pimavanserin, clozapine 또는 quetiapine은 가능한 선택이다.

치매 환자에서 정신병적 증상과 초조를 조절하기 위해 donepezil, rivastigmine, galantamine과 같은 아세틸콜린에스테라제 억제제acetylcholinesterase inhibitor, AChEI를 사용할 수 있다. 치매와 연관된 정신증이나 초조를 치료하는 memantine의 사용은 논란이 있다. 항우울제 중에서 citalopram만이 초조에 유의미하게 효과적이었다. 항경련제의 사용은 근거가 제한적이다. 초조 행동의 증례에서 trazodone이나 buspirone과 같은 약물에 대한 상당한 임상적 경험이 있다고 할지라도, 이러한 약물사용에 대한 실증적인 뒷받침은 거의 없다. 벤조디아제핀을 사용할 때, lorazepam과 같은 상대적으로 단기지속 약물을 단기간 낮은 용량 사용하는 것이 선호된다.

(2) 우울장애의 치료

심리적인 중재는 MCI에서 우울장애를 치료하는 데 하나의 선택이 될 수 있다. 치매 환자에서 우울 증후군을 치료하는데 항우울제의 효능의 근거는 제한적이다. 선택적세로토닌재흡수억제제selective serotonin reuptake inhibitor는 일차 약물로 가장 고려되며 부작용 측면에서도 안전하여 선호된다. 치매 환자에서 세로토닌재흡수억제제 부작용인 위장관 증상, 초조, 좌불안석증, 다른 추체외로 증상, 어지러움, 체중감소 등을 평가해야 한다. venlafaxine이나 mirtazapine과 같은 다른 항우울제도 사용될 수 있다. 삼환계 항우울제는 기립성 저혈압, 심장전도 지연, 항콜린성 효과, 인지기능 장애, 섬망 등의 부작용으로 인해 치매에서 사용하기 어렵다. 치매 환자에서 무감동은 흔하지만 발견이 덜 되고 치료도 덜 된다. AChEI가 적절한 선택으로 고려될 수 있으며 memantine과 정신자극제의 효능도 어느 정도 근거가 있다.

(3) 불면의 치료

수면장애는 치매 환자에서 흔하며, 일차적으로 비약물적인 전략으로 조절되어야 한다. 향정신성 약물을 필요로 하는 신경정신과적 증상을 가진 환자에서 수면장애가 있을 때, 취침시간에 투여하는 진정작용이 있는 약물을 선택해야 한다. trazodone (50-100 mg, 취침시간에 한 번)은 자주 처방된다. 저용량의 zolpidem이나 zopiclone의 단기 사용이 도움이 될 수 있다. clonazepam은 자주 깨거나 야간에 배회하는 환자에게 추천된다. 그러나 모든 수면제는 야간 혼돈, 주간 진정, 내성, 반동불면, 인지기능 악화, 탈억제, 섬망 등을 유발하는 잠재적인 위험이 있다. melatonin은 수면문제가 있는 중등도에서 중증의 치매 환자에서 효과적이라는 근거는 없다.

(4) 인지결핍의 치료

DAT의 약물치료의 목표는 인지기능 및 연관된 기능상실의 회복에 있다. 지금까지 AChEI인 donepezil (Aricept®), rivastigmine (Exelon®) 및 galantamine (Reminyl®)는 경도에서 중등도 DAT에 치료제로 승인되었다. donepezil과

rivastigmine 패취 제형은 중증 DAT에도 사용이 승인되었으며, rivastigmine는 파킨슨병 치매에서도 사용이 승인되었다. NMDA 수용체 길항제인 memantine (Ebixa®)은 중등도에서 중증 DAT의 치료제로 승인되어 임상에서 사용되고 있다.

AChEI는 중추신경계의 인지기능 관련 경로에 위치하는 신경세포의 시냅스 간극 내 아세틸콜린 분해를 억제하여 아세틸콜린의 활성을 증가시킨다. 이들 약물은 DAT 환자의 인지기능 뿐만 아니라 ADL이나 BPSD에도 도움이 된다. 그러나 효과는 제한적이고 대증적이다. 이들 약물의 흔한 부작용은 오심, 구토, 설사 등의 위장장애이다. 내성이나 만족스럽지 못한 반응을 보일 때는 다른 약물로 교체할 수 있다. memantine는 NMDA 수용체를 자극하는 글루타메이트의 흥분독성 작용을 차단하는 약물인데, 인지기능과 ADL의 악화를 지연시킨다. memantine의 흔한 부작용은 어지러움, 초조, 두통, 혼돈 등이다. 일부 연구에서 AChEI와 memantine의 병합치료 효과가 중등도의 중증 DAT 환자에서 확인되어 실제 임상에서 병용치료가 이루어지고 있지만 효과에 대한 이론도 있는 상태이다. aducanumab은 DAT 치료제로 최근 미국 FDA의 조건부 승인을 받았는데, 이 약물은 DAT의 원인물질인 amyloid 베타를 감소시키는 것으로 알려졌다. 그 외 ginkgo biloba, acetyl-L-carnitine, nimodipine, piracetam, statin, estrogen, 비스테로이드 항소염제 등의 인지기능 효과가 보고되고 있지만 아직 치매 치료제로 공인되지 않았다. AChEI와 memantine이 VaD와 DAT가 혼재하는 치매에서 유용할 수 있다. 항혈소판제, 항고혈압제, 항당뇨제 또는 스타틴 등은 VaD의 위험인자 치료에 효과적이다.

3) 심리적 치료

심리치료의 두 가지 주된 목표는 지지제공과 행동완화이다. 지지적인 기법은 인지기능 및 자의식의 황폐화가 치매환자에게 중요한 심리적 의미를 지니며 높은 수준의 스트레스와 관련될 것이라는 인식에 근거를 두고 있다. 환자가 자신의 장애를 슬퍼하고 받아들일 수 있도록 거들어 줄 뿐만 아니라 자존감에 관해 구체적으로 지지하고 관심을 주어야 한다.

정신건강의학과 의사는 환자를 도와주고 직원을 교육하여서, 환자의 남아있는 기능을 극대화하고 결함이 있는 기능을 보상하는 방법을 찾아야 한다. 예를 들면 기억력 문제를 메모하거나 하루 일과가 구조화된 활동이 되도록 도와주기 위해서 스케줄을 정하는 등의 간단한 조치 등이다. 이러한 방법으로 치매 환자는 예측 가능한 스케줄을 가지게 되고 익숙하지 않은 활동이나 환경에 부딪힐 때의 파국반응과 같은 지나친 고통을 피하게 된다. 치매 환자를 위해 행동치료, 현실지향, 인지자극, 오락활동, 예술치료, 춤치료, 애완동물 치료, 회상치료 등을 시행할 수 있다.

4) 가족지지, 사회적 돌봄

대다수 치매 환자는 지역사회 내에 거주하고, 가족이나 가까운 사람에게 돌봄을 받는다. 공감적 개입은 간병인이 사랑하는 치매 환자를 돌보는 것과 연관된 복잡한 감정을 이해하는 데 도움을 준다. 가족은 치매에 대해 교육을 받아야 하며 재정적인 결정이나 대리위임권과 같은 생의 마지막 돌보는 문제에 대한 계획을 세우기 위한 정보를 제공받아야 한다. DAT 가족 부양자를 위한 교육은 부양자와 환자 모두에게 도움이 되고 환자를 요양원에 입소시킬 가능성을 감소시킨다.

정신건강의학과 의사는 환자가 양질의 돌봄을 받을 수 있도록 해야 하다. 사회서비스 의뢰가 가족에게 가용한 자원에 대한 정보를 제공하는 데 아주 유용하다. 치매 환자를 위한 가장 흔한 시설은 기억클리닉이다. 노인낮병원은 외래세팅에서 다학제적 재활을 제공하다. 지역사회자원은 가정건강서비스, 주간돌봄, 요양원 등을 포함한다. 국내에서는 지역사회 치매관리를 위해 치매안심센터가 설치되어 운영되고 있다. 유예가료 서비스는 비공식적인 부양자에게 아주 중요하다. 시설에 입소한 치매노인 환자에서 흔한 합병증은 섬망과 배회이다. 배회를 예방하기 위한 관습적인 개입은 억제, 약물, 문잠금 등이다. 항정신병약물과 신경안정제의 적절한 사용은 장기 수용된 환자에서 또한 중요한 이슈이다. 약물의 과다사용은 치매를 악화시킬 수 있고 해로운 부작용을 일으킨다. 그러나 환자의 행동이 위험하다면 향정신성 약물이 사용되어야 하고 적절하게 반응하지 않는다면 추가적인 조치가 필요하다. 신체억제는 자신이나 타인에게 신체적으로 해를 줄 수 있는 긴급한 위험이 있는 환자에게 제한적으로 사용되어야 한다. 직원들을 위한 구조화된 교육프로그램은 수용된 노인에서 신경안정제의 남용과 신체억제 사용을 줄일 수 있다.

참고문헌

1. 대한노인의학회. 한국형 치매평가검사. 학지사;2003
2. 대한노인정신의학. 노인정신의학 개정 2판. (주)엠엘컴뮤니케이션;2004
3. 대한신경정신의학회. 신경정신의학 개정 3판. (주)아이엠이즈컴퍼니;2017
4. 대한정신약물학회. 임상신경정신약물학 제3판, 시그마프레스;2019
5. 대한치매학회. 치매 임상적 접근 개정 2판. 아카데미아;2011
6. 오병훈. 치매, 정신행동문제 개입전략. 중앙문화사;2008
7. 중앙치매센터. 대한민국 치매현황 2020 보고서
8. American Psychiatric Association. Diagnostic and Statistical Manual of Mental Disorders, 5th edition. American Psychiatric Publishing;2013
9. Budbson AE, Solomon PR. Memory Loss, Alzheimer's Disease, and Dementia, A Practical Guide for Clinicians. 2nd edition. Elsevier;2016
10. Jacoby R, Oppenheimer C, Dening T, Thomas A. Oxford Textbook of Old Age Psychiatry. Oxford;2008
11. Levenson JL. Textbook of Psychosomatic Medicine and Consultation-liaison Psychiatry. Mendez MF, Cummings JL. Dementia, A Clinical Approach. 3rd edition. Butterworth Heinemann;2003
12. Revised Edition. The American Psychiatric Association Publishing;2018
13. Stern TA, Freudenreich O, Smith FA, Fricchione GL, Rosenbaum JF. Massachusetts General Hospital Handbook of General Hospital Psychiatry. 7th Edition, Elsevier;2017
14. Wise MG, Rundell JR. Textbook of Consultation - Liaison Psychiatry, Psychiatry in the Medically Ill. 2nd edition. American Psychiatric Press;2002

8 CHAPTER

공격성과 난폭성

성형모, 이광헌

1. 용어의 정의

공격성Aggression 혹은 난폭성Violence을 포함한 적대적이고 공격적인 행동을 의미하는 용어로, 다양한 정신질환뿐 아니라 뇌전증과 같은 신경계 질환이나 뇌손상과 같은 뇌의 기질적인 이상에서도 흔히 나타나고 일부 신체질환과의 관련성이 보고되기도 한다. 공격적인 행동은 정상적인 치료를 방해하는 요인으로 작용하여 질환의 치료와 예후를 나쁘게 하는 면도 있지만 환자가 속해있는 환경이나 정상적인 사회적 관계를 와해시킬 수도 있다. 언제 어디서든 나타날 수 있고 성별과 나이에 관계없이 예측불가능하게 나타나는 경우가 흔하다. 따라서 이러한 위험성에 대한 평가와 개입이 정신건강의학적으로는 정신질환의 치료에 있어 아주 중요한 문제가 되며 예방과 적절한 치료를 통해 질환의 치료뿐 아니라 환자와 가족의 기능과 삶의 질을 더욱 증진시킬 수 있다. 이 장에서는 이런 공격성, 난폭성에 대해 임상적으로 중요하게 다루어야 할 점들을 중심으로 다양한 측면에서 공격성과 난폭성을 이해하는 데 도움이 될 수 있도록 기술하고자 한다.

공격성과 난폭성에 대해 구체적으로 알아보기 전에 우선 이런 공격성과 관련하여 몇 가지 용어들이 혼재되어 사용되고 있어 관련 용어들을 정리하는 것이 필요할 것 같다. 공격적이고 적대적인 행동을 보이는 경우를 설명하기 위해 사용되는 용어로는 공격성aggression, 난폭성violence, 충동성impulsivity, 탈억제disinhibition 등이 있으며 이에 대해 미국정신신체의학회에서 발간한 교과서에서는 다음과 같이 정의하고 있다.

- 공격성aggression: 사람이나 사물에 대한 적대적이고 위협적인 난폭한 행동으로, 유발요인이 없이 나타나기도 함.
- 난폭성violence: 사람이나 사물에 대한 명백한 공격적인 행동
- 가정폭력domestic violence: 친밀한 관계에 있는 사람을 향한 행동으로, 위협이나 협박을 위한 언어적 학대로부터 성추행이나 성폭력까지도 포함된다.

- 초조agitation: 병적인 강한 정서적 각정을 보이면서 안절부절 못하는 상태
- 충동성impulsivity: 생각이나 자기구속이 되지 않아 행동화가 쉽게 일어날 수 있는 상태
- 과민성irritability: 참을성이 비정상적으로 낮아져 쉽게 화를 내거나 공격성이 유발될 수 있는 상태

공격성의 대상에 따라 타인에 대한 공격성(폭력 등)과 자신에 대한 공격성(자해 등)으로 구분을 하기도 하고 공격성을 표현하는 방식에 따라 직접적 혹은 간접적 공격성, 언어적 혹은 비언어적 공격성으로 구분을 하기도 한다. 하지만 임상적으로나 사회심리학적 측면에서는 고의적 공격성premeditated aggression과 충동적 공격성impulsive aggression으로 구분하는 것이 대체로 가장 유용한 구분이라고 하겠다. 고의적 공격성의 경우 전쟁과 같은 특수상황에서처럼 분명한 목적을 가지고 사회적으로 용납이 되는 경우를 말하며 자율신경계의 항진이 동반되지 않는 경우도 있다. 반면에 충동적 공격성의 경우 분노나 공포와 같은 부정적인 감정에 의해 유발되고 높은 정도의 자율신경계 항진이 나타난다. 충동적 공격성의 경우 그 정도가 심하거나 제어가 되지 않거나, 감정적인 유발요인으로 인해 심하게 악화되는 등 경우에 따라서 병적상태로 될 수도 있다.

2. 역학적 특징

WHO의 통계에 따르면 1년에 약 150만 명이 폭력으로 인해 사망하며, 대부분의 경우 충동적 공격성으로 인해 발생한다. 공격성이나 폭력성에 대한 체계적인 통계자료는 없지만, 정신신체의학의 측면에서는 이런 폭력성이 실제 정신질환과 관련성이 있는 지를 이해하는 것이 가장 중요할 것이다. 미국에서 진행된 공존질환에 대한 조사National comorbidity survey의 결과를 보면 폭력성 발생비율은 정신질환을 가진 성인에서 일반 성인에 비해 2-8배 더 높은 것으로 나타났다. 폭력성과 정신질환의 관계를 보여주는 역학연구의 결과들을 보면, 폭력성이 다양한 정신질환과 관련성이 있다는 것이 입증되었는데, 물질사용장애가 가장 강한 연관성을 보였고 주요우울장애와 양극성장애, 조현병도 연관성이 높게 나타났다. 이외에도 폭력성이 상대적으로 빈번하게 보고되는 정신질환에는 성격장애(특히 반사회성, 경계성, 편집성, 자기애성 성격장애), 치매, 두부손상 등이 있으며, 편집성 망상이나 지시 환청이외에도 혼돈confusion, 물질 중독intoxication, 정좌불능, 초조감, 공포감 등의 증상도 폭력성과 관련될 수 있다고 한다.

하지만 이런 결과가 단순히 폭력성이 정신질환의 불가피한 결과라는 것을 의미하지는 않는다. 이와 관련된 다수의 연구들을 통해 이런 폭력성에는 물질의 사용이나 위협의 인지, 인구학적 요인, 이전의 폭력이나 학대의 경험, 많은 사회적 요인들이 영향을 준다는 것을 알게 되었다. 더욱이 일부 연구에서는 정신질환을 가진 사람들이 폭력의 가해자보다는 오히려 희생자가 되는 경우가 훨씬 더 빈번하며, 특히 정신질환이 심한 경우 사회적 관계에서의 통합이 결핍되는 경우에 폭력의 피해자로 전락되기도 한다.

성별로 보면 대개 남성이 여성에 비해 공격성의 발생율이 훨씬 더 높게 나타나지만, 주요 정신질환을 가진 경우로 한정을 시켜보면 이런 남녀 간의 차이가 현저히 줄어든다. 소아청소년에서의 공격성은 성인에서와는 조금 다른 양상을 보인다. 성인기보다 소아청소년기에 공격성이 더 빈번하게 관찰되는데, 미국에서 진행된 National Youth Risk Behavior Surveillance에서 1년간 소아청소년기 학생의 24.7%가 신체적 싸움을 경험하고 3.1%는 전문가의 치료가 필요한 것으로 나타났다. 공격성이 더 높을수록 만성화의 경향이 크고, 성인기에 나타나는 공격성을 예측할 수 있는 가장 강력한 인자가 된다. 또한 소아기 높은 공격성을 보이는 경우 약물 남용, 사고, 우울, 자살시도, 배우자 및 가정 학

대 등 성인기 정신건강문제의 위험성이 더 높아지는 것으로 알려져 있다. 소아청소년기의 공격성과 폭력성은 다양한 정신질환과도 관련성이 높은데, 주의력결핍 과잉행동장애, 적대적 반항장애, 품행장애, 파괴적기분조절장애, 외상후스트레스장애, 우울 및 양극성장애 등이 공격성을 나타날 수 있는 대표적인 소아청소년기 정신질환들이다.

정신건강의학과를 제외하고 병원에서 가장 흔히 폭력을 경험하게 되는 장소는 응급실일 것이다. 응급환자의 이송단계에서부터 폭력이나 공격성을 경험하게 되는데 환자 이송 중 공격성을 경험하게 되는 경우가 8.5%라는 보고도 있고 이송요원들 중 60% 이상이 공격성이나 폭력을 경험했다고 보고한 연구도 있다. 대부분의 응급센터에서 이런 공격성을 보이는 환자를 경험하고 있지만, 응급실 이외에도 병원 내, 특히 중환자실을 포함한 입원 병동에서도 이런 공격성을 보이는 환자는 흔히 볼 수 있다. 이 경우 질환으로 인한 혼돈, 스테로이드와 같은 약물, 정신건강의학적 공존질환 등이 원인이 될 수 있으며 수술 등으로 인한 심한 통증이나 통증 완화를 위해 사용하는 진통제에 의해서도 공격성은 유발될 수 있다.

3. 원인 및 기전에 대한 이해

역사적으로 Sigmund Freud와 같이 공격성을 타고난 본성으로 이해하는 학자들도 있지만 Konrad Lorenz와 같은 행동분석가들은 공격성을 학습된 행동으로 설명하기도 하였다. 이후의 다양한 연구들은 이런 공격성에 유전학적 요인과 환경적인 요인들이 중요하게 작용한다는 점을 확인하였다. 이런 연구들을 바탕으로 사회학습모델social learning model, 가족 내 난폭성, 아동 학대와 방임, TV를 통한 난폭성의 노출, 해부학적 및 기능적 대뇌이상, 호르몬, 세로토닌을 중심으로 한 신경전달물질 등이 공격성의 원인과 기전에 있어 중요하다는 가설들이 제시되었다. 학자들의 의견을 종합해보면, 병인론적 관점에서 공격성에는 유전적 요인, 가족 내 요인, 사회적 요인이 복합적으로 작용한다. 여기에는 유적적 취약성, 임신 및 출산 전후의 부정적인 경험, 방임이나 학대화 같은 소아기 외상, 낮은 교육수준, 또래관계 및 대인관계에서의 부정적 영향 등이 포함된다. 이외에도 보다 후천적을 획득하게 되는 요소들로는 다양한 정신질환들, 성격장애, 대뇌손상 등도 중요하게 작용하게 된다.

1) 발달 및 사회심리학적 관점

성인에서보다 상대적으로 더 흔히 관찰되는 소아청소년에서의 공격성 원인과 관련하여 사회적 요인을 설명하는 가설들은 많이 제시되었다. 그 중에서 가장 중요하다고 판단되는 2가지 이론은 사회적학습이론social learning theory과 사회적정보처리이론social information processing이다. 사회적학습이론에서는 아동이 타인의 행동을 관찰하고 모방하는 것을 통해 공격성을 학습하게 된다고 설명한다. 예를 들어, 어릴 때 부모간의 폭력을 통해 어떤 식으로는 갈등이 봉합되는 것을 경험하면서 아이들은 자연스럽게 공격성을 학습하고 사용하게 된다는 것이다. 미디어에 일찍 노출된 아이일수록 나중에 공격성이 더 증가된다고 한 최근 연구들에서도 알 수 있듯이 현대 사회에서 큰 문제로 대두된 소아청소년기의 난폭성이나 공격성이 아이들이 일찍부터 접하고 있는 TV 매체나 인터넷 영상, 인터넷 및 모바일 게임 등을 통해서도 공격성의 학습이 일어나고 있다는 점 역시 이 이론으로 설명이 가능하다.

사회적정보처리 모델에서는 인간이 외부의 자극에 대하여 공격적인 반응을 할 것인지를 결정하는 데 있어 체계적이고 순차적인 두뇌활동이 작용한다는 이론이다. 이 이론은 공격성을 반응성 공격성reactive aggression과 예방적 공격성proactive aggression으로 구분한다. 반응성 공격성은 원하는 행동을 하지 못하게 되는 좌절frustration에 의해 유발되는데, 좌절은 공격적인 욕구aggressive drive를 유발하고 이런 욕구가 어느 수준이상으로 쌓이게 되면 자동으로 공격적인 행동이 나오게 된다고 설명한다frustration-aggression model. 반면에 예방적 공격성의 경우에는 사회학습이론에서 설명하는 것처럼 공격성이 정적강화positive reinforcement에 의해 만들어지고 유지된다고 본다. 예를 들어, 친구를 협박해서 사탕을 얻은 아이에서 보이는 행동이 이 이론으로 설명된다.

2) 유전학적 관점

20개의 쌍생아 연구를 분석한 메타분석과 가족 연구 등를 통해 특히 충동적 공격성은 유전경향이 강한 것으로 확인이 되었고 44-72%정도의 유전경향을 보였다. 유전형genotype에 대한 연구들에서는 세로토닌과 관련된 유전자들이 비교적 일관된 연관성을 보여주고 있는데, 특히 MAO-A 유전자가 중요하게 제시되고 있다. MAO-A유전자의 활성도가 낮은 경우 공격성의 증가와 함께 양측 편도amygdala와 전대상회피질anterior cingulate cortex의 부피가 감소되어있다는 연구도 있고, MAO-A유전자의 대립유전자allele와 경계성 성격장애의 관련성도 보고되었다. 이외에도 세로토닌 수용체의 다형성polymorphism, catecholamine-O-methyltransferase(COMT) 유전자, tryptophan hydroxlyase-1 allele 등도 공격성과 관련된다는 연구와 가설들이 제시되고 있지만 아직 명확한 결론에 도달하지는 못한 상태다.

최근 후생학적epigenetic 연구들이 발표되면서 유전자와 환경과의 상호작용이 공격적인 행동과 반사회성 행동에 매우 중요한 역할을 하는 것으로 나타났다. 환경적 요인에서는 가족의 영향이 중요한데, 소아청소년기 동안 가족 내에서 공격성을 경험하거나 보는 것이 중요한 영향을 미치는 것으로 확인되었다. 이와 함께 문화적 요인, 사회경제적 요인도 중요한 환경 요인으로 작용하게 된다. 또한 이런 유전적, 생물학적 위험요인을 가진 개인이 정신사회적 스트레스에 더 취약한 것으로 드러났는데, 예를 들어 serotonin transporter와 MAO-A 유전자와 소아기 학대나 힘든 상황들 사이의 상호작용으로 인해 폭력성이 보다 쉽게 나타날 수 있다는 증거들이 보고되기도 하였다.

3) 신경해부 및 신경화학적 관점

공격성과 호르몬의 관계를 설명할 때 공격성과 관련성이 높은 것으로 제시되고 있는 것은 남성 호르몬인 테스토스테론testosterone이다. 공격성에 있어 남녀 간의 차이가 분명한 점으로부터 연구가 시작되었고, 많은 연구들을 통해 공격적인 난폭한 행동의 가해자들에서 대조군보다 혈중 테스토스테론 수치가 높은 것이 밝혀졌다. 또 일부 제한적인 연구들이기는 하지만 정상 성인에서 합성 anabolic steroid의 섭취가 공격성을 증가시킨다는 것도 확인되었다. 이런 호르몬과의 관계를 연구하던 단계에서 벗어나 최근에는 다양한 뇌영상연구와 신경화학적 연구들을 통해 공격성의 신경생물학적 원인을 밝히고자 하는 연구들이 다양하게 진행되었다. 역사적으로는 Phineas Gage의 사례와 같이 두부 외상, 종양 환자 등을 대상으로 한 초기 연구에서부터 시작하여, 최근 발달된 기능성 뇌영상 연구 등을 통해 공격성에 가장 중요한 뇌부위가 전전두엽이라는 것이 확인되었다. 전전두엽 중에서도 특히 안와전두엽orbitofrontal cortex의 'top-down'조절의 중요성이 제시되고 있는데, 전대상회피질anterior cingulate gyrus 사이의 회로를 통한 정보처리과정의 이상이 중요하게 작용한다.

이외에도 측두엽을 포함한 변연계 또한 공격성에서는 중요한 역할을 한다. 변연계limbic system의 과활성이 충동적 공격성과 난폭성에서 매우 중요하다는 것이 여러 연구들을 통해 밝혀졌다. 여기에는 부정적 자극에 대한 분노 유발에 가장 중요한 편도amygdala가 중심적인 역할을 하며, top-down 조절기능이 약화된 상태와 편도의 과활성이 결합되면 통제되기 어려운 분노와 공격성이 유발될 수 있다. 경계성 성격장애 환자들을 대상으로 한 연구에서는 편도의 크기 감소가 공격성의 증가와 관련이 있다는 연구들이 다수 있고, 변연계의 기능이상으로 인한 감정 반응의 예민성emotial hypersensitivity과 변연계의 kindling도 공격성에 중요한 역할을 하는 것으로 제시되고 있다.

신경전달물질 중에서는 세로토닌serotonin, 5-HT이 가중 중요하다. 세로토닌의 5-HT2 수용체를 통해 orbitofrontal cortex와 anterior cingulate cortex의 활성을 조절하고 있는데, 이 부위에서의 세로토닌 기능저하는 유발자극에 대한 통제되지 않는 공격성을 유발하게 된다. 이 과정은 선택적세로토닌재흡수차단제(SSRI)가 공격성의 억제에 효과를 나타내는 주된 기전으로 받아들여지고 있다. 또한 동물실험에서 5-HT2a 수용체의 길항제는 충동성을 감소시키는 반면, 5-HT2c 수용체에서는 효능제가 충동성을 감소시키는 것으로 밝혀져 두 가지 세로토닌 수용체가 상호보완적인 역할을 한다는 가설이 제시되었다. 인간을 대상으로 한 뇌영상 연구들에서도 이런 가능성이 확인되었고 5-HT2a의 경우에는 자살위험성의 증가와도 관련이 있는 것으로 확인되었다.

도파민과 노르에피네프린의 증가가 외부자극에 대한 공격성과 관련있다는 사실이 우울장애 환자들을 대상으로 한 연구들에서 확인되었는데, 특히 도파민이 공격적인 행동의 시작과 실행에 관여하는 것으로 알려져 있다. 아세틸콜린과 관련해서는 콜린성 활성도의 이상이 변연계의 과활성과 관련이 있고, 간접적으로 공격성에 영향이 있을 것으로 추정된다. GABA 수용체 활성도의 감소가 공격성의 증가와 관련이 있다는 보고들도 있고, 특히 GABA와 글루타메이트의 불균형이 변연계의 과활성에 기여를 한다는 주장이 설득력을 얻고 있다. 정확한 작용 기전은 명확하게 밝혀져 있지 않지만 oxytocin 활성도 감소와 적대적반항장애oppositional defiant disorder 공격성을 유발하는 데 관여할 수 있다는 연구결과들도 있다.

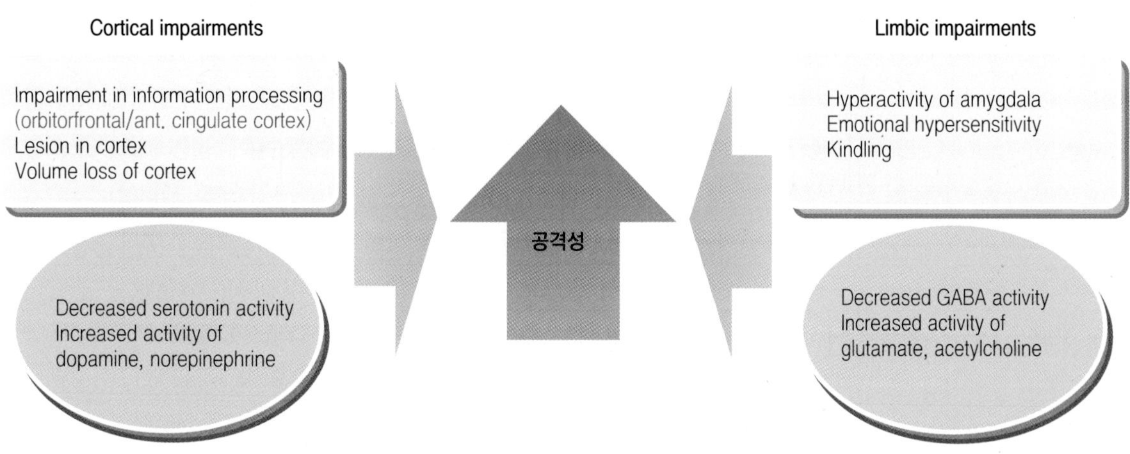

그림 8-1. 신경해부 및 신경전달물질이 공격성에 미치는 영향>

이런 신경생물학적 연구들을 종합해보면 공격성을 유발할 수 있는 내부 혹은 외부의 자극에 대해 변연계를 거쳐 나타나게 되는 전전두엽의 감정반응이 적절하게 억제되지 않을 경우 공격성과 폭력적인 행동으로 이어지게 된다고 이해할 수 있을 것이다. 이 과정에서 과도한 편도의 반응성과 충분하지 않은 전전두엽의 조절기능이 합쳐지는 경우 공격성이 더욱 증가될 수 있다. 여기에는 발달과정에서의 외상 등으로 인한 전전두엽-피질하 신경회로의 변화, 신경전달물질의 이상이 중요한 역할을 하게 된다. 신경전달물질의 측면에서는 세로토닌의 기능저하가 전전두엽의 억제기능을 촉진시키는 반면, GABA-A 수용체에 대한 GABA의 작용은 피질하 영역의 반응성을 감소시킴으로서 공격성을 증가시킬 수 있다.

4. 공격성과 난폭성을 보일 수 있는 대표적인 질환들

공격성과 난폭한 행동을 보이는 신경정신질환들은 매우 다양하다. 임상적으로 빈번하게 공격성을 보이는 주요 질환들은 표 8-1에 제시하였다. 각각의 질환에서 공격성이 나타나게 되는 요인들은 매우 다양하며 양상도 서로 차이가 있다. 모든 질환을 일일이 설명할 수는 없지만 대표적인 질환들 몇 가지를 간략하게 정리하면 아래와 같다.

표 8-1. 공격성과 난폭성을 보일 경우 감별해야 할 대표적인 질환들

	Differential Diagnosis
Child Adolescent	Attetntion deficit hyperactivity disorder (ADHD) Oppositional defiant disorder (ODD), Condut disorder (CD) Dusruptive mood dysregulation disorder (DMDD) Autism spectrum disorder, Intellectual developmental disorder Derpesssion and Bipolar disorder OCD, PTSD Chronosomal abnormalities (Cri du Dchat, XYY etc.)
Adult	Schizophrenia, Delusional disorde and Other psychoticd disorder Depressive and Bipolar disoder Personality disoder (antisocial, borderline, narcissistic, paranoid) Substance use disoder, including alcohol Neurocognitive disorder, including dementia, delirium PTSD and stress related disoders Epilepsy Brain injury: cognitive dysfunction, mood disorder and personality change

1) 소아청소년기의 공격성과 신경정신질환

소아청소년기에 공격성과 난폭성을 보일 수 있는 대표적인 신경발달장애로는 품행장애conduct disorder, 주의력결핍 과잉행동장애ADHD, 적대적반항장애oppositional defiant disorder 등을 들 수 있다. 세 질환 모두 타인에 대한 충동적인 공격성과 난폭한 행동이 높은 빈도로 나타난다. 하지만 임상적으로 더 관심을 가지게 되는 이유는 이들 세 질환은 서로 공존하는 경우가 많아서 40% 정도의 공존유병률을 보이는데, 이들 질환이 공존하는 경우 공격성과 난폭행동은

더욱 빈번하고 심하게 나타난다. 소아청소년기 공격성을 보이는 대표적인 정신질환인 품행장애conduct disorder는 발병 연령이 어릴수록 공격성이 더 심하게 나타나며, 폭력의 과거력이 있는 경우, 입원기간이 긴 경우, 치료에 대한 비순응 등이 폭력성에 영향을 준다.

자폐스펙트럼장애autism spectrum disorder와 인지발달장애intellectual developmental disorder에서도 공격적인 행동은 흔히 관찰된다. 좌절을 잘 못 견디고 공격적인 행동에 대한 자기 통제력의 결핍 등은 ASD의 핵심 정신병리에 속한다. 하지만 타인과의 의사소통 능력의 저하로 인해 공격성이 나타나기도 하고 통증이나 신체적인 불편감 등 자신의 불편한 감정을 표현하는 방식으로 문제행동을 보이기도 한다.

성인에서와 마찬가지로 소아청소년에서 기분장애를 가진 경우에도 공격성이 나타날 수 있다. 조증의 경우 공격성은 흔히 나타나는 대표적인 증상이지만 진단적 가치가 높다고 볼 수는 없다. 소아청소년에서는 우울증상이 있는 경우 가면형 우울증masked depression으로 나타나는 경우가 많은데, 충동성 및 공격성, 자해 및 자살 충동 등이 주된 증상의 하나가 될 수 있다. 또한 DSM-5에 새로 제시된 파괴적기분조절장애disruptive mood dysregulation disorder에서도 충동성 및 이로 인한 공격성은 흔히 나타날 수 있다. 외에도 소아청소년에서 공격성을 보일 수 있는 대표질환으로 외상후스트레스장애posttaumatic stress disroder, PTSD와 불안장애를 들 수 있다. 소아청소년기의 외상경험은 성인기의 공격성을 예측하는 중요한 인자로 작용한다는 점은 이미 앞에서 설명을 하였지만, PTSD를 겪고 있는 소아청소년에서는 외상 후 겪게 되는 대인관계에서의 부정적 경험, 소외감 등으로 인한 공격성을 보이기도 한다. PTSD뿐 아니라 강박장애나 기타 높은 불안을 보이는 소아청소년들에서도 공격성은 상당수에서 관찰이 되는데, 이는 환자들이 가지는 부적절한 대처방식, 완고함 등이 영향을 주는 것 같다.

소아청소년기에 높은 공격성을 보이는 다른 질환군으로는 유전질환을 들 수 있다. 가장 연관성이 높은 질환으로는 환자의 90%에서 심각한 공격성을 보이는 것으로 알려진 Cri du Cha을 들 수 있다. 이외에도 Smith-Maginnis syndrome, fragile X syndrome, Angelman syndrome, Cornelia de Lange syndrome, and Prader-Willi syndrome 에서는 약 70%의 환자에서 높은 공격성이 보고된 반면, Williams syndrome이나 Down syndrome은 공격성이 매우 낮은 것으로 알려져 있다. 성염색체와 관련해서 특히 Y 염색체가 공격성과 관련성이 많은 것으로 추정되고 있는데, XYY syndrome이 대표적이다.

2) 정신병적 증상을 보이는 정신질환

조현병을 포함한 정신병psychosis, 조증, 심지어 우울장애에서도 공격성과 난폭한 행동은 흔히 나타난다. 이런 양상은 증상이 심한 급성기에 흔히 나타나는데, 많은 경우 망상이나 편집적 사고와 같은 정신병적 증상에 의해 나타나는 경우가 많다. 환자의 의지와는 반대로 치료가 강요되는 경우에도 나타난다. 통계적으로 보면 정신건강의학과에서 입원치료를 받는 환자에서 공격성이 나타나는 경우 약 20%정도는 망상과 환청에 의한 것이라는 보고도 있고, 대부분은 입원초기에 나타난다고 한다. 하지만 정신병적 증상 뿐 아니라 스트레스에 대한 환자의 잘못된 대처방식도 공격성의 표출에 중요하게 작용하게 된다. 따라서 환자의 공격성을 예방하고 조절하기 위해서는 증상을 조절하는 약물치료 외에도 환자를 돌보는 의료진과 가족들에 대한 적절한 교육과 조언이 반드시 필요하게 된다. 특히 정신질환을 가진 환자가 비정신건강의학과 병동으로 입원하게 되는 경우 이와 같은 협력은 더욱 중요하게 된다. 적절한 약물의 처방 뿐 아니라 정신건강의학과 전문의는 환자를 직접 치료하는 의료진들에게 현재 환자가 가진 질환과 증상을 알려주어야 한다. 환자 스스로 자신의 증상이나 두려움을 잘 알고 있다는 점 등도 교육해야 하고, 치료팀이 환자가 안정감을 찾을 수 있도록 환자가 선호하는 환경(음식, TV 프로그램, 소일거리 등)을 파악하고 적절한 의사소통 비법을 교육하여야 하며, 이를 통해 치료팀의 불안을 줄여줄 수 있도록 노력하여야 한다. 불안 및 초조감, 투약거부 등 환자가 보이는 위험신호를 파악하고 적절히 대처함으로써 공격성이 드러나는 것을 예방하고 조기에 대처할 수 있도록 도와주는 것도 필수적이다.

3) 성격장애

성격장애 중에서는 반사회성 성격장애, 경계성 성격장애, 편집성 성격장애, 자기애성 성격장애에서 공격성이 흔히 나타난다. 병원 치료 상황에서 편집성 성격장애와 자기애성 성격장애 환자의 공격성은 상대적으로 흔하지 않지만 자신의 부당하게 대우받고 있다고 판단하거나 부적절하게 치료받고 있다고 인식하게 되면 공격적인 행동을 보일 수 있다. 성격장애 중에서는 반사회성 성격장애 환자에서 가장 빈번하게 반복되는 공격성이 나타난다. 미국의 연구자료에 따르면 폭력범 중 남성의 47%, 여성의 21%가 반사회성 성격장애를 가진 것으로 나타났다. 폭력, 신체상해 등으로 인해 응급실이나 일반 병동에서 치료를 받게 되는 경우 특히 문제가 될 수 있다. 더욱이 약물이나 알콜을 복용한 상태에서는 감정적으로 불안정하고 좌절에 더욱 예민하게 반응을 하며 행동의 탈억제가 심해지기 때문에 아주 위험한 상황이 벌어지기도 한다. 환자의 특성상 치료환경이나 치료진에 대해 쉽게 공격적인 행동을 보일 수도 있고 이런 행동들로 인해 환자는 조기퇴원처럼 오히려 부적절한 치료를 받게 되는 경우도 발생하게 된다. 따라서 정신건강의학 전문의는 환자의 공격성을 적절히 치료하기 위한 노력과 함께 환자로 인해 발생하게 되는 의료진의 불안이나 감정, 좌절감 등을 적절하게 다루어줌으로써 환자와 치료팀 모두 도와줄 수 있다.

경계성 성격장애는 강한 감정반응과 대인관계, 충동성, 낮은 자존감, 거절에 대한 심한 예민성 등을 특징으로 한다. 공격성은 흔히 대인관계에서의 갈등이 있을 때 충동적으로 발생하는 경향이 강한데, 특히 자해나 자살 행동의 위험성이 큰 것이 특징이다. 흔히 일반병동에서는 환자가 자신의 요구가 받아들여지지 않는 경우 쉽게 공격적으로 된다는 점을 알아야 하고, 이런 환자를 치료해야 하는 의료진이라면 우선 환자와의 감정적인 유대를 만들고 행동을 제한하고 자신의 역전이를 잘 다룰 수 있어야 한다는 점을 가장 염두에 두어야 할 것이다. 경계성 성격장애에 흔히 동반되는 우울장애, 약물사용장애, 가정폭력 여부 등에 대한 선별도 필요하다. 정신건강의학 전문의는 이런 환자의 특성과 행동제한, 환자의 기대와 이에 맞는 일관된 치료의 중요성 등을 의료진에게 교육해야 한다. 환자의 동의를 얻은 후 정신건강의학과 전문의가 참여하는 치료자문회의 같은 것이 도움이 될 수 있다.

4) 물질사용장애Substance use disorders

알콜은 폭력성과 관련되는 가장 흔한 정신활성물질이다. 알콜과 관련된 공격성은 흔히 급성중독상태에서 흔히 나타나게 되는데, 판단력의 소실과 와해된 행동, 불안정한 기분, 폭발적인 폭력적 행동을 보이게 된다. 상대적으로 덜 빈번하기는 하지만, 금단기간 중에도 흥분성과 좌절에 대한 예민성 등이 동반되기도 한다. 특히 알콜 금단으로 인한 섬망delirium tremens이 나타나는 경우에도 통제되지 않는 행동문제나 난폭한 행동이 흔히 나타난다.

코카인이나 암페타민 중독 상태에서도 난폭한 행동은 나타날 수 있다. 아편계 약물이나 진정제 등의 경우에는 금단기간 동안 심한 불안과 흥분을 동반한 난폭성이 나타난다. 환각제 사용으로 인한 공격성이나 난폭성은 드물다. 오히려 최근에는 합성 대마계 물질synthetic cannabinoid의 사용과 관련된 심각한 공격성을 보고하는 연구들이 많이 보고되고 있다.

5) 신경인지기능장애Neurocognitive disorders

섬망delirium 환자에서 공격성은 많이 관찰되는 증상으로, 특히 망상이나 환청이 동반된 경우에 주로 나타난다. 이 경우에는 원인이 되는 기저질환을 찾아서 교정하는 것이 치료에 가장 중요하다. 공격성은 치매dementia 환자에서도 흔히 나타나는데, 치매의 인지증상이 심해질수록 공격성의 빈도가 증가한다. 또한, 동반된 신체질환이나 통증, 수면장애, 돌보는 사람과의 스트레스, 불편한 환경적 요인 등이 있는 경우에도 공격성은 증가한다고 한다. 혈관성 치매 등 치매의 종류에 따른 영향은 상대적으로 적은 것 같다. 기물을 파손하는 심각한 행동은 드물고 계획적이거나 목적이 있는 난폭한 행동도 드물다고 한다. 특정 대상을 목표로 의도적인 공격성을 보이는 경우에는 지각이상이나 환청 등의 증상과 관련되어 있을 가능성이 크다.

6) 간헐적 폭발성 장애Intermittent explosive disorder

간헐적으로 심한 분노 발작을 나타내는 대표적인 질환으로 간헐적 폭발성 장애가 있다. 미국 통계이기는 하지만 간헐적 폭발성 장애의 평생유병률은 약 7.3%로 추정된다. 18세 이후 남성 환자의의 1/2, 여성 환자의 1/4에서 물리적인 공격성이 나타나는 것으로 보고되었다. 이와 유사하게 간헐적인 분노발작과 공격성을 보이는 경우로 공격성과 폭력성의 해부학적 원인부위로 거론되는 시상하부와 편도에 종양과 같은 기질적 손상이 경우(흔히 hypothalamic rage attacks 혹은 hypothalamic-limbic syndrome라 함) 등이 있다. 이 경우에는 사회심리적치료와 약물치료 외에도 원인에 대한 수술적 치료가 필요하게 된다.

7) 뇌전증Epilepsy

뇌전증의 발작과 관련된 의식상태의 변화와 공격성은 뇌전증의 주요한 증상들 중 하나이다. 공격성은 특히 복합부분발작complex partial seizure에서 흔히 나타난다. 발작 중에 공격적인 행동이 나타나는 경우는 드물다고 하고, 이런 경우에는 특징적으로 의식의 변화와 동반된 대상이 특정되지 않은 목적없는 공격성을 보인다고 한다. 하지만 실제로 공격성이 뇌전증과 관련이 있는 지를 구분하는 것은 매우 어려운데, 대부분의 경우 뇌전증 환자에서 보이는 공격성이나 난폭한 행동은 뇌전증과는 무관한 경우가 많다고 한다. 뇌전증에 의한 전형적인 난폭한 행동은 흔히 뇌전증 발작 후의 의식혼탁 기간postictal confusion동안 짧게 나타난다. 뇌전증 발작의 종류와 정도 등에 따라 행동증상의 형태, 지속기간 등이 다양하다. 평소와는 다른 감정상태, 편집증적 양상, 환청, 섬망 등이 동반되기도 한다. 일반적으로 발작 중에 일어나는 경우보다 발작 후 나타나는 경우 증상의 발현기간이 길고, 행동에 대한 기억상실을 동반하는 경우가 많다. 보다 흔하게 관찰되는 경우는 발작 후 정신증postictal psychosis으로 인해 난폭한 행동을 보이는 경우이다. 기분에 동조된 망상mood congruent delusion이 가장 흔한 증상이지만 일부 환자에서는 사고장애나 환각 등 조현병의 양상을 보이는 경우도 있고, 증상 지속기간도 수시간 이내가 보통이지만 수 주 이상 지속되기도 한다. 난폭성의 경우 발작중 혹은 발작간 정신증ictal or interictal psychosis보다는 발작 후 정신증에서 가장 흔히 관찰된다.

5. 치료적 접근

1) 위험요인의 평가

앞서 설명한 것처럼 공격성은 다양한 정신질환과 정신병리와 관련되어 나타날 수 있어서, 공격성이나 폭력적 행동의 위험성이 높을 것으로 예상할 수 있는 위험인자를 확인하는 것은 매우 중요하다. 다양한 연구들을 종합해보면 물질사용장애의 공존과 물질 남용이 많은 질환에서 공통적으로 공격성의 위험을 증가시키는 요인으로 나타났다. 특히, 알콜사용장애의 경우 약 24,000명의 결과를 분석한 메타분석 등을 통해 공격성과의 관련성이 입증되었다. 일부 논란이 있지만 젊은 나이, 남성, 과거의 폭력적인 행동이 있었던 경우, 낮은 사회계층, 낮은 지능, 소아기 학대 및 폭력의 경험 등이 위험요인으로 제시되었다. 여러 차례 입원경력이 있는 경우, 비자발적인 입원인 경우도 폭력성의 위험이 높은 것으로 나타났고, 이외에도 망상, 환청 등의 기저 정신질환의 증상악화, 무감동anhedonia을 포함한 우울증상, 낮은 자존감low self-esteem, 병식의 부족 등도 위험요인이 된다. 위험인자와는 별개로 최근에 심한 스트레스를 겪은 경우, 최근에 공격적인 행동이 있었던 경우, 충동조절 능력이 약할 때, 적대적 행동을 보일 때, 언어 혹은 신체적 위협을 보일 때, 위험한 물건의 소지한 경우, 지속적인 정신운동 항진을 보일 때 물질사용장애가 동반된 경우, 편집망상과 지시하는 내용의 환청이 있을 때, 전두엽의 기능장애가 있을 때, 특정 성격장애, 조증 및 긴장성 흥분상태 등이 공격성과 폭력적 행동을 예측할 수 있는 예측인자로 제시되기도 한다.

공격성을 정량적으로 평가하기 위해 고안된 척도나 방법은 아직 많지 않고, 개발되어 있는 척도의 경우에도 임상이나 연구에서 다양하고 보편적으로 사용되고 있지는 않은 것 같다. 외국에서 개발된 대표적인 평가척도에는 Children's Aggression scale (CAS, Halperin 등 2002), Aggression questionnair (Buss & Perry 1957), The modified overt aggression scale (MOAS, Kay 등 1988) 등이 있다. 국내에서는 Buss와 Perry의 설문지를 서수균과 권석만이 번역하여 타당도 연구를 진행한 '한국판 공격성 설문지'를 이용할 수 있으며 9세 이상의 연령에서 사용가능하다. 이외에도 CBCL, YSR 등의 행동평가척도의 하위항목을 이용하여 간접적으로 공격성을 평가할 수도 있는데, 현재는 주로 소아청소년에서의 공격성을 평가하기 위해 일부 연구와 임상에서 사용되고 있는 정도인 것 같다.

2) 환자에 대한 평가

실제 임상에서 공격성을 보이는 개인이나 환자를 직접 대상으로 하는 개입방법은 훨씬 더 조심스러운 접근이 필요하다. 이미 언급한 것처럼 치료과정에서 환자의 공격성을 유발할 수도 있고 치료자가 위험에 처할 수도 있다. 우선은 환자보다 환자를 치료하는 의료진과 치료팀 전체에 대한 교육이 자문의뢰에 있어 정신건강의학과 전문의에게 있어 가장 중요한 일이 된다. 경고징후에 대한 교육과 행동치료 방법, 대화를 통한 공격성 감소 방법, 약물을 이용한 진정, 신체 억압 등에 대한 내용들이 모두 포함되어져야 한다.

난폭한 환자를 직접 대하고 평가를 해야 하는 경우에는 우선 안전한 환경의 확보가 가장 중요하다. 환자의 안전뿐 아니라 치료진의 안전을 확보하는 것은 아주 중요한 부분이다. 위험한 물건을 소지하고 있는지 사전에 확인을 해야 하며 위험하게 사용될 수 있는 물건들도 사전에 치워야 한다. 만일의 상황에 대비해서 의료진이 즉각적으로 개입할 수 있는 준비된 상태에서 환자와 만나고 평가를 하는 것이 좋다. 안전이 확보되었다면 환자를 만나서 포괄적인 평가를 하며, 공격성의 원인에 대한 정확한 평가가 공격성을 조절하는 다음 조치를 위해 가장 필요하다. 특정 정신질환이 확인된다면 적절한 약물치료를 시행할 수 있겠지만 대부분의 경우에서는 그렇게 되지 않기 때문에 주의를 하여야 한다. 환자와 환자가 가진 위험요인, 공격성의 원인에 대한 평가가 이루어졌다면 치료적 개입을 시작할 수 있으며, 첫 번째 단계로 가장 중요한 것은 환자의 긍정적인치료동맹positive therapeutic alliance을 맺는 것이다. 이를 통해 이후의 행동개입이나 약물치료 등에 있어 환자의 순응도compliance를 증가시키고 좋은 치료결과를 위한 바탕을 다지게 된다.

3) 사회심리적 치료

공격성의 유발과 영향을 주는 요소들을 크게 나누면 생물학적 요인, 사회심리적요인, 환경적 요인이 있지만, 세부적으로는 너무나 많은 요인들이 상호작용을 한다는 점을 앞서 설명하였다. 즉, 공격성에 있어 한 가지 요인이 작용하는 것이 아니므로, 치료적 접근에 있어서도 한 가지 방법만으로 적절하게 공격성을 조절할 수는 없다. 가족에 대한 개입, 환자에 대한 사회심리적 개입, 약물치료 등을 적절하게 조합하여 사용하는 것이 가장 바람직할 것이다.

장기적인 치료전략에서는 환자에 따라 정신역동이나 성격적인 영향 등을 다루는 정신치료가 도움이 될 수 있지만, 의료 현장에서 급성기에 행해지는 사회심리적 치료에서는 공격성에 대한 행동치료적 접근이 가중 중요하며 효과적이다. 임상 현장에서 가장 쉽게 적용할 수 있는 행동치료방법으로는 말(의사소통)을 통한 공격성의 단계적인 축소방법verbal de-escalation of aggression이다. 이것은 지지적이면서 동시에 문제해결을 위한 자세를 견지함으로써 일정한 범위 내에서 환자의 자율성과 행동제한의 균형을 확보하려는 목적을 가진다. 이 방법은 의료진과 환자 상이에 갈등이 발생한 경우 특히 효과적이며 결과적으로 약물치료를 위한 적절한 준비와 병적인 공격성을 조절하는 데 도움을 주게 된다.

대화를 통한 단계적인 공격성 축소가 안되는 경우는 많다. 특히, 정신증상 등 여러 가지 이유로 대화가 불가능한 경우나 이미 폭발적으로 난폭한 행동이 진행되는 있는 상황 등의 경우라면 위험한 행동을 중단시키기 위해 격리seclusion와 신체구속physical restraint이라는 적극적인 행동치료 방법을 사용할 수도 있고 흔히 약물을 사용한 진정sedation을 함께 이용한다. 이 경우에도 환자와 치료진이 다칠 우려가 있기 때문에 여러 명의 전문인력이 시행해야 한다. 미국 정신신체의학회에서 제시한 가이드라인처럼 원칙적으로 신체구속은 환자와 타인의 안전을 위해서만 사용되어야 하며, 의료전의 편의나 환자 훈육discipline을 위해 사용되어서는 안 되고 환자 상태에 대한 지속적인 모니터링과 재평가가 동반되어야 한다.

4) 약물치료

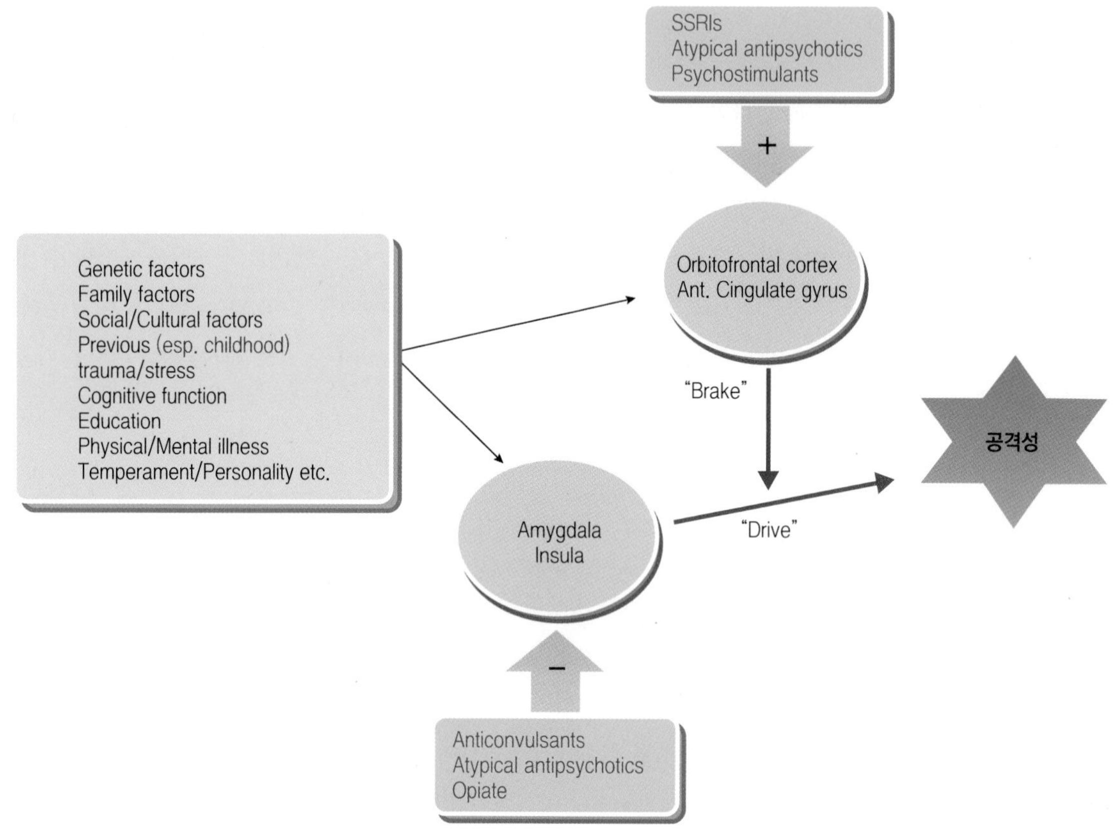

그림 8-2. 공격성에 영향을 주는 다양한 요인들과 약물의 효과

공격성을 보이는 환자에 대한 약물치료는 주로 공격성의 원인이 되는 질환이나 정신병리를 바탕으로 이루어진다. 기저 질환을 기준으로 약물치료를 선택하는 것은 ADHD 아동에서 나타나는 공격성의 조절에는 메틸페니데이트와 같은 정신자극제를 사용하고, 조증으로 인해 나타나는 공격성의 조절에는 기분안정제, 정신증상을 조절하기 위해 항정신병약물을 사용하는 경우가 여기에 해당한다. 초기 급성기의 치료를 제외하면 이와 같은 방식의 약물치료가 주로 행해지며, 여기에서는 구체적인 약물치료에 대해서는 다루지 않을 것이므로 각 질환에 대한 약물치료를 참고하기 바란다.

급성기의 치료에서 치료 목표는 빠른 진정rapid tranquilization이다. 미국의 응급정신의학 전문의들을 대상으로 시행된 한 조사에서는 빠른 진정을 목적으로 가장 선호되는 약물이 벤조디아제핀, 특히 로라제팜lorazepam인 것으로 보고되었고, 항신정신병 약물의 급성 근긴장증, 추체외로증상과 같은 부작용이 없기때문인 것으로 나타났다. 정신증을 동반한 급성 공격성을 보이는 환자에게는 할로페리돌haloperidol이 최우선으로 고려되는 약물로 조사되었다. 이외에도 리스페리돈risperidone이 단독 혹은 벤조디아제핀과 병용요법으로 비교적 안전하게 사용될 수 있으며 올란자핀 근주intramuscular olanzapine도 효과적이다.

기저의 정신질환을 치료하기 위해 사용되는 경우를 제외하면 만성적인 공격성을 조절하기 위해 사용되는 약물

중에는 항정신병 약물이 가장 광범위하게 사용되고 있다. 또한 항정신병 약물은 일반 병동에서 섬망을 비롯한 초조와 공격성의 조절을 위해 광범위하게 사용되고 있고, 알츠하이머를 포함한 치매환자에서의 공격성 조절에도 흔히 사용되고 있다. 2세대, 비정형 항정신병약물이 개발되면서 이 약물은 매우 광범위하게 사용되고 있는 것이 현실이다. 공격성의 신경생물학적 기전에 근거하여 사용되는 대표적인 약물로는 세로토닌 활성도의 증가를 목적으로 선택적세로토닌재흡수억제제SSRI, 부스피론buspirone, 리튬 등이 효과적으로 사용되고 있고, 노르에피네프린의 활성 억제를 통한 공격성 억제를 목적으로 베타차단제도 빈번하게 사용된다. 발프로산valproic acid 등의 항전간제도 공격성의 조절을 위해 광범위하게 사용되는 대표적인 약물이다. 성적 공격성과 행동을 억제하기 위해 여성호르몬인 프로게스테론progesterone이 사용되는 경우도 있다.

5) 기타 비약물적 치료

사회심리적 개입에서 가장 중요한 것 역시 다양한 치료기법과 내용을 조합하는 것이다. 실제로 미국 등에서는 다양한 학교기반 프로그램school-based programs, 사회기반 프로그램community-based program 등이 공격성에 대한 조기개입과 예방을 위해 개발되어 사용되고 있다. 특히 이런 치료프로그램들은 소아청소년과 가족을 대상으로 하는 경우가 많은데 사회기술훈련, 좌절에 대한 내성 증가, 문제해결능력의 향상 등을 위한 방법들이 포함되어 있다. 학교기반 프로그램의 경우에는 긍정적인 또래관계 만들기, 배척과 괴롭힘 줄이기, 학업성취도 높이기 등을 위한 방법들로 구성되어 있다. 실제로 미국에서 각급 학교를 대상으로 시행된 'Project PEACE for schools', 'Incredible Years'를 통해 90% 이상의 학교에서 분노 조절법, 학교 내 괴롭힘, 사회친화적인 행동을 교육하기 시작했고 88% 이상의 학교에서 폭력 예방을 위한 기금과 인력을 확보하게 되었다고 한다. 사회기반 프로그램은 개인과 가족 수준에서의 사회기술 향상, 문제해결능력 향상 등을 목적으로 다양한 치료방법들이 포함되어 있다. 긍정적인 가족환경을 만들고, 가족 내 스트레스를 줄이는 것이 공격성을 줄이는 데 가장 핵심이 된다. 이를 위한 사회기반 프로그램에는 부모교육과 기술훈련, 스트레스 대처 방안의 수립, 일관성 향상을 위한 방안 등이 포함되며 'Strengthening Families Program','Staying Connected with Your Teen','Positive Parenting Program' 등이 대표적이 예인데 다양한 연구들을 통해 공격성을 효과적으로 감소시킬 수 있다는 것이 입증되었다.

참고문헌

1. 민성길. 최신정신의학. 제6판. 서울: 일조각; 2016.
2. 홍강의. 소아정신의학. 서울: 학지사; 2020.
3. Austerman J. Violence and Aggressive Behavior. Peidatrics in review 2017;38(2):69-80.
4. Bronheim HE, Fulop G, Kunkel EJ, Muskin PR, Schindler BA, Yates WR et al. The Academy of Psychosomatic Medicine practice guidelines for psychiatric consultation in the general medical setting. The Academy of Psychosomatic Medicine Psychosomatics 1998;39(4):S8-30.
5. Calles Jr JL. Psychopharmacologic control of aggression and violence in children and adolescents. Pediatr Clin North Am 2011;58(1):73-84.
6. Covington HE, Newman EL, Leonard MZ, Miczek KA. Translational models of adaptive and excessive fighting: an emerging role for neural circuits in pathological aggression. F1000Res. In Press.

7. Fritz M, Shenar R, Cardenas-Morales L, Jäger M, Streb J, Dudeck M, Franke I. Aggressive and Disruptive Behavior Among Psychiatric Patients With Major Depressive Disorder, Schizophrenia, or Alcohol Dependency and the Effect of Depression and Self-Esteem on Aggression. Front Psychiatry 2020;11(3):599828.
8. Gaynes BN, Brown CL, Lux LJ, Brownley KA, Van Dorn RA, Edlund MJ et al. Preventing and De-escalating Aggressive Behavior Among Adult Psychiatric Patients: A Systematic Review of the Evidence. Psychiatr Serv 2017;68(8):819-31.
9. Huesmann LJ. An integrative theoretical understanding of aggression: a brief exposition. Curr Opin Psychol 2018;19:119–24.
10. Levenson JL, editors. Textbook of Psychosomatic Medicine and Consultation-Liaison Psychiatry, Third Edition. Washington DC: American Psychiatric Association Publishing; 2019.
11. Patrick J. Psychophysiological correlates of aggression and violence: an integrative review. Philos Trans R Soc Lond B Biol Sci 2008;363(1503):2543-55.
12. Peter Sturmey, Editors. The Wiley Handbook of Violence and Aggression. Hoboken: John Wiley & Sons Ltd; 2017.
13. Price O, Baker J. Key components of de-escalation techniques: a thematic synthesis. Int J Ment Health Nurs 2012;21(4):310-9.
14. Siever LJ. Neurobiology of Aggression and Violence. Am J Psychiatry 2008;165:429–42.
15. Woods P, Ashley C. Violence and aggression: a literature review. J Psychiatr Ment Health Nurs 2007;14(7):652-60.

9
CHAPTER

우울장애

김성민, 정종현

1. 서론

우울장애는 만성적인 신체질환을 가진 환자에게서 가장 흔하게 동반되는 만성 질환 중 하나이며, 동반된 우울장애는 환자에게 좋지 않은 영향을 미친다. 기존의 연구에 따르면, 만성적인 신체질환을 가진 환자 중에서 우울장애가 병존하는 경우 건강과 관련된 삶의 질health-related Quality of Life이 대조군에 비해 불량한 것으로 밝혀졌다. 또한, 급성 심장증후군Acute coronary syndrome 환자와 뇌 경색 환자 그리고 암환자 모두 우울장애의 동반이 낮은 삶의 질과 연관이 있었다. 뿐만 아니라 공존우울장애가 있는 환자는 우울장애 없이 내외과적인 질환만을 가지고 있는 환자와 비교할 때 기능적 손상functional impairment이 심했다. 또한 30,801명의 고혈압, 당뇨, 심혈관 질환, 울혈성 심부전, 뇌경색, 만성 폐쇄성 폐질환, 말기신부전 등의 환자를 12개월 간 추적한 연구에서 우울장애를 동반한 대상자들은 외래 방문, 응급실 방문 및 질병으로 인한 결근을 더 많이 경험하여 관련된 의료비용의 지출이 더 높았음을 보고하였다. 최근의 뇌 경색, 심장질환 등을 앓는 환자들을 대상으로 한 메타연구meta-analysis에서도 병존하는 우울장애가 있으면 신체질환으로 인한 사망률이 높아지는 것으로 나타났는데 이는 내외과적인 질환에 대한 치료와 더불어 공존한 우울장애의 적절한 치료가 필요함을 뜻한다.

하지만 신체질환을 가진 환자의 우울장애는 필요한 시기에 진단을 받지 못 해 적절한 치료가 이루어지지 않는 경우가 적지 않다. 정신질환의 진단 및 통계관람 제5판Diagnostic and Statistical Manual of Mental Disorders, DSM -5에 주요우울장애와 다른 우울장애 등에 대한 진단 기준이 명시되어 있지만, 내외과적인 질환을 가진 환자에게 그 기준을 적용하는 명확한 방법에 대한 기술은 부족하기 때문이다. 더욱이 환자들의 우울장애 증상 양상은 신체질환이 없는 집단과 다르게 나타날 수 있기 때문에 우울장애의 정확한 진단과 치료가 어렵다. 뿐만 아니라 환자들은 질병을 진단받고 치료하는 도중 경험하는 일시적인 슬픈 감정이나 아쉬움으로부터 심각하게 지속되는 우울감까지 다양한 스펙트럼의 감정 반응을 경험하므로 임상가들은 우울 증상을 "정상적인" 반응으로 오해하여 치료 시점이 늦어지기도 한다. 뿐만 아니라 우울장애에서 나타나는 식욕부진, 체중감소, 피로, 불면과 같은 증상들이 신체질환에서도 나타나 이를 구별하기 어렵다. 이 때문에 '정상적인' 슬픔과 주요우울장애를 구분하기 위해서는 과거 우울증상의 병력, 증상의 심각도 그리고 증상의 발생 시점들과 같은 요인들에 대한 주의 깊은 평가 등 임상가의 상당한 노력이 필요하다.

2. 역학

1) 신체질환자의 공존우울장애 유병률

신체질환을 가진 인구에서는 우울장애의 유병률이 높은 것으로 알려져 있다. 245,000명을 대상으로 우울장애의 1년 유병률1-year prevalence 을 조사한 세계보건기구의 연구에 따르면, 신체질환이 있는 집단에서의 1년 유병률은 9.3-13%로 밝혀졌는데 이는 신체질환이 없는 대상자의 우울장애의 1년 유병률 3.2%보다 높았다. 더욱이 2개 이상의 내외과적인 질병을 가진 경우에는 23%가 우울장애를 동반하고 있었다. 그리고 공존우울장애의 유병률은 이용하는 의료시설의 단계가 높아질수록 증가했는데, 일차의료시설을 내원하는 환자 중에서는 5-10%, 입원 환자의 10-14%가 우울장애를 진단받았다.

암환자 중에서 주요우울장애에 해당하는 증상을 경험하는 비율은 0-38%였고, 우울 스펙트럼 질병을 가지는 경우는 이보다 높아 0-58%로 일반인구에서의 우울장애 유병률에 비해 유의하게 높았다. 암의 유형 별로는 구강인두계암oropharyngeal cancer(22-57%), 췌장암pancreatic cancer(33-50%), 유방암breast cancer(1.5-46%), 폐암lung cancer(11-44%)이 대장암colon cancer(13-25%), 부인과암gynecological cancer(12-23%), 림프종lymphoma(8-19%) 보다 우울장애의 병발이 잦았다. 15개의 연구를 체계적으로 검토systematic review 한 조사에 따르면, 암으로 외래 치료를 받는 환자는 5-16%가 평가 당시 우울장애를 앓고 있었다. 그리고 암을 진단받고 처음으로 입원을 하는 환자 중 주요우울장애의 유병률은 4%였고 지난 12개월 간 주요우울장애의 진단 기준에 부합하는 증상을 경험한 비율은 30%이었다.

당뇨병diabetes mellitus은 주요우울장애를 야기하는 위험요소로 알려져 있으며 상대위험도relative risk는 1.15로 알려져 있다. 2006년의 체계적 문헌연구에서는 제2형 당뇨병type 2 diabetes을 가지고 있는 성인 인구의 공존우울장애 유병률은 12-18%로 확인되었다. 심혈관질환cardiovascular disease 환자 중에서는 15-23%가 우울증상을 경험하고 있었고 만성콩팥질환chronic kidney disease의 경우에는 20-50%, 그리고 만성 통증chronic pain 환자 중 25-60%가 우울증상을 보고하였다. 뇌경색cerebral infarction 발생 후 환자 중에서 우울장애를 경험하는 비율이 31%로 나왔는데 이처럼 신체질환을 동반한 환자는 일반 인구에 비해 유병률이 높았다. 또한 신경계질환nervous system disease을 가진 경우에도 우울장애의 유병률은 증가했는데, 파킨슨병Parkinson's disease에서는 40-50%, 헌팅턴병Huntington's disease 은 0-40%, 다발성 경화증multiple sclerosis은 23-54%, 그리고 알츠하이머병Alzheimer's disease에서는 15-55%로 알려졌다.

표 9-1. 만성질환 및 맘 환자의 공존우울장애 유병률

	우울장애 유병률		우울장애 유병률
일반 인구	3-4%		
암	38%	뇌경색	25-31%
심혈관 질환	15-23%	파킨슨병	40-50%
제2형 당뇨병	12-18%	헌팅턴병	-40%
만성콩팥질환	20-50%	다발성경화증	10-50%
만성통증	25-60%	알츠하이머병	15-55%

2) 국내의 유병률 연구

국내에서도 이와 관련된 연구들이 진행되어 왔는데 2014년 국민건강영양조사에 따르면 일반 인구 중 6.7%가 우울 증상을 경험하고 있으며 2.7%는 주요우울장애가 의심되었다. 국민건강보험 데이터를 이용한 대규모 표본에 대한 후향적 연구에서는 우울장애의 유병률이 2002년의 2.8%에서 2013년의 5.3%로 증가하는 양상을 나타냈다. 일차의료시설을 내원하는 국내 환자 중 14.1%가 우울장애를 경험하고 있었으며, 유병률은 각각 주요우울장애major depressive disorder 5.4%, 기분부전장애dysthymia 1.1%, 기타 명시되지 않은 우울장애depressive disorder, not otherwise specified 7.6%였다.

국내의 302,844명의 암환자 국민건강보험자료를 2005년부터 2008년까지 조사한 연구에서는 환자의 10.43%가 새롭게 정신질환을 진단받았으며 그 중에서는 불안장애와 우울장애가 가장 흔했고 각각의 발생률은 1000명당 18.13명과 13.16명이었다. 8년 간 3,609명의 갑상선제거술을 시행 받은 갑상선 암 환자를 추적한 국내연구는 수술 후 1년 내 우울장애 발생률이 대조군에 비해 유의하게 높음을 밝혀냈으며 44세 이하의 젊은 연령, 여성, 도시 거주, 저소득 계층이 그 위험요인으로 나타났다. 국민건강보험자료를 이용하여 국내에서 발병률이 높은 상위 10가지 암환자의 공존 유병률을 조사한 연구에 따르면 폐암lung cancer(11.0%), 비호지킨 림프종Non-Hodgkin lymphoma(9.2%), 전립선암prostate cancer(9.1%), 방광암bladder cancer(8.8%), 유방암breast cancer(7.8%), 자궁경부암cervical cancer(7.8%), 직장결장암colorectal cancer(7.7%), 위암stomach cancer(6.9%), 간암liver cancer(6.5%), 갑상선암thyroid cancer(5.6%)의 순서로 유병률이 높았으며 주요우울장애를 진단받은 그룹은 그렇지 않은 군에 비해 연령이 높았다.

국내의 고혈압hypertension 환자 124명에 대한 단면적 조사에서 37.1%가 우울증상을 호소하였으며 우울증상은 자각된 스트레스perceived stress, 대인관계의 갈등 상황, 그리고 화가 나 있는 심리 상태, 화를 잘 내는 기질 등과 양의 연관성을 가지고 있었다. 2013년 973명의 65세 이상 만성콩팥질환Chronic kidney disease 을 가진 환자를 대상으로 진행된 국내연구에서는 1-2단계 만성콩팥질환 환자의 6.2%, 3-5단계 만성콩팥질환 환자의 9.6%가 우울장애를 앓고 있어 만성콩팥질환의 단계가 높을수록 공존우울장애의 유병률이 높았다. 하지만 이 차이는 여성에서는 통계적으로 유의하지 않았으며 남성에서만 유의한 차이(1-2단계 만성콩팥질환 2.8%, 3-5단계 만성콩팥질환 9.6%)를 보였다. 45,598명의 만성신체질환(심근경색myocardial infarction, 뇌경색cerebral infarction, 결핵tuberculosis, 천식asthma, 만성신부전chronic renal failure, 아토피성 피부염atopic dermatitis, 갑상선 질환thyroid disease, 암, 간경화liver cirrhosis)를 가진 인구의 우울장애 연령보정 유병률 비율age-adjusted prevalence ratio (ARP)이 그렇지 않은 집단에 비해 APR=2.19로 높았다. 심혈관

질환을 진단받은 국내 환자 중 21.7%는 우울증으로 치료를 받은 적이 있었으며 뇌혈관환 환자의 25.5%가 이에 해당하였다.

3. 병인

신체질환을 가진 환자들은 질병 자체로 인한 정신사회적 스트레스와 그것과 관련된 장애에 대한 '반응적 기전reactive mechanism', 그리고 질병으로 인한 신경해부학적 변화 neuroanatomical change의 과정을 거쳐 우울장애를 경험한다. 바꿔 말하면 신체 질병을 가진 환자들의 우울장애는 생물학적 요인biological factor와 정신사회적 요인psychosocial factor과의 상호작용 속에서 발생한다고 생각할 수 있다. 먼저, 환자들은 병의 진단 시부터 여러 가지 원인에 의해 자아감의 손상을 경험하게 된다. 가령, HIV와 같은 바이러스성 감염증 환자는 주위로부터 병으로 인한 낙인을 경험하며, 말기암환자는 병의 경과에 낙담을 하기도 한다. 또한 뇌 경색 환자는 마비 증상으로 일상 활동에 제한이 생겨 자립적인 생활이 어렵다는 점을 깨닫고 자존감의 저하를 느낄 수 있다. 내외과적 질환으로 스트레스를 겪는 상황에서 환자는 회피와 같은 비적응적 대처 방식maladaptive coping strategy를 선택하여 이를 악화시킬 수도 있다. 이와 더불어 자신의 부정적인 감정 상태를 표현할 역량이 감소하거나 주위로부터의 사회적 지지가 부족하면 우울장애가 발생한 위험이 증가한다. 그리고 신체질환을 간호하는 보호자 medical caregiver와 부족한 의사소통도 공존우울장애의 위험 요소 중의 하나이다.

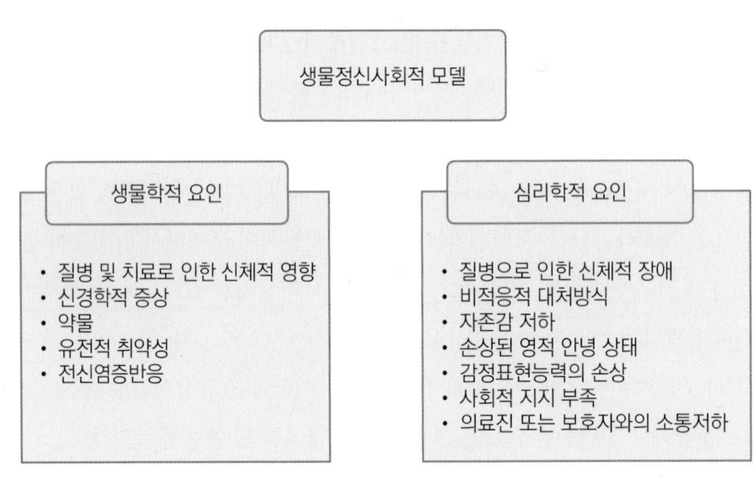

그림 9-1. 신체질환을 가진 환자의 우울장애 발병에 대한 생물정신사회적 모델

신체질환의 생물학적인 요인도 우울장애의 발생 위험도를 증가시킬 수 있다. 이전 연구들을 통해 질환의 진행 단계가 더 높을수록, 환자의 여명이 짧을수록, 그리고 질환으로 인해 고통이 크거나 치료의 강도가 높을수록 우울장애의 발병이 높아진다는 점이 알려졌다. 또한, 질병 때문에 신체 활동이나 운동에 제한을 가지게 되는 경우, 신경학적 증상이 있을 때에도 우울장애가 동반될 가능성은 높아진다 뿐만 아니라 각 개인이 가지고 있는 유전적 취약성도 그 원인이 될 수 있는데 세로토닌 수용체 유전자-연관 촉진자 구역5-HTT gene-related promoter region의 s 맞섬유전자s allele의 다형성polymorphism을 가진 환자들이 세로토닌 수용체의 발현을 감소되어 우울장애의 발병이 높았고 사이토카인-매

개 염증반응cytokine-mediated inflammatory response과 관련된 유전적 취약성을 가진 집단에서 신체질환과 우울장애 사이 steroid의 연관성이 더욱 높았다. 내외과적 질병의 치료에 사용하는 약물도 우울장애 발생에 영향을 미칠 수 있는데 스테로이드steroid, IF- αinterferon-alpha, IL-2interleukin-2, 메플로퀸mefloquine, 성선호르몬gonadotropin 치료, 프로게스틴 분비 착상용 피임기구progestin-releasing implanted contraceptive 등이 대표적인 예이다.

표 9-2. 우울장애와 관련될 수 있는 약물

항고혈압제	바비튜레이트
시메티딘	코르티코스테로이드
구아네티딘	인도메타신
레보도파	정신자극제(암페타민 등)
벤조디아제핀	이뇨제(티아자이드 등)
클로니딘	피임제

우울증의 경우, 여성에서 조금 더 흔하고 환자의 연령이 어릴 수록 증상의 심각도가 높아지는 등의 인구학적 요인도 발병에 기여한다. 그러나 신체질환을 가진 경우, 나이, 성별에 따른 우울증 발병의 차이는 없다고 보고된다.

4. 임상 양상 및 평가

1) 진단 기준

정신질환의 진단 및 통계 편람 제5판Diagnostic and Statistical Manual of Mental Disorder, 5th Edition (DSM-5)은 신체질환 때문에 발생하는 우울장애를 다른 의학적 상태로 인한 우울장애depressive disorder due to another medical condition로 진단하는데 이 진단은 우울 증상이 신체질환에 의한 직접적인 병태생리학적인 결과라는 점이 신체검사 또는 실험실 결과로 뒷받침되어야 한다. 또한, 해당 증상이 적응 장애와 같은 다른 정신 질환으로 설명되지 않으며, 섬망과 같은 의식의 장애가 배제된 상태이어야 한다. 만약 우울 증상이 사용하는 약물에 의해 야기되었을 것으로 의심된다면, 물질/약물 치료로 유발된 우울장애substance/medication-induced depressive disorder 진단을 고려할 수 있다. 이 진단은 약물의 사용 중 또는 중단 후 우울 증상이 발생하고 그것이 약물의 사용 전에 선행되지 않고, 중단 후에는 소실되며, 다른 약물이나 물질에 의한 우울장애라는 증거가 없어야만 한다. 하지만, 실제 임상 현장에서는 우울 증상과 내외과 질환 또는 약물 간 '직접적인 병태생리적인' 연관성이나 인과관계를 입증하기는 어려운 경우가 많고, 그 영향이 있다고 하더라도 신체질환을 진단받고 치료하는 도중에 경험하는 심리적인 요인의 영향을 배제하기 쉽지 않아 달리 명시된 우울장애other specified depressive disorder로 잠정 진단provisional diagnosis를 내린 후 경과를 관찰하며 수정하기도 한다. 이와는 달리, 우울감이나 죄책감, 식욕 부진 등의 증상이 질병 상태로 인한 심리적인 감정 혹은 반응과 관련성이 명백하다면, 일반 인구에서와 같은 진단기준에 따라 주요우울장애major depressive disorder 또는 달리 명시된 우울장애와 같은 우울장애를 진단할 수 있다.

질병 및 관련 건강 문제의 국제 통계 분류 10차 개정판The International Statistical Classification of Diseases and Related Health Problems, 10th edition (ICD-10)은 신체질환에 의한 우울장애를 일반적인 우울장애와 구분하여 F06. 뇌손상, 뇌기능장애 및 신체질환으로 인한 기타 정신 장애other mental disorders due to brain damage and dysfunction and to physical disease의 하부 항목인 F06.3 기질성 기분[정동] 장애organic mood[affective] disorder로 분류하고 조증과 관련된 증상을 배제할 수 있으면 F06.32 기질성 우울장애organic depressive disorder로 구체화할 수 있다. 다만, 이 진단을 위해서는 앞선 DSM-5와 같이 기질적 병인과의 '직접적 인과관계direct causation을 예상할 수 있어야 하고, ICD-10의 우울장애의 진단인 F30-F33에 해당하는 기준을 동시에 만족하여야 한다. ICD-10은 신체질환과의 연관성을 판단하기 위해서 1) 뇌질환, 뇌기능 이상, 전신 신체질환의 증거, 2) 기저 질환의 발병 시점으로부터 수 주에서 수 개월 내 정신 증상이 발현한다는 시간적 연관성, 3) 추측했던 기저 원인의 해소 또는 개선에 따른 정신 질환의 회복, 4) 정신 증상의 다른 원인이 될 수 있는 강력한 가족력 또는 촉발 스트레스와 같은 근거의 부재 등 네 가지 기준을 제시한다. 이 중, 1)과 2)를 만족한다면 잠정적으로 기질성 우울장애로 진단할 수 있고 모든 기준에 해당한다면 진단의 확실성은 더욱 높아진다. 해당 진단은 ICD-10의 F30-39에 해당하는 기분[정동] 장애mood [affective] disorder와 우측 대뇌 반구의 손상으로 감정을 표현하지 못 하여 우울하게 보이는 F07.8 우측 대뇌 반구 기질성 정동 장애right hemispheric organic affective disorder를 배제한 후 내릴 수 있다. ICD-10에서도 신체질환자의 심리적인 반응의 결과로 나타나는 우울 증상은 F32. 우울장애 삽화나 F33. 재발성 우울성 장애, F34. 지속성 기분[정동] 장애 등으로 평가한다. ICD-10에서는 ICD-9에서의 약물-유발성 기분 장애drug-induced mood disorder가 삭제되었으므로 신체질환을 치료하는 약물을 사용한 결과로 발생하는 우울장애는 F19. 다중 약물 사용 및 기타 향정신성의약품 사용으로 인한 정신 및 행동 장애mental and behavioural disorders due to multiple drug use and use of other psychoactive substances로 평가하는 것이 적절하다.

표 9-3. 신체질환을 가진 환자의 우울장애의 평가에 흔히 사용되는 진단명

정신질환의 진단 및 통계 편람 제5판(DSM-5)	질병 및 관련 건강 문제의 국제 통계 분류 10차 개정판(ICD-10)
물질/약물치료로 유발된 우울장애 다른 의학적 상태로 인한 우울장애 주요 우울장애 지속성 우울장애 달리 명시된 우울장애	F06.3 기질성 기분[정동] 장애 F06.32 기질성 우울장애 F19. 다중 약물 사용 및 기타 향정신성의약품 사용으로 인한 정신 및 행동 장애 F32.0 경도의 우울장애 F32.1 중등도의 우울장애 F32.2 정신증을 동반하지 않는 심각한 우울장애 F32.3 정신증을 동반하는 심각한 우울장애 F32.8 기타 우울장애 F33. 재발성 우울장애 F34. 지속성 기분[정동] 장애

2) 임상 양상

임상 현장에서 신체질환을 가지고 있는 환자의 우울장애를 명료하게 진단하는 것은 쉽지 않을 때가 많다. 이는 환자가 호소하는 여러 증상이 내외과적 질병으로 야기된 것과 구별이 용이하지 않기 때문이다. 예를 들어, 항암치료

중인 유방암 환자가 호소하는 식욕 감소, 피로감, 기력감퇴 등의 증상은 환자의 우울장애의 증상일 수도 있지만 항암치료 자체와 연관된 것일 수도 있다. 또한, 류마티스 계열 질병을 가진 환자의 신체 통증, 불면증의 원인은 심리적인 면과 약물, 또는 질병 자체로 구별하는 것은 어려운 일이다. 이와 같이 우울장애의 자율신경성증상neurovegetative symptom을 포함한 신체증상은 특히 그 증상이 우울장애에서 기인한 것인지, 아니면 신체적 질병 혹은 이와 관련된 약물치료에서 기인한 것인지는 명확히 하는 데에는 임상가의 상당한 경험과 세심한 노력이 필요하다. 더욱이 신체증상이 우울증상과 상호적으로 영향을 미친다는 점을 고려한다면 임상가는 우울장애의 진단 시 적지 않은 어려움을 경험할 수 있다.

우울장애와 신체질환으로 인한 증상들을 비교한 기존 연구들은 불안, 예민함, 무의욕증, 죄책감, 무망감, 자살사고, 무가치감, 죽음에 대한 생각, 자살사고, 식욕 증가와 같은 증상 및 우울장애의 과거력 또는 가족력이 우울장애를 가진 환자에게서 좀더 빈번하게 관찰되는 점을 밝혔다. 심각한 우울장애를 동반한 환자에게서는 자살사고, 실패감, 자책감, 사회적 흥미의 감소, 울음, 우유 부단, 불안발작 등의 7가지 인지-감정 증상emotional-cognitive symptom이 자주 나타나므로 신체증상으로 인한 증상과의 구별에 도움이 된다는 주장이 있었지만, 무감동, 정신운동 지연, 신경식물 증상, 불면, 에너지 감소, 식욕 감퇴, 피로, 성기능 장애 등의 증상은 신체질환에 의해서도 비특이적으로 발생하는 것으로 보이기 때문에 증상만으로 그 원인을 구분하기는 어려울 것이다.

이러한 각각의 증상의 원인을 심리적이나 신체적으로 구분하는 것은 각 질환마다 그 경계가 달라질 수 있고, 이에 대한 임상가의 의견이 달라질 수 있어 그 적용에는 제한이 따른다. 이 때문에 신체질환을 가진 환자의 동반된 우울증상을 평가에 대한 다면적 검토의 필요성이 일부 연구자들에 의해 제기되어 왔으며, 이들은 다음 3가지 방식의 적용을 제안한다. 첫째는 포괄적 접근inclusive approach로 신체 증상을 포함하여 환자가 호소하는 모든 증상을 신체적 조건에 관련된 것으로 판단되더라도 우울장애의 평가에 반영하는 방법이다. 이는 진단의 신뢰도reliability가 증가하지만 위양성false positive도 많아지는 단점이 있다. 다음으로 환자가 호소하는 증상 중 신체적 질병과 연관될 수 있는 신체 증상을 제외하고 인지적, 심리적 증상만을 우울장애 평가에 반영하는 제외적 접근exclusive approach이 있다. 이는 진단에 대한 역치를 올려 특이도 specificity를 향상시키지만 상당수의 우울장애 환자의 진단을 놓치는 제한점이 있다. 마지막으로 우울장애의 진단 기준 중 내외과적 질병과 관련될 수 있는 신체 증상의 기준을 두렵거나 우울한 외양, 사회적 위축이나 줄어든 말수, 비관적 사고, 그리고 주위에 자극에 반응하지 않는 기분과 같은 정동적인 것으로 변경하여 사용하는 대체적 접근substitutive approach은 내외과적 환자의 우울증상을 진단하는 데 유용할 수 있으나 대체하는 진단기준에 대한 근거가 부족하여 진단의 일관성이 유지하기 어렵다. 임상가는 상황과 목적에 따라 위의 세 가지 방식 중 적절한 것을 선택해야 하지만 많은 연구자들은 임상 현장에서 민감도, 특이도, 그리고 신뢰도를 가장 담보할 수 있는 방법으로 포괄적 접근법을 추천하고 있다.

3) 선별 도구

앞서 언급한 어려움들로 인해 내외과 환자에서는 우울장애의 진단이 늦어져 심리적 어려움뿐만 아니라 신체질환의 경과에도 불량한 영향을 미칠 수 있다. 이 때문에 신체질환을 앓고 있는 환자의 우울장애에 대한 신속하고 정확한 검사 및 평가의 중요성이 강조되는 추세이다. 이를 위해 여러 선별 도구가 사용되고 있는데 그 중 대표적인 예는 다음과 같다.

- Beck 우울 척도Beck Depression Inventory (BDI)
- 환자 건강 설문지Patient Health Questionnaire-9 (PHQ-9)
- 병원 불안 우울 척도Hospital Anxiety and Depression Scale (HADS)
- 에딘버러 산후 우울 척도Edinburgh Postnatal Depression Scale (EPDS)
- 해밀턴 우울장애 평가 척도Hamilton Rating Scale for Depression (HAM-D)
- Montgomery-Asberg 우울장애 평가 척도Montgomery-Asberg Depression Rating Scale (MADRS)

이 중 BDI와 PHQ-9은 포괄적 접근법을 이용한 것으로 환자가 호소하는 신체 증상을 우울 증상의 일부로 평가한다. 반대로 HADS와 EPDS는 내과적 질병을 가진 환자 중 우울 증상을 대체적 접근을 통해 평가하는 선별도구로 HADS에서는 신체적 질병으로 흔하게 경험할 수 있는 수면 관련 문제를 우울 증상의 평가 항목에서 제외하였으며 EPDS는 수면 문제 중 불행감으로 인해 발생하는 수면 장애로 범위를 좁힌다. HAM-D는 임상가가 우울 증상을 직접 평가하는 척도로 다양한 분야에서 사용되고 있으나 평가자의 훈련에 시간과 노력이 소요되며 상대적으로 불면 증상에 대한 평가 항목이 많아 우울증상이 과도하게 평가될 우려가 있다. MADRS도 임상가가 시행할 수 있으나 진단적 선별도구 보다는 치료의 효과를 축적하는 데 좀더 유용할 수 있다. 이외에도 DSM-5를 사용하는 구조적 임상 면접 Structured Clinical Interview for DSM-5 (SCID-5), Mini International Neuropsychiatruc Interview (MINI), Composite International Diagnostic Interview (CIDI) 등 구조적 면담을 통해서도 우울 증상을 평가할 수 있지만 숙련된 시행자가 1-2시간에 걸쳐 시행하므로 임상상황에서는 이용하기 쉽지 않다. 하지만 이와 같은 선별도구의 결과값만으로는 신체질환을 가진 환자에게서 우울장애를 평가하면 과잉진단으로 인한 불필요한 의료자원이 소모될 수 있으므로 임상가의 종합적인 판단을 기반으로 한 구체적인 판단이 치료 전에 우선되어야 한다.

5. 치료

1) 정신약물치료

일차의료primary care에서 발견되는 우울장애 환자의 50-60%가 일반인구에서 같이 구조화된 정신치료structured psychotherapy와 약물치료에 반응을 보이는 것으로 알려졌고, 실제 임상현장에서 이용되고 있다. NICE 가이드라인National Institutue for Health and Care Excellence guidance은 우울장애의 심각도에 따른 단계적-치료 접근법stepped-care approach을 제시하고 있다. 해당 가이드라인은 모든 환자들에게 기본적인 평가 및 지지, 정신교육 psychoeducation, 모니터링, 의뢰 등의 의료서비스를 제공할 것을 권고한다. 그리고 역치하 우울증subthreshold depression 증상에 대해서는 약물치료가 아닌 정신치료를 적용할 것을 권유한다. 내과적 환자를 대상으로 하는 정신치료는 대개 현재에 초점을 맞춘, 시간 제한이 있는 구조화된 형태로 진행되며 건강하지 않은 환자의 문제적 행동에 초점을 맞춰 질병과 행동의 악순환을 제거할 수 있도록 상담을 진행한다. 가장 대표적인 정신치료법으로는 인지행동치료cognitive behavioral therapy, 그리고 대인관계치료interpersonal therapy, 행동활성화치료behavioral activation가 있다.

44개의 연구결과를 메타분석한 연구에 따르면, 항우울제의 사용이 우울장애의 치료에 효과적이었으며 항우울제를 6주에서 8주 간 사용한 집단은 그렇지 않은 군에 비해 중도 탈락률이 낮아, 항우울제는 내외과 환자의 우울장애 치료의 1차 치료법으로 알려져 있다. 그리고 다른 메타분석을 통하여 내외과 환자에게 동반된 우울장애 치료에 selective serotonin reuptake inhibitor (SSRI), serotonin norepinephrine reuptake inhibitor (SNRI), mirtazapine, bupropion 사이의 유의한 차이가 없음이 알려졌다. 그러므로 항우울제를 선택할 때에는 환자가 경험하는 증상과 각 항우울제의 부작용을 고려하여 선택해야 하는데, 만약 암환자가 불면 증상으로 고통을 받고 있다면 진정 작용이 있는 종류의 항우울제를 선택하고, 식욕 부진 및 체중 감소가 동반된다면 식욕을 향상시킬 수 있는 mirtazapine과 같은 약제를 처방하는 것이 도움이 된다. 이미 신체적 문제를 가진 환자는 항우울제를 복용하면서 일어나는 부작용에 더욱 취약할 뿐 아니라 그 영향도 크기 때문에 더욱 주의가 필요하다. 예를 들어, 투석을 하고 있는 말기 신기능 장애 환자에게 항우울제를 처방할 경우에는 저하된 신대사 기능으로 인한 체내 약물 농도의 상승 외에도 항우울제의 사용으로 인한 저나트륨혈증 등이 나타날 수도 있다. 또한, 출혈성 경향이 있는 환자에게는 그 위험을 증가시킬 수 있는 세로토닌 계열이 아닌 항우울제의 사용을 우선 고려해야만 한다. 마지막으로, 신체질환을 치료하는 약물과의 상호작용도 고려해야 하는데 paroxtine이나 fluoxetine, bupropion과 같은 항우울제는 CYP2D6의 대사작용을 방해하여 유방암 환자의 tamoxifen의 효과를 경하시키는 것이 그 대표적인 예이다.

표 9-4. 항우울제의 부작용 및 관련된 약물

QTc 연장	amitriptyline, escitalopram, citalopram
출혈 위험	selective serotonin reuptake inhibior, serotonin norepinephrine reuptake inhibior
골절 및 골다공증	세로토닌 계열 항우울제
저나트륨혈증	selective serotonin reuptake inhibior

메틸페니데이트methyphenidate나 모다피닐modafinil과 같은 신경자극제도 작용이 빨라 뇌경색 환자와 암환자에게서는 우울장애 개선의 효과를 보이기도 하였다. 많은 임상가들은 신경자극제를 완화치료에서 치료의 한 방법으로 선택하기도 하는데 코크란 분석에서 효과의 유의성을 입증하지는 못 하였다. 하지만 암과 관련된 피로 등에서는 유의한 효과가 밝혀지기도 했으므로 신체질환자의 우울장애와 동반되는 신체증상을 치료하는 데 2차적 치료로 적용할 수 있을 것이다. 일반 인구에서는 부가 요법으로써 비정형항정신병약물을 사용하기도 하지만 현재까지 신체질환자의 우울장애 치료에 대한 자료는 부족하므로 일차적인 항우울제의 치료에 반응하지 않거나 항우울제를 사용할 수 없는 경우에 한하여 처방하는 것이 바람직하다.

2) 협력적 치료collaborative care

일차 의료진과 적어도 한 명 이상의 건강 전문가가 함께 개입하는 협력적 치료collaborative care는 만성 질환 환자의 동반 우울장애를 치료하는 방법으로 주목을 받고 있다. 협력적 치료는 구조화된 환자 관리 계획과 개입, 계획된 진료 일정, 그리고 여러 전문가들 사이의 강화된 의사 소통 체계로 구성되어 있는데 구성원은 의사 외에도 사회사업팀이나 전문간병인 등 여러 직종의 전문가를 포함한다. 최근 연구 결과들에 따르면 협력적 치료는 기존의 치료보다 우울장애 측면에서 중등도 수준의 효과를 보였으며 우울증 치료반응depression response 및 정신사회적 삶의 질psychosocial qulality of life, 치료만족도도 증가하였고 이와 같은 결과는 당뇨, 심장질환, 암과 같은 여러 신체질환에서 입증되었다. 국내에서도 폐암환자를 대상으로 12주 동안 CBT와 마음챙김mindfullness을 이용한 프로그램을 진행한 연구가 있었으나 본격적인 도입과 활용은 아직 제한적인 상태이다.

6. 결론

신체질환자에서는 우울장애가 흔하게 발생하며 이는 환자에게 심리적인 고통을 야기해 삶의 질을 악화시키는 것 외에도 치료 순응도의 저하 및 질병 자체의 불량한 경과와도 연관이 있다. 공존우울장애는 환자가 진단 및 치료 도중에 경험하는 스트레스와 신체적 장애로 인한 자존감 저하 및 좌절감 등의 심리적인 요인 그리고 질병 자체가 중추신경계에 직접 작용하는 신경생리적인 효과와 복용하는 약물의 영향 등의 생물학적인 요인의 종합적인 상호작용 속에서 발생한다. 신체질환에서 흔하게 나타나는 피로, 통증, 불면 등의 신체증상이 우울장애의 양상과 중첩되므로 신체질환자의 우울장애를 정확하게 평가하는 것에는 상당한 어려움이 따를 수 있다. 그러므로 적절한 진단을 위해서는 환자의 병력 및 가족력 그리고 현재 신체 상태, 치료 중인 질환의 종류와 복용하는 약물 등에 대한 포괄적인 파악과 이해가 필요하며 여러 우울증상 척도가 평가에 앞선 선별도구로 유용할 수 있다. 경미한 정도의 공존우울장애는 약물 치료보다는 지지요법 등의 정신치료가 적절하며 중등도 이상의 증상을 가진 환자는 구조화된 정신치료와 함께 항우울제, 정신자극제를 포함한 약물치료가 도움이 되는데, 약제를 선택할 때에는 개선해야 할 증상과 약물의 부작용을 고려하여 선택해야 한다.

참고문헌

1. 고경봉 신체질환 . 환자들에서 우울장애의 평가 및 치료. 정신신체의학 2001;9:111-32.
2. Aguiar CCT, Aguiar JVA Rocha MG. Treatment of depression in patients under breast cancer therapy: antidepressant - tamoxifen drug interactions. J Drug Metab Toxicol 2017;8:2.
3. Ali S, Stone M, Peters J, Davies M Khunti K. The prevalence of co - morbid depression in adults with Type 2 diabetes: a systematic review and meta - analysis. Diabetic medicine 2006;23:1165-73.
4. Baeg JY, Kim IH, Seo SY, Kim YS, Jung EU, Cho J, et al. Prevalence and incidence of depression during interferon-based antiviral therapy in chronic hepatitis C patients in the Republic of Korea. Gut and liver 2017;11:426.
5. Barsky AJ Silbersweig DA. Depression in medical illness. McGraw Hill Professional, 2017.
6. Baumeister H Hutter N. Collaborative care for depression in medically ill patients. Curr Opin Psychiatry 2012;25:405-14.
7. Candy M, Jones L, Williams R, Tookman A, King M. Psychostimulants for depression. Cochrane Database Syst Rev [Internet]. 2008;(2):CD006722.
8. Choi HG, Park B, Ji YB, Tae K Song CM. Depressive Disorder in Thyroid Cancer Patients after Thyroidectomy: A Longitudinal Follow-up Study Using a National Cohort. Otolaryngol Head Neck Surg 2019;160:239-45.
9. Cukor D. Use of CBT to treat depression among patients on hemodialysis. Psychiatric Services 2007;58:711-2.
10. Dobkin RD, Menza M, Allen LA, Gara MA, Mark MH, Tiu J, et al. Cognitive-behavioral therapy for depression in Parkinson's disease: a randomized, controlled trial. American Journal of Psychiatry 2011;168:1066-74.

11. Donnelly JM, Kornblith AB, Fleishman S, Zuckerman E, Raptis G, Hudis CA, et al. A pilot study of interpersonal psychotherapy by telephone with cancer patients and their partners. Psycho - Oncology: Journal of the Psychological, Social and Behavioral Dimensions of Cancer 2000;9:44-56.
12. Egede LE. Major depression in individuals with chronic medical disorders: prevalence, correlates and association with health resource utilization, lost productivity and functional disability. General hospital psychiatry 2007;29:409-16.
13. Endicott J. Measurement of depression in patients with cancer. Cancer 1984;53:2243-8.
14. Goodwin GM. Depression and associated physical diseases and symptoms. Dialogues in clinical neuroscience 2006;8:259.
15. Gottlieb SS, Khatta M, Friedmann E, Einbinder L, Katzen S, Baker B, et al. The influence of age, gender, and race on the prevalence of depression in heart failure patients. J Am Coll Cardiol. 2004;43(9):1542-9.
16. Haddad M. Depression in adults with a chronic physical health problem: treatment and management. International journal of nursing studies 2009;46:1411-4.
17. Han KM, Kim MS, Kim A, Paik JW, Lee J Ham BJ. Chronic medical conditions and metabolic syndrome as risk factors for incidence of major depressive disorder: A longitudinal study based on 4.7 million adults in South Korea. J Affect Disord 2019;257:486-94.
18. Hind D, Cotter J, Thake A, Bradburn M, Cooper C, Isaac C, et al. Cognitive behavioural therapy for the treatment of depression in people with multiple sclerosis: a systematic review and meta-analysis. BMC psychiatry 2014;14:1-13.
19. Jo SJ, Yim HW, Jeong H, Song HR, Ju SY, Kim JL, et al. Prevalence of Depressive Disorder of Outpatients Visiting Two Primary Care Settings. J Prev Med Public Health 2015; 48:257-63.
20. Kang HJ, Kim SY, Bae KY, Kim SW, Shin IS, Yoon JS, et al. Comorbidity of depression with physical disorders: research and clinical implications. Chonnam medical journal 2015;51:8.
21. Kang JI, Sung NY, Park SJ, Lee CG Lee BO. The epidemiology of psychiatric disorders among women with breast cancer in South Korea: analysis of national registry data. Psychooncology 2014;23:35-9.
22. Kathol RG Petty F. Relationship of depression to medical illness: A critical review. Journal of affective disorders 1981;3:111-21.
23. Katon W Schulberg H. Epidemiology of depression in primary care. General hospital psychiatry 1992;14:237-47.
24. Kim JW, Moon SJ, Kim HJ Lee DG. Relationship between chronic kidney disease and depression in elderly Koreans using the 2013 Korea National Health and Nutrition Examination Survey Data. Korean journal of family medicine 2017;38:156.
25. Kim M, Kim YS, Kim DH, Yang TW Kwon OY. Major depressive disorder in epilepsy clinics: A meta-analysis. Epilepsy Behav 2018;84:56-69.
26. Kim SY, Kim SW, Shin IS, Oh IJ, Park CK, Kim YC, et al. Collaborative Care to Relieve Psychological Distress in Patients with Medically Inoperable Lung Cancer: Design and Rationale for a Clinical Trial. Psychiatry investigation 2019;16:547.
27. Koszycki D, Lafontaine S, Frasure-Smith N, Swenson R Lespérance F. An open-label trial of interpersonal psychotherapy in depressed patients with coronary disease. Psychosomatics 2004;45:319-24.
28. Lee BO, Choi WJ, Sung NY, Lee SK, Lee CG Kang JI. Incidence and risk factors for psychiatric comorbidity among people newly diagnosed with cancer based on Korean national registry data. Psychooncology 2015;24:1808-14.
29. Linden W, Vodermaier A, MacKenzie R Greig D. Anxiety and depression after cancer diagnosis: prevalence rates by cancer type, gender, and age. Journal of affective disorders 2012;141:343-51.
30. MacGillivray S, Arroll B, Hatcher S, Ogston S, Reid I, Sullivan F, et al. Efficacy and tolerability of selective serotonin reuptake inhibitors compared with tricyclic antidepressants in depression treated in primary care: systematic review and meta-analysis. Bmj 2003;326:1014.
31. Massie MJ. Prevalence of depression in patients with cancer. JNCI Monographs 2004; 2004:57-71.
32. McDonald WM, Richard IH DeLong MR. Prevalence, etiology, and treatment of depression in Parkinson's disease. Biol Psychiatry 2003;54:363-75.
33. Minton O, Richardson A, Sharpe M, Hotopf M Stone PC. Psychostimulants for the management of cancer-related fatigue: a systematic review and meta-analysis. Journal of pain and symptom management 2011;41:761-7.
34. Moussavi S, Chatterji S, Verdes E, Tandon A, Patel V Ustun B. Depression, chronic diseases, and decrements in health: results from the World Health Surveys. The Lancet 2007;370:851-8.

35. Naylor C, Parsonage M, McDaid D, Knapp M, Fossey M Galea A. Long-term conditions and mental health: the cost of co-morbidities. 2012.
36. Park B, Youn S, Yi KK, Lee SY, Lee JS Chung S. The prevalence of depression among patients with the top ten most common cancers in South Korea. Psychiatry investigation 2017;14:618.
37. Park SJ, Hong S, Jang H, Jang JW, Yuk B, Kim CE, et al. The Prevalence of Chronic Physical Diseases Comorbid with Depression among Different Sex and Age Groups in South Korea: A Population-Based Study, 2007–2014. Psychiatry investigation 2018;15:370.
38. Pinquart M Duberstein P. Depression and cancer mortality: a meta-analysis. Psychological medicine 2010;40:1797.
39. Raskind MA. Diagnosis and treatment of depression comorbid with neurologic disorders. The American journal of medicine 2008;121:S28-S37.
40. Rayner L, Price A Evans A. Antidepressants for depression in physically ill. Cochrane Database Syst Rev CD007503 2010.
41. Ryu YJ, Chun EM, Lee JH Chang JH. Prevalence of depression and anxiety in outpatients with chronic airway lung disease. The Korean journal of internal medicine 2010; 25: 51.
42. Schulberg HC, Raue PJ Rollman BL. The effectiveness of psychotherapy in treating depressive disorders in primary care practice: clinical and cost perspectives. General hospital psychiatry 2002;24:203-12.
43. Shin C, Kim Y, Park S, Yoon S, Ko YH, Kim YK, et al. Prevalence and Associated Factors of Depression in General Population of Korea: Results from the Korea National Health and Nutrition Examination Survey, 2014. J Korean Med Sci 2017;32:1861-9.
44. Shore JH. Massachusetts General Hospital Handbook of General Hospital Psychiatry. The Journal of Clinical Psychiatry 2011;72:1019.
45. Thom R, Silbersweig DA Boland RJ. Major depressive disorder in medical illness: a review of assessment, prevalence, and treatment options. Psychosomatic medicine 2019;81: 246-55.
46. Walker J, Hansen CH, Martin P, Sawhney A, Thekkumpurath P, Beale C, et al. Prevalence of depression in adults with cancer: a systematic review. Annals of oncology 2013; 24:895-900.
47. Whooley MA Simon GE. Managing depression in medical outpatients. New England Journal of Medicine 2000;343:1942-50.

10

CHAPTER

자살

백종우

1. 개요

병원 내 자살예방을 위해 핵심의료진과 경영진이 2일간의 워크샵에 참여하라고 한다면 우리는 어떻게 반응할까? 아마도 아직 우리나라에는 정신건강의학과를 포함하여 모든 의료진을 위한 자살예방워크샵은 아직 미래의 일로 느껴질 것이다. 그러나 이미 제로수어사이드Zerosuicide와 같은 자살예방워크샵을 미국의 6개주에서 법으로 의료인에게 의무화하고 있고 권고하는 주 역시 늘어나는 등 점차 확산되는 추세이다.

우리나라의 경우 자살률이 OECD 국가 중 1위로 높으며 그중에서도 가장 높은 자살률을 보이고 있는 노인집단이 질환으로 찾는 병의원에서 자살예방과 개입은 정신신체의학과 자문조정정신의학의 중요한 역할 중 하나로 간주되어야할 것이다. 또한 병원 내 자살은 법적 책임의 문제를 야기할 수도 있으므로 병원 내 자살 고위험군의 발견 및 대처를 위한 시스템 마련과 교육에 있어 자문조정 정신건강의학과 의사의 역할은 중요성이 더욱 크다고 할 수 있다.

2. 자살의 현황

자살은 생물학적, 유전적, 심리적, 사회적, 환경적 등 다양한 원인을 가지며 이들 간의 복잡한 상호작용에 의한 최악의 결과물이다. 자살의 가장 흔한 원인은 정신질환이며 자살자의 80-90%에서 진단할 수 있는 정신질환으로 우울증과 알코올 중독이 대표적이다. 우울장애 환자의 6-15%, 알코올 중독 환자의 7-15%, 조현병 환자의 4-10%는 자살로 사망한다고 알려져 있다(WHO, 2000).

짧은 시간에 산업화와 민주화를 경험한 한국사회에서 자살은 대단히 중요한 공중보건 문제이다. 한국의 자살률은 지속적으로 증가하여 OECD 국가 중 자살률 1위이라는 것은 잘 알려져 있다. 2020년 13,195명이 자살로 사망하였고 10만 명당 자살률이 25.7명 수준으로 전체 사망원인의 5위로 이전보다는 감소추세이나 여전히 높다. 모든 연령에서 1위가 있는데 1-30대는 사망원인의 1위, 4-50대는 자살사망자수로 1위, 60대 이상은 10만 명당 자살률이 1위로 높다.

보건사회연구원의 조사에 의하면 부모의 부양책임이 누구에게 있냐는 질문에 1998년에는 자식이라는 응답이 90%에 이르렀으나 2016년을 기준으로는 30.6%로 감소하였다. OECD 국가 중 자살률은 1위인 것과는 반대로 어려울 도움을 요청할 사람의 수를 묻는 사회적 지지망지수는 최하위를 기록하고 있다. 핵가족화로 가족의 지지는 감소하였으나 아직 이를 대체할 사회안전망과 정신건강서비스에 대한 접근성은 낮은 상황이 높은 자살률의 이유로 설명할 수 있을 것이다.

1990년대 중반부터 2011년까지 자살의 증가는 노인자살의 증가가 상당부분 영향을 미쳤다. 2011년 자살예방법 통과 이후 감소추세를 보이고 있으나 여전히 한국의 자살률은 연령에 따라 급증하는 특성을 보이고 있는데 노인의 경우 10만 명당 자살률은 70대 38.8명, 80대 62.6명으로 높다. 경찰청 조사결과 자살 원인에서 노인은 1위가 신체질환이다. 실제 많게는 자살자의 약 75%가 자살 전 다양한 이유로 일차 의료기관을 찾는다고 보고되므로 자살고위험군의 조기발견을 위해 이에 대한 의료인의 특별한 관심이 요구된다(Feldman 등. 2007).

3. 자살의 위험요인

자살을 예측할 수 있는 고유한 지표를 파악하는 것이 어렵고 자살위기에 있는 군이 도움을 청하지 않는 경향이 있어 자살의 고위험군을 발견하는 데 있어 장벽이 되고 있다. 자살의 위험요인risk factor에 대한 여러 연구가 존재하나 일반적으로는 정신의학적 장애(우울장애, 조현병), 과거 및 현재의 스트레스, 가족 또는 친구의 자살, 심리적 도움에 대한 낮은 접근성, 자살수단에의 접근성 등이 주요한 요인으로 알려져 있다.

정신질환은 자살의 가장 대표적인 위험요인으로 알려져 있으며 심리부검연구에 의하면 자살자의 90% 이상에서 정신질환이 발견되며 그중 8% 이상은 사망시점에서 치료를 받고 있지 않은 상태인 것으로 보고되고 있다. Harris 등에 따르면 이전의 자살시도가 표준화 사망율 38.4%로 가장 높은 위험요인이었으며 식이장애(23.1), 주요우울증(20.4), 양극성장애(15.0), 조현병(8.45) 순으로 신체질환, 즉 암(1.80), 뇌손상(3.50) 등에 비하여 정신질환의 위험도가 높은 연관을 보인다(표 10-1). 이는 스트레스 상황 또는 사건 자체도 중요하지만 이보다는 자살로 이르게 하는 과정에 개인의 상황에 대한 해석 또는 문제해결에 정신질환의 부정적 영향을 설명한다. 내과질환의 경우 질환자체가 특별히 자살위험이 높다고 할 수는 없으나 특히 암, 신부전, 후천성 면역결핍증 등이 주로 언급되고 있다. 암 중에는 소화기암, 폐암, 전립선암의 자살위험성이 높으며 암 진단 후 초기 6개월 내의 위험이 가장 높은 것으로 알려져 있다.

표 10-1. 자살과 정신질환, 표준화사망률(SMR)을 통한 비교(Harris 등 1997)

질환	SMR	질환	SMR
자살시도력	38.4	AIDS	6.58
식이장애	23.1	알코올 남용	5.86
주요우울장애	20.4	간질	5.11
안정제 남용	20.3	아동청소년정신장애	4.73
복합약물남용	19.2	Cannabis 남용	3.85
양극성장애	15.0	척추마비	3.82
아편남용	14.0	신경증	3.72
강박장애	11.5	뇌손상	3.50
공황장애	10.0	헌팅턴 무도병	2.90
조현병	8.45	암	1.80
인격장애	7.08	지적장애	0.88

한국생명존중희망재단이 2021년 보고한 5개년 전국 자살사망 분석 결과보고서에 따르면 2013-2017년 국내 자살사망자중 정신질환의 이력이 있던 경우는 56.2%에 달하며 정신질환자 10만 명당 자살사망자발생률은 215명으로 일반인의 10배 수준이었다. 정신질환의 경우 퇴원 후 자살도 중요한 문제이다. 국내건강보험자료를 이용한 연구에 따르면 아동청소년의 경우 정신증은 10만 명당 440명, 우울장애는 248명 수준으로 일반인과 비교할 수 없는 수준이었다. 따라서 퇴원 후 지역사회와 연결을 증진할 수 있는 병원기반 사례관리서비스의 도입 등 적극적으로 도입될 필요가 있다(Paik JW 2018).

4. 자살 예방에서 병의원의 역할

병원 내 자살에서는 목맴이 가장 흔한 수단이나 투신 역시 매우 흔하다. 특히 섬망, 호흡곤란, 통증 환자에게서 많다. 옥상, 창문, 비상구 등의 출입을 관리하고 환자공간에 줄을 걸 수 없는 공간적 구성을 보강하는 등 안전한 물리적 환경에 대한 접근도 중요하다. 실제 뉴욕의 한 병원에서는 안전창을 설치하고 직원에게 자살예방을 시행한 결과 11년 후 자살률이 1/5로 감소하였다고 보고한 바 있다.

자살을 예방하기 위해서는 의료인의 역할이 중요한데 일단 자살사망자의 경우 자살 1년 이전에 일차의료 이용률이 90%에 달하고 자살직전 두 달간의 이용률 또한 76%에 달하여 병의원 방문 시 적절한 선별이 이루어질 필요성이 제기되고 있다. 또한 여러 자살 고위험군에 대한 개입 중 일차의료인을 대상으로 한 교육을 통한 자살감소율은 22-73%로 보고되어 가장 효과적인 대책으로 보고되고 있다.

그러나 일반적으로 자살 고위험군 환자라 할지라도 내 · 외과의사에게 신체질환에 대한 상담 외에 자살생각을 드러내기는 어렵다. 따라서 적절한 교육과 의뢰시스템을 통해 내 · 외과의사가 자살 고위험군을 선별하고 정신건강의학과와 협진하는 의뢰체계의 구축이 강조되고 있다. 실제 국내 대학 및 종합병원에서도 입원환자의 경우 자살생각, 불면 등을 입원 시 기본항목으로 스크리닝하는 경우도 증가하고 있다.

자살에 대해서는 직접적인 질문을 통해 우울감과 자살사고를 질문하는 것이 필요한데 1) 지난 몇 주간 당신은 슬프거나 절망하신 적이 있습니까? 2) 지난 몇 주간 당신은 자신을 해칠 생각이나 계획을 한 적이 있었습니까? 라는 두 가지의 질문만을 사용해도 고위험군의 발견률이 매우 높은 것으로 알려져 있다. 또한 Olfson 등은 SDDSthe symptom driven diagnostic system를 사용하는 것이 자살고위험군 발견에 유용하다고 보고한 바 있는데 구체적인 내용은 아래와 같다.

1) 당신은 지난 한 달간 자살을 생각한 적이 있습니까?
2) 당신은 지난 한 달간 죽었으면 좋겠다고 생각한 적이 있습니까?
3) 당신은 지난 한 달간 죽음에 대해 생각한 적이 있습니까?

내 · 외과에서 우울장애 환자의 선별을 위해서는 PHQ-9 우울척도와 CESD-DCenter for Epidemiological Studies Depression Scale등이 사용될 수 있고 노인의 경우 노인우울척도geriatric depression scale가 흔히 사용된다. 그러나 Gaynes 등은 높은 위양성율false positive 때문에 자살위험에 대한 선별 도구의 사용에 어려움이 있다고 했다. 실제 자살위험이 없는데도 불구하고 선별검사 결과 위험이 있는 것으로 나온 군의 비율이 매우 높다. 자살 선별검사가 실제 임상현장에서 시행될 때 시간과 비용적인 면에서 상당한 부담을 줄 수 있을 것이다. 최근 입원환자를 대상으로 우울과 자살선별 도구를 사용하는 병의원도 증가하고 있으나 현재로서는 근거기반 선별도구를 모든 환자에게 적용하기보다는 임상의가 필요시 적용하는 것이 현실적인 방법일수 있으며 임상의가 자살고위험군의 징후를 이해하여 이를 조기발견하고 개입하는 교육이 중요하다고 볼 수 있다. 이에 대해서 국내에서는 한국보건사회연구원에서 발표한 의료인을 통한 자살예방 연계 지침(표 10-2)이 유용하며 이를 기반으로 선별검사는 실제 국내의료현장의 여건을 감안하여 최소한의 질문으로 활용하는 것이 현실적일 것이다.

표 10-2. 자살 고위험군 조기발견 및 연계지침(정진욱 등 2010)

1) 자살에 대한 직접적인 질문이 필요합니다. 아래와 같은 질문을 사용하는 것을 권고 드립니다.

1-1. 지난 몇 주간, 당신은 슬프거나 절망하신 적이 있습니까?
☐ 전혀 없었음 ☐ 가끔 있었음
☐ 자주 있었음 ☐ 대부분의 시간 동안 그랬음

1-2. 지난 몇 주간, 당신은 자신을 해칠 생각이나 계획을 한 적 있었습니까?
☐ 예 ☐ 아니오

2) 만일 우울증이 의심되거나 자살사고가 있다면 위험성에 따라 다음과 같이 연계가 필요합니다. 자살사고가 있다면 정신질환의 다른 증상이 있는지 자살에 대한 구체적 계획을 가지고 있는지 최근에 자살을 시도한 적이 있는 지 추가적인 질문이 필요합니다.

자살 위험	환자의 반응	평가	대 처
낮음	안정	–	–
가능	우울증 의심 (가끔 슬프거나 절망)되나 자살사고와 계획 없음	기타 우울증 증상 질문	공감하며 듣기 필요시 치료 및 상담 권유
중간	우울증 위험 (자주 슬프고 절망)있으나 자살사고와 계획 없음	기타 우울증 증상 질문 자살 의도에 대한 재질문	정신건강의학과 상담 권유 관련기관 전화번호/정보 제공
높음	우울증 고위험 (대부분의 시간 동안 슬프고 절망) 또는 자살사고와 계획 있음.	과거 자해 및 자살 시도력 질문 손목 등 자해 흔적 평가 자살위험의 긴박성 평가	적극적인 정신건강의학과 치료 권유 및 환자 혼자 내버려 두지 않도록 보호자에게 위험성 설명 정신건강의학과 진료의뢰서 제공 관련기관 전화번호/정보 제공

5. 예방 및 치료

자살예방에서 가장 중요한 것은 동반 정신질환의 조기발견과 치료이다. 자살위험이 높은 경우 정신건강의학과 자문이 지체 없이 이루어질 수 있는 체계가 중요하다. 자살위험이 높은 주요정신질환의 경우 정신건강의학과 의사가 적극 개입하여 약물치료와 정신치료를 시행할 필요가 있다. 단 자살시도로 내과적 문제를 가지고 있는 환자의 경우 정신건강의학과 전과할 시에는 비정신건강의학과 의사가 자살위험에 대한 부담으로 너무 일찍 신체적 문제에 대해 정상 판정을 할 수 있다는 점을 유의해야 한다.

내과질환의 경과와 치료에 대한 환자 및 치료자 교육은 환자의 지나친 공포와 비관을 예방하는 데 도움이 될 수 있을 것이다. 자살사고에 대한 직접적인 질문과 솔직한 토론은 자살위험을 감소시킬 수 있을 것이다. 우울증상, 자살의도, 자살사고, 자살시도력 등을 주의 깊게 평가하여야 한다. 최근 자살과 관계된 정보에 관심을 쏟거나 개인소유물을 남에게 주거나 유언을 하는 경우 그리고 최근에 커다란 스트레스 사건이 있는 경우 관심이 필요하다. 자살위험성이 높고 지지집단이 취약한 경우 보호병동 입원도 고려해야 한다.

정신건강의학과 의사는 약물남용과 약물부작용 그리고 기저내과질환의 정신의학적 합병증을 모니터해야 한다. 정신치료적 개입도 필수적이다. 슬픔과 애도를 탐색하고 표현하게 하며 삶의 의미를 회복하는 것도 도움이 될 수 있다.

병원 입원 환자가 자살로 사망하면 법적인 책임소재의 문제가 발생할 수 있다. 미국의 경우 입원환자 자살의 절반은 소송으로 진행한다고 보고되고 있다. 그러나 입원환자를 15분마다 관찰해도 목맴의 경우는 5분 만에 생명을 위협할 수 있으며 자살계획이 있는 환자가 이를 부정하는 경우도 상당히 높다고 보고된다. 자살은 결코 병원 내에서 일어나지 않아야 한다는 당위성보다는 자살 위험도가 주기적으로 평가되었는지, 치료계획이 수립되어 이행되었는지 여부가 더욱 중요하다. 한국의 의료기관평가인증원에 해당하는 Commission on the Accreditation of Healthcare Organizations (JCAHO)보고서는 1995 to 2005의 10년간의 사망 분석결과 60%에서는 적절한 평가가 이루어지지 못했다고 보고하고 있어 평가의 중요성을 강조한 바 있다. 대게 내외과의사는 자살위기가 발견되면 정신건강의학과에 자문을 구했는지 여부가 법적 판단에 가장 중요하다. 정신건강의학과 전문의는 자살에 대한 평가를 시행하고 의무기록에 남기며 임박한 자살위기가 존재하는지에 대한 소견을 기재하는 것이 권고된다. 물론 임박한 자살위험이 있다고 판단한다면, 입원권유를 포함하여 상황에 따른 적극적 대처가 요구된다.

해외에서는 의료인을 위한 다양한 자살예방교육이 개발되어 시행되고 있다. 국내에서도 이유진 등이 개발한 의료인을 위한 '보고듣고말하기'가 개발되어 의료기관에서 활용이 가능하다.

6. 난폭행동 등 기타 행동상의 문제

공격성은 임상현장에서 정신의학적 또는 내과적 질환에 기인하여 발생할 수 있다. 공격성은 사고장애, 치매, 섬망, 약물중독, 인격장애(반사회적 인격장애, 경계선 인격장애, 자기애성 인격장애 등) 그리고 적응장애와 연관되어 발생할 수 있다. 또한 공격성은 내과적 질환의 일차적 증상이나 치료과정에서 환자가 불만족, 좌절, 혼란, 두려움, 분노를 느낄 때도 발생할 수 있다. 임상에서 폭력이 일반적인 것은 아니다. 연구에 따라 상이하지만 4% 정도의 환자가 공격성을 보이는 것으로 보고되고 있다. 흔하지는 않으나 자타해의 위험이 있고 신체 질환 치료에 장애를 초래할 수 있다는 점에서 평가와 치료가 필수적이다.

흔히 공격성의 유발 요인은 환자요인(정신질환, 성격 등)과 함께 치료진 요인(불친절함, 무감각, 부적절한 수련), 환경적 요인(지나친 소음, 과밀하고 불편한 진료 및 대기공간), 그리고 시스템요인(많은 환자 수, 대기시간, 부적절한 안전요원, 공격성에 대응할 스텝교육훈련의 부재) 등이 관련된다.

보건의료인은 진료나 검사, 수술 등 일련의 의료행위를 수행함에 이어서 불가피하게 환자와 상호작용할 수밖에 없기 때문에 그 과정에서 환자로부터 폭력을 당할 가능성이 내재되어있다. 서구에서는 1990년대부터 직장안전차원에서 보건의료인의 폭력피해가 사회문제화 되기 시작했다. 미국의 노동통계국이 2018년 발표한 통계에 따르면, 보건복지 서비스 종사자들이 겪는 폭력은 전체 근로자의 평균보다 5배가 높았다. 경찰이나 교정시설 교도관이 부상을 입는 비율보다 높았다고 한다. 영국에서는 1년간 NHS 근무자의 15%가 폭력피해를 경험하고 정신건강의학과 의사의 12.4%가 경험한다는 보고 이후 1999년부터 의료진 대상 폭력에 무관용 원칙을 적용하고 있다. 폭력 감소를 위해 의료인 보고도 장려한다. NHS는 경찰, 검찰과 협력하여 피해자가 증거를 제출하고 기소할 수 있도록 가장 빠르고 효과적인 방법으로 지원한다. 치매와 정신질환을 돌보는 의료진에게 폭력대응방법을 교육하며 폭력을 당한 의료진에게 정신건강지원 서비스를 신속하게 제공한다. 실제 1999년 무관용 원칙의 도입 후 보고율은 상승하고 반면 영국의 의료인대상 폭력은 감소하고 있다.

우리나라에서 의료인에 대한 폭력에 가장 이슈가 된 사고는 성균관대 강북삼성병원 고 임세원 교수 사망사고였다. 최악의 상황에서도 유가족들은 마음이 아픈 사람들이 편견과 차별 없이 치료와 지원을 받는 사회라고 고인의 유지를 알리고 조의금을 기부하였다. 안전한 의료 환경에 대한 국민적 관심이 높아지면서 2019년 국회는 1인사망사고로는 최초로 청문회를 거쳐 '임세원법'으로 불리는 의료법 개정안을 통과시켰다. 의료인 폭행에 대한 처벌을 강화했다. 보건복지부령으로 정하는 바에 따라 의료인과 환자 안전을 위한 보안 장비를 설치하고 보안인력을 배치하도록 하는 내용도 담겼다. 외래치료지원제 등 정신건강복지법 개정과 정신응급센터의 설치를 규정한 응급의료법도 개정되었다. 그러나 방치된 정신질환에 의한 사고는 처벌을 강화한다고 해결될 수 없으므로 향후 정신건강심판원의 설립 등 정신건강복지법 재개정은 미완의 과제로 남아있다.

공격성을 보이는 환자의 평가를 위해서는 공격행동에 대한 상세한 병력청취가 핵심적이다. 환자의 개인력, 사회력, 가족력, 사고 및 약물남용여부가 평가되어야하며 신체검진과 함께 정신상태검사가 시행되어야한다. 인지장애 여부와 현실 판단력 평가가 중요하며 병원 환경에서는 가능하다면 적절한 검사실 검사가 동시에 진행되어야한다. 혈액검사, 약물선별검사, 소변검사, 흉부방사선검사가 시행될 수 있고 간질이 의심되면 뇌파가 도움이 된다. 두부외상이 있거나 뇌 내 급성기 질환이 의심되는 경우 뇌영상검사(CT 또는 MRI)가 시행되어야 한다. 종합병원에서 흔한 공격성 그리고 난폭행동의 감별진단은 표 10-2와 같다.

표 10-3. 공격성 그리고 난폭행동의 감별진단

정신증
조증
우울장애
조현증
망상장애
인격장애
반사회적 인격장애
경계선 인격장애
편집성 인격장애
자기애성 인격장애
다른 행동장애
간헐적 폭발성 장애
품행장애
물질남용장애
알코올
펜사이클리딘
각성제
코카인
뇌전증
섬망
실행기능이상증후군
치매
발달장애
지적장애
XYY 유전자형

공격성에 대한 치료적 개입은 교육과 치료관계 설정에서 시작한다. 정신건강의학과 의사는 회진, 세미나 그리고 병실교육을 통해 동료의사, 간호사, 간호조무사, 다른 의료진에게 공격성을 보이는 환자를 대하는 방법에 대한 기본적인 정보를 제공할 필요가 있다. 이러한 교육은 공격성의 초기증상(초조, 노려보는 눈빛)과 언어적 행동적 개입, 그리고 언제 어떻게 약물적, 신체적 강박을 시행할 지에 대한 내용을 포함할 필요가 있다. 흔히 공격적인 환자를 대할 때는 비언어적 의사소통과 언어적 의사소통이 중요한데 환자와 적정한 안전거리를 유지하고 중립적인 자세를 취하며 환자를 직접 응시하지 말고 진정성을 보여야 한다. 갑작스럽게 움직이거나 환자를 만지려고 해서는 안 된다. 환자와 같은 높이를 유지하는 것이 좋다. 언어적으로는 조용하고 명확한 톤으로 말하고 지적은 피하고 문제를 해결할 수 있게 도와야한다. 환자의 슬픔과 좌절에 공감하고 문제를 해결하는 방향으로 대화를 진행해 나가면서 환자와 함께 목표를 설정해나가는 것이 중요하다.

시설기준에 대한 가이드라인도 제시된다. 미국의 산업안전보건청이 발표한 직장 내 폭력방지가이드라인의 보안 경보 시스템항목의 요구사항에 의하면 개인알람장치, 탈출구, 금속 탐지기, 탈출구, 대피실 등 안전을 위한 시스템을 포함하고 있다. 국내에서도 2021년 시설기준개정을 통해 정신건강의학과 진료실의 안전을 강화하고 있다.

참고문헌

1. 김경훈, 김남순, 백종우, 이병란, 이승미: 우울장애 환자의 의료이용 및 질 수준. 서울 건강보험심사평가원, 2009
2. 백경희. 정신건강의학과 분야의 환자 폭력과 보건의료종사자 보호에 관한 법적 검토, 입법과 정책 제 1월 1호 2019.285-301. 국회입법조사처
3. 이유진 등. 의료기관 보건의료인력대상 자살예방 생명지킴이 프로그램 개발 보고서, 서울대학교 산학협력단, 중앙자살예방센터 2019.
4. 이유진, 백종우, 전준희, 권수진. 일차 의료 의사 및 관련 보건인력에 대한 자살예방 교육프로그램 및 교육매뉴얼 개발. 국립서울병원 정책보고서. 2011
5. 정진욱,이수형,김지은,천재영,백종우,서동우. 의료인을 통한 자살예방체계 구축방안 연구. 보건사회연구원 정책보고서. 2010
6. 통계청. 2020년 사망 및 사망원인 통계결과. 2021
7. 한국생명존중희망재단. 5개년(2013-2017) 자살사망 분석 보고서. 2021
8. Bille-Brahe, 2006
9. Dhumad, S et al. Violence against psychiatrists by patients: survey in a London mental health trust. *Psychiatric Bulletin* 2018;*31*(10):371-4.
10. Gaynes BN et al. "Screening for Suicide Risk: A Systematic Evidence Review for the U.S. Preventive Services Task Force", U.S.2004
11. Harris E.C et al. Suicide as an outcome for mental disorders: A meta-analysis.British Journal of Psychiatry 1997;46:333-7.
12. Lee HW. Se-Won Lim and Standardized Suicide Prevention Program for Gatekeeper Intervention in Korea (Bogo Deudgo Malhagi, Suicide CARE). Psychiatry Investigation 2020;17(11):1045-7.
13. Mann J et al. Suicide prevention strtegies : A systematic review.Journal of american Medical association 2005;294:2064-74.
14. Michelle A. Dressner. Hospital workers: an assessment of occupational injuries and illnesses, Monthly Labor Review, June 2017
15. Murray C. J., & Lopez, A. D.. Alternative projections of mortality and disability by cause 1990-2020: Global Burden of Disease Study. Lancet 1997;349(9064):1498-504.
16. NIH. National suicide prevention strategy for England. London. 2002
17. Olfson M et al. Suicidal ideation in primary care. J Gen Intern Med 1996;11:447- 53.
18. Paik Jw et al. Postdischarge suicide and death in South Korean children and adolescents hospitalized for a psychiatric illness. Journal of the American Academy of Child & Adolescent Psychiatry 2018:57(7);508-14.
19. Silverman et al. A revesed nomenclature for study of suicide and suicide behavior. Suicide and life-thereatning behavior 2004;248-77.
20. Sonneck G. On phenomenology and nosology of presuicide syndrome. Crisis 2004;111-7.
21. Swanson JW et al. Mental disorder, substance abuse, and community violence. University of chicago press 1994;101-36.
22. U.S. Department of Labor Occupational Safety and Health Administration. 2016.
23. World Health Organization. Prevention of suicide: guidelines for the formulation and implication of national strategies. Geneva:WHO 1995World Health Organization. Prevention of Mental disorder.summary report. 2004
24. World Health Organization. Suicide huge but preventable public health problem. 2004

11

CHAPTER

정신증, 조증, 긴장증

한덕현, 나철

내과 질환을 동반한 혹은 이로 인해 발생하는 정신증, 조증, 긴장증은 환자들 자신은 물론이고, 치료진을 크게 당황하게 만드는 증상이다. 이번 장에서는 이 3가지 증상에 대해 논할 것이다. 임상에서 이 증상들은 서로 혼합되어 발생하기 때문에 단독증상을 명확히 구분하기 힘들다. 이 장에서는 정신증, 조증 또는 긴장증 입원 환자의 관리에 초점을 맞추고, 2차적으로 발생한 정신증, 조증, 긴장증의 병인론을 알아볼 것이다.

1. 의학적 질병 상태에서의 정신증

1) 위험인자

일반 병원에서 정신증의 발생은 내과적 질환의 종류와 환자가 진료 혹은 치료 받고 있는 공간적 환경에 많은 영향을 받는다. 수술 환경에서 특히 노인 환자들을 치료하는 경우, 섬망과 치매는 종종 정신증을 동반한다. 젊은 환자가 정신병적장애 증상으로 응급실을 방문했다면 불법 약물 사용이 원인일 수 있다.

2) 임상증상

DSM-5에 따르면 다른 의학적 상태로 인한 정신병적장애의 두드러진 특징은 환각과 망상이다. 환각은 모든 감각에서 발생할 수 있지만, 진단 특이성이 부족하다. 환자가 환각에 대해 자신의 통찰력을 유지한다면 '가성 환각'으로 볼 수 있다.

정신증의 두 번째 특징인 망상은 짧게 지나가고 체계화되지 않은 망상일 수도 있지만 가끔은 정교하고 고착된 형태를 보일 수도 있다. 그러나 환각과 마찬가지로 망상의 유형에는 진단적 특이성이 결여되어 있다.

2차적인 정신증의 과정과 예후는 대부분 기저질환에 의해 결정된다. 자극제가 제거되면 약물 유도 정신병적장애가 해소될 것으로 예상할 수 있다. 그러나 펜사이클리딘phencyclidine, PCP 정신증과 같은 경우에 몇 주 동안 지속되는 장기 정신증이 발생할 수 있다. 일부 기저 질환은 치료가 가능하지만 때에 따라 정신증을 유발한 약물(예: 전신 홍반 루푸스의 스테로이드제 또는 암 환자의 인터페론)로 장기간 치료가 필요할 수 있다.

3) 진단 및 평가

- 의학적으로 입원한 환자의 정신병적장애 증상은 세 가지 가능성 중 하나에 해당된다.

(1) 1차 정신 질환

- 정신증과 관련된 정신 질환의 초발 또는 급성 악화

(2) 2차 정신증

- 일반적인 의학적 상태로 인한 정신증(전신적 또는 뇌 기반)
- 물질로 유발된 정신증
- 약물로 유발된 정신증

(3) 1차 정신질환에 더해져 생긴 2차 정신증

- 1차 정신 질환을 가진 환자가 1차 정신 질환과 무관한 정신증을 가지고 있다

4) 병인과 감별진단

2차적 정신증은 많은 의학적 요인, 불법 약물, 독성물질, 그리고 치료 약물에 의해 야기될 수 있다. 다만 진단 시 어려움 중 하나는 임상의에게 익숙하지 않은 희귀 질환이 정신증을 일으킬 때이다. 전신적인 감염과 뇌의 감염(예: 재발성 뇌수막염과 만성 뇌수막염)은 명백한 섬망이 없을 때 정신증을 일으킬 수 있다. 정확한 원인균은 지리, 여행 이력, 면역 상태에 따라 다르며 결핵, 말라리아, 톡소플라즈마증, 라임병, 뇌낭미충증 등이 포함된다. 단순 헤르페스, 신경 매독, 인간면역결핍 바이러스human immunodeficiency virus는 설명할 수 없는 정신증을 앓고 있는 입원 환자에서 고려해봐야 할 질환들이다.

내분비 질환은 정신증을 동반할 수 있다. 기분증상이 가장 흔하지만, 정신증도 발생할 수 있다. 많은 신경학적 조건들은 정신증을 동반할 수 있다. 뇌전증과 정신증은 긴 역사를 공유하고 있으며 정신증은 발작 시, 발작 후, 혹은 발작 사이에 발생할 수 있다. 측두엽 뇌전증은 정신증을 유발할 가능성이 높지만 전두엽 발작과 함께 정신증도 발생할 수 있다. 경련 후 정신증은 일반적으로 경련에 가까운 시기에 발생하며, 경련 후 하루 또는 며칠 후에 정신증이 나타난다.

5) 이차적 정신증의 치료

① 치료의 일반적 원칙

병원에서 정신증 환자들을 돌보는 데 있어 초기 목표 세 가지는 모든 구성원의 안전, 병인의 감별, 정신증의 치료이다. 정신증을 동반한 환자들은 상당히 불안해하고 가만히 있지 못할 수 있다. 또한 종종 부상을 막기 위해 간병인이나 강박을 필요로 한다. 심지어는 비자발적인 치료가 필요할 수도 있다. 병인이 분명해 보일지라도, 추가적인 원인을 고려해야 하고 불필요한 중추신경계 활성 약물은 중단되어야 한다. 치료 초기 단계에서는, 빈번한 재평가를 통해 최선의 행동 방침을 결정하고 개입의 효과와 지속적인 필요성을 평가해야 한다. 벤조디아제핀은 원발성 정신병 환자를 진정시키는 보조 치료제로 흔히 사용되지만 역설적으로 불안을 악화시킬 수 있기 때문에 내과 질환을 가지고 있는 환자에게는 신중하게 사용해야 한다.

② 2차 정신증 치료 시 고려사항

항정신병 약물들은 2차 정신증 치료에 종종 필요하다. 다만, 경미하고 몇 시간 내에 해결될 것으로 예상되는 경우(예: 물질에 의한 정신병적장애) 항정신병 약물 복용을 보류할 수 있다. 대신, 디아제팜(경구 10 mg)과 같은 벤조디아제핀은 고통을 완화시키기 위해 투여될 수 있다. 그러나 정신증으로 인한 고통이 심한 경우, 정신증이 몇 시간 이상 지속될 것으로 예상될 수 있는 경우 또는 정신증이 환자의 치료, 직원 또는 방문객의 안전을 위태롭게 할 때 항정신병 약물들은 우선적으로 고려되어야 한다. 기저 원인에 따라 항정신병 약물 이외의 치료 전략이 요구되기도 한다. 예를 들어 티아민은 베르니케 뇌병증이 발생할 때 투여되어야 하며 포도당보다 항상 먼저 투여되어야 한다. 발프로에이트는 알코올 환각에 효과적이었다는 보고도 있다. 클로자핀과 퀘티아핀은 전통적으로 파킨슨 환자의 정신증에 사용되어 왔지만 전자의 부작용 조절과 후자의 항정신병 효과에 대한 의문이 치료의 어려움을 야기했다.

이상적인 상황이라면 다른 과 주치의는 정신증을 유발하는 질환을 효과적으로 치료하고, 정신건강의학과 의사는 질환이 완화될 때까지 정신증을 조절할 수 있다. 시간이 지나면 정신증이 가라앉고 항정신병 약물도 감량하고 중단할 수 있다. 어떤 경우에서는 항정신병약물 사용 없이 기저 질환을 치료하는 것만으로 정신증이 해결될 수 있다. 만약 근본적인 의학적 질병(예: 퇴행성 질환)을 치료할 수 없다면 항정신병 약물 투여 기간에 대한 결정을 내려야 한다.

항정신병 약물의 선택은 상황의 세부 사항(긴급성, 접근성, 의학적 공존 질환, 내약성 포함)에 따라 결정되어야 한다. 하지만, 항정신병 약물 역시 모든 정신 질환에서 효과적이고 안전하지는 않을 수 있다. 예를 들어 알츠하이머병과 관련된 신경 행동 문제를 치료하는 데에는 상대적으로 효과가 없는 것으로 나타났다. 모든 환자들 특히 노인의 경우, 섬망 또는 항콜린 관련 인지기능 문제의 위험을 줄이기 위해 항콜린성 부담을 증가시키는 치료(예: 저역가 1세대 항정신병 약물 또는 보조 항콜린제가 필요한 고역가 항정신병 약물)는 피해야 한다.

2. 의학적 질병 상태에서의 조증

1) 위험 인자

어떤 연구도 의학적인 질병 상태에서 조증의 발병률이나 유병률을 보고하기 위해 공식적인 도구를 사용한 적이 없다. 양극성 장애의 가족력은 2차성 조증에 대한 취약성을 증가시키기도 한다. 산후 조증은 기분 삽화에 대한 (유전적)민감도가 증가된 환자에서 갑작스런 호르몬 변화가 조증 삽화를 유발하는 2차성 조증의 특별한 경우로 간주될 수 있다. 혈관성 질환은 일부 노인들에서 후기 발병 조증의 확률을 높인다는 보고도 있다.

2) 임상증상

2차성 조증의 임상적 특징은 양극성 장애의 조증 상태와 비슷하다. 종종 단계별로 발전하며, 경조증에서부터 섬망의 정신병적 조증에 이르기도 한다. 2차성 조증의 초기 증상으로는 기분 기복이 심하고 수면 장애 등이 있다. 1차성 조증과 같이 질주하듯 빠른 속도로 스쳐가는 생각, 과대감, 행복감, 과민함, 그리고 적대감이 나타날 수 있으며 사고의 비약, 전반적인 와해, 그리고 명백한 정신증으로의 진행이 발생할 수 있다.

2차성 조증의 경과와 예후는 부분적으로 기저 질환에 따라 달라진다. 필로폰, 코카인, MDMA 등의 약물에 의해 2차성 조증이 발생할 경우 일반적으로 해당 약제를 중단하면 증상은 호전된다. 그러나 CNS 손상, 감염, 종양 또는 신경퇴행성 과정을 통해 조증이 발생된 경우 증상이 지속될 수 있다. 또한 기저질환을 치료하기 위한 약물은 2차성 조증을 촉진할 수 있어 종종 치료의 딜레마가 생기는데, 이는 지속적인 치료를 위해 치료 약물의 유지가 필요할 수 있기 때문이다(예: 암 치료에서 인터페론, 장기 이식 또는 자가면역성 질환에서 스테로이드). 이러한 상황에서 자문조정 정신건강의학과 의사는 2차성 조증의 증상을 조절해 최적의 치료가 안전하게 전달될 수 있도록 하는 데 결정적인 역할을 할 수 있다.

3) 병인과 감별 진단

2차성 조증은 수많은 의학적 상태에 기인한다. 이러한 상태들 중 대부분은 일시적이지만, 일부는 조증 증후군의 발달과 일관되게 연관되어 있다는 것이 입증되었다. 신경학적 질환에서는 종양(신경교종, 뇌수막종, 시상 전이), 뇌혈관성 병변(우측 반구), 다발성 경화증, 외상성 뇌 손상, 복합 부분 발작, 바이러스성 뇌염(급성 및 감염 후), HIV 감염, Cryptococcus 뇌수막염, 신경매독, 헌팅턴병, 파킨슨병(심부 뇌 자극 치료를 포함), 전두측두엽 치매, 윌슨병, 파르병, Klinefelter 증후군, Kleine-Levin 증후군, 코티코스테로이드 등이 포함된다. 전신 질환에는 쿠싱병, 비타민 B12 결핍, 나이아신 결핍, 항인지질항체 증후군, 저나트륨혈증, 카르시노이드 증후군, 갑상선기능항진증 등이 포함된다. 조증 유발 약물에는 amantadine, amphetamines, anabolic steroids, antidepressants, baclofen(투여 및 금단), buspirone, captopril, cimetidine, clonidine 금단, cocaine, corticosteroids/corticosteroid 금단, didanosine, hallucinogens, isoniazid, L-Dopa, methylphenidate, phencyclidine, procainamide, thyroxine, zidovudine 등이 포함된다.

4) 2차성 조증의 치료

(1) 관리의 일반 원칙

정신병적장애 환자들의 관리와 유사하게 환자와 직원의 안전이 무엇보다 가장 중요하며 급성 조증 환자의 초기 목표이기도 하다. 조증 환자들의 경우 특히 자극이 많은 의료환경 (보조 직원, 빈번한 활력징후 검사, 혈액 검사, 의료 술기)에서 쉽게 흥분한다. 정신건강의학과 협진의사는 환자의 의료 및 신경정신적인 상태를 평가하고 불필요한 간섭(환자의 증상에 기여 혹은 악화시킬 수 있는 CNS 효과가 있는 약물 등)을 최소화하도록 제안해야 한다.

정신약리학

2차성 조증에 사용하는 약은 1차성 양극성장애에 사용하는 약과 동일하다. 약물의 선택은 조증의 심각도, 환자의 약제 복용에 대한 순응도, 조증의 병리 그리고 동반이환된 질병에 대하여 고려해야 한다. 예로 리튬은 수액치료, 전해질 불균형, 급성 혹은 만성 신장질환 혹은 이미 발병한 갑상선 질환을 가진 환자의 경우 안전하게 투여하기 어려울 수 있다. 발프로산은 간질환 환자나 췌장염 병력이 있는 환자에는 사용이 제한된다. 카바마제핀은 간질환, 혈액학적 질병(예: 백혈병, 재생불량성 빈혈), 심장 질환 환자에서 사용이 어렵다. 벤조디아제핀은 빠른 증상 호전을 시킬 수 있지만 중추신경계 억제로 인하여 호흡운동을 저하시킬 수 있어 이산화탄소 저류 위험이 있는 만성폐쇄성폐질환 환자에게서 사용 해서는 안된다. 2세대 항정신병 약물들은 일반적으로 추체외로증상(EPS)을 유발하는 성향이 낮기 때문에 2차성 조증의 단기 치료에 사용된다. 그럼에도 불구하고 항정신병약물로 유발된 긴장증은 조심해야 한다. 2차성 조증의 치료를 위해 항정신병약물의 장기치료를 고려할 경우 항정신병약물 관련 발병 및 사망 가능성을 고려해야 한다(예: 대사증후군 또는 지연성운동장애).

3. 질병 상태에서의 긴장증

1) 위험 인자

긴장증은 손상된 운동기능과 기분, 사고의 해리를 나타내는 증후군이다. 이 증후군은 급작스럽게 시작되고 생명을 위협할 정도로 심각해질 수 있다. 임상적인 인구집단에서 이들 증후군은 독일의 정신건강의학과 의사 Kahlbaum K에 의해 처음 묘사되었다. 그는 정신적 및 정서적으로 와해된 환자들 중 함구증, 부정증 , 찌푸린 얼굴, 노려봄, 매너리즘을 주로 보이며 그 증상이 시시각각 변화하는 경과를 보이지만 그 어떤 특정 질환으로 묶여지지 않는 증후군을 긴장증이라고 명명하였다.

정신의학적 인구에서 긴장증의 비율은 연구 설계와 진단 기준에 따라 다르다. 급성 정신증으로 입원한 환자에서 긴장증의 발병률은 7-17% 로 알려져 있다. 장기들의 다양한 병리학적 특성이 있는 내과적 질환에서 2차성 긴장증의 발병률은 4-46%로서 다양하다. 이는 긴장증의 징후가 있을 때 철저한 의료평가가 필요하다는 점을 강조한다. 소아과 환자들의 경우 간혹 정신지체와 자폐성 스펙트럼 장애를 가진 환자들에게 긴장증이 보고되기도 한다

어떤 조건들은 중요한 의인성 긴장증인 신경이완제악성증후군(NMS)의 발생 위험을 증가시킬 수 있다. 단순 긴장증 과거력은 NMS의 발병의 위험 인자이다. 긴장증 환자에 동반된 정신질환은 정동장애(AD)가 46%, 조현병이 20%, 정신분열정동장애가 6%, 내과/신경과적 질환이 16%, 벤조다이아제핀 금단이 4%, 다른 정신장애가 8%로 나타났다. NMS를 앓은 환자의 3분의 1은 항정신병약물을 재사용할 때 추가적인 증상이 나타날 수 있다.

2) 임상증상

망상, 함구증, 거절증, 부동증, 강경증 그리고 흥분은 긴장증의 핵심적인 임상 특징이다. 긴장증은 빠르게 혹은 천천히 발병할 수 있으며 높은 질병률과 사망률에 관련이 있을 수 있다. 긴장증, 함구증, 반향행동, 상동증을 동반한 긴장성 위축은 가장 일반적으로 인식되는 형태이며 긴장증이라는 용어는 때때로 'Kahlbaum's syndrome'이라 불리는 '지체운동상태'의 줄임말로 사용된다(Fink and Taylor 2009). 최근 20년 동안의 긴장증 현상을 고찰한 연구를 보면, 대부분의 환자들이 움직이지 못하고, 말을 못하며 침잠 증세가 혼합되어 나타났다. 거부증, 부동증, 찌푸린 얼굴, 경직 증세가 55-65% 환자에서 납굴증, 상동증, 반향언어증, 동작모방증, 단편적인 음송증은 상대적으로 적은 35%의 환자에서 나타났다.

3) 진단 및 평가

Bush-Francis의 긴장증 등급 척도bush-Francis Catatonia Rating Scale, BFCRS에 근거한 긴장성 증후군의 징후와 증상은 표 11-1에 나열되어 있다. BFCRS의 23가지 항목 검사척도는 검사상 각 긴장증의 징후와 심각도를 정의하고 임상검사를 위한 표준화된 개요를 제공하며 증상의 변화에 민감한 신뢰할 수 있는 등급을 제공한다.

표 11-1. 긴장증의 증상Modified Bush-Francis 긴장증 등급척도

긴장증은 아래에 열거된 14개의 항목 중 2가지 이상이 있으면 진단할 수 있다.
1. 흥분 -심각한 과잉활동 및 지속적인 명백한 목적 없는 운동증상(목표 지향적 동요나 정좌불능증에 기인한 것이 아님) 2. 부동증/혼미 - 심각한 활동저하, 부동증, 자극에 대한 최소의 반응 3. 함구증 - 언어적 무응답 또는 최소 응답 4. 응시 - 고정된 시선, 환경에 대한 시각적 파악이 거의 또는 전혀 없음, 눈 깜박임 감소 5. 자세 고정/강경증 - 일상적인 자세를 포함한 자세의 자발적 유지(예: 반응 없이 장시간 앉아 있거나 서 있는 경우) 6. 얼굴 찡그림 - 이상한 표정 유지 7. 반향언어/반향동작 - 검사자의 언어와 움직임의 모방 8. 상동증 - 지속적이고 선천적이지 않으며 목적 없는 비정상적인 운동활동(예: 손가락 놀이, 반복적으로 자신의 몸을 만지거나, 쓰다듬거나, 문지름) 9. 기행증 - 이상한, 선천적으로 비정상적인 움직임(예: 깡충깡충 뛰거나 발끝으로 걷거나, 지나가는 사람에게 경례를 하거나, 일상적인 움직임을 과장해서 희화화) 10. 음송증 - 단어나 음절의 반복(예: Scratch record) 11. 강직증 - 검사자의 자세 조정에도 불구하고 경직된 자세 유지; 과다근육긴장이나 떨림 있는 경우 제외 12. 거부증 - 환자를 움직이거나 검사하려는 행위에 대하여 이유 없는 거절; 환자는 지침과 정반대의 행동을 보임 13. 납굴증 - 환자의 자세 조정 시 환자가 자세 조정에 따르지 않고 우선 저항(굽은 초와 유사) 14. 위축 - 식사, 음료 마시기, 일상 생활 활동 또는 눈 마주침 거부 15. 충동성 - 적절한 설명이 되지 않고 자극이 없어도 생기는 부적절한 행동(예: 복도를 뛰어가거나, 소리를 지르고 옷을 벗는 등) 16. 자동적 순종 - 검사자의 요청에 대한 과도한 협조 또는 요청된 움직임의 자발적 지속 17. Mitgehen - 검사자가 손가락 끝으로 살짝 밀기만 해도 환자는 팔이나 몸 전체를 과도하게 움직임(예: "고정용 스탠드") 18. Gegenhalten - 자극의 강도에 비례하는 수동적 움직임에 대한 저항; 수의적이기보단 불수의적으로 나타남 19. 이중 지향성 - 우유부단하고, 망설이는 동작에 '갇힌' 모습 20. 파악 반사 - 신경학적인 검사와 동일 21. 보속증 - 자극이 바뀌어도 반복적으로 같은 주제나 행동으로 반응함 22. 공격성 - 특정된 대상 없이 공격적이며, 나중에 불충분하거나 부적절한 이유를 제시 23. 열과 자율신경이상 - 이상 체온, 혈압, 맥박 또는 호흡수, 발한 증상

4) 긴장증이 의학적 장애에 미치는 영향

지속적 긴장증 혼미persistent catatonic stupor 환자에게서 자주 발생하는 주요 의학적 합병증은 자세한 감시와 관리가 필요하다. 환자가 함구증 상태로 증상 호소를 안 하고, 경직되어 있으며 협조가 불가능하기 때문이다. 또한 만성적인 긴장증 상태에 있는 사람들은 위험 상태를 신속히 해결할 의료 자원이 부족한 요양원이나 장기 요양 병원에서 발생되는 경우도 많다.

(1) 폐 합병증

흡인aspiration은 긴장증의 가장 흔한 폐 합병증이다. 흡인은 폐장염이나 폐렴을 일으킬 수 있다. 폐렴의 위험요인으로는 무기폐, 영양실조, 호흡곤란, 환경 등이 있는데, 의료기관의 환경은 항생제 내성균으로 인한 원내감염을 일으킬 가능성이 높다. 예방적 항생제는 흡인 위험이 높은 환자들에게 유익하지 않다. 제산제, H2 차단제 또는 양성자 펌프 억제제proton pump inhibitors의 예방적 투여도 권장되지 않는다. 이러한 조치는 병원균에 의한 집락화colonization를 촉진할 수 있기 때문이다. 호흡부전은 호흡하려는 노력이 심각하게 불충분할 때 발생할 수 있다. 움직일 수 없는 긴장

성 환자들은 폐색전증에 더 걸리기 쉽다. 수액치료, 물리치료, 압박스타킹, 항응고제 등의 예방적 조치가 도움이 될 수 있다.

(2) 탈수, 영양실조, 위장관 합병증

긴장증은 탈수와 영양실조로 이어진다. 후유증으로 감염, 피부손상, 변비, 장폐색이 생길 수 있다. 지속적인 긴장증은 경관영양이 필요할 수 있으며, 이는 영양공급관feeding tube 합병증을 초래할 수 있다.

(3) 구강 및 피부 합병증

충치, 구강 감염, 잇몸 질환은 만성 긴장증에 흔하다. 피부손상과 욕창은 부동성과 압박의 결과로 매우 흔하다.

(4) 비뇨생식기 합병증

요저류, 요실금, 요로감염 및 질감염은 지속성 긴장증 환자에서 빈번한 합병증이다.

(5) 신경근육 합병증

긴장증의 부동성은 굴곡구축과 신경성마비를 초래할 수 있다. 물리치료를 통한 동원은 이러한 합병증을 예방하는 데 도움이 될 수 있다. 부동성으로 인한 근육 파괴는 특히 악성 긴장증에서 횡문근융해증을 초래할 수 있다.

5) 긴장증의 치료

적절한 치료를 받으면 일반적으로 긴장증은 완전히 사라진다. 벤조디아제핀과 전기경련치료가 가장 권장되는 치료법이다. 벤조디아제핀은 1차 정신 질환, 신경성이완제 독성 및 기타 다양한 2차 상태로 인한 단순 및 악성 긴장증 모두에 효과적이다. 치료 반응은 연령, 성별, 긴장증의 심각도에 의해 예측하기 어렵지만, 기저 만성 조현병이 있는 경우 예후가 좋지 않다. 기저 정신 질환은 함구증을 가진 긴장증 환자에서 진단하기 어렵기 때문에, 긴장증 상태가 해결될 때까지 구체적인 치료를 지연시킬 필요가 있을 수 있다.

ECT는 긴장증에 가장 효과적인 치료법이다. 임상 경험과 사례 분석 결과 Lorazepam과 같은 다른 치료가 실패한 경우에도 ECT가 긴장증의 완화를 유발한다고 판단하였다. ECT의 또 다른 장점은 긴장증에 흔히 동반되는 기분장애나 정신증에 대한 효과이다.

4. 결론

2차 정신증, 조증, 긴장증은 광범위한 의학적 질병과 중독 상태에서 발생할 수 있다. 이러한 신경정신과적 합병증을 신속하게 인지하면 기저질환을 치료하기 어렵더라도 정신증상의 완전관해로 이어질 수 있는 특정 치료를 할 수 있다. 만약 정신증상이 인식되지 않거나 제대로 치료되지 않는다면, 심지어 사망까지 초래할 수 있다.

참고문헌

1. Aliyev ZN, Aliyev NA. Valproate treatment of acute alcohol hallucinosis: a double-blind, placebo-controlled study Alcohol Alcohol Jul-Aug 2008;43(4):456-9.
2. Berrios GE, Dening TR Pseudohallucinations: a conceptual history Psychol Med 1996 Jul;26(4):753-63. doi: 10.1017/s0033291700037776
3. Bush G, Fink M, Petrides G, Francis DA. Catatonia, I: rating scale and standardized examination. Acta Psychiatr Scand 1996;93(2):129-36.
4. Carlson GA, Goodwin FK. The stages of mania. A longitudinal analysis of the manic episode Arch Gen Psychiatry 1973 Feb;28(2):221-8.
5. Clinebell K, Azzam PN, Gopalan P: Guidelines for preventing common medical complications of catatonia: case report and literature review. J Clin Psychiatry 2014;75(6):644-51.
6. Fink M, Taylor MA. Catatonia: A Clinician;s Guide to Diagnosis and Treatment. Cambridge, UK, Cambridge University Press, 2003.
7. Lautenschlager NT, Förstl H. Organic psychosis: Insight into the biology of psychosis Curr Psychiatry Rep 2001 Aug;3(4):319-25.
8. Sachdev P. Schizophrenia-Like Psychosis and Epilepsy: The Status of the Relationship Contemporary Neuropsychiatry pp 369-75.
9. Schneider LS, TariotPN, Dagerman KS, Davis SM, Hsiao JK, Ismail MS, et al. Effectiveness of atypical antipsychotic drugs in patients with Alzheimer's disease N Engl J Med 2006 Oct 12;355(15):1525-38.
10. Subramaniam H, Dennis MS, Byrne EJ. The role of vascular risk factors in late onset bipolar disorder Int J Geriatr Psychiatry 2007 Aug;22(8):733-7.
11. White DAC, Robbins AH. Catatonia: harbinger of the neuroleptic malignant syndrome. Br J Psychiatry 1991;1:419-21.
12. Wing L, Shah A A systematic examination of catatonia-like clinical pictures in autism spectrum disorders Int Rev Neurobiol 2006;72:21-39.

12

CHAPTER

불안장애

서호석, 이건석

불안은 일차 진료 및 정신의학적 진료 환경에서 매우 흔한 문제이다. 일반 인구에서 불안장애의 1년 유병률은 약 22.2%이기 때문에, 많은 신체 질환이 있는 환자는 동시에 불안을 겪게 된다. 그러한 환자에게 불안장애가 있으면 치료 결과가 좋지 않고 많은 의료비용이 발생되는 원인이 될 수 있다. 불행히도 많은 의료인들은 종종 이러한 치료 가능한 장애를 식별하는 것을 무시한다. 고통스러운 불안을 인식할 때에도 일부 임상가들은 질병과 관련된 불확실성과 역경에 대한 "정상적인" 반응으로 간주하여 그 중요성을 최소화하게 된다.

불안과 신체적 질병 사이의 상호 작용을 이해하는 것은 효과적인 정신의학적 평가와 치료의 핵심이 된다. 환자의 불안은 일차적 불안이나 기타 정신 장애로 인한 것일 수 있지만, 불안이 신체질환의 증상인지, 약물의 부작용인지, 질병 경험에 대한 심리적 반응인지 또는 복합적인 것인지 고려하는 것도 매우 중요하다. 마찬가지로 치료 계획을 설계할 때 의학적 동반 질환을 함께 고려하는 것도 중요하다.

1. 일반적 특징 및 진단 시 고려 사항

만성 질환이 있는 환자는 불안장애를 가질 가능성이 더 높다. 대부분은 불안장애가 진단되지 않은 상태에서 병이 진행된다. 예를 들어, 20,000명 이상의 일차 진료 환자를 대상으로 한 연구에서 범불안장애 환자의 34%만이 올바르게 진단된 것으로 나타났다. 일차 진료 환경에서는 전체 진단 평가가 필요한지 여부를 결정하기 위해 간단한 선별 질문을 하는 것이 유용하다. 7개의 항목으로 구성된 척도인 일반화된 불안장애척도-7Generalized Anxiety Disorder 7-item scale, GAD-7는 범불안장애, 공황장애, 외상후스트레스장애 PTSD 및 사회공포증에 대한 효과적인 선별 검사로 알려져 있다.병원 불안 및 우울장애 척도Hospital Anxiety and Depression Scale, HADS, 4개 항목 척도인 환자 건강 설문지-4The Patient Health Questionnaire-4, PHQ-4도 있다. 이들 도구는 불안과 우울장애 모두에 대해 유효한 선별 도구로 입증되었다.

정상 불안과 병리 불안을 구별하는 것은 불안장애의 정확한 진단을 위해 중요하며 증상이 심각한 기능 장애를 유발하는지 여부를 평가해야 한다. 불안장애는 만성 질환이 있는 환자의 기능을 손상시킨다. 심각한 신체질환은 기능 장애(또는 관련 치료) 자체가 심각한 장애를 유발할 수 있기 때문에 기능 장애 결정을 복잡하게 만든다. 신체질환으로 인해 장애가 있는 환자의 경우 불안의 기능적 영향을 평가하는 것은 종종 치료 순응에 미치는 영향을 평가하여 달성할 수 있다.

우울장애가 낮은 치료 순응도를 더 분명하게 예측하지만 과도한 불안도 순응도를 떨어뜨릴 수도 있고, 환자가 진단 절차나 수술을 거부하게 만들 수도 있다. 이러한 행동은 불안장애가 있음을 시사하고 부정적인 의학적 결과를 초래할 수 있으며 또한 의료비용을 증가시킬 수 있다.

2. 신체 질환에 대한 불안의 원인

신체질환이 있는 불안한 환자를 평가할 때 불안의 잠재적 원인을 고려하는 것이 필수적이며 이는 4가지 범주로 분류된다.

1) 일차적 불안 또는 기타 정신 장애로 인한 불안
2) 신체질환의 영향으로 인한 불안
3) 물질 / 약물의 영향으로 인한 불안
4) 질병 경험에 대한 환자의 심리적 반응으로 인한 불안

생리학적으로 다른 의학적 상태에 이차적인 불안과 일차적인 불안장애 또는 의학적 상태에 대한 불안한 반응으로 인한 불안을 구별하는 것이 중요하다. 예를 들어 갑상선기능항진증은 생물학적으로 불안을 유발하는 것으로 보이지만 당뇨병은 일반적으로 그렇지 않다. 다른 의학적 상태로 인한 불안의 DSM-5 진단은 후자가 아니라 전자를 나타낸다. 이 차이는 불안과 특정 의학적 상태 사이에 역학적 연관성이 있을 때 인과 관계의 가정으로 인해 혼란스러울 수 있다. 예를 들어, 불안장애는 편두통이 있는 환자에게 흔하지만, 불안장애의 발병은 일반적으로 편두통보다 우선한다. 많은 신체질환 환자의 경우 불안의 원인은 다원적이며 질병의 경과에 따라 다를 수 있음을 명심하는 것이 중요하다.

3. 일차 불안장애 및 기타 정신 장애

불안이 동반된 신체질환이 있는 환자의 경우, 일차적 불안이나 기타 정신 장애의 가능성을 증상의 원인으로 고려하는 것이 기본이 될 수 있다. 이러한 장애는 신체질환이 있는 환자들에서 진단하지 않고 치료하지 않으면 치료를 방해하고 결과에 부정적인 영향을 미치며 이환율과 사망률을 높일 수 있다.

1) 범불안장애Generalized Anxiety Disorder, GAD

지역사회 표본에서 GAD의 12개월 유병률은 약 2.0%이지만, 국제 연구에 따르면 일차 진료에서 1개월 유병률은 7.9 %이다. GAD는 과도한 병원 이용으로 이어질 수 있다. 피로, 근육긴장 및 불면증과 같은 GAD의 신체 증상은 종종 환자가 처음에 주치의에게 호소하는 증상이 된다. 우울장애와 마찬가지로 의사는 감별 진단에서 GAD를 고려하는 것이 중요하다. 무엇보다도 GAD를 인식하고 치료하는 것이 특히 중요하다. GAD는 더 나쁜 예후와 독립적으로 연관된다. 예를 들어 GAD 환자는 심근 경색 후 이후 10년 동안 사망 위험이 거의 2배 증가했다.

2) 공황 장애

공황 발작이 있는 환자는 의료 서비스를 많이 이용한다. 특히 흉통이 있는 많은 환자들에서 공황장애가 동반되는 것으로 밝혀졌다. 연구자들은 흉통과 정상적인 관상 동맥이 있는 환자의 최소 1/3이 공황장애를 가지고 있다고 추정한다. 공황 발작은 증상에 따라 발작성 심방 빈맥과 구별하기 어려울 수 있다. 둘 다 젊거나 건강한 여성에게서 자주 발생하며 종종 동반하는 질환이다. 현기증을 평가하기 위해 내원한 환자에서도 공황장애 비율이 높고, 공황장애는 과민성 대장 증후군과 빈번하게 동반한다.

3) 특정 공포증

특정 공포증은 매우 흔하지만 의사의 관심을 받는 경우는 많지 않다. 미국 청소년의 9%에서 발생하는 것으로 보고된 혈액-주사-손상형 특정공포증은 의료 시술 중 실신하거나 주사 및 혈액 검사를 피하는 것으로 나타난다. 폐소공포증은 환자가 자기공명영상(MRI) 검사를 시행할 때 흔히 발생한다. MRI를 받은 6,500명의 환자를 대상으로 한 연구에서 폐소공포증의 발생률은 10%였다.

4) 기타 정신 장애

PTSD는 DSM-5에서 불안장애에서 '트라우마 및 스트레스 관련 장애'의 새로운 범주로 재분류되었다. 여전히 신체적으로 아픈 사람들에서 불안의 일반적인 원인으로 남아 있다. 미국의 공존질환조사는 일반 인구에서 PTSD의 12개월 유병률을 3.7%로 추정했다. 의료 환경에서의 유병률은 더 높을 수 있다. 예를 들어, 최근의 체계적인 검토에서 일차 진료 환자의 PTSD 유병률은 2%에서 39%였으며 PTSD는 신체적 질환 또는 기능의 장애와 관련이 있었다. 외상 피해자와 PTSD를 가진 환자는 병원을 자주 이용한다. 또한 PTSD는 나쁜 치료 결과와 관련이 있다. 예를 들어 관상동맥질환을 앓고 있는 637 명의 재향 군인을 대상으로 한 연구에서 PTSD는 관상동맥 동맥경화증의 존재 및 중증도와 관련이 있었으며. 연령, 성별 및 기존 위험 요인과 관계없이 사망률을 예측했다. PTSD와 마찬가지로 강박 장애OCD는 DSM-5에서 불안장애에서 새로운 범주인 '강박 장애 및 관련 장애'로 재분류되었다. 이러한 장애는 피부과 및 기타 신체질환 치료에 부정적인 영향을 미칠 수 있다. 2,145명의 성인을 대상으로 한 2015년 연구에서 피부뜯기장애의 유병률은 5.4%였으며 강박장애 유병률은 피부뜯기장애가 있는 사람에서 현저하게 증가했다.

4. 다른 의학적 상태로 인한 불안

많은 의학적 장애가 불안을 유발하는 것으로 보고되었지만 데이터는 많은 연관성에 대한 사례 보고서로 제한된다. 그럼에도 불구하고 일차성 불안장애(예: 개인 또는 가족력 부족, 심리 사회적 스트레스 요인 등)에 대한 병력이 전형적이지 않을 때 불안의 의학적 원인을 고려하는 것이 중요하다. 불안이 불균형한 신체 증상(예: 현저한 호흡 곤란, 빈맥, 떨림) 또는 비정형 증상(예: 실신, 혼란, 국소 신경 증상)을 동반할 때 의학적 원인을 평가하는 것도 중요하다.

불안한 환자에서 의학적 평가는 신경학적 검사를 포함한 철저한 병력 조사와 신체검사로 시작해야 한다. 검사실 검사, 영상 검사 및 기타 진단 검사를 포함한 평가의 추가 구성 요소는 환자의 특정 의학적 증상에 따라 결정되어야 한다. 예를 들어 간질과 유사한 삽화가 있는 환자는 신경학적 평가와 뇌파 검사가 필요할 수 있다. 드문 의학적 불안의 원인임을 암시하는 다른 소견이 없는 경우, 이를 정기적으로 선별하는 것은 권장되지 않는다(예: 갈색세포종 또는 유암종).

1) 내분비 질환 및 대사 장애

불안 증상은 갑상선기능항진증이 있는 환자에게 흔히 발생하며 갑상선 기능은 정신건강의학과 환자에서 정기적으로 확인된다. 갑상선기능항진증에 수반되는 아드레날린성 과민 반응은 불안과의 연관을 설명할 수 있다. 무증상 및 임상적 갑상선기능항진증이 있는 환자는 불안 수준이 높은 것으로 나타났다. 불안을 유발하는 갑상선기능항진증은 일차 불안장애와 구별하기 어려울 수 있다. 지속적인 빈맥 또는 열과민증과 같은 갑상선기능항진증의 다른 징후는 전자를 식별하는 데 도움이 된다. 그러나 두 가지를 구별하는 것은 어려울 수 있다.

불안을 유발하는 내분비 질환의 다른 예로는 갈색세포종, 저혈당증 및 부신과다증이 있다. 대사장애는 또한 불안을 보이는 신체질환 환자에서 불안 유발의 가능한 원인으로 간주되어야 한다. 예를 들어 고칼슘혈증은 불안 및 기타 신경정신병적 증상을 나타낼 수 있다.

2) 심혈관 질환

심혈관 질환은 불안과 밀접한 관련이 있다. 예를 들어 관상동맥질환 환자에서 GAD의 평생 유병률은 26%이며, 일반 인구의 평생 유병률 3-7%보다 훨씬 높다. 심부전과 부정맥 또한 불안과 분명한 연관성을 보여주었다. 불안과 심장 질환은 몇 가지 공통적인 병태생리학을 공유한다. 인터루킨-6, 혈관 내피세포 기능장애, 혈소판 기능 장애, 자율신경계 불안정과 같은 지표는 심장 질환과 불안 모두의 특징이다.

심혈관 질환 경험은 환자에게 충격을 주고 PTSD를 초래할 수 있다. 심근 경색 다음에는 상당한 빈도의 PTSD가 뒤따르고 이식형 심전도 제세동기ICD와 관련된 PTSD는 장기 사망 위험을 증가시키는 것으로 나타났다.

3) 호흡기 질환

호흡기질환 환자는 종종 불안감을 경험한다. 예를 들어 11,000명 이상의 캐나다 인구에서 조사된 GAD 확률은

Psychosomatic Medicine

만성 폐쇄성 폐질환COPD 환자가 COPD가 없는 환자보다 4배 더 높은 것으로 밝혀졌다. 천식과 불안은 대만의 전국 인구 기반 연구에서 서로 독립적인 위험요인으로 나타났다. 천식이나 COPD를 앓고 있는 심리적 스트레스와 불확실성이 분명히 이 연관성에 기여하지만 내재적인 생리적 요인도 마찬가지로 불안에 기여할 수 있다. 예를 들어 과탄산증과 과호흡은 모두 공황발작 증상을 유발할 수 있다. 불안은 더 빈번한 COPD 악화와 연관되어 폐 및 불안 증상이 서로 악화되는 악순환에 기여한다. 여러 가지 천식 약물도 불안을 유발할 수 있다.

천식 및 COPD 외에도 다른 호흡기 질환은 불안과 관련이 있다. 폐색전은 불안 증상과 함께 나타날 수 있으며 색전이 작을 경우 공황 발작으로 오진될 수 있다.

4) 신경계 질환

최근의 체계적 고찰 및 메타 분석에 따르면 파킨슨병의 불안장애 유병률은 31%로 일반 인구보다 높은 것으로 나타났다. 불안은 종종 파킨슨병 증상이 나타난 후에 나타나기도 한다. 파킨슨병의 불안에 대한 신경 생물학은 명확하게 밝혀지지 않았지만 기능적 영상 연구는 조가비핵putamen, 미상핵caudate의 도파민 밀도와 불안의 중증도 사이의 역상관 관계를 밝혀냈다. 파킨슨병과 관련된 도파민성 신경회로는 불안과 관련된 시스템(예: 세로토닌계)과 밀접한 관련이 있다. 불안은 또한 L-dopa와 같은 파킨슨병 치료에 사용되는 약물로 인해 발생할 수 있다.

불안장애는 간질 환자에서도 발생한다. 최근연구에 따르면 전신성 간질 환자의 34%가 GAD 기준을 충족하는 증상을 보였다. 복합부분발작은 공포, 이인화, 현실감 상실, 현기증 및 감각 이상을 포함하는 공황장애의 증상을 동반할 수 있다. 동물 모델은 불안과 간질 뒤에 있는 근본적인 신경 생물학적 메커니즘이 유사점을 공유한다는 것을 증명했다. 흥분성 전류의 방출은 불안 증상과 간질 모두에서 발생하며 양쪽 편도체와 해마를 중심으로 하는 병태 생리학과 연관된다. 따라서 불안과 간질을 치료하기 위해 여러 약물(특히 벤조디아제핀)이 사용된다.

불안은 중추 신경계의 종양, 전정 기능장애, 뇌염을 포함한 다른 많은 신경학적 원인들이 연관되어 있을 수 있다.

5) 기타 질환

다른 많은 의학적 상태는 위에서 설명한 것 이상의 불안 증상을 유발하다. 심근 경색과 마찬가지로 암과 같은 다른 생명을 위협하는 질병은 PTSD를 촉진할 수 있다. PTSD의 DSM-5는 암환자의 적응장애와 구별 할 필요가 있음을 강조했지만, 최근 메타 분석에서는 암 생존자에서 암 경험의 외상을 기반으로 PTSD가 자주 발생한다고 강조했다. 최근 메타 분석에서는 암 생존자에서 암 경험의 외상을 기반으로 PTSD가 자주 발생한다고 강조했다.

5. 물질/약물로 인한 불안

내과적 질환이 있는 내과 환자를 평가할 때 약물의 사용 또는 약물 중단이 영향이 있는지 고려하는 것이 중요하다. 처방전 없이 구할 수 있는 카페인과 교감신경 작용제는 일반 인구에서 불안의 일반적인 원인이다. 카페인은 각성, 체중 감소, 두통을 위하여 처방전 없이 구입할 수 있는 약일뿐만 아니라 커피, 차, 카페인 소다 및 기타 카페인 음료에 상당한 양으로 존재할 수 있다. 비강충혈억제제(예: 슈도에페드린)로 사용되는 처방전 없이 구입할 수 있는 교감 신경 약물은 종종 불안을 유발하고 빠른 내성이 발생한다. 마찬가지로 널리 사용되는 약초 제제 마황도 불안을 유발할 수 있다.

6. 질병 경험에 대한 심리적 반응으로서의 불안

의료 질환과 관련된 불확실성은 많은 신체질환 환자를 불안하게 만든다. 특히 불안에 대한 소인이 있는 환자의 경우 질병의 심리 사회적 스트레스가 불안장애를 유발하기에 충분할 수 있다. 정신건강의학과 의사는 개별 환자의 불안 원인에 대한 가정을 피해야 한다. 불안한 환자에게 접근할 때 정신건강의학과 의사는 불안의 모든 잠재적인 심리적 원인을 고려해야 한다.

1) 의료 진단의 불확실성

일부 환자는 심각한 질병이 있을 수 있다는 것을 지나치게 걱정한다. 일상적인 평가는 특히 개인 또는 가족력이 있는 사람들에게 불안을 유발할 수 있다. 예를 들어 유방암 가족력이 있는 여성은 일상적인 유방조영술을 받기 전에 매우 불안해할 수 있다. 예를 들어 의사가 환자에게 "아마 아무것도 아니겠지만 확실히 하기 위해 뇌 MRI를 해봅시다."라고 말한 후 초기 평가와 최종 결과를 받는 사이의 기간 동안에도 불안이 발생할 수 있다. 진단에 대한 불확실성이 장기화되면 환자에게 "전립선 특이 항원PSA이 상승했지만 이 시점에서 몇 달 후에 다시 검사를 해 보아야 합니다."라는 말을 들으면 더욱 불안감을 유발하다. 의사는 의료 진단에 내재된 상당한 불확실성이 있음을 잘 알고 있지만 일반적으로 환자는 이 사실에 안심하지 못한다.

2) 의학적 예후에 대한 불확실성

많은 신체질환 및 시술의 경우 예후가 불확실하다. 많은 환자들은 특히 자주 재발하는 질병(예: 부정맥, 암, 다발성경화증)이 있을 때 재발에 대한 지속적인 두려움을 경험한다. 마찬가지로, 많은 사람들은 초기 치료가 성공적이더라도(예: 이식된 장기의 거부) 나중에 치료가 실패할 것을 두려워하다. 좋은 예후를 가진 환자조차도 종종 불안을 경험한다는 것을 명심하는 것이 중요하다. 예를 들어 95%의 치료율은 많은 환자에게 안심이 되지만 일부는 5%의 재발률 때문에 불안을 겪을 것이다. 문제를 복잡하게 만드는 것은 환자가 온라인으로 검색하여 부정확한 정보를 찾을 수 있다는 사실이다. 환자를 효과적으로 안심시키려면 잘못된 정보를 해결해야 한다.

3) 신체에 대한 불안

많은 사람들이 질병이 신체에 미치는 영향에 대해 걱정을 한다. 환자는 절단으로 인해 신체 부위를 잃을까봐 두려워 할 수 있다. 절단에 대한 지속적인 두려움은 특히 일부 질병(예: 당뇨병 및 말초 혈관 질환)에서 문제가 된다. 다른 사람들은 기능을 잃거나 다른 사람에게 지나치게 의존하게 될 것이라고 두려워할 수 있다. 예를 들어 당뇨병 환자는 완전한 실명을 두려워할 수 있고 COPD 환자는 "호흡기에 메여있는 것"을 두려워할 수 있으며 전립선 암 환자는 발기 부전과 요실금을 두려워할 수 있다. 다른 사람들은 고통의 경험을 두려워하다. 예를 들어 전이성 암 환자는 종종 끊임없는 심한 통증을 느끼는 것을 두려워한다.

4) 죽음에 대한 두려움

신체 건강에 관계없이 모든 개인은 삶의 어느 시점에서 죽음을 두려워한다. 육체적 질병의 경험은 종종 그 두려움을 고조시킨다. 의사는 죽음에 대한 두려움의 구체적인 이유를 알아보아야 한다(예: 환자는 가까운 친척에게 몇 년 전에 발생했기 때문에 출산으로 인한 사망을 두려워할 수 있다). 의사는 죽음과 관련된 특정 두려움을 평가해야 한다. 예를 들어 환자는 실제로 죽음에 대해 평화롭게 지내지만 환자 없이 가족이 생존할 수 없을까 봐 두려워할 수 있다. 이 경우 환자 가족의 참여는 안심하고 더 평화로운 죽음의 과정으로 이어질 수 있다.

5) 질병이 정체성과 생계에 미치는 영향에 대한 불안

질병만으로는 불안을 유발하기에 충분하지 않더라도, 환자는 일과 가사를 수행할 수 있는 능력과 재정에 대한 질병의 잠재적 영향을 우려할 수 있다. 의료비 상환에 대한 불확실성으로 인해 피보험자조차 걱정할 수 있다. 보험에 가입하지 않은 환자는 자신이나 가족이 치료비를 지불할 수 있는 방법에 대해 너무 염려하여 치료를 거부하거나 의료 서비스를 받지 않는다. 이러한 상황에서 가족, 사회복지사와의 만남이 도움이 될 수 있다.

6) 낯선 사람과 병원에서 혼자 있는 것에 대한 불안

익숙하지 않은 의사의 진료를 받는 것은 의심이 많은 경우(예: 편집증 또는 경계성 인격 장애가 있는 사람)에서 특히 어려울 수 있다. 마찬가지로, 일부 환자는 병원에 혼자 있는 것을 어려워한다. 많은 사람들이 입원 중에 퇴원하기 때문에 의존성이 필요한 환자가 익숙하지 않은 환경에 홀로 남겨질 때 지나치게 불안해할 수 있다.

7) 의사의 부정적인 반응에 대한 불안

많은 환자들이 의사의 의견에 대해 걱정한다. 과도한 관심은 의료 서비스를 받기를 꺼릴 수 있다. 의사의 권고를 따르지 않은 것에 대해 죄책감을 느끼는 사람들은 혼날까봐 약속을 취소할 수 있다(예: 체중 감량 실패). 마찬가지로 일부 환자의 불안으로 인해 중요한 정보(예: 성적 병력 또는 알코올 섭취 수준에 관한 정보)를 공개하지 않을 수 있다. 의사는 환자가 과도한 불안을 겪고 있을 수 있다는 단서를 주의 깊게 살펴야 한다. 부정적인 역전이에 대한 인식은 필수적이다. 적절한 치료의 필요성을 일관되고 확고하게 상기시키는 것이 적절하지만 과도한 비판은 정당하지 않을 수 있다.

7. 신체질환과 동반된 불안의 치료

불안장애의 치료는 안전하고 효과적인 것으로 나타났다. 신체질환과 관련된 불안의 치료는 신체적 증상을 개선하고 장애를 감소시키고 빈번한 의료 사용률을 낮추고 삶의 질을 향상시킬 수 있다. 대부분의 불안장애가 있는 사람들은 통증, 불면증 또는 위장장애와 같은 불안의 신체적 증상을 호소하고 종종 근본적인 정서장애를 인식하지 못하면서 주치의의 진료를 받게 된다. 효과적인 치료를 위해서는 정신건강의학과 의사와 일차 진료의사 간의 협력이 중요하다. 코크란Cochrane 리뷰에서 협업 치료가 불안에 효과적이라는 것이 밝혀졌다. 불안과 우울장애의 일차 진료 치료에 대한 협력적 치료 및 단계별 치료의 여러 모델은 비용 효율적인 결과와 개선된 환자 만족도를 보여준다. 일차 진료에서 불안에 대한 협력 치료는 여러 의학적 동반 질환이 있는 경우에도 효과적인 것으로 나타났다.

1) 정신치료

의학적으로 아픈 환자를 돌보는 데 정신약물학을 지나치게 강조하면 때때로 심리 치료의 가치를 간과하게 된다. 치료의 첫 번째 단계는 환자의 말을 듣고 이야기를 나누는 데 시간을 보내는 것이다. 모든 환자의 심리 치료에서와 마찬가지로 공감적 청취는 고통을 덜어주는 강력한 도구이다. 신체질환 환자의 목표는 환자가 자신의 질병에 대한 감정적 반응을 이해하고 논의하여 자신의 대처 메커니즘을 사용하여 이러한 감정을 관리할 수 있도록 돕는 것이다. 심리 치료 접근 방식에는 지지, 인지행동 및 정신역동학적 치료가 도움이 될 수 있다.

(1) 지지요법

지지요법은 경청하고 안심, 동정, 치료 과정 및 근본적인 질병에 대한 교육, 조언, 제안을 제공하는 것을 포함된다. 이 과정에는 질병이나 치료에 대한 두려움과 오해를 경청하고 환자가 가능한 한 대비할 수 있도록 적절한 정보를 제공하는 것이 포함된다. 또한 환자가 치료 과정을 어느 정도 통제할 수 있다고 느끼도록 치료 결정에 가능한 한 많은 선택권을 주는 것도 도움이 된다.

안심시키기reassurance는 환자를 치료하는 데 사용하는 중요한 기술이다. 그러나 매우 불안한 일부 환자의 경우 단순한 안심은 실제로 불안을 증가시키고 부적응적 행동으로 이어질 수 있다. 예를 들어, 시술 전에 "걱정할 필요가 없다"는 말을 들은 환자가 이후에 통증이나 예상치 못한 결과를 경험한다면, 그 결과 불안은 더욱 안심을 추구하는 행동, 불신, 협력 감소로 이어질 수 있다. 많은 불안한 환자는 신체 증상을 심각한 질병의 증거로 해석하는 경향이 있으며, 그 결과 안심하기 위해 여러 번의 상담을 요청할 수 있다. 환자의 신념, 우려, 인식을 이해하는 것은 환자에게 질병에 대해 교육하고 증상을 모니터링하기 위한 현실적인 계획을 고안하는 데 도움이 될 수 있다. 환자가 사소한 증상과 치료가 필요한 증상을 구별 할 수 있도록 현실적인 계획을 세우면 불안감이 줄어들고 안심할 수 있다. 의사가 환자의 불안이 죽음에 대한 두려움 때문이라고 가정하지 않는 것도 중요하다.

지지요법의 또 다른 중요한 측면은 환자의 가족, 친구 및 영적/종교적 커뮤니티의 지원 체계의 참여이다. 일부 환자는 지원 네트워크를 확장하는 데 도움이 필요할 수 있다. 일부 가족 구성원은 환자의 건강 상태에 대한 불안감을 줄이기 위해 지지요법이 필요할 수 있다. 간호사와 목사 같은 병원 직원은 환자의 두려움을 줄이는 데 도움이 될 수 있다.

생명을 위협하거나 암과 같은 말기 질환에 직면한 환자는 죽음의 불안을 경험할 수 있다. 환자와의 논의는 불안과 고통을 줄이는 데 도움이 되며 심리적 개입만으로 환자의 죽음에 대한 불안을 관리하는 데 도움이 될 수 있다. 희망을 유지하는 것은 불안을 최소화하는 중요한 측면이지만, 주요 목표는 완전한 회복에서 특정 단기 성취를 위해 더 많은 시간을 갖는 것이 될 수 있다. 환자가 질병과 고통에도 불구하고 삶에서 의미와 가치를 찾도록 돕는 것은 정서적 고통을 덜어주는 데 도움이 된다. 예를 들어, 환자가 여전히 가족에게 중요하거나 해결해야할 목표가 있다는 것을 환자가 알게 되면 불안감을 줄일 수 있다. 호스피스 운동은 많은 말기 질환자에게 도움을 주었다.

(2) 인지행동치료

인지행동치료CBT는 GAD, PTSD 및 공황 장애를 포함한 많은 불안장애를 치료하는 데에 약물만큼 효과적인 것으로 입증되었다. 일차 진료의 불안 및 우울장애 증상에 효과적인 것으로 나타났다. CBT는 불안과 고통을 증가시키는 잘못된 해석과 비합리적인 생각을 발견하고 수정하는 데 사용된다. MRI 중 폐쇄공포증과 같이 효과적인 치료를 방해할 수 있는 두려움을 극복하는 데 행동 기법을 사용할 수 있다. CBT의 짧은 과정은 오래 지속되는 효과를 가질 수 있지만 가끔 추가 회기가 필요할 수 있다.

자기 인식과 신체 기능의 자기 조절을 가르치는 다양한 치료법이 신체질환 환자의 불안과 신체 증상을 줄이는 데 효과적인 것으로 밝혀졌다. 여기에는 근육 이완 기법(예: Jacobson의 점진적 근육 이완), 자가 훈련(예: 내부 과정을 제어하는 기술을 사용하는 바이오 피드백), 이완 기법(예: 명상, 호흡 운동, 자기 최면)이 포함된다. 스트레스 관리 개입은 삶의 질을 향상시킬 수 있다. 이완 기술은 인공호흡기 제거 시에 도움을 주거나 COPD 환자의 호흡 곤란과 불안을 줄이는 데 도움이 될 수 있다.

마음 챙김 기반 스트레스 감소는 많은 의학적 및 정신적 문제가 있는 환자의 정서를 개선하기 위해 널리 사용된다. 종종 집단치료의 형식으로 제공되며 마음 챙김 명상, 신체 스캔 및 요가를 통합할 수 있다. 이 접근법은 만성 통증 및 암을 포함한 의학적 상태를 가진 환자에게 효과적인 것으로 나타났다.

(3) 정신역동요법

너무 아프지 않고 충분한 정서적 회복력을 가진 환자의 경우 환자에게 질병의 의식적 및 무의식적 의미를 밝히는 데 간단한 역동적 정신치료가 유용할 수 있다. 환자의 발달 이력, 대인 관계 역학 및 방어 메커니즘을 이해하면 정신건강의학과 의사가 의료 질환에 대처할 수 있는 더 건강한 방법을 찾는 데 도움이 될 수 있다.

심리 치료는 실제 또는 상상의 죄책감, 회피 및 부정과 같은 건강에 해로운 대처 전략, 현재 의사와 환자 관계에서 반복될 수 있는 과거의 갈등 관계에 대한 인식과 같이 고통을 증가시키는 영역을 찾아 낼 수 있다. 환자의 근본적인 역동을 이해하면 회복을 방해할 수 있는 치료팀과의 갈등을 식별하고 해결하는 데 도움이 될 수 있다. 정신역동을 이해하면 정신건강의학과 의사가 불안한 환자를 돌보는 일차 치료팀과 협력하는 데 도움이 될 수 있다.

역전이 반응은 불안한 환자의 간병인에게 문제를 일으킬 수 있다. 간병인은 또한 환자의 정서적 필요에 대한 공감이나 인식이 거의 없이 기계적으로 치료를 제공하면서 물러나고 멀어질 수 있다.

2) 약물치료

정신 치료 기술만으로는 환자의 불안을 치료하기에 충분하지 않을 수 있다. 적절한 약물치료는 불안을 호소하는 환자들에게 보다 빠르고 안전하게 도움이 될 수 있다.

(1) 벤조디아제핀 및 최면제

급성 불안 증상의 경우 가장 즉시 효과적이고 자주 사용되는 약제는 벤조디아제핀이다. 디아제팜과 클로르디아제폭사이드가 가장 먼저 사용되었다. 그들은 또한 다른 의학적 상태에 대한 효능을 확립했다(예: 항경련제 및 근육이완제로서의 디아제팜 및 알코올 해독을 위한 클로르디아제폭사이드). 최신 벤조디아제핀은 더 나은 안전성 프로필과 짧은 반감기를 가지고 있어 더 자주 사용되는 경향이 있다.

알프라졸람은 빠르게 작용하고 빠르게 제거되지만 결과적으로 반동 불안과 금단 증상이 나타날 수 있다. 로라제팜은 경구, 정맥, 근육 내로 투여 할 수 있고 활성 대사 산물이 없기 때문에 입원 환자에게 선호되는 약물이다. 로라제팜은 정맥 내 주사 또는 근육주사로 투여할 수 있지만 진전 섬망을 치료하기 위한 용량의 경우 과도한 진정이 유발될 수 있기 때문에 호흡 상태를 면밀히 관찰해야 한다. 반감기가 매우 짧은 벤조디아제핀인 미다졸람은 정맥 내 또는 근육 내로만 투여할 수 있으며, 폐소공포증 환자의 골수 생검, 내시경, MRI 스캔과 같은 단기 시술에 사용된다. 장기간 벤조디아제핀이 필요한 환자의 경우 클로나제팜과 같이 반감기가 더 긴 약물로 바꾸는 것이 종종 도움이 된다.

모든 벤조디아제핀은 과도한 진정을 유발할 수 있다. 특히 노인과 인지장애가 있는 환자(예: 치매, 두부 손상 또는 지적 장애로 인해)에서 운동 및 인지 장애를 유발할 수 있다. 따라서 이 환자들에게는 조심스럽게 사용해야 한다. 섬망 환자의 불안은 벤조디아제핀보다 항정신병제로 더 잘 치료할 수 있지만, 아직 데이터가 부족하다. 벤조디아제핀은 호흡 억제를 유발할 수 있으므로 폐질환이 있는 사람이나 심한 수면 무호흡증이 있는 환자에게 주의해서 사용해야 한다. 모든 벤조디아제핀은 내성과 의존으로 이어질 수 있으므로 약물 남용 이력이 있는 사람에게는 피하거나 신중하게(예: 해독을 위해) 사용되어야 한다. 장기간 아편 제제를 복용하는 환자에게 벤조디아제핀을 처방할 때 극도의 주의를 기울이는 것이 중요하다. 조합은 호흡 억제 및 사망으로 이어질 수 있기 때문이다. 순응도가 좋고, 화학적 의존의 병력이 없는 사람에게 벤조디아제핀은 문제나 내성을 일으키지 않고 수년간 안전하게 사용할 수 있는 경우가 많다. 환자의 나이에 따라 위험을 재평가해야 한다. 유사하게, 특정 의학적 상태(예: 진행성 간질환, 치매, COPD, 소뇌 기능 장애)가 발생하는 환자에서 장기적인 벤조디아제핀 사용을 줄이거나 중단해야 할 수도 있다.

(2) 항우울제

GAD, 공황 장애, PTSD, OCD, 사회불안장애에 대한 약리학적 일차 치료는 선택적세로토닌재흡수억제제SSRI이다. 플루복사민은 여러 약물-약물 상호 작용 때문에 피해야 한다. 이 약물은 부작용이 거의 없으므로 일반적으로 신체질환에 대해 매우 안전하다. SSRI는 심장 전도 문제, 기립성 저혈압 또는 신체적 의존을 초래하지 않는다. 항우울제는 불안을 완화하는 데 2-6 주가 소요될 수 있으므로 환자는 벤조디아제핀으로 초기 치료가 필요할 수 있다. 환자가 항우울제로 안정되면 벤조디아제핀은 일반적으로 불안의 재발 없이 점진적으로 중단될 수 있다. SSRI는 중단되기 전 최소 3-6개월 동안 사용해야 하며 금단 증상을 피하기 위해 서서히 감량되어야 한다. SSRI는 불안장애가 재발하는 경우 장기적으로 안전하게 사용할 수 있다.

약물 상호 작용의 가능성은 신체질환에서 중요하다. 플루옥세틴과 파록세틴은 사이토 크롬 P450 2D6 억제제이고 플루복사민은 1A2, 3A4, 2D6을 억제한다. 여러 약물을 복용하는 신체질환 환자의 경우 약물 상호 작용이 가장 적은 SSRI(서트랄린, 에스시탈로프람)이 선호된다.

벤라팍신, 둘록세틴, 데스벤라팍신을 포함한 세로토닌-노르에피네프린 재흡수억제제SNRI도 불안에 유용할 수 있다. 벤라팍신과 둘록세틴은 일부 불안장애 치료제로 승인되었으며 이들의 작용 메커니즘에 따라 모든 불안장애 치료에 효과적인 제제일 수 있다.

알파-아드레날린성 수용체 길항제이자 세로토닌 5-HT2A , 5-HT2C 및 5-HT3 수용체의 길항제인 미르타자핀은 불안을 줄이는 데 도움이 될 수 있다. 이는 약물 상호 작용이 거의 없고 진정 작용과 식욕 증가의 부작용이 있어, 불면증과 식욕 부진 및 체중감소가 있는 환자에게 도움이 될 수 있다. 삼환계 항우울제TCA와 모노아민 산화효소 억제제MAOI는 불안장애와 우울장애에 대한 효과적인 치료제로 잘 알려져 있다. 이러한 약물이 현재 일차 치료로 자주 사용되지 않는 주된 이유는 수많은 부작용과 과다 복용 시 독성 때문이다.

(3) 항정신병약물

제한된 데이터가 그 효능을 뒷받침하지만 항정신병 약물은 불안 치료용으로 승인되지 않았다. 정신건강의학과 의사는 종종 선택된 의료 집단에 대해 단기적으로 사용하기에 효과적이고 안전하다고 생각한다. 항정신병약은 혼동이나 호흡기 손상을 일으키지 않기 때문에 초조 또는 섬망과 관련된 더 심한 불안감이나 호흡기 손상 환자의 경우 벤조디아제핀보다 선호될 수 있다. 예를 들어, 항정신병약은 인공 호흡기를 뗀 불안한 환자를 돕는 데 도움이 될 수 있다. 신체질환이 있는 환자에게 가장 자주 사용되는 항정신병약은 할로페리돌로, 경구, 근육 내로 투여 할 수 있다. 할로페리돌과 같은 고역가의 전형적인 항정신병약이 불안 치료에 사용하여 정좌불능증이 나타날 경우 불안이 악화된 것으로 오인될 수 있기 때문에 정좌불능증을 모니터링하는 것이 중요하다.

또한 올란자핀, 리스페리돈, 쿠에타핀, 지프라시돈, 아리피프라졸과 같은 비정형 항정신병약도 저용량이 불안 치료에서 선택적으로 사용된다. 지프라시돈, 올란자핀, 아리피프라졸은 주사제로도 제공된다. 근육 내 제형은 특히 경구 약물을 복용할 수 없는 경우 심한 불안이나 동요가 있는 사람들에게 도움이 될 수 있다.

(4) 부스피론

Buspirone은 불안 치료에 효과적인 부분 세로토닌 작용제이다. 약물 상호 작용이 적고 호흡 억제를 유발하지 않기 때문에 신체질환 환자의 불안을 치료하는 데 유용하다. 의존성을 유발하지 않으며, 간질환의 대사에 큰 영향을 주지 않아 약물 사용 장애 환자에게 안전하게 사용할 수 있다. Buspirone의 주요 단점은 효과가 나타나기까지 2-4주가 소요될 수도 있다는 점이다.

(5) 베타차단제

베타-아드레날린 성 차단제는 불안과 관련된 자율 신경 과다 각성(맥박 상승, 혈압 상승, 발한, 떨림)을 차단하여 불안 완화 효과를 생성한다. 수행불안 및 대중 연설과 같은 특정 불안을 유발하는 상황에 가장 적합하다. 모든 베타차단제는 천식 또는 COPD 환자에게 금기이다.

(6) 항히스타민제

진정제 히스타민 H1 수용체 차단제는 때때로 불안과 불면증을 치료하는 데 사용된다. Hydroxyzine은 전신 불안에 효과적일 수 있으며 항콜린효과가 없기 때문에 다른 항히스타민제보다 선호된다. 불면증 치료에 자주 사용되는

Diphenhydramine은 처방전 없이 구입할 수 있는 처방약으로 제공된다. 이러한 약물은 중독성이 없기 때문에 많은 의사들이 약물을 긍정적으로 생각한다. 그러나 특히 알코올이나 기타 CNS 진정제와 함께 사용하면 현기증, 과도한 진정, 혼돈을 유발할 수 있다. 노인 환자와 뇌질환 또는 손상이 있는 환자는 이러한 약물에 더 민감하며 저용량으로도 정신 착란이 될 수 있다. 이러한 위험에도 불구하고 이러한 약물은 의존성 또는 호흡 억제에 대한 우려로 인해 벤조디아제핀을 피해야 하는 경우 여전히 사용될 수 있다.

(7) 항경련제

항경련제는 불안이 있는 일부 환자에게 도움이 될 수 있다. 디발프로엑스 나트륨은 불안한 환자, 특히 뇌 손상, 지적 장애 또는 치매가 있는 환자를 진정시키는 데 도움이 될 수 있다. 가바펜틴과 프레가발린은 불안 증상을 치료하는 데 약간의 가능성을 보였으며 불안을 조절하는 데 일부 효과가 있다. 특히 신경인성 통증이 공존하는 환자에게 도움이 될 수 있다.

결론

신체질환의 경험은 종종 임상적으로 심각한 불안 증상으로 이어진다. 신체질환을 앓고 있는 많은 사람들이 불안장애를 가지고 있지만 이에 대한 인식이 부족하고 치료가 부족하다. 심리 치료와 약물 치료 모두 심각한 신체질환이 있는 환자들 사이에서도 불안 증상을 상당히 개선할 수 있다. 따라서 불안장애에 대한 신중한 평가와 치료는 의학적 환자의 정신의학적 치료의 중요한 구성 요소이다.

참고문헌

1. Abbey G, Thompson SB, Hickish T, Heathcote D. A meta-analysis of prevalence rates and moderating factors for cancer-related post-traumatic stress disorder. *Psycho-Oncology* 2015;24(4):371-81.
2. Ahmadi N, Hajsadeghi F, Mirshkarlo HB, Budoff M, Yehuda R, Ebrahimi R. Post-traumatic stress disorder, coronary atherosclerosis, and mortality. *The American journal of cardiology* 2011;108(1):29-33.
3. Antoni MH, Wimberly SR, Lechner SC, et al. Reduction of cancer-specific thought intrusions and anxiety symptoms with a stress management intervention among women undergoing treatment for breast cancer. *American Journal of Psychiatry* 2006;163(10):1791-97.
4. Archer J, Bower P, Gilbody S, et al. Collaborative care for depression and anxiety problems. *Cochrane Database of Systematic Reviews*. 2012;(10)
5. Batty GD, Russ TC, Stamatakis E, Kivimäki M. Psychological distress in relation to site specific cancer mortality: pooling of unpublished data from 16 prospective cohort studies. *bmj* 2017;356
6. Bjelland I, Dahl AA, Haug TT, Neckelmann D. The validity of the Hospital Anxiety and Depression Scale: an updated literature review. *Journal of psychosomatic research* 2002;52(2):69-77.
7. Brandt C, Mula M. Anxiety disorders in people with epilepsy. *Epilepsy & Behavior* 2016;59:87-91.
8. Bringager CB, Friis S, Arnesen H, Dammen T. Nine-year follow-up of panic disorder in chest pain patients: clinical course and predictors of outcome. *General hospital psychiatry* 2008;30(2):138-46.
9. Broen MP, Narayen NE, Kuijf ML, Dissanayaka NN, Leentjens AF. Prevalence of anxiety in Parkinson's disease: A systematic

review and meta - analysis. *Movement Disorders* 2016;31(8):1125-33.

10. Burstein M, Georgiades K, He JP, et al. Specific phobia among US adolescents: phenomenology and typology. *Depression and anxiety* 2012;29(12):1072-82.
11. Byock I. *Dying well: the prospect for growth at the end of life.* vol 36. Riverhead Books; 1997:375-7.
12. Campbell-Sills L, Stein MB, Sherbourne CD, et al. Effects of medical comorbidity on anxiety treatment outcomes in primary care. *Psychosomatic medicine* 2013;75(8):713.
13. Candy B, Jackson KC, Jones L, Tookman A, King M. Drug therapy for symptoms associated with anxiety in adult palliative care patients. *Cochrane database of systematic reviews.* 2012;(10)
14. Cankurtaran ES, Ozalp E, Soygur H, Akbiyik DI, Turhan L, Alkis N. Mirtazapine improves sleep and lowers anxiety and depression in cancer patients: superiority over imipramine. *Supportive care in cancer.* 2008;16(11):1291-8.
15. Celano CM, Daunis DJ, Lokko HN, Campbell KA, Huffman JC. Anxiety disorders and cardiovascular disease. *Current psychiatry reports.* 2016;18(11):1-11.
16. Dickerman AL, Barnhill JW. Abnormal thyroid function tests in psychiatric patients: a red herring? *American Journal of Psychiatry.* 2012;169(2):127-33.
17. DiMatteo MR, Lepper HS, Croghan TW. Depression is a risk factor for noncompliance with medical treatment: meta-analysis of the effects of anxiety and depression on patient adherence. *Archives of internal medicine* 2000;160(14):2101-7.
18. Dulohery MM, Maldonado F, AH L. Drug-induced pulmonary disease. In: Broaddus VC MR, Ernst JD. , ed. *in Murray and Nadel's Textbook of Respiratory Medicine.* 6th Edition ed. Elsevier Saunders; 2016:chap 1275-94.
19. Fuller-Thomson E, Lacombe-Duncan A. Understanding the association between chronic obstructive pulmonary disease and current anxiety: A population-based study. *COPD: Journal of Chronic Obstructive Pulmonary Disease* 2016;13(5):622-31.
20. Gander M-L, Känel Rv. Myocardial infarction and post-traumatic stress disorder: frequency, outcome, and atherosclerotic mechanisms. *European Journal of Preventive Cardiology* 2006;13(2):165-72.
21. García-Llana H, Remor E, Del Peso G, Selgas R. The role of depression, anxiety, stress and adherence to treatment in dialysis patients' health-related quality of life: a systematic review of the literature. *Nefrologia* 2014;34(5):637-57.
22. Generoso MB, Trevizol AP, Kasper S, Cho HJ, Cordeiro Q, Shiozawa P. Pregabalin for generalized anxiety disorder: an updated systematic review and meta-analysis. *International clinical psychopharmacology* 2017;32(1):49-55.
23. Gönen MS, Kisakol G, Cilli AS, et al. Assessment of anxiety in subclinical thyroid disorders. *Endocrine journal* 2004;51(3):311-5.
24. Gotink RA, Chu P, Busschbach JJ, Benson H, Fricchione GL, Hunink MM. Standardised mindfulness-based interventions in healthcare: an overview of systematic reviews and meta-analyses of RCTs. *PloS one.* 2015;10(4):e0124344.
25. Green BL, Epstein SA, Krupnick JL, Rowland JH. Trauma and medical illness: assessing trauma-related disorders in medical settings. In: Wilson JP KT, ed. *Assessing Psychological Trauma and PTSD.* Guilford; 1997:chap 160-91.
26. Greene T, Neria Y, Gross R. Prevalence, detection and correlates of PTSD in the primary care setting: A systematic review. *Journal of clinical psychology in medical settings* 2016;23(2):160-80.
27. Guaiana G, Barbui C, Cipriani A. Hydroxyzine for generalised anxiety disorder. *Cochrane Database of Systematic Reviews.* 2010;(12)
28. Gulseren S, Gulseren L, Hekimsoy Z, Cetinay P, Ozen C, Tokatlioglu B. Depression, anxiety, health-related quality of life, and disability in patients with overt and subclinical thyroid dysfunction. *Archives of medical research* 2006;37(1):133-9.
29. Herr NR, Williams JW, Benjamin S, McDuffie J. Does this patient have generalized anxiety or panic disorder?: The Rational Clinical Examination systematic review. *JAMA.* 2014;312(1):78-84.
30. House A, Stark D. Anxiety in medical patients. *Bmj.* 2002;325(7357):207-9.
31. I Y. *Death and Dying.* Basic Books; 1980.
32. Jones GN, Ames SC, Jeffries SK, Scarinci IC, Brantley PJ. Utilization of medical services and quality of life among low-income patients with generalized anxiety disorder attending primary care clinics. *The International Journal of Psychiatry in Medicine* 2001;31(2):183-98.
33. Kangas M. DSM-5 trauma and stress-related disorders: implications for screening for cancer-related stress. *Frontiers in psychia-*

try 2013;4:122.

34. Katon WJ, Roy-Byrne P, Russo J, Cowley D. Cost-effectiveness and cost offset of a collaborative care intervention for primary care patients with panic disorder. *Archives of General Psychiatry* 2002;59(12):1098-104.
35. Katzman MA, Bleau P, Blier P, Chokka P, Kjernisted K, Van Ameringen M. Canadian Anxiety Guidelines Initiative Group on behalf of the Anxiety Disorders Association of Canada/Association Canadienne des troubles anxieux and McGill University. Canadian clinical practice guidelines for the management of anxiety, posttraumatic stress and obsessive-compulsive disorders. *BMC Psychiatry*. 2014;14(Suppl 1):S1.
36. Kessler RC, Ormel J, Demler O, Stang PE. Comorbid mental disorders account for the role impairment of commonly occurring chronic physical disorders: results from the National Comorbidity Survey. *Journal of occupational and environmental medicine* 2003;45(12):1257-66.
37. Kessler RC, Petukhova M, Sampson NA, Zaslavsky AM, Wittchen HU. Twelve-month and lifetime prevalence and lifetime morbid risk of anxiety and mood disorders in the United States. *International journal of methods in psychiatric research*. 2012;21(3):169-84.
38. Ketterer MW, Knysz W, Khandelwal A, Keteyian SJ, Farha A, Deveshwar S. Healthcare utilization and emotional distress in coronary artery disease patients. *Psychosomatics* 2010;51(4):297-301.
39. Kim HF, Yudofsky SC, Hales RE, al e. Neuropsychiatric aspects of seizure disorders. In: Yudofsky SC HR, ed. *The American Psychiatric Publishing Textbook of Neuropsychiatry and Behavioral Neurosciences*. American Psychiatric Publishing; 2007:chap 649-76.
40. Kreys TJM, Phan SV. A literature review of quetiapine for generalized anxiety disorder. *Pharmacotherapy: The Journal of Human Pharmacology and Drug Therapy* 2015;35(2):175-88.
41. Kroenke K, Spitzer RL, Williams JB, Löwe B. An ultra-brief screening scale for anxiety and depression: the PHQ-4. *Psychosomatics* 2009;50(6):613-21.
42. Kroenke K, Spitzer RL, Williams JB, Monahan PO, Löwe B. Anxiety disorders in primary care: prevalence, impairment, comorbidity, and detection. *Annals of internal medicine* 2007;146(5):317-25.
43. Kumano H, Kaiya H, Yoshiuchi K, Yamanaka G, Sasaki T, Kuboki T. Comorbidity of irritable bowel syndrome, panic disorder, and agoraphobia in a Japanese representative sample. LWW; 2004.
44. Kwon O-Y, Park S-P. Depression and anxiety in people with epilepsy. *Journal of clinical neurology (Seoul, Korea)* 2014;10(3):175.
45. Ladwig K-H, Baumert J, Marten-Mittag B, Kolb C, Zrenner B, Schmitt C. Posttraumatic stress symptoms and predicted mortality in patients with implantable cardioverter-defibrillators: results from the prospective living with an implanted cardioverter-defibrillator study. *Archives of general psychiatry* 2008;65(11):1324-30.
46. Lavigne JE, Heckler C, Mathews JL, et al. A randomized, controlled, double-blinded clinical trial of gabapentin 300 versus 900 mg versus placebo for anxiety symptoms in breast cancer survivors. *Breast cancer research and treatment* 2012;136(2):479-86.
47. Lee ST, Park JH, Kim M. Efficacy of the 5-HT1A agonist, buspirone hydrochloride, in migraineurs with anxiety: A randomized, prospective, parallel group, double-blind, placebo-controlled study. *Headache: The Journal of Head and Face Pain*. 2005;45(8):1004-11.
48. Lee Y-C, Lee CT-C, Lai Y-R, Chen VC-H, Stewart R. Association of asthma and anxiety: A nationwide population-based study in Taiwan. *Journal of affective disorders*. 2016;189:98-105.
49. Leibovici V, Koran LM, Murad S, et al. Excoriation (skin-picking) disorder in adults: a cross-cultural survey of Israeli Jewish and Arab samples. *Comprehensive psychiatry* 2015;58:102-7.
50. M V. The supportive relationship, the psychodynamic narrative, and the dying patient. In: Chochinov HM BW, ed. *Handbook of Psychiatry in Palliative Medicine*. Oxford University Press; 2000:chap 215-222.
51. Maier W, Gänsicke M, Freyberger H, Linz M, Heun R, Lecrubier Y. Generalized anxiety disorder (ICD-10) in primary care from a cross-cultural perspective: a valid diagnostic entity? *Acta Psychiatrica Scandinavica*. 2000;101(1):29-36.
52. Merikangas KR, Stevens DE. Comorbidity of migraine and psychiatric disorders. *Neurologic clinics* 1997;15(1):115-23.
53. Micoulaud-Franchi J-A, Lagarde S, Barkate G, et al. Rapid detection of generalized anxiety disorder and major depression in

epilepsy: validation of the GAD-7 as a complementary tool to the NDDI-E in a French sample. *Epilepsy & Behavior*. 2016;57:211-6.

54. Montserrat-Capdevila J, Godoy P, Marsal JR, et al. Overview of the impact of depression and anxiety in chronic obstructive pulmonary disease. *Lung* 2017;195(1):77-85.
55. Munn Z, Jordan Z. The effectiveness of interventions to reduce anxiety, claustrophobia, sedation and non-completion rates of patients undergoing high technology medical imaging. *JBI Evidence Synthesis*. 2012;10(19):1122-85.
56. Muskin PR. The medical hospital. In: HJ S, ed. *Psychodynamic Concepts in General Psychiatry*. American Psychiatric Press; 1995:chap 69-88.
57. Napp AE, Enders J, Roehle R, et al. Analysis and prediction of claustrophobia during MR imaging with the claustrophobia questionnaire: an observational prospective 18-month single-center study of 6500 patients. *Radiology* 2017;283(1):148-57.
58. Payne D, MJ M. Anxiety in palliative care. In: Chochinov HM BW, ed. *Handbook of Psychiatry in Palliative Medicine*. Oxford University Press; 2000:chap 63-74.
59. Piet J, Würtzen H, Zachariae R. The effect of mindfulness-based therapy on symptoms of anxiety and depression in adult cancer patients and survivors: A systematic review and meta-analysis. *Journal of consulting and clinical psychology* 2012;80(6):1007.
60. Rosenthal LJ, Kim V, Kim DR. Weaning from prolonged mechanical ventilation using an antipsychotic agent in a patient with acute stress disorder. *Critical care medicine*. 2007;35(10):2417-9.
61. Roy-Byrne PP, Davidson KW, Kessler RC, et al. Anxiety disorders and comorbid medical illness. *General hospital psychiatry* 2008;30(3):208-25.
62. Roy-Byrne PP, Stein MB, Russo J, et al. Panic disorder in the primary care setting: comorbidity, disability, service utilization, and treatment. *The Journal of clinical psychiatry* 1999;60(7):0-0.
63. Sareen J, Jacobi F, Cox BJ, Belik S-L, Clara I, Stein MB. Disability and poor quality of life associated with comorbid anxiety disorders and physical conditions. *Archives of internal medicine* 2006;166(19):2109-16.
64. Seng JS, Clark MK, McCarthy AM, Ronis DL. PTSD and physical comorbidity among women receiving Medicaid: Results from service - use data. *Journal of traumatic stress* 2006;19(1):45-56.
65. Sherbourne CD, Wells KB, Meredith LS, Jackson CA, Camp P. Comorbid anxiety disorder and the functioning and well-being of chronically ill patients of general medical providers. *Archives of General Psychiatry* 1996;53(10):889-95.
66. Simon GE, Ludman EJ, Tutty S, Operskalski B, Von Korff M. Telephone psychotherapy and telephone care management for primary care patients starting antidepressant treatment: a randomized controlled trial. *Jama* 2004;292(8):935-42.
67. Spiegel D, Bloom JR, Yalom I. Group support for patients with metastatic cancer: A randomized prospective outcome study. *Archives of general psychiatry* 1981;38(5):527-33.
68. Stanley MA, Wilson NL, Novy DM, et al. Cognitive behavior therapy for generalized anxiety disorder among older adults in primary care: a randomized clinical trial. *Jama* 2009;301(14):1460-7.
69. Stark DPH, House A. Anxiety in cancer patients. *British journal of cancer*. 2000;83(10):1261-7.
70. Strain JJ, Grossman S. *Psychological care of the medically ill*. Appleton-Century-Crofts; 1975.
71. Stundner O, Kirksey M, Chiu YL, et al. Demographics and perioperative outcome in patients with depression and anxiety undergoing total joint arthroplasty: a population-based study. *Psychosomatics* 2013;54(2):149-57.
72. Sugaya N, Kaiya H, Kumano H, Nomura S. Relationship between subtypes of irritable bowel syndrome and severity of symptoms associated with panic disorder. *Scandinavian journal of gastroenterology* 2008;43(6):675-81.
73. Torelli P, D'Amico D. An updated review of migraine and co-morbid psychiatric disorders. *Neurological Sciences* 2004;25(3):s234-s235.
74. Tully PJ, Cosh SM. Generalized anxiety disorder prevalence and comorbidity with depression in coronary heart disease: a meta-analysis. *Journal of health psychology* 2013;18(12):1601-16.
75. Twomey C, O'Reilly G, Byrne M. Effectiveness of cognitive behavioural therapy for anxiety and depression in primary care: a meta-analysis. *Family practice* 2015;32(1):3-15.
76. V F. *Man's Search for Meaning*. Hoddard-Stoughton; 1987.
77. van't Veer-Tazelaar PJ, van Marwijk HW, van Oppen P, et al. Stepped-care prevention of anxiety and depression in late life: a

randomized controlled trial. *Archives of general psychiatry* 2009;66(3):297-304.

78. VF T. Pulmonary embolism. In: Goldman L AD, ed. *Cecil Textbook of Medicine*. 23rd Edition ed. WB Saunders; 2007:chap 688-95.
79. Volpato E, Banfi P, Rogers SM, Pagnini F. Relaxation techniques for people with chronic obstructive pulmonary disease: a systematic review and a meta-analysis. *Evidence-Based Complementary and Alternative Medicine* 2015;2015
80. Wen MC, Chan L, Tan L, Tan E. Depression, anxiety, and apathy in Parkinson's disease: insights from neuroimaging studies. *European journal of neurology* 2016;23(6):1001-19.
81. Wiltink J, Tschan R, Michal M, et al. Dizziness: Anxiety, health care utilization and health behavior—: Results from a representative German community survey. *Journal of psychosomatic research* 2009;66(5):417-24.
82. Wittchen H-U, Kessler RC, Beesdo K, Krause P, Hoyer J. Generalized anxiety and depression in primary care: prevalence, recognition, and management. *The Journal of clinical psychiatry* 2002;63(suppl 8):24-34.

13

CHAPTER

신체증상장애, 꾀병, 인위성장애

강원섭, 송지영

1. 신체화의 개념과 용어

'머리가 띵하다, 머리에 구름이 낀 듯하다, 저리다, 피로하다, 바람 들었다, 기운 없다, 발 시리다, 뭉쳤다, 가슴이 답답하다, 시야가 흐리다, 어지럽다, 식욕이 없다, 식은땀이 난다, 산후풍이다, 고3병이다' 등 애매한 증상 호소를 하는 경우를 정신건강의학과 외래에서는 흔히 본다. 이렇게 다양하고 애매하게 신체증상을 호소하는 환자를, 더욱이 그 환자가 타과로부터 의뢰된 경우에 의사는 어떤 자세로 임해야 할까? 이러한 (신체화)환자를 대하는 의사의 기본 태도를 Wessely 등(1998)은 환자의 호소하는 바를 신중한 자세로 들어야하며, 우선 호소하는 증상을 믿어주어야 한다고 했다. 그리고 치료를 통하여 나아진다는 긍정적 태도와 장기간의 치료와 함께 경과 중에 악화되는 바에 대하여 참는 능력을 가져야 한다고 했다.

신체화somatization란 개인의 정신적 고통이나 대인간 사회적 고통을 의학적으로 설명되지 않는 신체증상으로 경험하고 소통하는 것으로, 이로서 의학적 도움을 찾는 것이다. 이러한 증상은 정신사회적 고통이 문화적으로 용인되는 표현 양식이다. 그러나 신체화를 표현하는 용어가 다양하기에 혼란스런 부분이 있다. 이는 시대에 따라, 또 연구자의 특성에 따라 각기 다른 용어를 사용하였기 때문이다. 심인성psychogenic, 비기질성non-organic, 히스테리성hysterical, 의학적으로 설명되지 않는medically unexplained, 기능성functional 등의 용어가 그것이다. 과거 정신역동설이 주류였던 시대에 심인성 통증(Engel GL,1959)이라는 용어가 사용되었다. 이는 지금의 신체화 증상에 해당된다. 당시에는 이를 전환장애란 병명으로 기술하였다. G.L. Engel은 다양한 형태의 모욕이나 실패, 불쾌한 경험을 하고 죄책감을 지닌 사람이 인생에서 성공을 거둔 후에 통증 호소를 보인 예를 들면서, '흔한 전환장애는 통증으로 나타나며, 통증 그 자체가 적응의 한 양식이다.'라고 하였다. 이후 DSM-III(1982)에서는 심인성통증을 하나의 병명으로 규정하였다. 신체화라는 용어를 만든 Wilhelm Stekel은 이것을 신체 증상을 통한 심리사회적 갈등의 표현을 의미하는 전환증상이라는 용어와 동일한 것으로 보았다. '신체화'라는 용어에는 적어도 두 가지의 다른 의미가 있는데, 신체증상으로 나타나는 우울이나 불안과 같은 정신장애, 그리고 가장 중립적인 의미로 근본적인 갈등이나 정신장애를 참조하지 않는 다양한 신체증상의 존재이다.

신체화의 기제로서 현재 설득력 있는 가설은, 약하고 간헐적인 신체 감각자극에 선택적 집중을 한 나머지 자신의 신체감각의 증폭(增幅, amplification), 과각성(過覺醒, hypervigilance)을 보이거나, 혹은 인지 차원에서 크고 위험한 것으로 반응하는 것으로 보고 있다. 여기에는 개인의 과거력이나 성격의 특성, 환경 자극 등이 복합적으로 관여되어 다양한 형태의 증상으로 표현된다. 신체적 고통의 초기 정신역동적 모형은 하향식 과정top-down process, 즉, 정신적 활성화가 말초 생리변화를 초래하는 것으로 설명하였으나 지난 20년간의 모형은 반대로 상향식 과정bottom-up mechanism으로, 통증 수용기나 다른 감각기로부터의 말초입력이 중추신경이나 정신적 요소를 활성화 시킨다고 본다. 보다 최근에는 신체적 고통을 지각 장애로 개념화하는 모형이 근거를 얻고 있는데, 여기서 지각은 뇌가 신체 상태를 포함하는 환경을 주변 감각 입력에 의해 지속적으로 구성한다는 기대 또는 예측에 의해 결정되는 것으로 간주한다. 뇌는 항상 자체의 환경을 조성하고 신체 상태에 대해서도 마찬가지이다. 이때 뇌는 예측하고 부호화하는 기계의 관점으로 보고 지나치게 정확한 예측으로 인한 추론 실패에서 기인하는 것을 지각장애로 보는 것이다. 하향식과 상향식 과정을 통합하는 지각 모형은 현대의 뇌기능 모델과 상응한다는 장점이 있을 뿐 아니라, 예방 및 치료의 목표를 제공하는데, 신체적 고통에 대한 지각을 위한 예측과 집중을 조절하는 것에 주안점을 둔다.

애착유형은 어린 시절의 역경과 신체화 사이의 또 다른 연결고리를 형성하며, 18개월에 모성 둔감성을 보일 경우 5세에 신체화를 보일 수 있고 성인에서도 유발인자가 된다. 또한 애착 불안과 건강 관련 불안 사이에서 가장 강력한 연관성이 발견된다. 감정 인식 및 조절의 또 다른 발달적 결핍은 신체적 고통의 다양한 측면과도 오랫동안 연관되어 왔으며, 감정표현불능증alexithymia 은 자신의 감정 상태를 읽지 못하는(느끼고 명명하지 못하는) 것을 나타낸다. 근래 신체적 고통을 가진 환자들에서의 감정 인식과 조절의 결핍을 표적으로 하는 정신치료적 개입에 관한 시도가 진행중이다.

신체화의 형태는 크게 세 가지로 나누는 것이 임상적으로 편리하다. 첫째, 의학적으로 설명되지 않는 신체 증상이고, 둘째, 건강염려증적 신체화, 셋째, 정신장애에 따른 것으로서 주요 우울장애나 공황장애 등에서 나타나는 신체 증상이다. 신체화somatization, 신체화장애somatization disorder, 혹은 신체형somatoform이라는 용어는 비슷한 발음으로 혼동하기 쉽다. 현재 흔히 사용하는 '신체형somatoform'이란 용어도 영어를 직역한 것으로 우리말로는 이해하기 어렵다. 신체 표현형이라는 용어가 원래 의미에 부합된다고 생각한다. 진단에 흔히 사용하는 이 용어는 환자가 수용하기 어렵고 일차 진료의사도 이해하기 곤란하다는 점이 제기되었다.

서두에 제시한 여러 가지 애매한 증상도 그렇지만 속상함, 억울함, 분노, 증오감, 흉통 등이 섞인 홧병이나 만성피로, 치료에 완강한 섬유근육통fibromyalgia, 만성 두통, 화학 민감성장애chemical hypersentive disorder, 음식 알레르기, 월경전증후군, 과민성대장증후군 등도 증상의 내용이 애매하고 증상이 서로 겹친다. 단지 증상의 특성에 의거하여 병명이 붙여진 것이라고 할 수 있다.

이러한 신체화 증상을 동반하는 장애가 문제 되는 이유는 첫째, 그 수가 많다는 점이다. 이들 환자가 차지하는 의료비는 전체의 10% 이상을 차지한다. 둘째, 만성화의 경과로 인하여 장해disability를 초래하며, 셋째, 이러함에도 불구하고 정신건강의학과가 아닌 타과에서 진료 받는 비율이 천명의 환자 중 74%(Kroenke K, 1989)에 이를 정도로 많다. 내과 입원환자의 14-26%, 신경과 외래의 30-60%는 신체형장애에 해당된다. 이들은 결국, 장애로 인하여 삶의 질이 심각하게 저하되어 있다. 이들 장애뿐만 아니라 기능성 위장장애, 비기질성 흉통, 어지럼증, 만성 골반통 등도 증상 형성이 복합적이면서 만성 경과를 취한다. 이상의 장애들은 정신건강의학과와 타과 영역의 접점에서 새로운 접근방법이 요망된다. 즉 정신신체의학의 확대 적용이 필요한 영역이라고 할 수 있다.

2. 신체화의 임상 양상

환자들은 신체 여러 부위의 통증을 호소하거나 피로감, 두근거림, 어지러움, 설사, 사지위약감 등의 증상을 호소한다. 한 가지의 지속되는 증상만을 호소하기도 하지만, 대부분은 다수의 증상들을 호소하는 경우가 많다. 호소하는 증상은 신체증상에만 국한되지 않고, 심리적이고 행동적인 측면들, 즉 건강 상태에 대한 심한 불안 및 이를 확인하려 하는 행동들을 보일 수 있다. 건강 관련 불안이 높은 환자들은 암이나 AIDS 같은 특정 진단에, 혹은 장운동 같은 신체 기능, 맥박, 혈압 등의 정상 범위의 기능 변화에, 그리고 모호한 신체감각 등에 몰입되어 있을 수 있다. 환자의 병식은 다양하게 나타나는데, 질병에 대한 공포가 지나치다는 것을 인식하기도 하고, 병에 걸렸다는 확신을 굳건하게 유지하기도 한다. 하지만 이러한 환자들의 믿음은 망상적 강도는 아니며, 질병에 대한 공포가 과장되어 있거나 병이 아닐 수도 있다는 가능성을 인식하기도 한다. 많은 환자들은 자신을 안심시키기 위하여 신체 상태를 끊임없이 확인하는데, 이러한 질병불안 행동의 예로는, 과도한 유방 자가 촉진이나 혈압이나 맥박을 확인하는 것 등을 들 수 있다. 이들 환자들은 흔히 좌절을 경험하게 되고, 의사들은 치료하기 어렵다는 점을 경험하게 된다.

신체적 고통과 건강에 대한 불안의 심각성 정도는 기능적 손상이 거의 없는 경미한 것에서 심각한 장애 상태에 이르기까지 광범위하다. 고통스러운 신체증상과 높은 건강불안을 가진 대부분의 환자에서 증상에 합당한 기질적인 병리가 발견되지 않으므로, 증상은 본질적으로 기능적이라고 할 수 있다. 기질적 병리가 존재한다 하더라도, 신체증상과 고통의 정도와 일치하지 않으며, 근본적인 기질적 병리가 치료로 나아져도 증상을 완화시키지 않는다. 많은 임상 전문가들은 증상에 합당한 기질성 질환이 증명된다는 점에 불확실성을 느낀다. 그러나 진단 추적 연구에서, 이른바 기능적 증상 및 증후군의 0.5%만이 수정되어야 하는 반면, 기능적 증상을 가지고 있는 환자에 대한 초기의 철저한 평가는 최대 8%에서 근본적인 기질적 병리를 드러낸다. 삶의 질과 직업 기능 측면에서 이 환자들의 기능상 저하는 비슷한 증상을 보이는 잘 정의된 의학적 질병만큼 심각하다. 장기 예후는 좋지 않으며, 높은 비율에서 종종 수년 이상 지속된다. 일반적으로 기능적 신체증상과 신체적 고통은 잘 정의된 기질적 병리와 유사한 신체증상을 보이는 질병과 비교해서 우울증 및 불안의 비율이 높다 (예를 들어, 과민성 장증후군 대 염증성 장질환; 섬유근육통 증후군 대 류마티스 관절염).

3. 신체증상장애와 질병불안장애

1) 진단 분류의 변화

지금까지 사용해오던 신체형장애somatoform disorder는 여러 문제로 사용하기에 걸림돌이 있었다. 용어 정의가 불분명하고 아형 사이에 겹치는 경우가 많고 실제 적용에 효율성이 낮은 문제가 있었다. DSM-5에서 신체화라는 용어는 더 이상 진단적으로 사용되지 않는다. 따라서 DSM-5에서 신체증상장애somatic symptom disorder 및 질병불안장애illness anxiety disorder로 새롭게 소개되었다(표 13-1, 2). 이 두 개의 진단은 이 분야에서의 진단상 전통에서 변화를 보여준다(그림 13-1). 1980년 이후, DSM분류의 일부였고, DSM-III 및 개정된 DSM-III-R, DSM-IV의 일부였던 신체형장애의 범주(신체화 장애, 미분화형 신체형장애, 그리고 통증장애의 하위 범주를 포함하였다)는 신체증상 및 관련 장애somatic symptom and related disorder로 대체되었다. DSM-5의 신체증상장애 진단은 고통스러운 신체증상이 하나만 있으면 되지만, 전형적인 신체화장애의 진단은 여러 개의 고통스러운 신체증상을 필요로 하였다(DSM-III : 남성 14개, 여성 12개; DSM-III-R : 남녀 모두 13가지 증상; DSM-IV : 통증 4개, 위장 2개, 성기능 1개, 신경학적 증상 1개).

표 13-1. 신체증상장애의 DSM-5 진단기준

신체증상장애	**300.82 (F45.1)**

A. 고통스럽거나 일상에 중대한 지장을 일으키는 하나 이상의 신체증상이다.
B. 신체 증상 혹은 건강염려와 관련된 과도한 생각, 느낌 또는 행동이 다음 중 하나 이상으로 표현되어 나타난다.
  1. 증상의 심각성에 대한 편중되고 지속적인 생각
  2. 건강이나 증상에 대한 지속적으로 높은 단계의 불안
  3. 이러한 증상들 또는 건강염려에 대해서 과도한 시간과 에너지 소비
C. 어떠한 하나의 신체 증상이 지속적으로 나타나지 않더라도 증상이 있는 상태가 지속된다(전형적으로 6개월 이상).
다음의 경우 명시할 것:
  통증이 우세한 경우(과거, 동통장애): 이 명시자는 신체 증상이 통증으로 우세하게 나타난다.
다음의 경우 명시할 것:
  지속성: 지속적인 경과가 극심한 증상, 현저한 손상, 그리고 긴 기간(6개월 이상)으로 특징지어진다.
현재의 심각도를 명시할 것:
  경도: 진단기준 B의 구체적인 증상들이 단 한 가지만 만족한다.
  중등도: 진단기준 B의 구체적인 증상들이 2가지 이상 만족한다.
  고도: 진단기준 B의 구체적인 증상들이 2가지 이상 만족하고, 여러가지 신체적 증상(또는 하나의 매우 심한 신체 증상)이 있다.

표 13-2. 질병불안장애의 DSM-5 진단기준

질병불안장애	**300.7 (F45.21)**

A. 심각한 질병에 걸려 있거나 걸리는 것에 대해 몰두한다.
B. 신체 증상들이 나타나지 않거나, 신체 증상이 있더라도 단지 경이한 정도다. 다른 의학적 상태가 나타나거나 의학적 상태가 악화될 위험(예, 강한 가족력이 있음)이 클 경우, 병에 대한 몰두가 분명히 지나치거나 부적절하다.
C. 건강에 대한 높은 수준의 불안이 있으며, 건강 상태에 대해 쉽게 경각심을 가진다.
D. 지나친 건강 관련 행동(예, 반복적으로 질병의 신체 징후를 확인함)을 보이거나 순응도가 떨어지는 회피 행동(예, 의사 예약과 병원을 회피함)을 보인다.
E. 질병에 대한 집착은 적어도 6개월 이상 지속되지만, 그 기간 동안 두려움을 느끼는 구체적인 질병은 변화할 수 있다.
F. 질병에 대해 집착하는 것이 다른 정신질환, 즉 신체증상장애, 공황장애, 범불안장애, 신체이형장애, 강박장애 또는 신체형 망상장애 등으로 더 잘 설명되지 않는다.
다음 중 하나를 명시할 것:
  진료추구형: 왕진 또는 검사와 시술을 진행하는 것을 포함하여 의학적 치료를 자주 이용한다.
  진료회피형: 의학적 치료를 거의 이용하지 않는다.

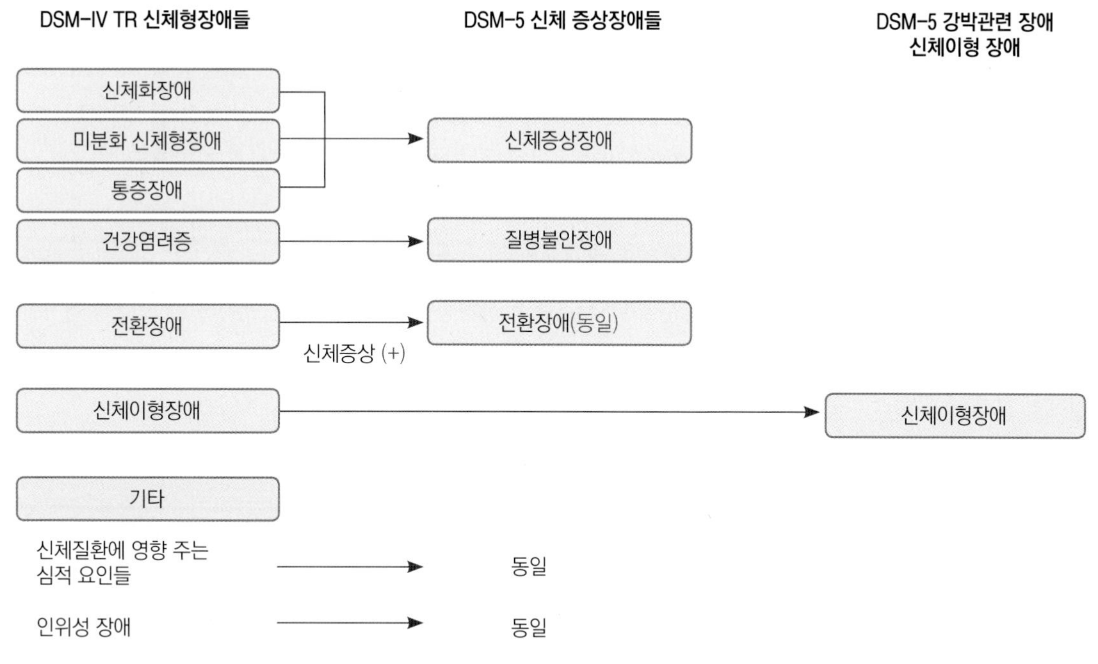

그림 13-1. DSM-IV의 신체형 장애와 연관된 장애에서 DSM-5로의 변화

DSM-5에서의 개정은 신체화somatization라는 용어가 큰 범주인 신체형somatoform이란 용어와 구분하기 어려운 점, 단지 현재의 의학적 검사 수준에서 객관적 이상의 증거가 없다고 해서 이를 심인성으로 혹은 심리적 문제가 주된 것으로 단정하는 점 등의 문제를 해결하였다. 따라서 고통스럽거나 일상생활에 지장을 주는 신체증상이 6개월 이상 지속되고, 의사의 도움을 구해야 할 정도의 문제가 있으며, 건강과 증상에 대해 심각하게 지속적으로 생각하고 심한 불안이 동반되고, 이에 따른 비적응적 질병행동을 보일 때에 신체증상장애로 진단한다. 또한 의학적으로 확인된 신체질환이 있어도 이에 대한 불안이 크면 신체증상장애로 진단할 수 있다. 통증이 위주인 경우에는 아형을 '통증이 우세한 경우'로 명시하게 했으며, 이는 과거의 통증장애에 해당한다. 암, 당뇨, 심장질환 등의 신체질환을 가진 환자가 호소하는 신체증상이 예상되는 신체질환에 따른 심적 반응의 정도 이내라고 판단되면 신체증상장애로 진단해서는 안되며, 한편으로는 근무력증, 다발성경화증, AIDS 등 다양한 신체증상을 동반하는 질환의 가능성을 염두에 두어야 한다. 2018년 개정된 ICD-11에서 신체형장애가 신체고통장애bodily distress disorder로 바뀌었고 내용도 DSM-5와 유사하다. 개정된 진단분류체계에서는 신체증상들에 의해 초래되는 기능적 제한의 정도가 중요하다고 볼 수 있다.

2) DSM-5의 진단 기준

두 장애의 정신병리학적 특징은 본질적으로 유사하다. 즉, 건강불안 및 건강관련 행동의 비기능적 정신적, 행동적 측면이다. 두 진단의 주요 차이점은, 신체증상장애는 고통스러운 신체증상이 있어야 하며 질병불안장애는 그렇지 않다는 점이다.

신체형장애의 진단은 주로 신체 증상이 의학적으로 설명되지 않는다는 결정에 달려 있었고, 이 핵심 요구 사항은 DSM-5 기준 A에서 제외되었다. 대조적으로 이전의 신체형장애 진단과 비교하여 신체증상장애 진단을 위한 기준 B에 정신행동 특징이 있어야 한다는 것을 포함하는 것이 새로운 점이다. 충족 조건으로 일상생활에 고통을 주는 1개 또는 2개 이상의 신체증상, 증상과 관련되어 하나 또는 그 이상의 증상과 관련된 심한 정도의 생각, 느낌, 행동이 동반된다. 증상의 심각성에 대한 편중되고 지속적인 생각, 건강이나 증상에 대한 지속적으로 높은 단계의 불안, 건강 관련 염려로 시간과 에너지를 많이 사용하는 특징을 포함하였다. 이 장애의 핵심은 비정상적 질병행동 또는 환자 스스로 잘못 관리하는 병자 역할sick role에 있다.

질병불안장애는 이전의 DSM에서 건강염려증을 대체하는 범주이다. 이전에 건강염려증으로 진단된 대다수의 환자들은 고통스러운 신체증상을 보고하기 때문에 DSM-5에서 신체증상장애의 특징을 만족하지만, 이들 환자들의 25% 정도가 신체적 고통을 겪지 않고 심각한 질병에 대한 집착을 보인다. 따라서 이 하위 그룹은 DSM-5에서 질병불안장애로 분류될 수 있다(그림 13-2).

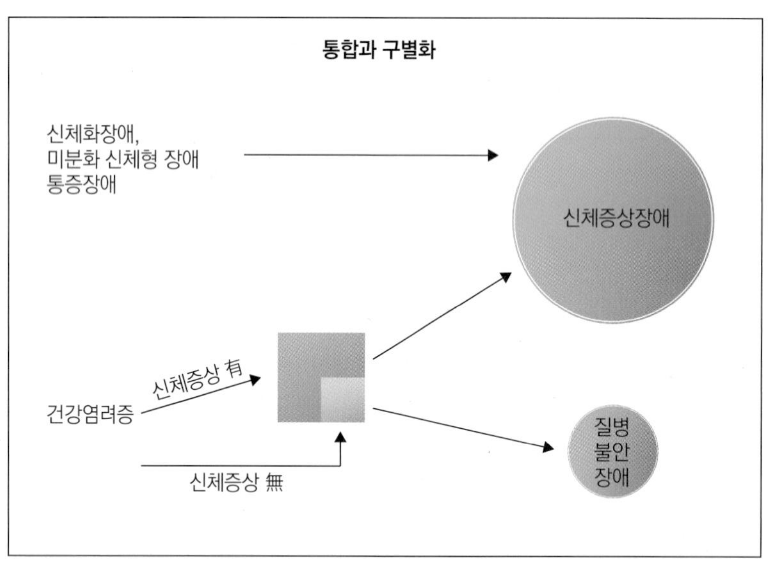

그림 13-2. DSM-5의 신체증상장애 및 질병불안장애와 DSM-IV 이전 장애와의 관계

신체증상장애에서 '의학적으로 설명되지 않는'이라는 엄격한 기준을 제외시키는 것은, 특히 증상을 의학적으로 설명할 수 없는 것으로 판단하는데 있어 문제가 있는 개념적, 실용적인 문제가 있었기 때문이다. 그러나 이러한 기준의 제외는 의학적 질병이 있는 환자를 정신 장애가 있는 것으로 잘못 분류할 수 있다는 위험도 있다. 또한 정신행동적 특징의 존재를 기준에 포함시킨 것은 자의적이며, 정신행동 증상이 있다는 점에 모호성이 있고, 신체상 기운이 없다는 등의 주관적 현상과 마찬가지로 예측성이 떨어진다는 문제도 있다. 건강염려증을 신체증상 유무에 따라 두 가지 형태로 세분화하는 것은, 임상에서 의문을 가지게 하며 두 가지 새로운 진단 범주에 대한 임상 역학에 대한 추가 연구가 필요한 상황이다.

4. 비기질성 신체증상과 신경계 장애

1) 신체 기능 변화와 정신

신체화라는 용어는 DSM-5에서 더 이상 진단적으로 사용되지 않지만, 임상에서는 이를 이해하는 것이 필요하다. 신체증상장애의 호소 증상의 대부분은 증상의 기질적 배경을 알 수 없는, 현대 의학적 검사로 규명되지 않는 특징을 보이기 때문이다. 이러한 비기질성 신체증상에 대해서 살펴본다.

히스테리hysteria란 히스테리 성격을 기반으로 하여 생기는 심인반응이나 신경증을 말한다. Breuer J.와 프로이트(1895년 경)가 발병 기제에 따라서, 충분히 해소시킬 수 없는 감정으로부터 생기는 정체(停滯) 히스테리retention hysteria, 최면과 비슷한 의식 상태로부터 생기는 최면양(樣) 히스테리hypnoid hysteria, 의식하면 불쾌해지는 생각들이 억압되어 생기는 방어(防禦) 히스테리defense hysteria를 기재한 바 있다. 훗날 프로이트는 히스테리를 포함하는 모든 신경증의 기제를 억압 방어에서 찾았기 때문에 이들 명칭은 더 이상 사용하지 않았다. 심적(心的) 갈등이 신체 증상으로 전환되는 전환 히스테리conversion hysteria와 의식의 일부가 해리되어 인격의 통일성이 상실되는 해리성 히스테리dissociative hysteria라고 불렀다가 DSM-IIIR(1987)에서 전자를 신체형장애에, 후자는 해리성장애에 각각 포함시키고, ICD-10에서는 이들을 해리장애(F44)에 포함시켰다. 전환장애conversion disorder는 ICD-11에서 없어지고, 이는 '신체고통 혹은 신체경험 장애'와 해리성 신경학적 증상 장애dissociative neurological symptom disorder에 해당된다. DSM-5에서는 '신체증상 및 관련 장애' 항목 내의 전환장애(기능성 신경학적 증상장애, functional neurological symptom disorder)란 이름으로 변경되었다.

의사는 신체화 증상이라고 판단하면 몇 가지 점을 염려하게 된다. 신체의 기질적 장애를 완전히 확인 제거한 것인가? 나중에 미처 인지하지 못한 신체질환이 밝혀지는 것은 아닌가? 그리고 이러한 비기질성 증상의 만성화 과정은 어떠하며 또 각종 보상이나 소송문제가 이들 신체화 증상을 왜곡시킬 것인가? 그렇다면 어느 정도인가 하는 것이다.

2) 신체화 증상의 예후

신체화 증상의 예후는 그간 전환장애, 전환증상, 히스테리 증상들에 대한 연구를 통해서 짐작할 수 있다. 전환장애conversion disorder는 신경학적 장애를 암시하는 감각 또는 운동 기능의 상실 또는 변화를 나타내지만, 이를 설명할 수 있는 실험실 검사 및 영상학적 결과가 부족하다. DSM-5에서는, 전환장애의 진단 기준에서 의도하지 않은 증상 생성의 증거를 제외시켰다. 그렇지만, 증상의 의도성 및 가장이 의심될 경우, 인위성장애 또는 꾀병과의 감별이 필요하다. DSM-5에서 또 다른 중요한 변화는 전환장애를 유발하는 것으로 추정되는 심리적 스트레스 요인을 식별할 필요가 없다는 것이다. 전환장애의 예후에 대한 연구는 대부분은 2000년 이전의 것이고 근래에는 주로 신경과 의사에 의한 것이다. Slater E(1965)는 85명의 히스테리아(hysteria: 지금의 전환장애 증상에 해당) 중에 22명(60%)에서 신경계 질환이 발견되었으며, 이는 진료 초기에 신경과 의사가 오진한 것이라 하였다. 그 후 Merskey H와 Buhrich N(1970)는 전환장애 89명 중 61명(67%)에게서 기질성 질환을 발견하였다. 이는 신경계 질환이 전환증상이나 정신장애의 유발요소이고 진료 초기에 의사가 실수한 것은 아니라는 것이다. 그리고 Lewis A(1975)는 히스테리아 98명을 추적 조사한 결과 이중 45%가 증상을 유지하고 있었으며 Crimlisk H 등(1998)은 64명의 감각이상, 방광, 위장관 기능장애, 가성경련, 기억력저하, 시력장애, 언어곤란 환자 중에 70%는 만성화 상태였으며 새로운 신경장애 발생은 오직 3명이었다. 이로써 이들이 보였던 과거의 증상을 설명할 수 있을 것이라 하여 장기간 추적 조사를 하였음에도 이들 증상에 감추어진 신경계 이상이 나중에 나타날 가능성은 적다고 하였다. 또한 Stone J 등(2003)이, 편마비와 지각장애와 같은 전환장애 이상 환자의 12년 후 관찰에서 이들 중 83%에서 증상이 지속되었으며, 오직 1명만이 신경계 질환이 있음을 보고하였다. 종종 전환장애는 스트레스 요인-전환증상-이완-증상 해결의 경과를 따르지 않으며, 재발-완화 혹은 만성경과를 따른다.

이러한 결과로 보아 전환장애의 예후는 만성화의 경향이 있으며, 나중에 증상의 기초가 되었을지도 모르는 숨겨진 신경계 장애가 밝혀지는 경우는 매우 적다고 할 수 있다. 그럼에도 불구하고 전환장애는 신경계 장애와 모습은 매우 유사하다. 심적인 요인은 장애의 중요한 요소가 되고, 이는 증상을 촉발하는 요인이 되거나 치료 접근을 위한 중요한 요소가 된다. 이들 심적인자에 의해 신경계 기능의 변화가 초래된다는 사실이 영상의학의 발달로 괄목할 만한 발전을 하였다. 향후에는 뇌영상검사를 통하여 진단과 치료 효과도 판정에 활용될 전망이다. 이러한 사실은 심신 이원론의 관점이 아니라 일원론적 접근이 필요하다는 것을 보여주는 것이다.

3) 전환증상과 신경계 이상

전환장애가 뇌신경계 이상과 밀접한 연관이 있다는 사실이 많이 밝혀졌다. 비록 정신적 요인에 의한 신체증상의 표현이더라도, 뇌의 기능상의 변화를 매개로 한다는 점에서, 이러한 뇌기능의 변화 혹은 이상은 정신과 신체의 상호 연관성을 보여주는 좋은 예가 된다. 이러한 점이 바로 정신신체의학이 추구하는 정신과 신체를 통합적으로 이해해 나가야한다는 근거가 된다. 기존에 밝혀진 뇌의 기능상의 변화는 다음과 같다.

첫째, 뇌기능의 이상이 전환증상의 기저조건을 제공한다고 보는 것이다. 전환증상이 편측화되어 있다는 점으로서, 즉 전환증상이 주로 좌측에 호발하는 것으로 보아서 이는 우측 측두엽의 기능의 장애로 추정한다. 이 영역은 주로 정서 조절과 함께 신체상(身體像)과 관련된다는 점에서 전환증상 형성에 기저 조건으로 본다. 그리고 뇌 기능의 이상이 전환장애로 나타날 것이라는 소견으로서, 좌측 팔의 운동성 마비 전환증 환자에서 마비된 좌측 팔을 움직여 보라고 하였을 때, 뇌의 국소부위 뇌혈류(rCBF) 검사에서 우측의 운동 피질의 활성화는 되지 않았으나 우측 안와전두피질orbitofrontal cortex 및 앞띠이랑피질anterior cingulate cortex이 활성화되었다. 이러한 현상은 최면으로 유도된 사지마비 환자의 경우에도 동일한 결과를 보였다. 또한, 1년간 왼팔 마비 전환장애 환자의 양전자방출단층촬영(PET) 검사를 동일한 형태의 증상을 꾸민 사람과 비교해 본 결과, 좌측 등가쪽 전전두피질dorsolateral prefrontal cortex, DLPFC의 혈류 저하 소견을 보였는데, 이 부위는 의욕의 고위중추로 추정하고 있다. 한편 운동 의도(意圖)와 이에 따른 운동 동작에 관여하는 것으로 줄무늬시상피질 운동계 회로striatothalamocortical motor circuit가 중재하는 것으로 보고 있다.

운동 및 감각 증상의 감각운동처리에 대한 전환장애의 초기 기능적 뇌자기공명영상(fMRI)에서는 비정상적인 감정 처리aberrant emotional processing 및 변연계 운동 통합limbic motor integration의 잠재적 역할을 강조하였다. 전환장애 환자를 대상으로 한 연구에서, 편도체amygdala와 보조운동영역supplementary motor area사이의 높은 기능적 연결성을 보였는데, 이는 변연계와 운동영역의 비정상적인 상호작용을 시사한다. 이는 병적인 정동과 운동 증상과의 연관성에 대해 일부 설명하고 있다. 그러나 이러한 뇌영상의 소견이 전환증상의 기질적 원인이라고 단정해서는 안 된다. 이러한 영상의 변화는 전환장애의 원인 뿐만 아니라 장애의 결과, 혹은 보상의 결과(Allet JL, 2006)일 수 있다는 점에서 병인론의 결정적인 단서가 되지는 못한다.

둘째, 기저에 신경기능의 장애 소견이 있더라도 기질적 요인으로서 시상하부 뇌하수체 부신피질 축HPA axis의 이상이 있을 수 있고, 또 신경진화론의 관점이 있다. 이는 피할 수 없는 위기에 대한 진화론적 적응양식으로서 전환장애를 이해하는 것이다. 이것의 예로서는 혈관미주신경 기절vasovagal syncope, 심인성 경련, 가성마비, 심인성 맹(盲) 등이 있다. 이들 증상은 신석기 시대에 위험에 노출시 생존을 위해 생성된 유전적 변화에 따른 것으로 본다. 대립유전자 변형 다형성allele-variant polymorphism(대립유전자의 빈도는 1만년에 1%임)에 의한다고 한다.

신체증상, 전환증상을 위주로 한 전환 장애에 대해서, 의사가 접근하는 자세는 뇌를 포함한 신경계 기능의 변화, 내분비 기능의 이상에 대한 고려와 함께 환자의 삶 전체를 아우르는 정신적인 면을 조망해 가면서 파악하는 것이라 할 수 있다.

4) 비기질성 신체증상의 만성화

각종 산업재해, 교통사고, 통증질환을 경험한 후 기질적 원인이 밝혀지지 않아 비기질성 장애로 판정되는 경우, 이 장애가 만성화하는 율은 매우 높다. 또 이에 따른 기능의 이상, 생활 기능의 변화가 초래된다. 이 경우, 증상의 과장인지 꾀병인지, 우울장애에 따른 신체증상인지, 전환증상인지 혼란을 겪는다. 의사가 겪는 이러한 갈등 상황은 매우 흔하고 앞으로는 더욱 그 수가 늘어날 것이다. 교통사고 중 채찍질손상whiplash injury의 예를 보면, 흔한 증상으로는 두통, 이명, 현기증, 팔저림, 인지저하, 피로 등이 있다. 이들 증상을 동반하는 손상자의 30%는 만성화한다. 증상이 오래 지속될수록, 고령인 경우, 여성, 상지 방사통인 경우, 흉통과 요통이 동반되는 경우, 신경학적 징후 동반 시에는 예후가 좋지 않다.

산업재해, 교통사고 후유증, 특히 보상과 관련이 된 경우에는 호소하는 증상의 어느 정도까지가 기존 신체 손상에 따른 증상인지 과장된 것인지 아니면 기질적 원인이 없는 꾀병 내지는 전환증상인지 구별하기 어렵다. 나타내는 증상이 손상의 내용과 일치하지 않는 점, 운동 제한이 신체검사와 불일치하는 경우, 신체 징후와 증상 호소가 불일치한다는 점, 진통제나 목보조기, 재활치료 등의 치료로 실패한 경우, 일상 활동의 정도가 검사 결과와 불일치 소견을 보이는 경우에는 피검자가 자신의 증상을 의도적으로 과장하여 나타내는 징후로 볼 수 있다(표 13-3).

표 13-3. 의도적인 증상 과장의 징후

1) 증상이 신체 손상과 불일치
2) 운동 제한의 정도가 신체검사와 불일치
3) 신체 징후와 불일치
4) 진통제, 목 고리형 보조기(collar)착용, 재활 치료 등의 실패
5) 일상 활동이 검사 결과와 불일치

그러나 신체 손상을 동반한 환자가 보상 문제가 병합되어 있을 경우에, 과연 환자가 자신의 증상을 오직 보상을 위해 의도적으로 과장하는가에 대해서는 신중하게 판단해야 한다. 신체증상보다는 정신 증상은 보다 꾸며 과장하기란 어려우며, 남녀의 차이를 고려해야 하는데, 여자의 경우에는 척수강이 좁고 등쪽 관절면dorsal facet의 연골 간격이

좁기 때문에 증상이 남자보다는 쉽게 나타나거나 지속될 수 있다는 점, 그리고 연부조직의 손상으로 인하여 광범위한 통증으로 발전될 수 있다는 점을 고려한다면 증상 과장의 의도성을 판단하기 매우 어렵다는 것을 알 수 있다.

특히 국소 부위 손상이 광범위 통증으로 발전되는 기전을 살펴보면, 우선 1차 과민primary hyperalgesia이 말초 감작peripheral sensitization으로 인하여 주변 부위의 통증을 유발하고 이후 2차 과민으로서 척수의 과흥분(이는 N-methyl-D aspartate(NMDA) 수용체 활성화로 COX-2가 표현되어 일어난다) 으로 인하여 손상 주변부의 통증이 생기게 된다. 이와 함께 뇌에서는 COX-2(cyclooxygenase-2) 발현, 피질의 변화, 이에 따른 하향조절계의 불균형으로 이어지는 전신성 과민이라는 뇌의 가소성 변화plasticity change가 초래되는 것이다. 이러한 중추과민성은 조직 손상이 회복되어도 유지된다. 그러므로 만성화된 통증의 경우에는 이러한 말초와 중추신경 기능의 변화에 따른 증상 부위의 확대 지속으로 나타나므로, 신체 외상에 따른 해부학적 신체영역이 일치하지 않는다는 점을 증상의 허위 혹은 과장 현상으로 오해해서는 안 된다.

5) 증상의 과장과 꾀병

소송이나 보상 문제는 과연 환자의 예후에 영향을 미칠까하는 점에서는 상반된 연구 결과들을 보인다. Macnab L(1974)는 145명을 대상으로 소송 종료 2년 후에 보니 이중 121명은 증상이 지속되었으며, Sapir DA(2001)는 소송 관련된 환자들이 치료에 완강한 결과를 보였다고 하여 소송문제가 해결된다고 하여도 증상은 지속된다고 하였다. 이와는 달리 Malleson (2002)이나 Cassidy JD 등(2000)은 보상이 증상을 조장하는 결정 요인이라고 하였다. Cassidy JD 등은 리투아니아에서 교통사고로 인한 채찍질손상whiplash injury 환자 202명의 반수에서 손상에 합당한 증상을 가지고 있었지만 1-3년 후에는 사고와 관련된 증상은 발견되지 않음을 보고했다. 그는 그 원인으로서 해당 사회에서는 사고 관련 보상체계 없었기 때문이라고 보았다.

산업재해나 교통사고 후 발생하는 비기질성 장애(특히 통증)에서 소송, 보상이 미치는 영향은 있다 없다의 문제라기보다는 장애의 예후에 미치는 영향을 살펴서 판단할 수밖에 없을 것이다. 내적요인으로는 나이, 여성, 초기의 심각도가 그것이고 외적요인으로서 보험체제, 브로커 개입의 여부, 생활고, 가족의 종용 등이 있다.

5. 인위성장애와 꾀병

1) 인위성장애

DSM-5에서 인위성장애는 '신체증상 및 관련 장애'라는 새로운 범주로 분류된다. 종종 인위성장애가 있는 환자는 진단 기준은 아니지만 사실과 허구의 조합이 특징인 병리학적 거짓말의 한 형태인 가성 환상pseudologia fantastica을 보인다. 가성 환상은 인지기능장애, 학습 장애 또는 어린 시절의 외상 경험과 관련이 있다. 가성 환상 또는 다른 형태의 병리학적 거짓말을 보이는 환자에게는 신경심리검사가 필요할 수 있는데, 늦게 발병한 병리학적 거짓말을 보이는 환자에게서 신경심리학적 검사상 행동 변이형 전두측두엽 치매가 발병한 것이 보고되기도 하였다.

(1) 스스로에게 부여한 인위성장애Factitious disorders imposed on self

① 신체증상을 동반한 인위성장애

인위성장애가 있는 사람은 고의로 증상이나 질병을 가장하거나 과장하거나 악화시키거나 스스로 유도한다. 근본적인 동기는 무의식적일 수 있지만 자신의 행동을 의식한다. 이 진단은 또한 행동의 은밀함을 특징으로 한다. 스스로 자해를 했다고 인정하는 자해 행위 환자는 이 진단에 포함되지 않는다. 1951년 Richard Asher가 처음 기술한 뮌하우젠 증후군munchausen syndrome과 인위성장애라는 용어는 흔히 같은 의미로 사용된다. Mayo Clinic에서 진단된 인위성장애의 93건에 대한 검토에서 Krahn 등(2003)은 72%가 여성이고 65.7%가 건강 관련 직업과 관련이 있으며, 여성의 평균 연령은 30세, 남성의 평균 연령은 40세임을 보고하였다.

고전적인 뮌하우젠 증후군은 질병을 의심할 만한 증상을 호소하며, 병에 대한 가짜 증거를 만들고, 의도적으로 병의 증상을 만든다. 이러한 환자들은 객혈, 심근경색을 암시하는 급성 흉통, 자가 유발 저혈당으로 인한 혼수 등의 극적인 증상으로 응급실에 자주 내원한다. 가장하는 증상은 흉통, 갑상선 기능 항진증 또는 쿠싱 증후군과 같은 내분비 장애, 응고 장애, 감염 및 신경 증상이다. 뮌하우젠 증후군 환자는, 증상의 극적인 특성이나 추정되는 진단의 희소성으로 인해 '스타 환자'가 되기도 한다. 병력, 의학적 소견 또는 실험실 검사의 불일치로 인해 의심을 받게 되면, 환자는 흔히 짜증, 새로운 불만, 파괴적인 행동 혹은 소송을 제기하겠다는 위협으로 반응하며 퇴원을 요청하기도 한다. 일부 일반적인 증상에는 관절 통증, 재발성 농양, 수술 후 치료 실패, 반복되는 저혈당, 가장하는 신장 산통 및 혈액 장애 등이 있다. 이러한 환자의 증상과 호소에 대한 원인인 인위성장애는 몇 달 또는 몇 년 동안 의심되지 않을 수 있다.

② 심리증상을 동반한 인위성장애

인위성장애의 심리적 증상 중 주로 보고되는 것은 사별을 주장하며 보이는 우울 증상과 자살 충동이다. 환자는 자신의 정서적 고통이 부모나 자녀와 같은 가까운 사람의 죽음으로 인한 것이라고 보고하며, 이러한 고통은 진실처럼 보이고, 종종 눈물을 보이며, 특징적으로 의료진의 동정을 이끌어낸다. 심리적 증상이 우세한 인위성장애, 특히 가장성 정신병을 진단할 때 주의가 필요한데, 이러한 증상을 가진 일부 환자는 결국 명백한 중증 정신질환을 나타내기도 하기 때문이다. 19세기 독일 정신건강의학과 의사 Sigbert Ganser(1965)가 수감자에게서 볼 수 있는 꾀병의 한 형태로 기술한 갠서 증후군ganser's syndrome은 주로 심리증상을 보이는 인위성장애와 밀접한 관련이 있다. 이 증후군은 질문에 대해 빗겨간 대답vorbeireden을 보이는 것이 특징이다(예: 검사자가 "눈의 색은 무엇입니까?"라고 물으면 환자는 "녹색"이라고 대답함). 기억 상실, 지남력 저하 및 지각 장애에 대한 호소도 일반적으로 나타난다.

③ 진단과 평가

인위성장애의 진단은 일관되지 않은 임상검사 결과, 보고된 증상과 일치하지 않는 신체 소견, 문제에 대한 효과적인 치료에 대해 예측된 대로 반응하지 않는 경우 의심할 수 있으며, 환자의 신체에서 의료 도구가 우연히 발견되어 진단되기도 한다. 다른 의료 기관의 과거 의무 기록을 검토하는 것이 필요하고, 표면적으로는 환자가 정상인 것처럼 보일 수 있으며, 환자 스스로 자백하지 않는 한 정신건강의학과 면담으로 진단을 내리기 어렵다. 환자는 반박할 수 없는 가짜 행동의 증거에 직면했을 때에도 질병을 자신이 유발시켰다는 것을 부인하고 조금도 양심의 가책을 갖지 않는다.

④ 관리와 치료

환자 관리의 주요 문제는 인위성장애에 대한 최종 진단이 확정된 후에 환자를 어떻게 대할 것인가 하는 것이다. 정면으로 문제를 직면시키거나 비난하는 자세는 환자의 분노를 유발하고 환자가 병원에서 퇴원하는 결과를 초래할 가능성이 높다. 직면보다는 환자의 체면을 살리거나 치료의 기회를 허용하는 방식으로 보다 간접적인 것으로 제안하는 것이 도움이 된다. 환자에게 보이는 증상보다는 문제의 본질인 정서적인 고통에 집중하려는 접근 방식에도 불구하고, 환자 스스로가 허위 질병행동을 인정하고 정신치료를 수용하기가 쉽지는 않다.

우울증과 같은 동반된 정신장애(가장성이 있다고 생각되지 않는 경우)는 적절하게 치료되어야 한다. 인위성장애가 있는 환자를 평가하고 치료할 때 법적, 윤리적 문제가 자주 발생한다. 이들에 대한 의료 행위에 있어 환자의 권리와 사전 동의가 강조된다. 한편으로 진단을 확립하는 데 필요한 모든 조치를 취하지 않는 것은 의료 책임의 포기로 간주되어 궁극적으로 환자에게 해로울 수 있으며, 허위 질병행동이 의심되는 환자조차도 소지품의 사생활 보호, 기밀 유지 및 사전 동의를 포함하여 개인 사생활에 대한 권리가 있다. 이 경우 접근 방식은 환자에게 허위 질병행동이 의심된다는 사실을 알리고 이를 배제할 수 있는 허가를 요청하는 것이다. 인위성장애가 있는 환자는 법적, 윤리적 문제를 일으키기 때문에 의사는 환자를 다루는데 있어 병원 관리자, 병원 및 개인 변호사, 병원 윤리 위원회와의 신중한 다학제적 협력과 적절한 협의가 필요하다.

(2) 타인에게 부여한 인위성장애Factitious disorders imposed on another

과거에는 대리인에 의한 인위성장애munchausen by proxy syndrome로 알려졌으며, 아동에게 부여한 인위성장애의 임상 특징은 발열, 발진, 출혈, 발작, 무호흡, 설사 및 구토를 포함하지만 이에 국한되지 않는 광범위한 증상을 나타낸다. 대부분의 희생자는 유아이고 약 25%는 6세 이상이다. 어머니가 가장 흔한 가해자이지만 아버지, 조부모 및 기타 양육자가 보고된 바도 있다. 아동에서 이 진단은 제대로 인식되지 않고 있으며 정확한 진단은 종종 수개월에서 수년이 걸린다. 징후, 증상 및 질병 경과가 알려진 질병 및 예상되는 치료 반응과 반복적으로 일치하지 않는 경우에 이 진단을 고려해야 한다. 가장 중요한 점은, 아이가 양육자와 분리되었을 때 질병이 완화된다는 것이다. 양육자의 특징으로는 첫째, 뮌하우젠 증후군의 특징, 둘째, 상담/정신건강의학과 치료의 이력, 셋째, 아동 학대의 이력, 넷째, 의학적 조언에 반하여 아동을 병원에서 퇴원시키거나 다른 시설로 이송할 것을 주장하는 것 등이다.

아동에게 부여한 인위성장애가 강력하게 의심되는 경우에, 임상 의사의 첫 번째 책임은 아동의 안전을 보장하는 것이다. 451건의 의료 아동 학대 사례에 대한 검토에 따르면, 사망률은 6%이고 알려진 형제, 자매 중 25%가 사망했다. 양육자와 아동을 분리하면 아동의 질병이 해결될 뿐만 아니라 생명을 구할 수도 있다. 아동을 돌보는 사람과 분리해야 하는지 여부와 아동이 집으로 돌아가야 하는 경우 언제 집으로 돌아가야 하는지에 대한 결정이 중요하다. 양육자들에게서 보이는 정서적 문제에 대한 치료가 필요할 수 있다.

보호자에 의한 성인의 의학적 학대의 경우, 나타나는 증상은 독성 물질 주사로 인한 피부 농양이나 발진에서부터 인슐린 주사와 같은 수단으로 발생하는 실신 및 혼수 상태에 이르기까지 다양하다. 많은 희생자들이 간병인이 필요한 의학적 문제를 가지고 있었다. 가해자는 주로 보호자였고 이중 상당수는 의료 분야에서 일한 경력이 있었다. 대부분의 가해자들은 비록 일부는 자백을 하고 형사 고발 대상이 되었지만, 직면시켰을 때 자신의 행위를 부인하였다.

2) 인위성장애와 꾀병의 구별

자신의 병이나 상태를 과장(誇張, exaggeration)하는 것은 꾀병, 인위성장애factitious disorder와 전환장애, 신체증상장애 등에서 보인다. 외적 유발 요인이 없이 과장하는 인위성장애는 의도적으로 병(病)인 척하는simulation 꾀병malingering과 구별하기 매우 어렵다.

꾀병이란, 있지도 않은 신체 증상이나 정신 증상을 호소하고, 혹은 증상이 있다고 해도 이를 과장하여 경제적인 보상 등의 현실적인 이득을 얻거나, 의무나 벌 받는 것을 피해보려는 목적을 갖는 것이다. 꾀병은 DSM-5 진단 기준에서 정신장애에 속하지 않고, '임상적인 주의를 끄는 의학적인 상태' 속에 V65.2 꾀병에 해당한다. ICD-10에서도 역시 정신장애 진단에는 없고 Z76.5에 꾀병자(의식적 가장)의 '분명한 동기를 갖고 병을 가장하는 사람'에 해당된다.

이런 꾀병은 흔한 것은 아니고, 대개는 있는 증상을 과장하는 부분(部分) 꾀병의 형태가 많다. 꾀병의 동기는 일반적으로 외부적인 것으로(예: 군 복무, 투옥 또는 작업 회피, 금전적 보상 획득, 형사 기소 회피, 마약 획득 등) 법적 소송과 관련된 경우가 대부분이다. 임상에서는 지속적인 통증이나 기능 상실을 보이면서 이에 합당한 기질성 병리를 발견하지 못하면 전환 장애나 신체증상장애, 꾀병을 의심하게 된다. 그러나 만성 통증환자에서 꾀병 여부를 객관적으로 감별할 방법은 아직 없다. 꾀병 증상은 1) 질병의 생성 또는 흉내내기, 2) 이전 질병의 악화, 3) 증상의 과장, 4) 임상 검사 결과 또는 임상 검사 보고서의 위조의 네 가지 주요 범주로 나뉜다. 꾀병 증상은 원하는 목표를 달성하거나 기만을 반박할 수 없는 증거에 직면할 때 사라지기도 하지만, 목표를 달성한 후에도 일부 꾀병 증상이 지속되기도 한다. 체면을 살리는 기전으로 증상을 유지하거나 증상이 개인의 생활 방식에 습관으로 통합되기도 한다. 더욱이 꾀병은 전환장애나 성격 이상, 인위성장애와 겹쳐 있을 수 있기 때문에 평가가 더욱 어렵다. 처음에는 꾀병이다가 증상이 자생적으로 생겨 신경증으로 이행하기도 한다.

전환장애(히스테리) 환자는 신경해부 법칙에 일치하지 않는 근육 마비나 통증 감각의 상실을 호소한다. 이때 Romberg 징후 검사(평형기능 검사로서 선 상태, 혹은 일직선 위를 걷게 하여 자세, 균형, 팔다리의 움직임을 관찰)로서 과장되거나 연극적인 태도를 볼 수 있다. 이 외에 심인성 장애를 의심할 수 있는 징후로는 급격한 양보성 근육 힘의 약화give-way weakness, 얼굴-손 검사face-hand test, 후버 징후Hoover's Sign, 와델 징후Waddell's sign, 다리 외전검사leg abduction test 등이 있다. 이들 전환장애(히스테리)에서는 증상 형성과 관련된 잠재적인 소망은 있어도 스스로 거짓되게 하는(꾸미는) 자각(自覺)은 없다는 점이 중요하다. 앞에서 본 바와 같이 이 경우 뇌신경계 기능상의 변화를 보인다는 점이 기질성 원인을 의미하는 것은 아니라, 심신의 동시성 또는 상태를 나타내는 것에 그치는 것으로 이해하는 것이 좋다.

전환장애(히스테리), 인위성장애, 그리고 꾀병의 주요 감별점은 다음과 같다(Resnick P.J., 1997). 신체증상장애를 포함한 전환장애는 의도적인(意圖性, volitional) 요소가 없다. 이는 내재된 정서적 갈등이 무의식적 기제에 의해 신체증상으로 전환되기 때문인 것으로 본다. 문제는 이러한 무의적 과정을 수차례의 면담으로 제대로 파악할 수 있느냐 하는 것이다. 그러므로 외적인 상황과의 연결성에서 파악하는 경우가 대부분이다. 이들 환자는 의식적으로 보상을 받으려는 태도는 없다. 무의식적으로 결정된 신체증상으로 볼 수 있는 전환장애 환자는 자신이 관찰되고 있다고 믿는지 여부에 관계없이 일반적으로 증상 표현이 일관적이다. 인위성장애는 외적인 현실적 이득에 대한 욕구가 없으면서, 심적(心的)인 필요성에 의해 병자(病者) 역할을 하는 것이다. 환자는 스스로 환자가 되려 하고 자신을 위험한 상황에 놓이도록 한다. 이러한 행동은 대부분 무의식적이다. 즉, 의도적인 행위를 스스로 인식하고는 있지만 행동의 동기는 무의식적인 것이다. 이에 반해서 꾀병은 분명한 목적이 있고 의식적이라는 점에서 구별된다(표 13-4).

표 13-4. 전환장애(히스테리), 인위성장애, 꾀병의 감별점(송지영, 2004)

	전환장애(히스테리)	인위성장애	꾀병
동기	모름	알고 있음	알고 있음
의도성	없음	있음	있음
과정	무의식적	행동 시에는 무의식적	의식적
타인을 속임	없음	있음	있음
목적/ 이득 추구	정서적 갈등 감소/ 있음(무의식적)	병자 역할/없음	개인적 이득 추구/ 있음

환자의 반응과 태도에서 전환장애 환자가 꾀병 환자와 구별되는 몇 가지 점이 있다. 진단의 전 과정에 협조적이며, 의존적인 태도를 보인다든지 나아지려는 자세를 나타내는 경우에는 전환장애의 가능성이 높다. 그러나 이와는 달리 꾀병 환자는, 검사에도 비협조적일 뿐 아니라 나으려는 노력도 보이지 않는다. 그리고 전환장애 환자는 증상과 관련될지도 모를 생활 사건에 대한 표현이 부정확하거나 전반적으로 애매한 인상을 준다. 그러나 꾀병에서는 생활 사건의 경과는 물론, 그 결과에 대해서 매우 상세하게 설명하는 경향이 있다. 다른 관점에서 보면, 타인을 속이는 것은 꾀병이며 자신을 속이는 것은 전환장애(히스테리)라고 할 수 있다. 그럼에도 불구하고 여기서 의식성, 즉 의도적인 것과 무의식성을 구별해 내기란 쉽지 않은 문제이다.

6. 신체증상장애와 비기질성 신체증상의 진단 평가

오늘날 정신건강의학과 외래환자 중에는 여러 가지 심신(心身)상태에 집착하고 집요하게 호소하거나 질병의 공포, 불안, 이인증(離人症), 강박증상을 보이는 경우가 많다. 이들 환자가 나타내는 애매한 표현의 증상은 너무 다양하다. '머리가 무겁다, 띵하다, 가슴이 뜨겁다, 등에서 한기(寒氣)가 난다, 어지럽다, 가슴이 두근거린다, 숨이 답답하다, 밥맛을 모른다, 소변을 자주 본다, 소변에 거품이 난다, 잠을 자도 잔 것 같지 않다, 몸이 무겁다, 몸이 찌뿌드드하다, 생각이 잡히질 않는다, 주의 집중이 안 된다' 등이다. 증상은 반복되면서 장기간 지속된다. 환자는 증상 호소와 함께 강한 감정을 동반하며, 미간에 주름을 지우면서 고통스러운 표정을 보인다. 이들은 대부분 여성 환자이다. 특히 신체화 증상이나 전환증상(히스테리)이 심인성(心因性)인지 신체 원인에 의한 것인지 약물이 원인인지 불분명한 경우가 있다. 신체 질환에서조차 원인이 모두 설명되는 것이 아니기 때문에, 객관적인 소견이 충분치 않은 상황에서는 쉽게 신체화 증상이나 전환장애(히스테리)로 단정해서는 안 된다.

지속되는 신체증상을 가진 환자를 평가할 때 꾀병으로 보지 말고 가능한 빨리 신체증상장애의 가능성을 고려한다. 환자나 의사를 안심시키고 진정시키기 위해 반복적으로 수행하는 침습적인 검사를 피해야 한다. 모든 신체화 장애(인위성 장애 및 꾀병을 포함) 환자의 관리에서 의사는 의학적 장애의 객관적인 증거가 있는 경우에만 침습적 진단 및 치료 절차를 진행해야 한다. 신체적 혹은 정서적 고통을 나타내는 환자의 단서에 주의를 기울이고, 다른 신체증상, 불안, 우울을 선별한다. 잠재적인 약물이나 알콜의 남용 또는 자살 충동을 놓치지 않아야 한다. 이어서 환자의 경험, 기대, 기능, 신념 및 질병행동을 평가한다. 특히 재앙화, 신체 검사, 회피, 비기능적인 건강관리사용의 측면에서 평가할 필요가 있다.

1) 질환행동

신체화 증상을 파악하는데 환자의 비정상 질환행동의 특성을 파악하여 감별진단, 치료 순응도와 치료 효과도 판정, 그리고 만성 통증의 진단과 치료 등에 이용한다(표 13-5).

표 13-5. 비정상 질환행동 증후군(Pilowsky, 1977)

	신체에 초점	심리면에 초점
질병 - 긍정	의식적 동기	
	꾀병 뮌하우젠 증후군	꾀병 갠서 증후군
	무의식적 동기	
	신체화장애 전환장애 심인성통증장애 건강염려증	해리반응
질병 - 부정	의식적 동기	
	고용을 위한 부정 수치심으로 인한 병 부정(성병)	낙인, 입원을 회피하기 위한 증상 부정
	무의식적 동기	
	심장병에 이은 비순응 질병인식 불능증	정신병 부정(병식 부족)

질병을 받아들이는 양식은 사람마다 각기 다르고, 이에 따른 의료 추구 행동도 다르다. 자신의 괴로운 신체 및 정신증상을 규정, 해석하고 이로서 의학적 도움을 추구하는 방식(행동)을 질환행동이라 한다. 이는 성격, 과거 질병경험, 병 개념, 가족의 태도, 사회의 질병관, 의료제도, 사회 경제적 지지 등에 의해 영향 받는다. 병을 두려워하거나 의료 기관에 지나치게 의존하는 것, 병을 부정하고 치료를 거부하는 행위 등으로 나타난다. 환자의 건강 상태에 대해서 환자의 교육, 나이, 사회문화적인 점을 고려해서 의사가 적절하게 설명해주었음에도 불구하고 환자는 지속적으로 자신의 행동을 고수하는 경우, 즉 부적절하고도 비적응적인 방식으로 자신의 병을 수용, 평가, 행동하는 것을 비정상 질환행동illness behavior이라 한다. 종류로는, 의식적인 경우는 꾀병이나 인위성장애가 포함되고, 무의식적인 것은 신체증상장애, 질병불안장애, 전환장애를 포함한 신체증상 관련 장애가 해당된다. 또 정신증에서는 정신증적 질환행동psychotic illness behavior이 있고 신체증상장애나 질병불안장애에서는 신경증적 질환행동neurotic illness behavior이, 그리고 만성통증 증후군이나 암환자에서는 특이한 질환행동이 있다.

한국인의 질환 행동 특성을 보면 다음과 같다.

(1) 신경증 환자는 정신건강의학과로 오기 전에 비전문적 치료 기관을 많이 찾는다. 이러한 치료 추구 행동에는 전통문화와 사회 가치관이 기반이 된다.

(2) 신체증상에 매달린다. 이는 샤머니즘과 한방적 질병개념, 그리고 감정 표현이 수용되지 못하는 문화적 특성에 기인한다.

(3) 불합리적인 의료제도가 영향을 미친다.

(4) 가족이 환자의 증상을 어떻게 심각하게 보는지, 가족 내 핵심 인물의 결정이 치료에 결정적인 영향을 준다(김석현과 김이영, 1995).

질환행동 평가는 국내에서 개발된 질환행동 질문지Illness Behavior Questionnaire, IBQ를 이용한다. 이는 7개(일반적인 건강염려증, 병 확신, 심리적/신체적 관심, 정서장애, 감정억제, 부정, 불안정성)의 영역으로 62문항으로 구성되어 있다.

2) 과거 학대력

신체화 증상이 의심되면 환자가 과거에 학대를 받은 병력과 질환행동 특성을 파악해야 한다. 어릴 때 성적 학대를 받거나 신체 학대의 과거력이 있으며 훗날 불안 우울 외에도 의학적으로 설명되지 않는 증상 호소를 비롯하여 월경전증후군, 신체증상장애, 만성 골반통, 성기능장애, 해리증상, 기능성 소화기계 장애, 질병불안장애가 발생할 가능성이 높다. 그리고 이들은 병원 이용률도 높은 것으로 나타났다. 국내 연구에서 정신건강의학과 외래 74명중 신체학대가 20.3%, 성적학대를 13.5%에서 경험하였는데, 특히 16세 이전에 성적학대를 받은 경험자가 우울, 불안, 적대감, 강박증, 정신증 척도가 높았다. 어릴 때 모성 분리의 경험은 만성 통증, 스트레스에 대한 글루코코르티코이드 반응의 증가를 보이며 학대를 받은 과거력이 있는 경우에는 나중에 성장하여 스트레스에 취약해진 나머지 해리나 우울증으로 발전될 가능성이 있다.

3) 계량적 평가

정신건강의학과 협진 상황에서 환자는 보통 신체증상장애 또는 질병불안장애가 의심되어 의뢰된다. 이런 상황에서, 해당 진단 기준을 충족하는지 여부를 확인하는 것은 복잡한 작업이 아니며, 진단 기준을 만족시키는지 여부에 신체증상이 기질적으로 설명되지 않는 것인가의 여부를 확인할 필요가 없기 때문에 과거의 신체형장애로 진단하는 것보다 진단에 도달하기가 쉽다. 흔히 동반되는 불안과 우울상태를 확인하기 위해서 자가 평가 검사도구인 벡우울척도Beck Depression Inventory, 병원 불안우울척도Hospital Anxiety Depression Scale:HADS, 신체증상 평가로서 PHQ(Patient Health Questionnaire, Spitzer RL과 Kroenke K, 1999)가 이용된다. 이는 HADS나 Wellbeing Index보다 우수한 검사로 알려졌다. 흔히 사용하는 PHQ-9는 지난 2주간의 우울 증상을 평가하는 9항목으로 구성되어 있으며 우울장애 선별과 우울장애의 심각도 판정이 가능하다. 5분 이내에 평가가 가능하며 치료 반응 평가에도 이용된다.

신체화 증상으로 통증을 호소하는 환자에는 시각 통증 등급Visual analogue scale: VAS을 이용하면 통증의 정도를 알 수 있으며, 다양한 형태의 신체증상에 대해서는 한국판 신체증상 목록(Wahler Physical Symptom Inventory-K, 이방락 등, 2002)을 이용하여 건강인과 정신장애와 관련된 신체증상 호소자를 구분한다. 이를 통해 증상의 양적(量的) 측정이 가능하다.

4) 감별진단

신경계 이상을 조심스럽게 확인하는 것이 필수적이다. 내분비계 이상 특히 갑상샘 기능 검사, 부갑상샘 기능, 부신피질 호르몬 검사 등이 필요하다. 감별 진단으로 특히, 다발성경화증multiple sclerosis에 유념해야 할 것이다. 이 질환의 초기에 1/3에서는 기질성 여부가 발견되지 않을 뿐만 아니라 증상이 애매하기 때문이다. 흔히 전환장애 내지는 애매한 증상으로 간주된다. 증상은 매우 다양해서 감각증상으로는 얼얼함, 화끈거림, 턱 당기면 등으로 뻗치는 통증이 있고, 운동증상으로는 반신마비, 하지 마비가 나타날 수 있다. 시신경염으로 인하여 통증을 동반한 시력 저하를 보인다. 이들 외에 우울장애, 기억력 저하도 나타난다. 무엇보다도 뇌 MRI 검사를 통하여 다발성판multiple plaque을 확인해야 한다.

질병불안장애의 경우, 감별진단에서 가장 관련성이 높은 질환은, 과도한 걱정과 불안이 특정 질병에 대한 것일 뿐만 아니라 막연한 지속적인 불안 및 이에 따른 신체증상을 호소하는 만성적인 범불안장애, 질병에 걸렸거나 걸린다는 믿음이 확실하게 유지되며 반대의 증거나 안심에도 변경되지 않는 신체형 망상장애 등을 들 수 있다. 이미 언급했듯이 우울 및 불안 장애는 신체증상장애에서 흔히 존재하는데, 신체증상의 수와 우울증이나 불안의 가능성 사이에는 선형 관계가 있는 것으로 보인다. 신체증상장애 환자에서 우울 및 불안장애의 비율이 높기 때문에 신체적, 우울 및 불안 증상의 경험을 독립적인 동반이환상태보다 고통의 차원으로 보는 것이 더 적절하다. 신체증상장애의 더 심각한 경우로는 성격장애가 자주 나타나며 평가 및 치료에서 이를 고려해야 한다.

7. 신체증상장애와 비기질성 신체증상의 치료

1) 태도

신체증상을 보이는 신체화 환자에 대한 정신건강의학과 의사의 병 상태에 대한 이해정도가 의사의 태도를 결정하게 된다. 이는 이후 의사-환자의 관계 형성의 기본이 되는 것으로서 장기간 치료를 유지할 수 있는 능력에 결정적인 요소가 된다. 신체화 환자의 예후는 50-75%에서 호전을 보이고 10-30%는 악화된다. 그리고 병의 초기에 동반되는 불안, 우울은 예후에 영향 미치지 않았다.

신체증상장애 또는 질병불안장애 환자를 잘 관리하려면, 확고한 이원론적 '정신적 또는 신체적' 틀의 함정을 피해야 한다. 환자의 신체적 호소에 합당한 기질적 병리가 나타나지 않고 명확한 정신 장애가 없더라도, 환자의 호소를 심각하게 받아들일 필요가 있다. 환자와의 원활한 의사소통은 질병의 모든 단계와 치료 수준에서 필수적이며, 안심시키기, 진단 검사의 가능한 결과에 대한 예상, 질환의 '기능적' 특성에 대한 긍정적 설명, 환자가 적극적으로 신체적 고통에 대처하는 동기를 포함해야 한다. 건강한 신체적 생활방식과 기타 활동, 예컨대 좋은 수면위생, 규칙적인 운동, 충실한 취미 등을 장려하는 것이 도움이 된다.

2) 치료

치료의 첫 번째 단계는 진단을 내리는 것이다. 환자는 여러 곳에서 진료를 보게 되는 경우가 많고, 그간 의사가 과거의 병력을 이해하려고 노력하지 않았을 수 있으므로, 과도한 질환행동방식을 인식하지 못하고 진단이 지연되어 왔을 수 있다. 환자의 의학적 검사 결과를 잘 알고 있어야 증상과 결과와의 연관성을 명료화 시킬 수 있다. 환자가 질병에 적응하는 방식과 통증 또는 기타 증상을 경험하는 방식은 가족, 때로는 초기 외상적 맥락에서 시작될 수 있음을 이해해야 한다. 일반적인 방법으로, 설명을 잘 해주는 방법이란, 증상 형성, 진행경과 예후에 대해서 환자의 특성에 따라서 설명해주는 것이다. 특히 그림을 통하여 설명하는 것은 설득력을 높일 수 있는 방법이다.

신체화 환자에 대한 단일 치료법은 아직 없다. 다양한 방법을 적용해 보는데 단, 환자의 특성에 맞추어 적용해야 한다. 전환장애에서 특정 치료가 더 효과적이지 않았다. 증상과 연관된 다양한 인자를 이해하여 개별적인 접근이 열쇠가 될 것이다. 좋은 예후 인자로는 급성 발병, 스트레스원stressor의 존재, 우울장애 등의 정신장애가 동반된 경우이고, 만성화되었으며 인격장애나 법적 소송에 휘말린 경우는 나쁜 예후라고 할 수 있다.

접근방법은 우선 신체화의 세 가지 요소인 경험, 인지, 행동의 측면을 고려해서 이에 따른 기법을 구사해야 한다. 인지행동요법은 효과적이다. 예로서, 신체화의 형성 과정을 보아 부부다툼(사건)- 생리기전(근육긴장)- 증상(두통)의 세 단계를 이해하여 증상에 대한 재귀속reattribution을 시켜나가도록 한다. 걱정 유지 요인에 집중하여 잘못된 믿음을 교정하거나, 징후를 알아차리고 이에 대처하는 방법을 찾기, 증상에 대한 재귀속을 통하여 감각증폭을 줄이기, 부정적 믿음을 긍정적으로 바꾸기 등의 기법이 활용된다.

경험 측면에서는 신체감각을 줄이기 위한 전략으로서 바이오피드백biofeedback 치료와 동반된 불안 줄이기가 필요하다. 인지면에서는 불길한 느낌을 완곡한 느낌으로 완화시키기, 주의 돌리기 기법을 적용할 수 있다. 행동 면에서는 조작적operant 기법으로 약물의 사용을 가능한 줄여주고, 규칙적으로 의사를 만나 행동상의 바람직한 방향으로 전환을 모색하는 방식으로 증상을 조절해 나간다. 이완, 명상, 마사지, 요가, 노래 등이 도움 되며, 운동은 예후에 영향을 준다. 최면은 일시적이지만 효과가 있다. 신체적 불편감 및 관계 경험(예: 의사 및 다른 의료 전문가;친척 및 동료와의 관계)에 주의 깊게 귀를 기울이며 이러한 경험들의 정서적 측면(예: 분노, 실망, 두려움)에 대해 초점을 맞춘다.

정신치료는 매우 중요하다. 정신치료는 신체증상장애 및 질병불안장애 환자에게, 확립된 치료 방식이지만, 초기 단계에서 특정 문제와 마주치게 되는데, 환자가 '대화를 통한 치료법'이 그들의 신체 증상 및 염려에 도움이 될 수 있다는 사실을 받아들이기를 매우 어려워한다는 점이다. 정신치료에 대한 기본적인 경험과 소양을 갖추어야 함은 물론이고 이러한 토대 위에서 환자와 굳건한 믿음의 관계가 치료의 관건이 된다. 증상과 연관된 갈등 요소에 대한 직면은 급히 할 것이 아니라 서서히 접근해나가야 하며 특히 역전이를 살펴서 치료자의 자세를 가다듬어가야 한다.

약물치료 시에는 초기에 소량 투여로 시작하는 것이 중요하다. 특히 부작용을 피하는 점이 중요한데 이는 한국인의 약물에 대한 부정적 관념, 환자의 증상에 대한 수용성의 부족상태 하에서는 약간의 부작용은 치료 초기의 실패와 직접 연관되는 요인이다. 그러므로 처음 약물 투여 시에 신중해야 하며 우선적으로 잠이나 통증, 입맛 조절에 초점을 두어야 한다. 증상이 피로이든 통증이든 상관없이 동반 이환된 우울장애, 불안장애 및 약물 남용을 치료해야 하고, 중독성 약물의 사용 및 오용이 생기지 않도록 염두에 두어야 한다.

현실적인 치료 목표 설정이 필요한데 '더 나은 적응'과 '대처'를 추구하고, 치료 목표로 '완치'를 피한다. 증상 자체의 제거보다는 증상에 대처하고 일상생활 기능의 향상을 목표로 해야 한다. 환자가 증상에도 불구하고 어느 정도의 기능은 가능하도록 하고, 사회 활동에 점진적으로 참여해 나가도록 돕는 것이 중요한 치료 영역이다.

3) 장기간의 치료

많은 경우에 치료가 장기화되기 때문에 1-2년마다 정기적으로 신체검사를 해야 한다. 여성의 경우 골다공증, 유방암을 포함한 전반적인 신체검사, 남성에서는 전립선 이상, 갑상선, 암에 대한 검사를 포함한다. 전환증상의 일부에서 시간이 지난 후 신경계 장애가 발견되기도 하는데 신체검사를 소홀히 할 경우 우연히 발견되는 신체질환으로 치료자와의 관계형성이 쉽게 무너질 수 있기 때문이다.

장기간의 치료를 통하여 어느 정도 증상이 조절되면 적당한 시점에서 종료를 시도해야 한다. 치료의 종료는 환자에게 증상 조절에 자신감을 준다. 설령 이후에 스트레스와 연관되어 증상이 다시 생겼을 경우에도 환자는 치료 종료의 기대감으로 치료에 매우 적극적인 역할을 할 수 있기 때문에 적절한 시점의 치료 종료의 시도는 중요하다. 종결 시점은 일상생활에 문제가 없을 정도로 증상이 조절되어가는 상태라고 할 수 있다.

8. 요약

기질적으로 설명되지 않는 다양한 형태의 신체증상을 어떻게 이해하고 치료에 임해야 하는 가에 대해서 알아보았다. 신체화 증상을 이해하는 데에는 정신역동적 관점과 함께 기질적 요소(생리적 반응 및 행동 특성)를 동시에 감안해서 접근해야 하며 이러한 태도를 통하여 효율적인 치료가 가능해 진다. 신체증상과 관련된 뇌기능의 변화는 감정, 의욕, 인지기능과 신체증상 호소의 연관성을 시사하며 향후 진단과 치료 반응도 평가에 이용될 수 있을 것이다. 전환증상과 꾀병, 인위성장애에서의 신체증상은 신체화 증상의 서로 다른 모습으로서 감별을 요한다. 동반질환의 식별, 전략적인 치료 접근, 정신치료, 병자역할 상태의 더 나은 탐색, 그리고 약물의 보수적인 사용, 협진 및 진단적 평가들을 통해 비정상적인 질환행동을 파악하는 것이 이러한 환자들의 관리에 중요하다. 이러한 신체화 증상은 정신건강의학과 외래에서뿐만 아니라 내과, 피부과, 이비인후과, 산부인과, 정형외과 등에서 흔히 마주치는 현상이므로 정신건강의학과 의사는 이에 대한 폭넓은 이해를 하고 있어야 하고 동시에 타과 의사에 대한 적절한 교육에도 힘을 쏟아야 할 것이다.

참고문헌

1. 김석현, 김이영. 신경증환자의 치료 후의 행동. 신경정신의학 1995;34:780-98.
2. 송지영. 정신증상. 집문당, 서울, 2009.
3. 송지영. 꾀병 감별법: 감각 및 운동 이상을 중심으로. 정신신체의학 2004;12:103-21.
4. 송지영. 비정상 질병행동. 정신신체의학 1996;4:138-45.
5. Ali-Panzarella AZ, Bryant TJ, Marcovitch H, et al: Medical child abuse (Munchausen syndrome by proxy): multidisciplinary approach from a pediatric perspective. Curr Gastroenterol Rep 2017;19(4):14
6. Athwal BS, Hallighan PW, Fink GR, Marshall JVC, Frackowiak RSJ. Imaging hysterical paralysis. In Comtemporay approaches to the study of hysteria. Ed. by Halligan PW, Bass C, Marshall JC. Oxford Univ. Press, Oxford, 2001
7. Cassidy JD, Carroll LJ, Côté P, Lemstra M, Berglund A, Nygren A. Effect of eliminating compensation for pain and suffering on the outcome of insurance claims for whiplash injury. N Engl J Med 2000;342:1179-186.
8. Curatolo M, Arendt-Nielsen L, Petersen-Felix S. Evidence, mechanisms, and clinical implications of central hypersensitivity in

chronic pain after whiplash injury. Clin J Pain 2004;20:469-76.
9. Creed F, Guthrie E, Fink P, et al. Is there a better term than "medically unexplained symptoms"? J Psychosom Res 2010;68(1):5-8.
10. Dimsdale JE, Creed F, Escobar J, et al. Somatic symptom disorder: an important change in DSM. J Psychosom Res 2013;75(3):223-8.
11. Eikelboom EM, Tak LM, Roest AM, Rosmalen JG. A systematic review and meta-analysis of the percentage of revised diagnoses in functional somatic symptoms. J Psychosom Res 2016;88:60-7.
12. Eisendrath SJ. Factitious disorders and malingering, in Treatments of Psychiatric Disorders, 3rd Edition, Vol 2. Edited by Gabbard GO. Washington, DC, American Psychiatric Press 2001, pp 1825-42.
13. Feinstin A, Voon V. Understanding conversion disorder: How contemporary brain imaging is shedding light on an early Freudian concept. J Psychiatr Res 2021;141:353-357.
14. Fink P, Jensen J. Clinical characteristics of the Munchausen syndrome. A review and 3 new case histories. Psychother Psychosom 1989;52(1-3):164-71.
15. Flaherty EG, Macmillan HL. Committee on Child Abuse and Neglect: Caregiver-fabricated illness in a child: a manifestation of child maltreatment. Pediatrics. 2013;32(3):590-7.
16. King BH, Ford CV. Pseudologia fantastica. Acta Psychiatr Scand 1988;77(l):l-6.
17. Mayou R, Radanov BP. Whiplash neck injury. J Psychosom Res 1996:40:461–74.
18. Spence SA, Crimlisk HL. Discrete neurophysiological correlates in prefrontal cortex during hysterical and deigned disorder of movement. Lancet 2000;355:1243-4.
19. Vuilleumier P, Chicherio C, Assal F, Schwartz S, Slosman D, Landis T. Functional neuroanatomical correlates of hysterical sensorimotor loss. Brain 2001;124:1077-90.

14

CHAPTER

수면-각성 장애

김의중

사람은 다른 동물과 마찬가지로 잠을 잔다. 수면은 깨어있을 때와 다르지만 뇌가 매우 활발하게 활동하는 시간이며, 수면의 기능은 신체의 회복과 마음의 정리(정보의 정비, 정서적 처리)에 있다. 인간은 밤에 활동하기보다는 잠을 자는 방향으로 진화해왔고 충분한 수면을 취하지 못하면 다음 날의 정서, 인지, 수행 능력이 떨어져 생존에 불리하다. 잘 자는 것은 좋은 영양, 양호한 신체와 함께 건강을 이끄는 3대 요소이다. 생리적 측정을 통해 수면 의학이 발전해 왔으며, 정상적인 수면 구조를 알게 되었다.

수면과 수면 장애에 대한 지식이 축적되기 시작한 것은 이제 겨우 반세기를 조금 넘었을 뿐인데 그 지식의 양은 가히 폭발적이라고 할 수 있다. 1980년대 초 국내에 수면다원검사가 도입되고 수면 의학이 학문적으로 독립되기 시작하였는데 이제는 불면증을 비롯한 수면무호흡증, 기면병, 하지불안증후군 등 여러 수면 장애와 수면의 기초 생리에 대한 강의가 의대 교육에서 빠지지 않으며, 수면 문제에 대한 치료의 중요성이 널리 인식되고 있다. 여기서는 수면의 기초적인 생리와 수면 장애의 분류를 간략히 기술하고 종합병원의 입원 환자에서 흔히 접하는 수면 문제를 중심으로 살펴보고자 한다.

1. 수면 장애의 분류

수면 장애를 이해하기 위해서는 분류 체계를 이해하는 것이 중요하다. 수면장애의 분류는 국제질병분류 10판(ICD-10)에서 간단하게 기질적인 것과 비기질적인 것으로 나누어 구분하던 것을 ICD-11에서는 국제수면장애분류 3판(ICSD-3, 2014)에 근접하여 6가지로 대별하여 구체화하였다. 미국정신의학회의 진단통계편람 5판(DSM-5)에는 수면-각성 장애 분류에 불면 장애, 과다수면 장애, 기면병, 호흡 관련 수면 장애, 일주기리듬 수면-각성 장애, 비렘수면 각성 장애, 악몽, 렘수면 행동 장애, 하지불편 증후군, 물질/약물 유발성 수면 장애 등 10가지로 나누어 기술하고 있다. 수면의학 전문가들이 많이 쓰는 ICSD-3에서는 ICSD-2를 근간으로 불면증, 수면 관련 호흡 장애, 중추성 과다수면 장애, 일주기리듬 수면-각성 장애, 사건수면, 수면 관련 운동 장애, 기타 수면 장애로 대별하고 있다.

표 14-1. International Classification of Sleep Disorders - Third Edition

Ⅰ. 불면증 - 만성 불면 장애 - 단기 불면 장애 - 기타 불면 장애
Ⅱ. 수면 관련 호흡 장애 - 폐쇄성 수면 무호흡 장애 - 중추성 수면 무호흡 장애 - 수면 관련 저환기 장애 - 수면 관련 저산소혈증 장애
Ⅲ. 중추성 과다수면 장애 - 1형 기면병 - 2형 기면병 - 특발성 과다수면증 - 클라인-레빈 증후군 - 내과적 질환에 의한 과다수면증 - 약물이나 물질에 의한 과다수면증 - 정신질환과 연관된 과다수면증 - 수면 부족 증후군
Ⅳ. 일주기 리듬 수면-각성 장애 - 지연성 수면-각성 위상 장애 - 전진성 수면-각성 위상 장애 - 불규칙성 수면-각성 리듬 장애 - 24시간 아닌 수면-각성 리듬 장애 - 교대근무 장애 - 비행시차 장애 - 달리 특정되지 않는 일주기 리듬 수면-각성 장애
Ⅴ. 사건수면 - 비렘수면 관련 사건수면 혼동성 각성 몽유병 야경증 수면 관련 식이 장애 - 렘수면 관련 사건수면 렘수면 행동장애 반복성 단발 수면 마비 악몽 장애 - 기타 사건수면 감각성 폭발음 증후군 수면 관련 환각증 수면 야뇨증 내과 질환에 의한 사건수면 약물이나 물질에 의한 사건수면 비특이성 사건수면 - 단독 증상과 정상 변이 잠꼬대

VI. 수면 관련 운동장애 하지불안 증후군 주기성 사지운동장애 수면 관련 하지 경련통 수면 관련 이갈이 수면 관련 율동성 운동장애 영아기 양성 수면 근간대경련 입면시 척수고유 근간대경련 내과적 질환에 의한 수면 관련 운동장애 약물 혹은 물질에 의한 수면 관련 운동장애 비특이성 수면 관련 운동장애 - 단독 증상과 정상 변이 과분절성 근간대경련 입면성 족부 진전과 교대성 하지근 활성화 수면 놀람증
VI. 기타 수면 장애

2. 정상 수면의 생리와 수면다원검사

수면은 수의적 운동이 없고 외부 자극에 대한 반응이 떨어진 상태로 겉보기에는 정적이지만 생리적으로는 역동적인 변화의 과정이고 일정하게 반복되는 특징이 있다. 수면은 뇌파와 안전도와 근전도의 생리적 특징에 따라 렘수면REM sleep과 N1, N2, N3 세단계의 비렘수면non-REM sleep으로 나누는데, N1은 각성에서 수면으로 이행하는 경과적인 단계로 수면의 5% 정도를 차지하고 뇌파상 8-13 Hz의 알파파alpha wave가 사라지면서 4-7 Hz의 세타파theta wave가 나타나고 낮은 진폭의 혼합파를 보인다. N2는 수면의 45-55% 정도를 차지하고 뇌파상 K복합파K-complexes와 수면방추파sleep spindles가 특징적으로 나타난다. N3는 20-25% 정도를 차지하고 서파delta wave가 판독단위의 20%이상 나타난다. 소위 '깊은 잠'에 해당하고 연령에 따라 감소한다. 가장 깨우기 힘든 단계이다. 렘수면은 수면의 20-25%를 차지하고 낮은 진폭의 혼합파가 나타나고 톱니파가 나오기도 한다. 꿈을 주로 꾼다고 해서 '꿈수면'이라고도 하고 비렘수면과 달리 뇌산소소비량 증가, 불규칙한 맥박과 호흡, 체온조절력 상실, 근긴장 소실, 간헐적인 근육의 연축, 음경발기, 급속안구운동, 자율신경계 활동 항진 등 이질적인 생리 현상이 나타나서 '역설수면paradoxical sleep'이라고도 한다.

정상적인 수면이라면 수면 내 주기성이 지켜지고 수면 단계의 비대칭성 분포와 각 단계의 분율이 유지되어야 한다. 수면의 진행에 따라 비렘수면과 렘수면의 교차가 주기적으로 발생하는데 N1, N2, N3 단계를 거쳐 첫 번째 렘수면이 나타날 때까지 70-100분이 걸리고 그 후 비슷한 주기로 비렘수면과 렘수면이 교차하여 야간 수면 동안 3-5차례 반복한다. 수면 단계의 분포를 보면 초반에 서파 수면이 많이 발생하고 수면의 후반으로 갈수록 렘수면이 발달하여 렘수면의 비율이 더 높아진다. 각 수면 단계의 분율도 위에 기술한 만큼 어느 정도 일정하게 유지되어야 정상적이라고 본다.

하루 24시간에 맞춰 주기적으로 반복하는 리듬을 일주기 리듬이라고 하는데 수면과 각성의 주기도 이에 따른다. 일주기 리듬의 중추는 시상하부 전방부의 시신경교차상핵 suprachiasmatic nucleus, SCN에 있다. 신경내분비적인 주기도 일주기 리듬을 따르는 것이 많은데 예를 들어 혈중 콜티졸이 아침에 최고치에 이르고 멜라토닌은 수면 중반인 새벽에 최고치를 보이고 성장호르몬은 수면 초반의 서파 수면에서 최고치에 도달한다. 수면에 문제가 생기면 당연히 이차적으로 내분비 상태에 영향을 미치게 된다. 심부체온도 일주기 리듬에 따라 수면 중 최저치를 보이는데 건강한 성인에서 오후의 최고치 심부체온과는 1-1.2℃ 차이가 난다.

연령도 수면에 영향을 준다. 대개 젊은 성인보다 노인에서 수면 효율이 감소하고 더 자주 잠에서 깬다. 깊은 잠인 서파 수면이 감소하고 렘수면의 절대 시간도 줄어든다. 일주기 리듬의 진폭도 감소하고 수면위상이 전진하여 일찍 졸리고 일찍 깨어나는 경향이 있다.

수면을 결정하는 주요한 두 가지 힘은 항상성의 과정과 일주기 리듬의 작용이다. 항상성의 과정은 오래 각성을 유지할수록 잘 수 있는 힘이 커지는 것이고 일주기 리듬의 작용은 위에서 언급한 대로 SCN에서 시작된 생체 리듬에 따라 각성-수면의 리듬이 반복되는 것이다. 그 밖에 나이, 성별, 약물, 수면질환, 정신질환, 내과적 질환 등도 수면에 큰 영향을 끼친다.

수면다원검사polysomnograph는 수면의 여러 현상을 생리적으로 측정하고 기록하는 검사이다. 임상적으로 두 가지 목적을 가진다. 하나는 수면 구조의 파악이다. 뇌파, 안전도, 근전도의 기록을 통해 각각의 수면 단계를 판독하고 수면의 진행을 알 수 있다. 다른 하나는 수면 중에 발생하는 사건들을 파악하는 것이다. 비기류, 구강 기류, 흉부 및 복부의 호흡 운동, 동맥혈 산소포화도, 코골이 진동, 하지 근전도, 수면 자세 등을 기록하여 생리적 이상을 찾아낸다.

3. 중환자실 환자의 수면 양상

중환자실은 의학적 문제가 심각해지거나 외과적 문제가 있는 환자가 집중적인 치료를 위해 입원하는 곳으로 수면을 취하기에 아주 적합한 환경은 아니다. 발생하는 수면 문제의 양상도 특징적으로 비슷한데, 즉 총수면시간이 감소하고 주야간의 일주기성이 흐트러지고 수면 구조도 망가진다.

1) 총수면시간의 감소

여러 연구자들의 보고에 따르면 중환자실에 있는 환자의 총수면시간은 뚜렷하게 감소하였다. 보통 수술을 하고 첫 48시간 동안에 총수면시간이 평균 2시간 감소하고 개심술, 판막치환술, 폐절제술 후에도 야간 수면이 감소했다고 한다. 중환자실 환자가 자는 것처럼 보이고, 눈감고 조용히 누워있는 것 같아도 수면 뇌파를 찍어보면 선잠(N1 수면이나 졸음)일 때가 많고 중간에 짧은 각성이 빈번하게 끼어드는 양상을 볼 수 있다.

2) 일주기 리듬의 혼란

중환자실에서는 야간 수면이라고 구분할 정도의 견고한 수면이 형성되지 않고 대신 짧은 수면 시간이 24시간 동안 균등하게 나눈 것처럼 분포한다. 어떤 수술을 했는가에 무관하게, 어떤 약을 썼는지 무관하게, 합병증과도 무관하게 중환자실의 모든 환자에서 이런 양상은 공통적이다. 이런 일주기 리듬의 붕괴에 대한 임상적 의의와 생리적 결과는 확실히 알려지지 않았으나 수면 구조가 파괴된 중환자실 환자에서 멜라토닌 분비의 정상적 리듬이 사라졌다는 보고가 있다.

3) 수면 구조의 붕괴

중환자실 환자들은 자주 깨는 경향이 있어서 렘수면이나 서파 수면이 거의 없다. 이러한 렘수면과 서파 수면의 소멸 현상은 치료 약물, 질병의 형태, 환자가 받은 시술의 종류와 상관이 없다. 심지어는 수 시간 동안 방해받지 않고 잔 환자도 렘수면과 서파 수면이 거의 없었다는 보고도 있다.

수면 구조의 파괴 정도는 질병의 심각성에 따라 다양하다. 파괴된 수면의 회복도 최초 손상의 정도에 따라 다양한 시간 경과를 보인다. 덜 아픈 환자가 퇴원 무렵까지 기본적인 수면을 회복한다면 심하게 아픈 환자는 퇴원 후에 집으로 가서도 약 2-4주간 렘수면과 서파 수면의 감소가 지속된다.

병실환자와 비교한 한 연구에서 심근경색 직후 렘수면이 최대로 감소하였다가 여러 밤이 지날수록 렘수면의 양, 총 수면시간, 수면 구조가 호전되는 경향이 있다고 보고하였다. 중환자실에 있는 환자는 전반적인 신체 상태가 좋아진다면 대개 4-7일에 걸쳐 수면도 좋아진다. 그러나 섬망이나 합병증이 잇따라 일어난다면 수면은 종종 상당 기간 동안 붕괴된 채 남아있게 된다.

환경적인 요인이 수면의 질과 양에 영향을 끼칠 수 있다. 소음은 잠드는 것을 방해하고 각성을 유발할 수 있다. 소음에 의한 각성 역치는 N1, N2 수면에서 낮다. 심장 감시 중인 환자에게 감시 경보가 중요한 것처럼 소음이 개인에게 의미 있는 것일 때 각성 역치가 가장 낮다. 중환자실 소음의 데시벨 수준이 높다면 환자의 수면에 좋지 않은 영향을 줄 것이므로 불필요한 소음을 최소화하면 수면이 개선될 것이다. 정맥이나 동맥의 유치 도관도 통증이나 다른 불편을 야기하므로 수면을 방해할 수 있다. 그러나 도관 자체가 수면 구조에 끼치는 영향은 대체로는 미미하다. 불안, 정서적 스트레스, 기본적인 간호 수행 등도 수면 방해의 요인이 될 수 있는데, 스트레스를 줄이고 간호 수행으로 인한 방해를 최소화하려는 노력으로 환자의 주관적인 수면의 안락감을 개선할 수 있겠다. 발열 반응은 비중환자실 환자에서도 중환자실 환자와 비슷한 수면 문제를 일으킬 수 있다. 건강한 성인에서 심부 체온이 0.2℃ 만 올라가도 그 자체로 수면을 분절화 시키는데, 중환자실 환자에서 심부 체온 변화의 효과는 연구된 바 없지만 비슷한 영향이 있을 것이다.

대부분의 학자들은 중추 신경계의 수면-각성 조절 시스템에 발생한 내부적인 교란이 중환자실 환자의 수면 장애의 근본이라고 주장한다. 그러나 이런 교란을 일으키는 특별한 요소가 밝혀지지는 않았고 이러한 장애를 설명할 만한 특정한 질병 과정이나 약물도 알려진 바 없다. 따라서 환자가 수면의 장애를 호소할 때 정신건강의학과 자문의는 기본적인 환자의 편안함이 합리적으로 유지되고 있는지, 기본적인 간호 업무가 불필요한 수면 장애를 주는지, 방해를 최소화하도록 조정되어 있는지 확인해야 한다. 또한 환자가 호소하는 수면 문제의 기저에 있는 특별한 생리적, 정서적 요소를 밝히기 위해 주의를 기울여야 한다.

4) 수면 변화의 임상적 의의

중환자실 환자에서 보이는 수면 변화가 임상적으로 어떤 결과를 가져오는지 분명하지는 않다. 초기 연구에서는 수면 박탈에 의해 섬망이나 정신증이 생길 수 있다고 하였고 따라서 수면 박탈이 소위 "중환자실 정신증ICU psychosis"의 원인으로서 진행한다고 보았다. 이어진 연구에서 건강한 사람을 오랜 기간 수면 박탈을 시키면 각성에 의해 침해된 잠이 짧은 기간 동안 혼란된 행동이나 평범하지 않은 행동으로 나올 수 있다고 하였다. 최근의 연구에서도 수면

박탈은 기분의 불안정성, 이자극성, 반응시간 지연과 같은 인지 변화, 운동 수행기능의 변화를 일으킨다. 그러나 수면 박탈 자체가 정신증이나 섬망을 유발하는 것 같지는 않다. Johns 등(1974)의 연구에서 수면 박탈의 심한 정도를 가지고 섬망의 발생 여부를 미리 구분할 수 없었다. 개심술 환자에서도 수술 후 혼동 상태에서 수면 손실이 오는 것이지 그 역은 아니었다. 렘수면 반동도 중환자실 섬망의 원인은 아닌 것으로 알려졌다. 정신건강의학과 자문의로서 꼭 알고 있어야하는 것은 중환자실 환자에서 나타나는 수면 장애의 직접적인 결과로 정신증과 섬망이 나타나는 것이 아니라는 점이다. 정신증이나 섬망 환자는 직접 그 증상 자체로 강조되어야한다. 섬망이나 정신증이 해소되면 수면도 호전될 것이다. 미다졸람midazolam과 프로포폴propofol이 일부 환자의 야간 수면을 개선시켰지만 호전된 수면이 우울이나 불안의 감소와는 비례하지 않았다.

일차성 수면 장애와 직접적으로 연관된 문제로 중환자실에 입원하는 환자가 간혹 있을 것이다. 예를 들면 렘수면 행동 장애, 야경증, 몽유병 등의 삽화 중에 심각한 부상을 당한 경우이다. 렘수면 행동 장애는 상대적으로 드물지만 전형적으로 나이든 남자에서 나타나고 스트레스, 알코올 금단, 대사적 문제나 독성물질의 문제, 중추신경계 질환 등에 의해 유발되거나 악화된다. 렘수면 행동 장애의 삽화 동안에 꿈속의 동작과 유사하게 움직이거나 돌아다니기도 하는데 흥분이 동반되기도 한다. 심한 수면무호흡증에서 이차적으로 폐동맥 고혈압, 우측심부전, 야간 심장마비가 일어날 수 있다. 예상과 달리 폐쇄성 수면무호흡증의 유무에 따라 심근경색뒤에 사망률과 합병증의 결과가 달라진다는 것은 증명되지 않았지만 중환자실에서 수면 장애 여부를 가려 진단하고 치료하는 것은 중요하다.

4. 내과계와 외과계 병동 환자의 수면

내과나 외과계 병동의 1-2인용 병실에 입원한 환자에서 나타나는 수면의 어려움은 중환자실 환자에서 관찰된 것과 유사하다. 그러나 중환자실보다는 덜 심하고 환자의 상태가 회복됨에 따라 수면도 쉽게 회복되는 경향이 있다. 많은 연구에서 입원이 지속되어도 수면은 자연스럽게 기저 상태로 돌아간다고 보고한다. 자문 의사는 병동에 있는 것 자체가 잠을 흐트러뜨린다고 판단해서는 안 된다. 또 환자가 '잘 자지 못 한다'고 말하는 것이 곧바로 진정한 수면 문제가 있고 주간 고통의 직접적인 원인이라고 단정해서는 안 된다. 자문의는 우선 정신의학적 문제(불안, 우울, 적응장애, 섬망 등)가 있는지, 일반적으로 다루어 주어야 하는 내과적 외과적 문제(통증, 약물의 부작용 등)가 있는지 확인해야한다. 충분한 시간을 갖고 수면에 대한 것뿐 아니라 의학적 문제와 정신의학적 문제에 대한 특정 질문을 하는 것이 중요하다. 대부분의 연구들은 잠에 대한 일반적인 질문을 환자나 치료진에게 하는 것만으로는 불충분하다 보고한다. 입원 환자가 보고하는 야간 수면의 질이 수면다원검사와 같은 전기생리적 자료와 잘 일치하지 않는다는 보고도 있다. 따라서 좀 더 세밀한 질문을 하지 않으면 의미 있는 대답을 듣지 못한다. 간호진은 수면과 관련된 호흡, 움직임, 행동에 관하여 유용한 관찰을 할 수 있다. 가족 구성원이나 배우자에게 입원 전 환자의 수면의 특징에 대해 자세한 정보를 얻을 수 있다.

1주 이내로 지속하는 일시적인 불면증이 가장 흔한데 자문 의뢰되어 진단 받는 경우는 드물 것이다. Berlin 등(1984)은 종합병원에서 정신건강의학과에 연속으로 의뢰된 100명의 환자 중 71%가 일시적 불면증이라고 진단하였다. 과다수면증은 6%, 사건수면(악몽, 유뇨증)은 2%, 만성적이고 지속적인 불면증은 1%였다. 당시 정신건강의학과 자문의가 수면 장애를 발견한 환자 가운데 병록지에는 수면 문제에 대한 아무런 언급이 없는 사람이 54%에 달하였다.

외과계 병동 환자에서 헤르니아봉합술은 일시적이지만 뚜렷한 수면의 변화를 초래하였다. 수술 전날 밤에 총 수면시간, 렘수면 시간이 약간씩 감소하였고 깨는 시간은 증가하고 델타 수면은 감소하였는데 상황 불안 때문이었던 것으로 해석한다. 수술 후 오후에 낮잠은 주로 N2 단계가 우세하였다. 수술 후 2일 간 렘수면과 델타수면이 유의하게 감소하였고, 일부 경우에 전혀 관찰되지 않기도 했다. 중환자실 환자처럼 얕은 수면 기간 사이에 잠깐씩 깨는 식으로 자다 깨다를 반복하였다. 일부 환자들은 수술 후 4일째 렘수면 반동 현상을 보이기도 했고 델타 반동은 없었다. 모든 환자는 수면이 점차 정상화하였다. 중환자실 환자의 수면 연구와 같이 전신 마취와 국소 마취 받은 환자 사이에는 뚜렷한 차이가 없었다. 메페리딘의 사용은 주관적으로 수면이 호전되는 것과 연관성을 보였다. 이는 아마도 메페리딘의 통증 감소, 기억 감소 효과에 기인하는 것 같다. 그러나 객관적인 수면의 호전과는 관련이 없었다.

종합병원 환자에게 수면제가 종종 관례적으로 처방되지만 이런 의료 행위의 합리적인 근거는 확립되지 않았다. 1984년에 보고된 후향적 병록지 검토 연구에서 내과계 환자에서는 46%에서 필요할 때 복용하도록 수면제가 처방되었지만 실제는 31% 환자에서만 사용되었다. 입원 기간이 길어질수록 수면제 사용률은 감소하였다. 외과계 환자에서는 96%에서 필요할 때 복용하도록 처방되었고 실제 88%의 환자가 적어도 한 번은 사용하였다. 입원 기간이 길어질수록 수면제 사용 빈도는 증가하였다. 이 연구에서 필요 시 복용을 처방한 것, 수면장애의 존재, 인식된 수면의 질, 일차 진단명, 수면제의 실제 사용 여부 등은 명확한 관련성을 알 수 없었다.

다른 연구에서도 내과계-외과계 환자의 40%에서 수면제가 처방되었지만 22%의 환자만이 실제 복용하였다. 한 수련 병원에서 무작위로 주중의 하루를 조사한 연구에서 38%의 환자가 수면제를 복용하였으나 처방의 정당성은 기술되지 않았었다.

1997년에 Yuen 등이 시행한 856명의 노인 환자에 대한 병록지 검토 연구에 따르면 동반 질환이나 질병의 심한 정도를 교정한 상태에서 수면제 사용의 기간과 용량이 권장량과 권장 기간을 초과할수록 입원 기간과 비용이 증가하였다. 또 입원한 노인 환자를 대상으로한 연구에서 간호사의 등 문지르기, 따뜻한 음료 제공, 이완 테이프 들려주기 등도 수면제만큼 효과적이었다. 120명의 말기암 환자들에게 수면제를 끊고 나서 수면의 변화가 없었다는 것은 이 집단에서 수면제가 남용되었을 가능성을 제시한다. 그러나 졸피뎀 10 mg, 트리아졸람 0.25 mg, 위약을 투여한 연구에서 수면제는 위약보다 더 많은 부작용 없이 수면의 질과 시간이 증가하였다고 한다. 수면문제가 있거나 예상된다면 새로운 수면제를 투여하는 것이 합당할 수 있다.

5. 불면증 환자에 대한 접근

불면증은 정의상 잠들기 어렵거나 잠든 채 있기 어렵거나 회복되지 않는 수면 등의 호소가 있고 이런 수면의 이상이 주간에 고통스러운 증상, 즉 무력감, 불쾌감, 인지능력의 지연, 자극과민성 등을 수반하는 경우이다. 입원 환자에서는 불안이나 신체적 불편 때문에 이차적으로 발생하는 가벼운 일시적 수면 방해가 가장 흔하다. 수면 방해가 저절로 해결되고 주간의 고통과 관련이 없다면 굳이 불면증을 진단하거나 수면제로 치료를 할 필요는 없다. 더 심하거나 지속적인 수면 방해가 주간의 고통과 관련된다면 치료해야 하는 임상적인 문제로 여길 것이다.

입원 환자에서 주로 발견되는 불면증의 아형이 몇 가지 있는데 가장 흔한 것은 가벼운 일시적 불면증이다. 대개의 경우 스트레스에 대해 이차적으로 생기는 적응 장애로, 흔한 스트레스는 의학적 질환, 입원, 그와 관련된 정신사회적인 어려움 등이다. 입원 환자 불면증의 다른 아형은 불안이나 기분 장애에 이차적으로 생기는 불면증이다. 공황장애, 범불안장애, 외상후스트레스장애 같이 이미 불안장애가 있었던 환자는 입원 중에 상태의 악화를 종종 경험하고 불면증의 호소가 흔하다. 입원 스트레스는 잠재적인 불안장애를 임상적인 장애 수준까지 유발할 수 있다. 야간 공황발작은 초기에 불면증으로 보고될 수 있고 야간의 사건과 경험에 대한 주의 깊은 병력 청취가 중요하다.

주요우울장애와 기분부전증도 입원 환자에서 흔한데, 잠들기 어렵거나 잠든 상태를 유지하기 어렵거나 새벽에 깨는 증상이 흔히 생긴다. 불면증의 정도는 우울의 정도와 비례하는 편이다. 주간의 피로와 몸의 불편이 같이 있다면 환자는 우울장애보다는 불면증을 호소할 것이다.

치료는 진단에 따라 달라질 수 있기 때문에 자문의는 입원 환자에서 불면증이 우울장애의 현증이 아닌지 경계해야 한다.

자기애적이거나 강박적인 장애의 환자는 특히 질병과 입원의 스트레스를 받기 쉬워서, 잠을 못자면 화가 나거나 좌절하거나 초조해질 수 있다. 수면에 집착하여 자신에 꼭 필요하고 귀중한 휴식을 빼앗겼다고 반복적으로 생각한다. 그리고 이에 더 자극받아 더 잠에 도달하기 힘들어지는 생각의 순환 고리가 시작된다. 분노에 찬 불평, 조정하려는 행동, 진료진과의 갈등이 수면을 중심으로 반복된다. 불면증을 호소하는 모든 환자에서 성격 특성을 주의 깊게 평가하고 치료에 고려해야 한다.

어떤 형태의 정신증이든지 삽화 이전과 도중에 수면의 시작과 유지에 어려움이 생길 수 있다. 다만 기존 정신증을 원인으로 판단하기 전에 약물이나 약물의 직접적인 부작용에 의한 섬망 같이, 투여 약물이나 독성 물질로 유발되는 수면 장애를 배제해야 한다.

입원 환자에서 가장 흔한 불면증의 아형은 '정신장애에 의한 이차적인 불면증'이다. 그 다음으로 '일반 의학적 상태에 따른 수면장애, 불면증형'이다. 의학적 상태의 특정한 본질은, 예를 들어 '천식에 의한 수면 장애, 불면증형' 같이 기술되어야 한다. 수면의 문제가 충분히 독립적으로 인정이 되고 특정한 의학적 문제와의 연관성이 증명되어야 한다.

많은 경우에 의학적인 질환이 불면증을 유발했는지 혹은 약물이 불면증을 유발했는지 결정하는 것이 어렵다. 예를 들어 파킨슨병과 엘도파는 모두 불면증을 일으킬 수 있고 약물의 기능과 불면증이 더 연관되어 있다면 '물질에 의한 수면장애, 불면증형'으로 진단해야 한다. 알코올, 카페인, 니코틴, 중추자극제 등에 의존해 온 환자는 입원하면서 금단 증상으로서 불면증을 경험할 수 있다. 만성 알코올 중독자는 특히 금주 후 몇 달까지도 수면의 방해를 겪을 수 있다. 이런 경우는 '물질 의존 관련 불면증'으로 진단할 수 있고 자세한 병력과 환자를 아는 사람과의 면담이 진단에 유용하다.

좌절, 불쾌감과 수면의 연관이 학습되면 '정신생리성 불면증' 혹은 '조건화된 불면증'이 생길 수 있다. 이런 환자들은 명확한 성격적 문제나 적응 장애라기보다는 단지 좀 불안하고 우울한 성향이 있고 질병이나 입원으로 스트레스를 받으면 유의한 불면증이 된다. 주의 깊게 병력을 살펴보면 오래 지속되어온 간헐적인 불면증이 드러날 것이다. 조건화된 환경에서는 잘 못 자고 호텔 같이 새로운 환경에서는 좀 나아질 수 있다. 자문의로서는 이런 환자를 대할 때는 불안장애 환자를 치료할 때처럼 다루어야 한다.

'수면 상태 오인'은 주관적인 호소는 있는데 수면다원검사와 같은 객관적 보고에서 이상이 없거나 나타난 이상과의 연관성을 찾기가 힘든 것이다. 이런 환자들은 입원하여서 처음으로 불면증이 나타났다기보다는 대개 오래된 불면증의 호소가 있다. 이런 형태의 불면증이 의심될 때는 '불안과 연관된 불면증 환자들'과 같이 다루어야 하고 퇴원 후 수면 클리닉으로 의뢰하여 자세히 점검하도록 한다. 또 임상가는 약물에 의한 주기성 사지운동증이 불면증의 원인이 될 가능성을 염두에 두어야 한다. 불면증을 유발하는 약물을 잘 알아 두는 것이 좋은데, 대개는 입원 환자보다 외래 환자에서 더 자주 볼 수 있다.

섬망이 미묘하고 일과적인 문제로 나타날 수 있는데 야간의 초조와 불면증이 초기 증상으로 나오기도 한다. 자문의는 의학적 질병으로 입원한 환자에서 불면증의 원인으로서 섬망을 늘 고려의 대상으로 삼아야 한다. 중추신경계 질환이나 무산소혈증이나 뇌순환의 장애나 수술 후에는 다른 불면증 원인보다 우선 섬망을 배제해야 한다. 중환자나 중환자실 상황에서 수면 장애는 종종 섬망과 관련된다. 단서는 생생하고 불쾌한 꿈, 초조성의 호소나 목격이 있을 때이고 야간에 정신상태검사를 할 수 있도록 간호사를 비롯한 치료진을 교육하는 것이 정확한 진단에 도움이 될 것이다.

수면무호흡증 환자들은 대부분 과다한 주간 졸림증을 호소하지만 일부에서는 불면증을 호소하기도 한다. 수면무호흡증은 진단을 놓치거나 치료를 놓치면 잠정적으로 치명적일 수 있고 발견만 하면 교정이 가능하기 때문에 임상가는 불면증의 감별 진단 시에 유념해야 한다. 특히 호흡기, 심장, 신경학 질환이 있는 노인에서 진단이 안 된 채 지내기 쉽다.

6. 특정 의학적 질환에 의한 불면증

동통, 발열, 기침, 배뇨장애, 가려움증 등 비특이적인 증상이 가볍거나 일시적인 수면 장애를 유발하는 것은 꽤 흔한 일이다. 진단 기준에는 못 미치더라도 증상을 가진 환자는 불면을 호소할 수 있고 기저의 증상이 조절이 되면 수면 장애도 해소된다. 자문의는 일차적인 의학적 치료진을 도와 불면증을 유발하는 원 질환의 치료를 최적화하고 치료의 목표에 수면의 개선을 포함시켜 환자를 도울 수 있다.

1) 심장 질환

울혈성 심부전 환자는 기좌호흡, 야간 발작성 호흡곤란, 체인 스토크스 호흡 등이 나타날 수 있고 불면증의 호소는 종종 수면 분절과 비회복수면에 따른 이차적인 것이다. 이뇨제 유발성 야간뇨나 뇌의 저관류에 따른 과다배뇨가 불면증을 일으킬 수 있다. 협심증 환자는 야간 협심증 발작에 의한 불면증이 있고 일부는 꿈을 꾸다 발작이 나올 수 있다. 심근경색 후와 심장 수술 후에 수면 구조 변화는 앞서 언급한대로 직후 렘수면이 최대로 감소하였다가 여러 밤이 지날수록 렘수면의 양, 총 수면시간, 수면 구조가 호전되는 경향이었다. 벤조디아제핀으로 치료한 심근경색 후 환자에서 짧지만 반복적인 중추성 무호흡의 삽화가 나타났다는 보고도 있으므로 주의가 필요하다.

2) 폐 질환

만성 폐쇄성 폐질환은 종종 각성과 수면 효율의 감소가 있는데, 비만, 심질환, 우울장애가 동반된 경우 불면증이 심하다. 비강 산소가 불면증에 도움이 된다는 보고는 일관성이 없다. 경도에서 중등도에 이르는 만성 폐쇄성 폐질환 환자에서 트리아졸람 0.25 mg이나 졸피뎀 10 mg으로 불면증을 안전하게 치료했다는 보고가 있다.

천식환자에서 불면증이 흔한데, 60-70%는 야간 천식 발작에 의해 깬다. 기류율의 일중 변동에 따라 최저치가 오후 4시에서 오전 4시 사이에 있고 이로 인해 수면의 분절화와 잦은 야간 각성이 발생한다. 천식과 만성 폐쇄성 폐질환의 치료에 쓰이는 잔틴류, 베타-아드레날린계 약물, 스테로이드가 흔하게 불면증을 유발한다.

간질성 폐질환이나 낭포성 섬유증은 수면 분절화가 있을 수 있지만 만성 폐쇄성 폐질환보다는 덜 심하다. 코골이는 수면무호흡증이 있을 가능성을 시사하지만 일부 환자는 그 자체만으로도 불면증과 야간의 심폐기능 이상과 관련된다. 수면무호흡증이 없더라도 심한 코골이 환자에서는 벤조디아제핀의 사용에 주의를 해야 하며 약물이 심각한 폐쇄성 수면무호흡증을 유발할 수 있다.

3) 위장관 질환

소화성 궤양, 틈새탈장, 위식도역류, 대장염 등은 불면증을 일으킬 수 있고 종종 야간 복통과 연관된다. 간부전 환자도 종종 불면증을 보이고 간부전이 진행함에 따라 불면증도 심해진다. 약한 간성 뇌병증이라도 불면증을 유발할 수 있고 단백질 제한에 잘 따르는 것이 임상적으로 유용하다. 벤조디아제핀 중 로라제팜과 옥사제팜은 간의 마이크로솜 체계를 거치지 않고 대사되므로 간부전 환자나 간기능 저하 노인에서 선호된다.

4) 신경학적 질환

파킨슨병 환자는 운동 제한에 의해 야간에 불편하고 불면증이 생긴다. 치료에 쓰이는 엘도파 함유 제제와 브로모크립틴 같은 치료제도 불면증을 유발한다. 헌팅턴병 같은 퇴행성 질환이나 간대성근경련과 무도증을 발생시키는 질환은 불면증을 일으킨다. 알츠하이머병 환자도 불면증을 종종 보이는데, 초기에는 주야간 수면 주기의 이동과 관련되고 후기에는 섬망과 초조와 관련된다. 치매 환자의 야간 초조증은 정신건강의학과 자문요청의 흔한 이유이다. 편두통과 군발성 두통이 동반된 불면증도 흔한데 수면 중에 발생한 두통때문에 잠에 지장을 받는다. 뇌졸중 환자도 병변의 위치에 따라 지속적인 야간 각성이 잦다. 뇌염이나 뇌손상 환자는 대부분 과도한 주간 졸림증을 보이지만 일부는 야간 일주기 리듬 발생기에 지장이 생겨서 지속적으로 야간에 깨어 있기도 한다. 간질 환자는 종종 입면과 수면 유지 모두가 문제이다.

5) 근골격계 질환

섬유근통 증후군은 불면증이 흔하다. 근육과 관절의 통증으로 수면이 방해되고 뇌파의 알파파 활동이 델타 수면에 침입하는 소위 '알파-델타 수면'으로 비회복수면을 보인다. 다양한 관절염 환자와 류마티스 질환 혹은 결합 조직 질환 환자는 상대적으로 높은 불면증의 유병률을 보이고 수면 관련된 호소가 많다. 류마티스 관절염과 섬유근통은 모두 하지불안증후군과 관련이 있다.

6) 내분비 질환

갑상선기능항진증은 흔히 불면증을 일으키고 일부에서는 갑상선기능저하증에서도 불면증이 나타날 수 있다. 당뇨병은 야간뇨나 야간 저혈당시에 불면증이 유발될 수 있고 말초신경병증이나 자율신경병증이 주기성 사지운동증과 감각이상을 유발하여 수면 분절화와 반복적 각성을 악화시킬 수 있다.

7) 암

불면증은 다양한 악성 종양 환자에서 흔하고 기전은 확실하지 않다.

7. 불면증의 치료

의학적 질환이나 정신질환에 의한 이차적인 불면증이라도 독립적으로 치료하는 것은 기저 질환의 경과나 회복에 도움이 된다. 기저 질환의 적정한 치료도 불면증 치료에 중요한 것은 물론이다.

점진적 근이완법, 최면, 유도성 상상guided imagery 등의 행동 치료 기법과 수면 위생 준수가 일부 적응장애와 불안장애 환자에서 동반되는 불면증 조절에 도움이 된다. 수면제한치료와 같은 좀 더 정교한 행동 기법이 쓰이기도 한다. 카페인은 입원 환자에서 불면증을 증가시키며 단순히 커피, 차, 탄산음료 등만 차단하여도 치료에 유용하다. 니코틴도 비슷하게 야간 수면을 방해하며 금연이 일부 환자에서 도움이 된다.

불안장애 환자는 기분장애나 불안장애의 치료에 쓰이는 항우울제의 자극적인 부작용에 예민하고 치료 초기에 불면증을 겪을 수 있다. 트라조돈 25-100 mg, 가바펜틴 200-600 mg, 벤조디아제핀 등이 자극적인 항우울제와 함께 쓰일 만하고 시프로헵타딘은 악몽에 유용하다.

벤조디아제핀계 수면제는 입원 중인 이차성 불면증 환자의 약물 치료에 주류를 이룬다. 야간 호흡 억제를 유발할 수 있기 때문에 특히 만성 폐쇄성 폐질환, 비만이나 심장 관련 저환기증, 울혈성 심부전 환자는 주의해야 한다. 경도 내지 중등도의 만성 폐쇄성 폐질환과 불면증이 있는 환자는 트리아졸람, 졸피뎀이 벤조디아제핀보다 호흡성 손상을 덜 일으킨다. 벤조디아제핀은 수면무호흡증 환자에서 환기를 저하시키므로 주의해야 한다. 노인에서 벤조디아제핀에 의한 인지 기능 손상에 예민할 수 있고 인지와 운동 협응이 안되어 넘어질 수 있으므로 감소된 용량으로 주의하여 사용해야 한다.

대부분의 벤조디아제핀계 약물은 간에서 대사되므로 사이토크롬 산화계를 억제시키는 약물(시메티딘, 에스트로겐, 디설피람, 이소니아지드, 에리트로마이신, 플루옥세틴)은 벤조디아제핀의 배출율을 감소시키고 결과적으로 과도한 주간 졸림증을 유발할 수 있다.

벤조디아제핀은 최소 유효 용량을 써야하고 불면증의 호소가 급성일 때에만 쓰는 것이 원칙이다. 반감기가 짧은 약은 입면 장애에 주로 쓰고 작용시간이 긴 약은 수면 유지 장애에 투여한다. 알프라졸람, 트리아졸람 같이 작용시간이 짧은 약물을 주간의 불안 치료에 쓸 때 반동성 불안이나 반동성 불면증과 같은 금단 증상이 나타날 수 있다. 불안장애 환자는 이런 금단과 반동성 증상에 민감하다. 따라서 클로나제팜 같은 장시간 작용 약물을 쓰면 주간 불안과 야간 불면증을 함께 해소하는 데 유용하다.

진정 작용이 큰 항히스타민제(디펜히드라민, 히드록시진)는 일부 환자에서 유용하지만 불면증 치료의 효용성은 완전히 정립되지 않았고, 항히스타민제 유발성 섬망의 가능성이 일부에서 보고되었다.

주요 진정제는 정신증, 정신병적 우울장애, 급성 조증의 불면증을 조절하기 위해 사용되고, 중환자실 환자나 노인 환자의 섬망에 따른 수면 장애에 효용성이 매우 높다. 동반된 초조와 흥분성이 내과적 질환으로 이미 손상된 환자의 위험성을 높이므로 이를 조절하는 것은 임상적으로 중요하다. 또한 스테로이드 치료로 인한 조증의 조절에도 중요하다. 소량의 벤조디아제핀을 주요 진정제에 부가하여 쓰는 것이 수면 유도와 야간 섬망 혹은 초조를 조절하는 데 유용하다.

불면증을 동반한 우울장애 환자는 진정효과가 큰 항우울제를 벤조디아제핀과 초기에 같이 쓴다. 항우울제는 기존의 수면 문제를 악화시킬 수도 있기 때문이다. 리튬은 배뇨과다로 수면의 연속성을 방해할 수 있다.

8. 과도한 주간 졸림증 환자에 대한 접근

과도한 주간 졸림증을 평가할 때 자세한 병력과 객관적인 졸림증의 측정이 필요하다. 다양한 원인 가운데 가장 흔한 것은 불충분한 수면시간이다. 일차성 수면 질환에 의한 과도한 주간 졸림증에서는 회복 수면을 취하지 못하여 더 잘 수 있는 기회를 주어도 개선되지 않는다.

과도한 주간 졸림증은 낮의 부적절한 시간에 잠이 드는 것이 특징이다. 주의력 결핍이나 인지기능의 저하, 기억장애 등으로 자기가 얼마나 졸린지 보고하지 못하는 경우도 있고 반대로 피로, 기력저하, 우울, 섬망, 지루함, 둔감함, 무의욕증 등을 졸림으로 잘못 기술하는 경우도 많다. 정신의학적 질병과 연관된 과도한 졸림은 주의력, 동기, 에너지 손상과 관련되기도 한다. 우울장애는 지나치게 오래 자게도 하고 침대에서 지나치게 오래 깨어 있게 만들기도 하지만 객관적으로 과도한 주간 졸림증이 증명된 경우는 없다. 이런 환자들에서는 정상적인 수면 일정을 지키도록 한다면 부적절한 수준의 주간 졸림증은 없을 것이다.

입원 환경은 과도한 주간 졸림증을 평가하기가 어렵다. 환자들은 대개 낮에 누워 있고 별다른 이유 없이도 낮에 잔다. 사회적인 또는 지적인 자극은 거의 없고 약은 많고 일주기 리듬의 신호는 감소하여 대개 과도한 주간 졸림증 때문이라기보다 입원 환경 자체가 주간 졸림증의 원인이다. 부적절한 주간 졸림증은 외래 상황에서라야 규명할 수 있다. 가족이나 같이 사는 친구의 정보가 수면 문제의 심각도와 기간을 아는 데 도움이 된다. 코골이가 있는지, 수면 중 이상행동은 없는지도 알 수 있겠다. 실직, 손상, 교통사고 등도 과도한 주간 졸림증과 연관된 기능이상을 반영할 수 있다.

객관적인 측정이 때때로 필요한데 과도한 주간 졸림증 평가의 표준은 입면 잠복시간 반복 검사MSLT이다. 낮에 다섯 번의 낮잠 시도를 뇌파로 측정하여 평균 입면 잠복시간을 구한다. 평균 입면 잠복시간이 8분 미만이면 병적인 졸림증으로 판정한다. 과도한 주간 졸림증이 있다면 여러 가지 원인에 따른 감별 진단이 고려된다. 대표적으로 수면무호흡증, 기면병, 특발성 과다수면증, 주기성 사지운동증, 하지불안증후군, 우울장애, 약물 사용관련 과다수면증, 수면부족 등이 대표적인 원인 질환이다.

9. 수면무호흡증

폐쇄성 수면무호흡증은 상기도의 일부분이 막혀서 생기는 것이다. 기도의 한 부분이 좁아지면 기류의 저항이 증가하고 흉강 내 음압이 더 높아져 기도가 더 잘 찌그러진다. 수면 중에 기도가 막히면 저산소혈증이 되고, 반복적으로 각성하게 되고 수면은 회복이 잘 안되고, 낮에 졸게 된다. 1986년부터 널리 쓰이기 시작한 지속적 상기도 양압술CPAP이 가장 기본적인 치료법이다.

수면관련 호흡장애는 수면다원검사를 통해 진단되며, 폐쇄성 수면무호흡증과 중추성 수면무호흡증으로 구별할 수 있다. 폐쇄성은 호흡 노력에도 불구하고 호흡 기류가 손상되고 중추성은 호흡 노력이 거의 없다. 무호흡은 호흡 기류의 폭이 90% 이하로 감소하는 것이고 저호흡은 호흡 기류의 폭이 20-50%로 감소하는 것으로, 두 경우 모두 10초 이상 지속되어야 하고 산소 포화도의 감소를 유발한다. 무호흡이나 저호흡의 삽화 후에는 대개 짧은 각성이 수반된다. 무호흡이나 저호흡이 시간당 5회 이상 나타나면 수면무호흡증을 진단할 수 있고 심한 정도는 호흡장애 지수respiratory disturbance index: 시간당 무호흡과 저호흡 삽화의 횟수)와 산소 포화도 감소의 정도(대개 90% 이하로 산소 포화도가 떨어진 최저점의 횟수)와 호흡성 사건으로 유발된 수면 분절화와 관련된 심부정맥 등으로 가늠한다.

수면무호흡증의 유병률은 연구된 인구 집단에서 수면성 호흡장애의 정의나 호흡장애 지수의 절단점이나 주간 졸림증이 진단 기준에 포함되느냐에 따라 다양하다. 과도한 주간 졸림증이 무호흡-저호흡 지수와 함께 포함된 경우 성인에서 1-4%이고 입원 환자 중에서는 수면무호흡증과 내과적 질환의 강한 연관성 때문에 수면무호흡증의 유병률은 더 높아진다.

코골이와 관찰된 무호흡 외에 폐쇄성 수면무호흡증의 증상은 수면 분절화에 따른 과도한 주간 졸림증, 야간 초조, 우울감, 인지기능의 장애, 아침 두통, 성욕 감퇴, 야간 발한 등과 호흡 폐색으로 인한 심폐 스트레스에 따른 고혈압, 우심부전, 부정맥 등으로 크게 나누어 볼 수 있다. 호흡 기류의 감소로 산소포화도가 저하되고 보상적인 호흡 노력을 유발하게 된다. 반복적인 각성은 주간의 과도한 졸림증을 일으키고 저산소혈증과 흉강내압의 증가로 폐동맥 고혈압을 일으키고 나아가서 전신 고혈압, 뇌졸중 등으로 이어질 수 있다. 비만은 이러한 합병증의 교란변인이다. 일부 연구에서는 중등도 내지 심한 정도의 폐쇄성 수면무호흡증을 진단 받은 사람의 1/3-1/4은 8-10년 이상 살지 못했다고 보고하였고, 이른 아침의 무호흡과 저산소혈증이 높은 사망률을 설명한다고 보았다.

알려진 위험 요소로 비만, 연령, 남자, 폐경, 알코올이나 진정제 사용 등 일반적 요인과 상기도의 개방성이 감소하는 편도 비대, 선천 기형 등 구조적 문제가 있고 갑상선 저하증이나 말단 비대증 같은 대사의 이상과 파킨슨씨병 같은 신경학적 질환도 일컬어지고 있다.

중추성 수면무호흡증의 병태생리는 상기도의 폐쇄보다는 중추의 호흡 구동 자체에 이상이 생기는 것이다. 산소 포화도의 저하는 심하지 않고 흉강내압을 증가시키지 않는다. 순수한 중추성 수면무호흡증에서는 주간 과다수면증보다 불면증을 호소한다. 심혈관계, 중추신경계, 호흡기계 병리가 가장 흔한 기저의 원인이다.

수면무호흡증의 치료는 기저 질환과 상기도 구조를 평가하고, 과체중을 줄이고 알코올이나 진정제를 사용하지 않도록 하여 상기도 근육계의 근긴장 저하와 무호흡 시간이 길어지는 것을 막도록 한다. 주치료법은 지속적 상기도 양압술CPAP이다. 대개 양압의 공기를 코를 덮은 마스크를 통해 상기도로 불어 넣어 상기도 내의 기류 공간을 유지한다. 장기간 사용시 수면이 회복되고 정상적인 각성이 유지되는 것 외에 치료를 받지 않아서 생기는 폐쇄성 수면무호흡증의 사망률을 낮춘다. 표준적 수술은 구개수구개인두부 성형술Uvulopalatopharyngeal plasty로 기도의 입구를 넓혀 주는 수술인데 성공적 치료 효과가 50% 정도에 그쳐 환자 선정을 잘해야 한다. 아데노이드 비대나 비강 폴립이나 편도를 제거하면 부분적으로 비폐색의 증상을 낮추어 지속적 상기도 양압술의 순응을 높인다.

폐쇄성 수면무호흡증이 정신질환을 유발하거나 악화시킨다는 증거는 없으나 주의력, 경계력, 수행 기능을 떨어뜨리는 신경인지기능의 장애가 흔히 관찰된다. 우울장애와의 연관성이 보고된 바 있다.

10. 기면병

기면병은 과도한 주간 졸림증과 관련된 렘수면 증상인 탈력 발작, 수면 마비, 입면 환각 등을 특징으로 하는 질환이다. 유병률은 약 0.05%이다. 발병은 10대에 가장 많고 발병 증례의 약 50%에서 신체적, 심리적 스트레스가 발견된다. 기면병 환자의 일차 가족에서 유병률은 1-2%이다.

주간 졸림증을 호소하는 다른 질환과의 차별점은 렘수면과 연관된 증상이다. 탈력 발작은 운동근의 긴장이 갑자기 소실되는 것이다. 가장 흔하게는 무릎에서 관찰되고 팔, 얼굴, 턱, 기타 수의근 등에서 관찰된다. 탈력 발작은 흔히 정서에 의해 유발되고 수 초에서 수분까지 지속하고 수면 발작으로 이어질 수 있다. 수면 마비는 수면 시작이나 종료 시에 전체 근육의 마비가 생기는 것이다. 렘수면과 관련된 꿈꾸기 현상이 각성 단계에도 유사하게 발생하여 기면병 환자는 환시나 환청을 경험할 수 있는데 이를 입면 환각 또는 탈면 환각이라고 한다.

탈력 발작을 동반한 기면병에서 사람 백혈구 항원HLA의 아형인 DR2/DRB1*1501, DQB1*0602와의 관련성이 매우 높다. 시상하부의 하이포크레틴 신경세포의 감소가 탈력 발작을 동반한 기면병에서 원인 요소로 생각되며, 뇌척수액에서 하이포크레틴-1 농도가 110 pg/mL이하일 때 진단적 특이성이 있다. 주간 입면시간 반복검사에서 병적인 주간졸림증이 있고, 입면 시 렘수면(SOREMP)이 2번 이상 관찰되면 임상적 진단을 한다.

근치적 방법은 아직 없으며 치료는 주간 졸림증의 완화와 렘수면 관련 현상의 억제를 지향한다. 메틸페니데이트(하루 60 mg까지)와 그 서방형 제제를 각성을 위해 쓴다. 모다피닐(하루 400 mg까지), 알모다피닐(150-250 mg)도 각성에 효과적인데 교감신경계 자극이 적은 것으로 알려졌다. 식욕부진, 빈맥, 진전, 불면, 자극과민성, 질주 사고racing thought 등의 부작용을 최소화하고 각성 유지를 최대화하는 것이 치료의 목표이다. 예방적 낮잠을 적절히 일과에 도입하면 중추자극제의 용량을 줄일 수 있다. TCA, MAOI, SSRI, SNRI 등 항우울제의 렘수면 억제 효과를 이용하여 탈력 발작, 수면 마비, 입면 환각 등을 효과적으로 치료할 수 있다. 벤라팍신, 플록세틴, 프로트립틸린, 클로미프라민 등이 선호된다. 야간 수면의 개선을 위해 벤조디아제핀을 보조적으로 쓸 수 있다.

11. 하지불안증후군과 주기성 사지운동증

하지불안증후군restless legs syndrome, RLS는 흔히 다리 깊숙한 곳에 뭔가 기어가는 듯, 불편한 느낌이 있어 다리를 움직이고 싶은 충동이 강하게 나타나는 것을 특징으로 하는 감각운동장애이다. 다리를 움직이거나 주무르면 이상 감각이 줄어들기 때문에 외형적으로 나타나는 행동은 불안하고 초조해 보인다. 흔히 야간이나 움직이지 않는 상태일 때 악화하므로 수면을 방해한다. 2.5-15%의 유병률이 보고되었는데, 여성이 남성보다 1.5배 많고 연령이 증가할수록 높아진다.

RLS와 연관하여 많이 나타나는 주기성 사지운동증periodic limb movements during sleep, PLMS은 수면 중에 약 20-40초 간격으로 반복해서 나타나는 사지의 비자발적 운동을 말한다. 발의 배굴근dorsiflexor, 종아리의 굴근에서 가장 흔히 관찰되고 0.5-5초의 짧은 수축이 반복된다. 수면의 연속성를 방해할 수 있고 야간 각성을 동반하기도 한다.

RLS와 PLMS는 흔히 신부전, 당뇨, 만성 빈혈, 말초신경 손상 등의 의학적 문제와 연관하여 발생한다. 정상적 임신, 노화와 같이 특정한 질병과 무관하게도 나타난다. 항정신병약물, 항우울제, 리튬, 이뇨제 등과 같은 약물의 사용이나 마약의 금단현상에 의해서도 유발될 수 있다. 뇌의 철 결핍이 일차적인 병리로 생각된다.

치료는 빈혈, 전해질 균형 등 원인을 호전시키고 유발 약물을 중단하고 도파민 효현제, 벤조디아제핀 등을 투여한다. 프라미펙솔, 로피니롤, 엘도파 등의 도파민 효현제가 RLS를 없애고 PLMS 횟수를 줄일 수 있고, 클로나제팜, 트리아졸람 등이 PLMS의 수면 중 각성을 줄일 수 있다. 그 외에 가바펜틴, 코데인, 옥시코돈 등이 효과적이라는 보고도 있다.

12. 특정한 의학적 상태와 질병인 환자의 수면

특정한 내과적 질환의 환자에서 수면 관련된 변화가 있을 때 자문의가 이를 설명하고 조절하는 데 유용한 정보를 살펴보겠다. 불면증과 관련된 변화는 이 장 앞부분에서 설명하였다.

1) 심장 질환

(1) 부정맥

심실성 부정맥 환자는 수면 중에 부정맥의 비율이 감소한다. 그러나 수면무호흡증, 폐포 저환기, 만성 폐쇄성 폐질환 환자에서는 렘수면이나 비렘수면 동안에 부정맥이 악화될 수 있다. 렘수면 중 놀라서 깨는 꿈에서 심실성 빈맥이나 심실 세동이 보고되었다. 심실성 빈맥은 심리적, 환경적 요소가 수면 관련 부정맥에 미치는 영향이 두드러진 환자에서 갑작스런 사망과 관련 있을 수 있다. 수면 단계와 발작성 심방 빈맥의 연관성은 증명되지 않았지만, 심방성 부정맥은 수면 중에 악화한다.

전도 체계의 이상은 특히 야간 저산소증이 있는 환자에서 수면 중에 악화할 수 있다. 심박동기의 역치는 수면 중에 증가하고 심박동기의 실패로 이어질 수 있다. 벤조디아제핀은 저산소증을 유발하거나 악화시키므로 자문의는 전도 체계 이상 환자에서 이 약을 쓸 때 주의해야 한다.

수면무호흡증 환자는 무호흡이 시작할 때 서맥이 생길 수 있고 심하면 무수축으로 진행할 수 있다. 호흡 재개와 더불어 심박수는 현저히 증가하는데, 심실성 혹은 심실상 부정맥은 이 시기에 잘 나타날 수 있고, 동반하는 저산소증과 산성혈증acidosis에 의해 악화되어 치명적일 수 있다.

(2) 관상동맥질환

관상동맥질환 환자는 수면 중에 심허혈이 자주 발생한다. 허혈은 협심증의 동통을 유발하고 환자를 각성시킬 수 있고, 혹은 조용히 심전도 상의 ST 구획의 저하로만 나타나기도 한다. 수면무호흡증, 비만, 주간 저산소혈증이 있는 환자는 야간 협심증에 특히 취약하다. 더욱이 남녀의 관상동맥질환에서 수면무호흡증의 발병률은 높다.

야간 협심증과 렘수면 사이의 관련성이 일부 환자에서 보고되었다. 변이성 협심증은 렘수면 동안에 발생할 수 있고, 가끔 놀라는 꿈과 연관된다. 야간 협심증 발작의 생리적인 유발 요인은 완전히 알려지지 않았으나 렘수면 동안의 자율신경계의 불안정성과 심근의 산소요구량 증가, 비렘수면 동안의 심박수 감소와 혈압 감소가 관련 있을 것이다. 그 밖에 일주기 리듬 요소, 신경 요소, 신경호르몬 요소를 생각할 수 있다.

(3) 심부전

체인-스토크스 호흡이 만성 심부전 환자의 약 40%에서 발견된다. 이로 인해 야간의 수면무호흡과 주간 졸림증이 생길 수 있고 사망률의 증가와 관련 있다. 비카눌라nasal canula와 지속적 상기도 양압술CPAP에 의한 야간 산소 공급이 도움이 될 수 있다.

2) 만성 폐쇄성 폐질환

만성 폐쇄성 폐질환COPD 환자는 수면 중에 잦은 각성으로 수면 효율이 감소하고 원인은 알 수 없지만 수면과 연관하여 유의하게 산소포화도가 감소한다. 비강을 통한 산소 공급이 수면과 연관된 산소포화도 감소에 치료적인 역할을 하는지는 논란이 있다. 벤조디아제핀이나 다른 진정제는 COPD 환자에서 수면무호흡증을 유발할 수 있으므로 주의하여 사용해야 한다. 신경이완제가 COPD 환자에서 호흡 장애를 유발하지 않는다는 증거는 없지만 중환자실에서 많이 쓰였던 경험을 통해 보면 크게 위태롭게 하지는 않는 것 같다.

3) 신경학적 질환

(1) 간질

전신 간질에서 경련 발작은 대개의 간질 환자에서 각성과 수면 중에 균등하게 나타난다. 경련 발작이 수면 중에만 발생하는 수면형 간질morpheic epilepsy 환자는 전체 간질의 약 8% 정도이다. 야간 발작만 있는 환자에서는 주간에 뇌파를 찍어도 정상으로 나타날 수 있다. 야간의 전신 간질은 비렘수면 동안에 발생하는 경향이 있고 발작간기의 간질파 방출interictal discharges도 렘수면 동안에 줄어들고 비렘수면 동안에 증가한다. 일부 환자는 비렘수면 주기의 초기에 발작간기 방출이 많고 다른 환자는 수면이 진행함에 따라 더 빈번한 방출을 보이기도 한다. 야간 발작이 발생할 때 렘수면은 줄거나 없어지기도 한다. 임상적으로 심각한 수면 장애에서 최소한의 변화까지 광범위한 수면 변화가 보고되었다.

소발작의 간질뇌파는 졸음과 수면의 시작과 관련하여 종종 심해진다. 전신 간질 환자에서 발작간기의 방출은 수면 시작과 비렘수면 초기에 나타나고 렘수면 동안에는 그렇지 않은 경향이 있다.

대부분의 부분 간질 환자는 주간 발작만 가지고 있고 11%의 환자는 야간 발작만 보인다. 롤란딕 간질 혹은 유년기 양성 초점성 간질은 특히 야간 발작으로만 나타나기 쉽다. 렘수면은 측두엽 초점의 부분 간질을 용이하게 하거나 억제한다. 전신 간질과 유사하게 부분 간질의 간질간기 간질파 방출도 수면 시작과 비렘수면 동안에 나타나고 렘수면에 의해서는 증가하거나 감소하는 등 일관되지 않는다.

부분 간질 환자는 얕고 불안정한 수면을 취하는 것 같다. 과도한 주간 졸림증의 호소가 많고 다른 전신 간질 환자나 정상인에 비해 주관적으로 수면 불만족을 더 많이 호소한다. 부분 간질의 횟수와 심한 정도는 수면 박탈 후에 증가한다. 극파와 파동 방출과 관련하여 잦은 소각성과 수면 구조의 붕괴는 측두-림빅 경련 초점을 가진 환자에서 나타난다. 서파 수면의 감소가 종종 전두엽 발작 초점을 가진 환자에서 볼 수 있다. 이런 환자에서는 항경련제의 수면 개선 효과가 적다.

(2) 뇌졸중

뇌졸중은 종종 야간 수면 동안에 발생한다. 코골이와 수면무호흡증이 있는 환자는 뇌졸중의 발생률이 높다. 연수와 뇌교에 생긴 뇌졸중은 수면무호흡증을 유발하거나 기존의 약한 수면무호흡증을 악화시킬 수 있다. 수면무호흡증은 정확한 병소의 연관이 불확실하여도 뇌졸중이나 일과성허혈발작 후에 자주 보고된다. 수면무호흡증을 치료하면 뇌졸중 환자의 최종 상태가 더 좋아질 수 있다. 다양한 위치의 뇌졸중으로 인하여 수면-각성의 주기가 변하고 수면 효율이 감소한다. 수면 시간이 줄거나 졸음이 증가하고 드물지만 기면병도 유발될 수 있다.

(3) 두통

혈관성 두통은 종종 수면 중에 나타나는데 야간이나 오후의 낮잠 동안에도 발생 가능하다. 렘수면과 편두통의 시작이 관련 있다고 보고되었다. 군발 두통과 만성 발작성 편두통은 종종 렘수면과 관련하여 시작한다. 혈관성 두통과 혼합성 두통 환자들은 종종 불면증을 호소하고 잦은 각성, 비정상적인 수면구조, 전반적인 렘수면의 감소 등의 소견을 보인다. 혈관성 두통 환자에서 몽유병, 야뇨증, 야경증 등의 발병률이 일반 인구보다 높다고 한다. 수면 무호흡 환자는 아침에 두통을 많이 호소한다. 군집 두통과 수면무호흡증 사이의 관련성이 있을 수 있는데 특히 무호흡 삽화가 렘수면 중에 발생할 경우 관련성이 높다.

(4) 외상

두부 손상 후에 드물지만 수면무호흡증, 클라인-레빈 증후군, 이차성 기면병, 과도한 주간 졸림증 등의 증례들이 보고되었다.

(5) 퇴행성 질환

헌팅턴병, 진행성 핵상마비, 척수소뇌성 변성, 올리브뇌교소뇌 변성, 염전 근육긴장이상torsion dystonia 등은 중추신경계의 퇴행성 질환으로 종종 불면증, 과도한 주간 졸림증, 일주기 리듬의 장해, 사건 수면 등을 유발할 수 있다. 사지와 호흡근의 비정상적인 활성으로 수면 분절화와 수면무호흡증이 유발될 수 있는데, 특히 척수소뇌성 변성과 올리브뇌교소뇌 변성에서 그러하다. 신경전달물질 균형의 변화와 수면 중추의 세포 소실이 수면 장해를 유발할 수 있다.

뚜렛병 환자는 야간 틱, 불면증, 사건 수면 등을 겪을 수 있다. 증후군 자체의 심한 정도에 따라 이런 야간의 증상도 나아지거나 심해지는데, 환자가 성인기에 들어서면 야간 증상은 드물어진다.

알츠하이머병, 다발경색 치매, 알코올성 치매 등의 노인성 치매와 피크씨 병, 전두엽 퇴행 과정, 크로이츠펠트-야콥병, 폐쇄성 수두증 등은 모두 야간의 섬망에 따른 수면 문제를 일으킬 수 있다(일몰 현상). 소위 일몰 현상은 치매 질환이 악화되거나 공존하는 의학적 문제가 겹칠 경우에 증가한다.

수면무호흡증은 인지 기능 저하를 가속시킨다. 무호흡과 치매는 노년에 발생률이 증가하는 기본적인 질병으로 특히 여성에서는 두 질병 사이에 직접적인 연관성이 있어 보인다.

치매 환자는 전형적으로 야간 수면이 분절화되고 밤에 더 자주 깨고, 낮에는 자주 존다. 이런 현상으로 정상적인 일주기 리듬이 방해를 받고 서파 수면이 감소하고 치매가 진행할수록 악화되는 경향이 있다.

파킨슨병과 그와 관련된 운동 장애 상태(샤이-드래거 증후군, 선조흑체 변성, 파킨슨-근위축 측부 경화증-치매 복합)는 빈번한 야간 각성과 과도한 주간의 낮잠을 특징으로 하는 수면 문제가 흔하다. 호흡근육 조절에 장애가 있는 이차적인 호흡 장애에서 수면 분절화가 나타날 수 있다. 다발성 전신 경화증에서 성문glottis의 장애로 인해 급사로 이어질 수 있다. 다리의 통증을 동반한 근경련, 주기성 사지운동증에서도 수면 장해가 발생한다. 파킨슨병의 약 1/3에서 발생하는 치매에서 수면 장애의 원인은 항파킨슨병 제제이다. 엘도파와 브로모크립틴은 몽유병, 야경증 같은 사건 수면, 주기성 사지운동증, 악몽, 환시, 근긴장이상, 무도병형 운동 등을 유발한다.

파킨슨병과 연관된 수면의 변화는 질병이 진행함에 따라, 치료 기간의 증가에 따라 악화된다. 엘도파 제제를 이른 시간에 투여하고 여러 종의 약(셀레길린, 아만타딘, 항콜린성 제제 등)을 섞어 쓰고 작용 시간이 짧은 벤조디아제핀을 단기간 주의해서 쓰면 수면 문제에 도움이 된다.

(6) 기타 신경학적 조건

소아마비후 증후군에서 수면무호흡증이 생길 수 있다. 대개 수년 후에 저절로 호전된다. 비슷하게 뇌염의 늦은 후유증으로 클라인-레빈 증후군과 무호흡이 보고되었다. 다발성 경화증 환자에서 기면병의 수면 발작과 탈력 발작이 보고된 경우도 있다. 뇌간 호흡 중추의 병변은 드물지만 수면 관련 신경인성 빈호흡을 야기할 수 있고 과도한 주간 졸림증과 수면 분절화가 나타날 수 있다.

4) 임신

임신 중인 일부 여성에서 호르몬의 변화로 인한 수면의 변화가 생기기도 한다. 임신의 첫 석 달 동안 수면 시간과 주간 졸림증이 증가하고 이후로는 수면 양상이 정상화되었다가 마지막 석 달에 총수면시간의 감소 경향이 다시 나타난다. 출산이 임박하여서는 깊은 잠이 감소하고 출산 후에 회복된다. 렘수면은 출산 전에 감소하고 출산 후 2주 이내에 회복된다.

5) 내분비 질환

갑상선기능항진증은 서파 수면을 증가시키고 갑상선기능저하증에서는 서파 수면이 감소한다. 이런 변화에 대한 임상적인 의미는 불확실하다. 갑상선종, 당뇨, 안드로겐 투여는 수면무호흡증의 취약성을 높이는 요소이다.

6) 기타 질병 및 상태

위식도역류는 매우 흔한 문제이고 수면 중에 각성을 일으킨다. 소화성 궤양도 동통과 관련하여 수면 중에 각성을 유발할 수 있다. 위산 분비는 일주기 리듬이 있어서 오후 9시부터 자정 사이에 최대 분비율을 보인다. 위산 분비는 제산제 사용 중단 시에 증가할 수 있고 진정제는 식도의 위산 제거를 억제할 수 있으므로 일부 환자에서는 이런 약제의 투여 시간을 조정하는 것이 도움이 된다.

섬유근통이나 섬유염 증후군 환자는 전형적으로 피로와 비회복 수면을 호소한다. 수면다원검사에서 서파 수면 동안에 나타나는 알파파 활성, 소위 '알파-델타 수면'의 특이한 소견이 나타난다. 골관절염 환자도 관절통과 근육의 경직으로 종종 불면증, 잦은 각성, 충분히 회복되지 않는 각성시의 느낌을 호소한다.

편도의 비대에서 오는 폐쇄성 수면무호흡증이 아밀로이드증의 위험을 높인다는 보고가 있다. 요독성 신부전은 서파 수면의 양을 감소시키고 상대적으로 하지불안증후군의 빈도를 높이고 불면증이나 과도한 주간 졸림증의 호소를 야기한다. 신부전 환자에서 수면무호흡증의 빈도도 증가한다. 다량의 복막 투석은 수면무호흡증을 악화시키고 신장 이식 후에 호전된 예도 있다.

13. 요약

정신건강의학과 자문의는 의뢰된 환자의 수면과 그에 관련된 문제를 정기적으로 평가하여야 한다. 특히 중환자실, 노인, 여러 가지 약물 치료를 받는 환자에서는 야간의 초조와 관련된 수면 문제의 원인으로서 섬망을 늘 염두에 두어야 한다. 수면과 그 관련된 문제의 특정 원인을 발견하려고 노력해야 하고 그것이 약물과 관련된 원인이든, 내과적 혹은 정신의학적 원인이든지 치료할 때도 각각의 원인에 따른 조처를 고려해야 한다. 진정-수면제를 쓸 때도 수면 관련 호흡 상태를 확인하고 신중하게 처방한다.

참고문헌

1. 대한수면의학회. 수면장애의 국제 분류, 제2판: 진단 및 부호 편람. 서울: (주)대한의학서적; 2011.
2. 대한신경정신의학회. 신경정신의학, 제2판. 서울: 중앙문화사; 2005. pp.331-54.
3. American Academy of Sleep Medicine. International classification of sleep disorders, 3rd edition: Diagnostic and coding manual. Westchester, Illinois: American Academy of Sleep Medicine; 2014.
4. American Psychiatric Association. Diagnostic and Statistical Manual of Mental Disorders, Fifth Edition. Washington DC: APA Publishing; 2013.
5. Berlin RM, Litovitz GL, Diaz MA, et al. Sleep disorders on a psychiatric consultation service. Am J Psychiatry 1984;141:582-4.
6. Diagnostic Classification Steering Committee, Thorpy MJ, Chairman. International classification of sleep disorders; Diagnostic and coding manual. Rochester, Minnesota: American Sleep Disorders Association; 1990.
7. Gay PC. Sleep and sleep-disordered breathing in the hospitalized patients. Respir Care 2010;55(9):1240-1251.
8. Gotman J, Ives JR, Gloor P. Long-term monitoring and computer analysis of the EEG epilepsy. Amsterdam, The Netherlands: Elsevier; 1985 pp.215-239.
9. Johns MW, Large AA, Masterton JP, Dudley HA. Sleep and delirium after open heart surgery. Br J Surg 1974;61(5):377-81.

10. Kaw R, Michota F, Jaffer A, Ghamande S, Auckley D, Golish J. Unrecognized sleep apnea in the surgical patient: implications for the perioperative setting. Chest 2006;129(1):198-205.
11. Kryger MH, Roth T, Dement WC. Principles and practice of sleep medicine, 4th ed. Philadelphia, PA: Elsevier Saunders ; 2005.
12. Levenson JL. The American Psychiatric Publishing textbook of psychosomatic medicine, 1st ed. Washington DC: The American Psychiatric Publishing; 2005. pp.335-58.
13. Perry SW, Wu A. Rationale for the use of hypnotic agents in a general hospital. Ann Intern Med 1984;100:441-6.
14. Reynolds CF 3rd, Kupfer DJ, Taska LS, Hoch CC, Spiker DG, Sewitch DE, Zimmer B, Marin RS, Nelson JP, Martin D, et al. EEG sleep in elderly depressed, demented, and healthy subjects. Biol Psychiatry 1985;20(4):431-42.
15. Salih AM, Gray RE, Mills KR, et al. A clinical, serological and neurophysiological study of restless legs syndrome in rheumatoid arthritis. Br J Rhematology 1994;33:60-3.
16. Wise MG, Rundell JR. The American Psychiatric Publishing textbook of consultation-liaison psychiatry, 2nd ed. Washington DC: The American Psychiatric Publishing; 2002. pp.495-518.
17. Yuen EJ, Zisselman MH, Louis DZ, Rovner BW. Sedative-hypnotic use by the elderly: effects on hospital length of stay and costs. J Ment Health Adm 1997;24(1):90-7.

15 CHAPTER

알코올 사용장애의 자문조정

서정석

1952년에 발간된 Diagnostic and statistical manual-Mental disorder, DSM I 판에는 알코올 중독을 반사회적 인격장애의 한 종류로 분류하였지만 1968년의 II 판에서는 알코올성 정신증과 알코올 중독을 구분하기 시작하였다. 1980년대가 되어서야 생물학적인 측면과 함께 정신사회적 측면이 함께 강조되면서 알코올 남용abuse과 의존dependence이라는 2개의 축으로 진단이 구별되어 DSM-IV-TR까지 그 분류가 유지된다. 알코올남용은 알코올 사용으로 인하여 가정과 직장과 같은 사회생활 또는 법적인 문제와 연루가 되는 경우에 진단을 할 수 있으며, 알코올의존은 내성이나 의존과 같은 개인의 생리적인 변화가 있는 상태를 의미한다.

그러나 2013년 DSM-5가 나오면서 중독분야의 진단에 큰 변화가 일어난다. 남용의 4가지 진단기준 중에서 '반복적인 법적 문제' 항목이 삭제되고 의존의 7가지 진단기준에 알코올 갈망이라는 기준이 새로이 포함되어 총 11개의 문항으로 구성된 알코올사용장애alcohol use disorder, AUD 진단이 생기면서 남용과 의존의 구별이 없어졌다.

이 장에서는 알코올사용장애 환자를 자문조정하는 일반 원칙과 함께 알코올사용장애 개관 및 알코올과 다른 약물과의 상호작용을 살펴보고 알코올 관련 질환과 신체질환을 살펴볼 것이다.

1. 알코올사용장애 환자의 자문조정 일반 원칙

알코올은 피부부터 위장, 간장과 같은 내부 장기와 말초 및 중추신경계까지 영향을 미치지 않는 곳이 없기 때문에 못 뚫는 것이 없다는 의미의 '마법의 탄환'으로도 불린다. 또한 신체적 그리고 심리적 의존과 함께 기분장애, 불안장애, 불면, 성기능장애와 심한 경우에는 정신증과 치매를 유발한다. 알코올사용장애는 신체와 정신기능에 전반적인 영향을 미치기 때문에 대표적인 정신신체질환이라고 할 수 있다.

알코올 관련 장애는 자문조정 정신건강의학과에 자주 의뢰되는 질환이다. 172명의 자문조정 의뢰 환자를 대상으로 한 연구에서 우울장애(24%), 섬망(19%) 다음으로 알코올사용장애(18%)가 3위를 차지했다. 그리고 신체질환으로 종합병원에 입원 중인 내·외과계 환자 중에서 알코올사용장애의 유병률은 8.7-55%로 일반 인구에서의 유병률 2.5%보다 높다. 이렇듯 흔한 자문과 높은 유병률에도 불구하고 타과 의사들은 주로 알코올에 의한 신체 합병증에만 주로 관심을 갖기 때문에 알코올사용장애에 대한 진단은 쉽지 않으며 알코올사용장애 환자들의 병원 이용율은 8.1%(84명/1043명)로 매우 낮다.

알코올사용장애에서 자문조정 정신건강의학과 의사로서의 몇 가지 역할이 있다. 우선 자문조정을 맡은 정신건강의학과 의사의 급성기 치료, 특히 금단 치료는 이후의 꾸준한 금주 유지와 황폐해졌던 삶의 질을 회복하기 위한 장기 치료로 연계하기 위한 중요한 계기가 된다. 따라서 알코올사용장애 치료법을 잘 알고 있어야 한다. 동반 신체질환이나 다른 중독 동반 등을 항상 염두에 두어야 하며 알코올과 다른 약물과의 상호 작용에 대하여 잘 알고 있어야 한다. 또한 알코올 금단 및 섬망은 응급상황이므로 빠른 평가와 적절한 대처를 할 수 있어야 한다.

또한, 알코올사용장애 환자는 자신의 알코올 문제를 부정하고 치료에 저항을 보이며 치료 순응도가 낮기 때문에 이들에게 동기를 부여하여 스스로 알코올 치료 과정에 참여하도록 유도하는 것도 자문조정을 받은 정신건강의학과 의사의 중요한 역할 중의 하나이다.

자문을 의뢰한 의료진의 입장도 잘 파악하고 있어야 한다. 정신건강의학과 자문조정이 의뢰된 이유를 흔한 순서대로 보면 1) 병동에서의 행동조절, 2) 약물중독, 3) 정신건강의학과 평가의 필요성 판정 순이었으며 알코올 관련 질환 환자는 이 3가지 이유를 모두 갖고 있었다. 알코올 중독, 그로 인한 병동에서의 부적절한 행동과 정신건강의학과 연계에 대한 평가가 의뢰되기 때문이다.

그러다 보니 정신건강의학과 자문을 의뢰한 의료진뿐만 아니라 병원 직원들도 알코올 관련 환자에 대하여 무시하거나 환자의 증상 또는 행동을 오해해서 적절치 못하게 대처를 하는 역전이적 반응을 보일 수 있다. 이를 중간에서 중재하여 환자와 의료진 간에 보다 나은 치료적 관계를 형성하도록 하는 것도 자문조정의학 정신건강의학과 의사의 또 다른 역할이라 할 것이다. 알코올사용장애 환자의 자문조정의 일반원칙은 표 15-1과 같다.

표 15-1. AUD 환자 자문조정 시의 일반 원칙

1	알코올 또는 다른 진정제 남용/의존 가능성을 의심한다.
2	적절한 혈액 또는 신체 검사를 가능한 빨리 시행한다.
3	알코올 해독 원칙을 잘 알고 있어야 한다. 특히 동반 신체질환(간질환, 신장질환 등)에 따라 해독 방법에 주의를 요한다.
4	만약 동시에 여러 약물 의존으로 금단이 의심되면 진정제 해독을 우선으로 해야 한다.
5	해독 약물과 알코올 및 타 약물과의 약물상호작용에 대하여 잘 알고 있어야 한다.
6	정신질환, 신체질환의 증상과 알코올 금단 또는 급성 중독 증상과 구별할 수 있어야 한다.

2. 알코올사용장애 개관

1) 역학

2011년도 전국조사에 의하면 알코올사용장애의 평생 유병률은 13.4%이며 남자가 20.7%, 여자가 6.1%이다.

2) 초기 평가

알코올사용장애는 비교적 높은 유병률에 비하여 진단이 쉽지 않다. 환자의 병식이 낮고 부정, 퇴행regression, 투사projection와 같은 미숙한 방어기제를 주로 사용하기 때문이다. 우울장애나 강박증, ADHD 등 다른 정신질환에 가려져 적절하게 진단되지 못할 수도 있다.

축소보고하려는 환자뿐만 아니라 담당 의료진도 환자의 증상을 간과하는 경향이 있다. 환자가 호소하는 주 증상이 불면이지만 매일 음주하면서 단지 수면을 위해 술을 마시기에 별 문제 아니라고 생각하는 경우가 흔하다. 주 증상이 알코올 문제가 아닐지라도 물질 관련 가능성을 초기에 의심해 보는 것이 중요하다. 또는 또한 내·외과 병동에서는 장기간의 알코올 섭취로 인한 위장관계 질환 또는 취중에 다친 외상이나 손상에 주로 관심을 갖게 되며 음주 이면의 정신사회적 문제 등에 관한 정보를 얻기 어렵기 때문이다.

알코올 관련 환자들은 장기간의 음주로 인한 성격변화, 병식부족으로 치료자와의 갈등으로 중독 치료를 거부하는 경향이 있다. 이는 곧 조기 퇴원과 같은 치료 탈락으로 이어지므로 자문조정의사는 항상 이러한 가능성에 대하여 염두에 두고 갈등이 줄일 수 있어야 한다.

자문이 의뢰되면 주 증상과 현병력 및 알코올 병력과 신체질환에 대한 검토를 한다. 첫 음주 나이, 과음 여부, 음주 총 기간, 음주량, 음주에 대한 본인의 생각, 그리고 입원 전 마지막 음주일을 반드시 파악해야 한다. 그리고 음주와 높은 연관성을 보이는 자살사고와 시도 등에 대하여 평가하는 것도 필수적이다. 이러한 평가를 바탕으로 추정 진단을 내리고 의료진이 보일 수 있는 역전이적 반응에 대하여 평가하고 해결방안도 포함하여 치료 계획을 짠다. 여기에는 급성 금단 등의 문제가 해결되면 동반 정신질환이나 신체질환의 평가를 해야 한다. 평가 과정에서 환자와 퇴원과 같은 치료에 역행하는 약속을 하지 않는 것이 중요하다. 또한 음주를 조장하거나 유지하는 현실 문제에 대한 평가가 이루어져야 한다. 연락 가능한 가족 등으로부터 현재 생활상태와 생활고 등을 평가하는 것이 중요하다. 초기 평가를 위해 선별검사를 활용하는 것이 도움이 된다.

CAGE

Have you ever
C: thought you should CUT back on your drinking?
A: felt ANNOYED by people criticizing your drinking?
G: felt GUILTY or bad about your drinking?
E: had a morning EYE-OPENING to relieve hangover or nerves?

판정 : 4문항 중
2-3문항 '예' - 알코올 중독이 강하게 의심됨
4문항 모두 '예'- 병적인 알코올 중독

한국형 알코올리즘 간이선별검사법(AUDIT-K)

질문	0점	1점	2점	3점	4점
1. 얼마나 자주 술을 마십니까?	전혀 안함	월/1회 미만	월/2~4회	주/2~3회	주/4회 이상
2. 술을 마시면 한 번에 몇 잔정도 마십니까?	1~2잔	3~4잔	5~6잔	7~9잔	10잔 이상
3. 한 번에 소주 1병 또는 맥주 4병 이상 마시는 경우는 얼마나 자주 있었습니까?	전혀 안함	월/1회 미만	월/1회	주/1회	거의 매일
4. 지난 1년간 한번 술을 마시기 시작하면 멈출 수 없었던 때가 얼마나 자주 있었습니까?	전혀 안함	월/1회 미만	월/1회	주/1회	거의 매일
5. 지난 1년간 평소 할 수 있던 일을 음주 때문에 실패한 적이 얼마나 자주 있었습니까?	전혀 안함	월/1회 미만	월/1회	주/1회	거의 매일
6. 지난 1년간 술을 마신 다음날 일어나기 위해 해장술이 피로했던 일은 얼마나 자주 있었습니까?	전혀 안함	월/1회 미만	월/1회	주/1회	거의 매일
7. 지난 1년간 음주 후에 죄책감이 들거나 후회를 한 적이 얼마나 자주 있었습니까?	전혀 안함	월/1회 미만	월/1회	주/1회	거의 매일
8. 지난 1년간 음주 때문에 전날 밤에 있었던 일이 기억나지 않았던 일이 얼마나 자주 있었습니까?	전혀 안함	월/1회 미만	월/1회	주/1회	거의 매일
9. 음주로 인해 자신이나 다른 사람이 다친 적이 있습니까?	전혀 안함	-	있지만 지난 1년간에는 없었다.	-	지난 1년간 있었다.
10. 친척이나 친구, 의사가 당신이 술 마시는 것을 걱정하거난 술 끊기를 권유한 적이 있었습니까?	전혀 안함	-	있지만 지난 1년간에는 없었다.	-	지난 1년간 있었다.

총 점 : ____________________

대한신경정신의학회 자료실 기준
A. 남성: 0-9: 정상음주 / 10-19: 위험음주 / 20 이상: 알코올 사용장애
B. 여성: 0-5: 정상음주 / 6-9: 위험음주 / 10 이상: 알코올 사용장애

3) 소인과 위험 요인

개인의 생물학적-심리-사회적 요인들이 복합적으로 작용한다. 생물학적 요인에는 개인의 알코올 분해 능력, 가족력을 보이는 유전적 요인을 포함하며, 사회적 요인에는 학업이나 직장 내 스트레스, 폭음을 조장하는 사회적 환경 등이 있다.

또한 조현병, 양극성장애, 우울장애, 신체형장애, 불면 · 불안 등과 같은 다른 정신질환을 흔하게 동반한다. 반사회적 성격은 알코올남용과 관련이 있으면 치료의 예후가 불량한 것으로 알려져 있다.

4) 알코올사용장애로 인한 사회경제적 부담

음주관련 질환의 총 진료비 지출현황은 2000년의 10조원에서 2009년도 23조원으로 증가 추세를 보인다. 알코올 관련 사망자는 1일 평균 9.3명이다. 비음주자에 비해 습관성 음주자의 자살사망 위험도가 2배가 된다. 음주상태에서 보이는 성범죄도 2005년(13,446건)부터 2014년(21,055건)까지 64%가 증가했다. 또한 음주로 인한 교통사고도 세계적으로 높은 수준이다.

5) 진단

2013년에 DSM-5가 나오면서 이전 판에 있던 남용과 의존의 구별이 없어지고 알코올 사용장애라는 진단명으로 통합되었다. DSM-IV의 핵심증상은 그대로 유지되면서, 진단과 연관성이 낮은 법적 문제 항목은 삭제되었고 알코올 갈망 항목이 추가되었다.

DSM-IV Alcohol Use Disorder	DSM-5 Alcohol Use Disorder
Two distinct but hierarchical constructs; alcohol abuse diagnosed only in absence of alcohol dependence	A single unitary construct, with moderate and severe diagnoses distinguished on the basis of number of criteria endorsed
Alcohol abuse: 1+ abuse criteria required *Alcohol dependence:* 3+ dependence criteria required *Any AUD:* Abuse or dependence required	*Moderate AUD:* 2–3 criteria required *Severe AUD:* 4+ criteria required *Any AUD:* 2+ criteria required
Abuse criteria:	
• Recurrent drinking resulting in failure to fulfill role obligations	• Recurrent drinking resulting in failure to fulfill role obligations
• Recurrent drinking in hazardous situations	• Recurrent drinking in hazardous situations
• Recurrent alcohol-related legal problems	–
• Continued drinking despite alcohol-related social or interpersonal problems	• Continued drinking despite alcohol-related social or interpersonal problems
Dependence criteria	
• Tolerance	• Tolerance
• Withdrawal or substance use for relief/avoidance of withdrawal	• Withdrawal or substance use for relief/avoidance of withdrawal
• Drinking in larger amounts or for longer than intended	• Drinking in larger amounts or for longer than intended
• Persistent desire/unsuccessful attempts to stop or reduce drinking	• Persistent desire/unsuccessful attempts to stop or reduce drinking
• Great deal of time spent obtaining, using, or recovering from alcohol	• Great deal of time spent obtaining, using, or recovering from alcohol
• Important activities given up/reduced because of drinking	• Important activities given up/reduced because of drinking
• Continued drinking despite knowledge of physical or psychological problems caused by alcohol	• Continued drinking despite knowledge of physical or psychological problems caused by alcohol
–	• Alcohol craving

3. 자주 의뢰되는 임상상황: 알코올 급성 중독intoxication과 금단 치료

주로 협진의 의뢰되는 상황은 급성 알코올 중독 또는 급성 금단 증상이 가장 흔하다. 급성기 치료와 장기 치료로 나누어 계획을 세워야 한다.

1) 알코올 급성중독

증상은 혈중 알코올 농도에 따라 취한 상태부터 호흡억제, 혼수상태에 이르며, 결국 호흡 부전이나 심정지로 사망할 수 있다(표 15-3). 생물학적으로 급성 알코올 섭취는 GABA 수용체를 활성화 시키고 NMDA 수용체를 억제하여, 억제성 효과를 유발한다. 알코올 급성 중독의 치료로 보존적인 치료를 시행한다. 충분한 수액과 전해질을 공급하면서 더 이상의 알코올을 섭취하지 못하게 하고 알코올의 급성 증상이 사라질 때까지 안전사고나 유해한 환경으로부터 환자를 보호해야 한다.

표 15-3. 혈중 알코올 농도Blood Alcohol Concentration, BAC에 따른 증상

BCA(mg%)	증상
0.03	기분좋음euphoria
0.05	경도의 운동 협조 기능 상실mild coordination problem
0.1	보행장애ataxia, 안구진탕
0.4	혼수상태
>0.4	호흡부전, 사망

2) 알코올 금단

취중에 대퇴골절 등 외상으로 인하여 수술 2-3일 후에 나타나는 급성 알코올 금단이 흔하게 자문의뢰 된다. 따라서 알코올 금단 증상과 수술 후 섬망의 구별이 어렵기도 하다. 또한 수술 전에 불안 또는 불면증 처치를 위해 투여되는 벤조디아제핀 약물과의 교차내성 때문에 알코올 금단 증상이 늦게 또는 서서히 나타날 수 있다. 또한 패혈증, 감염, 고혈압도 금단과 유사한 증상을 보이기 때문에 감별을 해야 한다.

금단증상은 음주 중에도 발생할 수 있지만 전형적인 금단증상은 마지막 음주 후 3-5일 정도에 손과 혀의 진전 등 증상이 최고조로 발생하여 7-14일 째에 없어진다. 이때 교감신경 항진증상인 혈압 증가, 빈맥, 심한 발한, 오심 · 구토, 불안, 불면, 경련과 혼수와 사망까지 이를 수 있다.

알코올 금단에 Alcohol Research Foundation Clinical Institute Withdrawal Assessment for Alcohol-Revised<CIWA-Ar, 부록 4>를 사용하면 금단의 발견 및 증상의 경과 관찰에 도움이 될 수 있다. 그러나 발열환자에서는 금단 증상과 혼동되므로 CIWA-Ar을 사용해도 변별력이 낮기 때문에 사용하지 않는 것이 타당하다.

Clinical Institute Withdrawal Assessment of Alcohol Scale, Revised (CIWA-Ar)

이름: 날짜: 시간: (24시 기준, midnight = 00:00)	
분당 맥박수: 회 / 분	혈압: / mmHg

1. 오심과 구토 - "당신은 구역질이 납니까? 당신은 구토를 하였습니까?"라고 질문, 관찰	2. 진전- 팔을 뻗고 손가락을 각각 펴게 한다. 관찰
0. 오심과 구토가 없다 2. 3. 4. 약간의 오심이 있으나 구토가 있다. 5. 6. 7. 지속적인 오심과 잦은 구토가 있다	0. 진전이 없다 1. 눈으로 관찰되지는 않지만 손가락 끝으로 느껴지는 진전이 있다. 2. 3. 4. 팔을 폈을 때 중등도의 진전이 있다 5. 6. 7. 팔을 펴지 않아도 심한 진전이 있다
3. 발한 - 관찰	4. 불안 - "당신은 불안하십니까?"라고 질문, 관찰
0. 땀을 흘리지 않는다 1. 손바닥이 축축한 정도의 겨우 느낄 수 있는 발한 2. 3. 4. 이마에 땀방울이 보이는 정도의 명백한 발한 5. 6. 7. 흠뻑 젖을 정도의 발한	0. 불안이 없는 편안한 상태 1. 경도의 불안 2. 3. 4. 중등도 불안, 방어적이어서 불안이 수축되는 경우 5. 6. 7. 심한 섬망이나 급성 정신병적인 상태에서 볼 수 있는 공황 발작 정도의 불안
5. 초조증 - 관찰	6. 피부감각에 장애 - "가려움, 핀이나 바늘로 찌르는 느낌, 작열감, 무감각, 혹은 피부 밑에 벌레가 기어가는 느낌이 있습니까?"라고 질문, 관찰
0. 정상적인 활동량 1. 정상보다 다소 많은 활동량 2. 3. 4. 중등도의 조바심과 안절부절 5. 6. 7. 면담 중에 발을 동동거리거나 지속적으로 몸을 움직임	0. 없음 1. 아주 경미한 가려움, 찌르는 느낌, 작열감, 혹은 무감각 2. 약한 가려움, 찌르는 느낌, 작열감, 혹은 무감각 3. 중정도 가려움, 찌르는 느낌, 작열감, 혹은 무감각 4. 중등도 환각 5. 심한 환각 6. 극도로 심한 환각 7. 계속적인 환각
7. 청각 장애 - '"당신은 당신 주변의 소리를 좀더 의식합니까? 당신을 힘들게 하는 어떤 소리를 듣습니까? 환정을 경험합니까?"라고 질문, 관찰	8. 시각장애 - "빛이 더욱 밝게 보입니까?, 색깔이 다릅니까?"라고 질문, 관찰
0. 나타나지 않음 1. 매우 약한 소리 2. 약한 소리 3. 중등도의 소리 4. 중등도의 심한 환각 5. 심한 환각 6. 극도로 심한 환각 7. 계속적인 환각	0. 나타나지 않음 1. 매우 경한 감각 2. 경한 감각 3. 중등도의 감각 4. 중등도의 심한 환각 5. 심한 환각 6. 극심한 환각 7. 계속적인 환각

9. 두통, 머리에 무거움 – "머리로 느끼는 것에 장애가 있습니까? 머리가 아프거나 무겁거나 짓눌린 느낌입니까? 머리가 어지럽거나 텅 빈 느낌입니까?"라고 질문	10. 지남력과 지각의 장애 – "오늘이 몇 일 입니까? 지금 있는 이곳이 어디입니까? 내가 누구입니까?"라고 질문
0. 나타나지 않음 1. 아주 경함 2. 경함 3. 중등도임 4. 중등도의 심함 5. 심함 6. 매우 심함 7. 극도로 심함	0. 지남력이 있고 연산능력이 있음 1. 연산능력은 없고, 날짜에 대한 불확실감 2. 하루나 이틀정도의 지남력장애 3. 이틀이상의 지남력장애 4. 장소나 사람에 대한 지각장애
	Total CIWA-Ar Score _____ Rater's Initials _____ Maximum Possible Score 67

3) 알코올 금단에 의한 섬망

알코올 금단의 가장 심한 상태다. 알코올 금단 섬망은 금단 입원 환자 중 3-5%에서 발생한다. 혼동, 지남력장애, 상태 변동이 하루에도 심하게 나타나거나 혼탁한 의식 상태, 생생한 환각이 특징적으로 나타난다. 금단 중에 발생하여 하루에도 호전과 악화를 보이는 일중 변동이 있으며 치료하지 않는 경우에는 4-5주간 지속될 수 있다.

동반된 신체질환은 알코올 금단의 진단을 어렵게 하고 반대로 알코올 금단의 증상은 신체질환을 악화시킬 수 있다. 섬망 환자의 약 50%는 폐렴, 췌장염 등의 신체질환을 동반한다. 또한 섬망은 감염, 두부 외상, 간 질환 또는 대사장애를 갖고 있는 환자에서 더 흔히 발생하며 위험하기 때문에 원인이 될 수 있는 다른 신체질환에 대한 검사가 필수적이다.

334명의 알코올의존 환자 연구에서 벤조디아제핀 투여에도 불구하고 약 6.9%에서 진전섬망이 발생하였으며 그 위험요인은 다음과 같다. 1) 현재 감염 상태, 2) 입원 당시 120회 이상의 빈맥, 3) 혈중 알코올 농도가 1 gm/dL 이상임에도 금단증상 발생, 4) 간질의 과거력, 5) 섬망의 과거력.

4) 알코올 금단의 치료

정신건강의학과 입원 또는 퇴원 결정을 위해 정신건강의학과 협진이 의뢰되기도 한다. 치료는 비약물적인 치료와 약물치료로 나누어 볼 수 있다.

(1) 비약물적인 치료

안정된 환경을 유지하고 낙상과 같은 안전사고를 예방한다. 지남력(시간/장소/사람)을 유지하도록 도와준다. 불안 및 초조해 하는 환자를 안심시켜주며 엉뚱한 행동이나 증상에 대하여 지적 또는 비평하거나 판단하지 않는 치료진의 자세가 중요하다.

(2) 약물적인 치료

GABA 수용체와 교차 내성을 보이는 작용시간이 긴 벤조디아제핀 효현제를 이용한 해독치료가 주 치료약물이다. 또한 다음과 같은 전해질과 포도당의 보충이 필수적이다.

① 혈중 포도당 및 비타민 보충

알코올은 간의 글리코겐을 고갈시키고 포도당 생성과정glucogenesis을 방해한다. 급성 금단 시에 증가된 카테콜아민은 글리코겐 분해를 더욱 촉진시킨다. 그러나 급성 금단시기가 지나면 증가했던 카테콜아민이 감소하면서 혈당이 감소하게 된다. 저혈당 증상으로 불안, 초조 긴장과 심한 경우에 발작을 할 수 있다. 50% 포도당 용액 50 cc의 정맥주사가 일시적으로 혈중 포도당 농도를 안정시킬 수 있다.

술에는 무기질과 비타민, 단백질 등을 포함하고 있지 않으며, 장에서의 엽산, 비타민 B6pyridoxine, B1thiamine, B3niacin 등의 저장을 방해하기 때문에 필요한 이들 비타민을 보충해 주어야 한다. 베르니케 코르사코프 증후군을 예방하기 위하여 티아민thiamine, B1은 하루 100-200 mg을 투여한다. 탄수화물이 티아민의 소모를 촉진시키기 때문에 탄수화물보다 먼저 투여한다.

② 체액 및 전해질 이상

알코올의 이뇨 효과로 구갈, 탈수를 보인다. 그러나 만성 환자에서 정상 식이하에서 오히려 부종 상태가 발생할 수 있기 때문에 '모든 알코올의존 환자는 탈수를 보인다.'라고 단순하게 생각하면 곤란하다. 영양결핍, 심한 발한과 발열 또는 구토, 설사 등 환자의 상태에 따라 탈수 여부를 평가하여 그에 따라 적절한 수액과 전해질을 공급한다.

장기간의 알코올 사용은 마그네슘의 소변 배출을 증가시켜 혈중 총 마그네슘의 농도를 낮추기 때문에 50% 마그네슘 용액 2 cc를 비경구로 투여한다. 그러나 규칙적인 식사를 하게 되면 보통 4-5일 이내에 마그네슘 수치는 정상으로 회복된다. 또한 알코올은 세포 내 나트륨을 증가시키고, 칼륨은 감소시켜 신경계, 심장근육, 골격근, 적혈구 세포막의 나트륨—칼륨 비율의 변화를 초래한다. 따라서 기존에 간질이 없고 알코올 금단에 의한 경련이 있는 경우에 항경련제는 필요하지 않지만 간질 병력이 있는 경우에는 항전간제를 사용하여 이러한 나트륨-칼륨 불균형을 회복할 수 있다.

③ 해독치료

알코올과 교차 내성을 가지며 디아제팜과 클로르디아제폭사이드와 같은 긴 반감기를 갖는 벤조디아제핀계열의 약물을 선택하는 것이 원칙이다. 그러나 고령, 최근의 두부 외상, 간부전, 호흡부전, 다른 심각한 내과 질환이 있거나 고도 비만이 있는 환자에서는 작용 시간이 중간 정도인 로라제팜을 선택해야 한다. 이 약물들은 산화oxidation의 과정을 통하여 대사되기 때문에 간에 부담을 적게 주며 다른 벤조디아제핀과 효능 면에서 차이가 나지 않는다. 금단증상이 소실된 후에는 사용하던 벤조디아제핀을 2-3일 간격으로 감량하면서 중단한다.

정신병적 증상이 심한 경우에는 벤조디아제핀과 함께 항정신병 약물을 사용할 수 있다. 항정신병 약물, 특히 저역가 약물을 단독 사용 시에는 경련의 발생 위험성을 높일 수 있기 때문에 단독치료는 반드시 피해야 한다. Haloperidol, quetiapine, risperidone 등을 사용할 수 있으며 항정신성약물을 선택할 때에는 과도한 진정작용과 부정맥 유발 가능성, 중추신경계 억제 효과 등을 판단하여 선택한다.

④ 동반된 신체질환

흔히 폐렴, 비뇨생식계의 염증, 위염, 췌장염, 간염과 외상을 동반하기 때문에 이에 대한 정확한 평가와 함께 필요하면 해당과 자문이 필요하다.

4. 자주 의뢰되는 상황: 장기 금주치료로의 연계

알코올 중독으로부터의 회복이 한 개인과 가정에 미치는 영향은 말할 필요가 없을 것이다. 이러한 성공적인 치료를 위해서는 의료진뿐만 아니라 환자와 가족의 자발적 참여가 반드시 필요하다.

1) 질병 교육psycho-education

환자에게는 알코올 관련 질환이 치료를 받아야 할 '질병'임을 교육을 하고 치료에 대한 동기를 강화한다. 이때 다른 의료진들도 '치료팀'으로서 적극적으로 치료에 동참하도록 격려해야 한다. 그리고 우울장애와 같이 동반된 정신질환이 있는지 평가하여 필요하다면 별도의 정신건강의학과 치료를 권유한다. 그리고 궁극적인 금주의 목적은 삶의 질 회복이 목표임을 교육한다. 이를 위해 자문조정 의사는 단순히 알코올 해독이 아니라 보다 본질적으로 자신의 중독은 자신이 책임져야 한다는 것을 깨닫도록 도와주어야 한다. 그러기 위하여 공감적이고 지지적인 분위기에서 환자에게 알코올 문제를 직면시키며 필요한 정보를 제공하고 교육한다.

2) 전문 알코올 치료 자원과의 연계

자문조정 의사는 알코올 환자의 장기적인 금주와 안정적인 회복을 위하여 활용 가능한 지역사회의 의료 자원, 전국적으로 개설되어 있는 정신건강복지센터와 중독관리통합지원센터 및 알코올 자조모임 등에 대한 정보를 제공한다.

5. 신체질환과 알코올

알코올은 위장관계서부터 심혈관계와 신경계, 비뇨생식계와 내분비계, 피부 및 골격계 등 알코올은 모든 신체에 영향을 미친다고 해도 과언이 아니다. 알코올은 간 질환의 주요 원인이며 다량의 알코올 섭취는 모든 종류 암 발생의 약 2-4%의 주요 위험인자로 작용하고 있다. 특히 구강암, 후두암, 식도암, 간암 등과 높은 관련성을 보인다. 여성의 음주는 소량에서도 유방암 발생을 1.4배 증가시킨다는 보고가 있다.

1) 위장 질환

알코올 섭취는 식도와 위의 염증을 일으키며 특히 췌장염 발생은 일반 인구보다 3배 높다. 알코올은 포도당 생성을 억제하고 젖산을 증가시키고 지방산의 산화를 억제하기 때문에 지방간이 발생한다. 건강한 사람에서는 간독성으로 인한 간 손상이 이내 회복이 되지만 만성적이고 지속적인 음주는 알코올성 간염, 간경화를 일으킨다. 이때 간경화는 알코올의존자의 15-20%에서 발생한다.

2) 간이식

간이식 초창기에는 112명의 간이식 환자 중에 71%가 DSM-IV에 의한 알코올 의존환자일 정도로 흔했다. 그러나 이들을 대상으로 간이식을 하면 많은 합병증과 알코올 중독의 재발로 생존기간이 짧아서 간이식 초기인 1980년대에는 간이식 후보자로 알코올 질환자는 환영받는 대상이 아니었다. 그러나 20여년이 지나면서 알코올 간질환의 이식 후 예후가 비알코올성 질환으로 인한 이식만큼 또는 그보다 더 좋다는 보고도 있다. 적절한 알코올 문제의 선별이 간이식 성공률을 높이고 수술 이후 금주를 유지할 수 있기 때문에 자문조정 의사는 누가 간이식을 받을지를 결정하는 것이 아니라 이식 수술 전후에 알코올 문제의 유무를 평가하고 어떤 처치를 적절하게 할 것인가를 결정하고 권유해야 한다.

3) 갑상선기능저하증

갑상선 기능이 저하되면 피로하고 추위에 견디지 못하며 피부 건조, 쉰 목소리, 심장박동 감소, 심부건 반사 지연, 변비, 체중 증가, 생리 불순을 보인다. 이와 반대로 알코올 금단증상은 초조, 빈맥, 발한, 진전, 심부건 반사의 증가, 혼동, 환각 등을 보인다. 아직까지 두 질환 간의 관계는 명확하지 않지만 갑상선기능저하증이 대뇌의 혈류를 저하시키거나 말초의 아드레날린성 반응을 약화시켜서 알코올 금단증상의 발현을 늦추거나 증상의 발현을 악화시킬 수 있다는 가설이 제안되었다. 갑상선저하증이 심한 환자에서 알코올 금단증상이 지연되어 나타날 수 있기 때문에 주의 깊은 선별검사가 필요하다.

4) 고혈압 및 심혈관계 질환

알코올과 심혈관계 질환과의 관계는 보통 'J' 모양의 관계로 설명한다. 소량의 지속적인 알코올 섭취는 HDL 콜레스테롤을 증가시키는 등의 기전으로 심혈관질환을 예방하는 역할을 하지만 과도한 섭취는 심혈관계 질환의 발생과 사망률을 높인다는 것이다. 미국 식품의약국에서는 심장 질환자와 정기적으로 아스피린을 복용하는 사람은 알코올 섭취를 금지하도록 경고하고 있다. 그러나 미국 심장 학회American Heart Association/American College of Cardiology guidelines for secondary prevention는 심혈관 질환자에게 '적절한 음주'를 권장하고 있다. 이때 적절한 음주는 하루에 남자 2, 여자 1 표준음주량standard drink에 해당되는 양이다. 미국의 한 고혈압 지침서에서는 고혈압 치료를 위해 폭음을 하지 말고, 만약 금주를 못한다면 적어도 이정도의 음주 이하로 할 것을 권장하고 있다.

그러나 이는 전적으로 건강한 정상인에게만 해당되는 사항이며 이미 중추신경계와 전반적 신체 기능이 알코올에 의해 변화가 초래된 알코올사용장애 환자에게는 해당되지 않는 지침이다. 즉, 폐질환 환자에게 금연은 선택사항이 아닌 것처럼 알코올사용장애 환자에게 있어서 금주는 선택이 아닌 필수적인 항목이다.

폭음이 심혈관 질환에 미치는 부정적인 영향은 명확하게 알려져 있다. 알코올과 항혈소판 제제 또는 경구 항응고제를 함께 복용 시에 위장관계 출혈을 증가시킨다. 알코올을 정기적으로 복용하거나 또는 폭주를 하는 사람에서는 P450 효소의 활동성이 10배 정도까지 증가할 수 있어 warfarin의 대사를 촉진시킬 수 있다.

5) 비뇨생식계와 성기능

남자에서 혈중알코올 농도 100 mg/dL 이하에서는 성욕을 증가시킴과 동시에 발기 능력을 저하시킨다. 소수에서는 치명적인 고환 위축이 발생할 수 있다. 여성에서의 지나친 음주는 생리불순, 난소 크기 감소, 불임, 자연 유산 등을 유발할 수 있다. 임산부의 지나친 음주는 안면 이상, 심장기형, 사지 운동 장애, 지능 저하를 동반한 소두증 등을 보이는 태아 알코올증후군을 유발할 수 있다.

6) 기타

(1) 알코올성 근병증

50-67%에서 알코올에 의한 골격근의 무력증을 보인다. 반복된 음주로 인한 칼슘대사의 이상은 낮은 골밀도, 골단 성장 저하와 관련이 있다.

(2) 알코올성 신경증

알코올에 의해 부교감 신경과 원심성 교감신경 이상이 유발된다. 뇌간의 이상은 기립성 저혈압을 유발하며, 알코올에 의한 가장 중요한 자율신경계 이상 증상은 발기부전이다.

(3) 호르몬 변화

코티솔 증가, 항이뇨호르몬의 분비억제 등의 호르몬 변화가 초래된다.

6. 결어

치료에 비협조적인 알코올사용장애 환자에게 치료 동기를 부여하고 치료에 적극적으로 참여하여 자신의 삶을 되찾고 재발없이 안정된 생활을 영위하게 하기 위하여 자문조정 정신건강의학과 의사의 역할은 매우 중요하다. 자문조정 의사는 알코올과 관련이 있는 의학 지식은 물론이고 환자의 음주 행태를 조장하는 환경적 상황까지 평가해야 한다. 또한 의료진과의 정신—역동적 관계도 파악 하여 환자의 증상과 행동을 이해하는 데 활용해야 한다.

알코올사용장애는 재발을 매우 잘 하기 때문에 환자와 의료진을 좌절하게 하고 가정 및 사회에 막대한 피해를 끼치며 치료가 쉽지 않은 정신질환이다. 즉, 알코올사용장애는 생물, 사회, 심리적 요인을 파악하고 가능한 치료 전략을 모두 사용하고 다학제적으로 접근해야 하는 병이다.

참고문헌

1. 국민건강보험공단. 음주가 건강보험 재정에 미치는 영향분석 . 건강보험 정책연구원; 2010.
2. 도로교통안전공단, 2004년도 교통사고 통계분석 . 도로교통안전공단; 2004.
3. 박영일, 김명석, 이정태, 고명숙. 문제음주로 인한 범죄발생률 조사 및 재소자 문제음주 예방
4. 서울대학교 의과대학. 2011년도 정신질환실태 역학조사. 보건복지부 학술연구 용역사업 보고서 2011
5. 정우진, 전현준, 이선미. 음주의 사회경제적 비용 추계. 예방의학회지 2006;39(D: 21-9.
6. 중독포럼. 중독에 대한 100가지 오해와 진실 version 2. 2017
7. 프로그램개발. 한국알코올과학회지 2002;2(2):52-9.
8. Bagnardi V, Blangiarclo M, Vecchia CL. Corrao G, Alcohol Comsumption and the Risk of Cancer. Alcohol Research & Health 2001;25(4):263-70.
9. Chobanian AV, Bakris GL, Black HR, Cushman WC, Green LA, Izzo JL Jr, Jones DW,
10. Materson BJ, Oparil S, Wright JT Jr, Roccella EJ. Joint National Committee on Prevention, Detection, Evaluation, and Treatment of High Blood Pressure; National Heart, Lung, and Blood Institute; National High Blood Pressure Education Program Coordinating Committee. The Seventh Report of the Joint National Committee on Prevention, Detection, Evaluation, and Treatment of High Biood Pressure. Hypertension 2003;42:1206-52.
11. Costanzo S, Di Castelnuovo A, Donati MB, Iacoviello L, de Gaetano G. Cardiovascular and overall mortality risk in relation to alcohol consumption in patients with cardiovascular disease. Circulation 2010;121(17): 1951-9.
12. Fauci AS, Braunwald E, Kasper D, Hauser S, Longo D, Jameson JL. Harrions's Principles of Internal Medicine 17th Ed; 2008. p. 2724-8.
13. Lyne J, Hill M, Burke P, Ryan M. Audit of an inpatient liaison psychiatry consultation service. Int J Health Care Qual Assur 2009; 22(3): 278-88.
14. Nocks JJ. Alcoholism Consultation-Liaison: an effective way to reach alcoholics and teach professionals. Am J Drug Alcohol Abuse 1981;8(3): 389-98.

16

CHAPTER

화상, 외상 및 스트레스 관련 장애

이병철

1. 개요

화상은 2018년도 기준으로 청구데이터를 분석할 때 한 해 60만 명 정도 발생하는 외과 질환이다. 일평균 환자 수는 1,652명으로 최근 수년간 발생을 보면 완만히 증가하는 추세이다. 특히 9세 이하 소아가 12.6%로 높은 빈도를 나타낸다. 산업재해 통계를 보면 연평균 화상 부상자 수는 2014년 기준 341명으로 전체 산업재해 부상의 4.37%를 차지한다.

소아 화상에서는 열탕화상(뜨거운 물, 국 등)이 78%로 높으며 병원 방문 확률이 높다. 장년기 화상은 화염화상이 72.4%로 다수를 차지한다. 전기 감전에 의한 전기 화상은 장년기가 84.5%로 대부분을 차지하며 주로 작업장에서 22,900 볼트에 감전되는 고압 전기 화상이 대부분이다. 화상 환자는 계절에 따른 차이가 없으나 활동이 많은 여름철에 가장 많이 발생한다. 입원환자를 중심으로 볼 때 33.8%가 식피술 등 수술적 치료를 하게 되며 이 외에는 화상 연고 등을 사용한 보존적 치료를 받게 된다.

외국 연구에서 화상환자를 조사한 결과 기존에 우울장애를 가진 경우가 27.4%, 알코올 의존장애를 가진 경우는 41.1%로 높게 나타나 정신질환이 있는 경우 화상 사고 위험이 높은 것으로 나타난다. 화상 이후의 정신질환의 유병률은 화상 1년 뒤 주요우울장애가 16%, PTSD는 9%, 그리고 경증의 외상후스트레스장애post-traumatic stress disorder, PTSD가 17%로 보고되었다.

자살이나 자해로 인한 화상의 경우 정신의학적 진단이 없으면 건강보험이 적용되지 않아 환자가 사고 원인에 대해 말하기를 기피하는 수가 있으며 이러한 경우 중요한 정신질환이 가려진 채로 치료가 진행되는 경우가 있어 초기 평가를 주의 깊게 하는 것이 필요하다.

2. 시간에 따른 경과와 주요 정신증상

1) 중환자실

피부이식을 요하는 중화상의 경우 통상 1-2주의 중환자실 치료, 4-6주의 병실 치료, 6-8주의 재활치료 기간을 가진다. 물론 이 기간은 입원치료 기간을 말하며 이후로도 구축성 반흔(화상 상처에 피부, 근육, 힘줄이 딱딱해지며 탄력이 없어지는 흉터)이 있어 성형수술을 하거나 재활을 위해 입원하는 경우에 입퇴원을 반복하면서 치료기간이 1-2년 정도로 길어지는 경우도 있다. 정신질환이 있는 경우에는 이러한 입원 치료 기간이 다른 신체질환과 마찬가지로 증가하며 화상 환자에서는 42% 증가하는 것으로 나타난다. 따라서 환자의 증상 조절 뿐 아니라 빠른 상처 회복과 사회 복귀를 위해서도 정신의학적 개입은 중요하다.

중환자실의 이 시기는 섬망이 흔히 발생하며 화상과 관련이 없는 내용의 환각을 경험하기도 한다. 경험이 없는 보호자들은 사람을 못 알아보고 헛소리를 하는 증상을 보고 뇌손상이나 정신질환이 발생한 것으로 오해하기도 한다. 이런 보호자들에게는 섬망에 대한 설명이 필요하고 환자도 섬망 증상이 중환자실에서는 흔히 나타나고 좋아질 증상으로 설명해 안심시키는 것이 필요하다. 화상환자의 경우 섬망 시기에 상처부위 붕대를 다 풀어버리거나 환부를 오염시키는 경우가 있어 억제대를 종종 사용하게 되는데 이 억제대의 사용이 섬망을 악화시킬 수 있어 주의하고 사용을 최소화하려는 노력이 필요하다.

큰 화재사고의 경우 동료나 가족의 사망을 동반하는 경우가 많은데 보호자들이 충격을 우려해 사망사실을 감추는 경우도 있고 환자가 기억 상실로 잊어버리는 경우가 있다. 이러한 경우에는 섬망이 지나간 후 판단력이 돌아온 시기라면 비밀로 하기 보다는 알려주는 것이 좋다. 만약 중환자실 기간이 길어진다면 장례식 과정 등을 사진 등을 통해 애도를 돕는 것도 필요하다. 기존의 조현병이나 우울장애 등 정신질환이 있는 경우 중환자실 격리는 정신증상이나 불면을 악화시킬 수 있어 약물을 증량하는 경우가 종종 발생한다. 기도 삽관 환자들의 경우 의사표현이 제한되어 의사소통이 거의 없는 경우가 많은데 이 시기도 정신건강의학과 자문을 통해 환자가 의식이 있는 경우에는 환자가 경험하는 행동제한, 불면, 환각 등을 설명해주고 치료 경과를 설명해주는 것이 환자의 불안감이나 고립감을 줄여주는데 도움이 된다. 중환자실에서의 환자의 고립감과 절박감은 매우 고통스러워 작은 의지가 되기만 하더라도 크게 위로를 받고 나중에 이를 기억하는 경우가 많다.

2) 화상외과 병실

중환자실에서 일반 병실로 이실하게 되면 환자들은 불면을 자주 호소한다. 중환자실에서 깨진 수면리듬이 병실에 이실해서 되찾아지기까지 시간이 걸리면서 늦게까지 못 자는 경우가 많고 화상부위나 이식을 위해 피부를 채취한 곳에서의 통증이나 가려움으로 못 자는 경우도 흔하다. 좁은 병실에서 다른 환자가 깨지 않도록 조용히 밤을 지새우는 일은 매우 고통스러워 이를 조절하는 것이 필요하다. 화상환자의 불면증 치료는 통상적인 불면증의 치료와 다르지 않으나 수면무호흡증으로 인한 불면증에서는 진정 작용 약물의 사용을 주의해야 하고 환자들이 호소하는 악몽 증상이 PTSD인지 아니면 섬망 증상인지 구별하는 것은 중요하다. 악몽을 꾸는 경우 밤에 소리를 지르거나 하는 문제로 병실 다른 환자들과 갈등이 있거나 스트레스를 받는 경우가 흔하다. 본인도 악몽으로 괴로워할 경우 이에 대해 허가된 약물은 아직은 없다. 다만 PTSD로 인한 악몽의 경우 프라조신, 올란자핀, 쿠에티아핀, 리스페리돈, 멀타자핀, 클로니딘 등의 약물이 시도된 바 있고 일부 환자에서는 효과가 있는 것으로 보고된다.

간혹 하지불안증후군restless leg syndrome과 수면 중 주기성 사지운동periodic limb movement에 대해 환자나 보호자가 잠을 자면서 놀라는 일이 있다고 보고하여 불안장애나 PTSD로 오인되는 경우가 있어 이에 대한 감별도 필요하다. 상처가 다리에 있는 경우는 감별이 애매할 수 있는데, 이 경우 병력 청취에 근거하고 치료 약물의 반응을 통해 확인하는 것도 하나의 방법이다. 화상 치료 시 수술부위 보호를 위해 자세를 고정시킨 상태에서 수면을 해야 하는 경우가 있다. 특히 성형외과 피부 이식 수술의 경우 2주 이상 상처 부위를 고정시키는 경우도 있는데 이 경우 고정된 자세로 인해 스트레스를 많이 받는 경우가 있다. 대개 2주 이상 고정이 지속될 때 흔히 발생하는데 이러한 상황에서 나타나는 답답한 증상은 항우울제를 사용하면 호전된다.

일반 병실 입원 환자도 이틀에 한 번 정도로 화상 부위 드레싱을 하게 된다. 넓은 면적의 경우 시간이 많이 걸리고 환자의 체온저하나 감염 등을 고려할 때 시간에 쫓기기 때문에 통증을 신경 쓰기 어렵다. 최근에는 수면 드레싱이 있어 마취된 상태에서 드레싱을 완료해 고통을 못 느끼게 하기도 하나 일반적으로는 드레싱에 대한 공포가 환자의 큰 어려움 중 하나이다. 심한 경우에는 드레싱 전날부터 불안에 떨거나 드레싱에 대한 공포감이 매우 심한 경우가 있고 이럴 때에는 항불안제나 항우울제를 사용하여 조절할 수 있다.

화상 치료는 장기간의 시간을 필요로 해 가족의 지지가 필수적이다. 환자 중에는 자신의 추한 모습을 보이기 싫어 가족이나 친지와의 만남을 거부하는 경우가 있는데 일반적으로 지인들은 환자의 상처에 생각보다 덜 예민하며 이들의 지지는 치료 및 회복의 중요한 요소로 지지 그룹과의 연결을 유지하는 것은 살펴보아야 할 부분이다. 가족들의 지지는 종교적인 경험과 함께 '외상 후 성장'을 가져오는 중요한 요인이다.

3) 재활의학과 병실

상처가 아물고 재활을 하게 되면 환자들은 외과 병동에서 재활의학과 병동으로 옮기게 된다. 관절부위 화상으로 인한 동작 제한은 화상환자들의 큰 어려움 중 하나로 목의 구축이 심할 경우 고개를 들지 못하거나 겨드랑이 구축으로 팔을 들지 못하는 경우가 종종 있다. 심할 경우는 수술을 하는 경우도 있으나 재활 훈련을 통해 구축을 줄이는 방법도 시행하게 된다. 이 시기는 고통을 참고 피부를 늘려야 되는 훈련이 매일 반복되고 빠른 효과가 보이지 않는 지루한 기간으로 우울장애를 호소하는 경우가 많다. 특히 산재 환자의 경우 이 시기가 회사와 치료비 문제, 퇴원 후 회사 복귀 문제 등으로 갈등을 겪게 되는 시기이며 상처 회복의 지연과 직장으로부터의 거절 경험은 우울증상을 악화시키는 역할을 한다. 이러한 스트레스 때문에 병동에서 치료진이나 보호자에게 공격적인 양상을 보이는 경우가 종종 있다. 스트레스로 인한 감정 조절 곤란은 평상시 모습과 전혀 다른 심한 공격성(물건을 집어 던지거나 아이들에게 분노를 표출하는 등)을 드러내면서도 조금만 시간이 지나면 스스로 크게 후회하는 양상을 띠어 다른 병적 공격성과 구별된다. 기분조절제가 이러한 경우에 도움이 된다. 사고에 관련되어 반복적으로 우울 증상에 빠져드는 환자들이나 사회 복귀, 업무 복귀가 불가능한 환자들에서는 자살사고를 동반한 우울장애를 호소하는 경우도 있다. 퇴원 후의 생활에 대한 막막함이 원인인 경우가 많고 이러한 경우에는 정기적인 면담이 필요하다. 가족이 있는 경우에는 가족(특히 자녀)의 롤 모델로서 어려움을 이겨내는 모습을 강조하고 인내심을 가지고 성실한 모습으로 삶을 대하는 태도를 자녀에게 보여주는 역할로서 환자의 목표를 정해주는 것도 도움이 된다.

경우에 따라서 화상 초기에 심한 통증으로 마약성 진통제를 사용한 환자의 경우 재활치료 시기나 이후 퇴원 시기에도 진통제를 줄이지 못하는 경우가 있다. 특히 주사제에 의존하는 경우 퇴원이 불가능한 경우도 있다. 이러한 경우 보조진통제로써 항우울제가 도움이 될 수 있으며 특히 우울장애를 동반한 경우 항우울제 사용이 마약성 진통제 사용을 줄일 수 있다.

4) 퇴원 후 외래

퇴원 후 화상 이전에 정신질환이 없던 환자들은 대개 약을 끊고 사회에 복귀하는 것이 일반적이다. 다만 경우에 따라서 우울장애나 PTSD가 지속되는 경우가 있고 이 경우 지속적인 치료가 필요하다. PTSD 환자들의 경우 사고와 관련이 없는 자극에도 불안감을 느껴 외부 활동이 제한되는 경우가 있으며 길을 가다 보이는 가스통이 폭발할 것 같다거나 쌓아 놓은 물건들이 쏟아질 것 같은 느낌을 호소하는 경우가 흔하다. 불안이 과한 경우에는 점점 생활이 위축되어 나중에는 방 밖을 나오는 것도 힘들어 하는 경우가 있어 퇴원을 앞둔 환자들에게는 3개월간의 적응기간을 가지고 약간의 부담이 되는 정도의 자극 노출은 피하지 않도록 하고 가급적이면 사고 이전의 일상 활동을 모두 시행하는 것으로 설명하는 것이 좋다.

퇴원 직후에는 사고 이전보다 체력도 현저히 저하되고 기억력도 많이 떨어지는 양상을 보이는 것이 일반적이다. 이러한 양상은 사고로 인한 손상, 단조로운 병실생활, 불안, 긴장의 반복 등이 원인일 수 있으며 차차 회복되는 것으로 안심시키는 것이 좋다. 퇴원 직후 서둘러 복귀하는 경우 이러한 기능저하를 두드러지게 느끼게 되고 앞으로 나아지리라는 것을 인지하지 못하면 심한 좌절감을 겪는 경우도 있어 사회복귀 후 적응기간이 필요한 점과 그 사이의 기능 저하에 대해서는 미리 알려주는 것이 필요하다.

3. 화상 환자의 특성

화상은 장기간의 치료와 구축contracture, 추형을 동반하며 심한 정신적인 후유증을 남긴다. 대개 심부 2도 화상 이상에서는 피부 이식수술을 필요로 하며 수술 이후에도 통증이 심한 드레싱과 이식피부의 관리를 위한 운동제한, 구축으로 인한 기능 손상, 추형으로 인한 사고 기억 회상 등 이 지속적으로 스트레스를 준다. 소아청소년 연구에서 80%이상의 중화상 환자에서 25%에서 심한 정신적 후유증이 남는 것으로 보고되었다. 화상 후에는 자살사고도 32% 정도로 높게 나타나며 특히 만성 통증, 수면 장애, 물질의존 과거력, PTSD, 우울장애 등이 위험인자로 나타났다.

하지만 다른 정신건강 자문 영역에서와 마찬가지로 정신질환에 대한 사회적인 인식은 많이 부족하여 국내 산재 화상환자의 경우 신청된 PTSD 질환의 53.6%만 인정되고 있다. 그나마 최근 들어서는 우울장애, PTSD 등의 정신질환도 산재 인정을 받는 비율이 늘고 있다.

화상은 피부 이식 수술 뒤에도 구축이 지속적으로 오며 1-2년간의 재활기간을 필요로 한다. 이러한 시기에 우울장애, PTSD 등으로 재활에 집중하지 못하게 되는 경우가 있고 상처가 상당히 회복된 시점에서 사회복귀를 고민하면서 우울, 불안, 분노 등의 감정이 심하게 악화되는 시기도 있다. 사회 복귀에 대한 불안감은 화상의 상처만큼이나 심한 정신적 스트레스가 되고 자신의 사고를 감정적으로 받아들이지 못하는 경우 더 심한 좌절감을 경험하게 된다. 자문의는 불면, 통증, 우울감 뿐만 아니라 화상 사고로 인해 환자의 삶에서 나타나는 전반적인 고통을 이해해야 하고 치료의 동반자로서 치료 과정 중에 지나치게 욕심을 내거나 때로는 의기소침해지는 부분에 대해 적절히 중재해 주는 것이 필요하다.

참고문헌

1. Blakeney P, Meyer W, Moore P, et al. Psychosocial sequelae of pediatric burns involving 80% or greater total body surface area. J Burn Care Rehabil 1993;14(6):684-9.
2. Detweiler MB, Pagadala B, Candelario J, Boyle JS, Detweiler JG, Lutgens BW. Treatment of Post-Traumatic Stress Disorder Nightmares at a Veterans Affairs Medical Center. J Clin Med 2016;5(12):117
3. Fauerbach JA, Lawrence J, Haythornthwaite J, et al. Preburn psychiatric history affects posttrauma morbidity. Psychosomatics 1997;38(4):374-85.
4. Juś A, Bujalska M, Makulska-Nowak HE. Modification of fentanyl analgesia by antidepressants. Pharmacology 2010;85(1):48-53.
5. Lee KS, Joo SY, Seo CH, Park JE, Lee BC. Work-related burn injuries and claims for post-traumatic stress disorder in Korea. Burns 2019;45(2):461-5.
6. Lerman SF, Sylvester S, Hultman CS, Caffrey JA. Suicidality After Burn Injuries: A Systematic Review. J Burn Care Res 2021;42(3):357-64.
7. Palmu R, Suominen K, Vuola J, Isometsä E. Mental disorders after burn injury: a prospective study. Burns Jun 2011;37(4):601-9.
8. Park JH, Lee JS. Predictors of post-traumatic growth in young adult burn survivors. Burns 2021. In press.
9. Rollo E, Callea A, Brunetti V, Vollono C, Marotta J, Della Marca G. Physical restraint precipitates delirium in stroke patients. J Neurol Sci 2021;421:117290.
10. Thombs BD, Singh VA, Halonen J, Diallo A, Milner SM. The effects of preexisting medical comorbidities on mortality and length of hospital stay in acute burn injury: evidence from a national sample of 31,338 adult patients. Ann Surg 2007;245(4):629-34.

17

CHAPTER

외상성 뇌손상

김원형, 이상열

뇌손상은 뇌졸중, 종양, 독성 및 대사 장애, 감염 및 기계적 파괴와 같은 다양한 원인에 의해 발생한다. 그 중 외상성 뇌손상traumatic brain injury은 외부 요인에 의해서 머리에 기계적인 충격을 받은 상태이다. 미국에서는 외상성 뇌손상이 매년 약 500,000명 발생되는 것으로 보고되고 있지만, 이는 가벼운 뇌손상을 제외한 숫자로, 더 많은 외상성 뇌손상 환자가 있을 것으로 추정된다. 2008년부터 2017년까지 외상으로 입원한 환자를 대상으로 한 연구에서 매년 약 16만 4천명의 환자가 새롭게 외상으로 인해 입원하는 것으로 보고되었는데 이는 입원하지 않은 뇌손상 환자를 제외한 결과로 약 5배 더 많은 외상성 뇌손상 환자가 발생하는 것으로 추정된다.

외상성 뇌손상을 심각도에 따라 분류하면 80%는 경도, 10-13%는 중등도, 7-10%는 중증에 속하는데 이는 주로 글래스고혼수등급으로 평가한다. 하지만 경도 외상성 뇌손상의 경우 항상 의식 소실이 동반 되지는 않으며, 글래스고우 혼수등급을 이용한 평가도 불완전하다. 외상 후 기억장애는 의식 소실보다 예후를 잘 알려주는 것으로 알려져 있다. 외상성 뇌손상 이후 만성적인 후유증이 남게 되는데 경증의 경우 약 10-20%, 중등도의 경우 약 66%, 중증의 경우 100%의 후유증이 남는다.

외상성 뇌손상의 주요 원인들은 낙상, 교통사고, 폭력 그리고 스포츠/취미 관련 부상이다. 나이에 따른 외상성 뇌손상의 유병률을 보면 서구에서는 15-24세와 65세 이후에 두 번의 호발기가 있지만, 국내는 25-49세로 활동적인 청년기와 장년기에 한 번의 호발기가 있다. 외상성 뇌손상 위험 인자로는 남성, 음주력, 낮은 사회경제적 지위가 있다.

1. 병태생리학

외상성 뇌손상은 개방성과 폐쇄성으로 구분하여 나누어 볼 수 있다. 개방성 뇌손상은 두개골과 경막을 관통하며, 손상 부위가 다소 명확하고 잘 구별된다. 반면, 폐쇄성 뇌손상은 비관통성 손상으로, 정확한 손상 부위를 확인할 수 없고 손상 부위가 광범위한 특징을 지닌다.

외상성 뇌손상의 병태생리는 일차 손상 기전(생체역학과 세포독성)과 이차 손상 기전(뇌내 합병증과 전신 합병증)의 두가지 요소로 나누어 볼 수 있다(표 17-1). 일차성 뇌손상은 국소 또는 미만성 병태생리로 구성되어 있다. 국소적 뇌손상은 머리에 충격으로 인한 경막외혈종, 경막하혈종, 뇌좌상cereberal contusion 등을 포함하며, 주로 측두엽 극성temporal lobe polar이나 전두엽 하부표면interior surface of the frontal lobes에 주로 발생한다. 외상성 뇌손상은 전산화단층촬영CT, 자기공명영상MRI으로 진단한다. 또한 광범위 축삭 손상diffuse axonal injury은 뇌백질이 가속력/감속력 또는 회전력과 같이 엇갈리는 힘shearing forces에 뇌백질이 취약하기 때문에 발생한다. 흔하게 발생하는 부위는 그물체reticular formation, 기저핵, 위소뇌다리superior cerebellar peduncle, 뇌궁limbic fornix, 시상하부 그리고 뇌량corpus callosum 등이다. 경도 뇌손상에서도 광범위한 축삭 손상이 나타날 수 있는데 이는 물리적 힘에 의한 손상과 칼슘과 마그네슘의 조절 장애, 자유 라디칼의 형성, 축삭의 붓기. 세포 대사 장애 등 세포독성 과정에 의한 손상으로 발생하는 것으로 생각된다. 전산화 단층 촬영에서는 병변이 잘 관찰되지 않기 때문에 확산강조자기공명영상diffusion-weighted MRI이 진단에 사용된다.

생체역학에 의한 손상은 헬멧이나 자동차 에어백, 안전벨트 등으로 제한적으로 예방할 수 있으나 손상이 즉각적으로 발생하며, 한 번 발생하면 손상 이전으로 완전히 복구하는 것은 불가능하다. 세포독성이나 전신합병증에 의한 손상은 기전을 고려하여 치료한다.

표 17-1. 외상성 뇌손상의 기전에 따른 분류

일차 뇌손상 기전		이차 뇌손상 기전	
생체역학	세포독성	뇌내 합병증	전신 합병증
압궤/압박	세포골격 손상	외상성 혈종	저산소증/고이산화탄소혈증
좌상	축삭 종창	뇌부종	빈혈
가속/감속	세포 대사 장애	뇌수종	전해질 불균형
병진 translation, 회전 rotational, 각 가속angular acceleration	칼슘 이온과 마그네슘 이온의 조절 장애	뇌내압 상승	감염
미세폭발 손상	자유 라디칼Free radical 방출		
미만성 축삭 손상	신경전달물질 흥분독성		

2. 임상양상

1) 뇌손상의 부위와 정신적 후유증

뇌손상 부위에 따라 증상이 다르게 나타나기도 하지만 실제 임상에서 손상 부위와 증상이 명백한 상관관계가 없는 경우도 많다(표 17-2).

국소적 뇌손상에서 좌측의 배측면 전두엽dorsolateral frontal cortex와 좌측 피질하부subcortical area가 손상된 경우에 우울장애가 흔히 관찰된다. 반면에 주로 우측의 안와전두엽orbitofrontal cortex과 관련이 있는 부위에 손상이 온 경우 이차적인 조증 증세가 나타날 수 있다. 폐쇄성 두부 손상에서는 전두엽 기능상실로 나타나는 활동감소, 의욕감소, 추상적 사고력의 저하, 보속증, 무감동이나 부적절한 성적행동, 공격적 행동 등이 나타날 수 있다. 또한 안와전두엽 미만성 손상의 경우 탈억제disinhibition, 작화증confabulation 등이 나타나며 전두엽 손상은 손상의 정도에 관계없이 외상 후 간질의 위험성이 있다. 미만성 축삭손상은 신경 간의 연결을 담당하는 대뇌백질, 축삭의 손상으로 인한 신경절단이 주된 기전으로 경미한 뇌손상에도 발생할 수 있으며 정보처리 속도의 감소, 주의집중유지의 어려움 등이 나타난다.

표 17-2. 외상성 뇌손상의 부위와 정신적 후유증

부위	기능	임상양상
뇌간, 시상		
시상하부	자율신경, 일주기 조절	자발성 감소, 체온, 식욕, 수면조절장애, 비정상적인 감정반응
그물-시상 시스템Reticulothalamic system	각성	의식 저하
그물-피질 시스템Reticulocortical system	각성, 집중, 피질활동 촉진	각성 저하, 집중 저하
복부 전대뇌Ventral forebrain	중앙 측두medial temporal, 신피질neocortex 부위의 콜린신경전달	집중, 기억, 실행기능의 손상
측두엽		
편도	적절한 감정적, 사회적 행동유발	무감정, 불안
전측 피질Anterior Cortex	어의적semantic 기억, 얼굴 인식, 사회적 혹은 감정적 반응 조절	어의적 기억 감소, 얼굴인식, 사회적, 감정적 정보처리 손상
내후각 해마 복합체Entorhinal hippocampal complex	다양한 정보의 필터링, 서술적declarative 기억, 실행working 기억	감각 관문sensory gating 손상, 서술적 기억, 손상
전두엽		
전측대상회Anterior Cingulate Cortex	동기motivation	무감동
배외측 전전두피질dorsolateral prefrontal cortex	실행성 기능	인지기능 감소, 추상적사고, 판단력 감소
하외측 전전두피질inferolateral prefrontal cortex	실행 기억	실행기억 감소
배측 전두 피질Ventral frontal cortex	본능적 행동의 조절	탈억제, 과민성, 공격성
백질	정보 처리 촉진	

2) 섬망

외상성 뇌손상에 의한 섬망은 일시적이고 가역적인 의식 수준의 변화, 인지기능의 변화, 지각의 변화로 수상 직후에 발생된다. 과거에는 섬망이란 용어보다 의식 장애, 외상후 기억장애, 급성 혼돈 상태가 주로 사용되었다. 섬망의 주증상은 의식 수준, 집중력, 그 외 인지기능(언어, 실행증, 집행 기능, 동기 등)의 변화, 지각의 장애(착각과 환각), 감정의 변화(주로 정동의 불안정성)와 행동의 변화이다.

섬망의 정확한 기전은 명확하게 밝혀지지 않아 심한 뇌손상의 맥락에서 이해하는 편이 도움이 된다. 매우 강한 외력과 지속되는 각 가속이 있는 부상은 표면 및 심부 대뇌 구조를 손상시키고 장력이 높은 변형을 일으켜 뉴런 및 뉴런 네트워크의 정상적인 활동을 교란시키는 세포 기능 장애를 유발한다. 이러한 요인만으로도 뇌간의 기능을 방해하고 피질하 또는 피질 구조물과의 연결에 문제를 일으켜 각성 수준을 감소시키고 전반적 뇌기능의 저하를 일으키며 심각할 때는 혼수coma까지 일으키기도 한다. 손상의 심각도의 관점에서 볼 때, 덜 심한 손상은 더 적은 정도의 기능 장애를 생성하는 것으로 이해할 수 있으며, 경미한 손상은 외상후 기억장애나 경미한 다른 인지장애를 발생시킨다. 이차적 뇌손상이나 뇌손상에 의한 합병증(뇌내부종, 뇌압증가, 뇌내 혈류 조절 장애, 저산소증 등)은 뇌의 기능을 손상시켜 외상 후 섬망을 유발한다.

심한 섬망은 수주에서 수개월 동안 지속된다. 뇌간, 기저핵부, 전뇌의 기저부에 병소가 있을 때, 섬망 증상이 더 오래갈 수 있으며, 좌반구(우성반구)의 병소도 섬망 기간의 증가와 연관이 있다.

일반적으로 섬망의 기간이 짧다면 좋은 치료 결과를 예측하게 하지만 외상 후 내외과적 상태가 섬망의 회복에 영향을 주기 때문에, 외상성 뇌손상 이후 섬망의 기간과 기능 회복과의 관계는 명확하지 않다.

3) 신경인지장애

외상후 뇌손상에 의한 치매는 의식 수준의 상실이 없이 지속되는 다양한 인지기능(복잡한 주의력, 실행기능, 학습과 기억, 언어, 지각-운동 또는 사회인지)의 장애로 일상생활 등 기능의 문제를 보이는 경우에 진단한다. 외상 후 뇌손상에 의한 섬망과 치매를 구분하는 것은 어렵다. 섬망의 정의에서 각성수준의 변화와 주의 집중력의 저하가 특징적이지만 중증의 뇌손상 이후 발생하는 만성적 혼돈 상태인 섬망과 치매를 임상적으로 구분하는 것은 불가능하다. 일반적으로 중증 외상성 뇌손상에서는 주의력, 반응속도, 삽화성 기억, 집행기능의 저하가 흔하고, 주된 행동 문제로는 망상, 환각, 기분의 문제, 무감동 및 무의욕 정서적 불안정, 초조, 탈억제, 배회, 수면 및 식이 문제 등이 동반된다.

또한 경도 또는 중등도의 뇌손상에 의한 치매의 경우에 섬망의 특성인 집중력 저하, 사고 속도의 저하, 각성 수준의 경미한 저하, 기억력, 집행기능의 저하, 감정, 성격, 행동 변화의 양상이 동반될 수 있다.

외상후 뇌손상에 의한 치매는 혼합성 치매를 보이기 때문에 부상 부위와 심각도에 따라 다양한 인지기능의 저하를 보인다. 다양한 피질 손상의 부위 중 전두엽(주로 전전두피질과 전두엽 극frontal poles), 전방 또는 측방 측두부 피질, 그리고 피질하와 다른 피질 연관 영역을 연결하는 백질이 두개골의 뼈 돌출이나 뼈 구조에 의해 쉽게 손상을 받는 취약한 부위이다. 뇌의 구조적 손상과 함께 발생하는 아세틸콜린과 글루타메이트와 같은 신경전달 물질 농도 변화와 중뇌피질mesocortical과 중뇌변연계mesolimbic의 도파민, 노르에피네프린, 세로토닌 투사projection의 구조적 변화도 인지기능의 장애를 일으키는 주요한 원인이 된다.

경도의 뇌손상에도 치매 수준의 기능 장애를 보이기도 하는데, 이럴 때는 의사, 환자, 가족들에게 혼란을 초래한다. 영상 검사에서 명백한 이상소견이 없고 전기생리검사electrophysiology 상 전반적인 이상 소견만 보이는 경우, 임상적 면담과 평가 결과를 받아들이기 어려울 수도 있다. 이러한 경우 조금 더 정교한 양전자방출단층촬영PET, 단일광자단층촬영SPECT, 핵자기공명분광법MRS, 정량화뇌파QEEG을 추가로 고려해 볼 수 있다. 또한, 반복되는 신경심리검사상 예측 가능한 손상부위를 예상하게 하는 장애 패턴은 외상성 뇌손상으로 인한 기능 장애의 객관적인 증거로 볼 수 있다.

외상성 뇌손상에 의한 신경인지장애를 진단하기 위해서는 외상성 뇌손상의 존재와 인지손상과의 시간적 관련성이 진단에 필수적이다. 외상성 뇌손상에 의한 신경인지장애는 의식 소실, 외상성 기억상실, 지남력 장애 및 혼란, 신경학적 징후 혹은 의식의 회복 직후 그리고 급성 손상 시기 이후에도 지속되는 신경인지장애가 있는 경우 진단할 수 있다.

외상성 뇌손상에 의한 인지기능저하를 평가할 때는 뇌수종, 만성 경막하 혈종, 외상후 내분비 장애(예: 갑상선기능저하증)이나 우울이나 불안에 의한 가성치매pseudodementia, 가역적 원인을 가진 인지기능장애(예: 비타민 B 결핍 등) 등에 대한 감별이 필요하며, 가능하면 자기공명영상을 함께 촬영해야 한다.

외상성 뇌손상에 의한 인지기능저하는 손상 심각도에 상관없이 뇌손상 후 첫 1년 동안은 호전되는 것으로 보인다. 그러나 인지기능의 자연 회복의 정도는 뇌손상 전으로 회복되지 않는 경우가 많다.

많은 환자들이 외상성 뇌손상에 의한 인지기능저하 이후 알츠하이머 치매가 발생하는 것에 대해서 염려하지만 알츠하이머 치매와 외상성 뇌손상과의 관계는 분명하지 않다. 기존의 연구에서 외상성 뇌손상은 알츠하이머 치매의 독립적인 위험요인은 아니라는 연구도 있지만, 추후에 연구가 더 필요하다.

4) 성격변화

성격 변화는 외상성 뇌손상 환자와 가족들에게 가장 중요한 문제 중 하나다. 외상성 뇌손상 후 성격 변화는 자아개념과 대인 관계 양상의 미묘한 변화에서부터, 문제가 반복되는 극적인 변화 수준까지 다양하다. 이러한 성격변화는 전두엽 증후군으로 불리는데 주로 불안정한 정동, 탈억제, 사회적 판단력 저하, 무감동, 성적 충동성, 고집, 공격적 행동, 자기 효능감의 저하, 공감능력 저하, 자기 모니터링 능력의 저하, 편집증, 집중력 저하, 개인 위생 저하 등으로 나타난다. 병전과 정반대의 성격이 나타나기도 하지만 병전 성격 특성이 강화되는 경우가 더 흔하다.

뇌손상 후 성격 변화는 전두엽과 측두엽 기능의 변화나 미만성 축상 손상에 기인한다. 심각한 뇌손상에서는 배외측 전전두피질과 전대상회로의 변화가 지적 능력과 욕구의 소실을 일으킨다. 경도의 뇌손상에서도 같은 영역에 영향을 미쳐 지적 둔감성과 사회적 에너지나 흥미의 감소를 일으키기도 한다. 안와전두부 회로의 부상은 예민함, 짜증, 정동의 불안정성 등을 일으킬 수 있다. 중앙 측두부 중 특히 편도의 손상은 감정적 반응이나 감정적 학습에 영향을 미쳐 내적, 외적 자극에 대한 적절한 감정적 반응을 하지 못하도록 한다. 미만성 축삭 손상은 뇌의 연결망과 뇌내 상호작용에 기능적 장애를 일으켜 외상성 뇌손상 환자의 생각, 감정 반응에 영향을 미쳐 성격변화를 일으킨다.

5) 공격성

공격성과 과민성은 외상성 뇌손상의 흔한 부작용으로 외상성 뇌손상 환자와 보호자에게 위협이 된다. 외상성 뇌손상을 입은 환자의 96%는 급성기에 초조 행동이 나타나는데 첫 2주간에 대부분 사라지지만 일부의 경우 공격성과 과민성이 지속되거나 간헐적 분노 행동으로 나타난다.

시상하부의 손상은 신경호르몬이나 자율신경계 반응으로 매개되는 투쟁 또는 도피fight or flight 반응의 조절장애를 일으킨다. 복내측 시상하부의 손상은 할퀴거나 깨무는 것과 같은 방향성이 없는 분노를 일으키기도 한다. 변연계와 편도 복합체의 손상은 과흥분성을 초래하여 사소한 감정적 자극에 극심한 분노 반응을 초래하기도 한다. 또한 안와전두엽 피질의 손상은 감정적 탈억제를 초래하여 공격성을 유발한다. 세로토닌, 노르에피네프린, 도파민, 아세틸콜린, GABA와 같은 신경전달 물질들이 공격적 행동에 영향을 미친다. 감소된 세로토닌과 증가된 도파민이 공격성을 일으키고 과도한 노르에피네프린은 불안과 초조를 증가시킨다. 아세틸콜린과 GABA의 감소는 변연계에서 도파민과 노르에피네프린의 역할을 조절하는 전두부-피질하 회로에 영향을 미친다. 외상성 뇌손상에 의한 공격성은 단순한 신경생물학 보다는 전전두부, 변연계, 변연계 주변의 기능 부전의 결과이다.

6) 기분장애

외상성 뇌손상 환자의 60%에서 우울장애가 발생한다. 이 환자들에게 지속성우울장애는 매우 흔해서 뇌손상 발생 후 첫해 동안 약 10%의 유병율을 보인다. 코호트 연구에서 외상성 뇌손상 이후 발생하는 외상성 뇌손상으로 인한 우울장애의 발생 시점에 따른 현상학적인 또는 생물학적인 차이는 없었다.

외상성 뇌손상 이전에 우울장애가 있었던 환자에서 외상 후 우울장애가 더 잘 발생하고, 우울장애가 더 심각하고 치료가 더 어려운 것으로 알려져 있다. 외상성 뇌손상 이전의 정신 질환, 낮은 사회 적응력, 낮은 사회적 만족도는 외상성 뇌손상 이후 우울장애의 위험 요인이다.

좌측 배외측 전전두피질과 기저핵 부위의 뇌손상은 주요우울장애와 밀접하게 연관이 되어 있다. 하지만 이 병소에 의한 우울장애는 3개월 미만인 경우가 많으며 이는 미만성 축상 손상이 회복되기 때문인 것으로 추정된다. 3개월 이상 우울장애가 지속되게 하는 생물학적 기전은 불명확하여 신경생물학적 요인과 정신사회학적 요인과의 상호작용에 의해 발생하는 것으로 추정된다.

외상성 뇌손상 후 조증은 약 10%에서 발생한다. 하지만 조증이 양극성 장애로 변환되는 비율에 대한 연구는 아직 없다. 외상성 뇌손상 후 조증은 뇌손상의 심각도, 신체적 또는 인지적 손상 정도, 정신질환의 가족력, 사회적 지지 수준, 사회적 기능 수준과는 연관성이 없으며 간질(부분 복합성 발작)과 연관성이 있다.

외상성 뇌손상의 조증과 관련 있는 병소는 우측 측두엽과 안와전두부 피질이다. 망상 변연계나 변연-피질 억제 체계의 변화가 조증과 연관성이 있다.

7) 불안장애

외상성 뇌손상 후 발생하는 불안 장애는 약 30% 정도이다. 처음 나타나는 불안의 양상은 급성 스트레스 장애이며, 지속될 경우 외상후스트레스 장애로 발전하기도 한다. 공포장애, 공황장애, 범불안장애, 그리고 강박장애의 형태로 나타나기도 한다.

정신사회적 요인과 신경생물학적 요인이 복합적으로 작용하여 불안이 발생한다. 좌측 전두엽보다 우측 전두엽에 손상이 있을 때 불안이 더 잘 발생한다. 강박장애도 우측 안와전두부 피질과 미상핵caudate nucleus 기능 부전으로 인해 발생한다.

8) 정신병적 장애

외상성 뇌손상 이후 정신병적장애는 상대적으로 드물다. 인지 장애나 행동 장애가 정신증의 증상과 유사하기 때문에 정신증의 발생률이 다소 낮게 측정될 수도 있다. 하지만 외상성 뇌손상 약 10-20년 이후 정신병적장애가 일반 인구보다 2-3배 더 잘 발생하는 것으로 보고되었다. 중등도 또는 중증 외상성 뇌손상 이후 발생하는 가장 흔한 정신병적 장애는 외상성 뇌손상으로 인한 정신병적장애, 망상 동반이다. 전두엽과 측두엽 손상이 외상성 뇌손상 이후 발생하는 정신증과 밀접하게 연관이 있다.

9) 뇌진탕후증후군

외상성 뇌손상 이후 발생하는 뇌진탕후증후군은 인지 증상(기억력, 주의력, 집중력 저하), 신체 증상(두통, 피로, 불면, 어지러움, 이명, 시각이나 청각 자극에 대한 민감성), 정동 증상(우울, 과민성, 불안)의 세 가지 범주의 증상을 가진다. 뇌손상의 어떤 심각도에서도 뇌진탕후증후군은 발생할 수 있으며, 거의 모든 환자(80-100%)에서 위의 세가지 범주 중 한 가지 이상의 증상 범주를 호소하며 대부분은 1달 이내에 사라지고 90%의 환자들에서 12개월 이내의 증상이 사라진다. 나머지 10%의 환자들에서만 뇌진탕후 증후근의 증상이 지속된다.

뇌진탕후증후군의 기전이 잘 밝혀져 있지는 않지만 미만성 축상 손상이 이 질병의 주요한 기여 원인으로 생각된다. 회백질과 백질의 변화와 신경생리학적 이상이 뇌진탕후증후군 환자에서 발견된다.

3. 평가

1) 초기 평가

외상성 뇌손상의 초기 증상의 중증도는 의식소실 기간, 글래스고혼수등급Glasgow coma scale, GCS, 외상 후 기억상실post-traumatic amnesia에 따라 경도, 중등도, 중증으로 분류한다. 외상 후 기억상실은 외상 이전의 기억을 상실하는 후향적 기억상실증retrograde amnesia과 외상 이후의 기억을 상실하는 선행적 기억상실증anterograde amnesia으로 구분된다. 중증도를 구분할 때는 후향적 기억상실증 시간을 기준으로 한다.

경도 외상성 뇌손상은 의식소실이 30분 이하이면서, 외상 후에 시행한 GCS가 13-15점 사이이고 외상 후 기억 상실의 시간이 1시간 이내인 경우로 정의한다. 중등도 외상성 뇌손상은 의식소실과 외상 후 기억상실이 24시간 이내이면서 GCS가 9-12점, 중증 외상성 뇌손상은 의식소실과 외상 후 기억 상실이 24시간 이상이면서. GCS가 8점 이하인 경우로 분류한다(표 17-3).

표 17-3. 외상성 뇌손상의 심각도 분류

평가도구	뇌손상의 정도		
	경도	중등도	중증
글래스고혼수등급	13-15점	9-12점	8점 이하
의식 상실	30분 이하	30분-24시간	24시간 이상
외상 후 기억상실	1시간 이하	1-24시간	24시간 이상

2) 정신적 후유증에 대한 평가

임상적 병력만으로 외상성 뇌손상의 감별진단이 어렵기 때문에 우울감, 불안, 인지기능저하 등을 평가할 수 있는 심리검사가 필요하다. 하지만 많은 경우 심리방어기제로 증상을 과장할 수 있기 때문에 해석에 주의를 요한다. 외상성 뇌손상에 정신건강의학과적 평가에는 다음의 요소들이 포함되어야 한다.

(1) 병력

병력은 환자와 목격자의 진술과 손상 병력의 정도를 확인할 수 있는 의무기록(글래스고혼수등급, 의식 상실 기간 등)이 함께 평가 되어야한다. 후향적인 뇌손상 병력의 평가는 기존에 작성된 의무기록을 필수적으로 포함해야 한다. 뇌손상 발생과 정신건강의학과적 증상 발생의 시간적 관계가 중요하다. 환자가 부상으로 인해 두통이나 동통과 같은 신체적 손상을 겪고 있는지, 진통제, 안정제 등을 포함하여 어떠한 약물을 복용하고 있는지, 일상생활로 복귀 전에 인지기능저하에 대해 스스로 인지했는지를 알고 있어야 한다. 뇌손상으로 인한 인지, 감정, 행동 증상은 뇌손상 발생 시점 이후 고정되거나 점차 호전된다. 장애가 악화되는 것은 일반적이지 않으며 다른 정신건강의학과적 장애를 고려해야 한다.

또한, 병전 정신건강의학과적 과거력, 사회적 및 직업적 기능, 신경학적 문제들에 대한 정보를 얻어야 한다. 병전의 상황들이 악화되고 있는지, 문제들의 경과가 바뀌지 않았는지 결정해야 한다. 만약 심혈관질환, 고혈압, 당뇨, 염증성 질환이 있다면 이는 직간접적으로 뇌기능의 악영향을 미칠 수 있다.

(2) 신체 검진, 신경학적 검진

주의 깊은 신체 검진과 기본적인 신경학적 검진을 통해 현재 환자가 고통을 겪고 있거나 추가적으로 주의가 필요한 신체 장애들(경추부 통증, 요추부 통증, 전정기관 문제, 시각 문제, 보행 문제, 부조화 등)을 찾아내야 한다. 비정상적인 원시반사와 같은 뇌의 기능의 장애를 유추할 수 있는 검사도 수행한다.

(3) 정신상태검사

일반적인 정신상태검사에서는 불안, 초조와 같은 감정 상태의 평가와 감정 조절의 어려움을 우선적으로 평가해야 한다. 외상성 뇌손상 환자에서는 간이정신상태검사mini-mental status examination, MMSE가 인지기능장애 평가의 민감성이 떨어진다. 즉, 정상 수준의 간이정신상태검사 검사가 인지기능장애가 없는 상태를 의미하지는 못한다. 따라서 주의력, 기억력, 집행기능의 세부 사항을 평가할 수 있는 도구를 사용해야 한다. 선로잇기검사 A나 BTrail making test A and B, 단어목록기억검사word list memory, 시각구성검사visual constructional tasks, 기억 검사memory task의 검사 수행 방법, 질, 속도 등이 평가되어야 한다. 하지만, 간이정신상태검사에서 일관적으로 낮은 점수를 보이는 것은 인지기능저하를 의미한다.

(4) 의학적 검사

중등도나 중증 외손상 환자는 급성기와 급성기 이후에 뇌영상 검사를 받게 되는데 이 검사들의 검토가 필요하다. 인지기능장애가 있는 외상성 뇌손상 환자들은 평가기간 동안 구조적 뇌영상검사(가능하면 MRI)를 받아야 한다. 만약 뇌좌상이나 미만성 백질 손상이 관찰된다면 심각한 손상이 동반되었다고 볼 수 있다.

경도의 외상성 뇌손상 환자는 급성기에 뇌영상 검사를 받지 않다가 치료 종결 시점에 검사를 받는 경우가 있는데 이럴 때는 주의 깊은 해석이 필요하다. 많은 뇌영상 검사가 '정상' 소견으로 보이지만 임상적인 증상과 연관이 있는 미세한 변화가 있는지 검사가 필요하다.

외상성 뇌손상 진단을 위해 필수적으로 사용되지는 않지만 PET이나 SPECT 같은 기능성 영상검사도 유용할 수 있다.

정량적 뇌파검사의 활용은 다소 논란의 여지가 잇다. 정량적 뇌파검사는 경도 뇌손상을 포함한 뇌손상을 확인하는데 민감도와 특이도가 높지만 아직은 검사보다는 연구목적으로 사용된다.

마지막으로 가역성 치매나 우울장애의 의학적 원인이 될 수 있는 검사도 시행해야 한다(예; 갑상선자극호르몬TSH, 비타민 B12, 엽산, 인체면역결핍바이러스 검사 등).

(5) 신경심리학적 평가

외상성 뇌손상 환자의 진단과 치료계획 수립을 위해 인지기능장애의 정도나 패턴에 대한 정보를 제공하는 신경심리학적 검사를 수행한다(표 17-4). 신경심리학적 검사를 통해 피질하 혹은 피질의 손상에 의한 인지기능저하를 감별할 수도 있고, 우울이나 불안에 의한 인지기능저하도 감별할 수 있다.

외상성 뇌손상에서 민감도가 높은 검사들은 주의력, 작업기억, 정신운동 속도psychomotor speed/반응시간reaction time, 집행기능 검사 등이다. 따라서 다양한 인지 영역을 체계적으로 평가할 수 있다. Seoul Neuropsychological Screening Battery, SNSB), Consortium to Establish a Registry for Alzheimer's Disease(CERAD), Alzheimer's Disease Assessment Scale-Cognitive subscale(ADAS-cog)와 Frontal assessment Battery(FAB), 위스콘신카드분류검사, 선로잇기 검사 등 전두엽 기능을 자세하게 볼 수 있는 검사를 시행해야 한다.

표 17-4. 외상성 뇌손상 환자에게 적용가능한 인지영역별 검사

주의력 검사	집행기능 검사	추상력	판단력	기억력	시공간구성력	언어검사
숫자 바로 따라 외우기Forward digit span 숫자 거꾸로 따라 외우기 Backward digit span 각성vigilance 검사 선로잇기 검사A Trail making test A Digit symbol 또는 Symbol digit 검사	주먹-손날-손바닥Luria 3-step test 반복하기 Contrast program go-no-go test 루리아고리Luria Loop 보고 그리기 네모와 삼각 교대 Alternating square and triangle 보고 그리기 선로잇기 검사 B Trail making test B 단어유창성Word fluency 검사 Stroop 검사	'연필과 붓', '개와 호랑이' 등의 사물의 유사성 또는 상이성을 질문 속담 풀이	'돈이 든 지갑을 주우면 어떻게 하시겠습니까?', '길을 잃으면 어떻게 하시겠습니 까?', '주민등록증을 주우면 어떻게 해야 하나요?', '집에 불이 나면 어떻게 해야 하나요?' 등의 질문	순차적 단어학습검사 Serial word list learning test 이야기 회상 검사 시각기억Rey Osterrieth Complex Figure	오각형 겹쳐그리기 Rey 복합도형 보고 그리기 시계그리기 검사	보스톤이름대기 검사 웨스 턴실어증검사

3) 보상과 관련된 평가

산업재해나 자동차 사고의 경우 정신의학적 장애평가를 위해 의뢰되는 경우가 많다. 임상적으로 이러한 뇌손상에 의한 증상의 경우 가벼운 적응 장애나 우울장애의 경우 6개월 정도, 경미한 인지장애나 기억장애의 경우 6-12개월 정도, 심한 인지기능장애나 외상성 치매의 경우에는 12-18개월간 치료하고 관찰한다. 심한 증상의 경우 장애 진단을 위해 최소 18개월 이상의 치료관찰이 권고되고 있다. 인지기능과 관련된 장애 평가에 있어서는 임상가 치매 척도clinical dementia rating, CDR 혹은 전반적 퇴화 척도global deterioration scale, GDS와 간이정신상태검사 등을 표기하는 것이 좋다. 장애 기준은 산업 재해로 인한 경우 산재 보상법 신체장애등급표를 이용하고, 교통사고인 경우 맥브라이드 장애등급표를 이용하여 평가하는 것이 일반적이다. 상대적으로 다른 외상성 손상에 비해 주관적인 평가가 들어가기 쉬운 만큼 뇌손상으로 인한 장애평가를 시행할 경우 충분한 검사 결과와 관찰 기간을 확보해 평가의 신뢰성을 높이려는 노력이 필요하다.

4. 외상성 뇌손상 후 약물 치료

뇌손상 이후의 약물치료에 대해서는 여러 가지 연구들이 있으나 근거가 부족한 경우가 많다. 환자의 증상에 따라 다양한 약물이 사용되며 약물의 효과나 부작용이 뇌손상을 받지 않은 사람들과는 다르게 나타날 수 있음을 항상 염두해 두어야 한다. 따라서 일반적으로 약물을 처방할 때는 낮은 용량으로 천천히 증량하는 방법이 추천되며, 표준화된 평가도구를 사용하여 지속적인 증상의 재평가를 통해 경험적인 처방을 하게 된다. 벤조디아제핀계 약물은 적게 사용하는 것이 원칙이다. 또한 외상성 뇌손상 환자는 정신약물의 부작용(삼환계 항우울제로 인한 경련, 카르바마제핀으로 인한 인지기능저하, L-도파/카비도파로 인한 정신증 등)에 취약하기 때문에 예상치 않은 부작용이 생길 수 있음에 주의해야 한다. 많은 환자들이 약물에 의한 부정적인 경험으로 인해 약물 치료를 거부하고, 부작용에 대한 표현에 제한이 있을 수 있으므로 조심스럽게 용량을 변경해야 한다. 한 가지 약물로 적절한 증상 완화가 이루어지지 않을 때, 다른 작용 기전의 약물을 적은 용량으로 추가하는 방법을 사용하게 된다.

최근에 발표된 논문들과 종설 논문들을 종합하여 외상성 뇌손상 환자의 증상별 추천 약물들 및 용량에 대해 표 17-5에 기술하였다. 항정신병약물을 사용할 때는 과수면, 정좌불능, 신경손상회복 지연과 같은 부작용을, 벤조디아제핀계 약물은 탈억제, 인지기능저하, 실조 등의 부작용을 고려해야 한다. 리튬은 혼란, 신경독성, 떨림, 실조 등의 부작용이 있으며 발프로에이트는 간독성, 실조 등의 부작용이 있다. 프로프라놀롤은 서맥의 부작용이 있고, 항우울제는 간질가능성을 높일 수 있으므로 주의 깊게 사용해야 한다.

한편, 외상성 뇌손상 환자의 장애 정도는 기능과 재활에 직접적인 영향을 주는 줄 수 있으며 이에 대한 약물치료는 4가지 카테고리로 구분할 수 있는데, 의식 수준의 저하, 신경심리적 증상군, 신경인지적 증상군, 신경행동적 증상군으로 구분되어 고려될 수 있다. 의식수준의 저하는 혼수상태부터 경한 의식수준의 저하까지 다양하며 신경심리적 증상군은 기분장애, 외상후스트레스장애, 탈억제와 완고함으로 나타나는 성격장애 등이 있다. 신경인지적 증상군은 주의력, 기억, 실행기능의 손상 등이 포함되고, 신경행동학적 증상군은 외상성 뇌손상 환자의 30% 이상에서 나타나는 행동적 특성들로 자극과민, 안절부절, 공격성, 초조, 신경질, 낮은 충동 조절, 과잉 흥분성 등이 있다. 다양한 외상성 뇌손상 부위에 따라 인지 과정에서 중요한 신경전달물질의 손상이 나타난다. 그 중에서도 실행 기능을 조절하는 도파민성 신경 손상 및 주의력과 연관 있는 노르에피네프린과 아세틸콜린의 결함이 중요하게 논의되어 왔다. 다양한 정신약물이 이러한 신경전달물질의 손상에 도움이 될 수 있기 때문에 회복을 도움이 되기 위해 사용될 수 있다.

외상성 뇌손상 환자의 정신약물치료에서 목표는 분명해야 하고, 예후와 부작용은 모니터링 되어야만 한다. 만일 정신약물이 효과가 없거나 부작용을 유발하게 되면 투약을 중단해야 하며, 불필요한 여러 정신약물을 투여하는 것을 피해야 한다. 정신약물을 선택하는 데 앞에서 논의된 뇌손상 부위와 4가지 영역의 증상에 대한 주의 깊은 평가와 판단 후에 선정되어야 한다.

1) 정신자극제

메틸페니데이트와 같은 정신자극제는 ADHD를 치료하는 데 가장 흔하게 사용되며 ADHD는 주의산만, 과잉행동, 충동성을 주 증상으로 보이는 정신질환으로 증상과 신경전달물질의 이상 측면에서 뇌손상과 유사하다. 메틸페니데이트의 작용 메커니즘은 아직 완전히 밝혀지지는 않았지만, 도파민 수송체에 결합하여 재흡수를 막고 특히 전두엽 피질에서 세포 외 도파민 수치를 증가시키고 또한 노르에피네프린과 세로토닌 수치를 증가시키는 것으로 생각된다.

외상성 뇌손상 이후 급성기에 메틸페니데이트를 투여한 환자에서 1개월 째 주의력, 집중력, 운동 기억 과제에 대한 수행이 우수하였으나 3개월 이상 지속되지는 않았다. 따라서 메틸페니데이트 사용이 회복 기간을 단축시킬 수는 있지만 유병률을 변화시키지는 않았다. 외상성 뇌손상 이후 만성기에 사용하였을 때 기분, 작업 수행 및 주의력이 향상되었으며 유창성과 선택적 주의력이 향상되었음을 시사하는 근거는 제한적이었다.

메틸페니데이트가 만성적인 주의력에 미치는 영향은 모호하다. 한 연구는 처리 속도와 주의력은 향상시키지만 장기적인 주의력을 향상시키거나 주의 산만을 감소시키지는 않는다고 보고하였다. 여러 임상 시험이 진행되었음에도 불구하고 외상성 뇌손상으로 인해 유발된 각성 및 운동 이상을 치료하는 데 있어 정신자극제를 사용하는 것에 대해서는 논란이 있다. 최근 한 리뷰에 따르면 "현재 외상성 뇌손상에서 회복을 촉진하기 위해 메틸페니데이트 또는 기타 암페타민의 사용을 뒷받침할 근거가 불충분하다."고 결론을 내렸으며 다른 리뷰에서는 신경인지 장애로 고통받는 성인 및 소아 뇌손상 환자, 특히 주의력, 기억력, 인지 처리 및 언어에서 메틸페니데이트의 역할이 입증되었다고 언급하였다. 메틸페니데이트는 빠르게 작용하고 부작용이 비교적 적으며 외상성 뇌손상의 급성 및 만성 단계에서 모두 유용할 것으로 생각된다.

2) 항우울제

외상성 뇌손상 이후 정신적 후유증은 잠재적으로 심각한 결과를 초래할 수 있음에도 불구하고 과소 진단 및 과소 치료되고 있다. 선택적세로토닌재흡수억제제SSRI는 외상성 뇌손상 환자의 행동 증후군의 치료에 유용한 것으로 확인되었다. 여러 연구에 따르면 SSRI가 신경 행동, 신경 인지적 및 신경 정신적 결손, 특히 초조, 우울, 정신운동 지연 및 최근 기억의 상실 등에 효과가 있었고 하루 평균 100 mg씩 8주간 설트랄린을 투여한 경우 초조, 우울한 기분, 정신운동 속도 저하, 기억력 저하 등이 호전되었으며 치료 기간이 짧은 경우에는 효과가 없었다.

마찬가지로 플루옥세틴을 3개월간 매일 60 mg씩 복용하는 경우 뇌손상으로 인한 강박장애 치료에 효과적인 것으로 나타났다. 마지막으로, 또 다른 연구에 따르면 파록세틴 또는 시탈로프람을 매일 10-40mg의 용량으로 투여하였을 때 병적 울음pathological crying에 효과적인 것으로 나타났다.

세로토닌성 및 아드레날린성 섬유는 전두엽 근처에 가장 많이 분포하고, 이 부위는 외상성 뇌손상이 가장 흔하게 발생하는 부위이다. 따라서 미르타자핀과 벤라팍신과 같이 노르에피네프린과 세로토닌에 모두 작용하는 항우울제는 외상성 뇌손상의 후유증의 치료에 효과적일 거라고 생각해 볼 수 있으나 아직 임상 자료는 부족하다. 마찬가지로 부프로피온은 도파민과 노르에피네프린을 모두 증가시키며 매일 150 mg씩 투여하는 것은 안절부절못하는 증상을 치료하는 데 효과적이다.

3) 항파킨슨병 약물

항파킨슨병 약물인 아만타딘, 브로모크립틴, 레보도파 카비도파 복합제는 다양한 작용 기전을 가지고 있지만 궁극적으로 뇌의 도파민 수치를 증가시키는 역할을 한다. 아만타딘은 시냅스 전에 작용하여 도파민 방출을 증가시키거나 재흡수를 억제하고, 시냅스 후에 작용하여 도파민 수용체의 수를 증가시키거나 배열을 변화시킨다. 또한 비경쟁적 NMDA 수용체 길항제로 글루타메이트 매개 흥분독성으로부터 보호 인자로 작용한다.

브로모크립틴은 주로 D2 수용체에 작용하는 도파민 효현제이고, 레보도파 카피도파 복합제는 도파민 수치를 직접적으로 증가시킨다. 즉,레보도파는 한번 탈카복시화되면 도파민이 되고, 카비도파는 L-아미노산 탈카복실화효소 L-amino decarboxylase를 억제하여 레보도파가 중추신경계에 도달할 수 있게 한다.

여러 연구에서 급성기 및 만성기에 아만타딘을 매일 100-300 mg 용량으로 투여하였을 때 특히 미만성, 전두엽, 또는 우측 뇌손상이 있는 환자에서 효과적이었다. 또한 신경인지 또는 신경 행동 결손 특히 인지 장애와 초조가 있는 환자에게 아만타딘을 일차적으로 사용해볼 수 있다는 근거가 제시되었다.

아만타딘으로 치료한 환자에서 무동기 및 무감동이 개선되었고, 주의력, 집중력, 각성은 증가하였으며 집행기능의 향상, 처리 속도의 감소, 초조, 주의산만, 피로, 공격성 및 불안이 감소한 것이 증명되었다. 또한, 아만타딘으로 치료한 환자는 글래스고혼수척도로 측정한 결과 의식 수준이 개선되었고, 흥미롭게도 한 연구에서는 사망률 감소를 보였다.

매일 5-45 mg의 브로모크립틴을 사용한 3건의 증례 보고와 100 mg의 에페드린과 100 mg의 브로모크립틴을 함께 투여한 연구에서 무운동함구증이 호전되었고, 식물상태 또는 최소 의식 상태인 환자에서 5 mg의 브로모크립틴과 함께 감각 자극을 주었을 때 의식 수준의 호전을 보였다.

마찬가지로 레비도파와 카비도파에 대한 근거도 제한적이며 비랜덤화 연구에서 미만성 손상과 지속적인 식물상태를 보이는 외상성 뇌손상의 만성 단계에서 유용할 수 있음을 시사한다. 25 mg/200 mg의 레보도파/카비도파을 하루 세 번, 아만타딘 250 mg과 브로모크립틴 5 mg을 하루 두 번 투여함으로써 신경정신과적 증상이 호전된 연구도 있었다.

4) 항경련제

항경련제는 외상성 뇌손상의 다양한 증상을 치료하기 위해 사용되어 왔다. 예를 들어, 발프로산은 GABA에 의해 매개되는 억제 조절을 강화하여 일반적인 중추신경계 안정화를 촉진하지만, 현재까지 외상성 뇌손상에서의 치료 결과는 엇갈리고 있다. 매일 600-2250 mg의 발프로산(혈청 수치 40-100 μg/mL)을 사용한 연구에서 최근 기억력 및 문제 해결력 향상 등의 긍정적인 신경 인지적 효과가 나타났으며 우울장애, 조증, 파괴적이고 공격적인 행동, 안절부절못함, 탈억제, 충동 등의 신경정신과적 및 신경 행동적 증상 개선에 긍정적인 효과가 나타났다. 반대로 한 대조군 연구에서는 발프로산이 의사결정 속도에 부정적인 영향을 미치는 것으로 나타났고, 다른 연구에서는 발프로산 사용으로 인해 사망률이 증가하였다.

5) 기타 약물

모다피닐은 각성을 향상시켜주는 약물로 기면증과 특발성 과다수면, 외상성 뇌손상에서 보이는 것과 유사한 증상을 나타낼 수 있는 질병, 즉 과도한 주간 졸음, 부주의, 사회활동 수행 능력 저하를 치료하는 데 쓰인다. 모다피닐이 비도파민성 앞시상하부, 해마 및 편도체에서 GABA를 억제하거나 글루타메이트 수치를 증가시킬 것이라고 생각되지만 정확한 작용 메커니즘은 아직 밝혀지지 않았다.

만성 외상성 뇌손상에서 모다피닐의 역할을 조사한 두 연구에서 100 mg-400 mg 사이의 용량에서 주간 졸음을 호전시킬 뿐 아니라 신경인지적 결손, 특히 기억력 및 주의력이 개선된 것으로 나타났다. 베타 차단제, 특히 프로프라놀롤과 핀돌롤의 효과에 대한 4건의 무작위대조시험에서 만성기 및 아급성기 모두에서 공격성과 초조 등의 신경 행동 증상에 대한 효과가 입증되었다. 이 계열의 약물은 외상성뇌손상의 신경정신과적 및 신경 행동 후유증을 관리하는 데 더 많은 관심을 받을 가치가 있다.

신경이완제는 섬망에서 점점 더 많이 사용되고 있으며, 뇌가 신경전달물질의 수치를 재보정할 수 있도록 하기 위해 신경이완제를 사용하는 것을 고려할 수 있다. 그러나 도파민 차단이 회복에 부정적인 영향을 미칠 수 있다는 일부 근거가 있기 때문에 유의해야 한다. 외상성 뇌손상 환자에서 도파민, 노르에피네프린, GABA와 같은 신경전달물질에 작용하는 약물들의 긍정적인 효과를 보고한 일부 연구에도 불구하고, 잠재적 부작용 때문에 현재 신경이완제, 벤조디아제핀, 페니토인, 프라조신, 트라조돈 및 유사 물질의 사용을 권장하지 않는다.

예비적 근거는 도네페질과 같은 아세틸콜린에스테라아제 억제제가 특히 조기에 투여될 경우 기억력과 주의력과 같은 영역에서 장기적으로 인지기능을 개선할 수 있음을 시사하며, 이러한 약물에 대한 추가 연구도 필요하다.

마지막으로, 에스트로겐과 메드록시프로게스테론과 같은 항안드로겐성 약물은 외상성 뇌손상 환자들의 부적절한 성적 행동을 줄이는 역할을 할 수 있다. 사례 보고와 한 번의 소규모 임상 시험에서 이 약물들의 효과가 입증되었다.

요약

정신, 인지, 행동 등 외상성 뇌손상의 후유증에 대해 잘 알려져 있지 않다. 마찬가지로 증상, 기능 및 예후를 개선하기 위한 약물치료는 아직 연구 중에 있지만 낙관적으로 생각해 볼 수 있는 여러 요인들이 있다. 신경학적 이상을 치료함에 있어 특정 임상 양상에 대해 약물의 사용을 뒷받침하는 근거가 있다. 외상성 뇌손상 이후 급성 또는 만성기에 약물을 투여할지 여부와 더불어, 특정 증상이 나타나는 시기 및 특성은 모두 적절한 사용을 결정하기 위한 관련 요소이다. 최적의 치료를 위한 지침을 확립할 근거가 아직 불충분하므로 외상성 뇌손상에 대한 약리학적 개입을 할 때 주의해야 한다. 외상성 뇌손상 회복을 촉진하거나 동반질환을 치료하기 위해 약물을 사용하기로 결정한 경우 임상의는 약물치료의 목표를 철저히 기록하고 부작용을 면밀히 모니터링해야 한다.

표 17-5. 외상성 뇌손상 환자에서 증상에 따른 약물 사용

	성인 용량범위 (mg/day)	우울	정서적 불안성 및 짜증	조증	정신증	초조 및 공격성	불안	무관심	인지 장애	부작용 발생 위험
Nortriptyline	25-150	++	+	-					-	+
Desipramine	25-300	++	+	-					-	+
Amitriptyline	25-150	+		-		+++			--	+++
Fluoxetine	10-40	+++	+++	-		++				++
Sertraline	25-200	+++	+++	-		++				+
Paroxetine	5-50	++	+++	-		++				+
Lithium	150-1500		+	+		++			-	+++
Carbamazepine	200-1000		+	++		+++			-	++
Valproate	125-1500		++	+++		+++				+
Benzodiazepines	다양						+		-	+++
Buspirone	15-90	+	++			+			-	+
Typical Antipsychotics	0.5-5				++	+			-	+++
Atypical Antipsychotics	0.5-4				+++	+			-	+
Methylphenidate	5-60	++	++			++		++	++	+
Amantadine	50-400	+	++			++		+	+	+
Bromocriptine	2.5-20			-	-			++	+	+
L-Dopa/carbidopa	10/100-25/250			-	-			+	+	+
Beta-blockers	80-400					+++			--	-
Donepezil	5-10								+	+

주) +: 이득의 가능성 -: 부작용의 가능성

5. 외상성 뇌손상 후 정신치료

외상성 뇌손상은 운동, 인지 및 정서 기능을 담당하는 시스템을 포함하여 개인에게 필수적인 여러 시스템에 장애를 일으키기 때문에 단순한 접근으로는 충분하지 않다. 재활 과정에서 다양한 치료적 접근이 필요하며 그 중에서도 환자가 자아 감각을 회복하도록 돕기 위해 정신치료가 포함되어야 한다. 다양한 접근 방식에 대한 필요성에도 불구하고, 대부분의 정신건강의학과 의사들은 외상성 뇌손상 환자를 주로 약물만으로 치료해왔고 대부분의 정신건강의학과 의사들은 뇌손상 병력이 있는 환자의 정신치료를 꺼려한다.

정신치료에 대한 전통적인 접근은 개인의 정서적 문제의 주요 원인이 외부 세계와 교류하는 그 사람의 내부에 있다는 가정에 바탕을 둔다. 어떤 사람이 특정한 능력을 가지고 있다면 그 사람은 더 효과적으로 기능하고 삶에서 더 큰 만족감을 얻을 수 있는 잠재력을 가지고 있다고 가정한다. 이러한 필수 능력에는 추상적인 사고 능력, 자기 인식의 정도와 자기 모니터링의 능력, 좌절과 불안감을 견딜 수 있는 능력, 치료 과정 내에서 그리고 치료 과정 전반에 걸쳐 중요한 정보를 기억할 수 있을 만큼 온전한 기억력, 치료에서 배운 것을 다른 상황에서 적용할 수 있는 능력이 포함된다. 하지만 이러한 능력은 심각한 뇌손상을 입은 사람들에게서 거의 보이지 않는다. 오히려 뇌손상을 입은 사람들은 충동적이고 감정적으로 민감하며 불안과 좌절감을 잘 견디지 못한다. 그들은 추상적인 사고를 하지 못할 수도 있고 경험을 통해 얻는 것들이 제한적일 수 있다. 자기 모니터링을 효과적으로 수행하지 못할 수 있으며 그로 인해 다른 사람들에게는 꽤 명백해 보이는 문제임에도 불구하고 자신은 그 문제의 심각성을 인식하지 못할 수 있다. 성공적인 정신치료를 위해 필요한 적응증을 살펴보면 외상성 뇌손상 환자에게 정신치료를 하는 것에 대해 의구심을 가지는 것이 당연하다. 하지만 뇌손상을 입은 사람의 삶은 뇌손상을 입지 않은 사람의 삶과 크게 다르지 않다. 사고 이후, 뇌손상을 입지 않은 사람과 같이 뇌손상을 입은 사람들은 해결되지 않은 내적 갈등으로 인해 어려움을 겪을 수 있고 불안, 우울장애, 공포증, 강박, 소외감과 무감동을 경험할 수 있으며 그리고 그들을 압도하는 환경적 상황에 직면하게 된다. 이러한 상태들은 정신치료에 반응하는 것으로 알려져 있다. 문제는 뇌손상이 지속된 사람들이 정신치료에 반응하지 않는 것이 아니라 그들의 존재와 자아의 모든 측면이 한 가지 접근법만으로는 다뤄질 수 없다는 것이다.

뇌손상을 입은 환자의 정신치료의 기본 목표는 재활 과정에 포함된 다른 치료 방법과 동일하고, 이는 손상을 입은 환자에게 수용 가능한 자기 감각을 회복할 수 있게 하는 것이다. 이 목표를 달성하려면 사회적 고립과 외로움으로 이어지는 내리막 길을 멈춘 다음 되돌려야 하며 뇌손상의 신체적, 인지적, 정서적 후유증은 전문가의 도움 없이는 회복하기 어렵다.

뇌손상을 입은 환자가 벽을 허물고 다른 사람들과 효과적으로 관계를 맺기 위해서는 치료자와 환자는 공통된 의미를 지닌 영역을 찾아야 한다. 치료자와 환자는 반드시 문제의 본질에 대한 이해를 공유해야 한다. 환자에게 장애를 일으키는 것은 신경증이나 정신증이 아니라 뇌손상이라는 것을 설명하고 안심시켜야 한다. 손상으로 인한 후유증을 완전히 예측할 수 없지만 신체 및 인지 능력이 일부 개선될 수 있으며 재활을 통해 더욱 향상될 수 있음을 설명해야 한다. 어떤 종류의 치료도 적극적인 참여 없이는 성과를 거둘 수 없기 때문에 환자 자신의 노력이 가장 중요할 것이며 아무리 좋은 상황에서도 긍정적인 변화는 더디게 나타날 수 있기 때문에 큰 인내심이 필요함을 미리 알려야 한다.

불필요한 실패와 그로 인한 사기의 저하를 피하는 것이 중요하기 때문에 환자는 관련 능력이 합리적으로 성공을 기대할 수 있는 수준까지 발전하기 전까지는 일상생활로 조기에 복귀하는 것을 피해야 한다.

정신치료 과정과 치료 전략은 다음과 같다(표 17-6).

표 17-6. 정신치료 과정과 치료 전략

전략	설명
과거력 확인하기	가족, 친구, 고용주 등 주변 사람으로부터 사고 이전 성장 및 발달 과정, 교육 수준, 직업, 성격, 흥미, 가치관, 목표 등에 대한 정보를 얻는다.
공통된 의미 탐색하기	뇌손상이 환자에게 무엇을 의미하는지, 그리고 환자가 뇌손상을 어떻게 인지하는지 판단한다. 우선, 치료자는 외상성 뇌손상의 메커니즘을 간단한 용어로 설명하고, 환자의 어려움과 손상을 연관시키고, 미래에 예상될 수 있는 문제, 사건 등을 설명해줘야 한다.
환자가 치료에 적극적으로 임하도록 격려하기	손상으로 인한 구체적인 "실제 생활"의 어려움에 집중한다. 치료 초기에, "여기 그리고 지금"에 초점을 맞추고, 과거와 미래에 대해 논하는 것을 피해야 한다.
환자가 단순한 대처 전략을 발전시키도록 돕기	예를 들어, 환자가 노트를 항시 가지고 다니면서 미리 준비해둔 일련의 단계를 따르고, 너무 지치기 전에 휴식을 취하며, 이해하기 어려운 내용은 더 간단한 용어로 반복하도록 요청하고, 일련의 작업에 대한 우선순위를 설정하도록 한다.
환자가 효과적으로 사용할 수 있도록 주변 환경을 조정하기	예를 들어, 가사 용품, 식기 등을 체계적으로 정리하도록 하며 서랍에 라벨을 붙이거나 알람, 달력 등을 사용할 수 있다.
사회적 자원 활용하기	가족, 친구 등 주변 사람의 도움을 받아 사회 및 업무 요구를 가능한 한 복잡하지 않고 관리하기 쉽게 유지하도록 한다.
환자의 자산 축적하기	환자의 잔여 자산을 기반으로 하고 장애에 집중하지 않으며 과제가 시험처럼 보이지 않도록 해야 한다.
의미 있는 목표 지향적 활동에 환자가 참여하도록 하기	기존의 치료진 외에도 배우, 무용수 및 예술가와 같이 행동 지향적인 전문가를 고용한다.
충동적이거나 난폭한 행동에 대해 다루기	행동의 의미를 주의 깊게 해석하고, 권위자에 대한 부적절한 행동을 개선할 수 있는 지침을 제공한다.
유동성을 유지하기	환자들 중 다양한 발달 단계에 있는 청소년 또는 성인기 초기인 경우도 많으며 이런 환자의 대부분은 시간이 지남에 따라 신체 상태와 인지 기능의 향상을 기대할 수 있다.
환자의 변화에 맞춰 치료 접근을 달리 하기	환자의 능력과 감정 상태는 과거의 사건, 작업의 특성, 주의력 및 동기 부여 정도, 환경 조건에 따라 시시각각 달라질 수 있다는 점을 기억해야 한다.
희망 심어주기	환자와 가족에게 희망을 심어주되 부적절하게 낙관하지 않는다.

뇌손상을 입은 사람에서는 뇌의 구조적 손상, 비정상적인 뇌 화학작용 또는 사건사고의 트라우마 등 다양한 이유로 자기 감각이 위협을 받으며 이는 불안을 촉진한다. 뇌손상을 입은 사람은 이러한 불안을 완화하기 위해 주변 물리적 환경을 조정하고 구조화하여 예측 가능성을 높이고 예상치 못한 또는 감당할 수 없는 사건의 발생 가능성을 낮추려고 한다. 같은 이유로 대인관계에서는 그 사람이 가져오는 정서적 스트레스 수준에서 해석되고 평가된다. 이러한 상황에서 타인의 행동에 대한 평가는 그 사람의 진정한 특성과 동기를 반영하기 보다는 그 순간 환자가 경험하는 편안함의 수준에 전적으로 기반한다.

따라서 환자의 구체적인 태도와 반응은 대부분의 경우 현재 상황이 아닌 이전의 대인 관계 경험에서 비롯된 것일 수 있음을 고려해야 한다. 심각한 뇌손상을 입은 사람들은 종종 자기 모니터링 능력이 손상되었기 때문에 잠재적으로 상대방의 반응을 잘못 해석하거나 오인할 수 있다. 치료 중 발생할 수 있는 특수한 상황과 그에 따른 치료자의 적절한 반응은 다음과 같다(표 17-7).

표 17-7. 특수한 치료 상황과 다루는 방법

상황	설명	치료자의 반응
전이와 역전이	전이: 자기 감각에 대한 상실이나 위협, 제한된 적응력, 불안 불내성 등이 전이를 촉진한다. 역전이: 치료자의 과도한 동일시, 과잉 낙관주의, 조바심, 경직, 뇌손상의 인지 및 정서적 효과에 대한 인식 부족, 환자의 더딘 호전, 참여 및 동기부여의 결여, 정서 장애 등으로 인해 역전이가 생성된다.	전이 및 역전이 반응을 인지한다. 환자의 부정적인 전이 반응과 치료자의 모든 역전이 반응은 지체 없이 직면하고 해결되어야 한다; 긍정적인 전이 반응은 지지될 수 있지만 치료자와 환자 사이의 경계는 잘 유지되어야 한다.
부정	손상의 직접적인 영향, 수치심 및 죄책감, 가족의 태도, 위협에 대한 무의식적 방어를 포함한 여러 상호 작용 요인에 의해 결정된다.	자존감을 향상시키고 치료 환경을 구성하기 위해 보존된 지적, 심리적 자산을 강조한다; 자기 감각이 손상된 환자에게 위협으로 느껴질 수 있기 때문에 직면은 좋지 않다.
파국적 상황	환자들이 감당할 수 없는 상황에 직면할 때 극심한 불안감이 발생한다. 환자들은 치료를 거부하거나 언어적(때로는 신체적) 공격성을 포함한 자기 방어적 방법들로 대응한다.	예방이 최고의 치료법이다: 불안감을 유발하는 개방형 질문을 피하고 새로운 과제나 개념을 가능한 한 점진적으로 그리고 단순한 형태로 도입한다; 만약 파국적 상황이 임박했다면 추가적인 정보를 제공하고 과제를 더욱 단순화하거나 중단한다.
죄책감, 수치, 처벌	환자가 사고에 대해 책임이 없더라도 외상성 뇌손상에서 흔하게 나타나는 반응이다.	안정적인 치료 동맹이 형성된 후 "왜 이런 일이 나에게 일어났을까?"라는 질문을 고려해본다. 초기에 안심시키기 위한 말이나 행동은 도움이 되지 않으며 오히려 치료 관계 형성을 방해할 수 있다.
낙인 효과와 주변성	뇌손상 환자들은 사회에 소속되어 있지도 완전히 소외되어 있지도 않다. 환자들의 손상 후 행동은 이해하기가 어렵고 그들의 반응은 예측할 수 없는 것으로 보일 수 있다. 그들의 불편함을 불신하고 평가절하하는 사람들로 인해 불안과 공포를 느낄 수 있다.	환자들은 종종 적대적인 현실에 대처하는 데 도움을 받아야 한다.
고독과 외로움	외상성 뇌손상 환자들은 타인에게 감정적으로 반응하는 능력이 손상되며 이는 외상성 뇌손상에서 가장 흔하고 장기적인 문제이다. 의미 있는 관계의 점차적인 상실은 이미 손상된 자기 감각을 더욱 파괴시킨다. 관계에서 무엇이 일어나고 있는지 모르고 자기 모니터링 능력이 손상되면 다른 사람에 대한 부정적인 평가와 편집증으로 이어진다.	깊은 고독감은 의사소통을 어렵게 한다. 일관된 지지적 접근 방식과 참을성 있는 태도가 고독을 깨는 데 도움이 될 수 있다. 실용적이고 구체적인 지원을 제공하고 추상적인 개념을 다루지 않는다.

효과적인 치료를 위해서 치료자는 환자의 말과 행동에 적절한 반응을 해야 하고 치료자의 가치와 인생의 목표를 환자에게 강요하지 않도록 주의해야 한다.

외상성 뇌손상 환자가 소속되는 현실 세계는 집단으로 구성되기 때문에 치료 프로그램은 개인 정신치료 뿐 아니라 집단 치료가 포함되어야 한다. 심각한 뇌손상을 입은 환자는 처리 속도가 느리고 동시에 여러가지 일에 집중하지 못하기 때문에 집단 활동을 하면 높은 수준의 불안을 느낀다. 점진적으로 집단에 노출되는 경험은 환자가 자신의 감정을 적절하게 표현하고 효율적으로 의사 소통할 수 있도록 돕는다.

가족 구성원 또한 치료에 포함되어야 한다. 다른 많은 만성 질환과 마찬가지로 외상성 뇌손상은 가족과 사회 기능에 상당한 영향을 미친다. 외상성 뇌손상 환자의 대부분은 생계를 유지하는 데 어려움을 겪을 뿐만 아니라 다른 가족 구성원에게도 상당한 부담이 된다. 환자의 성공적인 재활을 위해 가족의 지지가 중요하기 때문에 치료자는 환자뿐 아니라 가족 구성원들과 지역사회에 대해서도 지속적인 상호작용을 위해 노력해야 한다.

마지막으로, 치료자와 환자는 실패를 받아들일 준비가 되어 있어야 한다. 왜냐하면 뇌손상 환자들이 자기 감각을 회복하기 위한 치료 과정이 불확실하기 때문에 치료 실패의 위험이 전혀 없을 수는 없기 때문이다.

참고문헌

1. 최성혜. 외상성 뇌손상에서 인지기능 평가. Brain & Neuro Rehab 2008;1:148-54.
2. American Congress of Rehabilitation Medicine. Definition of mild traumatic brain injury. J Head Trauma Rehabil 1993;8:86-7.
3. Arciniegas DB, Topkoff J, Silver JM. Neuropsychiatric aspetcs of traumatic brain injury. Current Treatment Options in Neurology. 2000;2:167-86.
4. Armstrong CL, Morrow L. Handbook of Medical Neuropsychology. New York: Springer; 2010. 17-32. Baldo V, Marcolongo A, Floreani A, Majori S, Cristofolettil M, Dal Zotto A, et al. Epidemiological aspect of traumatic brain injury in Northeast Italy. Eur J Epidemiol 2003;18:1059-63.
5. Blumbergs PC, Scott G, Manavis J, Wainwright H, Simpson DA, McLean AJ. Topography of axonal injury as defined by amyloid precursor protein and the sector scoring method in mild and severe closed head injury. J Neurotrauma 1995;12:565-72.
6. Fleminger S, Greenwood RJ, Oliver DL. Pharmacological management for agitation and aggression in people with acquired brain injury. Cochrane database; 2006. 1-50.
7. Kim E, BijLani M. A pilot study of quetiapine treatment of aggression due to traumatic brain injury. J Neuropsychiatry Clin Neurosci 2006; 18:547-9.
8. Kraus MF, Susmaras T, Caughlin BP, Walker CJ, Sweeney JA, Little DM. White matter integrity and cognition in chronic traumatic brain injury: a diffusion tensor imaging study. Brain 2007;130:2508-19.
9. Silver JM, Hales RE, Yudofsky SC. The American Psychiatric Publishing textbook of neuropsychiatry and clinical neuroscience 4th ed. Washington DC: American Psychiatric Publishing 2002. 625-72.
10. Silver JM, McAllister TW, Arciniegas DB. Depression and Cognitive Complaints Following Mild Traumatic Brain Injury. Am J Psychiatry 2009;166:653-61.
11. Silver JM, McAllister TW, Yudofsky SC. Textbook of Traumatic Brain Injury. Washington DC: American Psychiatric Publishing 2005. 641-54.
12. Stern TA, Fricchione GL, Cassem NH, Jellinek M, Rosenbaum JF. Massachusetts General Hospital Handbook of general hospital psychiatry 6th ed. Philadelphia: Saunders.2010 247-53.
13. Stoudemire A, Fogel BS, Greenverg DB. Psychiatric Care of the Medical Patients. New York: Oxford University Press;2000. 671-81.
14. Tasky A, Pacione LR, Shaw T, Wasserman L, Lenny AM, Erma A, et al. Pharmacoligical interventions for traumatic brain injury. BCMJ 2011;53:26-31

18
CHAPTER

통증

김선미, 양종철

이 장에서는 통증의 정의 및 측정방법을 검토하고, 급성 및 만성통증증후군에 대해 논의하고자 한다. 그리고 신체화, 약물 사용, 우울, 불안 등을 포함한 만성통증의 주요 정신의학적 동반이환에 대하여 살펴볼 것이다. 마지막으로 약물치료, 심리요법 및 다학제 재활 프로그램을 포함한 만성통증의 치료에 대하여 고찰하고자 한다.

1. 정의

통증은 정서적, 인지적, 행동적 요소가 통합된 복잡한 경험이며, 광범위한 신경생물학적 변화와 연관된다. 국제통증연구학회International Association for the Study of Pain, IASP는 통증을 "실제 또는 잠재적인 조직의 손상에 관련하여 표현되는 불쾌한 감각 및 정서적 경험"으로 정의하였다. 이 정의는 통증이 조직 손상이 없을 때도 경험될 수 있는 주관적인 경험임을 의미한다. 또한, 통증이 급성 통각적 측면과 정서적 측면을 모두 가지고 있음을 의미하며 이러한 요인들은 정신건강의학과 의사가 통증 환자의 치료에 중요한 역할을 할 수 있음을 시사한다. 다양한 유형의 통증을 정의하고 환자 및 다른 의료진과 통증에 대해 원활하게 논의하기 위하여 정신건강의학과 의사는 통증에 관한 용어들을 알고 있어야 한다(표 18-1).

표 18-1. 통증 양상에 대한 용어와 정의

통증 양상	정의
감각이상Paresthesia	자발성 혹은 유발성의 불쾌하지 않은 비정상적 감각
불쾌감각, 감각장애Dysesthesia	자발성 혹은 유발성의 불쾌하고 비정상적인 감각
무해자극통증, 이질통증Allodynia	정상적으로는 통증을 유발하지 않는 자극으로부터의 통증
구심로차단통증Deafferentation pain	중추신경계로의 구심성 신경 경로의 상실이나 붕괴로 인해 보통 국소 부위에서 통증이 지속적으로 느껴지는 것
통각과민(증)Hyperalgesia	정상적으로는 통증을 유발하는 자극에 대하여 증가된 반응을 보이는 것
감각과민(증)Hyperesthesia	자극에 대해 민감성이 비정상적으로 증가한 것
감각저하Hypoesthesia	자극에 대해 민감성이 비정상적으로 감소한 것 역치에 대한 증가와 특히 반복되는 자극에 대한 반응이 특징인 통증
신경병성 통증Neuropathic pain	흔히 신경계의 부적응적인 변화와 동반되는 체성감각계의 병변이나 질환에 의해 발생한 통증
통각, 아픈감각Nociception	피부와 더 깊은 구조의 특수 신경 말단 변환기transducer에 의한 조직 손상 감지 및 말초 신경의 A delta 및 C 섬유를 통한 중추성 전파

2. 통증의 측정

통증 평가 척도들을 통하여 통증의 심각도와 강도를 측정하지만, 통증은 주관적인 경험이며 특히 말기 질환이나 심각한 인지 장애가 있는 환자에서 평가하기가 어렵다. 질병 상태, 정신장애, 디스트레스, 성격 특성 및 개인적 신념에 따라 증상에 부여하는 의미를 포함하여 많은 요인이 통증의 평가에 영향을 미칠 수 있다. 통증을 평가하기 위해 다양한 언어적 및 행동적 평가 도구를 사용할 수 있다.

1) 통증 그림

통증 그림에는 환자가 자신의 신체에서 느끼는 통증의 해부학적 분포를 그리는 것이 포함된다. 환자는 신체의 윤곽을 그린 뒤(혹은 이미 그려져 있는 윤곽에) 통증이 있는 위치를 표시하게 되고, 이 문서를 의료기록의 일부로 보관한다. 그림은 증상의 해부학적 구조, 환자의 심리 상태 및 환자의 지식수준에 대한 단서 역할을 한다.

2) 시각아날로그척도Visual Analog Scale

대부분의 환자는 100 mm 시각아날로그척도(0: 통증 없음, 100: 상상할 수 있는 최악의 통증)를 쉽게 이해할 수 있다. 또한, 통증의 변화에 매우 민감한 도구이므로, 환자는 필요한 경우 하루에 한 번 또는 치료 시험 중에는 매시간 척도에 통증을 표시할 수 있다. 기분, 전반적인 경과 및 통증에 대한 척도를 함께 시행함으로써, 전체 임상 증상과 통증의 관계를 비교할 수 있으므로 임상의가 환자의 통증증후군에 대하여 이해를 정리할 수 있다.

3) 범주형 평가척도

통증 심각도의 등급을 나누기 위해 3-5개의 범주로 구성된 범주형 평가척도를 사용할 수 있다. 예를 들어 4개의 범주로 나눈다면 통증 없음, 경도의 통증, 중등도의 통증, 중증의 통증으로 나눌 수 있다.

3. 통증 환자를 위한 정신건강의학과 자문

1) 정신건강의학과 의사의 역할

통증 환자를 치료하는 의사가 환자를 정신건강의학과 의사의 자문 및 치료에 의뢰하는 이유는 매우 다양하다. 첫째, 통증의 정신적인 요인과 신체적인 요인을 감별해달라고 의뢰한다. 사실 정신과 신체를 명확히 양분하는 것은 불가능하며 이런 시도는 의사와 환자들을 혼동시키고 치료를 방해하는 요인이 되기도 하지만, 많은 의사가 아직 이를 요구한다. 둘째, 증상과 신체적 검사소견 사이의 불일치가 있을 때 환자의 증상을 설명할 수 있는 해부학적 병변이 없다는 이유로 의뢰한다. 이때 의뢰 의사는 정신질환이나 중추신경계 통증이 있는 것은 아닌지, 혹은 빠뜨린 검사가 있지 않은지 궁금해 한다. 셋째, 환자의 우울, 불안 또는 기타 동반이환된 신경정신질환 및 통증 경험과의 관계를 평가하기 위해 의뢰한다. 넷째, 환자 또는 의사의 아편유사제에 대한 두려움이나 오해를 해결하기 위해(예: 고용량 진통제 사용, 유지치료 또는 독성) 의뢰한다. 다섯째, 정신약물의 사용이 환자의 통증과 고통을 완화하는 데 도움이 될 수 있는지 확인하기 위해 의뢰한다. 그 밖에도 의사가 통상적인 의학적 의사 결정 과정에 맞지 않고 방해가 되는 환자의 증상을 견디지 못하고, 그런 환자를 처벌하고 싶은 개인의 무의식적 욕구로 환자를 의뢰하는 경우도 있다.

환자가 의뢰되었을 때 정신건강의학과 의사는 의뢰 이유를 명확히 파악하고 초기 가설을 세우고 환자를 검사한다. 환자의 통증에 대하여 정신건강의학과 의사의 자문이 이루어지는 경우 환자가 자신의 신체적인 증상이 실재함을 의사가 믿지 않는다고 받아들이기도 하므로 주의해야 한다. 의뢰 의사는 만성통증이 있는 환자에게는 일반적으로 정기적인 정신건강의학과 의사의 평가가 필요한 것이라고 설명해야 한다. 의뢰 의사가 정신건강의학과 의사의 자문을 편안하게 활용하는 경우 환자는 일반적으로 항의 없이 정신의학적 평가를 수락한다. 하지만 치료에 진전이 없이 오랜 기간을 끈 뒤 정신건강의학과 자문을 의뢰하면, 환자는 일반적으로 평가를 꺼린다. 따라서 성공적인 만성통증 관리를 위해서는 가능하다면 정신건강의학과 의사를 환자 치료 초기부터 의료팀의 일원으로 소개해야 한다.

2) 다각적인 통증 평가를 위한 질문

자문을 의뢰받은 정신건강의학과 의사는 환자가 겪는 통증의 메커니즘을 파악하기 위하여 다양한 질문을 던진다. 첫째, 피부, 뼈, 근육 또는 혈관 등의 통각수용기에 대한 자극으로 인해 통증을 다루기 어려운 것인가? 둘째, 통증이 비-통각수용 메커니즘에 의해 지속되는 것인가? 즉, 척수, 뇌간, 변연계 및 피질 등 반향성 통증 회로reverberating pain circuits의 문제인가? 셋째, 주요우울장애나 망상장애와 같은 정신질환에서와 같이 통증에 대한 불만 호소 자체가 주된 것인가? 넷째, 더 효과적인 약물치료가 있는가? 다섯째, 통증 자체보다 통증 행동과 기능장애가 더 중요해졌는가? 이러한 질문에 답하는 과정이 환자의 평가 및 치료의 시작점이 될 수 있다.

4. 급성 통증

급성 통증은 일반적으로 수술, 부상 또는 만성 질환 중 특히 근골격 질환의 악화로 인한 결과이다. 치료는 염증 조절, 조직 파괴 방지 및 손상의 복구가 주요 목표이며 이러한 목표를 달성하기까지 통증 완화에 중점을 둔다. 급성 통증 관리에 대한 접근은 일반적으로 이완, 고정, 진통제(아스피린, 아세트아미노펜, 비스테로이드소염제nonsteroidal anti-inflammatory drugs, NSAID , 아편유사제opioid), 마사지 및 피부경유전기신경자극transcutaneous electrical nerve stimulation, TENS 등과 같은 간단한 전략으로 해결할 수 있다. 심박수 및 혈압의 상승 또는 발한과 같은 급성 통증과 관련된 징후가 없다고 해서 통증의 존재를 배제할 수 없다. 통증 발생 및 재발의 방지에 중점을 두고 가능한 한 빨리 급성 통증 관리를 시작하면 진통제 투여량을 줄일 수 있다. 통증을 없애는 것이 많은 이점을 제공할 수 있지만 급성 통증과 함께 나타나는 불면증이나 불안과 같은 증상은 통증과 별도로 관리해야 한다. 수면 부족과 불안은 통증 감각을 강화하고 더 많은 약물을 요구하게 하므로 불면과 불안을 완화하면 진통제 요구량을 줄일 수 있다. 특히 아편유사제와 같은 진통제는 통증 완화의 목적만을 위해서 처방되어야 함에 주의한다. 급성 통증 관리에서 환자가 예상보다 더 많은 진통제를 요구하거나 약물남용 이력이 있는 경우 정신건강의학과 자문을 요청한다. 최근 아편중독 이력이 있는 환자나 아편유사작용제opioid agonist 유지요법을 받는 환자는 일반적으로 아편유사제에 대한 내성이 발달해 있으며 급성 통증 관리를 위해 단기작용short-acting 아편계 약물치료를 받는 경우 아편유사제 투약 이력이 없는 환자에 비하여 최대 50% 더 많은 용량이 필요할 수 있다. 이런 환자들에서 아편유사제 사용을 주의 깊게 관찰하는 것이 중요하긴 하지만 급성 통증의 적절한 치료가 우선이며 부적절한 용량이 남용이나 오용보다 훨씬 더 흔하게 나타나는 문제이다.

5. 만성통증 질환

1) 대상포진후신경통

대상포진후신경통postherpetic neuralgia, PHN은 급성 대상포진 바이러스 발진이 발생한 후 최소 3개월 이후에도 대상포진 부위에서 지속되거나 재발하는 통증이다. 뒤뿌리신경절dorsal root ganglion의 운동 및 감각 섬유의 퇴화와 파괴가 급성 대상포진의 특징이지만 다른 신경학적 손상으로 척수 염증, 수초 파괴, 축삭 손상 및 이환 된 피부의 신경종말 숫자의 감소 등이 관여할 수 있다. 대상포진후신경통은 급성 대상포진 환자의 약 10%에서 발생한다. 대상포진이 있는 65세 이상의 환자의 절반 이상이 대상포진후신경통에 걸리며 암, 당뇨병, 전신홍반루푸스, 최근 외상 또는 심한 면역억제 환자에서 발생할 가능성이 더 높다. 정상 면역기능을 가진 사람에서는 6% 미만에서 발생한다. 대상포진후신경통의 다른 위험 요소는 더 긴 기간의 전구 증상, 더 큰 급성 통증 및 발진 심각도, 감각 장애 및 심리적 디스트레스이다. 대상포진후신경통 환자의 약 25%만이 진단 후 1년 이후까지 통증을 경험하며, 대부분의 경우 시간이 지남에 따라 점차적으로 개선된다. 통증 클리닉 의뢰의 약 15%는 대상포진후신경통 환자이다. 대상포진후신경통 관리에는 예방 접종 또는 항바이러스제를 통한 예방 및 통증에 대한 치료가 포함된다. 최근의 대상포진후신경통 치료지침은 삼환계 항우울제tricyclic antidepressant, TCA 및 국소 리도카인lidocaine을 1차 치료제로 권고한다.

2) 말초 신경병증성 통증

감각신경은 직간접적으로 다양한 질병에 의하여 손상된다. 통증성 말초 신경병증peripheral neuropathy의 가장 흔한 원인은 당뇨병으로, 당뇨병 환자의 90% 가까이 당뇨신경병증으로 인한 통증을 경험한다. 위험 요소에는 더 긴 이환기간과 혈당 조절 불량이 포함된다. 말초 신경병증의 통증은 지속적인 작열통burning pain에서부터 일시적이고 발작적인 난자통(칼로 베는 듯한 통증)lancinating pain에 이르기까지 다양하다. 이러한 현상은 주로 축삭변성 및 분절탈수초 segmental demyelination의 결과이다. 효과가 입증된 약물에는 TCA, 세로토닌-노르에피네프린재흡수억제제serotonin-norepinephrine reuptake inhibitor, SNRI, 항경련제 및 국소 리도카인이 포함된다. 종종 통증을 관리하기 위해 서로 다른 작용기전을 가진 치료제의 조합이 필요하다. 침술, 피부경유전기신경자극, 인지행동요법 및 신경조절neuromodulation과 같은 보조치료도 효과가 입증되었다.

3) 섬유근통

섬유근통fibromyalgia은 사지와 몸통 모두에 광범위한 근골격계 통증, 경직 및 지나친 압통을 특징으로 하는 만성통증증후군이다. 이러한 증상은 일반적으로 수면 부족, 인지 장애, 우울장애 및 피로를 동반한다. 전염증성, 자가면역성 또는 감염성의 병인을 뒷받침하는 근거는 거의 없다. 섬유근통에서 사이클로벤자프린cyclobenzaprine, 밀나시프란milnacipran, 가바펜틴gabapentin, 프레가발린pregabalin, 둘록세틴duloxetine 및 트라마돌tramadol의 효과가 검증되었다. 이러한 약물 외에도 치료에는 교육, 환자 지원, 물리치료, 영양 및 운동 관리가 포함되어야 한다.

4) 복합부위통증증후군

복합부위통증증후군complex regional pain syndrome, CRPS은 특정 유해 자극이나 움직이지 못하는 상태에 의해 악화되는 지속적인 자발작열통을 특징으로 하는 일련의 고통스러운 상태를 의미한다. CRPS는 피부 자극에 반응하여 나타나는 통각과민 또는 이질통증과 연관된다. 사지 골절, 사지 수술 또는 기타 부상을 경험한 환자의 약 7%에서 발생한다. 일반적으로 경미한 외상이나 골절 후에 발생하는 I형 CRPS에서는 명백한 신경 병변이 발견되지 않고 II형 CRPS에서는 명백한 신경 손상이 있다. 통증은 국소적이지만 하나의 말초 신경이나 피부분절에만 국한되지 않는다. 통증 부위에서 부종, 비정상 혈류, 혹은 땀샘운동성 기능장애가 자주 나타난다. 쇠약, 떨림, 근긴장이상 및 움직임 제한과 같은 운동 변화가 흔하다.

CRPS 환자는 흔히 공존이환된 기분장애(46%), 불안장애(27%) 및 물질사용장애(14%)를 가지며, 이는 일반적으로 만성통증의 원인보다는 결과로 여겨진다. 만성통증이 부적응적인 성격 특성 및 대처전략과 결합 될 때 이와 같은 공존이환이 나타날 가능성이 높다. 또한 불안, 통증과 관련된 공포 및 기능장애는 CRPS에서 더 나쁜 예후와 관련이 있으며, 따라서 초기 치료 목표로 이러한 증상들도 고려해야 한다. CRPS와 자살 위험 사이의 유의한 상관관계를 보인 연구들도 있다. CRPS 환자의 자살관념에 대한 중요한 위험 요소에는 통증의 더 큰 심각도, 우울증상 및 기능 저하가 포함된다.

CRPS에 대한 약물요법은 제한적이지만 참고할만한 근거들이 있다. CRPS의 급성 또는 염증성 단계에서 NSAID 또는 코르티코스테로이드corticosteroid가 증상을 개선한다. 가바펜틴, 프레가발린, 카르바마제핀carbamazepine, TCA 및 아편유사제의 효과가 있다는 근거가 있다. CRPS에서 칼시토닌calcitonin과 비스포스포네이트bisphosphonate가 통증을 줄이고 관절 움직임을 호전시키는 것으로 나타났다. 한때 CRPS의 표준치료법으로 간주되었던 국소마취 교감신경 차단의 임상시험 결과는 논란이 있다. 기능에 초점을 맞춘 치료를 중심으로 하는 다학제 치료가 권장된다.

5) 뇌졸중 또는 척수손상 후 중추신경통

중추신경계 병변과 관련된 통증은 뇌졸중(8%) 또는 척수 외상(60%-70%) 후 흔히 나타난다. 척수손상 통증 또는 중추성 뇌졸중후 통증의 증상은 감각 결손과는 무관하며 종종 국소화가 잘 안되고, 시간이 지남에 따라 변하며, 이질통증(중추성 뇌졸중후 통증이 있는 환자의 50% 이상), 통각과민, 감각이상, 난자통 그리고 근육 및 내장 통증을 포함한다. 통증은 타는 듯함, 쑤심, 칼로 베는 듯함, 또는 뜨끔뜨끔함 등으로 묘사된다. 영상의학적 검사에서 시상thalamus에서 병변을 보일 수 있지만 특히 척수손상에서는 척수시상로spinothalamic tract와 같은 다른 부위도 종종 관련된다. 흥분성 아미노산이 중추성 통증과 연관된 중추성 감작central sensitization의 발생에 관여할 가능성이 높은데, 뇌졸중 한 달 이후에도 통증이 발생할 수 있어 여러 복잡한 과정이 관여함을 시사한다. 중추성 뇌졸중후 통증은 복잡성과 증상의 이질성으로 인하여 치료가 어렵고 효과적인 치료에 대한 합의가 부족하다. 항우울제, 항경련제 및 아편유사제가 사용되며, 병합치료도 자주 이용된다. 의학적 치료에 반응이 없는 환자의 경우 운동 피질 자극motor cortex stimulation, 뇌심부자극술deep-brain stimulation 및 반복적 경두개자기자극술repetitive transcranial magnetic stimulation이 사용되고 있다.

6) 두통

(1) 편두통

일생동안 여성의 18%와 남성의 6%가 편두통을 경험하며, 30-40세 사이에 가장 많이 발생한다. 일반적으로 편두통은 편측성 박동성 두통으로 구역, 구토, 눈부심 및 소리공포증과 같은 다른 증상과 관련될 수 있다. 일차편두통의 고전적인 형태는 섬광암점과 같은 시각적 전조 증상을 포함한다. 이차편두통(합병편두통)은 뇌신경 마비와 같은 국소 신경학적 징후를 포함하며 종종 원인이 되는 질환 및 상태로 명명된다(예: 편마비 편두통, 전정 편두통, 또는 뇌기저 편두통). 불안과 우울은 편두통과 가장 흔하게 연관되는 정신의학적 동반 증상이며, 불안은 우울보다 편두통 위험의 증가와 더 강력하게 연관된다. 또한 우울장애의 신체적 증상은 정서적 증상보다 편두통과 더 밀접하게 관련되어 있다. 편두통 치료의 주요 목표는 통증 완화, 기능 회복 및 두통 빈도 감소이다. 편두통 발작의 급성 치료를 위하여 NSAID 및 트립탄제triptan가 권고 된다. 프로프라놀롤propranolol, 메토프롤롤metoprolol, 플루나리진flunarizine, 발프로산valproate, 토피라메이트topiramate 및 보툴리눔독소Aonabotulinumtoxin A가 예방 약제로 권고된다. 일반적으로 칼슘

통로차단제, 베타차단제, 항우울제 및 항경련제는 더 난치성 편두통의 치료에 쓰인다. 인지행동치료, 바이오피드백, 또는 이완훈련과 같은 행동치료도 효과적이다. 스트레스 관리, 운동, 식이 교육 및 마사지 요법으로 구성된 편두통에 대한 그룹 기반의 다학제적 치료는 통증의 강도, 빈도, 및 지속 시간은 물론 기능적 상태, 삶의 질, 우울 및 통증 관련 기능장애를 호전시켰다.

(2) 만성두통

만성두통은 인구의 약 5%에 영향을 미치며 만성편두통, 만성긴장형두통, 약물과용두통 등을 포함한다. 만성두통이 있는 사람은 진통제를 과도하게 사용하여 약물과용두통을 겪고, 우울 및 불안과 같은 정신증상을 동반하고, 기능장애를 겪고, 그리고 스트레스와 관련된 두통 악화를 경험할 가능성이 높다. 만성두통은 관리하기 어렵고 종종 약물에 반응하지 않는다. 치료에는 아미트립틸린amitriptyline, 토피라메이트, 프로프라놀롤 등이 권고된다. 위약 대조 임상시험의 근거는 부족하지만 가바펜틴, 티자니딘tizanidine, 미르타자핀mirtazapine, 메만틴memantine 및 보툴리눔독소 A가 효과가 있다는 보고도 있다. 그 외에도 세로토닌 작용제, 세로토닌 길항제 및 아드레날린 작용제를 포함한 다양한 약물이 사용되고 있다. 약물치료와 인지행동치료를 병합하는 각각의 치료를 단독으로 시행하는 것보다 효과적이다.

7) 요통

요통은 평생 위험이 80% 이상으로 매우 흔하며 생산성 손실과 의료비용이 포함된 경우 가장 사회경제적 비용이 큰 질환이다. 디스트레스, 우울한 기분 및 적절한 의학적 설명을 얻지 못한 여러 신체 증상을 포함한 심리적 요인들은 요통과 높은 상관관계가 있으며, 급성에서 만성통증으로의 전환을 예측하는 인자이다. 만성 요통으로의 발전에 대한 가장 강력한 예측 인자는 치료를 받은 지 1개월이 지난 후 기능 상태가 좋지 않은 경우이다. 만성 비악성 요통 환자의 경우 경제적(예: 장애 소득) 및 사회적 보상(예: 번거로운 작업 회피)이 모두 기능장애 및 우울장애 수준과 관련이 있었다. 우울장애의 존재는 일반적으로 근골격계 통증, 특히 만성 요통이 발생할 위험을 증가시키는 것으로 나타났다. 반대로 만성 요통은 예후와 치료 반응에 영향을 미치는 정신병리가 발생할 위험을 증가시킬 수 있다.

만성 요통의 치료는 여러 방법을 단독으로 또는 병합하여 이뤄진다. 요통 관리를 위한 치료적 권고는 환자 교육, NSAIDS의 단기 사용, 물리치료, 등 운동, 행동 치료 등을 강조한다. 단기 아편유사제 치료는 심각한 급성 악화 시에만 사용해야 한다. 항경련제 또는 항우울제 보조요법의 효과를 평가한 무작위대조연구는 거의 없다. 이러한 약제는 통증 완화 효과를 상당한 정도로 제공할 수 있지만, 이득을 능가할 수 있는 부작용과도 관련이 있어 주의가 필요하다. 수술적 치료가 신중하게 선별된 만성 요통 환자에서 효과적일 수 있다. 치료는 증상을 개선하는 경우가 자주 있지만, 특히 직장 복귀와 관련하여 기능적 상태를 개선하는 능력에 대한 근거는 이와 어긋난다. 기능장애에 대한 환자의 인식은 치료가 성공하고 기능이 개선되기 위해 해결되어야 하는 중요한 요소이다.

8) 환상사지통증

신체 부위를 절단한 환자의 40-80%에서 1년 내에 환상사지통증phantom limb pain이 발생한다. 환상사지통증은 신경병증성으로 간주되고, 자통증(찌름통증)stabbing, 박동성throbbing 통증, 작열통, 경련통cramping이 사지의 말단 부위에서 더 강렬하다. 신체의 어떤 부위에서도 환상통증이 발생할 수 있다. 예를 들어, 유방절제 후 환상 유방 감각과 통증이 흔하다. TCA, 가바펜틴 및 카르바마제핀carbamazepine이 환상통증에 대한 1차 치료제로 사용된다. 최신의 항우울제와 항경련제는 일반적으로 부작용이 적으며, 환자가 더 많은 용량을 견딜 수 있다면 환상사지통증 치료에 더 효과적일 수 있다. 모르핀morphine, 칼시토닌 및 케타민ketamine이 환상통증을 단기간 감소시키는 것으로 나타났다.

9) 구강 안면 통증

삼차신경통Trigeminal neuralgia은 0.015%의 유병률을 보이는 만성통증증후군으로, 제5뇌신경cranial nerve V, 그중 가장 흔하게는 하악 분지mandibular division의 분포에 국한되는 중증의 발작성, 재발성, 난자성 통증을 특징으로 한다. 일반적으로 감각 또는 운동 결손은 나타나지 않는다. 통증 삽화는 자발적으로 나타나거나 혹은 유발 지점trigger zone에 대한 무통자극nonpainful stimuli, 말하거나 씹는 것과 같은 활동, 또는 환경적 조건에 의해 나타날 수 있다. 일반적으로 삽화 사이에는 통증이 없다. 잦은 또는 심각한 장기간의 통제되지 않는 통증은 불면, 체중 감소, 사회적 위축, 불안, 우울, 자살의 위험을 증가시킨다.

약물치료에는 항경련제, 항우울제, 바클로펜baclofen, 멕실레틴mexiletine, 리도카인 및 아편유사제가 포함된다. 항경련제 중 카르바마제핀, 옥스카르바제핀oxcarbazepine, 및 라모트리진lamotrigine에 대한 치료 근거가 있다. 클로나제팜clonazepam, 가바펜틴, 페니토인phenytoin, 티자니딘, 국소 캡사이신Capsaicin, 발프로산 또는 보툴리눔 독소 A를 권장하기에는 근거가 불충분하다. 삼차신경통과 대상포진후신경통을 비롯한 통증성 말초 신경병증 사이의 병태생리학적 유사성을 감안할 때, TCA 및 SNRI와 같은 다른 약물이 고려할 만한 적절한 옵션이다. 약물치료가 실패하면 다양한 수술적 치료를 시도해볼 수 있다.

턱관절 장애Temporomandibular disorder, TMD는 턱관절, 저작 근육 및 기타 구강 안면 근골격계 구조와 관련된 병적 증상을 지칭하는 일반적인 용어로, 종종 턱 움직임(예: 입을 벌리거나 씹는 행위)에 의해 발생한다. 근육통에서의 모호하고 광범위한 통증과는 달리, 턱관절 장애는 관절 운동 시에 귓바퀴앞 부위에 나타나는 날카롭고 갑작스럽고 강렬한 통증을 보인다. 관련 증상으로는 근육의 피로감, 쇠약, 팽팽함, 부정 교합 또는 턱을 열거나 닫을 수 있는 능력의 저하 등이 있다. 관절에서 딸깍거리거나 터지거나 소리, 삐걱거리는 소리가 흔히 나타난다. 턱관절 장애는 종종 심리적 스트레스와 관련이 있지만 일반적으로 시행되는 교합 부목 치료와 심리적 개입의 임상 효과를 비교할 수 있는 근거는 없다. 치료는 처음에는 보존적이고 근거에 기반한 치료들을 시행하며 난치성 통증에 해서는 보다 침습적인 중재가 필요할 수도 있다.

6. 정신의학적 동반이환

1) 신체증상장애 및 관련 장애

신체증상장애는 치료받은 만성통증 환자의 5-15%에서 발생하며, 두경부, 상복부, 및 사지의 통증이 흔하다. 통증의 의학적 원인을 규명할 수 없을 때 많은 임상의가 심리적 원인을 찾기 시작한다. 정서적 요인에 의해 발생한 통증의 개념은 정신질환의 진단 및 통계 편람Diagnostic and Statistical Manual of mental disorders, DSM 중 DSM-II에서 정신생리적 장애psychophysiological disorders로 처음 다뤄졌으며, DSM-III 에서는 심인성통증장애psychogenic pain disorder로, DSM-III-R에서는 신체형통증장애somatoform pain disorder로 개정되었다. 2013년 발행된 DSM-5에서는 동통장애 진단이 삭제되고, 신체증상장애somatic symptom disorder를 대표 질환으로 하는 새로운 진단 범주인 신체증상 및 관련 장애somatic symptom and related disorders가 도입되었다. 신체증상장애의 진단기준은 DSM-IV의 신체화장애somatization disorder와 다르며 가장 중요한 변화는 의학적으로 설명되는 신체적 고통과 의학적으로 설명되지 않는 경우의 구분을 없앴다는 것이다. DSM-IV 신체화장애에서는 여러 부위의 다발성 고통을 호소하는 것이 진단기준에 있었기 때문에 만성통증 환자에게는 이 진단이 거의 내려지지 않았다. DSM-IV의 동통장애에 해당하는 진단은 DSM-5에서 '신체증상장애, 통증이 우세한 경우'로 명시한 경우이다. 만성통증을 비롯한 다발성 신체 증상이 있는 환자는 과도한 검사, 부적절한 약물 및 불필요한 수술을 받을 위험이 있다. 신체증상장애 및 관련 장애와 우울장애 또는 불안장애가 공존하는 경우가 흔하다. 또한 신체증상장애 및 관련 장애 환자는 정신건강의학과 및 의학적 동반 질환과는 무관하게 상당한 기능장애 및 역할 장애를 경험한다.

2) 물질사용장애

만성통증 환자에서 물질사용장애의 유병률은 조사 표본에 따라 3%에서 48%로 추정된다. 만성통증 환자의 물질사용장애에 대한 필수 기준에는 진통제 사용에 대한 통제력 상실, 진통의 정도에 비해 약물 복용에 대한 과도한 집착, 약물 사용과 관련된 부작용이 포함된다. 과도하거나 비정상적으로 보이는 약물 관련 행동은 중독으로 오인될 수 있다. 지속적인 통증을 겪는 환자는 아편유사제를 얻는 것에 대해 집착할 수 있고, 적절하게 약물을 공급받을 수 있도록 적극적인 행동을 취할 수 있다. 환자들은 약물이 부족할 때 발생할 통증의 재발과 금단 증상을 당연히 두려워한다. 약물을 구하는 행동은 불안 수준이 높은 환자가 통증 조절 수준을 현재처럼 유지하거나 부족한 진통 효과를 개선하려고 하므로 나타날 수 있다. 그러나 이러한 행동은 진정한 중독을 나타내는 것이 아니라 치료에 대한 의존, 혹은 잠재적으로 치료가 부족해서 발생하는 거짓중독을 나타낼 수 있다는 것을 고려해야 한다. 거짓중독과 진정한 중독의 구분은 환자가 적절한 진통제 치료에 어떻게 반응하는지에 따라 결정된다. 즉, 적절한 진통제 치료에 비정상적인 약물 복용 행동이 완화되고 기능이 개선되는지 아니면 이상 행동과 기능저하가 지속되는지에 따라 구분한다. 하지만, 이 구분 방법만으로는 부정확할 수 있으므로 임상의는 항상 높은 수준의 경계와 평가를 유지해야 한다. 처방받은 약물의 복용법을 준수하지 않거나 오용하는 양상은 정서적 디스트레스, 기능장애, 약물 필요성에 대한 인지 그리고 중독에 대한 환자 및 주변인의 우려와 감독 등과 복잡한 관련이 있다. 이러한 요인은 처방받은 약물에 중독될 위험에 영향을 준다. 만성통증 문제가 발생한 첫 5년 동안 새로운 물질 사용 문제가 발생할 위험이 증가한다. 위험은 물질사용장애 또는 정신의학적 동반이환의 병력이 있는 사람들 사이에서 가장 높다. 드물지 않게 약물남용의 병력은 현재의 약물 오용이 나타난 후에 확인되므로 의사가 치료 과정을 면밀히 관찰해야 한다. 장기간 아편유사제 요법을 시행 받은 환자는 중독을 일으킬 위험도 크지만, 비정상적인 약물 복용 행동 및 불법 약물 사용의 위험이 훨씬 더 커 위험성 선별 및 관리의 필요성이 크다. 장기간 아편유사제 진통제 치료를 받는 만성통증 환자의 약 50%에서 비정상적인 약물 복용 행동이 발생하며, 약물남용 병력이 있는 환자에서 더 높은 비율로 나타난다. 최적의 치료 결과를 얻으면서 남용을 최소화하기 위해서는 환자와 의사 모두의 행동에 대한 주의 깊은 분석이 필요하다. 반대 관점에서 약물사용장애가 있는 환자는 만성통증의 비율이 증가했다. 만성통증이 있는 아편유사제 의존 환자는 상대적으로 약물남용 비율이 높지만, 낙인과 과소 치료의 위험도 있다. 통증과 중독 분야의 전문지식을 합하여, 만성통증에 대한 치료와 함께 약물남용에 대한 단계별 치료 모델을 혁신적으로 통합 시행한다면, 치료 결과를 개선할 수 있다.

3) 우울장애

통증과 우울장애 사이의 관계는 친밀하고 양방향적이다. 신체적 증상은 주요우울장애 환자에게 흔하다. 우울장애 환자의 약 60%가 진단 시 통증 증상을 보고한다. 5개 대륙 14개국의 세계보건기구 데이터를 사용한 연구에 따르면 우울장애 환자의 약 70%는 주로 신체 증상들만을 보였으며, 그중 통증 호소가 가장 흔했다. 우울장애 환자에서 통증의 유병률이 약 4배 증가하는 것으로 추정된다. 또한 초기의 우울 증상은 실제 통증의 초기 평가 점수보다 미래의 통증과 기능장애를 더 정확하게 예측한다. 만성적인 신체적 통증을 호소하는 개인에서 평생 주요우울장애 유병률이 더 높다. 만성통증 전문 클리닉에 내원하는 환자 중 1/3에서 절반 이상이 현재 주요우울장애 진단기준을 충족했다. 만성통증 환자의 우울장애는 통증의 강도 및 지속성이 큰 경우와 관련되며, 또한 이른 퇴직 및 통증으로 인한 활동 방해 정도, 통증 행동 등과 관련이 있다. 높은 수준의 우울장애는 통증과 통증 관련 기능장애를 악화시킨다. 우울장애는 통증의 강도와 지속 시간보다 기능장애를 더 잘 예측한다. 15,000명 이상의 근로자의 보험 청구 내역을 분석한 연구에서 요통과 같은 만성 질환 관리 비용은 우울장애가 동반이환 된 경우에 거의 두 배로 늘어났다. 대부분의 만성통증 질환은 자살 위험 증가와 관련이 있다. 만성통증이 있는 환자의 자살률은 일반 인구보다 2-3배 높다.

다른 심리사회적 변수들이 작용하지만, 만성통증 환자의 자살관념과 자살행동을 가장 일관되고 강력하게 예측하는 것은 우울장애이다. 두통을 비롯한 여러 유형의 통증 환자에서 통증이 자살에 대한 독립적인 위험 요소일 수 있다. 만성통증을 동반한 우울장애는 통증이 없는 우울장애보다 더 치료에 저항을 보인다. 우울장애는 만성통증으로 인한 디스트레스의 예상되는 결과로 단순히 이해되는 것이 아니라 공격적으로 치료되어야 한다. 통증은 종종 우울 증상의 개선과 함께 호전되어, 기능과 삶의 질의 향상으로 이어진다. 이 때, 우울의 개선은 통증에 대한 직접적인 치료 효과와는 독립적이며, 통증과 우울장애의 신경생물학적 공통점을 통해 설명할 수 있다.

4) 불안장애와 외상후스트레스장애

만성통증 환자의 거의 절반에서 불안 증상이 나타난다. 이러한 환자의 최대 30%는 불안장애(예: 범불안장애, 공황장애, 광장공포증) 또는 외상후스트레스장애에 대한 기준을 충족한다. 외상후스트레스장애는 의학적 질병, 특히 만성통증장애 환자에게 중요한 영향을 주는 동반질환으로 점점 더 크게 인식되고 있다. 외상후스트레스장애는 독립적으로 통증, 기능장애, 심리적 상태 및 삶의 질과 부정적인 연관을 가진다. 3년 전에 심각한 사고를 겪은 사람들을 추적 조사한 결과, 외상후스트레스장애 증상 및 기타 심리적 요인이 사회인구학적 및 사고 관련 변수보다 만성통증 발병의 더 강력한 예측 인자였다. 반대로 불안 증상 및 기능장애는 높은 신체 증상에의 몰두 및 신체적 증상과 관련된다. 139명의 공황장애 환자를 대상으로 한 연구에서 환자의 약 3분의 2가 하나 이상의 통증 증상을 겪고 있다고 보고했다. 통증은 더 높은 수준의 불안 증상, 공황 빈도 및 공황 관련 인지 변수(예: 불안 민감도)와 관련이 있었다. 불안을 동반한 통증 환자는 불안장애가 없는 통증 환자보다 더 불량한 예후를 보인다.

5) 수면 문제

통증과 수면이 관련되어 있음을 시사하는 충분한 근거가 있지만, 이 두 상태 간의 연관성은 복잡하다. 우세한 견해는 그들이 상호 관련되어 있다는 것이다. 그러나 인구 기반 장기 연구에서 나타난 근거는 통증이 수면 문제가 미치는 영향보다 수면 문제가 통증에 미치는 영향이 더 클 수 있음을 시사한다. 자가보고식 수면 측정치(수면 지속 시간, 수면 시작 지연, 수면 효율성 및 불면증의 빈도/중증도 포함)와 통증 민감도 간의 연관성을 조사한 연구에서 수면 지속 시간을 제외한 모든 변수가 통증 내성 감소와 유의하게 연관되어 있음을 발견했다. 만성통증의 환경에서 만성 수면 장애를 개선하기 위한 중재법에 대한 추가적인 연구가 필요하다.

6) 신체적 증상을 동반한 인위성장애

환자 역할sick role을 하고자 하는 심리적 욕구로 통증을 의도적으로 생성하거나 가장하는 경우 인위성장애factitious disorder로 진단된다. 일반적으로 성인기 초기에 발병하며 생애 전체에 걸쳐 입원을 반복하는 경향이 있다. 인위성장애 환자는 고통스러운 증상을 의도적으로 만드는데, 이는 증상을 일으키려는 의도가 없는 신체증상장애와의 감별점이 된다. 신산통renal colic, 구강 안면 통증 및 복통이 인위성 장애에서 가장 흔히 나타난다. 환자들의 행동이 비합리적이고 말이 모호하고 두서가 없을 수도 있지만 정신병적이지는 않다. 통증은 종종 정교하고 과장되며 지나치게 세부적으로 자세히 묘사되어 듣는 이의 호기심을 유발한다. 다른 특징들로는 아편유사제를 찾는 행동 양상, 여러 도시에서 다른 이름들로 입원한 경력, 결론 없는 침습적인 검사나 수술, 가족의 부재 등이다. 과거 입원과 퇴원에 대한 정확한 정황에 대해 자세한 질문들을 할 경우 환자가 갑작스럽게 분노하면서 퇴원을 요구하는 경우도 있다. 일반적으로 효과적인 치료법은 없다. 하지만 환자가 치료 받을 의사가 있는 경우 심리치료가 우선적인 치료이며 동반이환된 물질사용장애가 있는 경우 이에 대한 치료를 병행한다.

7) 꾀병

꾀병malingering을 보이는 환자는 거짓된 신체증상이나 정신증상을 만드는데, 이는 일에 대한 회피, 경제적 보상 획득, 법적 처벌 회피, 약물 취득 등의 이차적 이득을 얻기 위한 목적이다. 외부적 이득이 없고 내적인 원인에 의해 환자 역할을 지속하려는 경우 꾀병보다는 인위성장애를 먼저 생각해 보아야 한다. 꾀병을 보이는 환자는 정서적 갈등으로 인한 증상을 보이지 않는 경향이 있으며, 최후의 경우에만 정신의학적 상담을 받게 된다. 영리한 꾀병 환자는 미네소타 다면성 인성검사 결과를 정상적으로 보이게 하거나 책임을 피하고(예: 과거 의료기록이 없거나 변경되었다고 함), 정맥 내 벤조다이아제핀 투여나 최면을 이용한 면담 시도를 거절한다.

정보를 주지 않는 것, 반사회적 성격, 결정적이지 않고 자꾸 변하는 신체적 검사, 불규칙한 치료 방문 및 비순응, 의학적-법적 맥락에서 발생한 외부적 손해 관계 등이 진단에 고려할 점들이다. 꾀병은 거짓말과 유사하게 청소년기부터 노년기까지 스트레스를 받는 시기에 사용되는 성격적 특성인 경향이 있다. 이에 대한 심리치료가 제공될 수 있지만, 안타깝게도 치료에 따르지 않는 것이 일반적이다.

7. 만성통증의 치료

1) 약물요법

만성통증 치료에는 다양한 약물이 사용된다. 치료약물의 주된 작용기전은 나트륨 및 칼슘 통로의 상향조절, 척수 과흥분성의 하향 조절, 그리고 비정상적인 교감-체성 신경계 상호작용과 같은 말초 및 중추신경계의 과민성을 조절하는 것이다. 이상적으로 통증의 약물치료는 병인에 대한 고려(예: 허혈성, 신경성), 병태생리(예: 탈수초, 중추성 통증) 및 해부학적 연관성(예: C 섬유, 교감신경)을 기반으로 하여 선택한다. 많은 종류의 약물이 단독 또는 병합치료를 위해 사용되는데, 만성통증 치료는 매우 복잡하기 때문에 간단하고 직접적인 치료 알고리즘을 제공하기는 어렵다. 약물요법의 선택은 효과, 부작용, 공존질환, 타 약제와의 상호작용, 사용 편의성, 비용 및 환자의 선호도 등을 종합적으로 고려하여, 개개인에 맞게 이루어져야 한다.

만성통증의 약물요법에서 가장 중요한 치료 원칙은 다음과 같다. 첫째, 우울장애가 동반이환된 만성통증 환자에서 항우울제에 대한 치료 반응이 좋다면 항우울제를 최대 치료용량까지 사용해야 한다. 둘째, 진통제는 대부분의 만성통증 환자에게 효과가 없으며, 만성통증에는 원칙적으로 마약성 진통제를 사용하지 않는다. 만성통증에서는 비마약성 혹은 마약성 진통제보다 보조진통제를 먼저 고려해볼 수 있으며 보조진통제 중 항우울제와 항경련제가 가장 많이 이용된다. 셋째, 벤조디아제핀과 같은 항불안제는 만성통증에 분명한 효과를 주지 않으며 오남용과 부작용의 위험이 있으므로 사용하지 않는 것을 원칙으로 한다. 넷째, 장기간 통증 치료를 받는 환자들에게 물질사용장애가 종종 발생한다는 점에 유의해야 한다.

(1) 항우울제

항우울제의 진통 효과는 여전히 저평가되어 있다. 특히 TCA와 SNRI는 당뇨신경병증, 대상포진후신경통, 중추성 통증, 뇌졸중후 통증, 긴장형두통, 편두통 및 구강 안면 통증을 포함한 많은 만성통증증후군에 효과적인 치료법이다. 항우울제의 진통 효과는 항우울 효과와는 독립적인 것으로 생각되며 주로 노르에피네프린 및 세로토닌 재흡수 차단에 의해 매개되어 척수의 뒤뿔dorsal horn에서 하행 억제성 신경세포의 활성화를 강화시킨다. 항우울제는 모노아민에 의한 조절을 포함하여 아편유사제 체계와의 상호 작용, 이온 통로 활동 억제, 그리고 글루타메이트, 히스타민 및 콜린성 수용체의 억제 등 다양한 약리학적 메커니즘을 통해 통각억제 효과를 나타낼 수 있다. 따라서, 우울장애 유무와 관계없이 만성통증 환자에게 항우울제를 사용할 수 있다.

① 삼환계 항우울제Tricyclic antidepressants, TCA

TCA는 다양한 항우울제 중 가장 오래전부터 여러 종류의 통증을 치료하는 데 이용되어 왔다. TCA는 프레가발린 및 가바펜틴 등의 항경련제와 SNRI와 함께 신경병증성 통증에 가장 효과적인 약제이며 두통에도 효과적이다.

TCA는 중추성 뇌졸중후 통증, 대상포진후신경통, 다양한 유형의 통증성 다발신경병증 및 유방절제 후 통증증후군을 효과적으로 치료하는 것으로 나타났다. 다양한 TCA는 통증에 똑같이 효과적이지만 2차 아민 TCA(예: 노르트립틸린nortriptyline)는 3차 제제(예: 아미트립틸린amitriptyline)보다 내약성이 좋다. 통증 치료에서 TCA는 일반적으로 우울장애 치료에 사용되는 것보다 낮은 투여량으로 진통 효과가 있으며, 효과가 더 빠르게 나타난다. 부족한 진통 효과는 부적절한 투여의 결과일 수 있으므로, 최적의 치료 반응을 얻으려면 충분한 용량을 처방해야 한다. TCA로 대상포진후신경통의 만성통증과 통증성 당뇨병성 말초신경병증을 치료할 때 평균 하루 100-250 mg 용량이 필요한 것으로 알려져 있다. 즉, 충분한 용량을 처방할 필요가 있다.

② 세로토닌-노르에피네프린재흡수억제제Serotonin-norepinephrine reuptake inhibitors, SNRI

둘록세틴, 벤라팍신venlafaxine, 데스벤라팍신desvenlafaxine 및 밀나시프란은 시냅스전 세로토닌, 노르에피네프린 및 도파민의 재흡수를 억제한다. SNRI는 진통 효과가 우수하면서도 TCA보다 부작용이 적으므로 만성통증 치료약물 중 점차 가장 선호되고 있다. 임상시험에서 벤라팍신은 신경병증성 통증에서 이질통증과 통각과민, 유방암 치료 후 신경병증성 통증, 편두통 예방, 섬유근육통 등에 효과를 보였다. 코크란 리뷰Cochrane review에서 신경병증성 통증에 대한 효과적인 치료법으로 둘록세틴을 권장한다. 임상시험에서 둘록세틴은 당뇨신경병증, 근육통 및 골관절염 등에 진통 효과를 보였다. 우울장애와 통증성 신체 증상이 있는 환자에게 둘록세틴을 투약했을 때 증상 완화를 보였으며, 진통 효과는 약물의 항우울 작용과는 독립적이었다.

③ 선택적세로토닌재흡수억제제Selective serotonin reuptake inhibitor, SSRI

신경병증성 통증을 비롯한 만성통증증후군 환자를 대상으로 한 임상시험에서 SSRI의 효능은 일관적이지 않다. 코크란 리뷰에서 SSRI가 편두통에 대해 위약보다 더 효과적이지 않으며 긴장형두통에 대해 TCA보다 덜 효과적이라고 보고했다. 그러나 몇몇 임상시험에서는 SSRI의 진통 효과가 검증되었는데, 플루옥세틴fluoxetine은 섬유근육통이 있는 여성의 통증 관련 지표(즉, 통증의 영향 및 중증도)를 개선했으며, 류마티스관절염 통증을 현저하게 감소시키는 데 있어 아미트립틸린과 유사한 정도의 효과를 보였다. 시탈로프람citalopram은 과민성대장증후군에서 복통을 개선했으며, 통증에 대한 치료 효과는 불안 및 우울장애에 대한 효과와 독립적이었다. 파록세틴paroxetine과 시탈로프람은 일부 대조연구에서 당뇨병성 말초신경병증의 통증을 감소시켰다. 통증성 당뇨병성 말초신경병증에 대한 가바펜틴, 파록세틴 및 시탈로프람의 치료 효과를 비교한 연구에서 3가지 약물 모두 통증에 대해 유사한 효능을 보였지만, 환자는 SSRI에 대해 더 나은 만족도, 순응도 및 기분 호전을 보고했다. 전반적으로 SSRI는 만성통증에 대한 1차 치료제로는 권장되지 않지만, 우울장애가 동반된 경우 고려할 만하다.

④ 기타 항우울제

통증증후군에서 미르타자핀, 부프로피온bupropion, 트라조돈trazodone, 보르티옥세틴vortioxetine 및 빌라조돈vilazodone과 같은 기타 항우울제의 효능을 조사한 대조시험은 거의 없지만, 그 약리학적 특성을 볼 때 통증억제 가능성이 있다. 대조시험에서 미르타자핀은 만성긴장형두통의 지속시간과 강도를 줄였고 부프로피온은 통증 강도와 통증으로 인한 삶의 질 저하를 호전시켰다. 트라조돈은 만성통증 치료에 유용할 수 있지만 진정 부작용 때문에 유효용량을 쓰기 어려울 수 있다. 보르티옥세틴과 빌라조돈은 통증 치료에 효능이 있다는 근거를 축적하기에는 아직 이르다.

(2) 항경련제

항경련제는 과도한 신경 활동을 억제하여 통증을 감소시킨다. 항경련제는 삼차신경통, 당뇨신경병증 및 대상포진후신경통 등의 다양한 신경병증성 통증증후군에 치료 효과가 있고, 편두통 재발 예방 효과도 있다. TCA에 비해 부작용이 적기 때문에 약물순응도가 더 좋다. 항경련제와 항우울제는 작용기전이 다르므로, 항우울제를 충분히 사용했음에도 불구하고 지속적인 통증이 있거나 항우울제 사용이 어려운 환자에게 항경련제가 유용한 대안이 될 수 있다. 작용기전이 상호보완이 가능하므로 항우울제와 항경련제의 병용요법을 시도할 수도 있다.

① 1세대 항경련제

카르바마제핀은 신경병증성 통증에서 가장 널리 연구된 1세대 항경련제이며 페니토인은 삼차신경통에 효과적이다. 발프로산은 편두통 예방에 가장 흔히 사용되지만 신경병증성 통증에도 효과적이다.

② 2세대 항경련제

2세대 항경련제는 가바펜틴, 프레가발린, 라모트리진 및 토피라메이트를 포함한다. 프레가발린과 가바펜틴은 통증성 당뇨신경병증, 대상포진후신경통, 섬유근육통, 절단후 환상사지통증 및 척수손상과 관련된 중추신경병증성 통증의 치료에 효과적이다. 항경련제의 용량을 적정할 때 고정된 일정보다 유연한 전략을 사용할 때 중단이 적고 최종적으로 더 고용량을 쓸 수 있었으며 통증 완화의 정도가 더 큰 것으로 나타났다. 가바펜틴과 프레가발린은 전적으로 신장으로 배설되므로 신장 기능이 손상된 환자에게는 용량을 줄여서 사용해야 한다. 임상시험에서 라모트리진은 HIV 관련 신경병증 및 중추성 뇌졸중후 통증 치료에 효과를 보였지만 다른 신경병증 상태에서는 효과를 보이지 않았다. 토피라메이트는 최소한의 간 대사, 일정한 신장 배설량, 적은 약물상호작용, 긴 반감기 및 체중 감소 등의 이점이 있다. 임상시험에서 토피라메이트는 편두통 예방, 당뇨신경병증, 만성요통 및 요추의 뇌척수신경근병증에 대한 통증의 치료에 효과를 보였지만, 더 많은 연구가 필요하다.

③ 기타 항경련제

옥스카르바제핀은 카르바마제핀의 유도체로 더 나은 안전성과 내약성을 가지며, 당뇨병성 말초신경병증의 치료에 효과를 보인다.

(3) 항불안제

① 벤조디아제핀Benzodiazepines

벤조디아제핀은 섬유근육통 등 근육경련과 연관된 통증, 하지불안증후군으로 인한 통증, 삼차신경통 및 신경병증성 통증 등의 완화에 사용되어 왔다, 또한 만성통증 환자의 불면 및 불안에 흔히 처방된다. 벤조디아제핀이 항-통각과민antihyperalgesic(통증에 대한 증가된 민감성의 감소) 특성이 있다는 근거가 있지만, 만성통증 치료에서 벤조디아제핀과 아편유사제의 조합은 과도한 진정과 치명적인 과다복용의 위험을 많이 증가시키므로 위험할 수 있다. 벤조디아제핀은 특히 노인 및 기타 취약한 환자에서 진정 및 인지 장애를 유발한다. 만성통증 환자에서 벤조디아제핀은 활동 수준 감소, 의료 이용률 및 우울장애 증가, 장애 일수 증가와 관련이 있었다.

② 부스피론Buspirone

부스피론의 직접적인 통증억제 효과는 입증되지 않았다. 단, 부스피론은 통증에 동반되는 불안을 치료하는데 유용할 수 있다.

(4) 비정형 항정신병약

항정신병약은 당뇨신경병증, 대상포진후신경통, 두통, 안면 통증, AIDS 및 암과 관련된 통증, 근골격계 통증에 사용되어왔으며, 주로 다른 약제에 대한 부가요법으로 그 효과를 뒷받침하는 근거가 늘어나고 있다. 항정신병약 중 올란자핀olanzapine이 섬유근육통과 두통에서 아직은 예비적이긴 하지만 비교적 일관된 효능을 보였다. 정형 항정신병약과 비교하여 비정형 항정신병약은 더 넓은 치료 범위에 쓰일 수 있고 추체외로 부작용의 발생률이 낮지만, 대사성 영향에 대한 우려가 있다.

(5) 국소 마취제

국소 리도카인은 대상포진후신경통 치료에 승인되었지만, 현재까지 다른 신경병성 통증에 대한 근거는 강력하지 않다. 구강 멕실레틴mexiletine은 다양한 유형의 신경병증성 통증에 사용되어왔지만 뒷받침하는 근거는 아직 부족하다.

(6) 캡사이신capsaicin

캡사이신은 칠리 페퍼에서 추출되며, 천연 진통제로 수백 년 동안 사용되어 왔다. 저용량 국소 캡사이신은 진통효과가 제한적이지만, 고용량 캡사이신은 만성 근골격 통증 및 신경병증성 통증 치료에 도움이 되는 것으로 나타났다. 국소 캡사이신은 다른 치료에 반응이 없거나 내약성이 없는 환자에게 유용할 수 있다.

(7) 아편유사제opioid

아편유사제는 말초신경계와 중추신경계 모두에 위치한 μ, δ, κ 아편유사제 수용체와 상호 작용하여 통증의 감각 및 정서적 구성요소를 감소시킨다. 효과의 지속성과 안전성, 특히 내성, 의존성, 남용 및 과다복용 시 치명성 등의 위험 때문에 만성 비악성 통증에 대한 아편유사제의 장기간 사용을 둘러싼 논란이 있다. 아편유사제 효능에 대한 연구는 일반적으로 18개월 미만의 연구기간을 가지며 부작용이나 불충분한 통증 완화로 인한 높은 연구 참여 중단율로 인해 복잡하다.

근거에 따르면 아편유사제로 인한 심각한 부작용의 위험은 용량에 의존한다. 금단을 피하기 위해 아편유사제를 서서히 중단해야 하며 위험(부작용, 독성, 비정상적인 약물 관련 행동)이 객관적인 이점(진통, 기능 개선)을 능가하는 경우 완전히 중단해야 한다. 아편유사제로 성공적으로 치료하려면 통증 및 기능 개선의 정도, 약제 관련 부작용 및 비정상적인 행동을 평가하고 문서화해야 한다.

만성통증에서 아편유사제를 사용할 때 원치 않는 부작용 대비 유익한 효과의 균형을 유지하는 데 도움이 되는 지침들을 참고한다. 첫째, 가장 중요한 점은 만성통증 치료를 위해서는 비마약성 진통제 치료를 선호한다는 것이다. 아편유사제는 환자의 통증과 기능에 대한 이득이 위험을 능가할 것으로 기대되는 경우에 제한하여 사용해야 한다. 적절한 처방 대상은 기능 또는 삶의 질에 부정적인 영향을 미치는 중등도 또는 중증 통증이 3개월 이상 지속되는 환자이다. 둘째, 아편유사제 치료를 시작하기 전에 환자의 특정 통증증후군, 다른 치료법에 대한 반응 및 비정상적인 약물 관련 행동의 가능성과 같은 추가 요소들을 신중히 고려해야 한다. 셋째, 환자와 함께 치료 목표를 수립하고 이익이 위험보다 크지 않은 경우 어떻게 아편유사제를 중단해야 하는지 고려해야 한다. 넷째, 아편유사제를 처방하는 경우 최소 유효용량을 처방하고 하루 50 mg morphine milligram 당량equivalents 이상으로 투약량을 늘릴 것을 고려할 때는 치료적 이득과 위험을 신중히 재평가해야 한다. 다섯째, 가능한 한 아편유사제와 벤조디아제핀을 병용하는 것을 피해야 한다. 여섯째, 3개월에 한 번 이상의 빈도로 환자와 아편유사제 치료를 지속할 때의 이득과 위험을 검토하고, 고위험 조합이나 용량에 대해 처방 약물 모니터링 프로그램 데이터를 검토해야 한다. 마지막으로, 아편계사용장애가 발생한 경우, 환자에게 부프레노르핀buprenorphine이나 메타돈methadone을 이용한 약물보조요법과 같은 근거기반의 치료를 제공해야 한다.

임상적으로 이용 가능한 아편유사제에는 천연화합물(모르핀morphine 및 코데인codeine), 반합성 유도체(하이드로모르폰hydromorphone, 옥시모르폰oxymorphone, 하이드로코돈hydrocodone, 옥시코돈oxycodone, 디하이드로코데인dihydrocodeine 및 부프레노르핀buprenorphine) 및 합성 아편유사제 진통제(메페리딘meperidine, 펜타닐fentanyl, 메타돈methadone, 트라마돌tramadol, 펜타조신pentazocine 및 프로폭시펜propoxyphene)가 포함된다. 장기 아편유사제 요법의 가장 흔한 부작용은 변비, 구토 및 복통을 유발하는 위장관 운동성 감소이다. 경구 아편유사제 제제마다 이러한 증상을 유발하는 경향이 다르다. 장기간 아편유사제 투여는 진통제 내성 또는 아편유사제 유발 통각과민증을 유발할 수 있다. 내성이 생기면 다른 진통제의 병용 투여, 더 강력한 작용제로의 아편유사제 순환opioid rotation 또는 특정 약제의 간헐적 중단이 진통 효과를 회복시킬 수 있다. 아편유사제 순환은 아편유사제를 순차적으로 바꾸어 가며 사용하는 것을 말하며, 내성이 생겼을 때 다시 적절한 진통 효과를 얻는 데 도움이 될 수 있다.

(8) 위약 반응

위약placebo의 효과와 이에 대한 환자 반응은 복잡한 현상이지만 적극적인 치료에 대한 환자의 반응과 유사하다. 위약을 통한 진통 효과는 생물학적으로 측정 가능한 현상이다. 임상 환경에서 통증의 진정한 개선과 위약 반응을 구분하는 것은 어렵다. 환자와 의사 모두의 기대와 이전의 경험은 위약 효과의 잘 알려진 주요 기전이다. 의사가 환자와 소통하는 방식은 위약 효과의 크기에 영향을 미친다. 환자의 통증이 진짜인지 아닌지를 결정하거나 중립적인 물질로 진통제를 대체하여 심인성 상태를 치유하기 위해 위약을 사용하는 것은 정직하지 못하고 오해의 소지가 있으며 비생산적이다. 위약에 양성 반응을 보였다고 해서 환자의 통증이 심인성임을 증명하지도 않으며 환자가 적극적인 치료로 효과를 보지 못한다는 것을 보여 주지도 않는다. 또한, 그런 개입은 환자의 신뢰를 잃고 향후 치료의 효과를 떨어뜨릴 수 있다.

2) 심리적 개입

(1) 만성통증 환자의 공포와 파국화

통증, 움직임, 부상 재발, 그리고 기타 부정적인 결과에 대한 공포는 활동을 회피하게 하고 만성통증증후군의 시작과 유지를 촉진한다. 활동 위축은 체중 증가, 근육 위축 및 기능 악화와 같은 생리적 변화를 초래할 수 있다. 이 과정은 낮은 자기효능감, 파국적인 해석, 재활 시도에 대한 실패에 대한 예측 증가로 강화된다. 근골격 통증의 공포-회피 모델은 다양한 요소를 통합하여 급성에서 만성 요통으로의 전환을 설명한다. 통증의 심각성, 통증 파국화, 통증에 대한 과각성, 통증 관련 공포, 탈출 또는 회피 행동, 기능장애 및 개인 취약성 등 통증과 관련된 공포와 회피는 만성 요통 환자의 직장 복귀 실패에 대한 가장 중요한 예측 인자 중 하나이며, 만성통증에 대한 적응을 어렵게 한다. 파국적 사고는 위협적인 정보의 증폭으로 설명된다. 통증에 대한 파국적 사고는 환자가 생산적인 활동에 참여하는 능력을 방해한다. 또한 통증의 경험을 강화하고 정서적 디스트레스와 자기 인식의 장애를 증가시킨다. 통증 관련 파국화는 우울증상 및 통증 중증도와 독립적으로 자살관념을 예측하는 것으로 나타났다.

(2) 인지행동치료

만성통증에 대한 심리적 치료는 Fordyce가 조작적 조건화 행동 모델operant conditioning behavioral model을 활용하여 처음 제안하였다. 행동적 접근 방식은 사회적 맥락에서 고통을 이해하는 데 중점을 둔다. 만성통증 환자의 행동은 의사를 포함한 다른 사람의 행동에 영향을 미칠 뿐만 아니라 다른 사람의 행동에 의해 강화되고 형성된다. 찡그린 얼굴 표정, 신음소리, 신체 부위를 보호하는 움직임 등과 같이 통증을 나타내는 행동은 보편적으로 잘 알려져 있으며 다른 행동들과 잘 구별된다. 행동 모델은 통증 행동이 지속되면 통증과 기능장애도 마찬가지로 지속될 것이라고 가정한다. 치료에서는 통증 행동을 없애고 그 자리를 건강한 행동으로 대체하기 위한 강화를 목표로 한다. 인지행동 모델은 개인의 신념, 태도 및 기대가 삶의 경험에 대한 정서적 및 행동적 반응에 영향을 미친다고 가정한다. 만성통증 환자의 인지행동치료에서도 통증에 적응하는 방식을 인지 및 행동적 관점에서 파악하고 수정하는 것이 중요하다. 통증과 그에 따른 통증 행동은 생물학적, 심리적, 사회환경적 요인의 영향을 받는다. 환자가 통증, 우울장애 및 기능장애가 불가피하고 통제할 수 없다고 믿을 때 더 부정적인 정서 반응, 더 큰 통증, 더 큰 신체적 및 심리적 기능 장애를 경험할 수 있다. 이러한 장애의 순환을 이완, 유도된 심상guided imagery, 바이오피드백, 명상, 최면, 동기 강화 상담, 인지 재구조화, 대처전략 및 자기주장훈련과 같은 인지행동치료의 구성요소로써 끊을 수 있다. 환자는 고통스러운 생각과 감정을 최소화하는 방법들을 사용하여 통증 관리에 적극적으로 참여하도록 배운다. 인지행동치료의 목표는 환자의 활동을 촉진하고 독립성을 향상시키고 주변의 자원을 활용할 수 있게 하도록 자기조절과 자기관리 능력을 향상시키는 것이다. 코크란 리뷰는 인지행동치료가 통증과 기능장애에 작지만 유의한 효과가 있고 기분과 파국화에는 중등도의 효과가 있다고 결론지었다. 이러한 인지행동치료의 효과는 적극적인 치료 세션들이 완료된 후 최대 6개월 이상까지 지속되는 것으로 밝혀졌다.

인지행동치료에서 통증 신념pain beliefs은 통증 문제에 대한 개개인의 생각을 뜻한다. 만성통증 환자에서 정신사회적 기능장애는 가족으로부터 지나치게 세심하게 배려하는 반응을 받는 정도, 정서가 통증과 연관된다고 있다고 믿는 정도, 장애가 통증의 탓이라고 보는 정도와 비례했다. 반면, 신체적 기능장애는 통증이 기능을 방해한다고 믿는 정도, 통증이 손상을 악화시킨다고 믿는 정도, 따라서 활동을 피해야 한다고 믿는 정도와 비례했다. 만성통증과 관련된 사회학습이론에서 파생된 인지적 변수에는 자기효능감, 결과에 대한 기대 및 통제위치locus of control 등을 포함한다. 자기효능감은 특정 행동을 수행할 수 있는 자신의 능력에 대한 믿음이고 결과 기대는 행동을 수행한 결과에 대한 믿음이다. 만성통증증후군 환자 중에서 자기효능감 측정에서 더 높은 점수를 받거나 통제위치가 내부에 있다고 보고하는 환자가 통증 심각도가 낮고 통증 역치가 높으며, 운동 수행능력이 향상되고 보다 긍정적인 대처노력을 보였다. 흥미롭게도 통증 완화에 대한 의사의 기대는 환자의 통증 완화 정도에 대한 중요한 예측 변수였으며 이는 개인의 만성통증 경험에서 다른 사람이 중요한 역할을 한다는 것을 뒷받침한다.

만성통증의 수용acceptance은 만성통증 경험의 여러 영역과 관련된 두 가지 요소(활동 참여activity engagement 및 통증 기꺼이 경험하기pain willingness)이다. 수용은 통증 강도 감소, 통증 관련 불안 및 회피 감소, 우울장애 감소, 신체적 및 심리사회적 기능장애 감소, 활동 시간 증가 및 직업 상태 개선과 관련이 있는 것으로 밝혀졌다. 만성통증에 대한 환자의 수용은 파국화, 대처전략 및 통증 관련 신념 및 인지와 독립적으로 질병에 대한 적응을 향상시킨다.

대처Coping는 "개인의 자원에 부담을 주는 개인과 환경의 내외적 요구를 관리하기 위한 인지 및 행동적 노력"으로 정의될 수 있다. 파국화, 통증 감각에 대한 무시 혹은 왜곡 또는 통증으로부터 주의를 돌리는 것과 같은 수동적이거나 부적응적인 대처전략을 계속 사용하는 환자는 기능장애가 더 높다. 특정 대처전략을 훈련하는 것은 환자의 통증 경험을 여러 측면에서 변화시킬 수 있다. 예를 들어 통증 감각을 현재 진행 중인 손상의 징후가 아닌 것으로 재해석하는 대처전략은 유발된 통증의 영향을 줄이는 데 유용한 것으로 나타났다. 고통에 대한 파국적 사고는 위협적인 신체 정보를 증폭시키고 환자가 통증 관련 활동이 아닌 생산적인 활동에 참여하는 데 필요한 주의집중을 방해한다. 적극적인 대처전략의 활용을 늘리고 재앙적 사고와 같은 부적응적 대처전략을 줄일 때 우울, 통증 및 기능장애를 줄일 수 있다.

3) 여러 전문분야에 걸친 통합적인 중재

만성통증이 있는 환자는 거의 모든 다른 의학적 질환이 있는 환자들과 비교했을 때 신체적, 심리적, 사회적 웰빙 수준이 낮고 건강 관련 삶의 질 저하가 더 크다고 보고한다. 다학제 통증 재활 프로그램은 팀 구성원, 환자 및 기타 관계자들 간의 협력적이고 지속적인 의사소통의 틀 내에서 가장 어려운 의학적 상태 중 하나인 통증증후군에 대한 포괄적인 치료를 제공한다. 다학제 통증 재활 프로그램이 중증 기능장애가 있는 환자를 포함하여 다양한 만성통증증후군 환자의 여러 영역에서 기능을 향상시킨다는 근거가 있다. 최근 코크란 리뷰에 따르면 만성요통의 경우 다학제 통증 재활 프로그램이 통증과 기능장애를 완화하는 데 있어 일반적인 치료 및 물리치료보다 더 효과적이었다. 만성통증 치료의 목표는 기능장애를 없애고 사람들을 직장이나 기타 생산적인 활동으로 복귀시키는 것이며 다학제적 중재는 환자를 직장으로 복귀시키는 데 효과가 있다. 전반적으로, 다학제 중재가 조기에 호전을 가져오고 불필요한 의료비용을 절감할 수 있다는 근거가 있다. 정신건강의학과 의사는 협력적 다학제 치료 환경에서 정신건강 관리 및 통증 치료에 대한 통합적 의료 서비스 제공을 촉진하는 역할을 할 수 있다.

참고문헌

1. 대한신경정신의학회 편. 신경정신의학 제3판. 서울:아이엠이즈컴퍼니;2017. p.393-8
2. 박원명, 김찬형. 임상신경정신약물학 제3판. 서울:시그마프레스;2019. p.437-46
3. Banzi R, Cusi C, Randazzo C, Sterzi R, Tedesco D, Moja L. Selective serotonin reuptake inhibitors (SSRIs) and serotonin-norepinephrine reuptake inhibitors (SNRIs) for the prevention of tension-type headache in adults. Cochrane Database Syst Rev 2015;2015(5):Cd011681.
4. Becker WJ. Acute Migraine Treatment. Continuum (Minneap Minn) 2015;21(4 Headache):953-72.
5. Bruehl S. Complex regional pain syndrome. BMJ 2015;351:h2730.
6. Crofford LJ. Pain management in fibromyalgia. Curr Opin Rheumatol. 2008;20(3):246-50.
7. Cruccu G, Gronseth G, Alksne J, Argoff C, Brainin M, Burchiel K, et al. AAN-EFNS guidelines on trigeminal neuralgia man-

agement. Eur J Neurol 2008;15(10):1013-28.

8. Deyo RA, Weinstein JN. Low back pain. N Engl J Med 2001;344(5):363-70.
9. Fordyce WE, Fowler RS, Jr., Lehmann JF, Delateur BJ, Sand PL, Trieschmann RB. Operant conditioning in the treatment of chronic pain. Arch Phys Med Rehabil 1973;54(9):399-408.
10. Fritzsche K, McDaniel SH, Wirsching M. Psychosomatic Medicine: An International Guide for the Primary Care Setting. Springer Nature, 2019.
11. Hooten W, Timming R, Belgrade M, Gaul J, Goertz M, Haake B, et al. Assessment and management of chronic pain. 2013;106.
12. Kamper SJ, Apeldoorn AT, Chiarotto A, Smeets RJ, Ostelo RW, Guzman J, et al. Multidisciplinary biopsychosocial rehabilitation for chronic low back pain: Cochrane systematic review and meta-analysis. BMJ 2015;350:h444.
13. Lipchik GL, Nash JM. Cognitive-behavioral issues in the treatment and management of chronic daily headache. Curr Pain Headache Rep 2002;6(6):473-9.
14. Manchikanti L, Abdi S, Atluri S, Balog CC, Benyamin RM, Boswell MV, et al. American Society of Interventional Pain Physicians (ASIPP) guidelines for responsible opioid prescribing in chronic non-cancer pain: Part 2—guidance. Pain Physician 2012;15(3 Suppl):S67-116.
15. Moulin DE, Clark AJ, Gilron I, Ware MA, Watson CP, Sessle BJ, et al. Pharmacological management of chronic neuropathic pain - consensus statement and guidelines from the Canadian Pain Society. Pain Res Manag 2007;12(1):13-21.
16. Rosenberg CJ, Watson JC. Treatment of painful diabetic peripheral neuropathy. Prosthet Orthot Int 2015;39(1):17-28.
17. Seifert CL, Mallar Chakravarty M, Sprenger T. The complexities of pain after stroke--a review with a focus on central post-stroke pain. Panminerva Med 2013;55(1):1-10.
18. Silberstein SD. Preventive Migraine Treatment. Continuum (Minneap Minn) 2015;21(4 Headache):973-89.
19. Stern TA. Massachusetts General Hospital Handbook of General Hospital Psychiatry. Washington DC: Elsevier Health Sciences, 2010.
20. Wu TH, Hu LY, Lu T, Chen PM, Chen HJ, Shen CC, et al. Risk of psychiatric disorders following trigeminal neuralgia: a nationwide population-based retrospective cohort study. J Headache Pain 2015;16:64.

19

CHAPTER

임종과 애도

김선영

1. 임종

삶의 마지막 시간은 개인의 삶을 정리하고 숙고하며 삶을 완성시키는 가장 중요한 시간이다. 죽음을 앞둔 환자는 신체적, 정신사회적, 영적인 다양한 고통을 경험할 수 있으며 종종 이러한 문제들은 환자가 편안하고 안정된 죽음을 맞이하는 것을 방해한다. 임종을 앞둔 환자의 가족들 역시 다양한 고통을 경험하며, 이러한 문제는 환자를 사별한 후 애도과정에도 영향을 미친다. 따라서 치료자는 이러한 고통들을 살펴 환자가 '좋은 죽음'을 맞이할 수 있도록 돕는 한편, 가족들 또한 건강한 애도 과정을 겪어 나갈 수 있도록 도와야 한다.

1) 국내의 사망 현황

우리나라의 기대수명은 전 연령층에서 빠르게 증가하고 있으며 2019년 출생아의 경우 기대수명은 여성 86.3년, 남성 80.3년이고 향후 80세까지 생존할 확률은 남자 61.7%, 여자 81.0%이다.

2) 죽음의 정의와 좋은 죽음

죽음이란 모든 생체 기능의 영구적 정지, 즉 전체 뇌 기능, 호흡계의 자발 기능, 순환계의 자발 기능이 비가역적으로 정지된 상태이다. 이는 개인에게 문화적 배경 안에서 생물학적, 정신적, 사회적 과정으로 경험된다. 죽음은 비가역성, 보편성, 최종성, 인과성, 현실성, 이별, 부동성, 기능 부전 등의 속성으로 설명되기도 한다.

근래에 논의되는 좋은 죽음이란 통상적으로 죽음의 과정에 대한 논의로, 그 과정이 좋아야 한다는 의미이다. 이는 환자가 가족과 친구, 의료인에게서 신체적, 정신적, 영적 그리고 감정적으로 적절하게 지지를 받는 것이다. 세계

보건기구 *WHO*에 따르면 좋은 죽음이란 "환자와 가족 또는 보호자가 피할 수 있는 디스트레스와 고통으로부터 벗어나, 환자와 가족의 소망이 존중되며 그리고 임상적, 문화적 그리고 윤리적 기준에 적절히 부합되는 것"이다. 한편, Weisman은 1972년에 "타당한 죽음appropriate death"에 대한 4가지 요건을 제시하였다. 첫째, 통제력 상실에 대한 두려움과 같은 내적인 갈등이 가능한 한 감소되어야 한다. 둘째, 개인 고유의 정체감이 유지되어야 한다. 셋째, 중요한 대인관계는 격려되거나 최소한 유지되어야 하며, 갈등은 가능한 한 해소되어야 한다. 넷째, 개인은 설령 한계가 있더라도 가능한 삶의 의미와 목표를 설정하고 달성하도록 격려 되어야 한다. 예를 들면 졸업, 결혼, 자녀의 출생 등의 목표는 미래와 연속되는 느낌을 제공할 것이다. 이 네 가지 기준은 치료자에게 임종을 앞둔 환자가 좋은 죽음의 과정을 겪어 나갈 수 있도록 어떻게 도와줄 것인가에 대한 목표를 제시한다.

3) 임종 과정의 적응에 영향을 미치는 요인

임종이 가까운 말기 환자에서 환자와 가족의 적응은 다양한 요인에 영향을 받게 된다. 이는 사회문화적 요인, 개인적 요인, 생물학적 요인 등으로 대별할 수 있다.

사회문화적 요인은 죽음에 대한 사회문화적 태도, 경제적 상태, 가족을 비롯한 지지체계 등의 요인이다. 죽음에 대한 관점은 사회와 문화마다 다르며 이는 환자에게 병의 진단 또는 임박한 죽음 등을 알려야 하는가 등의 문제와도 밀접하게 연관된다. 이러한 차이는 서양과 동양, 개인주의적 문화와 가족중심의 문화, 과거와 현재 등 다양한 사회문화적 영향에 따라 다른 결과를 낳는다. 경제적 상태 역시 완화적 돌봄, 재가 서비스 등 다양한 치료 자원의 이용에 영향을 미치며 경제적 어려움은 환자가 이러한 서비스를 받기 어렵게 한다.

환자의 성격, 대처방식, 개인적인 성숙도, 과거의 정신질환, 종교 등은 개인적인 요인으로 작용한다. 의료진은 환자가 대처방식을 강화할 수 있도록 도와야 한다. 한편, 삶과 죽음에 대한 개인의 영적, 종교적, 철학적 관점은 환자가 죽음을 이해하고 다루는 데 매우 큰 영향을 미치며 치료자는 이를 존중해야 한다. 또한, 환자의 정신건강 병력, 상실과 죽음에 대한 과거의 경험은 환자의 적응에 많은 영향을 미치므로 치료자는 이에 대해 주의 깊게 탐색해야 한다.

생물학적 요인의 측면에서 질병의 종류와 증상의 양상은 환자가 직면하는 신체적 문제를 결정한다. 또한, 치료진의 지식, 환자가 치료를 제공받는 시스템 등도 역시 중요한 영향을 미친다. 통증, 호흡곤란, 쇠약감, 피로감, 식욕저하, 체중 감소 등은 이차적으로 불안감을 증가시키게 된다. 이러한 증상은 적극적으로 치료해야 하는데 증상 조절의 정도는 마약성 진통제, 향정신성 약물에 대한 치료진의 지식과 치료 성향에 영향을 받는다. 또한, 임종 전 환자가 치료받는 환경이 완화 치료에 전문적인 곳인지, 집인지 또는 요양원인지에 따라 환자의 적응 상황은 매우 달라질 것이다.

4) 연명의료의 중단

연명의료의 중단은 다음과 같은 세가지 조건을 고려해야 한다. 비가역적인 질병상태, 임종의 진행 과정, 명료한 의식에서의 자율적 선택이 그것이다. 국내에서 2018년부터 시행된 관련 연명의료결정법은 비가역적인 임종의 진행 과정에 국한되어 있으며 환자의 의식이 명료한가 그렇지 않은가에 따른 선택지를 제공한다. 한편, 비가역적이나 임종의 과정은 아닌 경우 혹은 가역적이면서 임종의 과정도 아닌 경우 국내에서는 이를 허용하고 있지 않으며 이는 더욱 민감한 윤리적 이슈를 촉발한다. 예를 들면 임종의 과정은 아니지만 대뇌피질의 기능을 상실한 채 뇌간 만 기능하는 식물인간 상태로 병원에 수년간 누워있는 환자의 경우가 전자의 경우이다.

(1) 연명의료결정법

대한민국은 2016년 2월[호스피스 완화의료 및 임종 단계에 있는 환자의 연명의료결정에 관한 법률(이하 "연명의료결정법")]을 제정하고, 이 법에 따라 연명의료결정제도가 2018년 2월 4일부터 시행되었다. 법령은 아래와 같이 제시하고 있다.

"연명의료"란 임종과정에 있는 환자에게 하는 심폐소생술, 혈액 투석, 항암제 투여, 인공호흡기 착용 및 그 밖에 대통령령으로 정하는 의학적 시술로서 치료효과 없이 임종과정의 기간만을 연장하는 것을 말하며 "연명의료중단등결정"이란 임종과정에 있는 환자에 대한 연명의료를 시행하지 않거나 중단하기로 하는 결정이다. 다만, 연명의료중단등 결정을 이행하더라도, 통증 완화를 위한 의료행위와 영양분 공급, 물 공급, 산소의 단순 공급은 시행되지 아니하거나 중단되어서는 안된다.

(2) 사전 연명의료 의향서와 연명의료 계획서

19세 이상의 성인은 누구나 자신이 향후 임종과정에 있는 환자가 되었을 때를 대비하여 연명의료 및 호스피스에 관한 의향을 문서로 작성해 둘 수 있다. 연명의료계획서는 환자의 의사에 따라 담당의사가 작성하며 말기 환자 혹은 임종 과정에 있는 환자가 작성대상으로 그 대상 여부는 해당 환자를 직접 진료한 담당의사와 해당 분야의 전문의 1인이 동일하게 판단하여야 한다.

(3) 연명의료의 유보와 중단

연명의료 유보/중단 결정과정의 절차는 그림 19-1과 같다. 임종과정에 있는 환자의 판단은 의사 2인이 해야 한다. 하지만 말기 환자가 호스피스 전문기관에서 호스피스를 이용하고 있는 경우, 임종과정에 있는지 여부에 대한 판단은 담당의사 1인의 판단으로 갈음할 수 있다. 임종과정으로 판단되면 사전의료의향서나 연명의료 계획서가 있는 경우, 의사가 이를 확인하고 이에 따라 진행한다. 하지만 연명의료계획서와 사전연명의료의향서가 없고 환자의 의사능력도 없는 경우 담당의사와 해당 분야의 전문의 1명이 환자의 가족 2명 이상의 일치하는 진술을 확인해 의사를 추정하거나 이것이 불가능하다면 환자 가족 전원의 합의가 필요하다. 환자 가족은 19세 이상인 사람으로서 ① 배우자 ② 직계비속 ③ 직계존속 ④ 형제자매(①-③에 해당하는 사람이 없는 경우만 해당)을 말한다.

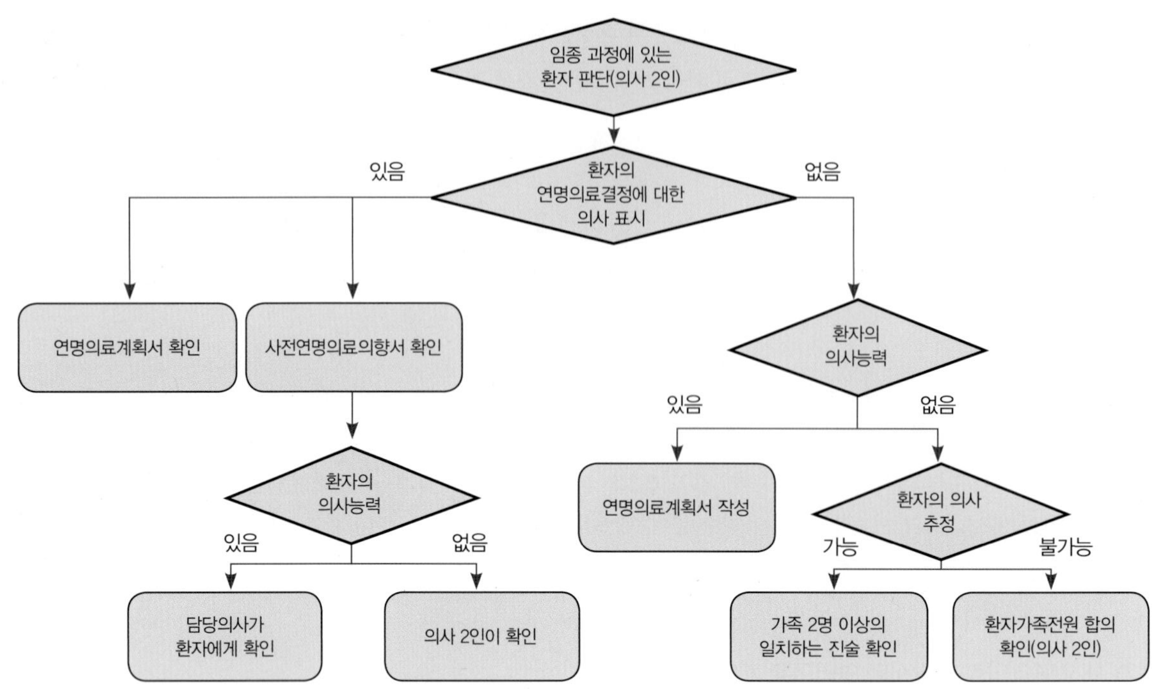

그림 19-1. 연명의료 유보/중단 절차도(국립연명의료관리기관 홈페이지 자료 인용)

5) 말기 환자를 돌보는 치료자의 역할

말기 환자를 치료할 때 가장 중요한 원칙은 환자의 특성에 따라 치료가 개별화되어야 한다는 것이다. 이를 위해 임상의는 환자에 대해 알아야 하고 환자를 무엇을 원하는 지 관심있게 들어야 하며 환자의 방식을 존중해야 한다. 말기 환자를 돌봄에 있어 정신건강 전문가의 가장 중요한 역할은 환자의 정신건강 증상 및 질병의 진단과 치료이다. 하지만 이외에도 환자와 가족, 의료진의 대화를 증진하고 갈등 및 소진을 조정하는 역할을 할 수 있다. 그 역할은 다음과 같다.

첫째, 환자의 신체 및 정신 증상을 조절하고 이와 연관된 통증을 교육한다. 말기 환자에서 흔히 동반되는 우울, 불안, 섬망 등의 증상을 발견하고 조절하는 것은 매우 중요하다. 조절되지 않는 정신 증상은 환자의 고통을 증가시키고 자살 위험을 높이며 의사 조력 자살, 안락사 등의 요구를 증가시킨다.

둘째, 환자를 옹호하고, 환자와 가족, 치료진의 갈등을 조절한다. 치료자는 환자와 가족, 의료진의 의사소통을 개선함으로써 갈등을 조절하고, 사랑하는 사람의 죽음을 경험하는 가족들의 감정을 돌봐야 한다. 또한 주치의의 스트레스와 정서적 소진을 돌봐야 한다. 주치의의 스트레스와 소진은 환자와의 갈등을 일으키는 주된 요인 중 하나이며, 환자의 신체적 정신적 안녕에도 큰 영향을 미친다.

셋째, 말기 환자의 정신적 문제에 대한 주치의의 대처를 교육한다. 말기 환자와의 대화, 정서적 문제에 대한 접근과 대처 등에 대해 주치의를 교육하는 것이 중요하다. 많은 주치의들이 이에 대한 경험과 교육이 불충분하다. 환자의 정서적 문제를 조절할 자신이 없을수록 의사들은 환자를 고도 진정 시키는 것으로 보고된다.

넷째, 환자와 가족이 실존적 위기를 대처할 수 있도록 돕는다. 말기 환자와 가족이 경험하는 삶의 의미, 존엄성, 사기 저하 등 다양한 실존적 위기에 대한 지지가 반드시 필요하다.

다섯째, 애도의 과정을 돕는다. 가족과 환자의 애도 및 예기 애도의 과정을 도와야 한다. 가족은 애도 과정에서 특히 환자의 임종 전 돌봄에 참여하고 환자에 대한 경험을 공유한 치료자에게 더욱 마음을 열고 의지한다. 남겨진 가족들에 대한 지속적인 지지가 필요하다.

여섯째, 임종 전 결정사항에 대한 윤리적 문제를 다룬다. 치료자는 심폐소생술, 생명 유지 장치의 제거, 의사조력자살 등의 윤리적 문제에 대한 논의를 격려해야 한다. 때로는, 환자 또는 대리 결정자가 이성적인 판단을 내릴 수 있는 능력이 있는가에 대한 정신의학적 판단이 필요하기도 한다.

6) 말기 환자의 심리적 갈등

치료자는 말기 환자를 돌보기에 앞서, 이들의 마음을 이해하려는 노력이 필요하다. 말기 환자는 다음과 같은 갈등을 경험하는 것으로 알려져 있다.

첫째, 많은 환자들은 무엇보다 통증과 고통을 두려워한다. 심지어 죽음은 두렵지 않지만, 통증이 두렵다는 환자도 있다. 이러한 통증은 신체적인 원인과 심리적인 요인 모두에 기인할 수 있다. 모든 환자는 고통에서 벗어나기를 원한다.

둘째, 말기 환자는 소속감을 갈망한다. 이는 인간의 기본적인 욕구이다. 이들은 친밀한 관계를 원한다. 아이들, 또는 손자들과 가까운 관계인 사람들은 종종 자신이 남긴 유산(아이들, 관계, 추억 등)에 대해 희망을 느낀다. 친밀하지 못한 관계를 가졌던 사람들은 임종 전에 이러한 관계를 회복하기를 원한다.

셋째, 말기 환자들은 "나는 누구인가?"라는 질문에 직면하게 된다. 이는 Erikson의 정신 사회 발달 단계에서 마지막 단계에 해당하는 '통합성 대 절망감'의 과제이다. 통합이란 죽음에 직면하여 삶의 가치를 확인하고, 개인의 유한한 한계와 인간의 비극적 한계와 화해하고, 현실을 절망하지 않고 받아들이는 것을 의미한다. 반대로 절망감이란 새로운 삶을 다시 시작하거나 통합을 위해 다른 길을 선택하기에는 시간이 너무 짧다는 느낌과 관련된다.

넷째, 말기 환자들은 영적인 소망을 가진다. 이는 초종교적인 것으로, 크고 위대한 힘과 연결되는 느낌이며 이는 조건 없는 용서, 사랑을 제공한다. 죽음이란 한곳에서 어떤 곳으로 옮겨가는 과정, 즉 초월로서 이해된다.

자신의 삶을 회고하고 돌아보는 것은 많은 말기 환자들에게 삶의 의미에 대한 느낌을 강화시키고, 고통을 줄이는 한편, 죽음에 대한 소망을 줄이고 삶의 의지를 고취시킨다. 손상된 자존감은 환자들에게 불안, 우울, 무망감, 짐이 되는 느낌, 죽음에 대한 소망을 증가시키며 삶의 질을 저하시킨다. 삶을 회고하는 것은 환자의 과거가 좀 더 명확하고 뚜렷하게 환자의 현재 의식수준의 일부가 되게 함으로 손상된 자존감을 회복하는 데 도움을 줄 수 있다. 한편, 임종을 앞둔 환자는 진실을 말하고 용서하는 것이 필요하다. 환자들은 남은 시간이 얼마 없고 거짓말은 시간을 허비하는 것이다. 비밀은 환자와 가족의 고립감을 증가시킨다. 임종이 가까운 환자에게 뒤늦게 질환의 상태가 말기임을 알려야 할 때가 있다. 이러한 상황에서 치료진은 나쁜 소식 전하기의 원칙을 잘 알고 환자와 가족을 도울 수 있어야 한다. 환자에게 지속적인 돌봄이 계속될 것이며 치료진이 환자를 포기하지 않을 것이라고 안심시켜 주는 것이 매우 중요하다. 치료자와 가족의 따뜻한 스킨십은 많은 임종 전 환자들에게 큰 도움이 된다. 질병이 악화될수록 이들은 가까운 사람, 가족들, 치료진, 심지어 신으로부터 고립되는 느낌을 받는다. 임종 전 환자에서 신체적 접촉은 강력한 비언어적 의사소통이며 환자들은 이를 통해 많은 위안을 얻는다. 치료자의 따뜻한 손길은 의사의 가장 오래된 기술 중 하나이며 환자에게 많은 도움을 제공한다.

7) 말기 환자와의 의사소통

말기 환자와 가족에게 적절한 의사소통 기술은 매우 중요하다. 이는 환자와 가족에게 정보를 전달하는 도구이며 환자와 가족의 관심사와 이들이 필요로 하는 것을 알 수 있는 가장 중요한 방법이다. 또한 적절한 의사소통은 치료팀과 가족이 환자의 죽음에 정신적으로 준비할 수 있도록 도울 수 있다. 반면에 잘못된 의사소통은 환자와 가족에게 해를 미칠 수 있다. 많은 담당의들은 자신이 담당한 말기 환자의 요구를 잘 알지 못하며 의사소통에서 어려움을 경험하는 것으로 보고된다. 의사소통의 문제가 발생하게 되면 치료자는 환자 요인과 치료자 요인에 대해 각각 탐색해 볼 필요가 있다.

(1) 환자 요인

환자는 의학적 정보가 부족하기 때문에 자신들이 겪을 고통은 병의 진행과 함께 어쩔 수 없는 것이며 이를 완화시키기 위해서 할 수 있는 것은 없다고 생각하기 쉽다. 그래서 의료진에게 도움을 요청하지 않게 된다. 또한 바쁜 의료진을 성가시게 하고 부담스럽게 할까봐 자신들의 문제를 원활히 얘기하지 못하는 경우도 흔하다. 한편 심각한 소식을 듣는 것에 대한 환자와 보호자의 의식적, 무의식적인 두려움과 의사와의 신뢰관계 등도 의사소통에 영향을 미치게 된다.

(2) 치료자 요인

의사들은 환자와의 의사소통 과정에서 개개인의 요구를 탐색하고 이에 맞추어 반응하기 보다는 환자가 원하는 것, 궁금해 하는 것, 두려워하는 것 등이 무엇인지 이미 알고 있다고 생각하는 경향이 있으며 이에 따라 적절하게 처신하고 있다고 생각한다. 또는 종종 환자와 가족의 관점이 의사 자신의 관점과 같을 거라 생각해 버리곤 한다. 이로 인해 환자의 개별적인 의문이나 두려움은 결국 다루어지지 못하게 된다.

치료진이 환자에게 신뢰를 주지 못했을 때에도 환자들은 자신의 느낌과 고통 등을 말하지 않게 된다. 이는 의사가 환자와 정신사회적인 고통을 나누는 자리에서 지나치게 생물학적이고 의학적인 주제만을 얘기할 때 흔히 발생하는 문제이다.

(3) 말기 환자와의 효과적인 의사소통을 위한 전략

말기 환자와의 효과적인 의사소통을 위해서는 환자 및 가족과의 신뢰를 형성하는 것 그리고 환자와 가족이 존엄성을 유지할 수 있도록 도와주는 것이 가장 중요하다.

말기 환자에게 좋지 않은 상황을 전하는 것은 기존의 나쁜 소식전하기의 원칙에 따르면 된다. 대개의 말기 환자는 이미 자신의 심각성을 어느 정도 느끼고 있는 경우가 많다. 환자가 어느 정도 알고 있는지 검토하기 위해 환자에게 증상이 악화된 원인이 뭐라고 생각하는지를 물어 볼 수 있다. 대개 환자들은 자신이 이미 느끼는 바를 말할 것이고 의료진은 이러한 느낌이 맞다는 것을 확인해 주면 된다. 다만, 10-30%의 재발 또는 말기 암 환자는 자신의 상황의 심각성을 인정하지 못한다. 이들은 가족 등이 사실을 감추고 거짓말을 했거나, 또는 본인이 이를 받아들이기에는 너무 고통스럽기 때문이다. 이때 중요한 것은 환자가 절망감에 무너지지 않고 진실을 받아들일 준비가 되어있는 가를 평가하는 것이다.

8) 말기 환자의 실존적 고통

말기 환자의 실존적 문제와 관련되어 이른 죽음에 대한 소망desire to hastened death, DHD과 사기 저하demoralization가 거론된다.

이른 죽음에 대한 소망은 자살보다 광범위한 개념으로 그 안에 자살이 포함된다. 적극적 계획이 없더라도 이대로 어서 죽었으면 하는 수동적인 소망, 죽음을 앞당겨 달라는 요청 혹은 적극적 자살 계획 등이 모두 이른 죽음에 대한 소망의 개념에 속한다. 예를 들면 말기 환자는 면담 시 "이대로 내일 아침에 눈을 뜨지 않고 죽었으면 좋겠다", "가족들 고생 안 시키고 빨리 떠났으면 좋겠다" 등으로 이른 죽음에 대한 소망을 표현한다. 말기 환자의 우울장애, 신체적 혹은 영적 디스트레스, 삶의 의미 상실, 무가치감, 무망감, 수치심 등 다양한 원인이 이른 죽음에 대한 소망과 관련된다. 말기 암 환자의 약 17%에서 높은 수준의 이른 죽음에 대한 소망이 보고되며 우울장애의 심각도와 무망감이 이른 죽음에 대한 소망의 예측에 뚜렷이 관련되었다. 이른 죽음에 대한 소망의 관련 척도로는 the Schedule of Attitudes Toward Hastened Death (SAHD)가 있다.

사기 저하는 더욱 직접적으로 실존적 고통과 관련된 증상이다. 이는 말기 환자가 삶의 의미와 목적을 잃어버림으로써 의지와 희망을 잃은 상태로 나타난다. 환자는 삶의 의미 상실, 희망이 없거나 도움 받을 수 없다는 느낌, 목적의 상실, 자신의 가치에 대한 평가 절하나 실패했다는 느낌, 이른 죽음에 대한 소망 혹은 자살 생각 등으로 이를 표현한다. 그 정도에 따라 환자는 가벼운 낙심부터 허탈감, 심하게는 절망의 상태에 이르게 된다. 예를 들면 환자는 면담 시 "내가 이 상태로 더 이상 사는게 대체 무슨 의미가 있겠습니까?" 등의 말을 하거나 혹은 증상완화를 위한 치료, 영양제, 수액 등 모든 의학적 접근을 거절함으로서 절망감을 표현한다. 사기 저하는 암을 포함한 진행성 질환의 약 13-18%에서 보고되며 잘 조절되지 않는 신체 증상, 우울 및 불안, 사회 기능 감소, 미혼 등이 관련된다. 사기 저하 역시 우울장애와 관련성이 보고되지만 일부 연구에서는 중등도 이상의 사기 저하를 보인 암 환자의 65%는 우울장애 진단과 관련되지 않았다는 보고도 있다. 사기 저하의 관련 척도는 Demoralization scale (DS)이나 Demoralization scale-II (DS-II)등이 있으며, 국내에서는 한국판 사기 저하 척도(DS-II-Kr)로 번안되었다.

이른 죽음에 대한 소망과 사기 저하 등 실존적 고통은 의사 조력자살이나 안락사 등의 문제와 연관되며, 말기 환자의 삶의 질 저하와 함께 궁극적으로 자살의 위험을 증가시키는 심각한 문제이다. 하지만 말기 환자는 한정된 기능과 시간을 가졌기에, 이른 죽음에 대한 소망이나 사기 저하가 심각해 진 후 중재를 시작하는 것은 매우 힘들다. 따라서 임상가는 평소 환자의 실존적 고통에 관심을 기울이고 삶의 목표 재설정, 가족의 지지를 격려하는 한편, 실존적 고통을 악화시키는 신체적, 정신적 증상의 조절(예를 들면 우울장애, 무망감)에 노력해야 한다. 말기 환자의 실존적 고통을 중재하기 위한 정신 치료로서 생애 리뷰Narrative review of life story, 의미 중심 그룹 치료Meaning-based group psychotherapy, MCGP, 존엄 치료Dignity therapy, 의미-목적 치료Meaning and purpose therapy, MaP, Managing cancer and living meaningfully (CALM) 등이 제시 된다.

9) 소아청소년 말기 환자

말기 질환 상태의 소아 청소년 환자는 본인과 가족, 그리고 돌봄을 제공하는 치료진에게 심대한 감정적 영향을 미친다. 환아의 나이와 발달 단계가 가장 주요한 변수이며, 최적화된 중재를 계획 및 제공하기 위해 항상 이를 고려해야 한다. 임상가는 환아에서 관찰되는 증상의 심각도와 지속 여부를 환아의 현재 상황에 비해 평가할 수 있어야 하며 부모의 이해를 증진시키고 부모와 함께 치료 동맹을 구축해야 한다.

과거에는 소아 청소년기의 환자가 죽음의 의미를 이해하지 못하거나 죽음에 대해 환아에게 논의하는 것이 환아에게 해를 미칠 것이라 여겨져 가족과 의료진은 환아와 직접 죽음에 대해 대화하는 것을 피하곤 하였다. 하지만 기존 연구에 의하면 사별 환아의 부모는 치료진이 사려 깊은 태도로 환아와 임종에 대해 대화했던 경우 말기 돌봄의 질을 높게 평가하였다. 또한, 자녀와 임종에 대해 대화를 나누지 않았던 부모의 경우 사별 후 이를 후회하는 경우가 더 많았다. 여러 질적 연구에서 환아를 염려한 부모가 환아에게 예후와 관련된 정보를 감추더라도 환아는 자신이 곧 죽을 것이라는 것을 이미 알고 있는 경우가 많았다.

기존의 염려와는 다르게 죽음에 대해 환아와 논의하는 것은 소아/청소년 환자에게 여러모로 도움이 된다. 환아가 두려움을 표현하고 사랑하는 가족에게 자신의 생각과 감정을 얘기함으로서 환아의 우울감과 고립감이 줄어들 수 있다. 슬픔, 부모와 자신의 질병 및 죽음에 대해 얘기하는 것의 어려움, 그리고 혼자가 되는 것에 대한 두려움 등은 완화치료 중인 소아/청소년 환자의 흔한 디스트레스로 보고된다.

대화는 환아의 연령 및 이해 능력을 고려해 이에 맞추어 진행되어야 한다. 환아의 이해를 돕기 위해 구체적으로 설명하는 것이 도움 될 수 있지만 이러한 설명이 환아에게 이차적 두려움을 일으키지 않도록 주의할 필요가 있다. 예를 들면 죽음을 깨어나지 않는 잠에 비유할 경우 일부 아동은 잠드는 것에 대한 두려움이 발생할 수 있을 것이다.

주도권의 상실과 관련된 문제는 독립된 자아상을 형성하려는 청소년기의 환아에게서 종종 관찰된다. 임종기 돌봄에서 청소년기 환아의 자기 결정권을 가능한 존중하고 격려해 주는 것이 이들이 더 독립적인 느낌을 받도록 도와주고 우울감을 줄이는 데 도움이 된다.

소아/청소년기 환자의 가족에 대한 교육과 지지 또한 중요하다. 환아의 상태에 대한 가족의 죄책감, 이전부터 지속되어 온 가족/부부간의 갈등, 경제적 곤란 등은 가족의 적응에 많은 어려움을 일으킬 수 있다. 사별에 대한 과거의 경험 역시 가족에게 영향을 미치는 주요한 인자이다.

말기 환아의 형제/자매는 종종 방임되는 느낌을 받고 반항적이 되거나 좌절하기도 한다. 치료팀은 부모에게 이들이 짐을 더하기 위해 일부러 그런 행동을 하는게 아니라, 힘든 시기에 적응해 나가는 발달 과정의 일부임을 이해하도록 부모를 도와야 한다. 이들은 자신들에 대한 부모의 관심이 줄어든 것에 대한 불만 외에도, 자신도 아프게 될지 모른다는 두려움, 자신만 아프지 않은 것에 대한 죄책감, 환아와 가족에 대한 염려, 환아의 질병에 대해 자신의 책임이 있을지도 모른다는 불안감 그리고 우리 가족이 다른 가족과 다르다는 수치심 등 다양한 감정을 경험할 수 있다.

임종을 앞둔 아동/청소년의 반응은 다양하다. 자신에게 남겨진 시간을 최대한 영유하기 위해 최선을 다하는가 하면 이별의 고통을 줄이기 위해 가족과 친구들로부터 점차 멀어지기도 한다. 자신의 내면으로 더욱 집중하며 외부와의 접촉을 최소화하고 말수가 줄어들기도 하는데, 만약 부모가 이 과정을 이해하지 못한다면 부모는 자녀가 부모를 거절하는 것으로 오해할 수 있다.

부정적이고 반항적인 모습도 종종 관찰되는데 이는 환아가 자신에게 닥친 상황에 대한 분노의 과정으로 보여진다. 환아의 이러한 행동 변화가 문제를 일으킬 경우, 치료자는 먼저 이 문제의 원인이 무엇인지 파악해야 한다. 만약 섬망이나 약물 부작용 등에 의한 것이라면 가급적 원인을 먼저 조절해야 한다. 또한, 임상가는 환아가 자신에게 일어나는 감정에 대처할 수 있도록 돕기 위해 노력해야 하는데 환아가 두려움을 비롯한 감정을 놀이나 그림 등 다양한 활동을 통해 표현하고 공포, 의문, 상실, 죽음, 믿음 등에 대해 편안하게 얘기할 수 있도록 도와야 한다. 환아에 따라서는 작별, 초월과 자유를 말하거나 사랑하는 사람들에게 편지를 쓰고 자신의 소중한 것들을 어떻게 남겨줄 것인지 등의 삶을 마무리 하는 과정이 임종을 대처하는 데 도움되었다는 보고가 있다.

치료의 목표를 생명연장과 완치에서 삶의 질로, 적극적 치료에서 완화 치료로 옮기는 것은 말기 환아의 가족에게 가장 어려운 고비 중 하나이다. 이 단계를 넘기 위해서 가족은 더 이상 아이의 완치와 생명연장을 위해 할 수 있는 일이 없다는 것을 이해해야 하기 때문이다. 치료자는 가족에게 아이의 상태에 대한 정확한 정보와 지지를 전달해야 하지만, 가족은 이 단계에서 치료진과 다른 견해를 가지고 있을 수 있다. 이 때 가족이 원하는 바와 다르게, 치료의 목표를 완화 치료로 옮기도록 치료진이 강하게 압박한다면 치료진과 가족 사이에 심각한 갈등이 유발될 수 있다.

10) 말기 환자의 정신질환

말기 환자들은 정신질환에 취약하다. 말기 환자들의 증상 빈도를 연구한 64개의 연구를 종합한 바에 의하면, 우울증상은 말기 암에서 3-77%, AIDS에서 10-82%, 말기 심장 질환에서 9-36%, 말기 만성 폐쇄성 폐질환에서 37-71%, 말기 신장질환에서 5-60%에 달하였다. 불안감은 각각 13-79%, 8-34%, 49%, 51-75%, 39-70%였으며 불면증은 9-69%, 74%, 36-48%, 55-65%, 31-71%였다. 섬망을 시사하는 착란증상은 말기 암에서 6-93%, AIDS에서 30-65%까지 보고된다.

말기 암 환자와 AIDS 환자에서가장 흔한 증상은 통증, 호흡곤란 등 신체증상보다 예민함, 걱정, 무기력감, 불면, 슬픔 등의 정신적인 문제이다. 기분 장애, 인지 장해, 불안, 불면 등 정신 증상은 신체적 증상과 상호작용하며 환자의 고통을 증가시킨다. 따라서 신체 증상과 정신 증상을 함께 인지하고 치료를 제공하는 것이 말기 환자와 가족의 삶의 질 증진을 위해 매우 중요하다.

(1) 적응 장애

말기 암환자에서 적응 장애는 약 9-35%로 보고된다. 적응 장애는 질병으로 인한 정상적 반응으로서의 디스트레스와 우울/불안 장애를 연결하는 연속선상에 있는 것으로 보이며 질병으로 인한 신체 증상, 치료 약물, 신경생물학적 변화 등, 질병의 생물학적 영향과 정신사회적 영향 그리고 성격과 대처방식, 종교 등 개인적 요인이 복합적으로 관여하는 것으로 보인다.

(2) 우울 장애와 자살

말기 환자에서 우울장애의 빈도는 4-50%로 다양하게 보고되며 주요 우울장애의 유병율은 말기 암 환자에서 약 3-16% 정도로 보고된다. 하지만 말기 환자에서 우울장애를 진단하는 데는 몇 가지 어려움이 따른다. 죽음에 직면한 환자에서 우울감과 슬픔은 삶과 가족, 그리고 자율성의상실등과 관련된 적절한 감정으로 나타날 수 있다. 따라서 어떤 진단 시스템을 적용하여 환자의 우울장애를 진단할 것인가에 따른 문제가 생긴다. 말기 상황에서 느끼는 적절한 감정physiologic depression과 적응장애, 주요 우울장애 등은 우울한 감정과 관련된 연속된 스펙트럼 선상에서 이해하는 것이 합리적으로 보인다.

두 번째의 문제는, 말기 질환으로 인해 나타나는 신체 증상이 우울장애의 신체 증상과 혼동될 수 있다. 예를 들면, 피로감, 식욕 부진 등은 우울장애의 여부와 관계없이 말기 환자에서 매우 흔한 신체 증상이다. 따라서 말기 환자에서 우울장애를 진단하는 중요한 요소는 신체증상보다는 죄책감, 무가치감, 무력감, 사회적 위축, 자살 생각 등의 존재 여부에 무게를 두어야 한다.

이 때문에 말기 환자의 진단적 접근에 대한 다양한 접근 방식이 제기된다. 이는 말기 질환, 치료 등과 관련된 모든 신체 증상을 우울증상으로 인한 신체 증상과 감별하지 않는 포괄적 접근inclusive approach, 신체 증상이 우울장애 때문인지 또는 질환 및 약물 때문인지 원인을 밝히려 노력하는 원인적 접근etiological approach, 모든 신체 증상은 우울장애 진단 시 제외해 버리는 배제적 접근exclusive approach, 그리고 원인이 불분명한 신체 증상을 다른 정신증상으로 대체시키는 대체적 접근substitutive approach 등이 있다. 이러한 측면에서 병원 불안-우울 척도, 한국판 단축형 에딘버러 우울장애 척도 등은 신체 증상들을 문항에 포함되지 않아 말기 환자의 스크리닝에 유용하다.

말기 환자에서 병세의 악화, 젊은 나이, 기존의 우울장애 병력, 사회 지지 체계의 결여, 기능 장애, 조절되지 않는 통증, 실존적 고통 등은 우울장애의 위험인자로 작용하는 것으로 알려져 있다. 절망감, 사기저하, 무망감 등은 우울장애를 나타내는 중요한 단서로 보이며, 이러한 증상이 관찰된다면 우울장애에 대한 평가와 치료가 반드시 필요하다. 말기 환자에서 우울장애는 자살 생각의 위험 인자이며 말기 환자의 삶의 질과 고통을 증가시킨다. 말기 환자에서 자살 생각이 보고된다면 이것은 '임종을 앞둔 환자에서 있을 수 있는 적절한 감정'이 아닌, 즉각적인 도움과 치료가 필요한 증상으로 봐야 한다.

말기 환자의 우울장애는 지지정신치료, 인지행동치료, 항우울제의 병용을 통해 조절이 가능하다. 인지-행동 치료는 경도-중등도의 우울증상에 도움을 줄 수 있다. 만약 주요 우울장애의 진단 기준에 맞는 심한 우울장애라면 약물치료 또는 항우울약물제 복용이 매우 중요하다.

① 약물 치료

국내에서 수용 개작된 관련 지침에 의하면 말기 환자를 포함하는 완화치료중인 환자의 우울장애에 삼환계 항우울제tricyclic antidepressant, TCA, 선택적세로토닌재흡수억제제selective serotonin reuptake inhibitor, SSRI, mirtazapine등의 항우울제 치료는 위약에 비해 효과적이다. 다만 특정한 항우울제가 더 우수하다는 증거가 없으므로 약물 선택은 신체 상태, 부작용, 약물상호작용, 금기, 과거의 효과 및 환자의 선호도 등에 따라 선택하여야 한다.

6개월 내 임종이 예견되는 말기 환자는 환자의 기대 여명, 가능한 투약 경로 등을 치료 계획 시 염두에 두어야 한다. 따라서 약물 사용 시 효과발현까지의 시간을 고려해야 하는데 TCA, SSRI는 일반적으로 적정 용량에서 2-4주 사용해야 효과가 발현되는 것으로 보고된다. 따라서 기대 여명이 1달 미만인 임종 직전의 환자들은 이러한 약제의 치료 효과를 보기까지 시간이 부족할 수 있다. 이에 따라 기대 여명이 매우 짧은 말기 환자에서 정신자극제 사용의 이득이 거론되지만, 아직 정신자극제의 효과에 대한 근거는 소수의 개방 연구 혹은 증례보고 등이며 이중 맹검 연구 등의 증거가 불충분하다. 최근 말기 환자의 우울장애에 대해 에스케타민 피하 주사를 적용한 증례 보고가 있으나 마찬가지로 추후 임상 연구가 필요하다.

가. 삼환계 항우울제

TCA의 경우 SSRI에 비해 항콜린 작용, 알파 아드레날린 수용체 차단을 비롯한 다양한 부작용 문제로 인해 일차 선택약으로는 잘 선호되지 않는다. 다만, 일반적인 항우울용량보다 낮은 용량에서 신경병성 통증을 조절하기 위해 소량 사용되는 경우가 있다. TCA 사용 시에는 항콜린작용으로 인한 변비, 입마름, 섬망과 알파 아드레날린 수용체

차단으로 인한 기립성 저혈압, 무스카린성 수용체 차단으로 인한 부정맥 발생 위험 등에 주의가 필요하다. 말기 환자에서는 일반적인 우울장애 환자와 같은 상용량을 사용 시 부작용이 발생할 수 있으므로 약물 용량을 줄일 필요가 있다.

나. 기타 항우울제

SSRI와 세로토닌-노르에피네프린 재흡수 억제제serotonin-norepinephrine reuptake inhibitor, SNRI가 일차 선택약으로 흔히 선호되는데, 이는 우수한 내약성과 적은 부작용 때문이다. SSRI의 경우 혈소판 응집을 방해하여 출혈성 경향을 증가시킬 수 있으므로, 흔히 사용하는 진통제인 비스테로이드성 소염진통제와 병용 시 주의가 필요하다.

또한 SSRI, SNRI 모두 저나트륨 혈증의 발생에 대한 사례 보고가 있으며 특히 세로토닌성 항우울제는 진통제인 트라마돌 및 아편성 진통제와 함께 사용할 경우 진전, 설사, 안절부절증, 경련, 고체온증, 혼수 및 뇌손상 등을 야기하는 세로토닌 증후군의 발생 위험이 증가한다. 이는 아편 성분이 세로토닌성 뉴런을 억제하는 가바 뉴런을 억제함으로 결국 세로토닌 분비를 증가시키기 때문이다. 세로토닌과 관련된 약력학적 상호작용뿐 아니라 약물 대사와 관련된 약동학적 상호작용도 고려해야 한다. 이러한 점에서는 citalopram, escitalopram, venlafaxine, mirtazapine 등의 상호작용이 적은 장점이 있다.

한편 새로운 항우울제인 mirtazapine은 말기 환자에서 항우울 효과뿐 아니라 5HT2, 5HT3 수용체 길항을 통해 식욕증진, 항구역 효과 등이 보고된다. 말기 암 환자를 다수 포함한 국내의 임상연구에서도 mirtazapine이 우울장애 개선은 물론이고, 수면과 울렁거림 등의 증상 개선에 빠른 효과를 보였다는 보고가 있다.

다. 정신자극제

정신자극제는 빠른 효과 발현과 활력 증진의 효과 때문에 말기 환자에서 유용성이 논의되곤 한다. 하지만 앞서 기술하였듯 이중 맹검 연구 등의 근거는 아직 빈약하다. 정신자극제에는 dextro-amphetamine, methylphenidate, pemoline, modafinil 등이 있으나, 이중 말기 환자에서 주로 사용되는 약제는 methylphenidate이다.

methylphenidate의 투약 방법은 5-10 mg으로 시작하여 점차 증량한다. 불면증 등을 유발할 수 있으므로 아침 또는 아침과 낮에 나누어 투약하며 저녁에는 투약하지 않는다. 외국의 암 환자 연구에서는 하루 20-30 mg으로 유지하며 60 mg까지도 증량이 가능하지만, 비교적 낮은 하루 10 mg용량에서도 70%의 환자에서 효과가 있었다고 보고된다. 다만, 기존 연구에 의하면 임종이 가까운 말기 환자에서는 임종 과정 중 중추신경계의 정신신경학적 기능이 저하되기 때문에 더욱 높은 용량의 약물이 필요할 가능성이 제기된다.

methylphenidate는 항우울 효과 외에도 아편성 진통제 사용에 의한 진정에 효과적이며 피로감, 통증을 완화하고 인지기능을 개선하며 악액질 환자에서 안녕감과 식욕을 증가시키는 것으로 보고된다. 말기 환자에서 치료목적으로 사용 시 오남용의 위험은 매우 적지만 내성이 발생하므로, 약물 용량의 적절한 조절이 필요하다.

가장 흔한 부작용은 불면과 좌불안석이다. 한편, 도파민성 작용으로 인해 고혈압, 빈맥, 부정맥 등 심혈관계 위험을 증가시킬 수 있으며 비교적 흔한 심혈관계 부작용은 빈맥과 두근거림 등이었다. 일반적으로 하루 30 mg이하의 단기적 사용에서는 심혈관계 부작용은 적다고 알려져 있다. 하지만 기존의 고혈압, 부정맥 등 심혈관계 환자 등에서는 주의가 필요하다. 또한 뇌신경계 부작용 측면에서 도파민 작용으로 인한 섬망, 정신증의 악화 등의 위험에 대한 주의가 필요하다. methylphenidate가 치료 용량에서 경련 위험을 증가시키는가에 대해서는 아직 확실하지 않지만, 기존의 경련환자에서 사용 시 주의가 필요하다. modafinil의 경우 기존 정신자극제와 유사한 항우울효과와 적은 부작용이 기대되나 이에 대한 연구는 거의 이루어져 있지 않다. 또한, CYP450을 통한 약물 상호작용에 대한 주의가 필요하며 기존의 정신자극제에 비해 상대적으로 높은 비용부담 등을 고려해야 한다.

② 비약물적 치료

지지정신치료는 말기 환자의 우울장애 치료에 매우 유용하며, 주된 정신치료접근으로 적극적 경청, 지지적 개입 그리고 가끔 해석 등이 사용 될 수 있다. 치료자는 감정적인 절제와 안정감을 유지해야 하며, 환자가 원한다면 언제든지 자유롭게 죽음에 대해 논할 수 있도록 해야 한다. 또한, 임박한 죽음에만 집중하는 것이 아니라, 환자의 삶의 경험에 대해서도 편안하게 대화할 수 있어야 한다.

이외에도 의미 중심 정신치료, 존엄 치료, 문제-해결 치료problem solving therapy등의 정신치료 접근이 소개된다. 의미 중심 정신치료는 환자가 일이나 가족과 보내는 시간 등의 삶의 의미를 잃었을 때 다른 의미를 찾게 도와주고 병이 치료되지 않더라도 다른 희망을 가질 수 있게 도와주는 정신치료이다. 존엄 치료는 말기 환자의 정신사회적, 또는 존재론적 고통을 완화시키고자 하는 목적으로 환자들이 가장 기억하고 싶어하는 추억에 대해 논의할 수 있도록 하고 그 내용이 기록되어 유족들에게 남길 수 있도록 하는 치료이다. 말기 환자에서 인지행동 치료 역시 가능하며 Moorey의 모델이 주로 사용된다. 이외 커플 치료, 지지-표현 그룹 치료, 최면 치료 등 다양한 치료와 연구결과가 보고된다.

(3) 불안 장애

말기 환자에서 불안 장애는 약 15-28%로 보고되며 흔히 불안감을 동반한 적응 장애로 진단된다. HIV질환과 AIDS에서 불안장애는 0-39%로 보고되며 질환이 AIDS로 진행하는 것, 치료 결과, 사회적 낙인, 경제적 문제등과 관련된다. 말기 환자에서 불안을 일으키는 원인은 다양하다. 흔한 불안의 원인은 크게 반응성 불안, 질환 및 치료 관련 불안, 약물로 인한 불안, 기존의 불안장애의 악화 등으로 분류할 수 있다.

반응성 불안은 적응 장애로 나타나기도 하는데 이는 말기 상태에 대한 인식, 죽음에 대한 공포, 가족이나 치료진과의 갈등, 심폐소생술 여부에 대한 상의 등 실존적 문제의 적응과 관련된 다양한 문제로 인해 나타나게 된다.

질환 및 치료와 관련된 불안감은 조절되지 않은 통증, 저산소증 등의 대사 이상, 섬망, 열, 갑작스러운 가슴 통증이나 호흡곤란 등으로 인한 이차적인 불안이다.

말기 환자에서 종종 사용되는 스테로이드 제제는 이따금씩 불안감을 유발한다. metochlopramide나 prochlorperazine등 항구토제는 종종 환자에서 정좌불능과 불안감을 일으킨다. 기관확장제 역시 환자에게 떨림과 불안을 일으킬 수 있으며 아편양 진통제, benzodiazepines (BDZ), barbiturates등의 중단 시 금단에 의한 불안 및 정신운동성 초조가 발생할 수 있다. alprazolam이나 lorazepam등 반감기가 짧은 BDZ 역시 반동 불안을 일으키기도 한다.

한편, 과거 불안장애가 있었던 환자는 말기 질환 상태의 정신적 신체적 위기에 맞닥뜨리게 되면 범불안장애, 공황장애, 공포증, 외상 후 스트레스 장애 등 기존의 불안장애가 재발 또는 악화될 수 있다.

말기 환자에서 불안감이 심하다면, 약물 치료, 행동치료, 정신적 지지 요법 등이 도움이 된다. 약물 치료에는 BDZ, 항정신병 약물, 항우울제, 아편양 제제 등을 사용할 수 있다.

① 약물 치료

가. Benzodiazepines

BDZ는 불안장애에서 매우 흔히 사용되는 약물이며, 특히 말기 환자에서 일차 선택약으로 알려져 있지만, 체계화된 연구는 부족하다. BDZ는 말기 환자의 불안에 널리 사용되고 있으나 진정과 낙상, 섬망 등의 부작용에 대한 주의가 필요하다. 또한, 말기 환자의 호흡곤란 증상과 관련된 불안감을 감소시켜 줄 수 있지만 용량과 관련되어 호흡중추에 영향을 미칠 수 있으므로, 호흡 기능이 저하된 환자에서 주의가 필요하다. 간기능 장해가 있는 환자에서는 lorazepam, temazepam, oxazepam 등이 포합에 의해 대사되므로 비교적 안전하게 사용될 수 있다.

나. 기타 약물

SSRI는 우울기분 호전 효과는 2-3주 후에나 나타나지만 항불안 및 진전 효과는 좀 더 빨리 나타난다. mirtazapine 역시 불안증에 효과가 보고된다. 하지만 non-BDZ 계열의 buspirone은 효과 발현의 시간이 늦기 때문에 임종이 가까운 말기 환자에서 사용이 제한적이다. 항정신병 약물인 haloperidol, chlorpromazine, olanzapine 등은 BDZ 등을 사용할 수 없는 불안 환자나, BDZ 등에 의해 불안이 조절되지 않을 경우 사용할 수 있다. 또한, haloperidol과 BDZ의 병용 투약은 섬망과 관련된 좌불안석 및 불안감을 호전시킨다. 그러나 추체외로계 부작용, 저혈압, 항콜린성 부작용 등에 대한 주의가 필요하다. 이외 아편양 제제인 morphine의 지속적인 정주는 임종환자에서 불안감과 관련된 호흡곤란을 완화시키는 데 특히 효과적이다. 약물은 환자가 적정한 편안함에 도달할 때까지 서서히 증량해야 한다.

② 비약물 치료

정신적 지지, 지지정신치료, 위기-중재 정신치료 등이 환자의 불안 감소에 도움이 될 수 있다. 또한, 인지행동기법 역시 사용가능한데 정보를 제공하고, 자기 관찰 기술을 교육할 수 있다. 또한, 생각의 과정과 왜곡된 인지에 대한 접근을 시행하고 근육이완, 호흡 훈련, 심상을 이용한 이완 등의 행동 기법이 환자의 불안감을 완화시키는 데 도움이 된다.

(4) 말기 섬망

섬망은 주의 집중 및 인지의 장해가 전신 상태와 관련하여 갑작스럽게 발생하고, 그 경과가 호전과 악화를 반복하는 장애이다. 일반적으로 섬망은 가역적인 경우가 많지만, 임종 24-48시간 전의 섬망은 다양한 장기의 부전과 관계되기 때문에 대개 비가역적이다. 이에 따라 완화치료에서는 이 시기의 섬망을 종종 말기 섬망, 말기 진전(*terminal delirium, terminal restlessness, terminal agitation*)등으로 표현한다.

말기 환자에서 섬망의 빈도는 매우 높은 편으로, 완화적 치료를 위해 입원 중 섬망의 발생은 32-45%에 달한다. 말기 환자에서 섬망은 대략 20-30% 정도 회복 가능한 것으로 보고되며 주로 약물, 고칼슘혈증 등과 관계된 섬망증상에서 회복가능성이 높았다. 완화치료환자 중 회복 가능한 섬망을 보였던 환자의 평균 생존 일수는 39.7일로, 회복되지 않은 섬망 환자의 생존 일수인 16.8일보다 좀더 길었다. 말기 환자에서 섬망은 그렇지 않은 환자에 비해 더 짧은 여명과 관계되는 경우가 많다.

국내의 말기 암환자 섬망 연구에서도 완화병동 입원 후 섬망이 발생한 환자의 생존기간은 평균 17일이었으며 섬망이 발생한 환자의 나이가 젊을수록 생존기간은 더 짧았음이 보고된다.

섬망은 말기 환자와 가족, 치료진 모두에게 심각한 디스트레스를 유발하며 환자의 편안한 임종을 방해하기 때문에 즉각적으로 진단 및 최대한 조절되어야 한다. 하지만, 임종이 가까운 말기 환자에서 섬망 증상의 조절은 다양한 딜레마에 부딪히게 되며, 치료의 목표 역시 일반 섬망의 치료목표와는 다른 특수성을 지닌다. 일반적으로 섬망의 치료는 기저의 원인을 찾아 이를 교정하는 것이 강조되지만, 말기 환자에서는 이러한 기저의 원인이 매우 다양하고 불분명한 경우가 흔하다. 완화치료 등의 환경에서는 원인을 찾기 위한 전반적인 검사 역시 그 효용성에 제한을 받게 되며 또한, 특별한 원인을 찾아내더라도, 이를 교정하는 것이 불가능한 경우가 많다. 물론, 말기 환자에서도 섬망의 원인 평가와 감별진단이 늘 고려되어야 하지만 원인을 찾기 위한 검사의 효용성을 고려하고 이를 교정 가능할 것인지에 대한 고려가 필요하다. 하지만 원인을 완전히 제거하지 못하더라도 그것을 최대한 조절하는 것만으로도 섬망의 심각도를 낮추고 환자의 삶의 질을 높일 수 있기에 말기 환자에서 섬망의 원인 평가를 결코 소홀히 해서는 안된다.

일반 환자의 섬망 증상 조절과 또 다른 점은 증상 조절의 목표이다. 말기 환자의 섬망치료는 비록 의식을 명료하게 하지 못하더라도 필요하다면 완화적 진정 등을 통해 편안함을 제공하는 것에 좀 더 중점을 두게 된다.

말기 환자에서 섬망을 회복 가능한 합병증으로 볼 것인지 또는 임종의 과정으로 받아들일 것인가는 매우 어려운 문제이다. 말기 환자에서 섬망의 조절과 평가는 전반적인 치료의 목표에 맞추어서 개별화하여 신중하게 판단하여야 한다. 가장 중요한 것은 환자와 가족 그리고 다른 의료진과 지속적으로 치료의 목표 등에 대한 의사소통을 시행하는 것이다.

섬망의 약물 치료와 비약물 치료는 일반적인 섬망 치료와 크게 다르지 않아 본 권의 섬망 편을 참고하기 바란다.

(5) 완화적 진정

국내의 완화적 진정에 대한 연구는 매우 부족하며 한국호스피스완화의료학회에서 발간한 임종돌봄 임상진료지침의 세부 주제로 완화적 진정에 대한 논의를 찾아볼 수 있다. 본 저에서는 국내 임종돌봄 임상진료지침과 캐나다 퀘벡에서 발간된 완화적 진정 가이드라인을 주요 참고문헌으로 관련 내용을 기술하였다.

① 완화적 진정의 의미

완화적 진정이란 잘 조절되지 않는 증상을 경감시키기 위해 진정 효과가 있는 약물을 투약해 의식 수준을 저하시키는 것이다. 완화적 진정은 안락사나 의사 조력 자살과 혼돈되어서는 안된다. 안락사나 의사 조력 자살과 달리 완화적 진정은 환자의 삶을 중단하기 위한 목적으로 사용되지 않는다.

비교적 긴 기대 여명을 가지고(예를 들면 수 주 이상) 여전히 음식 섭취가 가능한 환자를 지속적 진정을 시행하면 환자의 기대 여명이 축소될 수 있다. 이 때문에 대체로 지속적 완화적 진정은 기대여명이 매우 짧은, 죽음이 임박한 환자(대개는 2주 이내)에게 제공되곤 한다. 다양한 기존 문헌에서 기대 여명이 매우 짧은 환자에서 지속적인 완화적 진정을 제공하는 것은 환자의 기대 여명에 영향을 미치지 않는 것으로 알려져 있다. 완화적 진정이 시행된 환자의 평균 생존 기간은 1-6일 정도로 보고된다.

② 완화적 진정이 고려되는 증상

완화적 진정이 고려되는 증상의 필요조건은 증상의 불응성과 환자의 임박한 죽음이다. 조절되지 않는 초조 증상을 보이는 과활동성 섬망, 심각하고 반복되는 호흡곤란, 치료에 반응 없는 경련, 어떠한 치료에도 호전이 없는 극심한 통증 등이 국내 지침에서 고려되는 적응 증상으로 제시된다. 다만 국내 임종돌봄 임상진료지침 위원회는 일치된 적응증에 대한 분명한 근거를 찾기가 어려워, 그 적응은 임상 상황이나 환자/보호자의 의사 결정을 바탕으로 매우 신중해야 함을 강조하였다. 한편, 환자의 심리적/실존적 디스트레스가 완화적 진정의 적응증이 될 수 있는가에 대해서는 여전히 논란이 지속되고 있다.

(3) 진정 약물

완화적 진정에 가장 많이 사용되는 약은 midazolam이며 lorazepam 등 다른 종류의 benzodiazepine을 선택할 수도 있다. 그 외, haloperidol 등의 신경 이완제, propofol 등 마취제가 완화적 진정에 사용되는 대표적인 약제이다. 약제의 선택은 경감시키고자 하는 증상을 고려하여 선택한다(예를 들면, 경련이 지속되는 환자를 위해 benzodiazepine을 선택하거나 초조 증상이 동반된 과활성형 섬망의 경감을 위해 신경이완제를 고려하는 등). 증상에 따라 여러 약제를 혼합하여 사용할 수 있으나 불필요하게 다양한 약제를 혼합하지 않도록 주의한다. 진정이 시행된 후에는 환자 증상의 경감 여부, 진정 정도, 부작용, 활력 징후 등을 주기적으로 확인해야 한다. benzodiazepine 등을 투약 후 환자가 역설적 흥분이나 섬망 등의 부작용이 나타나지 않는지에 대한 주의 관찰 또한 필요하다. 한편, 위와 같은 진정 약물은 진통 효과가 없기 때문에 기존에 투여하던 진통제는 심각한 부작용이 발생하지 않는 한 지속할 것이 권고된다.

(4) 가족 지지

완화적 진정이 시행되면 가족은 심리적 스트레스나 죄책감 등을 경험할 수 있다. 따라서 완화적 진정의 윤리적 타당성과 목적 등 환자의 가족에게 정보와 지지를 제공하고 안락사 등과 완화적 진정을 혼동하지 않도록 교육하는 것이 중요하다. 이는 환자의 간병에 도움이 될 뿐 아니라 가족이 환자의 임종에 대처할 수 있도록 도와준다.

2. 애도

1) 서론

많은 사별 가족은 애도의 과정에 심한 우울감과 고통을 경험한다. 하지만 대부분 이렇게 고통스러운 애도 과정은 시간이 지남에 따라 점차 그 강도가 약해지며 자연스러운 회복과정을 거치게 된다. 하지만 일부 취약한 군은 이러한 애도 과정이 지나치게 연장되거나 또는 병적 반응을 동반하는 경우가 있다. 따라서 정신신체의학 전문의는 정상적 애도와 비정상적 애도의 경계를 구분하고 고위험 군을 선별할 수 있도록 노력하는 것이 필요하다.

2) 진단 체계 상의 애도

DSM-5 진단체계에서는 애도는 공허감과 상실의 느낌이 우세한 정동으로 주요우울삽화는 행복이나 재미를 느낄 수 없는 상태와 우울감이 지속되는 것을 특징으로 하는 차이점을 제시한다. 또한, 주요 우울 삽화의 우울감과 다르게 애도는 자기 비관적인 반추 보다는 주로 고인에 대한 생각이나 기억에 집중되어 있다. DSM-IV에서는 명시하던 2개월 이상의 지속 기준은 DSM-5에서는 삭제되었다. 하지만 설령 정상적인 상실 반응 동안에 주요 우울 삽화가 존재한다면 설령 상실에 대해 적합하다 판단되더라도 이는 주의 깁게 다루어져야 하고 문화적 특징을 근거로 한 임상적인 판단이 필요함을 주의사항으로 추가하였다. 또한, 병적 애도 반응으로서 지속성 복합 애도 장애를 추가 연구가 필요한 진단적 상태에 포함시켰다. 이에 대해서는 아래 본문에서 자세히 논하기로 한다.

3) 애도의 이론적 모델

프로이트는 사별에의 적응 과정이 "애도 작업grief work"을 통해 일어나는데 이 작업은 고인과의 관계에서 유대를 잘라내는 감정 작업이라 하였다. 프로이트에 의하면 병적 애도는 개인이 상실에 대해 양가적일 때 발생하게 된다.

애착 이론에 따르면 비안정적인 애착의 경우 병적 애도 반응의 위험을 증가시킨다. Bowlby는 중요한 사람으로부터 분리된 아동을 관찰하여 이들의 반응을 저항 시기, 절망 시기 그리고 마지막 분리 시기로 특징지었다. 이를 바탕으로 사별 가족의 딜레마는 애착의 욕구가 강하나 애착 대상이 없다는 것으로 애착 행동은 결국 소멸되고 새로운 애착이 형성되거나 혹은 공상 속에 그 관계가 존재할 것이라고 하였다. Bowlby는 사별 반응을 4단계로 구분하였는데 이는 아래와 같다.

Stage 1: 부정, 분노, 디스트레스의 단계
Stage 2: 죽은 사람을 찾고 강렬히 갈망함
Stage 3: 상실이라는 현실에 직면하기 시작하면서 와해와 절망감을 느낌
Stage 4: 삶으로 다시 복귀하는 느낌, 재통합

이외 Strobe와 Schut는 이중과정모형Dual process model을 제시하였는데 이는 상실에의 적응과정을 상실 측면loss-orientation과 회복 측면restoration-orientation으로 구분하였다. 전자는 상실의 현실에 직면하는 생각, 감정, 행동을 고인에게 집중하는 것이다. 후자는 사별 후 적응과 관련된 것으로서 새로운 자아정체성의 확립 등 고인이 없는 세상에 동화되고자 하는 특면을 반영하는 것이다. 사별 가족은 상실 측면과 회복 측면의 대처 과정을 번갈아 반복하게 됨에 따라 개인은 애도에 직면하였다가 다음에는 이를 잠시 유예하고 삶을 되찾고자 하는 적응을 반복하게 된다. 이 이론은 애도 과정의 정신 치료적 접근과 적응을 위한 가이드라인을 제시한다.

4) 정상 애도

임신을 병으로 취급하지 않는 것처럼, 일반적인 애도 과정은 병으로 인식하지 않는다. 애도 과정은 여러 단계가 중첩되면서 함께 일어나게 되는데 대개의 애도는 충격과 무감각, 부정 등으로 시작된다. 이러한 시기는 수시간에서 수주간 지속되며 이러한 부정에도 불구하고 고통과 통곡이 발생한다. 이 과정은 만약, 고인의 시신이 훼손되어 알아

보기 어렵거나 실종된 경우 더욱 길어지게 될 수 있다. 한편, 애도 의식과 가족 및 친지의 모임은 이 시기가 지나갈 수 있도록 도울 수 있다.

이 시기가 지나면 애도의 급성기로 들어가게 되는데 이는 수 주에서 수개월간 지속된다. 감정적 고통과 신체적 고통이 반복되며 사회적 위축, 갈망, 드물게는 고인과의 동일시 등의 증상이 나타난다. 복원의 단계에서는 고인의 죽음에 대한 인지적 감정적 통합이 이루어지며 과거의 역할로 복귀하거나 새로운 대인관계를 추구하고 죄책감 없이 즐거움과 흥미를 경험할 수 있게 된다. 애도는 더 이상 급성기가 아니며 통합된 형태로 지속된다. 고인에 대한 기억은 슬프지만 아름다운 감정과 함께 좀더 편안하고 긍정적으로 추억할 수 있게 된다. 하지만 가끔씩 사별이 오랜 기간 지난 후에도 고통스러운 감정과 고인에 대한 몰입이 일시적으로 되살아나기도 한다. 이러한 단계는 서로 간에 중첩되며 점진적으로 이행된다. 사별 과정의 초기단계에서도 긍정적 감정과 고인이 없는 세상에 대한 재배치 등이 일어난다.

중요한 것은 대부분의 사람들에서 애도의 초기 단계에서도 긍정적 정서와 함께 고인이 없는 세상의 재배치 등에 대한 고려가 시작된다는 것이다. 일부의 사람들은 이러한 현실적인 생각과 정서에 죄책감을 느끼기도 하며 이것이 일반적이며 흔한 일이라는 것만 알게 되어도 이러한 죄책감을 덜 수 있다. 반대로 급성기가 지나 애도의 감정이 통합된 복원단계에서도 제사일, 기념일, 고인의 생일, 또 다른 상실 경험 등 여러 가지 상황에서 고통스러운 감정은 다시 되살아날 수 있다. 이러한 상황은 정상적이고 일상 적임을 이해하는 것이 이들에게는 큰 도움이 될 수 있다.

(1) 애도의 경과

애도의 기간은 6개월, 1년 또는 2년 등 다양한 의견이 제시되지만 최근에는 애도를 만성적인 개념으로 이해하는 경우가 대부분이다. 애도는 잊어버리고 이겨낼 수 없으며 익숙해지는 과정이라고도 표현한다. 감정이 통합된 후에도 고인에 대한 아름답고도 슬픈 기억은 지속된다. 애도는 임상적인 시기에 따라 구분될 수 있다. 이는 환자와 가족이 예기 애도를 비롯해 임종 전 후 겪는 애도로 구분된다.

① 예기 애도

애도는 환자가 사망하기 전부터 시작된다. 암 등의 치명적 질환을 진단받은 시점부터 환자와 가족은 치명적인 결과의 가능성을 생각하게 된다. 환자의 질환이 진행되어 생명을 위협하는 말기 상태에 이르렀을 때 이를 지켜보는 가족과 친구들은 심한 불안을 경험하게 된다. 이러한 감정은 주로 이별 불안과 두려움으로 나타나며 상실을 예견하는 것은 애착을 강화시킨다. 이러한 점에서 이는 사별 후의 애도와는 다른 측면을 지닌다. 이 과정에서 많은 가족들은 환자에게 간병을 통해 애착을 표현하고 환자와의 오랜 관계의 문제를 해소할 기회를 가지게 된다. 하지만 비기능적인 가족의 경우 부정, 분노, 회피 등의 비적응적인 양상을 보이게 된다. 강한 예기 애도는 초기 사별 적응의 어려움을 예견하는 인자로 보고된다. 임종이 가까울수록 치료자는 환자와 가족의 대화를 격려하고, 관계의 오랜 과제를 해결할 수 있도록 도와야 한다.

예기 애도는 가족들이 앞으로 일어날 사별에 대비하게 해주고, 사별 후 심각한 정신사회적 위험을 줄여준다는 보고가 있지만 모두 그런 것은 아니다. 간혹 이러한 상실을 예고하는 것이 너무 이른 애도 반응premature grief의 문제를 야기하기도 한다. 즉, 상실을 예견함으로써 주치의와 가족이 환자가 실제 사망하기도 전에 마치 사별이 일어난 것처럼 애착이 너무 빨리 철수되는 것이다. 이러한 경우 환자는 지지를 제공받지 못하게 되거나 가족은 향후 환자가 실제 죽기 전에 환자를 너무 빨리 포기했다는 느낌과 함께 자기 비난에 빠지게 될 위험이 높아진다. 이러한 너무 이른 애도 반응을 예방하는 것 역시 임종 과정의 돌봄에서 매우 중요한 측면이며 개방되고 솔직한 정보전달과 의사소통이 이를 예방하는 데 도움이 된다. 임종과정에서 임상가는 예기 애도를 경험하는 가족을 돕고 반대로 너무 이른 애도 반응을 예방하는 데 힘써야 한다.

② 임종 시기의 애도

환자의 임종 시기에 가족들은 매우 감정적이며 환자의 임종 과정이 편안한 가에 대해 예민해 진다. 치료자는 가족들이 임종 시기의 환자에서 들리는 숨소리, 분비물, 호흡 등 환자의 안위와 임종 과정에 대해 가족에게 정보를 제공하고 안심시켜 줄 수 있어야 한다. 만약 가족이 도착하기 전에 환자가 임종하게 된다면 가족은 임종한 환자를 볼 기회와 임종 과정에 대한 정보를 들을 수 있는 기회를 제공받아야 하며 문화적, 종교적인 행위는 존중 받아야 한다. 애도는 충분히 표현될 수 있도록 격려 되어야 하며 가족에게 필요하다면 항불안제, 수면제 등을 처방하거나 정신건강의학과에 의뢰하는 도움을 줄 수 있다.

③ 사별 후 애도

사별 후 한 달 이내의 시기에 상실에 따른 감정은 매우 고통스러워 감정 반응의 정상과 비정상을 구분하기 어려울 정도이다. 슬픔, 분노, 죄책감, 절망감, 불안감 등의 감정을 악화와 완화를 반복하며 경험하게 된다. 애도에 적응하는 과정은 특징적인 감정과 생각, 행동 그리고 신체 증상을 보이게 된다. 유족은 고인에 대한 강한 그리움yearning을 느끼게 되며, 깊은 회고에서부터 침습적인 심상과 기억 등 다양한 경험을 하게 된다. 행동 측면에서 고인을 찾거나 사회적 위축을 보이기도 하고, 새로운 지지체계를 찾기도 한다. 졸림, 피로, 식욕 부진, 경한 체중 저하, 무감각, 안절부절증, 긴장, 진전, 통증 등 다양한 신체증상이 나타나기도 한다.

Kübler-Ross, Bolby 등 초기의 학자들은 개인이 애도의 적응 과정에 거쳐가는 일련의 단계가 있다는 이론을 제안하였다. 이러한 이는 상실을 믿지 못함, 충격, 고인에 대한 강한 그리움, 분노와 저항, 슬픔과 우울, 그리고 최종적으로 상실을 수용하고 회복되는 과정이다. 이러한 단계 이론은 예일 대학팀에서 233명의 정상 애도 과정의 사별 가족을 대상으로 24개월간 추적 조사한 결과 다시금 확인되었다. 상실을 믿지 못하는 것은 사별 후 1달째에, 그리움은 4달째에, 분노는 5달째, 우울감은 6개월째에 최고조를 이루었다. 상실의 수용은 관찰기간 동안 점진적으로 증가하였다. 이러 한 결과를 통해 믿지 못함, 그리움, 분노, 우울, 수용의 5가지 애도 표지자는 애도의 각 단계를 예측할 수 있을 것으로 보인다. 또한, 수용을 제외한 4가지 부정적 표지자는 6개월 내에 최고조를 이루었기 때문에, 만약 6개월 이후에 이러한 표지자가 계속 증가된 상태를 보인다면 좀 더 정밀한 평가가 이루어져야 한다.

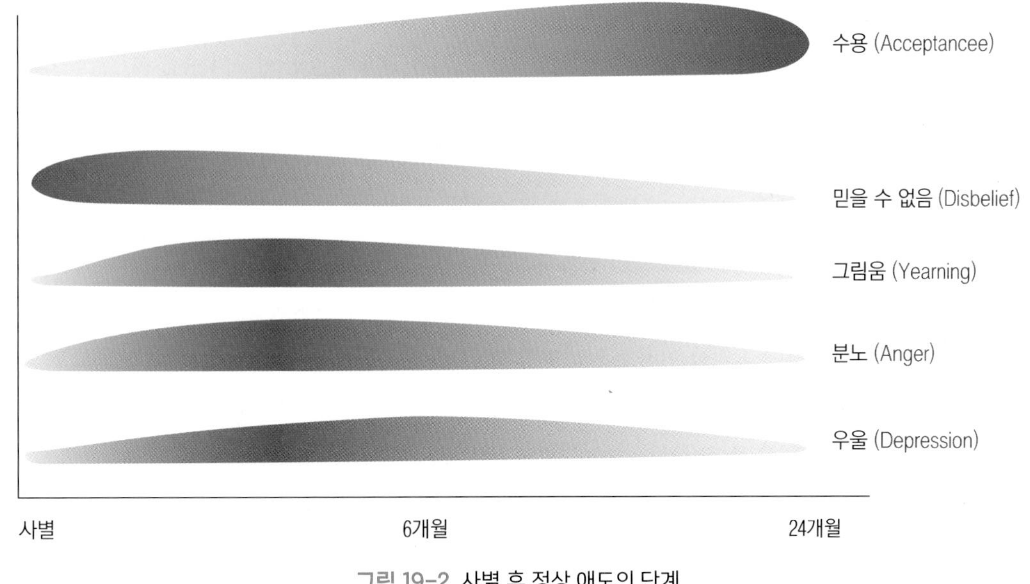

그림 19-2. 사별 후 정상 애도의 단계

사별 후 애도의 기간과 정도는 애착의 안정성과 관계된다. 적응 과정에 걸리는 시간이 정해진 것은 아니지만, 애도의 표현 기간은 문화적인 영향을 받는 것으로 보인다. 애도가 완전히 해소되기는 어렵더라도, 80-90%의 사별 가족은 6개월 정도 지나면 고인의 죽음을 받아들이는 것으로 보인다. 즉, 상실에 적응하기 시작하고 일과 활동을 시작하며 대인관계를 유지하고, 미래에 대해 생각할 수 있게 된다. 하지만 애도 과정은 평생 지속될 수 있으며 기념일 등에 다시 생각나게 될 수 있다. 하지만 이러한 반응도 시간이 지남에 따라 강도가 약해지게 된다.

5) 병적 애도

(1) 병적 사별 반응의 위험인자

대개의 사별 가족은 점진적으로 사별에 적응해 가는 것으로 알려져 있지만, 일부는 그렇지 못한다. 병적 사별 반응은 다음과 같은 위험인자와 관련되는 것으로 알려져 있다. 첫째, 개인의 취약성 면에서 과거의 정신장애, 어린 시절의 학대 경험, 낮은 자존감과 지나친 걱정 등의 성격 및 대처방식, 안정적이지 못한 애착, 누적되는 상실 경험 등이 거론된다. 둘째, 고인의 죽음과 관련된 측면에서 갑작스럽거나 예견치 못한 죽음, AIDS나 자살 등 낙인된 죽음, 심한 쇠약이나 악액질 등 충격적인 모습으로 죽음, 어린 아이의 죽음과 같은 때 아닌 죽음 등일 때, 셋째, 고인과의 관계 면에서 지나치게 가깝고 의존적이거나 양가적인 관계일 때이다. 양가적인 관계가 우울 증상과 관련된다는 보고가 있지만 반대로 특별히 가깝고, 견고한 관계 역시 이러한 병적 사별 반응의 위험인자로 상당수 보고된다. 이러한 관계에서 상실은 특별히 파괴적인 것으로 보인다. 넷째, 가족 및 사회 지지 측면에서 비기능적인 가족 또는 고립되거나 소원해져 있는 가족 관계 등이 위험인자로 작용한다

(2) 지속성 복합 애도 장애

지속성 복합 애도 장애는 과거 연장된 애도 또는 병적 애도 장애라고 불렸던 질환이다. 경험적인 증거가 늘어남

에 따라 DSM-5에서는 지속성 복합 애도 장애를 추가 연구가 필요한 진단적 상태에 포함시켰다.

DSM-5에서 제안된 진단 기준은 지속성 복합 애도 장애는 친밀한 관계에 있던 사람의 죽음 이후, 성인의 경우 적어도 증상이 12개월 이상, 아동은 6개월 이상 지속되는 것으로 규정한다. 기간에 대한 진단적 정의는 정상 애도와의 감별에서 매우 유용하다. 고인에 대한 강렬하고 지속적인 갈망, 강렬한 슬픔과 정서적인 고통, 죽은 자에 대한 집착 등이 동반되며 죽음에 대한 반응적 고통과 사회적/정체성 붕괴와 관련된 추가 증상들이 명시되어 있다. 지속성 복합 애도 장애의 유병율은 2.4-4.8%이며 여성에서 더 흔하다.

고인에 대한 높은 의존성, 고인이 아동일 경우 혹은 애도를 경험하는 아동에 대한 보호자의 지지가 문제가 있을 경우 등이 지속성 복합 애도 장애의 위험 인자로 알려져 있다. 지속성 복합 애도 장애는 정신적, 신체적 건강에 악영향을 미치는 것으로 알려져 있는데 주요우울장애 외상 후 스트레스 장애, 물질 사용장애 등의 동반 이환이 흔하며, 암, 고혈압, 심장 질환 등의 위험을 증가시키는 것으로 보고된다.

6) 애도의 중재

일반적으로, 정상적인 애도 과정은 전문적인 중재가 필요하지 않으며, 대부분의 사람은 애도 과정에 적응해갈 수 있는 능력을 갖추고 있다. 사별 직후 애도 과정의 적응을 촉진시키기 위한 애도의 중재가 과연 효과적인가에 대해서는 아직 논란이 있다. 하지만 고위험군이나 병적 애도의 증상을 경험하는 참여자를 대상으로 하는 경우 치료는 상당히 효과적인 것으로 일관되게 보고된다.

우울장애, 불안장애, 물질 남용 등의 정신질환이 동반된 경우에는 반드시 치료가 필요하다. 일부에서는 우울감을 치료하는 것이 애도 과정의 진행을 방해할 것이라 우려하기도 하지만 실제로는 반대로 우울감과 불안감 등을 치료하는 것이 병적 애도를 치료하고 정상적인 애도 과정을 촉진시키는 것으로 보고된다. 따라서 애도의 과정에 정신질환이 동반된 경우에는 적극적인 치료가 반드시 필요하다.

(1) 정신 치료적 접근

병적 애도의 중재를 위해 지지적 상담, 정신역동적 정신치료, 대인관계 정신치료, 인지-행동 치료, 그룹 정신치료, 가족 치료 등의 치료가 보고되지만 대상군 모집의 어려움, 윤리적 문제 등으로 인해 그 효과에 대한 구조화된 연구 결과는 많지 않다.

지지적 상담은 감정 표현을 격려하고 상실에 대한 대화를 격려하는 등의 지지적 상담은 사별 과정의 적응을 촉진한다. 대인관계정신치료는 12-16주로 이루어진 단기 정신 치료로 의사소통 기술을 증진시키는 등의 방법을 통해 병적 애도 과정의 해소를 돕는다. 인지행동치료는 비적응적 사고와 행동을 찾아내고 교정하는 방법으로 사별과 관련된 지나친 분노, 죄책감으로 고통받거나 또는 사별을 떠올리게 하는 것들을 회피하거나 일상 생활 기능을 재개하는 것을 회피하는 경우 효과적이다. 그룹정신치료는, 같은 상실을 경험한 동일 그룹의 모임을 통해 상호 지지와 정당화가 가능해지고, 감정 표현을 격려하며, 고립감을 감소시키는 등의 도움을 제공할 수 있다. 성숙한 대인관계의 과거력, 외향적 또는 개방적이거나 성실성이 높은 성향, 좋은 사회 지지 기반을 지닌 경우 그룹치료에의 반응이 좋은 것으로 보고된다. Dr. Kissane 등에 의해 개발된 가족 중심 애도 치료Family focused Grief Therapy, FFGT는 6-10회기로 이루어져 있으며 환자가 완화치료중일 때 시작하여 환자 사별 후 가족을 대상으로 치료를 지속한다. 무작위 대조군 실험에서 가족 중심 애도 치료는 사별 후 디스트레스를 감소시키는 것으로 보고된다. 그러나 지속적 복합 애도 장애의 증상은 앞서 언급한 애도 중재를 위한 여러 치료방법에 잘 반응하지 않는 경우가 많다. 복합 애도 치료Complicated Grief Treatment 등 일부 인지행동치료 기법이 병적 애도의 치료에 효과적이었다고 보고된다.

(2) 약물 치료

사별과 관계된 정신장애는 일반적인 정신장애 치료의 접근방식을 따른다. 애도 과정의 급성기에는 항불안제나 수면 보조제가 종종 도움이 되며 우울증상이 동반된 경우 항우울제의 사용이 고려될 수 있다.

참고문헌

1. 국립연명의료관리기관 홈페이지. https://www.lst.go.kr
2. 권준수 등. 정신질환의 진단 및 통계 편람 제 5판. 서울. 학지사;2013.
3. 김선영, 김재민, 김성완, 신일선, 윤진상, 심현정. 말기 암환자의 우울장애 치료. 대한정신약물학회지 2010;21:51-61.
4. 김선영, 김재민, 강희주, 김성완, 신일선, 조상희 등. 성인 암 환자 우울장애의 약물 치료 지침 개발. 한국정신종양학회지 2016;2:22-30.
5. 김성완, 이삼연, 김재민. 암환자의 우울증. 생물정신의학 2001;13:59-69.
6. 통계청, 2019년 생명표 보도자료;2020.
7. 통계청, 2019년 사망원인통계 결과 보도자료;2020.
8. 한국호스피스완화의료의학회, 국립암센터. 임종 돌봄 임상진료지침. 2019.
9. Breitbart W, Rosenfeld B, Pessin H, Kaim M, Funesti-Esch J, Galietta M, Nelson CJ, Brescia R. Depression, hopelessness, and desire for hastened death in terminally ill patients with cancer. JAMA 2000;284:2907-11.
10. Chochinov HM, Breibart W, editors. Handbook of psychiatry in palliative medicine (2nd ed). New York: Oxford University Press p141-71. 2009.
11. Christ GH. Impact of development on children's mourning. Cancer Pract. 2000;8:72-81.
12. College des medicins du Quebec. Palliative sedation at the end of life, 2016.
13. Cremens MC, Robinson DM, Brenner K, Thomas H, Brendel RW. Care at the end of life. In: Stein SA, editors. Massachusetts General Hospital Handbook of General Hospital Psychiatry: 7th Edition, Elsvier;2017. p.513-9.
14. Edelstein A, Alici Y, Breitbart W, Chochinov HA. Palliative care. In: Levenson JL. Editors. The American Psychiatric Association Publishing Textbook of Psychosomatic Medicine and Consultation-liaison Psychiatry Revised Edition, Arlington, VA, American Psychiatric Publishing; 2018. p.1297-334
15. Holland JC, Breibart WS, Jacobsen PB, Lederberg MS, Loscalzo MJ, Mccorkle R. Psycho-oncology (2nd ed). oxford university press. New York: Oxford University Press;2010, p.303-39,537-43.
16. Inouye SK, Charpentier PA. Precipitating factors for delirium in hospitalized elderly persons. Predictive model and interrelationship with baseline vulnerability. JAMA 1996; 275:852-7
17. Kim SY, Kim SW, Kim JM, Shin IS, Bae KY, Shim HJ, Bae WK, Cho SH, Chung IJ, Yoon JS. Differential Associations Between Delirium and Mortality According to Delirium Subtype and Age: A Prospective Cohort Study. Psychosom Med 2015;77:903-10.
18. Maciejewski PK, Zhang B, Block SD, Prigerson HG. An empirical examination of the stage theory of grief. JAMA 2007;297:716-23.
19. Maguire P, Weiner JS. Communication with terminally ill patients and their families. In: Morita T, Akechi T, Sugawara Y, Chihara S, Uchitomi Y. Practices and attitudes of Japanese oncologists and palliative care physicians concerning terminal sedation: a nationwide survey. J Clin Oncol 2002;20:758-64.
20. Mehnert A, Vehling S, Höcker A, Lehmann C, Koch U. Demoralization and depression in patients with advanced cancer: vali-

dation of the German version of the demoralization scale. J Pain Symptom Manage 2011;42:768-76
21. Rayner L, Higginson IJ, Price A, Hotopf M. The management of depression in palliative care: European clinical guidelines. London: Department of Palliative Care, Policy & Rehabilitation/ European Palliative Care Research Collaborative;2010
22. Robinson S, Kissane DW, Brooker J, Burney S. A systematic review of the demoralization syndrome in individuals with progressive disease and cancer: a decade of research. J Pain Symptom Manage 2015;49:595-610.
23. Solano JP, Gomes B, Higginson IJ. A comparison of symptom prevalence in far advanced cancer, AIDS, heart disease, chronic obstructive pulmonary disease and renal disease. J Pain Symptom Manage 2006;31:58-69.
24. Sourkes BM, Wolfe J. The child and adolescent in palliative care. In: Chochinov HM and Breitbart W. Handbook of psychiatry in palliative medicine. 2nd edition. NY, Oxford university press;2009. p.531-43.
25. Stuber ML, Mesrkhani VH. "What do we tell the children?": understanding childhood grief. West J Med 2001;174:187-91.
26. Stuber ML, Bursch B. Psychiatric care of the terminally ill child. In: Chochinov HM and Breitbart W. Handbook of psychiatry in palliative medicine. 2nd edition. NY, Oxford university press;2009. p.519-30
27. Wise MG, Rundell JR. Textbook of consultation-liaison psychiatry (2nd ed). Washington DC: The American Psychiatric Publishing;2002. p.711-804.
28. Zisook S, Irwin SA, Katherine Shear M. Understanding and managing bereavement in palliative care. In: Chochinov HM, Breibart W, editors. Handbook of psychiatry in palliative medicine (2nd ed). New York: Oxford University Press. p202-19. 2009.

3 PART

특정 환자 및 전문진료에서 정신신체의학

20
CHAPTER

심혈관질환

정수봉, 박주언

1. 심혈관질환의 개관

현재 심혈관질환은 전 세계적으로 가장 흔한 사망 원인이다. 19세기 이전에는 감염과 영양실조가 가장 흔한 사망 원인이었고 심혈관질환은 10% 미만이었다. 그러나 2010년에 이르러 심혈관질환은 선진국 사망의 40%, 개발도상국 사망의 28%를 차지하여 전 세계적으로 약 1600만 명의 사망자를 발생시켰다. 심혈관질환은 2019년 한국인 사망 원인 중 2위, 미국 성인 사망 원인의 3분의 1을 차지하고 있으며 선진국의 주요 사망 및 질병 부담의 원인이기도 하다. 갑작스럽게 치명적인 상태에 이르게 하기도 하며, 다른 경우 만성적인 경과로 일생에 현저한 영향을 미치기도 한다.

정신건강의학과 심혈관질환의 관계는 심혈관계에 미치는 심리·사회적 요인의 영향만이 아니라, 뇌, 심리적 기능, 정신병리 등에 미치는 심혈관질환의 영향을 모두 포함한다. 많은 심리학적인 상태와 특성들이 심장질환의 발현 및 악화에 영향을 미친다는 것이 밝혀졌다. 또한, 정신질환의 치료가 심혈관질환의 위험성을 높일 수 있다. 좌식 생활, 과식, 흡연, 과도한 음주 등과 같은 비건강행위가 정신질환과 연관되어 있을 수 있고 동시에 이런 비건강행위가 심장질환, 특히 관상동맥질환의 위험인자이기도 하다. 반대로 심장질환이 우울장애, 불안장애, 인지장애와 같은 다양한 정신질환에 영향을 미치기도 한다. 심장질환에 대한 치료들도 정신건강에 영향을 미치기도 한다. 심장질환은 매우 일반적이기 때문에 정신건강의학과 의사는 환자의 치료에 있어서 공존하는 심혈관질환의 영향에 대처하고 의학적인 요인이 정신 상태에 미치는 영향을 평가하고 정신건강의학과적인 개입이 심혈관계에 미칠 잠재적인 영향을 인식해야 한다. 불행하게도 심각한 정신질환을 가진 환자들은 심장질환에 대해 충분하지 못한 검사와 치료를 받게 되는 경향이 있다.

1) 율동이상

심장부정맥은 전기자극의 생성 이상, 전도의 이상 혹은 두 가지 복합기전에 의해 발생한다. 원인은 허혈, 심부전, 판막질환, 약물, 갑상선질환, 유전적 결함, 감염, 대사 장애, 정신적 스트레스 등을 포함할 수 있으나 많은 부정맥은 원인불명이다. 심방세동, 동방결절 기능부전, 심실빈맥 등이 흔한 부정맥이다.

불안, 분노, 급성 스트레스와 공황 같은 감정적인 요소들은 심실빈맥과 연관이 있다. 동시에, 증상과 진단을 인지하는 것 자체가 불안을 높일 수도 있다. 심실빈맥은 심장마비와 급성 심장사가 동반되는 심실세동을 일으킬 수 있다. 미국에서는 연간 300,000건 이상의 급성 심장마비가 발생하고 있으며 이 중 반 이상은 심장질환의 과거력이 없는 환자들에서 생긴다. 이러한 부정맥 발생은 원인이 없을 수도, 심근경색, 심부전과 연관되어 있을 수도 있다. 감정적인 스트레스는 심실빈맥의 위험을 증가시키며 특히 기존에 심장질환이 있는 개인에게 급사의 위험을 높인다.

부정맥의 종류에 따라 항부정맥제, 삽입형 제세동기, 도자절제, 인공심박동기 등을 치료로 사용한다. 삽입형 제세동기 치료는 급성 심장마비에 대한 이차 예방의 표준으로 자리 잡기 시작하였으며 좌심실 박출률이 감소한 환자에게 예방으로 사용한다.

2) 심부전

미국의 울혈심부전congestive heart failure 유병률은 2%를 넘는다. 65세 이상의 연간 심부전 발생률은 1% 정도이다. 일반적으로 심부전은 점점 악화하는 경과를 보인다. 심실 보조 장치 등의 소생술을 통하여 이 경과를 늦추려는 시도에도 불구하고 울혈심부전의 5년 사망률은 50%이며 일반적으로 증상 발현 후 1년 이내에 사망하는 경우가 대부분이다. 울혈심부전의 위험 인자는 관상동맥질환, 판막 질환, 수면 무호흡증, 선천적 결함, 알코올 과다섭취, 비만, 그리고 흡연 등이 있다. 울혈심부전 사망의 주된 이유는 펌프 결함과 심장부정맥이다.

우울장애와 다른 정신건강의학과적인 질환들은 울혈심부전의 발생 및 불량한 예후와 연관이 있다. 많은 우울장애 환자들은 치료에 비순응하는 경향으로 인하여, 입원을 하여야 할 정도가 되어야 치료를 시작하게 된다. 타코츠보 심근병증Takotsubo cardiomyopathy은 급성이지만 되돌릴 수 있는 심부전으로 강력한 감정적 흥분과 연관된다.

가능한 심장이식 공여자는 부족하지만 울혈심부전으로 죽어가는 환자의 수는 많은 현실이 인공적인 심장 기술의 발전에 동력이 되었다. 이식으로 가는 연결 고리 역할을 위해 수 주에서 수개월간 사용할 목적으로 고안된 장치가 좌심실 보조 장치Left Ventricular Assist Device, LVAD이다. 이는 혈류역학, 신장 기능, 간 기능, 뇌관류 그리고 기능적 상태 등을 향상시키기 위해 사용되었으나 섬망, 뇌졸중, 인지기능 저하, 통증, 우울감 등의 정신건강의학과적인 문제를 흔하게 일으킨다. 좌심실 보조 장치 치료는 넓은 의미에서 생명 유지의 한 형태로 간주하며 환자들(혹은 그들의 보호자들)은 종종 이 치료를 중단하기를 요청하기도 한다. 장치 삽입 전에 정신건강의학과적, 완화 의료적, 도덕적 측면을 포함한 상담이 도움이 될 수 있다.

3) 관상동맥질환

관상동맥질환의 위험 인자는 고혈압, 흡연, 이상지질혈증, 당뇨, 남성, 가족력 등이다. 조절 가능한 관상동맥질환 위험 인자에 대한 대중적 인식의 확대와 효과적인 치료법의 보급으로 이러한 위험 인자의 일부가 감소하였다. 그럼에도 불구하고 미국에서 새롭게 급성심근경색이 발생하는 환자들은 연간 약 635,000명이고 재발성 급성심근경색의 발생률은 연간 300,000명이다. 첫 증상이 나타나고 1시간 내에 치료도 받아보지 못한 채 환자의 3분의 1이 사망한다. 혈전 용해제, 재관류술, 스텐트 삽입 시술, 베타 아드레날린 차단제, 안지오텐신 전환 효소 억제제, 앤지오텐신II 수용체차단제, 스타틴 계열 약물, 아스피린 등의 적극적인 사용으로, 치료를 받을 때까지 생존한 경우의 사망률은 감소하였다. 병원에 입원까지 성공한 환자의 급성 심근경색 후 추정 28일 생존율은 약 90% 이상이다. 관상동맥질환과 연관된 많은 정신건강의학과적 상태와 심리적 요소들 가운데는 우울장애가 가장 중요하다.

4) 고혈압

고혈압은 미국 성인의 3분의 1 정도에 영향을 미치고 있으며 뇌졸중, 심근경색, 울혈심부전, 신부전 등의 위험 증가와 연관되어 있다. 대부분 고혈압은 본태성이거나 원인을 알 수 없다. 전형적인 치료는 염분 섭취 감소 등의 식이요법, 체중 감량, 운동, 이뇨제, 베타차단제, 앤지오텐신수용체차단제와 앤지오텐신전환효소억제제 등을 포함한다. 심리적인 요인들이 고혈압을 만드는가에 대한 상관관계는 논란이 지속되는 주제이며 대규모 관찰연구에서도 혼재된 결과가 나오고 있다.

2. 심혈관질환과 우울장애

우울장애와 심장질환 사이의 상호 연관성은 지난 20여 년간의 연구를 통해 밝혀졌다. 우울장애 환자들에게 심장질환이 더 많이 발생하는 경향이 있으며 심장질환자들은 우울장애로 더 많이 고생하는 경향이 있다. 우울장애가 있는 심장질환자가 우울장애가 없는 심장질환자에 비해 예후가 나쁘다는 결과들도 있다.

1) 심혈관질환에서의 우울장애

(1) 관상동맥질환에서의 우울장애

우울장애는 관상동맥질환자에서 가장 흔한 정신장애이다. 관상동맥질환, 급성심근경색 및 불안정 협심증 환자에 관한 많은 연구에서 우울장애의 유병률이 15-20%의 범위임을 일관되게 보여준다. 또한 질병으로 진단되지 않을 정도의 우울감이 관상동맥질환자에서 주요우울장애로 악화되기도 한다. 이것은 우울이 질병에 대한 정상적인 반응이라는 개념이 잘못되었다는 것을 말해준다. 관상동맥우회술Coronary Artery Bypass Graft, CABG 후 수개월 내의 우울장애 유병률은 20-30%에 달한다. Beck 우울척도(BDI)와 같은 우울 증상 척도 점수의 상승이 흔하며 이는 주요우울장애로 이어지는 것을 예측할 수 있다. 좋은 사회적 지지는 급성관상동맥질환 이후의 우울 지속 경향을 줄여준다. 치료지침에서는 관상동맥질환자에서 우울 선별 검사를 제안하고 있지만 선별 검사에 대한 추가적인 의미는 확립되어 있지 않다.

(2) 울혈심부전에서의 우울장애

관상동맥질환과 유사하게, 울혈심부전 환자의 주요우울장애 유병률은 약 20%이다. 추가로 30-35%의 환자들이 진단되지 않을 정도의 우울 증상들을 가지고 있다. 우울 증상이 심할수록 기능 상태 저하와 저조한 운동 지속력을 나타내는 경향이 있다.

2) 우울장애에서의 심혈관질환

(1) 우울장애에서의 관상동맥질환

우울장애의 진단, 우울 증상의 경험 등의 과거력은 허혈성 심장질환의 위험성을 2배 이상 높이며 결국 관상동맥질환으로 인한 사망 위험도 높이게 된다. 우울장애는 또한 심실 부정맥 위험을 높이며 이는 다른 알려진 관상동맥질환의 위험인자와 독립적으로 심장마비라는 결과를 가져오기도 한다. 기존의 관상동맥질환이 있는 환자에서 우울장애의 존재는 사망 위험을 3-4배 높인다. 급성 관상동맥 사건acute coronary event 후의 우울장애 발병, 급성 관상동맥 사건 직후의 심각한 우울 증상, 우울장애의 지속 모두 관상동맥 사건 이후의 장기적인 사망 위험을 증가시킨다.

관상동맥우회술 이후의 우울장애는 12개월 내 심장 사건cardiac event의 재발을 예측한다. 또한, 수년간의 추적관찰 결과, 수술 전의 중간 및 심각한 정도의 우울 증상과 수술 후 6개월까지 지속되는 경도의 우울장애는 장기적인 사망률 상승의 예측 인자였다.

비정상적인 피로, 실의 혹은 패배감, 과민성이 증가한 정신 상태 등으로 정의되는 활력 소진은 관상동맥질환 발생의 위험 증가와 연관되어 있다. 소진을 줄이기 위한 정신치료적인 중재는 협심증 통증을 줄인다고 알려졌으나 혈관성형술 후의 심장 사건 재발에는 영향을 주지 못했다. 비록 활력 소진이 우울과 구분되는 개념으로 정의되었지만(활력 소진은 자기 비판적 사고를 포함하지 않으며 HPA(Hypothalamic-Pituitary-Adrenal) 축의 활동성이 증가되는 것이 아니라 사라진다), 둘은 상당히 겹치는 부분이 많다. 그리고 활력 소진의 우울장애 외적 요소들이 관상동맥질환에 미치는 영향은 확실하지 않다.

우울과는 반대로, 낙관론과 "감정적 생동성" 등 긍정적인 감정 요소들은 관상동맥질환 발생의 위험성 감소와 연관되어 있으며 긍정적 감정의 부재는 관상동맥 사건의 위험 요소로 밝혀졌다. 연구자들은 이러한 긍정적인 요소들을 우울 증상의 부재로 보기보다는 독립적인 요소로 보고 있다.

우울장애는 분명히 환자들의 심장질환 상태와 삶의 질에 부정적인 영향을 미친다. 1,024명의 안정적인 관상동맥질환자들을 대상으로, 우울 증상과 객관적인 심장 기능 정도가 스스로 인식하는 건강 정도에 미치는 영향을 연구하였다. 우울 증상이 있던 20%의 환자들은 관상동맥질환의 증상에서 오는 부담, 신체적 한계, 삶의 질 감소, 건강의 문제 등을 더 많이 보고하는 경향이 있었다. 다변량 분석에서, 우울 증상은 이러한 건강상태 보고와 유의미한 연관을 보였다. 반면에 운동능력, 좌심실 박출률, 심근경색은 그렇지 못했다. 이러한 결과들은 관상동맥질환을 가진 환자들에서 주관적인 건강과 기능적 상태를 향상하기 위해 우울 증상을 다루는 노력이 필요하다는 것을 의미한다. 이어진 연구는 2,675명의 폐경기 여성을 대상으로 시행하였고 역시나 우울장애는 스스로의 건강상태 평가에 매우 강력한 영향을 미쳤다. 이는 최근의 심혈관계 사건, 심부전, 관상동맥우회술 만큼이나 강력한 영향이었다.

① 우울과 관상동맥질환의 연관 기전

우울과 관상동맥질환의 부정적 결과 사이의 정신생리적인 연관 기전으로 혈소판 기능부전, 자율신경계 기능부전, 염증으로 인한 이상 등이 제안되었으나, 아직 일관된 결론을 도출하지 못하였다. 염증 반응은 동맥경화와 급성 관상동맥 사건의 발생에 영향을 미친다. 관상동맥질환자에서 염증 사이토카인은 증가되어 있으며 인터루킨-6, 종양괴사인자-알파, C-반응단백질의 막대한 상승은 관상동맥 사건, 뇌혈관사건과 심부전의 진행을 예측할 수 있다. 우울장애도 인터루킨-6, C-반응단백질, 세포내유착물질-1 ICAM-1의 농도 상승과 연관이 있다. 우울장애는 염증 반응을 조정한 후에도 관상동맥질환의 발병 및 관상동맥 사건의 위험을 높인다.

우울장애 환자에서의 혈소판 기능부전은 복잡한 연관성을 보인다. 비정상적인 혈소판 활성화 증가와 세로토닌에 대한 반응으로 인한 혈소판 응집의 증가가 동반된다. 혈소판 활성화 증가는 관상동맥의 혈전 형성 위험을 증가시킬 수 있다. 증가된 염증 사이토카인과 혈소판 활성화 증가가 함께 작용하여 관상동맥 사건의 위험을 증가시킬 수도 있다. 혈소판의 세로토닌 저장을 방해하는 선택적세로토닌재흡수억제제 SSRI 계열의 항우울제는 관상동맥 사건 발생의 위험을 줄인다고 일부 연구에서 밝혀냈다. 세로토닌 수송체에 가장 높은 친화성을 보이는 선택적세로토닌재흡수억제제 에는 플루옥세틴, 파록세틴, 설트랄린 등이 있으며, 이들은 가장 강력한 효과를 보였다.

심박변이도heart rate variability (HRV) 혹은 심장 주기 변동heart period variability (HPV)이라고 불리는 수치는 심장의 자율신경 조절을 반영한다. 다시 말해 미주신경을 포함하는 부교감신경과 교감신경의 영향을 둘 다 받는 수치이다. 감소된 심박변이도는 자율신경계의 불균형을 의미하며 심혈관질환의 좋지 않은 예후를 예측하게 한다. 모든 연령대의 우울장애 환자에서 감소된 심박변이도가 관찰된다는 여러 연구들이 있다. 사실 심박변이도의 감소는 우울장애의 특징보다는 다양한 스트레스 상태, 행동 인자, 의학적 상태 등을 포함하는 범진단적 요소이다. 그럼에도 심박변이도는 우울장애와 관상동맥질환을 연관시켜주는 주요한 기전이 될 수 있다.

우울장애가 심혈관계에 미치는 부정적인 영향은 행동에 미치는 부정적인 영향과 치료적 제안에 대한 불순응으로 인해 생길 수도 있다. 우울장애는 심혈관계에 도움이 되는 건강한 행동을 감소시키는 경향이 있다. 관상동맥질환자가 우울장애를 겪으며 나타나는 유의한 영향들로는 금연율 저하, 운동 및 식이조절 등의 치료 순응도 저하 등이 있다. 치료 순응도 저하는 반복되는 심혈관계 사건과 사망의 위험과 연관되어 있다. 우울한 울혈심부전 환자는 치료에 대한 순응도가 떨어지는 경향이 있으며 증상이 많이 악화된 후에야 병원을 찾기도 한다. 심혈관질환자에서 우울장애의 호전은 치료 순응도의 상승으로 이어진다. 그러나 우울장애 치료가 가져오는 심혈관계의 변화를 이러한 기전으로 설명할 수 있는지에 대한 부분은 여전히 증명해야 할 부분으로 남아있다.

관상동맥질환자에 대한 많은 임상적인 연구들이 우울장애 치료의 영향에 관해 연구하였다. 또한 몇몇은 심혈관계에 미치는 영향을 확인하였다. 무작위 위약대조 이중맹검 연구들은 플루옥세틴, 설트랄린, 시탈로프람, 에스시탈로프람에서 적어도 중등도 이상의 항우울 효과가, 멀타자핀에서도 동일한 이득이 있음을 확인하였다. 일반적으로 이러한 항우울제들은 특별한 부작용 없이 견뎌낼 수 있었으며 부작용으로 인한 중단율도 낮았다. 이전의 연구들에서 삼환계 항우울제의 효과는 증명되었지만 부작용으로 인하여 관상동맥질환자에서 우울장애의 일차 및 이차치료제로는 부적절하다. 관상동맥질환자의 우울장애 치료를 위한 다른 근거 있는 약물로는 부프로피온, 네파조돈 등이 있다. 강력한 유산소 운동 역시도 관상동맥질환자 및 울혈심부전 환자의 우울장애에 효과가 있었다. 단기 교육, 상담, 인지행동치료, 그리고 항우울제를 포함하는 단계적인 개입을 이용한 통합적인 치료가 급성 심혈관계 사건 후의 우울장애와 관상동맥우회술 후의 우울장애에서 상당한 효과를 보였다.

두 개의 연구가 관상동맥질환자들에서 우울장애 개입이 심혈관계와 사망률에 미치는 영향에 대하여 진행되었다. 관상동맥질환에서의 회복 촉진에 관한 연구에서 우울장애가 있거나 사회적 지지가 약한 환자들을 대상으로 인지행동치료군과 일반적인 치료군으로 나누어 6개월간 치료를 시행하였다. 몇몇 환자들은 비무작위로 항우울제 치료를 받기도 하였다. 30개월의 추적관찰을 통하여 심혈관계 사건의 재발률과 사망률을 확인하였다. 다른 심근경색과 우울장애 치료 연구에서도 환자들은 다양한 치료적 개입을 받았으며 18개월간의 추적관찰을 시행하였다. 둘 중 어느 연구도 치료적 개입이 심혈관계나 사망률에 의미 있는 영향을 미침을 확인하지 못하였다.

심근경색 후 우울 치료에 대한 모든 연구들에서 장기간의 추적관찰 결과 우울장애의 지속이 높은 심혈관질환 이환율 및 사망률과 연관되어 있었다. 우울장애에서의 회복은 장기적으로 심혈관계의 긍정적인 예후와 연관되어 있지만 우울장애 치료 그 자체는 그렇지 못하였다. 유사한 영향이 관상동맥우회술을 받은 환자들에서도 관찰되었다. 수술 후 6개월 이내에 우울장애에서 회복한 환자들이 우울장애가 지속되거나 악화된 환자들보다 더 좋은 예후를 보였다. 반대로 심근경색 후 수개월 동안 우울장애가 생기거나 악화된 환자들은 좋지 않은 심혈관계 예후를 보였다. 이러한 결과는 두 가지 가능성을 의미한다. 첫째로, 우울장애가 심혈관계에 강한 영향을 미친다는 가설이다. 따라서 우울장애와 연관된 심혈관계 부작용을 완화하기 위하여 더욱 강력한 항우울 효과가 있는 치료가 혹은 직접적으로 관련 심혈관 기전에 영향을 주는 치료가 필요할 수 있다. 둘째로, 단기간의 심장 상태 악화가 우울장애의 발병이나 지속에 큰 영향을 미친다는 가설이다. 그래서 우울장애의 심혈관계에 대한 영향은 건강상태 악화에 의해 교란되고 우울장애 치료는 심혈관계에 영향을 미치지 못하는 것으로 나타나는 것이다.

(2) 우울장애와 울혈심부전

관상동맥질환 진단 후 우울장애가 발병하게 되면 울혈심부전의 진단 위험이 1.5배 높아진다. 교란 변수들을 교정하더라도 동일한 결과가 나타난다. 울혈심부전 환자에서 우울장애가 발생하는 것은, 심혈관계 사건이나 사망의 위험을 1.5-3배 상승시킨다. 우울장애가 있는 울혈심부전 환자들은 입원 환경에서 침습적인 시술을 덜 받는 경향이 있으며, 외래로만 다니려는 경향도 있다. 결국, 이러한 경향들이 그들의 사망 위험을 높이게 된다.

울혈심부전이 있는 460명의 외래 환자들을 대상으로 여러 센터에서 함께 시행한 연구가 있다. 이 연구에서 우울하지 않은 환자들에 비해 우울증상이 심각한 환자들이 기본적인 건강상태에 대한 주관적인 인식이 더 나쁘고, 단기간의 추적관찰 동안에도 건강상태가 더욱 나빠진다는 것을 확인하였다. 우울장애는 심부전 증상의 악화, 신체적·사회적 기능, 삶의 질을 악화를 예측할 수 있었다. 우울증상은 건강상태의 악화를 예측할 수 있는 가장 강력한 요인이었다.

에스시탈로프람과 설트랄린에 대한 임상 연구들에서는 이 약물들이 우울장애와 울혈심부전이 동반된 환자의 기분 증상에 미치는 의미 있는 영향을 찾지 못하였으며 심혈관계 이환율 및 사망률에 미치는 긍정적인 영향도 증명하지 못하였다. 인지행동치료가 심부전 환자의 우울장애에서 기분 호전을 이끌어냈다는 결과가 있으나 울혈심부전에 대한 자기관리를 향상시키지는 못하였다.

3) 우울장애와 심혈관질환 간의 진단적 쟁점

대부분의 정신질환은 심혈관질환에 크게 영향을 받지 않는다. 그러나 정신질환과 심혈관질환 사이에 존재하는 증상의 유사성, 심혈관질환에 대한 치료가 정신의학적 부작용을 일으킬 수 있다는 것 등으로 인하여 혼란이 올 수 있다. 우울장애의 진단은 우울 평가 도구의 점수에만 의존해서는 안 된다. 정신건강의학과적 진단의 가장 흔한 문제는 우울장애의 증상을 기저 심혈관질환의 일부로 보거나 질병에 대한 정상 반응으로 보아 우울장애를 덜 진단하게 된다는 것이다. 일반적으로 임상에서는 폭넓은 접근이 중요하다. 그래서 피로와 수면 문제처럼 심장질환으로 인해 생길 수 있는 증상들도 우울장애의 진단 항목에 포함해야 한다. 우울장애와 연관될 수 있는 신체적 증상들을 보고하는 환자들에게 기본적인 기분과 흥미에 대한 증상들이 있는지에 대해서 반드시 평가해야 하며 그러한 증상들이 있다면 우울장애로 고려해야 한다. 심부전이 진행되면 식욕의 감소와 극단적인 체중 감소 등이 생길 수 있지만 자존감 저하, 평소 즐기던 일에 대한 흥미 감소, 우울한 기분 등이 없다면, 우울장애로 진단해서는 안 된다.

3. 심혈관질환과 불안장애

1) 심혈관질환에서의 불안장애

심장질환자에서 불안을 평가하는 것은 복잡한 일이다. 환자가 느끼는 고통이 심혈관계의 문제로 인한 것인지, 급성 혼돈 상태 때문인지, 불안장애로 인한 것인지, 이들의 상호작용으로 인한 것인지 구분하기 어렵다. 게다가 심장질환자에게는 심혈관계 사건에 대한 반응에서부터 심혈관계 약물로 인한 불안 발생 부작용까지, 불안을 야기할 수 있는 매우 다양한 원인들이 있다.

(1) 관상동맥질환에서의 불안장애

급성 관상동맥질환자에서 높은 정도의 불안은 매우 흔하다. 그리고 만성 심장질환자에서 불안의 유병률은 5-40%정도이다. 관상동맥질환자들을 대상으로 시행한 구조화된 면담을 통하여 확인된 범불안장애와 다른 불안장애의 유병률은 5-7% 정도이다. 이러한 인구에서 선별 검사는 높은 민감도와 낮은 특이도를 보인다.

급성관상동맥 사건 후 즉각적인 여파로 오는 강렬한 주관적 고통과 죽음에 대한 두려움은 1주에서 수 주 내에 임상적으로 의미 있는 불안을 만들어 낼 위험성이 높다. 관상동맥질환자의 일부는 같은 질환으로 인해 같은 성별의 부모가 사망한 경험이 있을 수 있다. 이러한 경험은 부모가 사망한 나이에 자신도 사망하는 것을 피할 수 없다는 의식적인 상상과 종종 연관되고는 한다. 그리하여 상당한 경계, 회피 그리고 다른 불안 증상으로 이어지기도 한다.

(2) 울혈심부전에서의 불안장애

울혈심부전 환자들 중에 약 13%가 불안장애를, 30%가 불안 증상을 보인다. 심장내과에서 치료를 받는 울혈심부전 환자의 약 10%가 공황장애를 가진다는 연구도 있다. 울혈심부전 환자의 불안장애를 예측할 수 있는 요인들로는, 이전 정신질환의 과거력, 당뇨, 협심증, 그리고 나쁜 기능적 수준 등이 있다. 불안 증상과 진단된 불안장애 모두 울혈심부전 환자의 높은 보건의료 이용과 연관이 있다.

(3) 승모판 탈출 증후군에서의 공황장애

적용하는 심초음파 진단 기준에 따라 차이는 있지만 5-20% 이상의 공황장애 환자들이 승모판 탈출 증후군을 앓고 있다. 승모판 탈출 증후군 환자들은 무증상일 수 있으며 간헐적인 두근거림이나 명치 부위의 두근거리는 느낌 정도를 경험할 수도 있다. 취약한 사람들에게는 이러한 느낌들이 공황발작을 자극하는 재앙적 사고를 만든다. 그러나 공황장애와 승모판 탈출 증후군과의 관계는 의문시되어 왔고 2008년의 체계적인 문헌 고찰에서 연관성의 증거가 결정적이지 않다는 것을 밝혀냈다.

(4) 심장수술과 불안

심장에 대한 불안은 심장 수술 이전에는 상승하지만 수술 후 1-6개월 내에는 정상으로 돌아오는 경향이 있다. 약 20%의 환자들이 수술 6개월 후에도 임상적으로 지속되는 심장에 대한 불안을 경험한다. 수술 전의 높은 불안 증상들은 사망과 연관된 다른 알려진 위험 요소들을 보정하더라도 높은 사망 위험과 연관이 있다고 보고되고 있다.

2) 불안장애에서의 심혈관질환

(1) 불안장애에서의 관상동맥질환

불안 증상 및 질병과 관상동맥질환 간의 관계는 여전히 불안정하다. 많은 연구들에서 불안 증상이 관상동맥혈관질환의 위험을 높인다는 결과를 보고하였다. 또한 심혈관질환이 없는 중장년 남성에서도 불안은 심근경색의 발생률을 높였다. 그러나 노인들을 대상으로 시행한 대규모 인구학적 연구에서 평생에 걸친 불안장애는 심혈관질환의 위험과 연관이 없었다. 반면에 불안 증상과 긴장은 심방세동의 발생률을 상승시켰다.

인구학적 연구들은 불안과 급성 심장마비의 연관성을 보여주었다. 관상동맥질환자에서 공포증은 심실 세동 위험을 증가시켰고, 불안과 우울 증상의 동반 이환은 심실 세동의 위험을 더욱 증가시켰다. 이전에 관상동맥질환이 있었던 환자들에서, 불안이 예후에 미치는 영향은 혼동된 결과를 보였다. 메타분석에서 불안과 관상동맥질환자 사망률과의 약한 연관성을 찾아내기도 하였으나, 관련 변수들을 보정한 후에는 유의미하지 않았다.

대규모 전향적 인구학 코호트 연구를 통하여 공황장애 환자에서 관상동맥질환의 발병률이 거의 2배 높아짐을 확인하였으며, 이는 흡연, 동반된 우울장애, 약물, 비만 등의 인자를 보정한 후에 나온 결과였다. 여성건강계획에서 보면, 건강한 폐경 후 여성에서 공황장애는 흔하였으며, 이는 향후의 관상동맥질환, 뇌졸중, 사망 등의 위험을 높이는 것과 연관되었다.

더불어 관상동맥질환은 PTSD 증상을 더욱 심하게 만들었다. 기존의 관상동맥질환이 있는 환자들에서 PTSD는 신체 증상 부담 증가, 삶의 질 하락과 연관되어 있었으며, 객관적인 심 기능보다, 자가 보고하는 심혈관 건강 상태와 더 크게 연관되어 있었다. 급성 관상동맥 증후군 환자에서의 불안은 금연치료와 운동치료에 대한 순응도를 떨어뜨렸다.

3) 불안장애와 심혈관질환 간의 진단적 쟁점

(1) 발작심실상성빈맥

발작심실상성빈맥paroxysmal supraventricular tachycardia, PSVT는 청장년 성인들에서 나타나며 숨참, 흉부 불편감, 불안 등의 증상을 보일 수 있다. 이러한 증상들이 공황발작이나 범불안장애와 겹치는 모습일 수 있기에 오진에 대한 높은 위험이 있다. 107명의 PSVT 환자들을 대상으로 시행한 후향적 연구에서 59명(67%)이 공황장애의 진단을 만족시킴을 확인했다. 의학적 초진 후에도 55%가 PSVT로 진단되지 못했고 진단되기까지 걸리는 기간의 중간값이 3.3년 이었다. PSVT 진단을 받기 전 의사에게 공황, 불안, 스트레스로 인한 증상이라고 진료를 받은 경우가 59명 중에 32명(54%)이었다. 물론 몇몇 환자들은 PSVT와 불안장애 모두가 있을 수 있고 두 진단 모두의 요소를 갖춘 발작이 있었을 수도 있다.

(2) 비전형적 흉통과 두근거림

관상동맥질환자에서 전형적인 협심증 통증은 운동 혹은 식후에 나타나며 심계항진이나 호흡에 의해 악화되지 않고 날카롭거나 찌르는 것보다는 먹먹하고 꾹 누르는, 혹은 불타는 듯한 통증으로 묘사되며 좌측 가슴보다는 명치 부위에서 느껴진다. 많은 환자들이 비전형적인 흉통으로 내원한다. 비록 비전형적인 특징들로 관상동맥질환을 배제할 수는 없지만 과거력이 없고 관상동맥질환의 위험 인자가 거의 없는 사람들의 40-70%는 결국 공황장애, 신체증상장애, 혹은 우울장애 진단을 받게 된다. 심장의 원인이 아닌 흉통 환자들은 높은 정신질환의 유병률을 보인다. 공황장애 및 사회불안장애 등을 포함한 불안장애는 40-60%, 우울장애는 5-25%, 신체증상장애는 2-15%에 이르며 진단되지 않을 정도의 증상을 포함하는 경우도 많다. 심장 원인이 아닌 흉통이 있는 아이들의 반 이상에서 불안장애, 특히나 공황장애가 있다. 공황장애나 우울장애 진단을 만족하지 않지만 심장 원인이 아닌 흉통이 있는 환자들에서 파록세틴을 8주간 사용하였더니 효과가 있었다는 소규모의 무작위배정 연구도 있다. 이 환자들 중 몇몇은 공포스럽지 않은 공황발작을 보이고 있었을지도 모른다. 위장장애와 폐병 역시도 심장원인이 아닌 흉통을 보일 수 있다.

관상동맥질환이 없을 때 흉통의 양상으로 환자의 공황장애를 예측할 수 있다. 여성, 비특이적 흉통의 특징, 젊은 나이, 낮은 교육 수준, 낮은 수입, 자가보고 불안이 높은 경우에 그렇다.

인지행동치료, 호흡 및 이완 훈련, 최면 등은 비심장성 흉통non-cardiac chest pain을 감소시킨다는 대조군 연구들이 있다. 그러나 정신건강의학과적 진단과 연관된 특이적인 정신치료나 정신약물치료가 비심장성 흉통을 줄인다는 근거는 없다.

두근거림을 호소하는 환자들에서 공황장애, 우울장애, 신체증상장애를 포함한 정신건강의학과적 질환의 진단은 매우 흔하다. 그러나 심지어 공황장애의 과거력이 있더라도, 두근거림에 대해 임상적인 검사들로만 부정맥을 배제하기에는 부족할 수 있다. 24시간 심전도 측정이 두근거림을 호소하는 환자에서 특정 부정맥이 있는지 확인하는 데 가장 민감한 도구이다.

4. 심혈관질환과 기타 심리적 요인 간의 상관관계

건강했던 사람에서 심장질환이 발생하는 것은 다양한 심리적 반응과 연관되어 있다. 대부분의 경우, 심장 사건을 겪은 이후 죽음에 대한 부정을 지속하기 어렵게 된다. 자신을 심장질환에 걸린 것으로 보는 것은 심리 발달의 모든 단계에 영향을 미친다. 의존성, 자율성, 조절, 부양 능력 등에 관한 걱정이 증가하고 자존감 하락을 촉진하며 사랑의 상실을 자극하고 활력, 성, 죽음에 대한 두려움을 일으킬 수도 있다. 심혈관질환을 지속적으로 부정하는 것은 정신적인 웰빙과 연관이 있다. 이것은 심장 사건의 심각성을 최소화 하거나 증상의 원인을 심장이 아닌 다른 것으로 돌리는 식으로 표현될 수도 있다. 극단적인 부정이 치료를 늦게 찾게 만들거나 치료를 지속하는 것을 받아들이지 못하게 하는 것으로 이어진다면 문제가 된다. 반면에 심장질환자들이 질병을 과도하게 강조하거나 부적절하게 부정하는 것은 병약함이나 심리적인 질병으로 이어질 수 있다.

심장 박동에 집중하고 살짝 찌릿한 정도의 두근거림도 의식하고 사소한 신체적 증상에도 과도한 주의를 기울이는 것은 건강 염려로 활동을 피하게 하거나 응급실이나 의사를 방문하는 횟수를 늘릴 수도 있다. 비심장성 흉통으로 응급실에 방문하는 환자의 높은 비율을 차지하는 건강염려증, 신체증상장애, 공황장애 환자들에 대한 연구에서 그들의 신체적 의식 정도가 매우 높음을 입증하였다.

1) 심혈관질환과 섬망

심혈관질환에 대한 치료법의 발전과 비침습적인 시술법에도 불구하고 심혈관질환자들은 높은 비율로 섬망을 경험한다. 순환기내과에 입원한 환자의 17%, 심장 수술을 받은 환자의 25%, 관상동맥우회술을 받은 환자의 34%가 섬망을 경험한다.

관상동맥우회술과 개심술 후에 많은 환자들이 의식 수준의 문제와 같은 정신 상태의 변화를 수일간 경험한다. 구조화된 진단기준에 타당한 진단 도구를 사용하더라도 심장수술 후의 섬망 발생률은 6-50% 이상까지 다양하게 보고된다. 섬망의 강력한 위험 인자로는 고령, 이전의 뇌혈관 질환, 이전의 정신질환, 수술 후 심방세동, 수술 전후의 수혈, 장시간의 인공호흡기 사용이 있다. 아편계 약물을 이용한 진정의 지속, 신부전, 대사 교란도 확인된 위험 요소들이다. 70세 이상, 당뇨, 저나트륨혈증, 발열, 수술 중의 수액 과부하도 추가적인 위험 요소들이다. 심장 수술 후의 섬망은 장기간의 인지기능 저하나 사망률 증가와 같은 부정적인 결과와도 연관된다. 그러나 심폐 우회cardiopulmonary bypass를 하지 않는 것이 신경정신적 결과를 향상시킨다는 것에 대한 근거는 부족하다.

섬망에는 할로페리돌을 경구 복용이나 근육주사를 통하여 사용하기도 하지만, 정맥 주사가 빠르고 추체외로 부작용도 덜하다. 그러나 하루 35 mg을 초과하는 고용량에서는 QT 간격 연장으로 인한 다형성 심실빈맥이 일어날 수 있다. 최근에는 비정형 항정신병약물, 특히나 리스페리돈, 퀘티아핀, 올란자핀을 사용하기도 한다. 비정형 항정신병약물물 사용 시에는 기립성저혈압, 항콜린성 효과, 체중 증가와 이로 인한 대사증후군 등을 고려해야 한다. 수술 후의 조기 운동, 적절한 비마약성 진통제의 사용, 지속된 진정의 제한 등이 심장 수술 후의 섬망 빈도를 줄일 수 있다고 한다.

2) 고혈압과 심리적 요인

장기간 추적관찰을 시행한 몇몇 대규모 전향적 연구에서 심리적인 요인과 고혈압 간의 관계를 밝혀냈다. 2015년의 전향적 연구에서는 A형 행동 중의 2가지인 급박함-조바심과 적대감이 각각 고혈압 발생을 거의 2배 높인다고 밝혔다. 반면에 A형 행동 중 불안, 우울, 성취-노력-경쟁은 고혈압의 예측 인자가 아니었다. 노르웨이의 역학 연구에 의하면 11년 추적관찰 결과 우울과 불안 증상은 모두 낮은 수축기 혈압과 연관이 있었다. 또한 불안과 우울 증상 변동의 크기와 방향은 수축기 혈압의 변화 크기와 반비례하였다. 이러한 효과들은 항고혈압제나 항우울제의 사용으로 설명되지 않았다. 그러나 미국 국가 영양 및 건강검진조사에서 3,310명의 기저질환 없는 정상 혈압자들을 22년 추적 관찰한 결과, 우울과 불안이 결합된 증상(부정적 감정)이 고혈압의 발병 위험을 높이는 것과 연관되어 있었다. 남성과 여성 모두에서 고혈압 위험은 상승하였으며 특히 흑인 여성에서 3배 이상 상승하는 것으로 나타났다.

고혈압의 발병에 영향을 미치는 심리적 특징에 관한 15개의 전향적 연구들(표본 크기: 78-4,650명, 추적관찰 기간: 2.5-21년)에서 분노, 불안, 우울, 그리고 다른 변수들이 고혈압에 미치는 작지만 의미 있는 영향을 확인할 수 있었다. 하나 이상의 심리적 변수의 수준이 높을 때 향후 고혈압의 위험성을 전반적으로 8% 상승시킬 수 있다는 것이었다. 2015년 8개의 전향적 연구를 분석한 메타연구에 의하면 불안은 고혈압 위험도를 상승시켰다. 그러나 몇몇 연구에서는 우울과 고혈압의 연관성은 발견하였어도 불안과의 연관성은 발견하지 못하기도 했다.

고혈압에 의한 정신건강의 주요 결과는 장기적인 인지기능 저하와 치매의 위험을 증가시키는 것이다. 그러나 혈압을 성공적으로 조절하는 치료를 받는다면, 이 위험은 감소한다. 60세 이상의 환자 중에서 고혈압 치료를 유지하는 것은 더 나은 혈압 조절, 더 좋은 인지기능과 연관되어 있었다. 백의 고혈압white-coat hypertension은 병원에서는 고혈압이 지속되지만 일상생활과 스스로 잰 혈압은 정상인 경우를 의미한다. 이 백의 고혈압은 장기적으로 뇌졸중의 위험을 높이지만 심장질환과는 연관이 없다. 행동치료가 고혈압에 영향을 미칠 약간의 영향에 대해 보고되었는데 약물치료와의 병합치료는 발작성 고혈압, 특히 공황이나 불안과 연관된 발작성 고혈압에 도움이 될 수 있다.

3) 외상후스트레스장애(PTSD)와 심혈관계질환

심장질환자의 평균 12-15%에서 외상후스트레스장애Posttraumatic Stress Disorder, PTSD가 보고되고 있다. 제안되는 위험 요소에는 대응 억압, 감정표현 상실, 신경증적 경향 등과 같은 성격적 특징과 외상 이전의 우울장애 과거력, 젊은 나이, 여성, 제한된 사회적 지지, 외상 중이나 직후의 해리 증상, 주요 심장 사건, 심장 사건의 경험과 연관된 주관적 요소들 등이 포함된다.

PTSD로 인해 발생하는 급성 관상동맥 사건 및 제세동 경험과의 연관, 이러한 의학적 사건으로 인한 급성스트레스장애 및 PTSD 발병과의 순환적 연관은 확립되어 있다. 다시 말해, PTSD는 관상동맥 사건과 심장 관련 사망의 위험을 25-50% 높이고, 관상동맥 사건은 PTSD를 발병시킨다. 또한 관상동맥 사건으로 인한 PTSD는 더 빈번한 관상동맥 사건의 위험성과 높은 사망률과 연관이 있다. PTSD가 심장 사건으로 이어지는 것은 흡연, 비순응, 물질사용 문제 등의 행동적 기전과 시상하부-뇌하수체-부신 축의 변화, 자율신경계의 심혈관 조절의 변화 등을 포함한 생리학적 기전 등 때문이다.

4) 선천성 심장질환의 심리적 영향

선천성 심장질환의 수술 이후 아이들의 심리적 부적응은 흔하다. 그리고 선천성 심장질환 생존자들의 평생에 걸친 기분장애 및 불안장애 유병률은 최대 50%까지 높아질 수 있다. 선천성 질환과 차후에 생기는 심리적 어려움과의 관련성은 남아있는 신체적인 증상에 따라 다를 수 있다. 10-20%의 환자들에서 많은 PTSD 증상들이 나타나고, 이는 우울 증상들과 연관된다. 우울 증상이 많을수록 예후는 나빠진다.

전반적인 IQ 점수는 선천성 심장질환 환자에서도 정상 범위인 경우가 많지만, 건강한 대조군에 비해서는 낮으며,

미세한 신경정신적인 결함도 흔하게 나타난다. 산소결핍 상황과, 늦은 처치 등이 인지기능 문제를 일으키는 것으로 보인다. 선천성 심장질환을 가지고 있는 아이와 젊은 성인에서 흔한 다른 심리적인 문제들로는, 체육 수업이나 스포츠와 같은 집단 활동에서 배제되는 것에 대한 걱정, 짧은 키, 청색증, 약물부작용 등을 포함한 외형상의 문제, 매력에 관한 걱정, 친밀한 관계를 만들 수 있는 능력에 관한 고민, 직장에서의 배제, 죽음의 두려움 등을 포함한다. 성기능 부전도 선천적 심장질환으로 인해 수술을 받은 남성에서 흔하다.

위독한 선천성 심장질환을 가진 아이의 부모들은 PTSD와 심리적 스트레스뿐만 아니라 불안과 우울 증상을 흔하게 보인다. 심장 수술 후가 더욱 위험이 커지는 기간이다. 부모의 불안과 과보호가 선천성 심장질환을 가진 아이의 불안 발생에 중요한 역할을 할 수 있다.

5) 정신 스트레스의 심혈관계 영향

의료계 생물정신사회 모델의 옹호자인 조지 엔젤은 급성 관상동맥 사건보다 선행하는 급성 정신 스트레스에 대한 생생한 예시를 제공하였다. 또한 재난에 대한 역학 연구들도 급성 스트레스 사건과 급성 심장마비의 연관성에 대한 근거를 제시하였다. 심지어 월드컵 경기 같은 운동 경기도 심혈관계 사건의 발생을 높이는 역학적으로 중요한 스트레스의 역할을 할 수 있었다. 2001년 9월 뉴욕의 국제무역센터 붕괴의 여파로, 제세동기를 이식하고 있던 환자들의 심실 빈맥과 세동 빈도가 증가하였다. 심지어 지리적으로 멀리 떨어져 있거나, 신체적인 위험 영향이 없는 상태의 사람들에게도 마찬가지였다. 급성 감정적 스트레스는 심실 빈맥과 심실 세동 등의 다양한 부정맥을 일으킬 수 있다. 동물 실험에 의하면, 심근경색 환자에서의 급성 스트레스는 심실 빈부정맥ventricular tachyarrhythmia을 초래할 수 있으며, 이것은 스트레스로 인한 교감신경계 활성화 때문이다.

실험실 상황에서 급성 감정적 스트레스의 유발은 건강한 지원자들과 관상동맥질환자 모두에서 심박 및 혈압의 상승, 부교감신경 활성의 소실과 교감신경 활성의 증가와 같은 심혈관 자율신경 수치들의 변화를 만들어 냈다. 몇몇 경우에서, 관상동맥 수축과 스트레스로 인한 혈소판 활성의 증가가 정신적인 스트레스로 인한 심근경색의 추가적인 기전이 되기도 하였다. 관상동맥질환자는 정신적인 스트레스를 받으면 허혈을 경험할 수도 있다. 운동을 하다가 생기는 허혈에 비해, 정신적인 스트레스로 인해 생기는 허혈은 심박, 혈압의 상승 정도가 낮을 수 있고, 증상이 없을 수도 있다. 분노와 같은 일상생활에서의 감정적 각성 역시나 유사한 혈류역학적, 자율신경학적 영향을 미친다. 급성의 감정적 스트레스는 관상동맥 사건 중 최대 20-30% 정도를 유발한다고 확인되었다. 관상동맥질환자들에서 정신적인 스트레스로 인한 허혈은 사망 위험을 2배 이상 높이며 다른 예후 인자들을 보정하더라도 같은 결과가 나옴을 확인하였다. 관상동맥질환자에서 정신적인 스트레스로 인한 심장허혈은 QT 간격 변화의 증가 및 부정맥 발생 위험의 증가와 연관되어 있다. 위약-대조군 실험에서 에스시탈로프람이 정신적인 스트레스로 인한 허혈 발생을 줄이는 것은 확인하였으나, 운동으로 인한 허혈 발생에는 영향을 주지 않았다. 현재까지도 정신적인 스트레스로 인한 허혈 발생이 있었던 환자의 심혈관계에 항우울제가 미치는 영향은 확인되지 않았다.

타코츠보 심근병증은 "고장난 심장 증후군"이라고 불리기도 하며 급성 스트레스로 인한 심근병증을 의미한다. 이는 급성의 감정적 스트레스나 놀람으로 인해 생기는 흔하지 않은 질병으로, 주로 여성에서 흔하다. 동맥경화도, 관상동맥질환도 없던 사람에게서 갑작스럽게 흉통이 동반된 심실 기능부전이 나타나고 저혈압이 동반되기도 한다. 심실 기능부전으로 인하여 심초음파 상 심실 꼭대기 부분이 부풀어 오르는 것을 확인할 수 있다. 불안장애의 과거력이 급성 스트레스 심근병증의 발생 위험을 높일 수 있다. 대부분의 환자들이 수일에서 수 주 내에 심실 기능 향상과 함께 회복을 경험한다. 갑작스러운 교감신경계 항진이 이러한 심실기능부전을 일으키게 된다.

만성적이고 반복되는 감정적 스트레스가 심근경색의 위험성에 미치는 영향을 보여주는 연구도 있다. 52개의 국가에서 시행된 연구로 11,000명 이상의 심근경색 환자와 대응하는 13,000명의 대조군을 평가하였다. 전년도의 직장 스트레스, 가정 스트레스, 일반적인 스트레스는 심근경색의 위험을 크게 증가시켰다. 자가 보고한 스트레스 요인들의 총 숫자도 심근경색 위험과 비례하였다. 만성적인 직업 긴장도는 관상동맥질환 사건의 재발 위험을 2배 높였다.

6) 기타 정신질환의 심혈관계 영향

조현병과 양극성장애에서도 심혈관계 사망 위험성이 증가한다. 제1형 양극성장애가 있는 성인들은 일반 인구에 비해 고혈압과 관상동맥질환의 이환율이 높았으며 해당 질환들이 더 젊은 나이에 발병하였다. 다른 예측 가능한 변수들을 통제한 후에도 동일한 결과가 관찰되었다. 생활행태나 약제와는 다르게 이러한 정신질환들 자체가 심혈관계에 어떤 병태생리학적인 영향을 주는지는 확실하지 않다. 대부분의 비정형 항정신병약물은 대사증후군의 위험을 높인다. 또한 조현병과 양극성장애는 다른 의학적인 공존 질병 위험성이 높기도 하다.

5. 치료 접근법

표 20-1. 심혈관계 약물과 연관된 정신건강의학과적 부작용

약물	부작용
디곡신	환시(물체를 감싸는 노란 원), 섬망, 우울장애
베타차단제	피로, 성기능 문제
알파차단제	우울장애, 성기능 문제
리도카인	불안, 섬망, 정신증
칼베디롤	피로, 불면
메틸도파	우울, 혼란, 불면
레설핀	우울
클로니딘	우울
ACE 억제제	기분 상승 혹은 우울(드묾)
아미오다론	갑상선에 대한 영향으로 인한 이차적 기분장애
이뇨제	포타슘 및 소듐 저하로 인한 이차적인 식욕부진, 허약감, 무의욕

몇몇의 심혈관계 관련 약물이 정신적인 부작용을 보일 수 있다(표 20-1). 베타차단제와 칼베디롤은 피로를 악화시킨다. 아미오다론으로 인한 심각한 갑상선 기능 저하가 지속적인 인지 저하, 우울, 피로 등으로 표현되기도 한다.

1) 관상동맥질환에서의 스트레스 관리 및 건강 교육

관상동맥질환자에서의 정신건강교육과 스트레스 관리 개입은 다양한 요소들을 포함할 수 있다. 식사 및 영양에 대한 조언, 분노 조절, 이완훈련, 명상, 금연 교육, 성행위에 대한 조언 그리고 운동 교육 등이 있다. 이러한 개입은 심근경색의 재발과 사망률을 낮춰 주었다. 장기간의 프로그램은 회당 프로그램 시간이 길수록 개인의 요구에 맞출수록 심혈관계에 더욱 큰 장기 효과를 미치는 것으로 나타났다. 메타분석에서는 관상동맥질환자를 대상으로 한 정신건강의학적인 개입들이 불안과 우울 증상이 있는 환자들에 국한하여 사망률을 감소시킨다는 것, 치명적이지 않은 심근경색에서 운동과 같은 행동적 개입이 도움이 된다는 것을 확인하였다. 관상동맥질환자에서 성적 상담은 불안을 줄일 수 있고 성기능과 만족감을 향상시킬 수 있다. 삽입형 자동 제세동기 이식 전의 전문적인 상담도 필요하다.

2) 정신치료

심장질환의 경험에 대한 심리적인 반응은 불안과 우울뿐 아니라 생존과 안녕에 대한 걱정, 사회적 역할과 관계에 질병이 미칠 영향에 대한 걱정, 사랑하는 사람에게 미칠 영향에 대한 걱정 등이 있을 수 있다. 부정은 질병에 대한 가장 보편적인 첫 번째 반응으로 우울과 불안에서 회피하도록 하여 도움이 될 수도, 치료 불순응을 만들어 내 해로울 수도 있다. 반면에 질병에 집착하는 것은 이상 질병 행동, 필요 이상의 장애, 삶의 질 손상 등으로 이어진다. 심장질환자에 대한 정신치료는 심리적인 부담을 줄이는 것이나 기능적 상태 및 의학적 결과를 향상시키는 것 중 하나 혹은 모두를 목적으로 할 수도 있다.

심근경색을 겪은 환자들 중 낮은 사회적 지지를 받거나 우울장애가 있는 자들을 대상으로 시행한 인지행동치료적 개입과 일반적인 치료 간의 차이를 비교한 연구가 있다. 인지행동치료군은 6-10번의 개인치료나 그룹치료를 시행하였다. 이 연구에서 인지행동치료적 개입이 사회적 지지 척도와 우울장애 척도에 작지만 유의미한 상승을 만든다는 것을 확인하였다. 관상동맥우회술 후 환자들과 급성 관상동맥 사건을 겪은 환자들에서 단기 상담, 문제 해결 치료, 인지행동치료를 포함한 단계적인 치료에 약물치료를 더하기도 하는 혁신적인 협동 치료 모델이 우울 증상 감소와 건강 관련 삶의 질의 향상을 이끌어 냈다. 그러나 심혈관계 관련 결과에는 특별한 영향을 미치지 못하였다. 첫 치료로 정신치료를 사용할지, 약물치료를 사용할지에 대한 환자 선호도에 주의를 기울이는 것이 환자의 만족감을 증대시켰다.

질병 발생으로 인한 사회적 역할 변화와 연관된 문제들은 우울장애의 대인관계치료와 유사한 초점을 가지지만 관상동맥질환자들의 우울장애를 대상으로 한 대인관계치료의 효과는 아직 논란의 여지가 있다.

집중적인 상담과 정신건강 교육은 심장질환에 대한 이해도 상승과 스트레스 및 불안 감소를 위해 제안되고 있으며 삽입형 제세동기와 좌심실 보조 장치를 사용하는 경우에 더욱 권유된다. 또한 심장질환자에서 성적 기능의 향상을 위해서도 권유된다.

3) 정신약물 치료

정신건강의학과적 약물의 흔한 심혈관계 부작용은 표에 명시되어 있다.

표 20-2. 정신건강의학과적 약물이 심혈관계에 미치는 여향

약물	심혈관계 영향
리튬	동결절 기능부전, 심장마비
SSRI	서맥, 간헐적인 정상 서맥 혹은 동정지
TCA	기립저혈압, 방실 전도 이상, IA형 항부정맥 작용, 과복용 혹은 허혈 상태에서 부정맥 유발
MAOI	기립저혈압
1세대 항정신병약물	기립저혈압(특히 저역가 약물), QT 간격 연장, 다형성 심실빈맥
2세대 항정신병약물	다양함. QT 간격 연장, 심실부정맥, 대사 증후군
클로자핀	QT 간격 연장, 심실부정맥, 대사 증후군, 기립저혈압, 심근염
카바마제핀	IA형 부정맥, 방실 차단, 저나트륨혈증
콜린에스터분해효소억제제	심박수 감소

(1) 항우울제

심장질환자들의 우울장애에서 반드시 치료적 용량의 항우울제를 사용해야 한다. 부작용이나 대사 연장 등에 대한 두려움으로 부적절한 용량을 사용하는 것은 역효과를 낳는다. 간 울혈, 복수, 황달 등을 만들 정도의 심각한 우측 심부전 환자가 아니라면, 심장질환으로 인해 리튬을 제외한 정신건강의학과적 약물이 영향을 받는 경우는 많지 않다.

① 삼환계 항우울제

삼환계 항우울제 *TCA*는 기립저혈압, 다발성 각 차단, 완전 동방결절 차단 등의 심전도 변화를 유발한다. 과량 복약 시에는 사망에 이르게 할 수 있는 심실빈맥 및 심실세동을 포함한 심실 부정맥을 유발할 수 있다. QRS 간격 연장은 세포막의 탈분극이 일어나는 심전도 체계의 활동 전위 단계 1의 방해로 일어난다. QT 간격의 연장은 주로 QRS 간격의 연장으로 인해 생기며 500 ms 이상의 심각한 QT 간격 연장은 심실빈맥이나 심실세동을 만든다. 심장박동조율기는 TCA와 연관된 심장 차단의 위험을 없앨 수 있다. 그러나 더 흔하게 문제되는 것은 실신이나 낙상까지 이어지기도 하는 기립저혈압이다. 노르트립틸린과 데시프라민은 삼차아민 TCA에 비해 기립저혈압을 덜 일으키고, 심혈관질환자들에게 더 부작용 없이 사용 가능하다.

TCA는 심장 전도에 퀴닌과 같은 영향을 일으킬 수 있어 IA형 항부정맥제제로 분류된다. 이 분류의 약물들은 심실 조기 수축이 있는 심근경색 환자들에서 사망률을 증가시킨다. QT 간격이 심박수에 비해 연장되고 넓은 QRS군, 긴 QT 등이 임상양상과 동반되면 삼환계 항우울제 과다복용을 시사할 수 있다. 결론적으로 가끔 TCA의 효능이 위험성을 상쇄하더라도, TCA를 허혈성 심질환 환자들에서 우울장애의 일반적인 일차 치료 약물로 사용하지 말아야 한다. 또한 우울장애의 심각도, 과거 치료 반응, 함께 사용되는 약물, 심전도 결과 등의 종합적인 임상 상태를 반드시

고려해야 한다.

② 선택적세로토닌재흡수억제제(SSRI)

건강한 사람에게 SSRI는 거의 심혈관계 영향을 끼치지 않는다. 가장 흔하게 관찰되는 효과는 심박수 저하이며 보통은 1분에 1-2회 감소로, 임상적인 중요도가 거의 없다. 가끔 가벼운 두통이나 실신을 동반하는 동서맥sinus bradycardia 혹은 동정지가 관찰되기도 한다. 베타차단제와 SSRI의 병용은 추가적인 심박수 저하를 유발하여 증상을 증가시킬 위험이 있을 수 있다. 플루옥세틴, 파록세틴, 플루복사민과 같은 몇몇 SSRI는 베타차단제 대사에 관여하는 사이토크롬 P450 2D6 대사에 관여하여 베타차단제의 대사를 억제할 수 있다. 이로 인해 베타 아드레날린 차단제의 효과와 혈중 용량을 증가시킬 가능성이 있다.

기존의 심장질환이 있는 환자에서 SSRI가 심박수에 미치는 영향은 심장질환이 없는 환자와 유사하다. 또한 혈압, 심전도, 부정맥 등의 영향도 관찰되지 않았다. 급성 심혈관계 사건 직후에 우울장애를 보인 환자에 설트랄린이 미치는 영향에 대한 무작위 이중맹검 위약대조시험이 있었다. 설트랄린은 심박수, 혈압, 부정맥, 심박출량, 심전도 등에 특별한 영향을 미치지 않았으며, 다른 부작용도 드물었다. 안정적인 관상동맥질환자에서 우울장애의 치료 방법에 대하여 12주간 2x2 요인 분석을 시행한 연구도 있었다. 하루 20-40 mg의 시탈로프람과 위약 치료를 비교함과 동시에 대인관계치료 시행 여부에 따른 효과를 비교한 것이다. 시탈로프람은 위약군에 비하여 우울증상들의 호전에서도, 치료 관해율에서도 매우 뛰어난 효과를 보였다.

급성 심혈관계 사건을 경험한 우울장애 환자들의 치료에서 하루 30-45 mg의 멀타자핀 치료 효과를 평가한 무작위 위약 대조군 실험이 있다. 이 연구에서는 우울장애에 대하여 8주와 24주에 여러 검사들을 진행하였다. 결과는 혼재되어 있었지만, 몇몇 척도는 이차에 걸친 측정 모두에서 멀타자핀이 위약보다 더욱 우세함을 확인하였다. 멀타자핀은 환자들이 복약하기에 편하였고 심박수, 혈압, 심전도 척도에 영향이 없었으며 주된 심혈관계 사건 발생률에서도 위약과 차이가 없었다.

울혈심부전이 있는 우울장애 환자를 대상으로 시탈로프람, 에스시탈로프람, 설트랄린을 이용하여 시행한 무작위 위약 대조군 연구에서 이러한 약물들이 큰 부작용이 없다는 것은 확인하였지만 기분이나 다른 의학적인 결과에 이득을 준다는 것도 확인하지 못하였다. 만성 심부전 환자를 대상으로 한 매우 작은 무작위 이중맹검 위약대조시험에서 파록세틴이 위약에 비해 우울 증상을 더욱 잘 감소시킨다는 것을 확인하였다.

용량 의존적인 QT 간격 연장이 시탈로프람 치료에서 나타났으며 다른 SSRI에서는 적은 정도로 나타났다. 비록 미국 식약처에서 심실 부정맥에 대한 우려로 시탈로프람 40 mg 이상의 사용에 대해 최고 수준 경고를 내리긴 했지만 높은 용량의 시탈로프람이 급성 심장마비의 위험을 높인다는 증거는 부족하다.

③ 기타 항우울제

다른 항우울제의 심혈관계 영향에 대한 연구는 TCA나 SSRI에 비해 부족하다. 부프로피온은 심혈관계에 적은 영향을 미치는 것으로 보이지만 가끔 혈압의 상승을 일으키기도 한다. 세로토닌-노르에피네프린 재흡수 억제제(SNRI)인 벤라팍신은 저용량에서는 SSRI와 유사하게 작용하며, 고용량에서는 노르아드레날린의 효과를 낸다. 이러한 이중 효과에서 심혈관계에 미치는 주된 영향은 하루 150 mg 이상의 고용량에서 용량 의존적으로 혈압을 높이는 경향이 생긴다는 것이다. 벤라팍신을 서방정으로 투약하면 이러한 혈압 상승효과를 줄일 수 있는 것으로 보인다. 기존의 심장질환이나 고혈압이 있는 환자에서 벤라팍신의 효과는 평가되지 않았다.

빈도는 확실하지 않지만, 고혈압이 있는 환자에서 멀타자핀의 사용이 고혈압을 악화시킨다는 임상적인 경험들이 있다. 스웨덴의 국가등록자료를 활용한 연구에서 멀타자핀은 항우울제 중에 급성 심장마비와 가장 강력하게 연관되어 있었다. 그러나 현재까지 다른 연구에서 같은 위험이 나타나지는 않았다.

모노아민 산화효소 억제제(MAOI)는 저혈압과 기립저혈압을 유발한다. 무분별한 식습관이 혈중의 티라민 농도 상승으로 이어져 고혈압 위기가 발생하기도 한다. 고혈압 위기가 흔하지는 않지만, 교감신경을 흥분시키는 물질들이 MAOI를 사용하는 환자들의 혈압을 상승시킬 수 있다. MAOI를 복약하는 환자들에게 에피네프린, 이소프로테레놀, 노르에피네프린, 도파민, 도부타민과 같은 혈관 내 승압제를 사용할 때에는 주의를 요한다.

(2) 항정신병약물

심혈관질환자에서 항정신병약물는 조현병, 조현정동장애, 양극성장애, 다른 정신병적 장애들에서 뿐 아니라 섬망에 비공식적으로 사용되기도 한다. 1세대 항정신병약물은 심혈관질환자의 급성 정신병적 증상 관리에 여전히 중요한 역할을 하고 있다. 이것은 할로페리돌이 비경구 제제로 사용 가능하다는 것과, 심혈관계 효과가 적다는 것, 그리고 급격한 증세를 보일 때 혈관주사가 효과적이라는 경험이 쌓이고 있는 것 등 때문일 것이다.

심장질환이 있는 만성 정신증 환자에서, 항정신병약물의 선택은 부작용 프로파일에 따른다. 항정신병약물의 기본적인 심혈관계 영향으로는 기립저혈압과 QT간격 연장이 있다. 항정신병약물에 의한 기립저혈압은 알파-아드레날린 수용체 차단 효과와 연관되어 있으며, 진정효과와도 연관되어 있다. 특히나 클로자핀이나, 저역가 항정신병약물(클로르프로마진 등)을 사용할 때 알파-아드레날린 수용체 차단 효과를 보인다. 심혈관질환자에서 항정신병약물 사용으로 인한 기립저혈압의 빈도, 강도 등은 아직 확인되지 않았다. 드물지만 훨씬 위험한 부작용인 심실 빈부정맥으로 인한 심정지에 더욱 많은 주의를 기울여 왔다. 이러한 빠른부정맥은 QT 연장으로 인한 다형 심실빈맥 중 Torsade de pointes (TdP)으로 QRS 복합체의 "꼭지점들의 뒤틀림"이 보이는 다양한 형태의 빈맥을 의미한다. 항정신병약물에 의한 QT 연장은 삼환계 항우울제로 인한 것과는 다르게 수축기 끝쯤 생기는 심실 전도 세포의 재분극 부전과 연관이 있다. 일반적으로 QT 간격은 남성에서는 450 ms, 여성에서는 460 ms보다 짧다. QT 간격은 심박수에 의존적이기 때문에, 몇몇 방법들을 통해 심박수에 대한 보정을 시행하고, 이를 교정된 QT 간격(QTc)이라고 부르기도 한다. TdP의 위험도는 QTc 간격이 연장될 수록 점점 증가한다. QTc가 400 ms인 경우에 비해, QTc가 500 ms인 경우 TdP 위험이 거의 2배가 된다. 개심 수술을 받은 섬망 환자들에게 혈관 내 할로페리돌을 자주 사용하게 되는데, 24시간 동안 1000 mg까지 사용에도 특별한 부작용은 보고되지 않았다. 심장질환의 구조적인 문제가 없다면, QTc가 500 ms 미만으로 유지되는 한, TdP 위험은 거의 없다고 한다. 그럼에도 중환자실 환경에서 심전도 관찰은 중요하다. 또한, QTc 간격이 남성 450 ms, 여성 470 ms를 넘을 때 항정신병약물 사용 시 심전도 관찰이 필요하다. QTc 간격이 500 ms를 넘는다면 일반적으로 할로페리돌 등 QT 간격을 연장시키는 약제들 사용은 금기이다.

QT 간격을 연장시키는 요인들을 알아보기 전에 TdP의 위험 인자들을 먼저 살펴보아야 한다. 위험 요인에는 여성, 가족성 QT 연장 증후군, 심장마비, 실신, 원인불명의 경련 등의 가족 및 개인력, 부정맥, 고혈압 과거력, QT 간격을 연장시킬 수 있는 약물의 사용, QT 간격 연장 약물의 대사에 관여할 수 있는 약물의 사용, 심장 판막 질환, 서맥 등이 있다. 마그네슘, 칼슘, 포타슘 농도가 검사 결과 중에는 특히 중요하다. IA 및 III형 부정맥 약제들, 돌라세트론, 드로페리돌, 타크로리무스, 레보메타딜산, 다른 항정신병 약물들, 많은 항생제(특히 플록사신계), 항진균제 등이 TdP

위험성을 높일 수 있다.

보험 처방 자료를 이용한 대규모 코호트 연구에서 항정신병약물의 사용이 급성 심장 사망의 위험을 2배 높이는 것과 연관된다는 것을 확인하였다. 심장 사망의 절대 위험도를 약 0.15% 상승시켰는데 이는 항정신병약물을 사용하는 666명의 사람들에서 1년에 1명의 추가적인 사망이 발생한다는 것을 의미한다. 항정신병 약제를 사용하는 기존의 심혈관질환자들에서는 당연히 이런 위험성이 더 높을 것이다. 최근의 스웨덴 연구에서는 할로페리돌, 리스페리돈, 올란자핀, 퀘티아핀이 급성 심장 사망과 연관이 강한 항정신병약물들이라고 밝혔다. 불안 혹은 치매에서의 정신병적 증상 등의 행동문제로 항정신병약물을 복약하고 있는 노인 환자들에서 항정신병약물로 인한 사망률이 높았으며 대부분 심혈관계 사건과 감염 때문이었다. 이로 인해 미국 식품의약국에서는 치매가 있는 노인 환자의 항정신병약물 사용에 대해 강력한 경고를 하게 되었다.

다양한 모양의 심실빈맥이 QT 간격의 증가 없이 나타나기도 한다. 브루가다 증후군Brugada syndrome은 드문 질병이지만, 경련의 과거력이 있는 사람들에게 다형 심실 빈부정맥으로 인한 급사를 유발하기도 한다. 리튬이 이런 브루가다 증후군을 일으킬 수 있다고 보고되었다. 또한 페노티아진, 삼환계 항우울제, 카바마제핀과 같이 소듐 채널과 활동 전위의 재분극 단계를 연장시키는 약물들도 브루가다 증후군의 위험성을 높일 수도 있다.

2세대 항정신병약물도 대사 증후군을 촉진시키는 방법을 통해 간접적으로 심혈관질환의 위험성을 높일 수 있다. 특히 올란자핀과 클로자핀이 대사증후군을 유발하며, 아리피프라졸과 지프라시돈이 가장 덜 유발한다. 항정신병약물의 사용에 대한 임상효과 평가 연구에서 10년 후 심혈관질환의 위험을 올란자핀과 퀘티아핀은 약간 상승시켰고, 리스페리돈, 지프라시돈, 페르페나진은 약간 하락시켰다.

심근염은 클로자핀으로 치료받는 환자의 0.01-1.0%에서 발생한다고 알려져 있으며, 이는 일반적으로 치료 수주 이내에 발생한다. 심근병증 또한 보고되었는데 이전의 급성 심근병증 병력이 없는 환자에서 클로자핀 시작 수년 후에 심근병증이 보고되는 경우도 있었다.

(3) 항불안제

벤조디아제핀계 약물은 특별한 심혈관계 부작용이 없다. 불안의 감소는 교감신경계 활동의 감소를 가져오는데, 결과적으로 심박수를 늦추어 주고, 심장 근육의 부담과 심장 근육의 경련 등을 줄여주게 된다. 베타차단제의 등장 이전에는 벤조디아제핀계 약물이 급성 관상동맥증후군 환자의 허혈 및 부정맥 예방을 위해 사용되기도 하였으나, 크게 인정받지는 못하였다. 옥사제팜, 로라제팜, 테마제팜 등은 일차적인 간 대사를 거치지 않기 때문에 간 울혈이 생긴 울혈심부전 환자에서 사용 가능하다. 부스피론은 심혈관계에 미치는 영향이 없다.

(4) 자극제

자극제는 내과적으로 문제가 있는 환자들이 우울할 때 종종 사용된다. 특히나 두드러진 무의욕, 피로, 혹은 정신운동 변화가 있을 때 그렇다. 자극제로 치료받는 주의력결핍과다행동장애(ADHD) 성인에서, 수축기와 이완기 혈압 모두 5 mmHg 상승함을 확인하였다. 그러나 ADHD 치료 용량은 심장질환자에게 사용되는 용량보다 높은 경우가 많다. 하루 5-30 mg의 용량에서, 덱스트로암페타민과 메틸페니데이트는 부정맥이나 협심증 과거력이 있는 심장질환자에서도 큰 부작용을 일으키지 않으며, 심박수와 혈압에 미치는 영향도 미미하다. 임상적인 반응은 주로 수일 내에 나타난다. 5 mmHg의 혈압을 상승시키는 것으로 인해, 장기적 치료의 안정성은 항상 의문시되어왔다. 그러나 대규모 연구들에서도 자극제 치료가 소아, 청소년, 성인 모두에서 심혈관계에 미치는 부작용을 찾아내지 못하였다. 그럼에도 불구하고 심혈관질환이 있는 환자에서 자극제를 사용할 때는, 순환기내과, 흉부외과 등의 자문을 받는 것이 현명할 수 있다.

(5) 리튬

리튬은 동 결절 기능부전과 심하게는 동 결절 마비까지도 유발할 수 있다. 심장질환을 가진 환자에서 리튬을 사용한 연구는 없다. 심박출량이 줄어든 환자일지라도 일반적으로 리튬은 용량을 낮추어 안정하게 사용가능하다. 진행된 심부전에서 신장 기능에 문제가 생길 수도 있는데 이럴 때도 리튬 용량을 낮추어 사용해야 한다. 앤지오텐신 전환효소억제제, 앤지오텐신II수용체차단제, 싸이아자이드와 같은 이뇨제들을 사용하는 사람들, 염분 제한 식이를 하는 사람들에서도 주의가 필요하다. 급성 심부전이 악화된 환자와 급성 관상동맥 증후군을 보이는 환자에서는 갑작스럽게 전해질과 체액 균형에 변화가 생긴다. 이러한 상황에서는 리튬은 반드시 피해야 한다. 이뇨제류 등의 심장 치료가 시작되었을 때, 리튬 농도의 변동을 조절하기는 매우 어렵기 때문이다.

(6) 기타 기분 조절제

발프로산과 라모트리진은 심혈관계 효과가 없다. 카바마제핀은 삼환계 항우울제처럼 퀴닌-유사 작용을 가지고 있어 항부정맥 IA군 효과를 내며 이로 인하여 방실전도 문제를 만들 수도 있다.

(7) 콜린에스터분해효소억제제와 NMDA 수용체 길항제

콜린에스터분해효소억제제의 친콜린성 작용이 서맥, 심장 차단 등의 미주신경성 효과를 낼 수 있다. N-메틸-D-아스파테이트 *NMDA* 수용체의 길항제인 메만틴이 혈압을 상승시키는 작용을 할 수 있다는 것이 제조사에서 시행한 시판 전의 대조군 연구에서 확인되었다.

4) 전기경련요법

전기경련요법은 빈맥과 혈압상승을 유발하는 교감신경 방전에서 시작하여 즉각적인 서맥과 부정맥이 생길 수 있는 부교감 신경 반사 반응으로 이어진다. 심각한 서맥은 아트로핀을 미리 사용하여 예방할 수 있다. 심각한 교감신경계 반응에는 심근경색까지도 포함될 수 있다. 그래서 노인이나 기존의 관상동맥질환이 있는 사람에서 심전도 감시는 필수이며, 간헐적으로 혈관 내 베타차단제 주입이 필요할 때도 있다. 정기경련요법은 허혈성 심장질환, 심부전, 심장 이식 환자에서 안전하게 사용할 수 있다. 급성심근경색이나, 반복적인 악성 빈부정맥이 상대적으로 강력한 금기이다. 전기경련요법 후에 타코츠보 심근병증이 보고되기도 하였다. 이전의 전기경련요법으로 인한 타코츠보 심근병증 후에 성공적으로 다시 전기경련요법을 받은 환자도 있다.

5) 심장-정신건강의학 관련 약물의 상호작용

심혈관계 약물과 정신건강의학과적 약물 사이의 상호작용 중 몇 가지는 알아둘 필요가 있다. 많은 정신건강의학과적 약물들은 혈압을 떨어뜨린다. 이들과 항고혈압제, 혈관이완제, 이뇨제 등이 만나면 저혈압을 더 강하게 유발할 수도 있다. QT 간격을 연장시키는 삼환계 항우울제와 항정신병약물들은 퀴니딘, 프로카이나마이드, 모리시진, 아미오다론과 같은 항부정맥제제와 상호작용을 일으켜, 추가적인 QT 간격 연장이나 방실차단 등의 결과를 만들 수 있다. SSRI는 출혈 경향성을 높이지만 와파린을 사용하더라도 국제표준화비율international normalized ratio, INR 등의 수치에 임상적인 영향을 미치지는 않았다. INR에는 플루옥세틴과 플루복사민이 가장 큰 영향을 미쳤다. 관상동맥우회술을 시행한 환자에서 SSRI의 사용이 출혈 경향성이나 원내 사망률 등에 영향을 미치지는 못하였다. 심지어 와파린, 항혈소판제 치료, 비스테로이드성 소염진통제와 함께 사용하여도 마찬가지였다. 그러나 장기적으로 볼 때, SSRI의 사용은 항혈소판제나 와파린과 병합 사용 시 출혈 위험을 2배 가까이 높였다.

표 20-3. 정신건강의학과 약물과 심혈관계 약물의 상호작용

정신약물	심혈관계 약물	효과
SSRI	베타차단제	부가적인 서맥 효과
	와파린	출혈 위험성 증가 특히 파록세틴, 플루옥세틴 INR은 유지
MAOI	에피네프린, 도파민	고혈압
TCA	IA형 항부정맥제제, 아미오다론	QT 간격 증가, AV 차단 증가
리튬	ACE 억제제, 앤지오텐신II수용체 차단제	혈중 리튬 농도 상승
	타이아지드 이뇨제	혈중 리튬 농도 상승
페노티아진	베타차단제	저혈압

6) 약물상호작용: 사이토크롬 P450

CYP2D6는 많은 베타차단제, 칼베디롤, 항부정맥 제제 등의 대사를 책임진다. 이 대사는 할로페리돌, 플루옥세틴, 파록세틴에 의해 억제되며, CYP2D6 기질의 혈중 농도를 높인다. 2D6 억제제인 아미오다론은 TCA, 플루옥세틴, 리스페리돈의 혈중 농도를 높인다. CYP3A4는 알프라졸람, 미다졸람, 트리아졸람, 졸피뎀, 부스피론, 카바마제핀, 할로페리돌, 칼슘통로차단제, 스타틴 계열 약물, 사이클로스포린, 타크롤리무스 등의 대사를 책임진다. 아미오다론, 딜티아젬, 베라파밀, 자몽주스, 네파조돈 등이 3A4 대사를 억제하며 플루옥세틴과 설트랄린도 3A4 대사를 약하게 억제한다. 그러므로 할로페리돌과 네파조돈의 병용은 할로페리돌의 농도를 상승시켜 QT 연장이 더 크게 일어나게 하는 식으로 심실 부정맥의 위험을 높일 수도 있다. 카바마제핀과 세인트존스워트(고추나물)는 CYP3A4의 활동을 촉진시킨다. 사이토크롬 P450의 상호작용고찰에 관한 다양한 인터넷 자원들이 존재한다.

6. 결론

심혈관질환은 매우 흔해서 정신건강의학과 의사들이 정신건강을 관리하면서도 이에 대한 고민을 하게 될 일이 많다. 정신건강의학과 의사들은 심혈관질환이 가지는 의미와 심리적인 영향 모두에 대해 고민을 하여야 하며 통합적인 생물-심리-사회적 관점으로 접근할 필요가 있다. 정신약물과 순환기 약물 간의 상호작용 뿐만 아니라, 질환들 자체가 주고받는 영향, 삶과 죽음에 대한 위협, 그리고 이에 대한 감정반응 등 다양한 범위의 고려점들이 있다. 심혈관질환과 정신질환에 대한 치료 기술 및 방법들이 빠르게 발전하면서 정신건강의학과 의사가 알아야 할 내용들이 일부 바뀔 것이다. 그러나 근본적인 인간의 상태와, 생명을 위협하는 질병에 노출된 위기 경험 자체를 바꾸지는 못할 것이다.

참고문헌

1. 고영훈, 백종우. 신체질환에 동반되는 정신질환. 신경정신의학. 대한신경정신의학회 편저. 아이엠이즈컴퍼니; p.638-9.
2. 이상록, 심혈관질환의 역학. 대한내과학회 편저. 내과학. p.2096-101.
3. 이상열, 함봉진, 정신신체의학, 대한신경정신의학회 편저. 신경정신의학. 아이엠이즈컴퍼니; p.647-65.
4. Dennis L.K., Anthony S.F, Stephen H., Dan L., Larry J., Joseph L., Harrison's principles of internal medicine; 2015. p.2079-100.
5. Peter A.S., Adam R.C, Cardiovascular Disorders in Benjamin J.S, Virginia A.S., Peddro R. Kaplan & Sadock's comprehensive textbook of psychiatry. p.2187-200.
6. Peter A.S., Heart disease, in James L.L., The American Psychiatric Association Publishing Textbook of Psychosomatic Medicine and Consultation-Liaison Psychiatry; 2019. p.465-506.
7. Robert J.B., Marcia L.V, Consulation-liaison pspychiatry in Kaplan & Sadock's synopsis of psychiatry 12th ed. p.799-803.
8. Scott R. B., Christopher M. C., Jeff C. H., James L. J., Theodore A. S.,The Psychiatric Management of Patients with Cardiac Disease in: Theodore A. S., Oliver F., Felicia A. S., Gregory L. F., Jerrold F. R., Massachusetts General Hospital Handbook of General Hospital Psychiatry. p.291-302.

21

CHAPTER

폐질환

김하린, 정석훈

호흡기 질환은 전 세계적으로 발병하며 질환의 호발 시기는 유아기에서 노년기까지 다양하다. 일반적으로 천식은 어린 나이에 잘 발생하고 폐기종이나 만성기관지염 등 만성폐쇄성폐질환chronic obstructive pulmonary disease, COPD은 중년 이후에 발생한다. 반면에 결핵과 같은 감염성 질환은 전 연령층에 호발한다.

예로부터 호흡은 직관적으로 정신 혹은 정서 그 자체로 인식되어 왔으며, 현재에도 명상이나 요가에서 호흡의 완전한 인식은 해탈이나 깨달음의 중요한 수행방법으로 이용되고 있다. 또한 호흡은 이중적인 측면을 갖는데 의식적 의지와 무의식적 의지, 뇌피질과 변연계 모두에 의해 조절된다.

호흡 곤란에 대한 환자의 주관적 평가는 삶의 질과 기능 상태에 영향을 주며, 심하다고 인식할수록 우울한 기분, 과호흡 경향, 파국적 인지, 공포감 증가 등과 연관된다. 정서는 호흡에 영향을 주며 역으로 호흡은 정서에 영향을 미칠 수 있다. 호흡은 심장박동이나 위장관 운동과 달리 쉽게 인식할 수 있고 수의적으로 조절할 수 있기 때문에 행동치료적으로 이용될 수 있다는 장점이 있다.

임상적으로 한숨은 불안이나 비탄, 빠르고 짧은 호흡은 공황상태, 숨막힘은 예상치 못한 상황에 압도됨을 의미하는 증상으로 간주하고 있다. 우울, 불안 등 정신질환에 따라 호흡의 특징이 다르게 나타날 뿐만 아니라 호흡기계 질환에 따라 다양한 정신의학적 요인이 관여하고 있으며 임상적인 의의를 갖는다.

이 장에서는 (1) 임상에서 흔히 볼 수 있는 천식, COPD, 과호흡, 결핵, 폐암과 같은 주요 호흡기 질환의 정신의학적 측면, (2) 폐질환 환자의 불안, 우울, 정신증상과 같은 정신건강의학과적 증상의 치료, (3) 정신약물이 호흡기에 미치는 영향과 호흡기계 약물과의 상호 작용에 대해 살펴볼 것이다.

1. 천식

천식은 만성 염증성 질환으로서 다양한 유발 요인에 의하여 기도 막힘과 과도한 기관지 반응성이 발생하는 호흡기 질환이다. 천식은 쌕쌕거리는 천명음, 호흡곤란, 가슴 답답함, 기침 등이 주요 증상이며 신체적, 사회적, 직업적 기능 수준을 저하시킨다. 천식은 전세계적으로 1-18%의 유병률을 보이는 것으로 알려져 있는데, 한국에서는 천식의 유병률이 2002년 1.55%에서 2015년에는 2.21%로 꾸준히 증가하는 추세이다. 특히 중증 천식은 동일 기간 동안에 약 1.7배 증가한 것으로 알려졌다. 2017년을 기준으로 한국의 15세 미만 소아청소년 중 약 61만명이 천식으로 진료를 받았는데 이는 천식으로 진료받은 전체 환자의 42.9%에 해당한다. 최근에는 60대 이상 연령층의 비중이 증가하는 추세를 보이고 있다.

French와 Alexander는 1950년에 천식을 정신신체 이론으로서 설명하였는데 어머니와의 분리 공포를 가진 의존적인 성향이 천식으로서 나타난다는 가설이었다. 다른 임상 연구나 역학 조사에서도 천식 발작이 심리적인 요인으로 인해 유발된다는 것이 알려지게 되었으며 천식 환자를 대상으로 한 설문조사 연구에서도 환자 중 4분의 1이 감정상태 및 스트레스가 가장 중요한 천식 유발원이라고 응답한 바 있다. 다른 연구에서는 천식이 늦게 발병한 환자와 일찍 발병한 환자 사이에 기질temperament의 차이가 없다고 하였다.

천식의 병태생리에 정신사회적 요인과 정신의학적 요인이 밀접하게 관련되었다는 근거가 축적되었다. 초기 성인기에 공황장애가 발생한 사람은 20년 뒤에 천식이 발생할 가능성이 높고 초기 성인기에 천식이 발생한 사람은 나중에 공황장애가 발생할 가능성이 높다는 연구가 있다. 산모가 임신 중에 다양한 스트레스에 노출되었을 때 나중에 태어난 아이는 천식과 아토피 질환이 잘 발생한다. 강도 높은 스트레스에 노출된 산모를 대상으로 제대혈을 채취하면 단핵구 세포에서 염증성 사이토카인이 증가되어 있는데, 이것이 아이의 호흡기 발달과 관련될 가능성이 있다. 이 외에도 어린 시절에 폭력에 노출된 경우, 부모의 정신 질환, 양육 문제 등이 다른 환경적 요인들과 상호작용하며 천식 발병과 연관되기도 한다. 최근 연구에서는 심리적 스트레스가 폐나 장내 마이크로바이옴을 변화시킴으로써 천식 및 기분장애의 공통 위험 요인으로 작용한다고 밝혀졌다.

기도저항성과 면역기능이 심리적 요인에 반응하는 데에는 신경내분비 경로가 관여하는 것으로 알려져 있다. 미주신경은 감정에 대한 기도 반응성을 매개하는데 부부간의 갈등과 아버지와의 와해된 관계가 미주신경의 활동과 관련이 있다는 보고가 있다. 콜린성cholinergic 신경원에 의해 연접된 상기도는 소기도에 비해서 암시와 감정에 더 영향을 받는다. 스트레스가 심한 시기에 천식 환자의 객담 검사를 해보면 알레르기 유발 검사 때 분비되는 사이토카인이 증가되어 있다. 이와 유사하게 만성적 스트레스에 노출된 소아는 항원자극검사에 사이토카인이 증가된 반응을 보이고 베타아드레날린성beta-adrenergic 수용체 및 글루코코르티코이드glucocorticoid 수용체와 관련된 전령RNAmessenger RNA가 하향 조절되어 있다.

천식과 정신질환의 높은 연관성은 잘 알려져 있으며 그 중에서도 불안장애와 우울장애가 가장 흔하게 관찰된다. 한 대규모 연구에서는 공황장애/광장공포증, 범불안장애, 외상후스트레스장애, 사회공포증, 지속성우울장애/주요우울장애, 알코올사용장애가 천식과 함께 흔히 진단되었다. 불안 증상은 천식 이외의 다른 호흡기 질환, 특히 COPD에서도 흔히 관찰되는데 천식 환자의 불안장애 유병률은 COPD 환자보다 높다.

천식에서의 불안은 예상하지 못한 천식 발작, 특정 자극원에 반응한 천식 발작, 천식 치료 약물의 부작용에 의해서 증가하며 천식 발작에 대한 환자의 대응과 약물 사용, 삶의 질에 영향을 미친다. 또한 불안 증상은 천식이 잘못 진단되는 데 가장 중요한 요인이다. 기관지 반응성이 없는데도 천식으로 진단된 환자는 천식을 앓고 있는 환자보다 사회공포증이 더 흔하므로 임상가는 어떤 상황에서 증상이 나타나는지 반드시 물어봐야 한다. 천식 환자 중에서도 최근에 증상이 나타났던 환자들이 사회불안을 더 흔하게 보고하는데 그 원인으로는 동료들 앞에서 천식 증상을 보이거나 약을 먹는 것에 대한 걱정 등이 있다. 천식으로 응급 치료를 받기 위해서 입원한 환자들이 불안 증상의 빈도가 더 높다. 천식 환자 중에서도 남성이 여성에 비해서 더 많은 스트레스를 경험하지만 병원은 더 적게 이용하는 것으로 조사되었다.

천식을 치료할 때에는 항염증제나 기관지확장제와 같은 약물치료 이외에 다학제팀이 환자의 행동을 교정하는 데에도 관심을 기울여야 한다. 천식 교육은 증상을 조절하는 데 필수적이며 매우 효과적인 것으로 알려져 있다. 천식 약물의 사용 방법, 증상의 자가 모니터링 방법, 천식 유발 요인에 대한 이해와 약물 적응을 교육해야 하며 강도 높은 운동이나 과반응성 기도와 같은 경우를 제외하고는 신체 활동 및 운동을 권장해야 한다. 청소년은 천식에 대한 지식이 부족하고 증상을 알아차리지 못하는 경우가 있어서 치료가 지연될 수 있다.

다양한 행동학적 치료 방법이 천식의 증상을 완화시킬 수 있다고 알려져 있다. 이완요법, 요가, 명상은 기도를 확장시키는 효과가 있다. 호흡을 다양한 방법으로 조절하면서 심박변이도나 호기말 이산화탄소 분압을 피드백 하는 훈련도 치료효과가 있을 것으로 기대된다. 이 외에도 포괄적인 정신치료 프로그램, 특히 인지행동치료가 환자의 불안을 경감하고 천식을 조절하며 삶의 질을 높이는 데 긍정적인 효과를 보였다. 천식과 불안장애가 병발한 환자를 비디오 촬영으로 평가하면 기존의 검사와 병력 청취에서 누락되었던 천식의 위험인자를 관찰할 수 있다. 또한 환자의 약물 복용법 상의 문제나 정신의학적 상태를 평가할 수 있기 때문에 치료에 활용할 수 있다. 문제 목록이나 천식 발작 일지 등을 기록하는 것 역시 치료에 유용하다.

2. 만성폐쇄성폐질환COPD

COPD는 다양한 환경 유해물질, 특히 흡연으로 인해 호흡 계통에 면역 반응이 나타남으로써 발생하는 만성 호흡기 질환이다. 천식에서 기류 폐쇄가 가역적인 것과 반대로 COPD에서 기류 폐쇄는 점차 진행하며 부분적으로 가역적이다. 혈액의 산소량이 줄어들면 혼돈 및 지남력 장애를 포함한 의식 변화, 근육연축 및 떨림, 경련이 유발되기도 한다. 저산소증이 지속되는 기간이 짧다면 별다른 후유증이 남지 않을 수 있으나 시간이 긴 경우 영구적인 기억장애나 치매, 혹은 뇌병증까지 초래할 수 있다. COPD의 주증상은 만성 기침과 호흡곤란이며 이로 인해 일상 활동에 큰 제약이 생기고 상당한 수준의 공포와 스트레스, 낮은 삶의 질과 직결된다. 전세계적으로 COPD의 평균 유병률은 11.7%라고 조사된 바 있으며 한국에서는 2018년을 기준으로 우리나라 국민의 약 22만명이 진단받았다. COPD는 남성이 여성에 비해서 3배 많은데 50대 이후에 급격히 환자수가 증가하다가 70대 이상에서 가장 높아진다. 2018년 통계청 사망원인통계자료에 의하면 지난 10년간 COPD를 포함한 만성하기도 질환의 사망률은 사망 순위가 6위에서 8위에 해당하였다.

COPD는 호흡기계 질환 중에서도 정신질환이 흔하게 동반되는 것으로 잘 알려져 있다. 그 중에서도 기분장애와 불안장애의 유병률이 높으며 COPD 환자의 4분의 1이 임상적으로 유의미한 우울장애를 경험한다. 우울장애의 유병률은 25%에서 74%로 다양하며 각 연구마다 지역적 특성, 연구 목적, 우울장애 진단 도구의 절단 점수의 차이로 인한 것으로 추정된다. 불안장애의 유병률도 일반인구에 비해서 2배 높은 것으로 알려져 있으며 특히 공황장애가 10배까지 많이 발생한다. 그러나 COPD와 동반된 정신질환은 임상 상황에서 간과되는 경우가 많아서 치료를 더욱 복잡하게 하기도 한다. COPD 환자의 심리적 문제에는 기능 제한, 사회 활동의 제약, 치명적인 호흡곤란 및 질식, 삶의 끝 문제end-of-life issue 등이 있다. 한 질적 연구에서는 COPD 환자의 주된 관심사가 "본인 탓으로 발생한 병에 대한 죄책감"이라는 것을 밝혀냈다. 이들은 "존재의 의미를 이해하기", "신체적 제약에 적응하는 것", "운명에 굴복하는 것", "흡연 원인에 대해 변명하기", "정규 투약에 순응도를 높이기"와 같은 5가지 심리적 전략으로 죄책감에 대처하고 있었다. COPD 환자가 가장 많이 사용되는 방어기제는 부정, 억압 그리고 격리이다.

COPD의 치료 목표는 증상을 완화하고, 급성 악화 빈도를 낮추고, 질병의 자연경과 속도를 줄이는 것이다. 추가적인 목표로는 운동능력, 일상 기능수준, 삶의 질을 향상시키고 더 나아가서 기대 여명을 늘리는 것이다. 일차 약물치료는 기관지 확장제이며 다학제적인 호흡재활 치료가 병행되는 것이 가장 좋다. 그러나 COPD의 치료 과정이 어렵기 때문에 환자와 의사 모두 무력감을 느끼기가 쉽다. 환자는 치료에 대한 동기부여가 줄어들고 의사는 완치시키지 못한다는 무능감을 느낄 수 있다. 또한 약물치료의 부작용으로 체형 변화, 성기능 장애 등이 발생하기도 한다.

우울장애와 불안장애에 관한 기본검사는 COPD의 표준 치료에 포함되는 것이 바람직하다. 이는 정신질환의 발생률이 높을 뿐만 아니라 삶의 질에 미치는 영향이 크기 때문이다. 선택적세로토닌재흡수억제제나 삼환계 항우울제와 같은 약물치료 효과에 대한 근거는 아직까지 부족한 상황이며 약물치료와 정신치료가 병행될 때 그 효과가 가장 좋을 것으로 예상된다. CBT의 심리적 효용성에 대해서는 다양한 결과가 혼재되어 있으며 개인치료, 그룹치료, 대면 혹은 유선상 치료와 같이 여러 포맷으로 연구되었다. 또한 호흡재활을 단독으로 하는 것보다는 요가, 이완요법, 태극권과 같은 보조치료 혹은 다른 심리치료를 병행할 때 치료 효과가 향상될 수 있다.

3. 과호흡

과호흡은 1871년에 DaCosta에 의해서 처음 기술되었으며 1937년에 Kerr 등에 의해 과호흡 증후군이라는 명칭이 처음 소개되었다. 과호흡은 대사적 필요를 초과하여 과도한 호흡이 발생함으로써 혈중 이산화탄소가 감소하는 상태이다. 과호흡의 증상으로는 숨가쁨, 비전형적 흉통, 어지럼, 이상감각, 피로, 심계항진이 있다. 과호흡은 흔히 관찰되는 현상임에도 불구하고 아직까지 증상의 정의나 진단기준이 마련되어 있지 않으며 dysfunctional breathing, behavioral breathlessness, neurocirculatory asthenia, psychogenic dyspnea 등으로 다양하게 불리고 있다.

과호흡은 일반 인구에서 6-10%까지 발생할 수 있고 소아청소년이나 천식 환자에서 더 흔히 관찰된다. 과호흡의 병태생리는 명확하게 밝혀지지 않았으며 급성이나 만성으로 발생할 수 있다. 급성 과호흡은 진단하기가 쉽고 응급실에서 협진이 필요한 흔한 증상이다. 반면에 만성 과호흡은 호흡수나 1회 환기량이 약간만 증가해서 식별하기가 더욱 어렵다. 환자들은 과호흡의 원인을 명확하게 알기 위하여 의학적 검사나 처치를 받는 경우가 많다.

과호흡 증후군은 다음과 같은 단계로 진단된다. 첫째, 과호흡 상태를 확인하고 혈액 검사로써 혈중이산화탄소 농도가 떨어진 것을 확인한다. 둘째, 신체적 질환에 의한 과호흡을 배제한다. 셋째, 저이산화탄소혈증으로 인한 신체적 증상을 호소하는지 함께 확인한다. 호흡의 빈도가 증가하면 호흡성 알칼리증과 뇌혈관 수축이 유발되어 어지럼증, 실신이 유발될 수 있으며 손발 연축, 근경련, 마비 등의 증상이 동반되어 응급실을 찾게 된다. 환자의 50% 이상에서 흉통을 호소하기 때문에 급성 심폐질환과 감별해야 하며 마비 증상으로 인해 뇌졸중으로 오인할 수 있다. 이 외에도 급성포르피린증, 기관지천식, 일산화탄소중독, 당뇨병성 케토산증, 우심방폐색전증, 경련, 저혈당증, 메니에르병, 미주신경성 실신 등과 같은 다른 질병과 감별해야 한다.

과호흡증후군과 공황장애는 35%에서 50% 정도에서 함께 나타나고 광장공포증을 동반한 공황장애의 83%, 범불안장애 환자의 82%에서 증상을 보인다. 강박장애 환자의 9.5%와 대조군의 3.6%가 과호흡을 유발시킨 이후에 공황발작을 보인 것에 비하여, 공황장애 환자는 과호흡을 유발시키면 64.3%가 공황발작을 나타냈다. 많은 임상가들은 과호흡을 불안증상의 하나로 간주하고 있으나 정신의학적 요인과 생리학적, 호흡기 증상은 더욱 복잡한 상호작용이 있을 수 있다. 만성 과호흡은 불안장애, 특히 공황장애에서 흔히 관찰되며 특징적으로 짧은 호흡, 어지럼이 관찰된다. 공기가 부족하다air hunger고 호소하는 불안한 환자는 보통 크게 한숨 쉬듯이 숨을 쉬기 때문에 과도한 호흡과 저이산화탄소혈증이 유발된다. 신경증, 외향성 인격 성향, 부모의 과보호가 과호흡의 위험 요인으로 알려져 있다. 부모의 보살핌과 사랑은 좋은 예후 인자이며 정신 증상, 부모의 거절과 부정적 경험은 나쁜 예후 인자이다. 과호흡에서는 불안 발작, 경계성 인격장애, 전환장애, 히스테리성 인격장애, 광장공포증을 동반한 공황장애, 강박성 증상을 배제해야 한다.

과호흡의 약물치료는 진정제, 항우울제, metoprolol, 근육이완제 등이 있다. 위약군과 비교하여 bisoprolol 5 mg을 사용한 군에서 과호흡 발작이 유의하게 줄었고 칼슘채널차단제나 flunarizine을 하루 10 mg 사용하면 과호흡증후군과 전정기관 과민을 성공적으로 예방할 수 있다. 이 외에도 복식 호흡, 이완 기법, 최면, 정신 치료, 집단 치료 등의 심리치료를 할 수 있다.

4. 결핵

우리나라에서 결핵 환자는 2020년에 25,350명(인구 10만 명당 49.4명)으로 집계되었으며 그 중에서 결핵 신환은 19,933명(인구 10만 명당 38.8명)이었다. 다른 OECD 가입 국가가 인구 10만 명당 10명 내외의 결핵 유병률을 보임을 감안할 때 우리나라는 아직도 다른 선진국에 비해 높은 수치임을 알 수 있다. 전 세계적으로 결핵은 일반적인 인구집단보다 보건사업이 취약한 지역에 집중되고 인구 밀도가 높은 지역에서는 결핵의 전파율과 진행률이 매우 높다. 반면에 결핵의 치료가 즉각적으로 이루어지는 곳은 전파가 매우 억제된다. 따라서 결핵 근절을 위해서는 보건사업이 취약한 지역에 결핵 사업이 집중되어야 한다. 우리나라에서 결핵은 최근 몇십 년간 계속해서 감소해 왔으나 최근에 AIDS의 증가, 생활고로 인한 집 없는 사람의 증가 및 적절한 치료 제공의 실패 등의 이유로 다시 증가하고 있다. 특히 AIDS가 유행하는 지역에서는 HIV 감염증과 관련된 합병증으로서 결핵이 가장 흔하고 심각한 감염 질환으로 알려져 있다.

우울장애는 결핵 치료를 받고 있는 환자의 50%에서 관찰된다. 결핵 환자의 정서문제를 함께 치료하는 경우에는 결핵 약물치료의 순응도가 높아지고 예후가 개선된다고 알려져 있다. 조현병이나 양극성장애 환자도 일반 인구 집단과 마찬가지로 표준적인 결핵 치료법을 적용하여 치료하지만 D-cycloserine, ethambutol, isoniazid와 같은 결핵 치료제를 치료 용량으로 사용할 때 이차적으로 정신증상이 나타날 수 있다고 알려져 있다. 또한 다제약물로 결핵 치료를 할 때 우울, 불안, 정신증상이 각각 13.3%, 12.0%, 12.0%에서 나타났다는 보고가 있으며 이들 증상은 대증적인 정신약물로써 조절이 가능하였다.

5. 폐암

우리나라에는 2018년을 기준으로 약 2백만명의 암환자가 있으며 그 중에서 4.7%는 폐암 환자이다. 암종별 사망 원인 중에서 폐암은 가장 많은 부분을 차지하고 있고 사망자 10만 명당 18,574명이 폐암으로 사망하는 것으로 알려져 있다. 폐암의 가장 큰 위험인자는 흡연으로 알려져 있고 여성에 비해 남성에서 유병률이 높으며 수술적 치료를 받지 않는 사람의 절반 이상이 진단 1년 이내에 사망한다.

'암에 잘 걸리는 성격cancer-prone personality'은 부정적 감정의 억압, 자기희생 행동, 극심한 삶의 어려움 속에서도 개인적인 대화를 꺼려하는 것 등이 포함된 성격으로서 암 발생과 성격과의 관련성을 설명하는 개념이다. 그러나 이러한 개념은 최근에는 근거가 불분명한 것으로 이해되고 있다. 한 연구 결과에 의하면 230명의 유방암 환자와 75명의 폐암 환자를 대상으로 했을 때 암에 잘 걸리는 성격은 병의 원인에 해당하는 것이 아니라 암의 발생으로 인해 형성된 것이다.

많은 수의 폐암 환자는 보존적인 치료를 받게 되며 치료기간 동안의 삶의 질은 폐암 환자에게 있어서 중요한 문제이다. 암 환자의 체중은 삶의 질을 연구하기 위해 측정할 수 있으며 정신적인 스트레스, 낮은 삶의 질은 체중 감소와 의미 있는 연관성이 있다. Ginsburg 등에 의하면 폐암 환자의 52%는 불면증, 48%는 성욕 감퇴, 33%는 흥미 소실과 무력감, 29%는 가족에 대한 걱정, 19%는 집중력 감소를 호소한다. 또 다른 연구에서는 한국에서 가장 흔한 10대 암 중에서 폐암 환자의 우울장애 유병률이 가장 높은 것으로 조사되었다.

폐암은 진단 후 사망까지의 기간이 짧기 때문에 가족들은 환자를 잃는 것에 대한 두려움과 슬픔을 느끼게 되고, 따라서 이들에 대한 정서적 도움이 필요하다. 의사는 가족들에게 애도반응위험척도bereavement risk index나 단기증상조사brief symptoms inventory와 같은 척도를 사용하여 심한 애도반응을 조기에 예측하여 개입할 수 있다. 가장 가까운 사람을 잃었을 때 발생하는 가장 주된 증상은 우울 증상인데, 폐암 환자를 보살피는 가족이나 보호자의 경우 임종 이전부터 죽음을 예상하고 우울 증상을 미리 겪기도 한다.

6. 기타 폐질환

많은 수의 환자들은 천식이나 COPD 환자들처럼 숨가쁨, 만성기침, 공기부족, 질식감을 호소하지만 위에서 언급한 폐질환이 없는 경우가 있다. 이러한 환자들을 오진하면 부적절한 스테로이드 처방 등으로 인한 부작용 발생, 치료 효과 부족, 질병 이환 등이 발생할 수 있다.

1) 신체형 기침 장애(심인성 기침)과 틱 기침(습관성 기침)

호흡기 질환 중에서는 만성기침(성인은 8주 이상, 소아는 4주 이상 지속되는 기침)이 유일한 증상인 경우가 많다.

그러나 만성기침은 호흡기 질환이 없어도 발생할 수 있으며 위식도역류와 같은 호흡기 이외의 신체 질환에서도 발생한다. 이러한 경우에 만성기침이 의학적 치료에 반응하지 않는다면 신체형 기침 장애somatic cough disorder 혹은 틱 기침tic cough이라고 분류된다. American College of Chest Physicians (CHEST) 가이드라인에 의하면 신체형 기침 장애 혹은 틱 기침을 진단하는 것이 근거 수준이 낮음에도 불구하고 최면, 암시, 안심시키기와 상담, 심리학자 및 정신건강의학과 의사 연계 등을 치료 방침으로 제시하고 있다.

2) 성대 기능 이상

성대 기능 이상Vocal cord dysfunction은 1840년대에 처음으로 기술되었으며 들숨 때에 성대가 비정상적으로 닫혀서 공기 흐름이 후두부에서 막히는 것을 뜻한다. 성대 기능 이상은 천식 증상이 지속되어 검사를 받는 환자들의 10퍼센트에서 관찰되며 천식으로 진단이 잘못된 경우에는 부적절한 치료제를 복용하는 결과를 낳는다. 성대 기능 이상은 천식과 동반이환될 수도 있는데 한 연구에서는 성대 기능 이상 환자의 50퍼센트 이상을 실제로 천식이 공존하는 것으로 진단할 수 있었다. 성대 기능 이상의 정확한 원인은 밝혀지지 않았으나 젊은 연령, 여성, 높은 체질량 지수, 어린시절 성적 트라우마, 우울 혹은 불안과 같은 다양한 요인이 관련되어 있는 것으로 생각된다. 후두 근육의 긴장도를 낮추는 호흡법을 하거나 심리 치료를 해볼 수 있으나 잘 설계된 임상 연구가 필요하다.

7. 폐질환에서의 정신약물치료

1) 불안

폐질환 환자의 불안은 호흡곤란, 기관지 연축, 과도한 침 분비, 저산소증과 같은 증상에서 기인하기 때문에 호흡기 질환을 치료하는 것이 가장 중요하다. Theophylline을 고용량으로 사용하는 경우 불안, 오심, 떨림, 안절부절못함 등의 부작용이 발생할 수 있다. 천식과 COPD 치료에 흔히 쓰이는 베타아드레날린성 기관지확장제도 과용했을 때 심한 불안, 빈맥, 떨림 등이 발생할 수 있다. 비선택적 교감신경작용제Non-selective sympathomimetic agent도 불안이 나타날 수 있으며 고용량에서는 정신 증상과 경련이 발생할 수 있다(표 21-1).

표 21-1. 폐질환에 사용되는 약물의 흔한 정신의학적 부작용

Anticholinergics	환청, 환시, 불안, 혼동, 섬망, 이인증, 기억상실, 편집증
Antileukotrienes	불안, 초조, 불면, 우울, 자살사고
Antihistamines	졸림, 피로, 혼동
Beta-agonist (selective)	불안
Beta-agonist (non-selective)	불안, 정신증상
Corticosteroid (inhaled)	없음
Corticosteroid (systemic)	우울, 조증
Cromolyn(한국에 없음)	이자극성
Cycloserine	광장공포증, 불안, 우울, 정신증상
Isoniazid	기억상실, 불안, 우울, 환각, 조증, 정신증상
Theophylline	불안, 섬망, 불면, 함구증, 진전, 자살사고

* Cromolyn: 국내에서 사용하지 않음

고탄산혈증hypercapnia을 보이고 불안이 동반된 환자는 buspirone을 우선적으로 선택할 수 있다. 그러나 buspirone은 치료효과가 발현되기까지 오래 걸린다는 단점이 있다. COPD 환자가 benzodiazepine을 복용하는 경우에 호흡수가 감소하면 상태가 악화될 여지가 있으므로 유의해야 한다. 노인이나 허약한 환자는 활동성 대사물이 없고 작용 시간이 짧은 alprazolam, lorazepam, oxazepam을 사용하는 것이 좋으며, diazepam은 호흡곤란을 감소시키지 못할 뿐만 아니라 운동 능력을 떨어뜨린다. SSRI는 호흡기 부작용 없이 공황장애를 치료할 수 있다. SSRI에 반응이 낮은 공황장애는 소량의 항정신병약물도 효과적일 수 있다. Beta-blocker는 기관지 연축을 유발하기 때문에 천식환자에게 사용하는 것은 금기이다.

2) 우울

항우울제를 선택할 때는 약물 부작용과 호흡기 약물과의 상호작용을 반드시 고려해야 한다. 일반적으로 fluvoxamine을 제외한 SSRI는 효과적이고 약물상호작용이 거의 없어 안전하게 사용할 수 있다. SSRI는 호흡곤란을 줄일 뿐만 아니라 심지어 동맥혈 산소 농도를 증가시키기도 한다. 그러나 폐질환이 있는 노인은 다른 신체질환을 동반하는 경우가 많다. 이 환자들은 심전도에서 QT 간격을 지연시키는 다른 약물을 복용하고 있을 가능성이 크기 때문에 주의해야 하며, 특히 TCA를 사용하는 경우에 심전도검사를 반복적으로 해야 한다.

Theophylline은 자살 사고를 증가시킬 수 있다고 알려져 있고 antileukotriene 제제는 불안, 초조, 불면, 우울, 자살사고를 증가시키는 것으로 보고되었다. 그러나 가장 최근에 이루어진 연구는 antileukotriene 약물이 자살률과 연관성이 없다고 보고한 바 있다.

3) 정신증상

폐질환 환자가 정신증상을 보일 때에는 이전에 조울병이나 조현병이 이미 있었는지 확인해야 한다. 호흡기 약물

중에서 beta-agonist, cycloserine, isoniazid, corticosteroid는 정신증상을 유발할 수 있다. 스테로이드로 인한 정신증상의 발생은 용량 의존적이기 때문에 고용량을 사용하면 더 흔하게 발생한다.

호흡기 환자에게 haloperidol과 같은 정형적 항정신병약물을 높은 농도로 사용하면 후두 연축, 안절부절못함, 역설늑간근운동paradoxical intercostal muscle movement 등이 나타날 수 있고 그로 인해 호흡장애가 더 악화될 수 있다. 지연성 운동장애는 때때로 횡격막과 호흡 근육에 영향을 주므로 심한 경우에는 호흡마비를 일으킬 수 있다. 장기적인 치료를 위해서는 추체외로증후군 발생률이 낮은 비정형 항정신병약물을 사용하는 것이 더 좋다.

8. 호흡기 약물과 정신약물의 상호작용

호흡기 환자에게 정신약물을 처방할 때에는 가능한 약물 간의 상호작용을 고려하여 신중히 투여해야만 한다(표 21-2).

표 21-2. 폐질환 약물과 정신약물의 상호작용

폐질환에 사용되는 약물	정신약물	상호작용
Isoniazid	TCAs	Isoniazid의 MAOI 효과
Rifampin	Donepezil	Donepezil 효과를 감소
Rifampin	Diazepam	Diazepam의 대사를 유도
Rifampin	Valproate	Valproate 농도를 낮춤
Rifampin	TCAs, MAOIs	TCA, MAOI 대사를 유도
Sympathomimetic drugs	TCAs, MAOIs	고혈압성 발증
Theophylline	Alprazolam	Benzodiazepine 효과의 감소
Theophylline	Carbamazepine	Carbamazepine 농도를 낮춤
Theophylline	Clozapine	Theophylline 농도를 높임
Theophylline	Fluvoxamine	Theophylline 농도를 높임
Theophylline	Lithium	Lithium 농도를 20-30% 낮춤

TCAs: tricyclic anti-depressants, MAOIs : monoamine oxidase inhibitors

Theophylline 농도는 흡연에 의해 50%에서 80% 감소될 수 있기 때문에 금연 교육을 해야 하며 흡연을 하는 경우라면 약물 용량을 조절해야 한다. 금연 치료에 보조적으로 사용하는 니코틴 껌은 약물 농도에 영향을 끼치지 않는다. 알코올은 반대로 24시간 동안 theophylline의 청소율을 30%나 감소시킨다. Clozapine과 fluvoxamine은 theophylline의 혈중 농도를 올리므로 COPD 환자에서 사용할 경우 주의해야 한다.

Theophylline은 carbamazepine, lithium의 혈중 농도를 떨어뜨리고 alprazolam의 효과를 떨어뜨린다. COPD 환자가 심부전이 진행되면 이뇨제를 사용하는데 이뇨제에 따라서 lithium의 농도가 변화할 수 있으므로 조울병 환자의 치료 시에 주의가 필요하다. 또한 theophylline을 사용하는 환자에게 전기경련요법을 시행하면 간질 발작 시간이 연장될 수 있다. 그러나 theophylline을 제외한 대부분의 호흡기 약물은 리튬에 영향을 주지는 않는다.

항결핵제인 rifampin은 cytochrome P450에 의해 대사되므로 amitriptyline, imipramine, fluoxetine, sertraline, bupropion, venlafaxine, trazodone 등의 항우울제와 carbamazepine, tiagabine, valproate 등의 항경련제 및 benzodiazepine, zolpidem, haloperidol 과도 경쟁하여 농도를 증가시킨다.

참고문헌

1. 건강보험심사평가원. 국내천식환자의 진료경향 분석. 원주; 2018.
2. 국립암센터. 2018년 암등록통계자료. 고양; 2021.
3. 대한결핵협회. 국내 결핵현황. Access 16 June 2021. Available from: https://www.knta.or.kr/tbInfo/tbCondition/tbCondition.asp
4. 질병관리본부. 국민건강통계. 서울; 2018.
5. 통계청. 2018년 사망원인통계. 대전; 2019.
6. Boram P, Soyoung Y, Ki-Kyung Y, Su-Yeon L, Jungsun L, Seockhoon C. The prevalence of depression among patients with the top ten most common cancers in south Korea. Psychiatry Invesig 2017;14:618-25.
7. H, Karam E, Levinson D, Bromet EJ, Posada-Villa J, Gasquet I, Angermeyer MC, Borges G de Girolamo G, Herman A, Haro JM. Mental disorders among adxilcs with asthma: results from the World Mental Health Survey. Gen Hosp Psychiatry 2007;29:123-33.
8. James LL. Lung disease. In: James LL, Editors. Textbook of psychosomatic medicine and consultation-liaison psychiatry. Washington DC: American psychiatric publishing Inc. 3rd edition;2019.P.256,509-26,747.
9. Kathy C. Psychiatric issues in pulmonary disease. Psychiatric Clinics North America 2002;25:89-127.
10. Lishman WA. Endocrine diseases and metabolic disorders. In: Lishman's Organic Psychiatry: A Textbook of Neuropsychiatry, David, A.S. and Fleminger, S. and Kopelman, M.D. and Lovestone, S. and Mellers, J.D.C., Editors. 4th Ed. Oxford: Blackwell Publishing; 2009- p.617-88.
11. Nardi AE, Valenka AM, Nascimento I, Zin WA. Panic disorder and obsessive compulsive disorder in a hyperventilation challenge test. J Affect Disord 2002;68:335-40.
12. Ritz T, Steptoe A, DeWilde S, Costa M. Emotions and stress increase respiratory resistance in asthma. Psychosom Med 2000;62:401-12.
13. Schwartz R. Psychosocial factors in carcinogenesisvOn the problem of the so-called cancer-prone personality. Psychother Psychosom Med Psychol 1993;43:1-9.
14. Scott KM, Von KorfF M, Ormel J, Zhang MY, Bruffaens R, Alonso J, Kessler RC, Tachimori
15. Sweetland A. Depression: a silent driver of the global tuberculosis epidemic. World psychiatry 2014;13:325-6.
16. van Manen JG, Bindels PJ, Dekker FW, IJzermans CJ, van der Zee JS, Schade E. Risk of depression in patients with chronic obstructive pulmonary disease and its decerminants. Thorax 2002;57:412-6.
17. Vega P, Sweetland A, Acha J, Castillo H, Guerra D, Smith Fawzi MC, Shin S. Psychiatric issues in the management of patients with multidrug-resistant tuberculosis. Int J Tuberc Lung Dis 2004;8:749-59.

22
CHAPTER

위장관 질환

장승호

위장관 질환은 입에서 항문까지 그리고 간, 췌장, 담낭을 포함해 광범위하게 존재하며 대표적으로 위식도역류질환, 소화성 궤양, 과민성 장증후군 등이 잘 알려져 있다. 생리적, 심리적인 문제들은 위장관 질환의 주된 원인이되며 과도한 의료이용과 의료비의 증가, 생산성의 저하 그리고 삶의 질을 떨어뜨린다. 또한 뇌와 장의 밀접한 연결성은 치료를 더욱 복잡하게 한다. 정신건강의학과에서도 위장관 증상이 동반된 환자들을 흔히 보게 되는데, 이 경우 정신의학적 평가 및 치료가 필요한 경우가 많다. 이 장에서는 구조적 혹은 기능적 위장관 증상들을 다루고 각 장기 및 위장관 부위에 따른 특징을 알아보고자 한다.

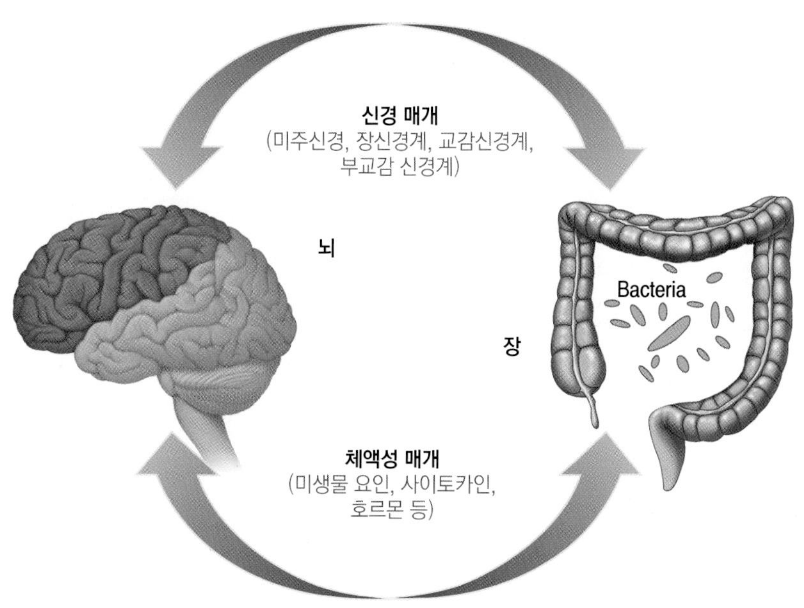

그림 22-1. 뇌와 장 사이 연결에 관여하는 요인들. Jenkins 등. Nutrients. 2016

1. 기능성 위장질환

기능성 위장질환 환자들은 종종 특정한 구조적 혹은 생리적인 병인을 확인하기 어려운 다양한 위장관 증상들로 병원을 찾는다. 이러한 증상들을 기능성 위장질환functional gastrointestinal disorders, FGIDs이라고 하며 보통 증상에 따라 진단하는데(기능성 흉통, 기능성 소화불량, 주기성 구토증 등) 운동의 장애, 내장과민성, 장내 미생물의 변화, 중추신경계 기능의 이상 등이 영향을 준다. 기능성 위장질환의 배경에는 중추신경계와 위장관 신경계 사이의 양방향성 소통을 뜻하는 뇌-위장관 축(brain-gut axis)이 중요한 역할을 한다. 이러한 축의 이상은 다양한 기능성위장질환을 초래한다. 뇌-위장관 축은 심리적요인, 성격 그리고 위장관 질환의 발현과 경과에 영향을 줄 수 있는 정신질환이 과민성장 증후군, 기능성 소화불량, 기능성 구토에 어떻게 영향을 미치는지를 설명한다.

기능성위장질환 환자 중에는 성적 혹은 신체적 학대 등의 외상적 경험을 보고하는 일이 많다. 신경증적 성향, 적대감, 부적응적인 대처 방식, 그리고 정서적 과민함은 이들 환자에서 흔히 나타난다. 우울, 불안, 그리고 신체화 등의 정신증상 또한 보고된다. 정신약물과 정신치료가 기능성위장질환의 치료에서 중요하지만, 아직까지 그 기작은 분명하지 않다. 항우울제는 항불안, 항우울 효과와 함께 진통, 자율신경조절 등의 효과가 있다. 기능성위장질환의 분류 및 진단의 필요성에 따라 로마기준Rome criteria이 제시되었고 수차례 개정을 통해 현재는 로마기준 IV를 따르고 있다. 로마기준 IV는 현제 세계 20여 개국의 연구자와 임상가들이 진단기준으로 사용하고 있다.

2. 구인두질환

1) 되새김증후군Rumination syndrome

되새김증후군은 섭취한 음식물이 의도하지 않게 반복적으로 역류되고 다시 삼키거나 뱉어내는 질환이다. 구토와 달리 역류는 오심이나 구역이 선행하지 않고 역류된 물질도 산성이 아니며 대부분 방금 전에 섭취한 음식물이다. 이러한 행동은 음식을 먹는 중이거나 혹은 직후에 나타난다. 과거에는 지능 저하가 있는 아동이나 성인에서 나타나는 것으로 생각되었으나 현재는 정상 지능을 가진 경우에도 나타날 수 있다고 본다. 흔치 않은 진단임을 고려할 때 실제 유병률은 불분명하고 환자들은 보통 구토나 역류를 주로 호소하기 때문에 위식도 역류질환이나 대식증, 위하수로 오진되는 경우가 많다.

식후 소화불량, 오심, 흉부 작열감, 흉통 증이 되새김 증후군에 동반되며 체중 감소는 40% 이상에서 나타난다. 적은 숫자이기는 하지만 최대 20-30%의 환자가 식이장애 등의 정신질환을 동반한다. 또한 심한 스트레스 후에 발생하기도 한다. 진단은 우선 임상적 평가 후 고화질 위장내압검사로 확진한다. 치료는 환자교육과 복식호흡이 주로 사용되는데 복식호흡의 경우 위식도 압력차를 보존하고 되새김을 억제한다. 바이오피드백이나 이완요법도 사용해 볼 수 있다.

2) 구강작열감증후군Burning mouth syndrome

구강작열감증후군은 구강 점막세포의 병리적 소견없이 구강 내 통증이 지속되는 질환이다. 구강작열감증후군은 보통 혀, 입술, 경구개를 포함하며, 갱년기 여성에서 약 18-33%까지 보고된다. 일반 인구에서는 1-15%가 보고된다. 통증은 보통 갑자기 시작되고 주로 '타는 것 같다, 따끔따끔하다, 멍하다'라고 표현된다. 미각장애나 구강건조증이 흔히 동반되며 치과 치료, 신체질환, 스트레스 등에 의해 유발되는 경우가 많다. 일차성 구강작열감증후군은 신경병성 통증으로 생각되며 그 원인은 아직 밝혀지지 않았다. 이차성 구강작열감증후군은 자가면역질환(쇼그렌증후군 등), 당뇨, 영양결핍, 약물(세로토닌재흡수억제제, 항바이러스제, 안지오텐신 II 수용체 차단제 등) 등 다양한 원인으로 발생한다. 주요우울장애, 불안장애, 질병 불안장애 등의 정신질환이 동반되는 경우가 많다. 아직까지 효과적인 치료가 알려지지는 않았으나 이중맹검연구에서 Clonazepam을 병합치료하는 것이 효과적이라고 보고된 바 있고 인지행동치료도 효과가 있는 것으로 알려져 있다.

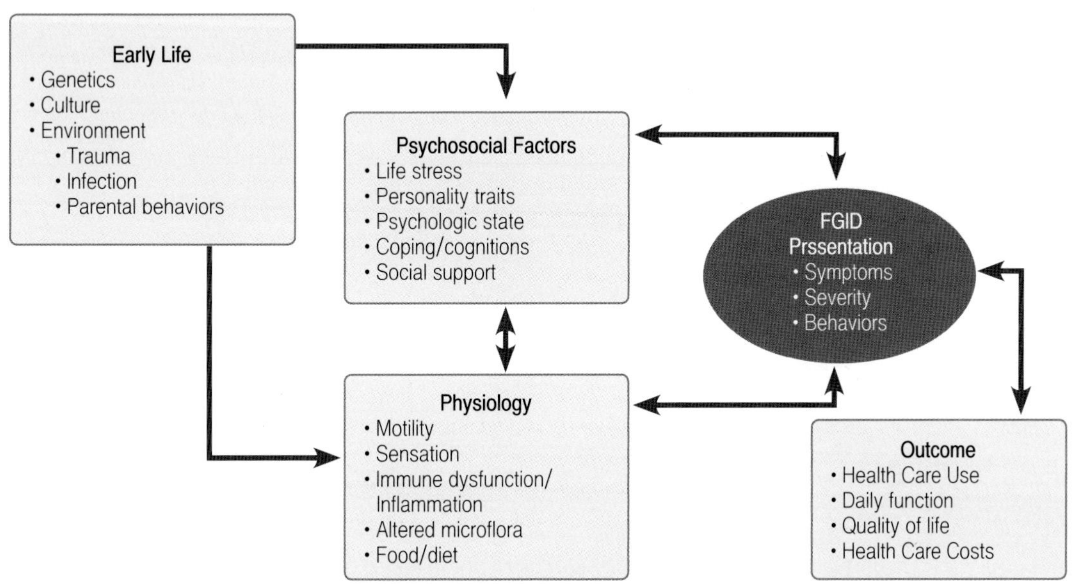

그림 22-2. 기능성 위장질환의 생물정신사회적적 모델

3) 구강건조증Xerostomia

구강건조증은 타액분비감소와 동반되는 주관적인 입마름 질환이다. 심한 경우 치아우식이나 아구창, 더 나아가서 미각의 상실이나 삼킴장애로 발전할 수 있다. 구강건조증은 남성보다 여성에서 흔한데 이것은 결체조직질환, 방사선치료, 불안, 우울 등을 포함한 질환의 동반이 여성에서 더욱 흔하기 때문으로 생각된다. 정신약물은 구강건조증의 주요한 유발원인이다. 대부분의 항우울제, 벤조디아제핀, 정형 혹은 항정신병약물, 리튬, 카바마제핀 등은 구강건조증의 원인이다. 정신약물의 부작용은 구강건조증을 유발하는 다른 약물들과(항고혈압제, 이뇨제, 오피오이드, 항콜린성약물 함께 복용할 때 더욱 심해진다. 치료는 약물의 변경이나 용량조절, 커피나 알코올 섭취 제한, 필로카핀이나 세비멜린 같은 콜린성 약물의 사용, 얼음이나 ice chips, 무설탕 껌, 사탕, 자일리톨이 함유된 lozenges, 국소 floride

등을 사용해 볼 수 있다.

4) 삼킴장애Dysphagia

삼킴장애는 삼킴에 필요한 신경근육의 수축 과정에서 조율이 적절하게 되지 않아 발생한다. 신경학적, 자가면역질환, 종양 그리고 위장질환이 삼킴장애의 주요한 원인이다. 약물 중에는 구강건조, 진정, 인두기능 약화, 근육긴장 이상, 역류 등을 유발하는 약물들로 인해 발생할 수 있다. 항콜린성 약물들은 부교감신경에 영향을 미쳐 인두와 식도의 삼킴기능을 방해할 수 있다. 항정신병약물은 급성 근기능 이상, 파킨슨 증상, 지연성 운동장애에 의해 이차적인 삼킴장애를 유발할 수 있다. 급성 근육운동이상증에서는 디펜히드라민이나 벤조디아제핀을 사용해 볼 수 있고 약제로 유발된 파킨슨증에 의한 삼킴장애는 항정신병약물의 조절, 약제 변경 및 중단이 필요할 수 있다. 지연성 운동장애나 급성 근기능이상과 연관된 삼킴장애는 클로나제팜이 효과적일 수 있다. 또한 신경악성증후군에 의한 근육 강직이나 세로토닌증후군에 의한 발생도 보고된 바 있다.

3. 상부위장관질환

상부위장관 질환에서 주의 깊게 확인해야 할 요소들은 다음과 같다.

① 환자들이 어떻게 증상을 표현하고 설명하는가?
② 어떻게 증상을 최소화하고 호전시킬 수 있는가?

1) 식도염 및 연관증상

역류증상은 서구사회에서 매우 중요한 질환 중 하나로 최대 20-40%까지 유병률이 보고된다. 역류증상의 유병률은 꾸준히 증가하고 있는데 아마도 늘어나는 비만과 연관 증상들(고지방식이, 알코올, 앉아있는 시간이 많은 삶의 방식 등), 정신사회적 스트레스, 구조적 이슈(열공탈장 등), 약물 등이 원인이 될 수 있다. 일부에서 "가슴쓰림이야말로 임상현장에서 가장 많이 접하는 위장관 증상이다"라고 말할 정도로 역류증상의 임상적 특성을 주의 깊게 살펴볼 필요가 있다. 역류증상 이외에도 "구조적 혹은 해부학적으로 설명되지 않는 식도부위의 다양한 기능적 식도 질환"이 있다. 로마 IV 진단 기준에 따르면 기능적 흉통, 기능적 가슴쓰림, 역류 과민성 증후군, 인후두 이물감, 기능성 삼킴장애 등 뇌-위장관 축에 기인한 다양한 질환들이 알려져 있다.

위식도역류질환gastroesophageal reflux disease, GERD과 주요우울장애 등의 정신증상의 연관성은 매우 복잡하다. 현재까지 알려진 기작으로는 1) 역류가 우울장애를 유발할 가능성 2) GERD 증상에 대한 지각을 증가시킬 가능성 3) 스트레스가 하부식도조임근의 압력을 낮추거나 식도 운동성을 변화시키고 위산의 분비를 증가, 식도로부터의 위산제거를 지연, 우울장애와 관련한 유해한 생활습관(흡연, 과식, 과도한 음주, 오래 앉아 있는 습관 등)의 관련성 4) 정신약물의 부작용이 GERD에 영향 등이 알려져 있다. 벤조디아제핀은 하부식도조임근의 압력을 낮추고 삼환계 항우울제 등 항콜린성 약물은 위배출의 감소, 위장관 연동운동 제한, 타액 분비의 감소를 초래한다. 선택적세로토닌재흡수 억제제 역시 미주신경의 긴장성을 증가시켜 위산의 산성을 높여서 GERD에 영향을 줄 수 있다. 최근에는 위산 자체보다 위산의 노출로 발생하는 염증성 사이토카인의 증가가 식도염에서의 "가슴쓰림" 증상에 더욱 영향을 미친다고 한다. 반면에 위근위부(위내용물이 위산과 분리된 부위)에 존재하는 높은 산성을 띈 "산주머니acid pocket"가 산 노출에 의한 불편감의 주요한 원인이 될 수도 있다. 이러한 산 주머니의 존재는 보통 위산의 산도가 가장 낮은 식후 가슴쓰림 증상의 원인이 된다. 내시경을 통해 식도의 세포변성을 확인한 경우에는 GERD라고 하지만 세포변성이 확인되지 않은 경우(역류증상 환자의 70% 이상)에는 Non-erosive reflux disease, NERD로 불린다. NERD 환자의 경우 식도 산노출과 함께 식도 과민성이 동반된다. 비록 GERD 환자에서 불안, 우울, 신경증적 성향이 강하고, 심리적 스트레스가 절반 이상의 환자에서 증상에 대한 지각을 악화시키지만, NERD 환자가 GERD에 비해 정신질환의 동반은 더 흔하다. GERD, 조직학적 점막 변성, 주요 우울장애, 구조적 이상 등이 없는 경우에도 경험적인 치료에 반응이 적고 retrosternal 부위에 타오르는 듯한 통증이 지속되는 경우를 "기능성 흉통"이라고 한다. 이 경우 구조적, 운동성, 화학적 원인을 찾기 어렵고 통증의 구조적 문제를 평가해봐도 효과가 없다. 오히려 이러한 증상들은 통증 지각의 변화와 연관된다. GERD, NERD에 비해 기능성 흉통은 심리적 증상과 더욱 연관이 많다. 기능성 흉통 환자들은 높은 수준의 불안, 신경증상, 신체증상에 대한 예민함, 낮은 삶의 질을 경험하는 것으로 알려져 있다.

GERD와 연관된 증상은 보통 histamine-2-receptor antagonist (H2 blocker, ranitidine)나 양성자 펌프 억제제(PPI, omeprazole)로 치료한다. 일부 정신약물은 GERD를 유발할 수 있다. 따라서 항우울제가 기능성상부위장관 질환의 치료에 이용되지만 식도에 내시경적으로 확인된 점막의 변성이 있을 때는 일차치료약제로 고려하지 않는다. 일부에서 부스피론이 "식도 운동의 저하" 환자에서 도움이 되는 것으로 보고하지만, 그 효과는 제한적이다. 만약 정신질환과 GERD 증상이 함께 있을 때는 모든 증상을 공격적으로 치료하는 것을 피하고 약물치료 시작 후 위장관 증상이 나타나거나 악화되는 경우 정신약물의 변경이나 용량 조절이 필요하다. NERD 환자들은 PPI 약물치료에 반응이 좋지 않다. 기능성 흉통 환자들은 구조적 병리가 없기 때문에 위장관에 작용하는 약물들의 효과가 크지 않은데, 통증 지각을 조율하는 TCA 같은 약물이나 행동치료가 도움이 될 수 있다.

2) 목의 이물감

목의 이물감은 구조적 병변, 역류, 식도 운동 질환에 대한 분명한 증거 없이 덩어리가 걸린 것 같은 무통의 감각이다. 이러한 감각은 지속적이거나 일시적일 수 있고 식사 사이에 나타난다. 고형이나 액체를 섭취할 때 호전되고 실제로 삼키는 데는 방해가 되지 않는다. 만성적인 기침, 쉰 목소리, 카타르(염증)와 지속적으로 가래를 뱉는 행동이 동반된다. 이러한 감각은 흔하며 건강한 사람의 50%, 이비인후과에 전과된 환자 중 약 4%를 차지한다. 증상은 보통 만성의 경과를 보인다. 비록 병인이 분명하게 알려지지는 않았지만 비인두의 기능장애, 식도의 운동장애, 내장 과민성, 상부식도조임근 압력의 증가, 자율신경부전, 위식도역류, 약물 부작용, 심리적 요인 등이 영향을 주는 것으로 알려져 있다. 심리적 요인의 영향은 선행연구에서 목의 이물감에 선행해서 스트레스를 경험한 횟수가 증가하거나 정서적 압박감을 느낄 때 목의 이물감이 악화되는 사실을 통해 생각해 볼 수 있다. 환자를 안심시키고 분명한 병리적 소견을 배제하기 위해 병력 청취 및 검사가 진행되어야 한다. 이중맹검연구에서 저용량의 아미트립틸린과 파록세틴의 병합요법이 효과가 있었고, 최면을 통한 이완요법이 효과적이라는 사례보고도 있었다.

표 22-1. 로마 IV 기준에 따른 기능성 위장질환의 분류

A. Esophageal disorders A1 Functional chest pain A2. Functional heartburn A3. Reflux hypersensitivity A4. Globus A5. Functional dysphagia	F. Anorectal disorders F1. Fecal incontinence F2. Functional aporectal pain F2a. Levator ani syndrome F2b. Unspecified functional anorectal pain F2c. Proctalgia fugax F3. Functional defecation disorders F3a. Inadequate defecatory propulsion F3b. Dyssynergic defecation G. Childhood functional GI disorders. Deonate toddler
B. Gastroduodenal disorders B1. Functional dyspepsia B1a. Postprandial distress syndrome (PDS) B1b. Epigastric pain syndrome (EPS) B2. Belching disorders B2a Excessive supragastric belching B2b. Excessive gastric belching B3. Nausea and vomiting disorders B3a. Chronic nausea vomiting syndrome (CNVS) B3b. Cyclic vomiting syndrome (CVS) B3c. Cannabinoid hyperemesis syndrome (CHS) B4. Rumination syndrome	G. Childhood functional GI disorders. Deonate toddler GI. Infant regurgitation G2. Rumination syndrome G3. CV's G4. Infant colic G5. Functional diarrhea G6. Infant dyschezia G7. Functional constipation
C. Bowel disorders C1. Irritable bowel syndrome (IBS) IBS with predominant constipation (IBS-C) IBS with predominant diarrhea (IBS-D) IBS with mixed bowel habits (IBS-M) IBS unclassified (IBS-U) C2. Functional constipation C3. Functional diarrhea C4. Functional abdominal bloating distension C5. Unspecified functional bowel disorder C6. Opioid-induced constipation	H. Childhood functional GI disorders: child adolescent H1. Functional nausea and vomiting disorders H1a. CVS H1b. Functional nausea and functional vomiting H1b1. Functional nausea Hlb2. Functional vomiting H1c. Rumination syndrome H1d. Aerophagia H2. Functional abdominal pain disorders H2a. Functional dyspepsia H2a1. Postprandial distress syndrome H2a2. Epigastric pain syndrome H2b. IBS H2c. Abdominal migraine H2d. Functional abdominal pain-NOS H3. Functional defecation disorders H3a Functional constipation H3D. Noureteative fecal incontinence
D. Centrally mediated disorders of gastrointestinal pain D1. Centrally mediated abdominal pain syndrome (CAPS) D2. Narcotic bowel syndrome (NBS) opioid-induced GI hyperalgesia	
E. Gallbladder and sphincter of oddi (SO) disorders E1. Biliary pain E1a. Functional gallbladder disorder E1b. Functional biliary SO disorder E2. Functional pancreatic SO disorder	

GI, gastrointestinal: NOS, not otherwise specified

3) 기능성 삼킴장애

구인두삼킴장애는 음식물 덩어리가 입에서 식도로 이동하는데 불편감을 느끼는 것으로 기본적으로 음식물을 성공적으로 씹거나 삼키는 기능의 장애를 보인다. 삼킴장애는 신체질환(식도질환, 두경부암, 뇌졸중 등), 의인성(장기간의 기관삽관, 보튤리늄 톡신 주사, 항정신병약물 등) 그리고 노화로 인해 발생할 수 있다. 후유증으로 질식, 흡인, 그리고 영양결핍을 보일 수 있다. 기능적 삼킴장애는 "구조적, 조적적, 운동학적" 이상이 없음에도 불구하고 식도 체부를 통해 비정상적 덩어리가 이동하는 느낌으로 정의되며 구조적 병변을 배제한 이후에만 진단할 수 있다. 기능성 삼킴장애는 진단에 어려움을 겪는 경우가 많은데 정상환자에서도 음식물 덩어리를 넘기는 데 어려움을 겪는 경우가 많기 때문이다. 비록 급성 스트레스가 연동기능의 장애를 초래할 수 있지만 이러한 경험을 만성적인 삼킴기능의 장애와 연결하는 데는 한계가 있다. 삼킴장애의 치료는 환자를 안심시키고 식이 습관을 교정하며 GERD 증상의 호전

을 위해 PPI를 사용해 볼 수 있다. 또한 식도를 확장시키는 약물이 도움이 될 수 있다. 정신약물이 도움이 된다는 분명한 증거들은 아직 부족하다.

4) 오심과 구토

(1) 주기적 구토 증후군

주기적 구토증후군은 과도한 구토 증상이 있지만 구토가 없는 분명한 기간이 존재할 때 진단한다. 과거에는 소아에서 약 1-15%까지 보고되었고, 현재는 성인에서도 관심이 증가하고 있다. 소아와 성인 모두에서 이 질환에 의해 삶의 질이 심각하게 손상된다. 구토는 유발인자가 있을 수 있으나(편두통, 뇌전증, 생리, 스트레스, 음식, 수면 박탈 등) 자극이나 환경적 요인과 무관할 수도 있다. 주기적 구토 증후군의 병태 생리는 아직 모르지만 유전적 요인, 미토콘드리아의 기능 상실, 뇌-위장관 연결의 장애 등이 원인으로 제안되고 있다. 소아와 성인 모두에서 편두통, 불안, 우울, 과민성 장 증후군 등이 환자와 가족 모두에서 흔히 동반된다. 이러한 정신질환의 동반이 주기성구토증후군의 원인지 아니면 결과인지는 아직 분명하지 않다. 실제로 주기적 오심과 구토가 있다는 사실은 심각한 스트레스로 작용하여 증상을 악화시킨다. 구토와 오심의 급성기에는 정맥 내 수액주사, 항구토제, 항불안제, 진통제 등이 도움이 된다. 일부에서 클로르프로마진이 도움이 된다는 보고가 있다. 아미트립틸린, 항경련제, Coenzyme Q10 등이 예방적 약물로 효과가 있다는 보고도 있다. 대상 부전을 예방하기 위해 삽화초기에 수마트립탄, 온단세트론, 벤조디아제핀, 디펜히드라민 등을 사용해 볼 수 있다.

(2) 카나비노이드 구토 증후군

카나비노이드 구토 증후군은 종종 특발성 주기적 구토 증후군으로 오진되어 적절한 치료를 놓치는 경우가 많다. 비록 카나비노이드가 오심에 효과적이지만 과도하거나 지속적인 카나비노이드는 극심한 오심과 구토 그리고 복통을 초래하기도 한다. 특발성 주기적 구토 증후군과 달리 카나비노이드 구토증후군 환자들은 강박적으로 온수 샤워나 목욕을 한다. 카나비노이드 구토 증후군의 기작으로 생각되는 것은 내인성 카나비노이드 시스템의 조절 장애이다. 과도한 카나비노이드 노출에 의해 체온 조절 시스템의 장애가 발생하면 저체온증을 유발하는데 점차 강박적으로 뜨거운 물로 샤워를 하게 된다. 카나비노이드 증후군은 수분공급과 전해질 교정을 위해 입원이 필요할 수 있다. 증상은 카나비노이드 중단으로 점차 호전되며 일부 사례에서 할로페리돌 사용이 효과적이라는 보고도 있지만 지속적으로 카나비노이드를 복용 중인 환자에서 항정신병 약물의 처방은 보통 추천되지 않는다. 환자들은 보통 카나비노이드 중단의 권유를 받아들이지 못하기 때문에 중독 센터 등의 전문기관으로의 연계도 고려해야 한다.

(3) 예기성 오심/구토

예기성 오심과 구토는 항암치료, 구조적 이상, 위 우회로 조성술gastric bypass surgery이 원인이 되어 오심과 구토를 반복하는 일종의 조건화 반응이다. 오심과 구토가 발생할 것이라는 기대는 예기성 구토와 오심의 발생에 영향을 줄 수 있다. 다기관 연구에서 예기성 오심은 치료과정에서 항암치료로 유발되는 구토나 오심의 위험성을 높이는 것으로 나타났다. 예기성 구토나 오심의 위험인자로는 여성, 50세 미만의 연령, 우울과 불안의 기왕력, 멀미, 임신 중 심한 입덧을 경험한 경우 등이 있다. 예기성 오심과 항암제 유발 오심/구토는 양방향성을 갖는 것으로 보이며 따라서 각각은 상호 영향을 줄 수 있다. 다른 형태의 오심과 구토에 비해 예기성 오심과 구토는 전형적인 항 구토제에 잘 반응하지 않는다. 기존 항구토제는 오히려 증상을 악화시키기도 하는데, 일부 환자에서는 이들 약물 자체가 조건화된 자극으로 작용하기 때문으로 보인다. 행동요법이 가장 효과적인 치료법으로 알려져 있다. 점진적 근육 이완, 체계적 탈감작, 최면, 인지교정을 사용해 볼 수 있다. 벤조디아제핀아 예기성 구토/오심과 연관된 불안감을 줄일 수 있지만, 이러한 증상을 교정하기는 어렵고 오히려 환자의 낙상이나 착란의 위험을 높일 수 있다.

(4) 위마비

위장관의 운동성 혹은 기능성 질환은 소화기내과 환자의 대략 40%에 달한다. 위마비 증상은 확인되는 구조적 폐색 없이 위배출이 지연되는 것을 말한다. 가장 흔한 원인은 자율신경성 신경병증이며 다른 원인으로는 수술, 미주신경절단술, 의인성(약물 등), 감염 후 증후군 등이 있다. 위마비 증상으로는 복통, 식후 복부 팽만, 오심, 구토, 트림 등이 있다. 불안, 우울, 신체화가 흔히 동반되나 이러한 증상이 위마비의 원인인지 결과인지는 분명하지 않다. 우울이나 불안 환자에서는 정신증상의 중등도가 위마비 증상과 연관된다. 증상의 호전과 연관되는 인자로는 남성, 염증, 항우울제의 사용 등이 있고 증상의 악화에 영향을 미치는 인자로는 비만, 흡연, 복통, 위-식도 역류, 중등도 이상의 우울 등이 알려져 있다. 저지방 식이, 유동식, 당뇨환자에서 혈당 조절 등이 증상 조절에 도움이 될 수 있다. 보통 위장관 운동 촉진체(메토크로 프로파마이드, 에리스로 마이신, 항구토제 등)가 사용된다. 중증 위마비 치료를 위해 사용되는 메토크로프로마이드는 도파민 D2 수용체 차단제로 추체외로증상, 지연성 운동장애와 졸리움, 불안, 우울, 각성의 감소 등의 부작용을 초래할 수 있다. 항우울제는 또 다른 치료적 선택이 될 수 있는데 운동기능을 활성화시키거나 통증, 오심, 구토를 감소시키고 위마비로 인한 불편을 조절한다. 멀타자핀은 위마비에서 많이 사용되며 위저부에서의 근육 이완을 향상시켜 오심으로부터의 편안함을 유도하기 때문에 치료에 반응이 없는 환자들에서 효과적으로 사용해 볼 수 있다.

(5) 소화성 궤양과 소화불량

소화성 궤양의 평생유병률은 5-10%로 매년 전 세계 4백만명의 환자가 경험한다. 소화성 궤양은 보통 헬리코박터 파일로리 균의 감염(50%)이나 장기간의 비스테로이드성 항염증 물질(25%)의 사용으로 발생한다. 또 다른 이유로는 감염, 약물의 남용(칼륨, 클로라이드, 비스포스포네이트, 코카인, 암페타민 등)이 있다. 소화성 궤양에서 흡연의 영향은 아직 불분명하지만 담배의 사용이 십이지장 궤양의 호전을 방해하는 것으로 보인다. 십이지장 궤양 환자들은 복부가 쓸리는 느낌을 보고하며 식사 후 호전되지만 반대로 소화성 궤양은 식후 통증이나 체중감소와 관련이 있다. 궤양성 출혈의 위험성은 NSAID, 항혈소판제제, SSRI 등을 복용한 경우 증가한다.

소화성 궤양은 대표적인 정신신체질환의 하나로 지난 수십 년간 소화기내과와 정신건강의학과 의사들에 의해 연구되어 왔다. 내과의사이면서 정신분석가인 프란츠 알렉산더는 1930년대 초반 위장관 질환에서 정신증상의 중요성을 강조하였고, 1950년대 저서인 정신신체의학–원리와 응용에서도 소화성 궤양을 언급하였다. Mirsky 등은 대단위 코호트 연구를 통해 펩시노겐 분비가 증가된 환자에서 심리적 영향을 분석하여 어떤 환자가 십이지장 궤양으로 발전하는지를 예측하였는데, 스트레스성 사건은 성격과 함께 소화성 궤양의 발현에 있어 매우 중요한 요인이었다. 또한 높은 수준의 스트레스 지수를 가진 환자에서 소화성 궤양으로 발전할 위험이 두 배 이상 높다는 보고와 함께 극심한 스트레스, 자연재해 그리고 난민을 경험한 경우에도 소화성 궤양의 위험성이 높은 것으로 나타난 바 있다. 정신질환과 소화성 궤양의 상관성에 관한 다양한 증거들도 제시되고 있는데, 43,000명을 대상으로 한 역학연구에서 기분장애와 불안장애는 소화성 궤양과 상당히 높은 상관성을 보였고 알코올, 니코틴 중독은 중간 정도의 상관성을 나타냈다. 다른 상부위장관 질환에서와 마찬가지로 소화성 궤양에서도 정신증상의 공존이 흔하다. 900여명을 대상으로 한 연구에서 불안은 소화성 궤양의 독립적인 유발요인이었다. 하지만 여전히 이들 사이의 인과 관계를 분명히 하는 데는 어려움이 있다. 소화성궤양 환자들은 보통 항생제, 프로톤 펌프 억제제, H2 차단제 등 다양한 약물을 복용한다. 1980년대에 시행된 이중맹검연구에서는 TCA가 항히스타민, 항콜린성 작용을 통해 십이지장 궤양을 예방하는 것으로 보고되었으나 다양한 부작용으로 인해 현재는 잘 사용되지는 않는다.

(6) 비궤양성 소화불량(기능성 소화불량)

로마 IV 기준에 따르면 기능성 소화불량은 구조적 이상과 연관되지 않고 다음 4가지 핵심증상 중 1가지 이상을 포함하는 불편감으로 정의된다. 4가지 핵심증상은 식후 포만감, 조기 만족감, 상복부통증과 속쓰림이다. 로마 IV 기준에서는 기능성 위장장애의 2가지 하위 진단이 있는데 식후 불편감 증후군(PDS), 상복부통증 증후군(EPS)이다. 기능성 소화불량은 위마비 증상과 비슷하며 이들의 구분은 어렵다. 중복되는 증상에는 위배출의 지연, 기저부 적응능 손상, 내장과민성, 비정상적인 통증의 유발 등이 있다. 기능성 소화불량은 재발과 호전을 반복하며 약 80%의 환자들이 식사와의 연관성을 보고한다. 기능성 소화불량 환자들은 정상인에 비해 높은 수준의 정신증상을 보고한다. 기능성 소화불량 환자에서는 높은 수준의 신경증, 불안, 우울, 적대감, 긴장, 외상후스트레스장애, 신체화 등의 증상을 보였다. 그러나 이러한 증상들은 질환의 원인이기 보다는 기능성 소화불량을 경험하는 과정에서 나타나는 증상들로 생각되기도 한다. 정신약물이 소화불량의 치료에 사용되기도 하는데 대표적으로 항우울제, AchEI, 부스피론 등이 있다. 292명이 포함된 다기관 이중맹검연구에서 아미트립틸린과 시탈로프람을 비교하였는데 TCA가 SSRI에 비해 효과적이었고 특히 통증을 조절하는 우월했다. 부스피론은 위기저부의 적응능을 증가시키고 이완을 향상시켜 기능성 소화불량 증상을 호전시킨다. 체중감소가 동반된 경우 멀타자핀이 도움이 된다. 이완요법, 인지치료, 최면치료 등도 증상을 호전시키는 데 도움이 된다.

(7) 상부위장관 출혈과 SSRI

SSRI는 내약성이 좋고 부작용이 적지만 상부위장관의 출혈 위험성을 높인다. 보통 세로토닌은 혈소판에서 분비되는데 혈소판의 응집과 항상성 유지와 관련된다. 하지만 혈소판 자체에서 세로토닌이 생성되지 않기 때문에 혈소판이 혈장으로부터 세로토닌을 재흡수하는 과정이 필요하다. 이러한 기작이 SSRI에 의해 차단되면 혈소판 응집이 억제된다. 많은 연구에서 SSRI를 복용하는 경우 정상인에 비하여 위장관 출혈의 위험이 두 배 이상 증가한다. 또한 SSRI와 NSAID를 함께 복용하는 경우, SSRI를 복용하는 경우에 비해 위장관 출혈의 위험성이 두 배 이상 증가한다. SNRI의 경우에는 이러한 위험성이 낮다. 정상 성인에서 상부위장관 출혈을 증가시키는 SSRI의 절대적 효과는 상당히 작고 NSAID를 함께 복용하거나 다른 항혈소판제의 사용, 노인, 혈소판 감소증, 혈소판 기능 부전이 동반된 경우 위험성이 높아진다. 이러한 경우 항우울제 선택에 있어 면밀한 주의가 필요하다.

4. 하부위장관 질환: 염증성 장질환, 크론병(CD)과 궤양성 대장염(UC)

염증성 장질환은 장 점막에 염증의 재발과 호전이 반복되는 질환이다. 흔한 증상으로는 설사, 발열, 복통, 출혈, 식욕부진, 체중감소, 피로가 있다. 궤양성 대장염과 크론병이 염증성 장 질환에서 대표적인데 점막층의 손상과 위장관 침범 부위에 따라 구분된다. 궤양성 대장염은 직장과 대장의 점막층을 침범하는 반면 크론병은 위장관의 모든 영역을 침범하고 전층에 염증을 일으킨다. 염증성 장 질환의 부작용으로는 장폐색, 천공, 영양 결핍, 누공, 궤양 등이 있고 대장암의 위험성을 높인다. 대개 15-30세에 호발하고 60대 이상에서는 드물다. 염증성 장 질환 환자에서는 다른 질환과의 공존이 나타나, 근골격계, 피부, 안과 질환, 심장, 폐, 신경, 간담도계, 췌장, 신장을 포함하는 증상을 함께 보일 수 있다. 점막층의 염증이 없이 복통이 동반되는 경우는 염증성 장 질환 환자의 1/3정도이며 과민성 장 증후군과 염증성 장질환의 동반형으로 불린다(IBS-IBD). 연평균 발생은 북미와 유럽에서 10만명당 20.2명(CD), 24.3명(UC)로 보고된다. 염증성 장 질환의 병태생리는 아직 분명하지 않으나 장내미생물, 면역체계, 유전, 환경적 요인들 사이의 복잡한 연관성이 면역체계를 교란시키고 염증을 유발하는 것으로 보인다. 흡연은 크론병의 발생과 경과를 악화시키기도 한다. 하지만 궤양성 대장염에서는 보호 효과가 있다. 수면박탈은 궤양성 대장염의 위험성을 높이고 염증성 장 질환을 초래할 수 있다.

1) 스트레스와 염증성 장 질환

스트레스와 염증성 장 질환의 관계는 시상하부-뇌하수체-부신피질 축, 자율신경계, 비만세포의 활성, 염증성 사이토카인의 과도한 분비, 장내 투과성의 변화, 장내 미생물 등이 상호 연관되어 영향을 준다. 비록 건강한 성인과 동물 모델에서 심리적 스트레스가 실험실적으로 장내투과성을 증가시킨다는 보고도 있지만 염증성 장 질환 환자에서 스트레스의 영향에 대한 보고는 아직 일관되지 않다. 478명의 염증성 장 질환자를 대상으로 한 연구에서 인지된 스트레스와 염증성 장 질환사이의 높은 연관성이 나타났으나 궤양성 대장염이나 크로병에서는 인지된 스트레스와 장내 염증 사이의 관계는 높지 않았다. 이후 6개월간의 추적연구에서도 인지된 스트레스와 장내 염증사이의 연관성이 나타나지 않았다. 스웨덴에서 시행된 연구에서는 청소년기에 스트레스 회복탄력성이 낮은 경우에 염증성 장질환의 위험성이 높았다. 염증성 장 질환이 높은 사망률, 기능의 손상, 낮은 삶의 질을 나타내는 만성 질환임을 고려할 때 우울이나 불안이 동반되는 것은 당연하다. 체계적 문헌고찰에서 우울과 불안의 위험률은 각각 19%, 21%로 나타났고 염증성 장 질환이 활성화된 경우 28%, 66%까지 증가하였다. 대부분의 연구에서 염증성 장 질환에서 동반된 우울이나 불안은 삶의 질, 약물 순응도를 낮추고 재입원율을 증가시키며 수술, 스트레스 증가, 질병의 활성도 증가, 치료 효과의 감소와 연관되었다. 2,000명 이상의 염증성 장 질환을 대상으로 한 연구에서 우울과 불안은 염증성 장 질환의 재발과 유의한 연관성을 보였다. 우울과 불안이 염증성 장 질환의 경과에는 영향을 미치지만 질환의 발현에 영향을 미치는 지는 아직 의문이다. 간호사 중 여성을 대상으로 한 연구에서 최근의 우울증상이 크론병의 위험성 증가와 연관이 있었다. 캐나다에서 시행한 연구에서는 염증성 장 질환 환자에서 범불안장애의 위험도가 2배 이상 높았다.

2) 염증성 장 질환과 삶의 질

질환의 경과와 무관한게 염증성 장 질환 환자에서는 일반인에 비해 낮은 삶의 질을 보고한다. 적응장애, 질환의 재발 횟수, 스테로이드의 사용, 입원율로 평가한 질환의 활성도와 심각도는 건강과 관련된 삶의 질을 평가하는 매우 강력한 예후인자였다. 불안이나 우울 등의 심리적 고통과 인지된 스트레스, 피로, 기분 표현 불능증 등의 성격적 특성은 건강과 관련한 삶의 질에 영향을 준다. 수술이나 약물치료 등의 적극적인 치료는 삶의 질에 대한 환자의 자각을 높이는데, 378명의 염증성 장 질환 환자를 대상으로 한 연구에서 염증성 장 질환은 삶의 질에 매우 심각한 영향을 미쳤다. 활동성의 염증성 증상 없이 과민성 장 증후군의 증상만 있는 군에서 삶의 질이 유의하게 낮았고, 이는 점막내 염증이 있는 활동성 기능성 위장질환 환자의 삶의 질과 비슷한 수준이었다. 불안과 우울, 신체화는 IBS-IBD가 공존하는 환자에서 가장 높았다. 염증성 장 질환 환자의 삶의 질을 평가할 수 있는 다양한 도구들이 알려져 있고 대표적으로 IBD-Q 척도가 표준화되어 있다.

3) 염증성 장 질환의 심리적 그리고 약물학적 접근

높은 수준의 우울, 불안의 공존, 낮은 삶의 질, 과민성 장 증상, 스트레스 등이 염증성 장 질환와 높은 연관성을 보인다는 연구 결과를 바탕으로 인지행동치료, 위장관 증상에 특화된 최면치료, 마음챙김명상, 스트레스 대처 훈련 등 다양한 정신치료들이 시도되고 있다. 일부에서는 삶의 질과 심리적 안정을 향상시킨다는 보고도 있지만 아직 그 결과는 분명치 않다. 컴퓨터를 활용한 인지행동치료에서 199명의 환자들을 대상으로 이중맹검연구를 시행했는데 치료군에서 IBD-Q와 SF-12 척도의 호전을 보였으나 6개월 이상 효과가 지속되지는 않았다. 60명의 환자를 대상으로 한 마음챙김치료에서는 불안, 우울, 마음챙김, 삶의 질에서 호전이 있었고 6개월 이상 지속되었다. 위장관 증상에 초점을 맞춘 최면요법이 궤양성 대장암 환자에서 시행되었는데 다양한 염증마커(IL-6, TNF-a)가 감소하였고, 스테로이드의 사용도 줄었다. 대략 1/3의 환자들이 항우울제를 복용하거나 복용했던 것으로 알려져 있지만 염증성 장 질환에서 정신약물 사용의 유용성은 아직 불분명하다. 염증성 장 질환 환자에서는 기능적 증상의 호전보다는 불안과 우울을 조절하기 위해 항우울제를 사용한다. 대부분의 환자에서 심리적인 안정이 향상되었으나 염증성 장 질환 증상의 호전은 소수에 그쳤다. 소량의 TCA 복용이 위장 증상을 중등도 이상으로 호전시킨다는 연구와 Duloxetine 60 mg 복용이 심리적, 신체적, 사회적 삶의 질을 호전시킨다는 보고가 있다.

4) 과민성 장 증후군Irritable bowel syndrome, IBS

과민성 장 증후군은 배변과 연관된 통증과 대변의 모양이나 배변 횟수의 변화가 특징이다. 로마 IV 기준에서는 복통에 동반된 증상의 지속성 그리고 배변의 변화, 부가적인 증상으로는 고장, 팽만감, 배변 시 힘이 많이 들거나 급하게 배변을 해야하거나 잔변감, 대변에 점액질이 남아있는 경우가 있다. 활성기 증상이 지난 3개월 동안 지속되었고, 진단 전 최소 6개월 이전에 시작되어야 한다. 증상의 활성기 동안 복통은 최소 주 1회 이상 나타나야 한다. 과민성 장 증후군은 주된 증상에 따라 설사형(IBS-D), 변비형(IBS-C), 혼합형(IBS-M)으로 나뉜다. 진단은 심각한 위장관 증상을 제시하는 경고 증상(발열, 체중감소, 직장 출혈 등)이 없더라도 임상적 평가로 가능하다. 동반증상이 흔하며

GERD, 오심, 기능성 소화불량, 골반통증, 만성 피로 증후군 등이 있다.

① IBS의 역학

국제위장질환학회의 보고에 따르면 과민성 장 증후군의 유병률은 10-15%에 이르며, 남아메리카(12%)에서 가장 높고 남아시아(7%)에서 가장 낮다. 전세계에서 여성이 남성보다 1.5-3배까지 많다. 50세 미만에서 과민성 장 증후군이 흔한데 과민성 장 증후군 증상은 연령이 증가함에 따라 약해진다. 과민성 장 증후군이 흔한 질환임에도 불구하고 환자 중 30%만 치료를 받고 이중 80%는 IBS-D에 해당한다.

② IBS의 병태생리

많은 연구에도 불구하고 과민성 장 증후군의 병태생리는 여전히 분명하지 않다. 비정상적인 위장관의 움직임, 내장과민성, 장내투과성의 변화, 장내 미생물 구성의 변화, 염증 반응, 스트레스 반응의 변화, 유전적, 심리적 요인들이 영향을 주는 것으로 알려져 있다. 최근에는 과민성 장 증후군의 병태생리에서 중추신경계(CNS)와 내장신경계(ENS)의 연결성을 지칭하는 뇌-위장관 축Brain-Gut-Axis이 많이 거론된다. 대장의 운동성의 변화가 과민성 장 증후군에서 보고되었고 자율신경기능 부전, 내장과민성도 알려졌었다. 최근 코호트연구에서는 내장과민성의 증가가 위장관 증상의 심각도와 연관된다고 보고되었으며 불안, 우울, 신체화 등과는 무관하였다. fMRI를 통한 연구에서는 과민성 장 증후군 환자에서 내장통이 있을 때 기능손상에 대한 두려움과 통증의 유발 사이에 과도한 활성을 보였다. 세로토닌은 위장관의 운동, 분비, 혈관확장, 내장 감각에 있어 매우 중요하다. 과민성 장 증후군에서 대장 점막에서의 세로토닌 분비 장애가 보고된 바 있다. 일부연구에서는 IBS-D에서 혈중 세로토닌이 증가하고 IBS-C에서 혈중 세로토닌이 감소하는 것으로 나타났다. 식이습관도 과민성 장 증후군에서 매우 중요하다. 주로 FODMAP과 연관된 단연쇄 탄수화물은 장에서 흡수가 잘 되지 않는다. FODMAP은 삼투압 활성화되지 않고 장내 미생물에 의해 발효되며 과도한 H2 methane을 분비하기 때문에 상복부 불편감과 통증을 초래한다. Low-FODMAP 식단이 과민성 장 증후군을 호전시킨다는 RCT가 있지만 장기간의 안정성과 수용성은 아직 알 수 없다. 심리적 요인들이 위장관 증상과 통증의 지각에 영향을 미치는 것으로 알려져 있다. 기능성 위장질환 환자 중 26-44%까지 성적, 정서적, 심리적 외상을 보고한다. 최근연구에서는 심리적 요인들이 과민성 장 증후군의 발달에 기여하였고 일부 메타연구에서는 우울과 불안이 과민성 장 증후군의 발생 위험을 2배 이상 높인다고 하였다. 대단위 전향적 연구에서 연령, 성별, 기저의 복통 등의 요인들을 제한하였을 때, 질병행동, 수면장애, 신체증상 등이 과민성 장 증후군의 발현에서 독립적 예측인자로 나타났다. 스트레스 사건의 경험과 높은 수준의 건강염려 등은 염증으로 치료받은 이 후 발생한 과민성 장 증후군에서 유의한 예측인자였다. fMRI 연구에서는 우울과 불안이 동반된 과민성 장 증후군 환자에서 전두엽, 앞띠이랑, 양측 후두엽에서의 활성이 감소된 것으로 나타났다.

③ IBS와 삶의 질

IBS 환자의 삶의 질은 일반인 뿐만 아니라 천식, 편두통, 염증성 장 질환, GERD 등의 만성 질환자들에 비해서도 낮다. 심지어 당뇨, 신부전 등의 심각한 신체질환이 동반된 경우 보다도 낮다. 과민성 장 증후군 환자들은 평균적으로 매년 3-4일 정도 증상으로 인해 출근을 못한다. 과민성 장 증후군에서 흔히 손상되는 부분은 직업, 사회적 기능, 식이습관 등이다. 특히 치료를 받지 않거나 일차 진료 의사를 방문한 경우에 내과 전문의 진료를 받은 경우보다 더욱 낮은 삶의 질을 보고하였다. 따라서 IBS 증상의 심각도는 삶의 질을 결정하는 데 있고 가장 중요한 요인으로 생각된다. 위장관 증상 외에도 피로, 수면장애, 성기능 장애, 건강염려 등의 심리적 스트레스도 삶의 질을 악화시키는데 영향을 미쳤다.

④ IBS에서 정신증상의 공존

과민성 장 증후군 환자 중 대략 50%에서 임상적으로 의미 있는 정신증상을 보고한다. 과민성 장 증후군에서 정신증상의 동반은 대략 38-100%까지 나타난다. 우울이 가장 흔하고(6-70%), 불안(5-50%), 신체화(15-47%), 공황장애(0-41%), 트라우마 관련 장애(8-36%)도 보고된다. 최근 6개의 이중맹검연구를 리뷰한 메타분석에서는 IBS 환자에서 양극성장애의 유병률이 매우 높았다. 보통 정신증상은 과민성 장 증후군의 발현에 선행하는 경우가 많다. 정신질환은 심한 위장관 증상, 기능적 손상, 심리적 고통, 낮은 삶의 질 및 질환의 나쁜 예후와도 연관된다. 동반된 정신질환이 많을수록 신체적 기능의 제약이나 일상 생활의서의 장애가 심하다. 대처방식이나 성격적 특성에서도 차이를 보이는데 과민성 장 증후군 환자에서 파국화나 신경증의 정도가 심했다.

⑤ IBS에서의 심리적 개입

스트레스, 정신병리 그리고 과민성 장 증후군 사이의 연관성이 보고되면서 과민성 장 증후군 증상과 삶의 질에 대한 심리적 개입의 효과가 지속적으로 연구되었다. 인지행동치료, 최면, 마음챙김명상, 정신분석적 정신치료, 스트레스 대처, 이완요법 등에 대한 임상연구가 진행되었다. 인지행동치료는 가장 흔하게 사용되는데, 인지행동치료를 초기에 사용하는 것이 효과적으로 나타난 바 있다(NTT = 3). 다양한 방식의 인지행동치료가 시행되고 있지만 가장 중요한 것은 환자들에게 스트레스 대처와 위장관 증상의 연관성을 교육하는 것이다. 또한 과민성 장 증후군의 증상과 두려움에 대한 인지 행동적 반응의 연관성을 안내하고 심리적, 신체적 고통에 대처하는 방식을 교육하는 것이 매우 중요하다. 메타연구에서는 인지행동치료가 장기간의 위장 증상을 줄이고 삶의 질을 향상시키는 데 유용한 것으로 나타났다. 양전자방출단층촬영(PET)을 활용한 연구에서는 인지행동치료가 과민성 장 증후군 환자들에서 내장의 자극에 대한 과도한 각성을 감소시키는 것으로 나타났다. 최면치료를 시행한 집단에서 low-FODMAP 식단을 사용한 경우와 비슷한 수준의 치료 효과가 있었다. 항우울제와 정신분석적 치료 모두 효과적이었다. 특히 트라우마의 기왕력이 있는 경우 정신분석적 정신치료가 더욱 유용했다(정신분석적 정신치료의 NTT = 3.5).

⑥ 과민성 장 증후군에서 정신약물치료의 활용

항우울제, 특히 TCAs와 SSRI가 많은 IBS 환자의 임상연구에서 많이 사용된다. 지속적인 과민성 장 증상을 예방하기 위한 NTT는 TCA와 SSRI 모두 4였지만 SSRI 군에서는 일관된 효과가 나타나지 않았다. 메타연구에서 SSRI를 처방 받은 환자 군에서 대조군에 비해 증상의 조절에 있어 유의할 만한 차이는 없었다. 과민성 장 증후군에서 항우울제의 효과는 다음 세 가지 기작으로 설명된다. 1) 흔한 정신질환의 공존 2) 통증 조절에 대한 항우울제의 효과 3) 내장 과민성과 운동 기능에 대한 항우울제의 효과. 항우울제의 부작용을 고려했을 때 TCA는 IBS-D에, SSRI는 IBS-C에 더욱 적합하다. 하지만 과민성 장 증후군에 동반되는 우울이나 불안증상의 호전으로 인한 것인지 위장관 증상에 대한 직접적인 효과인지 불명확한 경우가 많다. 세로토닌이 말초와 내장 신경계에서 위장기능과 통증을 조절하고 과민성 장 증후군에서 비정상적인 세로토닌 신호전달이 중요한 원인이라는 이론하에 SSRI를 치료 약물로 선택해 볼 수 있다. 대부분의 이중맹검연구 파록세틴, 플루오세틴, 시탈로프람 등의 SSRI가 시도되었다. IBS 환자에서 파록세틴 10-40 mg을 투약 했을 때 전반적인 삶의 질은 향상되었으나 복통, 복부팽만, 사회적 기능에서는 호전이 없었다. 서방형 파록세틴을 사용한 연구에서 전반적 임상척도의 점수는 향상되었으나 통증 점수는 호전되지 않았다. 변비우세형의 과민성 장 증후군 환자에서 플루오세틴(20 mg/day)을 사용했을 때 복부 불편감과 팽만이 감소하였고, 대변의 양상과 배변의 횟수도 호전되었다. 하지만 플루오세틴 20 mg을 사용한 연구에서 내장 과민성, 복부팽만, 고장, 잔변감, 전반적 증상 호전의 감소에서 유의한 효과가 없었다는 보고도 있다. 시탈로프람을 이용한 연구에서는 시탈로프람이 전반적 삶의 질을 호전시키고 복통, 복부팽만, 일상 기능을 호전시켰다. 아직까지 TCA에 비하여 SSRI의 효과가 부족한 것으로 보이지만 부작용이나 수용성의 측면에서 SSRI가 더욱 우월하기 때문에 임상적인 의미가 있다고 하겠다.

5. 결론

위장관의 기능은 구강을 통한 소화, 흡수, 그리고 대사를 포함한다. 위장관 기능의 손상을 초래하는 질환들은 일상 기능의 장애, 생산성, 전반적 건강, 장수 그리고 삶의 질에 악영향을 미친다. 심리적인 고통은 위장관 증상의 발현에 영향을 줄 수 있고 더 나아가 질환으로의 발달, 임상적 경과 및 치료 반응까지도 영향을 미친다. 위와 장 사이의 연관성에 대한 보고가 증가하고 있다는 사실은 심리적 요인과 위장관 질환의 강력한 관계를 강력하게 제안한다. 정신치료적 혹은 정신약물학적인 접근은 특정 정신병리가 없는 경우라도 위장관 증상에 매우 효과적이다.

참고문헌

1. Abdalla MI, Sandler RS, Kappelman et al. The impact of ostomy on quality of life and functional status of Crohn's disease patients. Inflamma Bowel Dis 2012;22(11):2658-64.
2. Alrubaiy L, Rikaby I, Dodds P et al. Systemic review of health-related quality of life measures for inflammatory bowel disease. J Crohn's Colitis 2015;9(3):284-92.
3. Ananthakrishnan AN. Epidemiology and risk factors for IBD. Nat Rev Gastroenterol Hepatol 2015;12(4):205-17.
4. Ballou S, Keefer L. The impact of irritable bowel syndrome on daily functioning: characterizing and understanding daily consequences of IBS. Neurogastroenterol Motil 2017;29(4):27781332.
5. Bilgi MM, Vardar R, Uildirim E et al. Prevalence of psychiatric comorbidity in symptomatic gastrosophageal reflux suugroups. Dig Dis Sci 62(4):984-93.
6. Bokemeyer M, Ding XQ,Goldbecker A et al. Evidence for neuroinflammation and neuroprotection in HCV infection-associated encephalopathy. Gut 2011;60(3):370-7.
7. Burgstaller JM, Jenni BF, Steurer J et al. Treatment efficacy for non-cardiovascular chest pain: a systemic review and meta-analysis. PloS One 2014;9(8):e104722.
8. Calilleri M, Stanghellini V et al. Current management strategies and emerging treatment for fucntional dyspepsia. Nat Rev Gastroenterol Hepatol 2013;10(3):187-94.
9. Canavan C, West J, Card T et al. Change in quality of life for patients with irritable bowel syndrome following referral to a gastroenterologist: a cohort study. PloS One 2015;10(10):e0139389.
10. Creed F, Fernandes L, Guthrie et al. North of England IBS Research Group: The cost-effectiveness of psychotherapy and parox-

etine for severe irritable bowel syndrome. Gstroenterology 2003;124(2):303-17.

11. Drossman DA: Functional gastrointestinal disroders and the Rome IV process, in Rome IV Functional Gastrointestinal Disorders: Disorders of Gut-Brain Interaction, 4th Edition. Edited by Drossman DA, Chang L, Chey WD et al. Raleigh, NC, Rome Foundation, 2016, pp2-32.
12. Enweluzo C, Aziz F. Gastroparesis: a review of current and emerging treatment options. Clin Exp Gastroenterol 2013;6:161-5.
13. Farmer AD, Ferdinand E, Aziz Q. Opioids and the gastrointestinal tract- a case of narcotic bowel syndrome and literature review. J Neurogastroenterol Motil 2013;1991):94-8.
14. Goyal RK, Hirano I: The enteric nervous system. N Engl J Med. 1996;334(17):1106-115.
15. Gwee KA, Leong YL, Graham C et al. The role of psychological and biological factors in post infective gut dysfunction. Gut 1999;44(3):400-6.
16. Hong JY, Naliboff B, Labus JS et al. Altered brain responses in subjects with irritable bowel syndrome during cued and uncued pain expectation. Neurogastroenterol Motil 2016;28(1):127-38.
17. Jones MP. The role of psychosocial factors in peptic ulcer disease: beyond helicobacter pylori and NSAIDs. J Psychosom Res 2006;60940:407-12.
18. Les S, Wu J, Ma YL et al. irritable bowel syndrome is strongly associated with generalized anxiety disroder: a community study. Aliment Pharmacol Ther 2009;30(6):643-51.

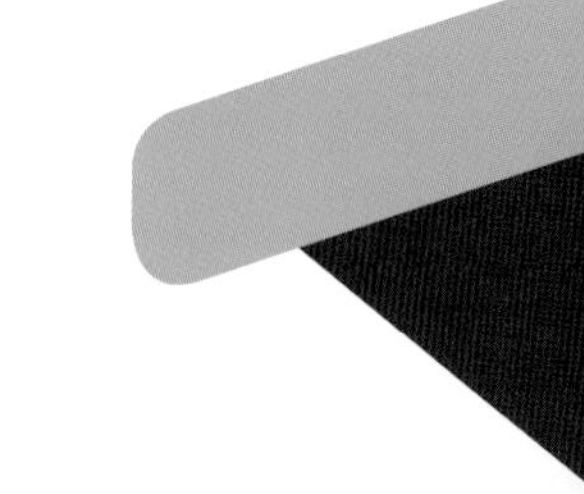

23 CHAPTER

신장질환

우정민

신장질환 분야는 매우 광범위하고 복잡하다. 그 중 정신신체의학이 주로 초점을 맞추어야 하는 부분은 만성신장질환Chronic Kidney Disease, CKD이다. CKD는 신장이 지속해서 손상되며 기능을 상실해 가는 경과를 밟는 질환으로 환자들은 신체적, 정신적 부담을 매우 긴 시간 동안 견뎌내야 한다.

CKD의 원인으로 당뇨병, 고혈압, 사구체신염, 다낭성 신질환, 루푸스 등의 자가면역 질환, 진통제와 같은 약물남용 등이 있다. 이중 당뇨병과 고혈압이 전체의 70%를 차지한다. 우리나라는 빠른 고령화로 고혈압, 당뇨병이 증가하고 있고 이에 따라 CKD 환자도 매년 증가하고 있다. 건강보험통계연보에 따르면 2018년 약 23만 명, 2019년 약 25만 명의 CKD 환자가 치료받고 있다. CKD 환자의 증가세는 매우 가파른데, 최근 수년 동안 매년 10% 이상 증가하고 있다. 이러한 가파른 증가세는 고령화와 맞닿아 있어 앞으로 계속될 것이다.

CKD는 상당히 진행될 때까지 증상이 없는 경우가 많아, 말기신장질환End-stage renal disease, ESRD 직전까지 모르고 있는 경우가 많다. ESRD에서 신장은 기능을 하지 못하기 때문에 투석이나 신장이식을 고려해야 한다. 이때부터 환자의 삶의 궤적은 완전히 바뀐다. 더 이상 이전과 같은 생활을 할 수 없다. 혈액 투석환자 같은 경우 매주 2-3회, 최소 4시간을 기계 옆에서 보내야 하고 투석치료를 받아도 원래 신체기능을 회복하지 못한다. 그리고 ESRD로 인한 삶의 궤적 변화는 죽음의 시간이 당겨질 수 있음을 뜻하기 때문에 이와 관련된 고통은 매우 심할 수 있고 많은 정신사회적 문제로 이어지기도 한다.

그런데도 신장질환 분야에서 정신사회적 문제에 대한 관심과 지원은 매우 부족하다. 암 환자의 정신사회적 문제에 대해서는 의료진뿐만 아니라 일반인의 인식이 상당히 향상되어 이를 해결하려는 노력과 정책적인 지원이 이루어지고 있다. 하지만 이들에 비해 절대 가볍지 않은 신장질환 환자의 고통에 관심은 크지 않다. 최근 의료에서 삶의 질에 관심이 높아지면서 이들의 정신사회적 문제에 대한 관심이 함께 증가하고 있다.

이 장에서는 CKD 및 ESRD 환자의 정신사회적 측면에 대해 다룰 것이다.

1. 신장질환에서의 신경정신장애

정신질환으로 우울장애가 가장 흔하고 섬망과 신경인지장애가 그 뒤를 따른다. 이 분야의 연구는 많은 수가 투석 환자를 대상으로 시행되었다. 미국에서 시행한 한 연구에 따르면, 투석환자의 70% 정도가 적어도 하나의 정신장애를 가지고 있었고 약 9%가 정신장애로 입원치료를 받았다.

1) 우울 및 불안장애

신체질환을 가진 환자의 기분이나 불안을 평가하는 것은 어렵다. 신체 증상과 기분 증상을 쉽게 구별할 수 없기 때문이다. 식욕 저하, 에너지 감소, 불면증, 성욕저하는 우울 증상이기도 하지만 요독증uremia의 증상이기도 하다. 투석치료에 의한 신체감각의 변화는 불안 증상과 구별이 어렵고, 또한 이 신체감각의 변화는 불안 증상 발생의 역치를 낮추기도 한다. 그러므로 간단한 설문지나 척도를 통해 이들의 우울과 불안을 구별하고 판단하는 것은 매우 어렵다. 이를 극복하기 위해서 신장질환에 특화된 연구 방법을 개발하기도 했다. 이를 모두 고려했을 때, 신장질환 환자의 약 25% 정도를 주요우울장애로 진단할 수 있다.

우리나라에서 혈액투석 환자를 대상으로 우울, 불안을 매우 유사한 연구 디자인으로 평가한 2개의 연구가 있다. 두 연구는 병원우울불안척도Hospital Anxiety and Depression Scale를 사용하여 8점 이상을 절단점으로 우울장애와 불안증을 판단했다. 이 두 연구는 매우 유사한 결과를 보였다. 2010년 연구에서 우울장애와 불안증이 있는 환자의 비율이 각각 58.7%, 27.9%, 우울장애와 불안증이 동시에 있는 비율은 26.0%였다. 2015년 연구에서 각각 69.2%, 28.1%, 25.3%로 나타났다. 불안증보다 우울장애 비율이 높았는데, 이는 죽음을 직면해야 하는 진행성 질병 환자의 연구 결과와 일치한다. 진단 초기에는 불안이 높지만 시간이 지나면서 불안보다 우울 증상이 더 두드러진다. 국내 국민건강영양조사자료를 사용해 CKD 환자를 우울장애 선별도구Patient Health Questionnaire-9, PHQ-9를 통해 평가했을 때 우울장애는 비환자군에서 7.2%, CKD 환자군에서 13.1%로 나타났고, 우울 증상과 자살사고는 CKD가 진행될수록 악화되었다.

우울장애는 신장질환의 의학적인 측면에서 중요하다. 우울장애는 CKD 악화를 예측할 수 있는 강력한 인자이기 때문이다. 우울장애가 있는 CKD 환자는 투석 치료로 이어질 가능성이 더 크고, 우울장애가 있는 투석환자는 그렇지 않은 환자보다 입원하거나 사망할 위험이 약 2배 높다.

신장질환에서 우울장애 치료에 대한 근거가 아직 부족하다. 많은 정신약물이 처방되고 있음에도, 신장질환에서 약물 사용에 관한 연구가 많지 않으며, 약물 효과도 분명하지 않다. 인지행동치료과 같은 정신치료 또한 효과가 확실하지 않았다. 하지만, 이 결과가 약물치료나 정신치료의 효과가 없다는 것을 의미하지 않는다. 신체적으로 매우 취약하고, 질병으로 인해 자율성이 손상되며, 죽음을 고려해야 하는 환자의 치료 효과를 입증하기가 매우 어렵기 때문이다.

불안의 경우 ESRD 환자의 30-46%, CKD 환자의 30% 정도가 불안 증상을 가지고 있다. 불안 증상이 있는 환자는 대부분 우울 증상을 동반한다. 혈액투석 환자에서 외상후스트레스장애Post-traumatic Stress Disorder, PTSD가 흔하다. CKD 환자는 긴 투병기간 동안 투석, 이식, 합병증, 증상 악화와 관련된 외상 경험을 반복적으로 경험한다. 이러한 반복적 경험이 외상 후 스트레스 증상으로 이어질 수 있다. 공포증도 흔히 관찰될 수 있는데, 바늘과 혈액에 대한 공포로 인해 혈액투석을 거부하고 복막투석을 선택하기도 한다.

2) 신경인지장애

CKD 환자에서 인지장애는 우울장애, 불안장애 다음으로 흔하며 CKD는 그 자체가 인지장애의 위험인자이다. CKD 경과에서 요독증, 전해질 이상, 심각한 영양실조, 대사이상, 심혈관 질환과 같은 다양한 의학적 상태가 발생할 수 있다. 이러한 상태가 인지장애의 발생과 경과에 영향을 줄 수 있다. 특히 요독증은 신장 기능이 현저히 저하될 때 발생하는 임상 증후군으로, 집중력, 기억력, 지능 손상을 가져온다. 요독증 증상의 심각도는 신장 기능 손상 정도 및 악화 속도와 관련 있다. 중추신경계 증상은 경도 인지장애, 피로, 두통으로 시작해서 섬망으로 진행할 수 있고 치료가 되지 않으면 혼수상태에 이를 수 있다. CKD 환자는 조혈 기능 저하로 빈혈이 흔한데 빈혈은 산소 사용 능력을 떨어뜨려 인지장애를 일으킬 수 있다. 특히 심혈관 질환이나 신경질환을 앓고 있는 경우 인지장애의 위험성은 더 높아진다. 우울장애 또한 인지장애의 위험요인이다.

CKD 진행단계는 인지장애 저하 정도와 관련이 있다. 한 연구에서 더 낮은 신기능, 높은 크레아티닌Creatinine 수치는 시공간 처리, 주의집중, 계획 기능의 저하와 관련이 있었다. 투석 자체가 인지기능에 부정적 영향을 줄 수 있다. 한 연구에서 투석을 시작한 CKD 환자들이 투석을 시작하지 않은 CKD 환자보다 실행기능이 더 저하되었다. 투석은 신장 기능의 온전함을 대체할 수 없으므로 잠재적인 부정적 영향을 배제할 수 없다. 하지만 인지장애를 일으키는 요독성 뇌병증Uremic encephalopathy을 혈액투석으로 호전시킬 수 있듯이, 혈액투석이 인지기능에 악영향을 끼치는 요인을 제거하고, 인지기능 손상을 예방할 수도 있다. 아직 투석이 인지기능에 미치는 영향을 확정하기 힘들다. 계속 진행하는 질병 양상과 혈액투석이 신체에 미치는 영향이 서로 복잡하게 얽혀 있어 그 영향을 구분하고 단정하기가 어렵기 때문이다.

ESRD의 가장 흔한 원인은 고혈압과 당뇨이다. 이는 또한 치매의 위험인자이다. 이 군에서 치매 유병율은 잘 연구되어 있지 않지만, 한 대규모 연구에서 혈액투석 환자의 치매 유병률은 4%였다. ESRD 환자에게 치매는 사망 위험을 약 1.5배 증가시킨다. 알루미늄 기반 인산염 결합제Aluminium-based phosphate binder 사용으로 투석치매가 발생할 수 있다. 투석치매의 초기 증상으로 구음장애, 말더듬이, 불분명한 언어가 특징적이며, 진단 후 6-12개월 내 사망한다. 원인으로 장내 알루미늄 흡수 증가로 추정하여, 알루미늄 기반 결합제를 더 이상 사용하고 있지 않지만, 여전히 투석치매가 발생하고 있다. 특히, 투석치매는 한번 발생하면 치료할 수 없으므로 조기에 발견할 수 있도록 관심을 가져야 한다.

신장질환 환자의 치매 치료 약물은 아세틸콜린 분해효소 억제제Acetylcholine esterase inhibitor와 NMDA 수용체 길항제N-methyl-D-aspartate receptor antagonist를 선택할 수 있다. 하지만 진행을 4-6개월 정도 늦추는 정도로 알려져 있다. 하지만, 조기에 개입하면 호전될 가능성이 존재하므로 인지장애를 빨리 발견하는 것이 더 중요하다.

3) 뇌병증

신장 기능이 심각하게 저하되면 중추신경계 문제가 나타날 수 있다. 뇌병증encephalopathy이 가장 흔하며, 요독, 전해질 이상, 고혈압 등과 연관이 있다. 급성신부전에서 증상이 분명하게 드러나지만, CKD는 매우 점진적으로 진행되므로 경도 인지 저하나 성격 변화의 형태로 나타날 수 있어 진단이 힘들다. 이러한 증상은 우울장애나 의기소침demoralization, 약물 부작용과 구분이 안 될 수 있다.

요독성 뇌병증은 경한 혼란, 인격 변화, 혼수와 같은 중추신경계 저하 증상과 근육 수축, 간대성근경련, 안절부절못함, 경련과 같은 중추신경계 자극 증상이 함께 발생할 수 있다. 이것은 다른 대사성 뇌병증과 다른 특징이다. 또한 자세고정불능증(asterixis)과 진전이 나타날 수 있다. 요독성 뇌병증은 투석을 통해 좋아지는데, 이를 통해 비로소 진단이 가능해지기도 한다. 요독성 뇌병증의 중증도와 질소혈증azotemia의 중증도는 상관성을 보이지 않고, 뇌병증 원인이 다양하므로 진단이 어려울 수 있다.

투석은 티아민thiamine의 손실을 빠른 속도로 일으켜 베르니케 뇌병증wernicke encephalopathy을 발생시킬 수 있다. 혼란, 보행장애, 안구운동장애와 같은 세 가지 증상이 전형적으로 나타나지 않고, 정신혼란 증상만 나타날 수 있다. 티아민 손실은 기저핵 기능이상을 일으켜 무도병운동choreiform movement으로 이어질 수 있다.

이외 이식거부반응 뇌병증rejection encephalopathy, 고혈압 뇌병증, 투석불균형 증후군dysequilibrium syndrome, 대사성 뇌병증이 나타날 수 있다.

4) 물질관련장애

물질 사용은 신장손상을 일으킬 수 있다. 헤로인, 코카인, 메스암페타민과 같은 마약이나, 만성적인 비스테로이드성 소염진통제Non-Steroidal Anti-Inflammatory Drugs, NSAIDs 사용은 신장을 손상시킬 수 있다.

한 연구에서 혈액투석 환자의 28%가 만성 알코올 의존에 해당했다. 이 환자들은 그렇지 않은 환자보다 영양상태가 불량하고 혈장 알부민 수치가 감소했다. 그리고 치료 순응도가 좋지 않았고 입원이나 사망 위험성이 높았다. 물질 사용 문제가 있는 환자는 다른 정신장애를 가지고 있을 가능성이 크고 이 경우 더 불량한 예후를 가진다.

5) 하지불안증후군

하지불안증후군은 주로 잠들기 전 다리의 불편한 감각이 나타나 다리를 움직이고 싶은 충동이 일어나는 질환이다. 때로는 다리에만 증상이 국한되지 않고 팔과 어깨에도 증상이 나타날 수 있다. 투석환자에게 흔하며 약 25%에서 나타날 수 있다. 적절히 치료하지 않으면 심각한 정신적 고통과 불면을 초래하므로 빨리 해결해야 한다. CKD 환자는 비타민 D, 빈혈, 철분 결핍이 흔한데 이는 하지불안증후군의 원인이다. 따라서 이를 조사하고 교정해야 한다. 치료는 도파민 효현제dopamine agonist, 벤조다이아제핀benzodiazepine, 가바펜틴gabapentin을 사용할 수 있다. 신장이식이 성공하면 하지불안증후군이 사라질 수 있다.

2. 신장질환에서 중요한 정신사회적 문제

1) 치료 비순응

규칙적 병원 방문, 투석 사이의 체중 관리, 규칙적 약물 투여는 병의 경과와 장기 예후에 매우 중요한 요소이다.

한 연구에 따르면 복막투석 환자의 12%가 투석액 교환을 한 주에 한 번 정도 하지 않고 5%는 2-3번을 하지 않고 있었다. 혈액투석 환자의 약물 순응도를 조사한 연구에서 37%가 처방대로 약물을 투여하지 않았고 우울 증상이 심할수록 순응도가 떨어졌다. 이와 같은 현상은 신장질환뿐만 아니라 다른 질환에서 나타난다. 우울 증상이 있는 환자는 혈액투석을 받지 않기도 하고 정해진 시간보다 일찍 오기도 했다. 이 연구들은 자기보고에 근거하고 있는데, 비순응의 실상은 이보다 좋지 않으리라고 예상할 수 있다. 이를 밝히고자 객관적 관찰이 가능한 인산결합제를 이용해 순응도를 조사하였고 경구약을 제대로 먹지 않는 비율은 62%로 확대되었다. 최근 메타분석에 따르면 67%가 치료 비순응에 해당했다.

환자의 순응도를 개선하기 위해 지식수준을 높이는 교육을 시행했으나 순응도를 개선하지 못했다. 다른 연구에서는 지식이 높이는 교육이 오히려 순응도를 악화시켰다. 이와 같은 지식과 행동의 괴리 현상은 의학 및 사회 분야에서 드물지 않다. 지식보다 우울, 불안, 인지기능, 성격 특성, 환자-의사 관계, 사회경제적 여건 등의 정신사회적 측면이 순응도에 중요하다. 특히 치매가 발생한 경우 비순응은 극단으로 치닫는다. 순응도를 높이기 위해 지식교육보다 정신사회적 측면을 평가하고 개입하는 것이 더 중요하다. 이러한 맥락에서 인지행동치료, 동기면담motivational interview, 이완요법, 사회기술훈련 등을 시도하였다. 한 연구에서 인지행동치료가 순응도와 우울장애를 함께 호전시켰다.

2) 투석의 자발적 중단

투석 중단은 ESRD 환자의 삶에서 죽음으로 이행하는 과정이며 의료에서 삶의 질과 자기 결정권을 중요시하게 된 최근의 경향과 맞닿아 있다. 투석 중단 결정은 투석으로 인한 고통을 마무리하고픈 죽음의 욕구, 가족에게 부담을 주는 것의 두려움, 치료에 대한 불신을 반영할 수 있다. 투석 중단은 투석치료 의지가 크지 않거나, 투석으로 인한 고통이 클 때 적절한 선택일 수 있다. 투석 중단 후 평균적으로 7-8일 안에 사망하게 되는데 투석 중단이 항상 고통과 괴로움을 유발하지 않는다. 중단의 전형적인 증상은 무기력이다. 이후 혼수나 죽음으로 이어진다.

우울장애는 투석 중단의 강력한 예측인자이다. 우울 증상이 심할수록 투석을 중단할 가능성이 더 커진다. 또한 인지 손상이 죽음의 결정에 영향을 줄 수 있으므로 이에 대한 평가는 필수적이다. 투석 중단이 자살을 뜻하는 것은 아니며 환자는 스스로 죽음을 선택할 수 있지만 투석 중단 결정에 정신의학적인 문제가 확실히 배제되어야 한다.

3) 신장완화의료Renal Palliative Care

완화의료는 완치가 어려운 질병이 있는 환자와 가족의 고통을 경감하고 삶의 질을 개선하기 위한 치료이다. 완화의료의 틀 안에서 죽음은 다른 의학 분야에서와 달리 자연스러운 가능성 중 하나이다. 하지만 치료 중단을 의미하는 것은 아니다. 아직 완화의료에 대한 이해가 상당히 부족한데 일반인뿐만 아니라 의료 전문가도 완화의료와 치료중단을 동일시하고 호스피스를 완화의료로 혼동한다. 이러한 인식은 완화의료가 잘 발달한 곳에서도 흔하다. 완화의료라는 단어는 여전히 많은 사람에게 호스피스와 죽음을 떠올리게 한다. 이를 극복하기 위해 신장지지치료renal supportive care로 바꾸어서 사용하고 있다.

환자들은 투석치료를 시작해야 하는 시점부터 죽음과 불확실성의 문제에 직면하게 되며, 심각한 고통에 노출될 수 있다. 그러므로 투석을 시작하기 전에 완화의료로 연결되어야 한다.

완화의료는 '환자에게 치료선택을 스스로 결정할 수 있다는 것'을 이해시키는 것으로 시작한다. 질병 예후와 치료 목표를 치료진, 가족, 환자 모두 분명하게 대화해야 하며 그 결과 투석을 시작하지 않을 수 있다. 특히 투석의 이점이 분명하지 않다면 더욱 분명히 대화해야 한다. 또한 삶의 질 저하가 심해지면 도중에 중단할 수 있다는 점을 환자에게 알려야 한다. 치료를 중단할 때, 환자의 소망, 가치, 신념, 정신의학적 상태, 역전이 등 여러 변수를 고려하며 결정한다. 투석 중단이 결정되면 호스피스로 연결해 임종기에 적극적인 통증 관리, 영적, 정서적, 실존적 지지를 받을 수 있게 하고 환자의 죽음 후에는 가족의 애도를 돕는다.

신장완화의료는 수십 년째 출발선에 머무르고 있다. 중요성은 알지만 실제 투자나 실천이 이루어지지 않고 있다. 완화의료를 의뢰하거나 받고 싶어도 완화의료를 제공할 팀이 부족하다는 점이 이 분야의 가장 큰 장벽이다.

4) 사회적 고립과 지지

사회적 고립은 고령화, 핵가족화가 되고 있는 현대에서 심각한 문제로 대두되고 있다. 고립은 우울장애, 자살로 이어질 수 있다. 약 3백4십만 명을 분석한 연구에서 사회적 고립은 사망 위험을 29% 상승시키는 것으로 나타났다. 투석환자, 이식환자, CKD 환자의 사회적 고립은 매우 흔하며 정신뿐만 아니라 신체에도 큰 영향을 미친다. 신장질환에 의한 신체기능 저하는 환자의 이동성을 제한하여 사회적 고립 위험을 더 높인다. 사회적 고립이 정신병리를 일으킬 수 있지만 반대로 신장질환에 의한 우울장애와 인지기능 저하는 사회적 고립을 초래하거나 악화시킬 수 있다.

신장질환에서 사회적 지지의 이득은 약물치료와 인지행동치료에 비해 많은 근거가 있다. 가족, 친구, 투석실 치료진, 주위 환우로부터의 지지와 공감은 의료서비스를 적절히 사용할 수 있게 하고, 치료 순응도를 높이며 사망률을 낮추었다. 이에 더해 우울장애를 예방하고 환자의 삶의 질을 높이며 면역체계를 안정시켰다. 이처럼 사회적 지지는 신체 및 정신의 광범위한 부분에 긍정적 영향을 미친다. 따라서 이를 근거로 하는 지지적 개입이 개발되어 환자에게 적용될 필요가 있다.

3. 신장질환과 정신약물

1) 사구체 여과율과 CKD 병기

사구체 여과율Glomerular Filteration Rate, GRF (mL/min/1.73 m^2)이 60 미만으로 3개월 이상 지속되면 CKD로 진단한다. 하지만 GFR이 60 이상이라도 신장의 구조적 혹은 기능적 이상이 3개월 이상이 지속되면 CKD로 진단한다(표 23-1). 정신의학에서 흔히 사용되는 약물이 GFR에 영향을 줄 수 있다. 그러므로 GFR에 대한 이해가 필요하며, GFR을 근거로 추적 검사 기간을 조정하고 약물을 조절해야 한다. CKD의 증상은 매우 점진적으로 진행되어 드러나지 않다가, 신부전renal failure 상태에서 발견되는 경우가 많으므로, 적어도 6개월에 한 번 검사를 시행하고 GFR 수치를 확인해야 한다. GFR이 30 이하가 되기 전까지 약물 투여량 조절이 필요없다고 알려졌지만, 이 수치는 절대적인 판단 기준이 아니다. GFR 감소 정도와 경향, 단백뇨proteinuria, 혈뇨hematuria 동반 여부를 종합적으로 파악해 신장손상 진행을 빨리 인지하는 것이 중요하다. 이러한 세심한 인식이 추가적인 신장손상을 예방할 수 있다.

표 23-1. 만성신질환 병기Kidney Disease Outcomes Quality Initiative, K/DOQI

단계	설명	GFR (mL/min/1.73 m^2)
1	신장 손상이 있으나, GFR은 정상 또는 증가	≥ 90
2	신장 손상은 있으나, GFR은 경도 저하	89-60
3	GFR이 중등도 저하	59-30
4	GFR이 고도 저하	29-15
5	신부전	< 15(또는 투석)
1. GFR에 상관없이 신장의 구조적 혹은 기능적 이상이 3개월 이상 지속되면 CKD로 진단. -신장 조직검사 결과 이상, 혈액 혹은 소변검사 이상, 영상학적 검사 이상 2. GFR이 60 mL/min/1.73 m^2 미만으로 3개월 이상 지속되면 CKD로 진단		

2) CKD에 의한 약물대사 변화

CKD에서 약동학 및 약역학이 변화할 수 있다. ① 생체이용율Bioavailability이 변화한다. 생체이용율이란 약물이 경구 혹은 혈관 투여를 통해 체순환계로 이동하는 것을 뜻한다. 경구 투여된 약물은 장이나 간에서 대사된 후 체순환계로 이동하는데, 이를 일차통과First pass라 한다. 신장질환에서는 위장관계 부종, 요독증에 의한 구토, 타액 내 요소Salivary urea에 의한 알칼리화, 광물이온성 인산염 결합제Metallic ion phosphate binder에 의한 흡수저하, 심혈관계 기능 저하로 인한 일차통과의 감소로 약물 흡수가 감소할 수 있다. ② 약물 분포용적volume of distribution이 변화한다 ③ 혈청 알부민 감소와 요독Uremic toxin에 의해 유리 약물 농도Free fraction가 증가할 수 있다. ④ 요독, 부갑상선호르몬 및 사이토카인의 변화로 간에서 사이토크롬Cytochrome 활성이 변화할 수 있다. 이와 같은 다양한 경로를 통해 신장 과 직접적 관계없이 대사되는 약물도 영향을 받을 수 있다.

3) 투석치료와 약물

약물의 분자 크기, 단백질 결합, 용해도water solubility, 분포용적, 혈장제거율Plasma clearance에 따라 투석으로 제거되는 정도가 다르다. 혈액투석에 의해 제거되지 않는 약물은 복막투석으로 제거되지 않는다. 투석으로 제거되는 대표적인 약물은 리튬lithium, 가바펜틴 gabapentin, 프레가발린pregabalin이며, 제거되지 않는 약물로 카바마제핀carbamazepine, 발프로에이트valproate, 선택적세로토닌재흡수억제제Selective Serotonin Receptor Inhibitor, SSRI가 있다. 투석으로 제거되는 약물의 추가투여 결정은 투석 후 혈중 농도와 임상적 판단을 통해 내려진다. 투석에 의해 제거되지 않는 약물은 심각한 부작용이 발생했을 때, 즉각적인 처치가 어렵기 때문에 약물 증량에 신중해야 한다.

4) 약물에 의한 신장손상

약물이 신독성을 일으킬 수 있다. 혈역학 변화로 인한 손상pre-renal, 신세뇨관renal tubule의 직접적 손상renal, 폐쇄성 신증obstructive uropathy으로 인한 손상post-renal이다. NSAIDs, 항고혈압제, 이뇨제, 완화제는 신장으로 가는 혈류를 감소시켜 신장손상을 일으킬 수 있다. 리튬, 조영제, 아미노글리코사이드, 반코마이신, 시스플란틴은 신장에 직접적 손상을 일으킬 수 있다. 삼환계 항우울제 등 항콜린성이 강한 약물은 폐쇄성 신증을 일으킬 수 있다. 신장 기능이 저하된 환자에게 이러한 약물을 쓰거나 병용 시 주의해야 한다. 투석환자는 이미 신장이 기능을 하지 못하는 상태이므로, 신장손상을 고려할 필요가 없고, 투석 시 제거율을 이해하며 약물을 조정해야 한다.

5) 정신약물의 처방

신장손상 시 약물 처방에서 주로 논의되는 것은 시작용량의 감량 여부와 효과를 위한 최대 투여 용량, 증량 속도, 신독성이다. 권고안 대부분이 제한된 데이터에 근거를 두고 있고 임상가 사이에서 의견이 일치되지 않는 부분이 있다. 하지만, 정상 용량을 투여할 수 있는 약물이라도, 환자의 취약성을 고려해 정상 용량으로 시작하기보다 저용량에서 시작해 유효용량으로 빠르게 올리는 것이 안전하고 효과적인 전략일 수 있다.

(1) 항우울제

대부분의 항우울제는 간을 통해 대사되고, 신장을 통해 배설되므로 활성대사물 축적을 피하기 위해 저용량으로 주의 깊게 시작하는 것이 좋다. 그러나 정상 용량을 투여하더라도 보통 부작용이 없고, 효과를 위해 정상 용량이 필요할 수 있다.

SSRI는 안전하게 쓸 수 있다. 시탈로프람citalopram, 에스시탈로프람escitalopram, 서트랄린sertraline은 신장 기능이 손상된 환자에서 약물 상호작용이 거의 없다. 하지만 파록세틴paroxetine은 신장손상 시 제거율이 떨어져 부작용 발생 가능성이 커서, 다른 항우울제를 선택할 수 있다면 처방하지 않는 것이 좋다. 신장손상 시, SSRI 투여에서 주의할 점은 크게 2가지이다. 하나는 세로토닌에 의한 혈소판 기능이상serotonin related platelet dysfunction이다. 요독은 혈소판 기능이상이 일으킬 수 있고, SSRI 사용은 이 가능성을 더 증가시킬 수 있다. 다른 하나는 항이뇨 호르몬 분비 이상 증후군Syndrome of Inappropriate secretion of Anti-Diuretic Hormone, SIADH이다. 저나트륨혈증이 심하면 기면lethargy, 혼미stupor, 혼돈confusion, 정신증, 자극과민성, 경련으로 이어질 수 있다. 특히 티아자이드thiazide계 약물을 함께 쓰고 있다면 저나트륨혈증의 가능성이 더 증가하므로 유의해야 한다.

심혈관 질환은 CKD 환자의 가장 흔한 합병증이자 사망원인으로 GFR이 떨어질수록 가능성이 커진다. 시탈로프람은 40 mg/day를 초과할 때 QT 연장이 유발될 수 있다. CKD에서 안전하게 사용할 수 있지만 시탈로프람 대사물의 20% 정도가 신장을 통해서 제거되므로 적은 용량에서 QT 연장이 일어날 수 있다. 심혈관 질환에 취약한 CKD 환자에서 시탈로프람의 증량은 신중해야 한다.

벤라팍신venlafaxine, 데스벤라팍신desvenlafaxine, 둘록세틴dulexetine은 신장을 통해 대사되므로 CKD 환자에서 감량이 필요하다. 벤라팍신의 활성 대사물인 데스벤라팍신(O-desmethylvenlafaxine)은 신장손상 있는 경우 잘 제거되지 않고 투석을 통해서도 50% 이하로 제거된다. 따라서 벤라팍신과 데스벤라팍신은 사용하는 데 세심한 주의가 필요하다.

멀타자핀mirtazapine은 신장손상 환자에서 제거율이 감소한다. 그리고 단백질 결합이 강해 투석을 통해 잘 제거되지 않는다. CKD 환자는 하지불안증후군에 취약한데 멀타자핀은 하지불안증후군을 잘 일으키는 약물이므로 잘 관찰하며 투여해야 한다.

부프로피온bupropion의 대사물은 수용성으로 ESRD 환자에게서 잘 제거되지 않는다. 부프로피온은 경련과 같은 심각한 부작용 가능성을 가지고 있으므로 저용량에서 주의 깊게 시작해야 한다.

삼환계 항우울제tricyclic antidepressant, TCA에 관한 경험이 가장 많다. TCA의 하이드록실화 대사물hydroxylated metabolites은 ESRD 환자에서 상당한 수준으로 증가한다. 부작용 가능성이 크지만 주의 깊게 증량하면 최대 용량을 사용할 수 있다.

(2) 항정신병약물

항정신병약물은 보통 지용성으로 간을 통해 대사되며, 투석에 영향을 받지 않는다. 하지만, 항정신약물병 부작용과 요독증을 구별하기 어려워 주의가 필요하다. 당뇨, 고지혈증, 심혈관 질환은 CKD 환자에게 흔한데, 이 공존질환을 가진 환자에서 부작용이 잘 나타날 수 있다. 클로자핀 clozapine, 쿠에티아핀quetapine, 올란자핀olanzapine, 아리피프라졸aripiprazole은 보통 용량에서 시작할 수 있다. 하지만 쿠에타핀, 리스페리돈, 올란자핀은 급성신부전을 유발할 수 있다. 할로페리돌haloperidol과 올란자핀은 용량 조절이 필요 없지만 투석으로 제거되지 않으므로 감량해서 투여하는 것이 안전하다. 설피라이드sulpiride와 아미설프라이드amisulpride는 신장에서 제거되고 투석을 통해 거의 제거되지 않으므로, 가능하다면 다른 약물능 선택하는 것이 좋다. 리스페리돈risperidone과 팔리페리돈paliperidone은 신기능 저하 시 감량해야 한다. 리스페리돈의 활성대사물인 팔리페리돈(9-hydroxyrisperidone)은 신장손상 시 제거율이 60%까지 감소한다. 지프라시돈ziprasidone은 약물 조절이 필요는 없지만 CKD 환자는 심전도 이상이 있을 가능성이 높으므로 사용 시에 주의가 필요하다. 루라시돈lurasidone은 신장손상 시 약물농도가 상승하므로 감량해야 한다.

(3) 항불안제와 수면제

대부분의 벤조다이아제핀benzodiazepine은 간에서 대사되므로 보통은 약물조정이 필요 없다. 하지만 벤조다이아제핀은 투석으로 잘 제거되지 않고 신장질환에 의한 단백질 결합의 변화로 유리 분획이 증가하여 과도한 진정이 발생할 수 있다. 디아제팜diazepam, 플루라제팜 flurazepam, 클로르다이아제폭사이드chlordiazepoxide는 활성 대사물이 신장을 통해 대사되므로 처방에 주의가 필요하다. 불활성대사물 형태인 로라제팜lorazepam, 옥사제팜 oxazepam은 신장을 통해 대사되므로 ESRD 환자에서 약물 농도가 증가한다. 벤조다이아제핀 부작용이 심각할 때, 제거할 방법이 없으므로 플루마제닐flumazenil을 투여해야 한다.

졸피뎀과 같은 Z-drug에 관해서는 데이터가 별로 없지만, 투약 조정은 필요 없다고 알려져 있다. 부스피론buspirone은 GFR 60 이하에서 용량이 4배까지 증가할 수 있다.

(4) 기분조절제

리튬lithium은 알칼리 광물성 약물로 적정농도 범위가 좁고 신장에 미치는 잠재적 위험성이 크다. 리튬은 대부분 신장을 통해 분비된다. 따라서 급성신부전 환자에게 금기이다. 경한 신장손상에서 축적되어 독성으로 이어질 수 있어 신장기능이 저하된 환자에게 사용하지 않는 것이 좋다. 하지만, 리튬이 유일한 대안이라면 다음 4가지 원칙을 고려하며 투여한다. ① 리튬 수치와 GFR을 관찰하며 최소 용량만 투여한다. 적어도 6개월에 한 번 GFR을 측정한다. GFR이 60이하로 떨어지거나 떨어지는 경향을 보인다면 감량해야 한다. ② 혈중 나트륨을 관찰해야 한다. 혈중 나트륨 수치가 저하된 환자에서 리튬 흡수가 증가할 수 있다. ③ 신독성을 일으키는 약물(예, NSAIDs)과 가능하면 함께 투여하지 않아야 한다. ④ 당뇨, 고혈압, 신장질환 가족력, 나이, 이전 리튬 독성 삽화, 물질 남용과 같은 신장손상 위험인자를 조사하여 신장손상 발생 가능성을 사전에 인지해야 한다.

리튬은 투석 시 완전히 제거된다. 투석 후에 300-600 mg 단일 투여가 적절한 선택일 수 있다. 리튬은 투석 후 2-3 시간 동안 조직에 저장되었다가 재평형re-equilibrium을 이루기 때문에 투석 후 리튬 수치 측정은 의미가 없다.

리튬은 만성 요세관간질성신증chronic tubulointerstitial nephropathy, CTIN을 일으킬 수 있다. CTIN은 리튬의 장기 사용과 관련이 있다. 점진적으로 신장세포 재생능력이 감소하고, 크레아티닌 수치가 증가한다. 단백뇨는 거의 나타나지 않으나 GFR이 서서히 떨어져 ESRD로 진행할 수 있다. 심하지 않다면 리튬을 중단하면 서서히 GFR이 회복할 수 있다. 하지만 아주 장기간 사용한 경우, 약물을 중단하더라도 계속 진행할 수 있다.

리튬을 투여하는 환자의 대부분이 다음polydipsia, 다뇨polyuria와 같은 요붕증 증상 가지고 있다. 리튬은 신세뇨관 수분 재흡수를 방해하여 신장 기원 요붕증nephrogenic diabetes inspidus과 심각한 저나트륨혈증을 유발할 수 있다. 심한 경우 고삼투압성 혼수hyperosmolar coma로 이어질 수 있어 증상의 세심한 관찰이 필요하다.

이뇨제를 사용하는 경우 리튬 분비가 변화된다. 그 정도는 이뇨제 종류나 혈장 상태에 따라 다르다. 티아자이드계 이뇨제는 리튬 분비를 줄이고, 칼륨보존이뇨제potassium-sparing diuretics는 리튬 분비를 증가시킨다.

발프로에이트valproate, 카바마제핀carbamazepine, 라모트리진lamotrigine은 대부분 간에서 제거되나, CKD 환자의 전반적 대사 변화에 영향을 받을 수 있다. 단백질 결합 변화로 발프로에이트의 유리 분획이 증가하여 부작용이 발생할 수 있다. 카바마제핀과 옥스카바제핀은 SIADH를 잘 일으키므로 SSRI와 마찬가지로 저나트륨혈증에 대해 주의해야 한다. 특히 티아자이드계 이뇨제를 사용할 때 더 주의해야 한다. 가바펜틴gabapentine, 프레가발린pregabalin, 토피라메이트topiramate는 GFR이 떨어지면 투여량을 감량해야 한다.

(5) 콜린에스터라아제 억제제와 메만틴

데이터가 매우 제한적이지만, 도네페질donepezil, 리바스티그민rivastigmine은 약물 조정이 필요 없다. 갈란타민galantamine은 중등도 이하의 신기능 부전 시 신중하게 사용하고, 그 이상이거나 투석 치료 시에는 사용하지 않는 것이 좋다. 메만틴memantine은 신장을 통해 대사되므로, 신기능 손상 시 감량이 필요하다.

결론

신장질환은 고령화 추세와 맞물려 계속 증가하고 있다. 이들의 정신사회적 고통은 우울, 불안부터 죽음의 두려움까지 매우 다양하다. 하지만 현재 신장질환을 가진 환자의 정신사회적 문제를 위한 효과적이고 안전한 치료가 필요하지만 부족하다. 다행히 이들의 정신사회적 어려움과 삶의 질 개선을 위한 관심이 증가하고 있다. 이러한 움직임이 신장질환 환자의 고통을 실질적으로 덜어줄 수 있는 근거중심치료 개발로 이어지기를 기대한다.

참고문헌

1. AlAwwa I, Ibrahim S, Obeid A, Alfraihat N, Al-Hindi R, Jallad S, et al. Comparison of pre- and post-hemodialysis PHQ-9 depression scores in patients with end-stage renal disease: A cross-sectional study. Int J Psychiatry Med 2020: 91217420973489.
2. Beliles K, Stoudemire A. Psychopharmacologic treatment of depression in the medically ill. Psychosomatics 1998; 39: S2-19.
3. Bezerra CIL, Silva BC, Elias RM. Decision-making process in the pre-dialysis CKD patients: do anxiety, stress and depression matter? BMC Nephrol 2018; 19: 98.
4. Hedayati SS, Daniel DM, Cohen S, Comstock B, Cukor D, Diaz-Linhart Y, et al. Rationale and design of A Trial of Sertraline vs. Cognitive Behavioral Therapy for End-stage Renal Disease Patients with Depression (ASCEND). Contemp Clin Trials 2016; 47: 1-11.
5. Inker LA, Levey AS. Assessment of Glomerular Filteration Rate. In: Feehally J, Floege J, Tonelli M, et al. (eds.), Comprehensive Clinical Nephrology. Elsevier, Oxford, 2019; 29-38.
6. Ji Y, Kang GW, Seo MJ, Kim HI, Woo J. Psychological and Medical Factors Affecting Sleep Disturbance in Hemodialysis Patients. J Korean Soc Biol Ther Psychiatry 2016; 22: 146-55.
7. Kang GW, Lee IH, Ahn KS, Lee J, Ji Y, Woo J. Clinical and psychosocial factors predicting health-related quality of life in hemodialysis patients. Hemodial Int 2015; 19: 439-46.
8. Kim K, Kang GW, Woo J. The Quality of Life of Hemodialysis Patients Is Affected Not Only by Medical but also Psychosocial Factors: a Canonical Correlation Study. J Korean Med Sci 2018; 33: e111.
9. Kim S. Depression and Anxiety in Maintenance Hemodialysis Patients: A Single Center Study. Korean J Nephrol 2010; 29: 733-41.
10. Kimmel PL, Thamer M, Richard CM, Ray NF. Psychiatric illness in patients with end-stage renal disease. Am J Med 1998; 105: 214-21.
11. Loghman-Adham M. Medication noncompliance in patients with chronic disease: issues in dialysis and renal transplantation. Am J Manag Care 2003; 9: 155-71.
12. Moe SM, Sprague SM. Uremic encephalopathy. Clin Nephrol 1994; 42: 251-6.
13. Oh WK, Manola J, Renshaw AA, Brodkin D, Loughlin KR, Richie JP, et al. Smoking and alcohol use may be risk factors for poorer outcome in patients with clear cell renal carcinoma. Urology 2000; 55: 31-5.
14. Russon L Mooney A. Palliative and end-of-life care in advanced renal failure. Clin Med (Lond) 2010; 10: 279-81.
15. Sohn BK, Oh YK, Choi JS, Song J, Lim A, Lee JP, et al. Effectiveness of group cognitive behavioral therapy with mindfulness in end-stage renal disease hemodialysis patients. Kidney Res Clin Pract 2018; 37: 77-84.
16. Son YJ, Choi KS, Park YR, Bae JS Lee JB. Depression, symptoms and the quality of life in patients on hemodialysis for end-stage renal disease. Am J Nephrol 2009; 29: 36-42.
17. Vidal L, Shavit M, Fraser A, Paul M Leibovici L. Systematic comparison of four sources of drug information regarding adjustment of dose for renal function. BMJ 2005; 331: 263.
18. Ward ME, Musa MN Bailey L. Clinical pharmacokinetics of lithium. J Clin Pharmacol 1994; 34: 280-5.
19. Woo J, Chang SM. Restless Leg Syndrome and Psychotropic Drug. Sleep Med Psychophysiol 2010; 17: 5-10.
20. Yaffe K, Ackerson L, Kurella Tamura M, Le Blanc P, Kusek JW, Sehgal AR, et al. Chronic kidney disease and cognitive function in older adults: findings from the chronic renal insufficiency cohort cognitive study. J Am Geriatr Soc 2010; 58: 338-45.

24

CHAPTER

내분비 및 대사성 질환

김종우

내분비 질환의 시작, 경과 그리고 결과는 전통적으로 심리사회적 요인과 연관되어 왔다. 신경내분비 연구의 비약적인 발전에 의해 중요한 임상적 영향을 가지는 정신과 신체 상호작용의 중요한 생물학적 기전이 조명되기 시작했다.

내분비계는 정신증상이나 질환과 밀접한 관련이 있다. 많은 정신질환의 병인이나 치료에 내분비계가 관여하고 있으며, 내분비 질환을 가진 환자들에게서 정신증상들이 많이 나타나고 이 중 우울과 불안이 가장 많은 정신증상으로 발생한다. 조증은 쿠싱병Cushing's disease 같은 특정 내분비 질환이나 갑상샘저하증hypothyrodism 같은 내분비 질환을 치료하던 환자들에게서 종종 나타난다. 치매도 내분비 질환을 가진 환자들의 일부에서 나타날 수 있지만, 1% 이하만이 내분비계 호르몬 이상과 연관성을 갖는다. 내분비계 질환의 증상이 심한 경우에는 종종 정신증상이나 섬망delirium 이 나타날 수 있다. 어떠한 내분비 질환들이 높은 빈도의 특정 정신증상을 동반하는지를 아는 것이 매우 중요하다. 이는 내분비질환을 가진 환자들이 정신건강의학과로 자문 의뢰되어 올 때 환자들의 증상을 이해하는 데 중요하기 때문이다. 내분비 질환을 가진 환자들의 정신질환 유병률은 연구마다 다양하게 나타나고 있는데 당뇨, 갑상샘항진증, 갑상샘저하증, 쿠싱 증후군cushing's syndrome 등에서 많이 발생하고 있다(표 24-1). 그리고 내분비계에서 분비되는 다양한 호르몬들의 작용기전 및 정상적 기능을 이해하고 있어야, 내분비질환으로 인한 호르몬의 이상 시 발생하는 많은 신체 증상과 정신증상에 대한 치료적 접근이 가능할 수 있다. 특히 내분비계는 스트레스에 민감한 영향을 받는다(그림 24-1).

표 24-1. 내분비 질환을 가진 환자들에게서의 정신질환 유병률

Endocrine disorder	Anxiety disorder	Major depression	Cognitive impairment	Substance abuse	Psychosis/ delirium	Any disorder
Diebetes mellitus	0%-45%	7%-33%	0%	1%-14%	0%-1%	33%-71%
Hypothyroidism	20%-33%	33%-43%	29%	-	5%	-
Hyperthyroidism	53%-69%	30%-70%	0%	0%-8%	0%	53%-100%
Hyperparathyroidism	12%	11%-43%	3-39%	-	3%-9%	23%-67%
Cushing's syndrome	18%	35%-86%	-	3%-6%	0%	80%
Addison's disease	-	48%	-	-	4%	-
Pheochromocytoma	12%-29%	12%-18%	-	-	-	-
Acromegaly	-	2.5%	-	-	-	-

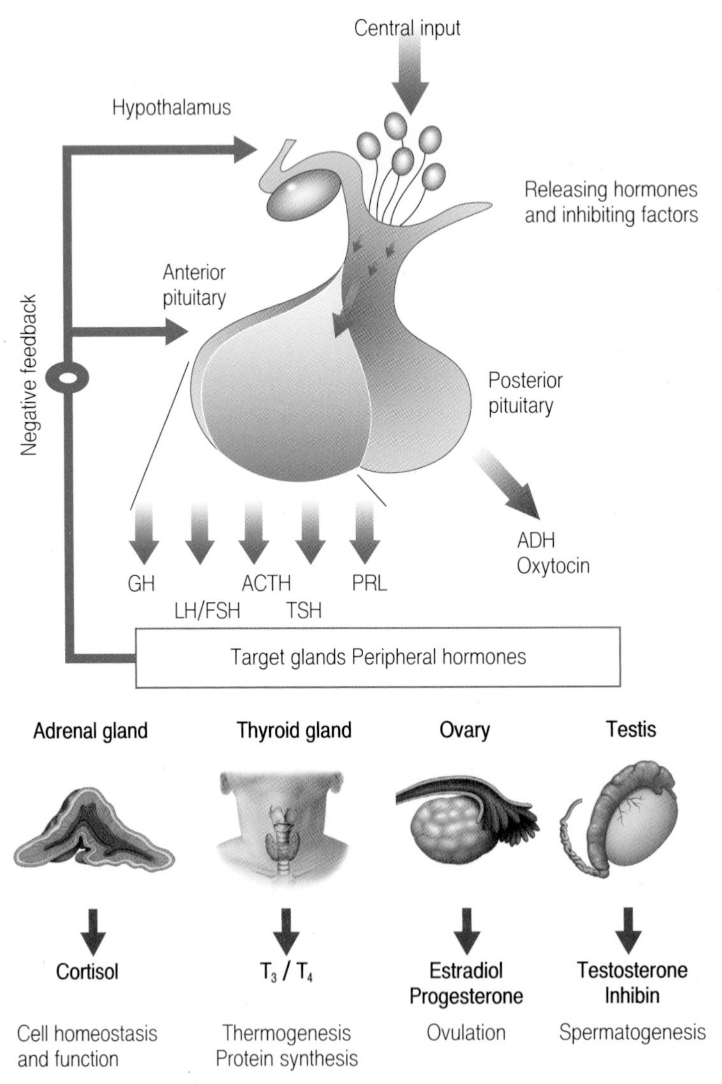

그림 24-1. **시상하부-뇌하수체-부신, 성선 축에서 분비되고 조절되는 주요 내분비 호르몬**

PRL:prolactin, GH:growth hormone, ACTH:adrenocorticotropin hormone, LH:luteinizing hormone, FSH:follicle-stimulating hormone, TSH:thyroid-stimulating hormone, ADH:antidiuretic hormone

정신의학적 문제를 가진 내분비 질환의 감별진단을 위해서는 병력청취 및 문진이 중요하고, 필요시에는 이를 확인하기 위한 신체검사가 수행되어야 한다. 내분비 이상을 시사하는 증상이나 징후가 있거나 또는 일차적인 정신질환의 비전형적인 면(위험성이 있는 연령이 아닐 때 가족력이 없는 경우, 통상적인 정신건강의학과 치료에 반응하지 않는 경우)을 환자가 보인다면 보다 정밀한 내분비 검사 및 각종 검사가 진행되어야 한다. 갑상샘질환을 포함한 특정 내분비 질환의 증상과 징후가 없을 때는 내분비 검사가 일반적으로 권장되지 않는다. 그러므로 정신건강의학과 의사는 반드시 감별진단으로 내분비 질환이 의심이 될 경우 내분비 징후에 대한 국소적인 신체검사를 시행할 수 있어야 한다.

1. 당뇨병diabetes

1) 1형 당뇨병type 1 diabetes

1형 당뇨병은 미국에서 50만에서 100만 명의 유병이 추산되는 만성적인 자가면역질환이다. 어린이와 젊은 성인기에 가장 흔하게 진단되지만 중년이나 노인에게서도 진단될 수 있다. 1형 당뇨병의 정확한 원인은 아직 알려지지 않고 있지만 유전 및 환경적인 요인이 자가면역반응을 촉발하여 췌장의 인슐린-생성 베타 세포를 공격하는 것으로 알려져 있다. 치료는 식사 조절, 운동, 혈당 감시, 그리고 인슐린 치료를 통하여 혈당을 정상 수치 부근으로 낮추고 안정화 시키는 것이다. 1형 당뇨병의 집중적인 혈당 관리는 가급적 생리적인 인슐린 분비와 유사할 수 있도록, 기저 볼루스 인슐린 주사basal-bolus insulin injection 또는 연속 피하 인슐린 주입 펌프continuous subcutaneous insulin infusion pump를 사용하여 관리할 수 있다.

2) 2형 당뇨병type 2 diabetes

1형 당뇨병과 2형 당뇨병 모두에서 당화혈색소hemoglobin A1C, HbA1C는 지난 2-3개월간의 평균 혈당 농도를 반영하는 혈당 조절 능력을 알아보는 검사이다. 당화혈색소는 빈혈, 말기신장병, 임신 또는 최근 수혈 등과 같은 비정상적인 적혈구 전환이 일어나는 상태에서 위-증가할 수 있다. 대부분의 환자에서는 당화혈색소 수치가 7% 이하를 목표로 하지만, 고령이거나 여러 신체 질환을 가진 경우에는 더 높을 수 있다. 2형 당뇨병을 가진 사람의 약 90%에서는 이상혈당을 일으키는 인슐린 저항성insulin resistance 으로 인해 발생한다. 인슐린 저항성은 정상 혈당을 유지하기 위해 췌장의 인슐린 생산을 점차 증가시킨다. 당뇨병 초기에는 공복 포도당 장애impaired fasting glucose, IFG와 포도당내성 장애impaired glucose tolerance, IGT를 보인다. 2형 당뇨병이 10-15년 경과 후, 췌장이 더 이상 증가되는 인슐린 생산 요구를 따라갈 수 없게 되면 외부 인슐린 치료가 필요하게 된다. 2형 당뇨병의 위험인자는 공복 포도당 장애/포도당내성 장애, 임신 당뇨병의 과거력, 비만, 흑인, 히스패닉, 미국 원주민, 아시아 인종, 좌식 생활양식, 대사증후군, 코르티코스테로이드나 항정신병 약물의 장기간 사용 등이 있다. 2형 당뇨병의 발병은 전형적으로 중년기에 일어나나 젊은 연령, 어린이, 청소년들에서의 비만이 증가함으로 인해 2형 당뇨병이 높은 비율로 발생하는 추세이다.

3) 스트레스와 당뇨

스트레스와 당뇨병 사이의 연관성은 생물학적 원인뿐만 아니라 행동적 원인에 기인하고 있다. 스트레스가 높은 사람들은 좌식 생활양식과 나쁜 식사 습관을 가지는 경향이 있다. 생물학적인 수준에서 반복되는 스트레스는 시상하부-뇌하수체-부신축hypothalamic-pituitary-adrenal, HPA axis의 과활성을 일으키고 인슐린 저항성에 관여하는 코티솔cortisol과 염증 시토카인 inflammatory cytokine의 증가를 야기한다. 몇몇 연구에서 스트레스를 많이 받는 당뇨병 환자들에게서 혈당 조절이 잘 되지 않는다는 보고가 있다. 하지만 이러한 연구 결과는 어떤 집단, 예를 들어 정신사회적인 직무 스트레스가 많은 성인 비만 여성에 국한해서 당뇨병 위험이 증가한다고 하였고 남성이나 비만하지 않은 여성에게서는 당뇨병 위험 증가가 없었다. 스트레스가 직접적으로 대사 조절에 영향을 미치는 것인지, 스트레스를 받는 사람들이 자가-조절 행동이 변해서 그런 것인지에 대해서는 아직까지 명확하지 않다.

4) 정신질환과 당뇨병 관리

1형 당뇨병과 2형 당뇨병의 집중적이고 지속적인 관리가 당뇨병의 장기적인 예후를 개선시킬 수 있다고 하였다. 하지만 혈당 관리의 새로운 접근은 환자의 목표, 정신사회적인 요인, 일상생활 기대치와 동반된 질환에 기초하여 혈당 조절을 하는 것을 목표로 하고 있다. 대부분의 환자에서는 혈당 조절의 목표가 당화혈색소 7% 이하로 조절하는 것이지만, 심한 정신 질환을 앓고 있는 환자들에게서는 이러한 목표에 도달하기 어려울 수 있다. 많은 환자들은 시간이 경과할수록 자가-치료에 대한 부담을 견디지 못하고 어려움을 겪는다. 만성질환에 대처하려는 스트레스는 정신병리와 복잡한 치료 권고에 대한 비순응의 주요 위험 인자이다. 1형과 2형 당뇨병과 기분장애 및 식사장애 같은 정신질환 간의 관련성을 연구한 문헌들이 증가하는 추세이다. 두 가지 유형의 당뇨병 모두에서 정신질환의 공존이 치료 비순응, 혈당 조절의 악화 그리고 합병증과 연관되어 있다. 당뇨병에 있어서 치료 결과는 환자의 행동, 태도 그리고 인식에 매우 의존적이기 때문에 적절한 치료는 일차치료 의사, 내분비 의사, 정신건강의학과 의사 및 정신건강전문가를 포함하는 다학제 치료로 이루어져야 한다.

(1) 우울과 당뇨병

1형과 2형 당뇨병 모두에서 우울장애의 유병률은 일반 인구 집단보다 2배-3배 높다. 당뇨병과 우울장애가 동반된 경우에는 혈당 조절이 안 되고, 당뇨병 증상이 더 심하고, 주요 당뇨병 합병증의 위험이 증가하게 된다. 그리고 통증을 동반하는 말초신경병, 성기능 장애, 신장병 같은 합병증은 우울장애의 발생 위험을 증가시킨다. 하지만 일부 연구에서는 혈당 조절과 우울장애 간의 연관성이 없다는 결과도 있다.

당뇨병과 우울장애의 연관성은 양방향으로 설명되고 있다. 우울장애를 가진 사람에게서 당뇨병 발생 위험이 60% 정도 증가하고 이는 유전적 소인뿐만 아니라 나쁜 건강 행동에 기인한다고 한다. 반대로 당뇨병으로 인한 스트레스는 생물학적 및 유전적 소인이 있는 사람에게서 우울장애를 발생시킨다. 그러나 우울장애가 당뇨의 나쁜 결과의 원인인지 혹은 결과인지에 대해서는 불명확하다. 최근 우울, 고혈당증 그리고 당뇨병에 대한 24개 연구들의 메타분석에서 고혈당이 우울장애에 의해 유발되고 독립적으로 우울장애의 악화에 영향을 줄 수도 있다고 보고되었다. 당뇨병에 동반된 우울장애는 당뇨병의 사망률 증가와 연관이 있고 자해 및 자살의 위험도 증가시킨다.

당뇨병에서의 우울장애의 발생기전으로 다양한 가설들이 제시되고 있다. 우울장애 환자 군에서 시상하부-뇌하수체-부신축의 변화가 동반되어 코티솔과 다른 상반작용의 호르몬들의 분비가 증가하여 인슐린 저항을 일으킨다는 가설이 있다. 다른 생물학적 기전으로 중추신경계의 당수송체 기능의 변화와 염증 활성화 증가가 제시되었다. 우울한 환자들은 또한 신체 활동이 줄어들고 흡연과 고칼로리와 고지방 음식을 섭취하여 심혈관 위험 인자가 증가하고 이로 인해 2형 당뇨병의 고위험군이 되는 것이다. 당뇨병의 대사 문제(저혈당 및 고혈당의 높은 비율)가 우울장애 발병에 원인적인 역할을 한다고 제시되기도 하였다. 당뇨병이 뇌의 백질에 변화를 유도한다는 증거들이 제시되고 있고 만약 이러한 변화가 해마hippocampus 같은 기분 조절을 관장하는 뇌의 부위에서 일어나는 것이 우울장애의 진행에 원인적인 역할을 할 것으로 보인다. 이러한 당뇨병에서의 뇌 백질의 변화의 원인은 밝혀지지 않았지만 당뇨병에서 촉진되는 혈관 병변에 의할 것으로 생각한다.

불안증상이 당뇨병과 우울장애가 동반된 환자에게서 자주 보고되고 있고 독립적으로 삶의 질 저하에 영향을 줄 수 있다. 공황 증상이 당화혈색소 수치의 증가, 합병증의 높은 발생률, 일상생활 기능저하와 연관이 있다. 1형 당뇨병 환자에게서 저혈당과 관련된 불안이 나타나고 이러한 불안 때문에 혈당을 150 mg/dL 이상을 유지하기 위해 임의로 인슐린 용량을 조절하는 행동이 나타날 수 있다. 당뇨병의 기간, 저혈당 및 혈당 변동의 과거력 등이 저혈당 공포의 위험인자이다. 고혈당으로 인한 증상들이 우울장애에서 나타나는 피로, 수면 저하, 주의력 부족 등과 유사하여 당뇨병 환자에서 우울장애를 진단하는 것이 단순하지는 않다. 당뇨병 환자에서 우울장애의 선별검사로는 9 문항의 환자 건강 척도Patient Health Questionnaire, PHQ-9와 벡 우울 척도-2Beck Depression Inventory-II, BDI-II가 유용하다. 우울증상이 주요우울장애의 진단 기준을 충족하지 못하는 경우에는 반드시 당뇨병 디스트레스diabetic distress를 평가해야 한다. 당뇨병 디스트레스라는 용어의 개념은 환자가 우울하지는 않고, 그보다는 당뇨병 진단과 관련되어 고통받는 것을 의미한다. 이러한 당뇨병 디스트레스는 혈당 조절의 어려움을 일으키고 식사나 운동과 관련된 건강 행동에 문제를 일으킨다. 당뇨병으로 인해 고통받고 있는 환자들에게서. 당뇨병 관리 시 당뇨병 디스트레스 척도Diabetic Distress Scale, DDS나 당뇨병 문제 영역 척도Problem Area in Diabetes, PAID를 사용하여 당뇨로 인한 고통을 적절하게 평가하는 것이 도움이 된다.

당뇨병에 동반된 우울장애의 치료 근거는 작은 표본 크기로 제한적이고, 우울장애의 특정 치료가 당뇨병의 치료 순응도와 혈당 조절을 개선시킨다는 결과에 일부 반대 견해도 있다. 항우울제인 노르트리프틸린nortriptyline과 파록세틴paroxetine이 당뇨병에 동반된 우울장애의 치료에 효과가 있다는 연구결과가 있지만 우울증상은 호전이 되었으나 혈당 조절 및 당화혈색소 수치 개선 효과는 없었다. 플루옥세틴fluoxetine과 서트랄린sertraline이 당뇨병 환자의 우울장애 치료와 우울장애 재발 방지에 효과가 있었고 당화혈색소 수치를 일부 개선시킨다고 보고되었다. 단지 당뇨병 교육을 받는 환자보다 우울장애에 대한 인지행동치료cognitive-behavioral therapy, CBT를 받는 환자에서 뚜렷하게 당화혈색소 수치가 개선되었다는 연구 결과가 있지만, 다른 연구에서는 당화혈색소 수치의 개선이 없었다. 향후 연구가 더 필요하겠지만 우울장애의 표준화된 치료가 당뇨병에서 발생되는 우울증상의 개선뿐만 아니라 혈당 관리가 잘 이루어지게 하는 것으로 보인다. 따라서 우울장애와 당뇨병 사이에 어떤 인과 관계가 있든지 간에, 정신의학적 치료 개입은 심리적 그리고 생물학적 결과를 개선시킬 수 있다. 요약하자면 당뇨병에서 우울장애의 높은 유병률과 당뇨병에 대한 부정적 효과로 인해 임상적으로 입증된 치료들과 함께 당뇨병에서 가능한 한 조기에 적극적인 우울장애의 규명과 치료가 필요하다. 그리고 당뇨병 치료에 적응하기가 힘들고 혈당조절이 되지 않거나 점차 악화되는 환자들에게서는 반드시 우울장애를 의심해야 한다.

(2) 양극성장애와 당뇨병

일부 연구들에서 양극성장애 환자에게서 2형 당뇨병의 유병률이 뚜렷하게 증가하는 것으로 나타났다. 양극성장애 외래 환자 중 10-12%, 양극성장애 입원 환자 중 26%에서 당뇨병 유병률이 보고되었다. 이러한 관련성의 대부분은 양극성장애 환자에서 비만과 많이 연관되어 있고 불규칙한 수면, 좌식 생활양식, 좋지 못한 식사 선택이 관련된다고 한다. 일부 양극성장애 치료 약물에 의한 체중 증가와 대사 영향이 관련이 있는 것으로 생각된다. 양극성장애 환자에서 높은 당뇨병 유병률에 대해 생활습관, 정신건강의학과 및 내과적 공존 질환, 유전적 요인 그리고 두 질환 서로가 서로를 악화시키는 생리학적인 영향까지 몇몇 다양한 설명들이 제시되고 있다.

(3) 조현병과 당뇨병

일반 인구에 비해 2형 당뇨병의 발생에 있어서 조현병 환자가 위험도가 2배에서 4배 가량 높다는 문헌들이 증가하고 있다. 이러한 위험도가 증가하는 이유들은 불분명하다. 조현병 환자들의 주로 앉아서 지내는 생활, 빈번한 흡연, 고탄수화물과 고지방식을 자주 하는 경향 같은 일반적으로 나쁜 생활습관 등이 반영되는 것 같다. 그러나 최근에는 대부분이 체중 증가 포도당불내성glucose intolerance, 그리고 대사증후군을 일으키는 항정신병 약물로 관심이 집중되고 있다. 그 결과 미국 당뇨병 학회 등에서 유관 학회 등의 자문을 통하여 항정신병 약물을 복용중인 환자들의 대사증후군 감시 지침을 개발하여 제시하였다(표 24-2). 조현병 환자에서, 몇몇 비정형 항정신병 약물 사용 시 당뇨병이 갑자기 나타날 수 있고, 심지어는 응급상황의 당뇨병케톤산증diabetic ketoacidosis 혹은 고혈당 고삼투압성hyperosmolar 상태가 발생할 수 있다. 당뇨병이 동반된 조현병 환자에게서, 생활습관 개선이나 약물 치료가 체중 및 혈당 조절의 자기-관리에 도움이 될 수 있다. 항정신병 약물과 기분안정제의 인슐린 저항성 생성 및 체중 증가 기전으로 탄수화물 갈망 작용과 히스타민 수용체, 세로토닌 2A 수용체, 세로토닌 2C 수용체에 대한 길항작용이 제시되고 있다. 당뇨병을 가진 환자에게는 체중증가나 포도당불내성이 적다고 알려진 페르페나진perphenazine, 몰린돈molindone, 아리피프라졸aripiprazole, 지프라시돈ziprasidone 등의 항정신병약물을 사용하는 것이 좋다.

표 24-2. 항정신병 약물을 복용 중인 환자들의 대사증후군 감시 지침

대사 위험 지표	기준	4주	8주	12주	3개월	1년	매 5년
당뇨병과 심혈관 질환의 개인력 및 가족력	✓					✓	
체중(체질량지수)	✓	✓	✓	✓	✓		
허리 둘레	✓					✓	
혈압	✓			✓		✓	
공복 혈당	✓			✓		✓	
공복 지질 성분	✓			✓			✓

인용: Americam Diabetes Association et al. 2004.

(4) 식사장애와 당뇨병

인슐린은 체중 증가를 감수해가면서 혈당 조절에 도움을 주는 동화호르몬anabolic hormone이다. 그러므로 집중적인 당뇨병의 관리가 당뇨병의 장기 합병증을 감소시키지만 체중 증가라는 부정적인 측면이 있다. 문제 식사행동disturbed eating behavior, DEB은 청소년기 여성이나 젊은 여성에게서 흔하고 1형 당뇨병 환자에서는 당뇨병이 없는 집단보다 2배 이상 문제 식사행동이 더 많다. 문제 식사행동은 식사장애의 증상으로 정의하기도 하지만 아직까지 정식 진단 기준은 아니다. 문제 식사행동에는 체중 감소를 위한 다이어트, 폭식, 자기-유도 구토 및 설사제나 이뇨제 사용을 통한 칼로리 제거, 과도한 운동, 인슐린 제한(1형 당뇨병의 경우) 등의 행동이 포함된다. 1형 당뇨병 환자의 문제 식사행동은 지속적이고 시간이 지나면서 더욱 심해지고 젊은 성인에게서 더 많이 나타난다. 1형 당뇨병을 가진 여성에서는 당뇨병이 없는 여성 보다 식사장애가 발생할 위험이 2.4배 증가한다고 알려져 있다. 현재까지 집중적인 당뇨병의 관리로서 음식, 혈당, 체중 증가 위험에 대한 높은 관심이 식사장애를 가지고 있는 여성들의 특징인 음식과 신체상body image에 대한 강박적인 생각을 가지게 하는 것으로 생각된다. 따라서 이러한 점들이 당뇨병을 앓고 있는 여성들이 식사장애가 발생하기 쉽게 하는 것으로 보여 진다. 1형 당뇨병 여성은 인슐린 용법(예; 감량된 인슐린 주입 혹은 필수적인 용량을 생략하여 주입)을 칼로리 제거의 방법으로 쓰기도 한다. 당뇨폭식diabulimia이라고 알려진 고의적으로 유도된 당뇨glucosuria는 강력한 체중 감소 행동이고 1형 당뇨병의 특이한 식사장애 증상이다. 1형 당뇨병을 앓고 있는 여성들에게서 식사장애의 위험이 높고 체중 감소를 위한 간헐적인 인슐린의 생략이나 감량은 1형 당뇨병 여성에서 흔하게 볼 수 있다. 특히 지속적으로 당화혈색소 수치가 높거나, 반복해서 당뇨병 케톤산증을 겪는 경우, 빈번한 입원, 급격한 체중 변화, 무월경 등이 있는 경우에는 인슐린 생략을 의심하고 이를 선별하기 위해 "당신은 당신의 몸무게에 영향을 주기 위해 인슐린 용량을 바꾸거나 인슐린을 건너 뛴 경험이 있나요?"같은 질문이 도움이 된다.

부적절한 보상행동이 있거나 없는 폭식장애binge-eating disorder, BED가 2형 당뇨병에서 볼 수 있는 흔한 문제이다. 만약 폭식이 보상행동과 동반된다면 폭식증bulimia으로 진단되게 된다. 1형 당뇨병 환자가 과식을 했을 경우 사용하는 보상행동으로는 식사를 건너뛰거나 이뇨제나 다이어트 약의 잘못된 사용, 당뇨를 유발하기 위한 인슐린 감량, 자기-유도 구토 등이 있다. 비만이 2형 당뇨병의 중요한 위험인자이므로 반복되는 폭식은 비만 발생의 위험을 증가시킨다. 야식night-eating 증상 또한 비만과 연관되고 혈당 조절을 어렵게 한다.

당뇨병 전문가, 간호사, 영양사, 정신건강전문가를 포함하는 다학제팀 접근이 공존하는 식사장애와 당뇨병을 치료하기에 가장 이상적이다. 당뇨병과 식사장애가 공존하고 있는 환자의 치료 초기에 있어서, 당뇨병의 집중적인 혈당 조절은 적절한 목표가 아니다. 식사장애가 있는 환자에서 지나치게 집중적인 당뇨 조절은 실제로 음식과 체중에 대한 강박 사고를 더욱 악화시킬 수 있다. 일차 목표는 내과 증상의 안정화에 초점을 맞추어야 하고 점차 인슐린 증량, 음식 섭취 증가, 식단의 유연성, 규칙적인 식사 섭취, 집중적인 혈당 감시 등을 위한 팀 접근을 구축해야 한다.

(5) 인지기능과 당뇨병

당뇨병을 가진 노인의 경우 인지장애와 치매의 위험이 증가하고, 당뇨병이 없는 노인에 비해 그 위험도는 50-100% 이상이다. 당뇨병에서의 인지장애는 혈당 조절뿐만 아니라 고혈압이나 이상지질혈증dyslipidemia 같은 동반된 질환의 경과에 따라 영향을 받는다. 미국 당뇨병 학회에서는 65세 이상의 당뇨병 환자에서 경도인지장애 선별을 위해 간이정신상태검사Mini-Mental State Examination, MMSE와 몬트리올 인지평가Montreal Cognitive Assessment검사를 권고하고 있다. 당뇨병 환자에서 인지기능이상이 동반되는 경우, 당뇨 식사, 혈당 검사, 약물 복용 등과 같은 자기-관리 행동이 제대로 이루어지지 않기 때문에 관리가 어려워진다. 당뇨병 환자의 치매 위험인자는 일반인과 유사하며 낮은 교육 수준, 미혼, 우울장애, 고령 등이다. 당뇨병에 더 많은 위험인자로는 만성이고 심한 고혈당/저혈당, 당뇨궤양과 사지 절단 과거력, 망막병증retinopathy, 관상동맥병coronary artery disease 등이다. 당뇨병 환자에서 가장 흔한 치매 형태는 알츠하이머치매Alzheimer's dementia와 혈관치매vascular dementia 또는 두 치매의 혼합형이다.

당뇨병에서의 신경인지기능저하는 자유라디칼free radical, 염증, 진행된 당화반응glycation 최종산물의 생성에 기여하는 만성 고혈당 및 인슐린저항성에 의해 발생된다고 생각된다. 이러한 생성물들은 신경원섬유매듭neurofibrillary tangle과 베타-아밀로이드침착beta-amyloid deposition 형성에 관여하고 미세/큰 혈관 변화micro/macro vascular change를 일으켜 인지기능저하와 결국 치매로 진행하게 한다. 그리고 반복되는 저혈당 삽화도 인지기능저하에 관여한다고 알려져 있다. 당뇨병 환자에서 인지기능저하의 다른 원인으로는 특히 노인에서 우울장애가 있다. 메트포르민metformin이 말단 회장ileum 에서 비타민B_{12}의 흡수를 저하시킬 수 있어 메트포르민으로 치료중인 당뇨병 환자에서 인지기능저하가 있는 경우 비타민B_{12} 결핍을 고려해야 한다. 과거일부 연구에서 스타틴statin이 인지기능저하와 연관 있다고 알려졌으나 그렇지 않다는 연구 결과도 있어 아직까지 확실하지 않다.

2. 갑상샘질환Thyroid disorder

갑상샘항진증hyperthyroidism과 갑상샘저하증hypothyroidism은 다양한 생리적, 정신적, 그리고 인지적 증상들이 동반된다. 정신질환, 특히 우울장애 환자에서는 갑상샘질환의 빈도가 증가한다.

1) 갑상샘항진증hyperthyroidism

갑상샘항진증은 신경과민nervousness, 발한, 피로, 더위못견딤증heat intolerance, 체중 감소 그리고 근력 약화를 포함하는 생리 증상들을 동반한다. 갑상샘항진증의 가장 흔한 원인은 그레이브스병Graves'disease이다. 다른 원인으로는 중독성 결절갑상샘종toxic nodular goiter과 갑상샘자극호르몬 분비 뇌하수체종양thyroid-stimulating hormone, TSH-secreting pituitary tumor이 있다. 그레이브스병은 자가면역질환이고 눈병증ophthalmopathy과 침윤피부병증infiltrative dermopathy을 일으킬 수 있다. 스트레스가 그레이브스병에 영향을 주고 치료 경과를 악화시킬 수 있다. 갑상샘항진증은 환자의 나이에 따라 다른 증상으로 나타나는 경우가 있다. 젊은 환자에서 갑상샘항진증은 전형적으로 과다활동hyperactivity 혹은 불안불쾌감anxious dysphoria으로 나타나고, 노인 환자에게서는 무감동apathy 혹은 우울감(무감동갑상샘항진증apathetic hyperthyroidism이라고 함)으로 나타날 수 있다. 갑상샘항진증의 가장 좋은 선별검사는 혈청 TSH 측정이고, TSH 수치가 낮은 경우에는 자유티록신free thyroxine, T4검사를 시행해서 확진해야 한다. 갑상샘항진증의 치료에는 항갑상샘 약물antithyroid medication, 갑상샘절제술thyroidectomy 그리고 방사성요오드radioactive iodine 등이 있다. 갑상샘항진증 환자에서 종종 불안, 경조증, 우울장애 그리고 인지장애가 나타난다. 심한 갑상샘항진증(갑상샘중독증thyrotoxicosis) 환자에서 조증이나 정신증 증례가 많이 보고되었다. 역설적으로 조증 치료에 사용하는 기분안정제인 리튬이 갑상샘항진증을 유발하기도 한다. 정신증상들 모두 갑상샘호르몬 농도와는 별 상관이 없고, 이러한 증상들은 일반적으로 항갑상샘 치료 혹은 베타 차단제로 나아진다. 따라서 정신약물 사용은 대개 필요하지 않고 심한 기분 및 정신증상이 있을 경우나 적절한 항갑상샘 치료에도 불구하고 정신증상이 지속되는 경우에 정신약물을 사용할 수 있다. 갑상샘항진증 환자에서 양극성장애 위험이 증가하거나 무증상갑상샘항진증subclinical hyperthyroidism(낮은 TSH, 정상 T4)에서 우울장애의 위험이 증가한다는 보고가 있다. 갑상샘항진증 환자들에서 다양한 인지장애가 나타날 수 있다. 특히 주의를 유지하는 것과 시각운동 속도 수행, 기억과 집중력 저하 등의 어려움을 보이는 것으로 보고된다. 기억과 집중의 장애는 갑상샘기능 조절이 장기간 되지 않는 경우에만 나타나는 것으로 보여 진다. 최근 연구에서 무증상갑상샘항진증이 노인의 인지기능저하와 연관이 있지만 항갑상샘 치료가 인지기능저하를 막아주지는 못한다고 보고하였다.

2) 갑상샘저하증hypothyroidism

갑상샘저하증 환자는 허약, 피곤, 졸음, 추위못견딤cold intolerance, 체중 증가, 변비, 탈모, 쉰소리hoarseness, 경직stiffness 그리고 근육통을 자주 경험한다. 갑상샘저하증의 가장 흔한 원인은 자가면역갑상샘염autoimmune thyroiditis(하시모토 갑상샘염Hashimoto's thyroiditis)이다. 또한, 갑상샘저하증은 리튬의 부작용일 수도 있다. 갑상샘항진증(그레이브스병)의 치료에 가장 많이 사용되는 방사성요오드 치료가 갑상샘저하증을 일으킬 수 있는데, 갑상샘 치료 후 수년이 지난 후에도 진단이 되지 않을 수 있다.

갑상샘저하증의 증상들은 지연성 우울증retarded depression의 증상과 중첩되고 따라서 이미 우울장애로 진단 받은 경우에는 갑상샘저하증의 진단을 놓치기 쉽다. 갑상샘저하증의 신체징후들은 허약, 서맥, 얼굴 부음facial puffiness, 체중 증가, 탈모, 쉰소리, 말의 속도가 느림 등이 있다. 갑상샘저하증의 가장 좋은 선별검사는 혈청 TSH 농도 측정이지만 TSH 수치가 높은 경우에는 자유티록신(T4) 검사를 시행해서 확진해야 한다. 혈청 TSH 농도는 뇌하수체 혹은 시상하부 질환에 의한 이차 갑상샘저하증에서는 잘못 해석될 수 있다. 그러한 환자에서는 자유티록신(T4)의 측정이 임상가에게 적합한 진단을 내리게 해준다.

심한 갑상샘저하증은 비교적 드물고 대부분은 경도의 갑상샘저하증이다. 명확한 갑상샘저하증 환자는 대부분 증상이 나타나며 TSH 농도가 증가되어 있고 자유티록신(T4) 농도는 낮아져 있다. 무증상갑상샘저하증subclinical hypothyroidism 환자는 증상이 경미하거나 없으며 혈청 TSH 농도는 높고 자유티록신(T4) 농도는 정상임을 특징으로 하고, 일반인구의 5-10%에서 흔하게 발생하고 주로 여성, 그 중에서도 45세 이상 여성의 15-20%에서 발생한다. 무증상갑상샘저하증은 특히 노인 여성에게서 흔하다.

(1) 인지기능

갑상샘저하증에서는 주의력, 기억, 반응시간, 운동속도 검사 수행 등 다양한 인지 기능이 손상 될 수 있다. 하나의 가능성은 갑상샘저하증에서의 인지 불충분은 이차 우울장애의 결과라는 것이다. 하지만 몇몇 증례에서 실제 인지기능 이상 보다는 인지 어려움에 대한 환자의 지각이 우울장애나 피로의 결과일 것으로 설명하고 있다. 갑상샘저하증의 인지기능 이상에 대해서는 연관성이나 치료 개입 등 여러 측면에서 아직까지 논란의 여지가 많다.

(2) 우울장애

갑상샘저하증은 이차 우울장애의 원인으로 잘 알려져 있다. 갑상샘저하증 환자의 거의 대부분은 우울증상을 보이지만, 죄책감이나 낮은 자존감 등의 증상은 적게 호소한다. 우울증상이 무증상갑상샘저하증 환자에게도 많이 나타나기는 하지만 무증상갑상샘저하증이 우울장애의 위험인자인지는 논란이 많다.

삼요오드티로닌triiodothyronine, T3이 치료 저항성 우울장애에서 항우울제의 효과를 증가시키기 위해 오래전부터 사용되어 왔다.

급속 순환형 혹은 혼재성 삽화의 양극성 장애 환자는 특히 무증상갑상샘저하증의 높은 비율을 보인다. 한 연구에서는 급속 순환형 혹은 혼재성 삽화의 양극성장애 환자 40%에서 무증상갑상샘저하증을 가진다고 보고하였다. 따라서 모든 급속순환형 양극성장애 환자는 (무증상)갑상샘저하증에 대해 평가하고 만약 TSH 농도가 상승하여 있다면 T4를 복용하도록 제안하고 있다.

(3) 정신증

치료되지 않은 갑상샘저하증은 점액부종광기myxedema madness로 불리우는 정신증을 일으킬 수 있다. 이러한 상태는 갑상샘기능검사가 광범위하게 사용되기 이전에 꽤 흔해, 모든 갑상샘저하증 환자의 5%에서 보고되었으나, 지금은 많지 않다. 정신증상은 보통 TSH와 T4 수치가 정상화되면 회복되지만, 인지 기능 장애는 상당기간 지속이 될 수도 있다. 갑상샘저하증 환자에서 다른 드문 가능성은 높은 혈청 항갑상샘항체antithyroid antibody 농도와 연관되어 정신증을 동반하고 섬망, 경련 및 국소 신경학적 징후를 보이며 코르티코스테로이드corticosteroid 에 반응하는 하시모토뇌병증Hashmoto's encephalopathy인데 자가 면역 질환으로 생각하고 있다. 하시모토뇌병증의 대부분에서는 갑상샘기능이 정상이거나 약간 저하되어 있다.

(4) 선천성 갑상샘저하증

선천성 갑상샘저하증은 비록 갑상샘호르몬 생산의 유전적 결함에 의할 수도 있지만, 보통 갑상샘무형성 혹은 비형성의 결과로 발생한다. 전 세계적으로 요오드결핍이 선천성 갑상샘저하증의 가장 흔한 원인이다. 치료 받지 않은 갑상샘저하증의 신생아들은 이후 정신지체mental retardation, 저신장, 저조한 운동발달 그리고 부푼 얼굴과 손을 특징으로 하는 크레틴병cretinism 증후군이 발생한다. 영구적인 정신지체를 막기 위해 조기 치료가 필수적이고, 미국에서는 태어나는 모든 신생아들은 출생 시에 갑상샘저하증에 대한 선별검사를 시행한다. 출생 후 3개월 이내 갑상샘호르몬 치료를 통해 대부분의 아이들에서 정상적인 지능 발달을 이끌어 낼 수 있다.

3. 부갑상샘질환Parathyroid disorder

1) 부갑상샘항진증hyperparathyroidism

부갑상샘항진증은 부갑상샘호르몬parathyroid hormone의 과다분비로 인해 골질환, 콩팥 결석, 그리고 고칼슘혈증hypercalcemia 등을 일으킬 수 있다. 고칼슘혈증의 증상으로는 식욕부진, 갈증, 잦은 소변, 기면, 피로, 근력 약화, 관절통증, 변비, 그리고 심할 경우 우울장애와 심지어 혼수coma도 일으킬 수 있다.

부갑상샘항진증의 유병률은 0.1%로 알려져 있고, 여성에서 남성보다 3배가량 더 많이 발생하고, 유병률은 나이와 함께 증가한다. 부갑상샘항진증은 두부와 경부의 방사선 치료의 결과로서 발생할 수 있고, 장기간 리튬 치료의 부작용으로 나타날 수 있지만 발견하지 못할 수도 있다.

경도 고칼슘혈증을 가진 환자는 인격변화, 자발성 결여 그리고 결단력 부족lack of initiative을 보인다. 중등도의 고칼슘혈증(혈청 칼슘 농도 = 10-14 mg/dL)에서는 불쾌감, 무쾌감증anhedonia, 무감동, 불안, 자극과민성, 그리고 집중력과 최근 기억의 장애를 일으킬 수 있다. 고도의 고칼슘혈증(혈청 칼슘 농도 > 14 mg/dL)에서는 착란, 지남력 상실, 긴장증catatonia, 초조, 편집사고, 망상, 환청 및 환시 그리고 기면에서 진행하여 혼수 등이 발생할 수 있다. 우울장애, 불안, 인지장애 등의 증상들이 부갑상샘절제술parathyroidectomy 이전에 매우 흔하고 수술 이후에는 대부분의 환자에서 증상들이 좋아진다.

2) 부갑상샘저하증hypoparathyroidism

부갑상샘저하증 환자는 저칼슘혈증hypocalcemia을 일으켜 신경근육 과민성을 증가시킨다. 전형적인 증상들은 감각이상paresthesia, 근육경련muscle cramp, 손발연축carpopedal spasm 그리고 드물게 얼굴 찡그림facial grimacing과 발작seizure 등을 포함한다. 합병증으로 기저핵basal ganglia의 석회화와 대뇌거짓종양pseudotumor cerebri이 발생할 수 있다. 정신증상으로는 불안과 정서과민성emotional irritability, 불안정성lability 등을 나타낸다. 심각한 저칼슘혈증에서는 테타니tetany와 발작을 일으킨다. 부갑상샘저하증은 보통 부갑상샘이나 갑상샘 수술로 인한 부갑상샘호르몬 분비의 불충분에서 기인한다. 부갑상샘저하증은 22q11.2 결실증후군22q11.2 deletion syndrome(구개심장안면증후군velocardiofacial syndrome)에서 또한 흔하다. 22q11.2 결실증후군은 성인에서는 정신증이 흔하고 소아에서는 기분, 불안, 주의력 및 행동장애가 흔하게 나타난다.

장기간 지속되는 부갑상샘저하증 환자에서는 인지 및 신경학적 결핍이 흔하게 나타나고 비가역적이고 대뇌석회화의 정도와 항상 관련이 되는 것은 아니다.

4. 골다공증osteoporosis

골다공증은 골 대사장애이고 그 결과 골 질량bone mass 이 낮아지고, 골 강도가 감소하고, 골절의 위험이 증가하게 된다. 골다공증은 폐경 후 여성에서 가장 흔하게 발생한다. 우울장애와 골다공증 간의 연관성은 양방향으로, 남녀 모두에서 우울장애가 골다공증의 위험인자이다, 하지만 우울장애와 골다공증 간의 인과관계는 아직까지 불분명하다. 항우울제, 특히 선택적세로토닌재흡수억제제selective serotonin reuptake inhibitor, SSRI의 사용이 골밀도bone mineral density의 감소 및 골절 위험 증가와 연관이 있다. 우울장애에서 골다공증의 다른 위험인자로는 고코르티솔증hypercortisolism, 흡연, 음주 및 신체활동부족 등이 있다. 조현병 환자에서도 골다공증이 흔하지만 골다공증이 항정신병 약물에 의해 발생되는 고프로락틴혈증hyperprolactinemia에 의한 것인지는 확실하지 않다.

5. 부신질환Adrenal gland disorder

1) 쿠싱증후군Cushing's syndrome

쿠싱증후군은 코티솔과 기타 글루코코르티코이드glucocorticoids가 비정상적으로 높아서 발생한다. 가장 흔한 원인은 코르티코스테로이드corticosteroids 약제 사용이며 그 뒤로는 과다한 코르티코트로핀corticotropin의 분비(쿠싱병Cushing's disease으로 일컬어지는 뇌하수체 종양에서 가장 흔함)와 부신종양이 차지한다. 쿠싱증후군의 증상과 징후로는 몸통비만truncal obesity와 줄striae, 당뇨, 고혈압, 고혈당, 근육 쇠약, 골감소증, 피부 위축, 멍, 감염 취약성 증가, 그리고 생식샘 기능이상 등이 있다.

쿠싱증후군 환자들은 우울, 불안, 경조증 또는 명백한 조증, 정신증, 인지기능장애 같은 다양한 종류의 정신증상들을 흔하게 경험하고 발생비율은 연구들마다 상당히 다르게 보고되고 있다. 우울장애는 쿠싱증후군에서 가장 많이 발생되는 정신의학적 문제이다. 대개 쿠싱증후군 환자 들의 50-80%에서 자극과민성, 불면, 울음, 에너지감소, 성욕감소, 집중력저하, 기억력저하, 자살 사고 등의 우울증상들이 보고되었다. 과거에는 우울장애를 쿠싱증후군의 신체증상에 대한 심리적 반응으로 보았으나 이러한 가설은 때때로 정신증상이 신체변화보다 먼저 나타나는 경우가 있기 때문에 가능성이 떨어진다. 쿠싱증후군과 우울장애의 관련성을 설명하는 두 가지 가능성 있는 기전이 제시되고 있다. 먼저 쿠싱증후군 환자에서의 우울장애는 시상하부의 기능이상에서 일어난다는 설명이 있고 다른 한 가지는 증가한 코티솔 수치가 직접적으로 쿠싱증후군에서 우울장애를 일으킨다는 설명이 있다. 우울장애가 동반된 쿠싱증후군 환자에서 항우울제가 주요우울장애의 치료 때보다는 효과가 적지만 쿠싱증후군이 확실하게 치료 될 때 까지 항우울제 사용이 도움이 될 수 있다. 고코티솔혈증이 회복되면 우울증상도 대부분 좋아지지만, 일부는 지속 될 수도 있다. 조증이나 우울장애 증상 등 다양한 정신증상들이 나타나는 쿠싱증후군 환자들이 양극성장애나 조현병스펙트럼장애로 잘못 진단되는 경우가 많다. 만성적인 고코르티솔증hypercortisolism이 주의력, 실행기능, 비언어 기억력 등에 영향을 미쳐 인지장애를 일으킬 수 있다. 글루코코르티코이드 수용체는 대뇌 전두피질과 해마에 풍부하기 때문에 쿠싱증후군 환자가 학습이나 기억에 영향을 받는 것은 당연하다. 쿠싱병이 해마용적의 감소와 대뇌위축을 일으킬 수 있고, 코티솔 수치가 정상으로 되더라도 이러한 변화가 완전히 회복되지 않을 수 있다. 코르티코트로핀 의존 쿠싱증후군은 수술이 일차치료이지만 스테로이드생산steroidogenesis 억제제(에토미데이트etomidate)나 글루코코르티코이드 수용체 길항제(미페프리스톤mifepristone) 등의 약물치료가 정신증상 및 기타 증상을 감소시키는 역할을 할 수 있다.

2) 부신기능부전Adrenal insufficiency: 애디슨병Addison's disease과 코르티코트로핀 결핍corticotropin deficiency

부신에서 코르티코스테로이드의 불충분한 생성은 몇 가지 기전들에 의해 기인할 수 있다. 일차부신기능부전 애디슨병은 광물코르티코이드mineralocorticoids와 글루코코르티코이드 분비의 결여로 인한다. 애디슨병의 주요 원인으로는 자가면역부신염autoimmune adrenalitis, 전이암, 감염(결핵, HIV)등이 있다. 이차부신기능부전의 가장 흔한 원인으로는 글루코코르티코이드의 만성 투여로 인한 코르티코트로핀(부신피질자극호르몬adrenocorticotropic hormone, ACTH)

분비의 저하이다. 이차원인들 중 흔하지 않은 것으로는 뇌하수체 병변을 일으키는 질병들이다. 이차부신기능부전에서는 ACTH 농도가 낮으나 애디슨병의 경우에는 코티솔의 결핍으로 인해 ACTH가 증가한다. 이러한 ACTH의 증가는 과다색소침착hyperpigmentation을 일으킬 수 있다.

광물코르티코이드 농도의 감소는 세포외 용적의 감소를 일으켜 체위저혈압postural hypotension을 일으킨다. 부신기능부전 환자들은 스트레스를 받거나 굶었을 때 저혈당이 발생하기 쉽다. 애디슨병에서는 전형적으로 저나트륨혈증과 고칼륨혈증이 나타난다. 빈혈, 식욕부진, 구역, 구토, 설사, 복통, 체중 감소, 근육쇠약 등이 부신기능부전에서 나타날 수 있다.

애디슨병 환자에서 무감동, 사회적 위축, 피로, 무쾌감증, 사고의 빈곤 그리고 거부증 등의 정신증상이 흔하게 발생한다. 부신기능부전의 특징적인 소견이 나타나기 이전에 쇠약, 피로, 식욕부진 같은 비특이적인 증상이 종종 먼저 나타나 부신기능부전의 원인을 찾는 데 임상적으로 어려움을 겪으며, 일부 우울장애 등의 정신의학적 진단으로 오진되어 적절한 치료가 지연되기도 한다. 특히 기억력저하 같은 인지기능장애가 종종 나타나지만 지속적이지 않고 그 정도도 다양하다. 부신위기adrenal crisis 때, 환자는 섬망, 지남력장애, 착란, 심지어 정신증 등의 증상이 나타날 수 있다. 이전에 고용량의 코르티코스테로이드로 치료 받았던 만성신체질환자의 경우 이차부신기능부전이 간과되고 일차주요우울장애로 오진되기 쉽다. 다른 가능한 정신의학적 오진으로 신경성식욕부진증이 있다.

낮은 아침 혈청 코티솔 수치로 부신기능부전의 진단을 의심할 수 있지만 확진을 위해서는 코르티코트로핀 자극검사가 필요하다. 합성 ACTH 유사체analogue인 코신트로핀cosyntropin을 주입한 이후 혈청 코티솔 농도가 20 ng/dL 이상 증가하면 부신기능부전 진단을 제외할 수 있다.

애디슨병 환자에서 우울장애의 원인은 불명확하다. 부신기능부전의 원인에 상관없이 신속한 치료가 필요하다. 애디슨병에서는 대개 글루코코르티코이드와 광물코르티코이드 치료가 필요하지만, 이차부신기능부전에서는 글루코코르티코이드 단독 치료만으로 충분하다.

희귀한 X연관유전대사병인 부신백질형성장애adrenoleukodystrophy의 증상으로 부신기능부전이 나타날 수 있고, 백질뇌척수신경병증leukoencephalic myeloneuropathy을 일으킬 수 있다. 성인기 발생은 드물고 조증, 정신증, 인지기능이상 등의 정신증상들이 자주 나타난다.

6. 말단비대증Acromegaly

말단비대증은 성장호르몬growth hormone, GH을 과다하게 분비하는 병이다. 말단비대증의 가장 흔한 원인은 전뇌하수체의 성장호르몬분비선종GH-secreting adenoma이다. 말단비대증의 임상 양상으로는 두통, 뇌신경 마비, 말단 비대acral enlargement(전두부돌출frontal bossing), 손과 발의 크기 증가, 턱나옴증prognathism, 연조직 과성장(대설증macroglossia), 포도당불내성 그리고 고혈압 등이 나타날 수 있다.

말단비대증에 연관되는 정신의학적 문제로 기분장애, 불안, 인격변화 등이 나타날 수 있으며 치료 후에도 지속될 수 있다. 말단비대증과 연관된 정신증상과 삶의 질 문제는 내분비 질환 자체로 발생할 수 있고 변형된 외모에 대한 심리사회적 스트레스로 인할 수 있다. 말단비대증에서의 인격변화에는 결단력과 자발성이 부족하고 기분 불안정성이 심하다. 주의력, 기억, 실행기능에서의 인지 장애가 흔하게 나타난다.

말단비대증의 치료로는 수술, 약물 그리고 방사선 치료가 있다.

7. 크롬친화세포종Pheochromocytoma

크롬친화세포종은 부신수질adrenal medulla과 교감신경절sympathetic ganglia에서 유래하는 드문 카테콜라민catecholamine 분비 종양이다. 임상 증상과 징후는 카테콜라민의 방출로 인해, 심장박동수, 혈압, 심근 수축, 그리고 혈관 수축 등이 증가하고, 그 결과 발작고혈압paroxysmal hypertension, 두통, 두근거림, 발한diaphoresis, 떨림, 창백pallor(드물게 홍조flushing), 흉통과 복통 등이 나타나고 자주 구역과 구토가 난다. 이러한 비특이적인 증상들로 인해 크롬친화세포종은 실제로 불안장애(특히 공황장애), 편두통 혹은 군집성 두통, 자극제 남용, 알코올 금단 환자 등으로 의심되어진다. 크롬친화세포종이 있는지 검사받는 환자 중, 2% 이하에서 종양이 발견되었다. 음성 결과가 나온 사람들 중 다수에서 설명할 수 없는 심한 증상성 발작고혈압이 나타나서 가짜크롬친화세포종pseudopheochromocytoma이라 하고 불안에 의해 유발된다. 크롬친화세포종 환자에게서 전형적인 공황 발작이 성인과 소아 모두에서 보고되었다. 항우울제 사용 시 아마도 순환 카테콜라민의 신경세포 섭취를 억제하여 무증상크롬친화세포종이 점차 증상이 두드러지게 나타날 수 있다.

여전히 크롬친화세포종의 진단을 위한 가장 좋은 검사에 대해서는 의견일치가 되지 않고 있다. 일부 기관에서는 24시간 소변 측정을 통하여 카테콜라민과 메타네프린metanephrine의 분비가 증가하는 것을 확인한다. 혈장 메타네프린 측정은 아주 높은 민감도(거의 99%)와 전반적인 특이도(85-90% 범위)를 가진다. 소변 카테콜라민 수치의 증가 소견은 크롬친화세포종의 진단에 특이적이지 않아, 오진을 내릴 수 있다. 심리적 및 생리적 스트레스인자가 소변 카테콜라민 수치를 증가 시킬 수 있다. 검사를 방해하는 물질들로, 약물(삼환계 항우울제, 부스피론, 엘도파L-dopa, 항정신병약물, 자극제, 출혈제거제decongestant)과 특정 음식이 있다.

바닐라 추출물vanilla extract 섭취, 페닐프로파놀아민phenylpropanolamine 남용, 카테콜라민 주입, 발살바조작valsalva maneuver을 하는 증례에서 인위크롬친화세포종이 많이 보고되고 있다.

공황발작, 두통, 불안정한 고혈압 환자 중 특히 치료에 효과가 없는 경우, 드물지만 크롬친화성세포종의 가능성을 고려하여야 한다. 정신증상만을 보이는 환자에서 크롬친화성세포종의 선별검사는 필수적이지 않고 카테콜라민 증가가 흔하지만 대부분은 위양성의 결과를 보인다. 몇몇 정신작용제 약물은 크롬친화세포종과 유사한 고혈압 반응을 일으킬 수 있고 드물지만 약물이 전혀 생각하지 않았던 크롬친화세포종을 두드러지게 할 수 있다.

8. 고프로락틴혈증hyperprolactinemia

고프로락틴혈증은 가장 흔한 뇌하수체호르몬 과다분비 증후군이다. 고프로락틴혈증과 감별해야 될 진단으로는 뇌하수체샘종pituitary adenomas, 생리적 원인(임신과 수유), 약물 효과, 만성신부전, 일차갑상샘저하증, 그리고 뇌하수체줄기pituitary stalk와 시상하부의 병변 등이 있다. 여성에서의 임상징후로는 젖흐름증galactorrhea, 생리불규칙, 성욕감소 등이 있다. 남성에서는 성욕감소와 드물게 젖흐름증이 나타날 수있다.

스트레스는 프로락틴 수치 증가를 일으킬 수 있다. 고프로락틴혈증에서는 우울과 불안이 증가하는 것과 연관이 있고 고프로락틴혈증의 치료가 우울과 불안을 좋아지게 한다. 젖분비흐름증과 무월경을 보이는 치료저항성 우울장애에서는 가능한 원인인자로 고프로락틴혈증을 반드시 고려해야 한다.

약물 유도성 고프로락틴혈증은 항정신병 약물과 그리고 적지만 항우울제와 연관되어 있다. 정형항정신병약물을 치료 농도로 복용하는 환자들에서 혈청 프로락틴 수치가 평균 기저 프로락틴 수치보다 6-10배 증가된다. 비정형항정신병약물은 프로락틴에 대한 효과가 다양하다. 대부분의 비정형항정신병약물은 프로락틴 분비의 증가가 없거나 일시적으로 프로락틴이 증가하지만 리스페리돈risperidone, 팔리페리돈paliperidone, 아미설프라이드amisulpride를 복용하는 환자에서는 지속적인 고프로락틴혈증이 발생할 수 있다. 할로페리돌haloperidol은 평균 17 ng/mL까지 혈청 프로락틴 농도를 증가시키지만 리스페리돈은 45-80 ng/mL까지 증가시키고, 남성보다는 여성에서 더 많이 증가시킨다. 아리피프라졸aripiprazole은 프로락틴 수치를 감소시킬 수 있고 몇몇 임상연구에서, 리스페리돈을 아리피프라졸로 교체하거나 아리피프라졸을 부가요법으로 추가하면 증가했던 프로락틴 수치가 적절하게 감소한다고 보고하였다.

선택적세로토닌재흡수억제제SSRIs, 단가아민산화효소억제제monoamine oxidase inhibitor 그리고 몇몇 삼환계항우울제 같은 세로토닌 활성을 가지는 항우울제는 프로락틴의 중등도 증가를 일으킬 수 있고, 또한 프로락틴을 증가시키는 항정신병약물을 같이 복용하는 환자에서는 프로락틴 수치가 더 증가할 수 있다.

프로락틴을 증가시키는 항정신병 약물을 장기간 복용하고 있는 환자에서는 골다공증의 위험이 있고 따라서 고프로락틴혈증의 징후와 증상에 대해 환자에게 교육하고 정기적으로 관찰해야 한다.

9. 생식샘질환gonadal disorder

1) 다낭난소증후군polycystic ovary syndrome, PCOS

다낭난소증후군은 가임기 여성의 5-10%에 해당하는 흔한 질환이다. 임상 증상으로는 무월경 amenorrhea 혹은 희발월경oligomenorrhea, 배란ovulation이 드물거나 없는 경우, 테스토스테론 testosterone의 상승, 불임infertility, 몸통비만truncal obesity 혹은 체중증가, 탈모 alopecia, 남성형털과다증hirsutism, 흑색가시세포증acanthosis nigricans, 고혈압 그리고 인슐린저항성 등이 있다. 이 질환의 원인은 알려지지 않았다. 발프로에이트valproate 치료 중에 다낭난소증후군의 발생위험이 증가하고 양극성장애 여성보다 뇌전증 여성에서 발생위험이 더 높다고 한다.

다낭난소증후군은 부정적인 정신사회적인 결과를 초래할 수 있다. 많은 연구들에서 다낭난소증후군을 가진 여성들이 불안, 우울장애, 양극성장애, 사회공포증social phobia, 자살 등 여러 정신의학적 문제들이 많이 발생하는 것으로 나타났다. 다낭난소증후군을 앓는 여성은 남성형털과다증, 비만, 그리고 변화된 생식 기능에 의해 "비정상적이라든지 기괴하다"는 느낌을 호소할 수 있다고 한다. 이러한 신체적 문제들이 자존감과 여성스러움을 느끼는 감정에 영향을 주지만 몇몇 연구에서 우울장애와 같은 정신의학적 문제는 정신 사회적 요인보다는 다낭난소증후군에서의 호르몬 변화에 의한 것이라는 주장도 있다. 비록 정신증상들과 다낭난소증후군 사이의 인과 관계는 밝혀지지 않았지만 발현 빈도를 볼 때 모든 다낭난소증후군 환자에서 특히 우울장애와 같은 정신의학적 문제를 선별하는 것이 중요하다.

2) 테스토스테론 결핍testosterone deficiency

남성에서의 테스토스테론 결핍은 고환testes, 뇌하수체, 혹은 시상하부에 영향을 끼치는 질병들로부터 발생한다. 테스토스테론 결핍의 결과는 성 발달 단계에 따라 다양하게 나타날 수 있다. 테스토스테론 생산은 자연적으로 나이를 먹으면서 감소하는데, 따라서 노인 남성에서는 상대적인 테스토스테론 결핍이 일어난다. 고환의 생식샘저하질환hypogonadal disorder(일차생식샘저하증primary hypogonadism)의 가장 흔한 원인은 클라인펠터증후군Klinefelter's syndrome, 볼거리mumps, 고환염orchitis, 외상, 종양, 항암치료, 면역고환부전immune testicular failure 등이다. 종양, 혈색소증hemochromatosis, 사르코이드증sarcoidosis, 혹은 두개내 방사선조사에 의한 뇌하수체병변은 이차생식샘저하증을 일으킬 수 있다. 시상하부성생식샘저하증hypothalamic hypogonadism의 고전적인 원인은 칼만증후군Kallmann's syndrome(후각저하증hyposmia, 감각신경난청sensorineural hearing loss, 구강틈새oral clefts, 왜소음경증micropenis 그리고 잠복고환cryptorchidism을 동반하는 저생식샘자극호르몬생식샘저하증hypogonadotropic hypogonadism)이다. 소아에서의 생식샘저하증은 정상적인 이차성징의 실패와 근육양의 감소를 특징으로 한다. 성인 남성에서 전형적인 호소는 성기능장애, 활력감소, 수염과 체모의 감소, 근육 소실 그리고 유방 비대로 나타난다.

남성에서의 노화에 따라 감소하는 테스토스테론 수치가 아마도 기분과 인지변화와 연관 있을 것으로 보이나 이러한 정신증상과 테스토스테론 수치 사이에 명확한 관련성은 없다. 갱년기climacteric 남성과 연관된 기분, 불안 그리고 인지 장애에 대한 개념은 아직까지 논란이 많다.

생식샘저하가 있는 남성에서 테스토스테론 대치replacement가 신체조성과 성기능장애를 개선시킨다는 증거들이 제시되고 있다. 하지만 나이와 연관된 테스토스테론의 감소와 생식샘저하 남성에서의 우울장애 치료에 있어서 테스토스테론 대치요법이 의미가 있느냐에 대해서는 여전히 의문이 남는다. 테스토스테론 대치요법을 시작하기 전에 테스토스테론의 잠재적인 심각한 부작용들을 주의 깊게 고려해야 한다. 전립선암의 위험 증가 가능성이 있지만 아직까지는 증거가 부족하다.

여성에서의 테스토스테론 결핍이 성기능장애, 낮은 활력 그리고 우울장애와 연관이 있다는 연구가 있지만 다른 연구에서는 높은 테스토스테론 수치가 우울장애의 위험을 증가시킨다고 보고하였다. 여성에서는 테스토스테론 수치가 어느 정도에서 결핍인지 그리고 테스토스테론 대치요법의 적응증, 위험, 이득에 대해서 남성에 비해 정확하게 정의되지 않고 있다.

10. 기타 대사장애other metabolic disorder

1) 전해질electrolyte 및 산-염기 장애acid-base disturbance

(1) 저나트륨혈증hyponatremia과 고나트륨혈증hypernatremia

저나트륨혈증의 주 증상은 신경정신의학적인 증상이고 증상의 중증도는 증상 발현의 정도와 신속성과 관련이 있다. 환자들은 기면, 혼미, 착란, 정신증, 자극과민성, 발작 등을 나타낼 수 있다. 저나트륨혈증은 많은 다양한 원인들이 있지만 특히 정신과 관련 있는 것으로 항이뇨호르몬부적절분비증후군syndrome of inappropriate antidiuretic hormone secretion, SIADH과 정신성다음증psychogenic polydipsia이 있다. 항이뇨호르몬부적절분비증후군은 카르마바제핀carbamazepine, 옥스카바제핀oxcarbazepine, 선택적세로토닌재흡수억제제, 삼환계 항우울제, 항정신병 약물 등의 정신작용제 약물에 의해 유발될 수 있다. 조현병 환자에서 저나트륨혈증을 유발하는 다음증은 바소프레신vasopressin 분비를 위해 삼투역치osmotic threshold가 감소하거나 갈증 시 삼투압조절의 결핍에 의해 일어날 수 있다고 한다.

고나트륨혈증의 징후도 주로 신경정신의학적 문제로, 인지장애, 섬망, 발작, 기면에서 진행성 혼미, 혼수 등이 나타난다. 극도의 고혈당 같은 고삼투압 상태에서도 비슷한 증상들이 나타날 수 있다. 고나트륨혈증은 대개 유의미한 총체액량의 결핍을 동반하는 탈수로부터 발생한다. 드문 원인으로는 수분이 고갈되거나 나트륨이 과다해도 갈증을 느끼지 못하는 무갈증adipsia이 있고 이는 대개 시상하부 병변이 원인이 된다.

(2) 저칼륨혈증hypokalemia과 고칼륨혈증hyperkalemia

저칼륨혈증은 근쇠약과 피로 그리고 만약 심한 경우에는 심각한 마비(저칼륨주기마비hypokalemic periodic paralysis)를 일으킬 수 있으나 대체로 중추신경계 기능에는 영향을 주지 않는다. 그럼에도 불구하고 증상이 있는 저칼륨혈증 환자가 때때로 우울장애로 오진되는 경우가 있다. 저칼륨혈증은 식사장애, 만성 알코올중독, 알코올 금단 시 매우 흔하게 나타난다. 고칼륨혈증의 부작용은 주로 심장에 나타나나 심각한 근쇠약 또한 일어날 수 있다.

(3) 저칼슘혈증hypocalcemia과 고칼슘혈증hypercalcemia

저칼슘혈증과 고칼슘혈증은 부갑상샘 질환에서 주로 나타나고 이미 앞부분에서 설명되었다(부갑상샘 질환 참조).

(4) 저마그네슘혈증hypomagnesemia과 고마그네슘혈증hypermagnesemia

마그네슘 농도는 대개 칼슘 농도와 연관되어 올라가거나 낮아진다. 저마그네슘혈증은 불안, 자극과민성, 테타니 그리고 발작을 일으킬 수 있다. 낮은 마그네슘 수치는 알코올 환자와 굶었던 환자에서 다시 재영양을 할 때(신경성 식욕부진증과 긴장증 환자의 경우) 매우 흔하게 나타날 수있다. 시클로스포린cyclosporine은 신경정신의학적 부작용으로 나타나는 저마그네슘혈증을 일으킬 수 있다. 고마그네슘혈증은 아주 흔하지는 않고 대개는 마그네슘이 포함된 제산제 또는 설사제를 과다섭취 시 발생하고 중추신경계 억제를 일으킨다.

(5) 저인산혈증hypophosphatemia

저인산혈증은 다른 많은 장기들의 증상들 이외에도 불안, 과호흡, 자극과민성, 쇠약, 섬망 그리고 만약 심한 경우에는 발작, 혼수, 사망까지 일으킬 수 있다. 저인산혈증은 저마그네슘혈증과 같은 상황에서 발생한다.

(6) 산증acidosis과 알칼리증alkalosis

대사산증metabolic acidosis은 보상적인 과호흡을 일으킨다. 당뇨병케톤산증처럼 산증이 심각하고 급성이라면 피로와 섬망이 나타나고 혼미와 혼수로 진행할 수 있다. 급성 대사산증은 다양한 종류의 독성물질 섭취나 과량투여 시 합병증으로 나타날 수 있다. 만성 대사산증이 있는 환자의 경우 현저한 식욕 부진과 피로를 보이며 우울하게 보인다.

심각한 대사산증 환자의 경우 무감동, 착란, 혼미를 나타낼 수 있다. 호흡성산증respiratory acidosis은 환기부족ventilatory insufficiency으로 발생하고, 호흡성알칼리증respiratory alkalosis은 과호흡 결과로 발생한다.

2) 비타민 결핍vitamin deficiency

비타민 B12 결핍의 임상 양상으로는 거대적혈모구빈혈megaloblastic anemia, 골수병myelopathy, 치매, 섬망, 말초신경병, 그리고 정신증, 불안, 기분장애, 긴장증, 인격변화를 포함하는 다양한 정신 증상들이 나타날 수 있다. 정신증상들은 단독으로 나타날 수 있고, 심지어 혈액학적 변화 없이도 나타날 수 있다. 비타민 B12 결핍은 악성빈혈pernicious anemia에서 자주 나타나고, 만성위염, 위절제술 후 혹은 위우회술, 알코올의존, 염증성장질환, 그리고 식사장애, 채식주의자, 영양 부족인 사람들에게서도 나타난다. 엽산folate 결핍은 인지장애와 우울장애를 일으킨다. 혈액학적으로 비정상적인 것들은 비타민 B12 결핍에서와 비슷하다. 정기적인 산전 관리로 엽산 보충이 권고되기 전까지, 임신에서 엽산 결핍이 흔하였다. 엽산 결핍은 항경련제를 복용하는 환자, 노인, 알코올의존 환자, 식사장애, 그리고 다른 영양 부족 인구들에서 종종 발생한다.

원래 니아신niacin의 결핍으로 여겨졌던 펠라그라pellagra는 지금은 여러 비타민과 아미노산 의 복합결핍으로 생각하고 있다. 전통적인 증상의 세 징후triad로는 피부염, 치매, 그리고 설사이지만 자극과민성, 불안, 우울, 무감동 그리고 정신증 등 여러 증상들이 보고되었다. 펠라그라는 지금은 개발 국가에서는 드물지만, 신경성식욕부진증이나 염증성장질환, 알코올중독에서 여전히 보고되고 있다.

티아민thiamine 결핍(각기beriberi)은 심장증후군과 말초 신경병과 베르니케-코르사코프뇌병증Wernicke-Korsakoff encephalopathy을 포함하는 신경정신과 증후군을 일으킨다. 베르니케뇌병증은 구토, 안진nystagmus, 안근마비ophthalmoplegia, 열, 실조ataxia 그리고 혼수로 진행하여 사망할 수도 있는 착란 등의 증상을 보인다. 코르사코프뇌병증은 기억상실amnesia, 학습 능력장애, 작화증confabulation 그리고 종종 정신증을 동반하는 치매이다. 티아민 보충으로 대개 호전되지만 호전 속도는 느릴 수 있다. 티아민 결핍 환자에게 타아민의 보충 없이 정맥 내로 포도당을 주는 것은 급성 각기를 일으킬 수 있다. 티아민 결핍은 알코올의존 환자들에게서 가장 흔하다는 사실은 잘 알려져 있지만 또한 만성 투석을 받고 있는 자, 굶은 이후 재영양을 하는 경우(신경성식욕부진증 환자 포함) 그리고 일시적으로 유행하는 다이어트를 하는 사람들에게서도 발생할 수 있다.

피리독신pyridoxine(비타민 B6) 결핍은 말초 신경병과 발작, 편두통, 만성 통증, 우울장애, 그리고 정신증 같은 신경정신질환들을 일으킨다. 비타민 B6 결핍에서 호모시스테인homocysteine이 증가되어 있고 혈관 질환과 치매를 가속화시키는 역할을 하는 것으로 생각하고 있다. 많은 약물들이 피리독신의 길항제로 작용하기 때문에 피리독신 결핍은 흔하다.

비타민 E 결핍은 무반사areflexia, 실조, 그리고 진동vibratory과 고유감각proprioceptive sensation의 저하를 일으킨다. 비록 주요우울장애에서 낮은 비타민 E 수치가 보고되었지만, 비타민 E 보충이 기분과 인지기능에 도움이 된다는 근거는 없다.

3) 포르피린증porphyria

포르피린증은 유전 또는 후천적인 헴heme 생합성의 매우 드문 질환군이다. 신경정신의학적 임상양상은 두 가지의 신경포르피린증neuroporphyrias(급성간헐포르피린증acute intermittent porphyria과 플룸보포르피린증plumboporphyria)과 두 가지의 신경피부포르피린증neurocutaneous porphyrias(유전코프로포르피린증hereditary coproporphyria과 혼합포르피린증variegate porphyria)으로 나타난다. 급성간헐포르피린증이 가장 흔하다. 네 가지 모두에서 다양한 임상 양상과 함께 재발 급성 발작attack이 전형적이다. 급성포르피린증에서 주징후들은 복통, 말초신경병, 그리고 단독으로 나타날 수 있는 불안, 우울, 정신증, 섬망 등의 정신증상이다. 또한 발작, 자율신경계 불안정, 탈수, 전해질 불균형, 그리고 피부의 변화가 일어날 수 있다. 시간이 경과할수록 환자들 사이에서 그리고 같은 환자에게서 증상들은 상당히 다양하게 나타나며, 또한 다른 정신의학적 그리고 내과적 질환들과 유사한 증상들을 보여 진단을 어렵게 한다. 스트레스가 급성 삽화의 유발인자로 생각되어 왔지만 자료가 부족하다.

급성기 동안에 대변과 소변에서 포르피린porphyrins과 그 대사산물metabolites을 측정하여 진단을 내린다. 삽화 간에 포르피린 수치는 정상으로 돌아온다. 의사가 포르피린증에 대한 의심을 많이 할수록 진단하기가 쉽다. 급성 삽화가 끝난 후에도 신경정신증상들이 지속되기에 진단하기가 특히 어렵다. 치료는 유발인자를 확인하는 것을 포함하여 일차적으로 대증적이다. 비록 바르비투르산염barbiturate이 명확하게 발작을 유발할 수 있지만 다른 정신작용제 약물들의 역할에 대해서는 아직까지 근거가 충분하지 않다.

결론

내분비 및 대사성 질환은 흔한 정신질환과 함께 자주 발생할 수 있으며 인과관계와 기전은 매우 다양하다. 어떤 상황에서는 내분비적 이상이 정신증상의 한 부분으로 나타날 수 있으며 정신증상이 내분비 질환에 대한 복합적인 생물심리사회학적/생물학적 반응으로 나타날 수도 있다. 정신의학적 문제와 이에 대한 정신작용제 약물 치료가 또한 내분비 질환의 위험도를 높일 수도 있다. 따라서 내분비계와 정신증상과의 연관성을 잘 이해하는 것이 임상가가 정신의학적 그리고/혹은 내분비 질환을 가진 환자를 치료할 때 중요하다.

참고문헌

1. Burmeister LA, Ganguli M, Dodge HH, Toczek T, DeKosky ST, Nebes RD. Hypothyroidism and cognition: preliminary evidence for a specific defect in memory. Thyroid 2001 ;11(12):1177-85.
2. Haggerty JJ Jr, Prange AJ Jr. Borderline hypothyroidism and depression. Annu Rev Med 1995;46:37-46.
3. Jones JM, Lawson ML, Daneman D, Olmsted MP, Rodin G. Eating disorders in adolescent females with and without type 1 diabetes: cross sectional study. BMJ 2000;320(7249):1563-6.
4. Levenson JL, Ferrando SJ. Clinical Manual of Psychopharmacology in the Medically ill. 2nd ed. American Psychiatric Association Publishing; 2017.
5. Levenson JL, Myers AK. Endocrine and Metabolic Disorders. In: Levenson JL, editors. The American Psychiatric Association Publishing Textbook of Psychosomatic Medicine and Consultation-Liaison PsychiatryThe. 3rd ed. American Psychiatric Associ-

ation Publishing;2019. p593-623.

6. Lustman PJ, Anderson RJ, Freedland KE, de Groot M, Carney RM, Clouse RE. Depression and poor glycemic control : a meta-analytic review of the literature. Diabetes Care 2000;23(7):934-42.
7. Sonino N, Fava GA, Raffi AR, Boscaro M, Fallo F. Clinical correlates of major depression in Cushing's disease. Psychopathology 1998;31(6):302-6.
8. Stern TA, Freudenreich O, Amith FA, Fricchione GL, Rosenbaum JF, editors. Massachusetts General Hospital Handbook of General Hospital Psychiatry. 7th ed. Elsevier Inc; 2018.
9. Wise MG, Rundell JR, editors. The American Psychiatric Press Textbook of Consultation-Liaison Psychiatry: Psychiatry in the Medically Ill. 2nd ed. American Psychiatric Association Publishing; 2002.

25

CHAPTER

정신종양학

김종흔

인체의 세포들이 돌연변이에 의해 스스로 사멸하지 않고 과다하게 증식하게 될 때 생기는 악성 종양을 암이라고 한다. 암은 우리나라 사람의 사망 원인 중에서 첫 번째를 차지한다. 한국인이 평균 수명까지 산다고 가정할 때 남자는 5명 중 2명, 여자는 3명 중 1명 꼴로 암에 걸린다.

암이 곧 죽음을 의미하고 암 진단이 사형선고와 비견되던 과거와 달리 암 환자의 사망률은 떨어지고 있다. 이는 암의 예방, 조기발견, 치료법의 발전 덕분이다. 우리나라의 경우 암 환자의 5년 상대 생존율이 70%를 넘어섰다. 하지만 암의 발생률은 줄어들지 않는데 이는 인구의 고령화에 영향을 받는다. 암을 앓고 살아 있는 암 생존자의 수는 매년 늘어나서 우리나라의 경우 200만 명을 넘어섰다. 이제는 암도 잘 관리하면 장기생존이 가능한 만성질환이 되어가고 있다.

하지만 여전히 암은 목숨을 앗아갈 수 있는 치명적인 질병이다. 암은 누구에게나 공포의 대상이며 암 투병은 삶에서 아무도 겪고 싶지 않은 경험이다.

암은 마음에 타격을 주고, 마음은 암에 영향을 준다. 즉, 암 환자는 정신적 고통을 겪고, 심리적 스트레스는 암의 진행에 영향을 준다. 정신종양학psycho-oncology이란 마음과 암 사이의 상호관계를 심리적, 사회적, 행동적 차원에서 탐구하는 학문이다. 정신종양학은 정신신체의학의 한 분야이면서 종합병원 자문조정정신의학에서 중요한 위치를 차지하고 있다. 암 환자의 삶의 질은 환자의 정신적 측면에 의해 크게 좌우된다. 따라서 암 환자의 정신적 고통, 즉 디스트레스distress를 잘 관리하는 것이 현대의 암 의료에서 중시되고 있다.

1. 스트레스와 암, 암과 스트레스

1) 정신사회적 요인이 암에 미치는 영향

스트레스가 암을 유발한다는 인식은 대중에게 널리 퍼져 있다. 스트레스만이 아니라 우울장애나 특정한 성격유형이 암의 발병과 관계가 있을 것으로 보고 지금까지 많은 연구가 있었다. 세계보건기구WHO 산하의 국제암연구소IARC는 발암원carcinogen에 대하여 뚜렷한 인체 발암성인 제1군부터 비발암성으로 추정되는 제4군까지 분류하여 공표하고 있다. 예를 들어 생체리듬을 파괴하는 주야간 교대근무는 유방암을 일으킬 수 있다고 추정되는 제2A군의 발암원이다. 하지만 흔히 만병의 원인으로 불리는 심리적 스트레스는 발암원으로 분류되지 않는다. 배우자나 자녀의 죽음과 같은 심한 스트레스는 다양한 정신신체질환을 유발하지만, 그것이 암의 발생과 직접 연관된다는 증거는 부족하다. 그럼에도 불구하고 자신의 암이 스트레스 때문에 걸렸다고 생각하는 환자들은 스스로를 책망하기 쉽고, 자신을 괴롭혔던 주변 사람들을 원망하곤 한다. 각종 코호트 연구들의 결과에 의하면, 우울장애를 앓던 환자들이 암에 더 많이 걸렸다는 증거도 없다.

암 환자들에게서 부정적 감정을 억압하고 자기희생적인 성격 특성이 많이 보인다고 하여 이를 C형cancer 성격이라고 지칭하기도 한다. 하지만 이는 암에 걸리기 전의 성격이라기보다 이미 암에 걸린 환자가 투병과정에서 보이는 심리적 반응일 것이다. C형 성격을 비롯하여 특정한 성격 유형이 발암에 관계가 있는지는 역학연구에서 증명된 바가 없다. 스트레스, 우울, 성격은 직접적으로 암을 일으킨다기 보다는 음주, 흡연, 충동적 성생활 등과 같은 위험행동으로 스트레스를 해소하는 방식이 발암과 간접적으로 관련될 수 있다.

만성적인 스트레스나 우울장애가 정신신경내분비면역학적 기전에 의해 시상하부-뇌하수체-부신 축을 활성화시키고 면역을 약화시킬 수 있고, 이것이 암의 발병에까지는 영향을 주지 못해도 암의 진행에 영향을 미칠 가능성은 있다. 정신사회적 요인들이 세포면역과 암의 성장과 관련된 기본적인 과정들, 즉 염증반응, 혈관신생, 침입, 전이 등에 영향을 미칠 수 있다는 사실이 실험실 연구에서 밝혀지고 있다.

성격이 낙관적인 환자들이 투병과정에서 더 잘 적응하는 경향이 있다. 하지만 낙관성이 암과 관련된 생존율을 직접적으로 더 높이는 것은 아니다. 암환자의 디스트레스나 우울장애를 경감시키기 위해 실시하는 정신사회적 개입은 환자의 삶의 질을 향상시키지만 삶의 양을 증가시키는 것은 아니다. 즉 정신사회적 개입이 암 자체를 호전시키거나 생존율을 높이지는 못한다. 전이성 유방암 환자들이 집단정신치료를 받았을 때 치료받지 않은 환자들보다 더 오래 살았다는 연구보고가 있었으나, 후속 연구들을 통하여 그 생존연장효과는 증명되지 못했다. 그렇지만 임상적 수준의 우울장애는 암의 진단과 치료에 대한 순응도를 떨어뜨리고 수면, 신체활동, 식사 등 행동습관에 부정적인 영향을 미치므로 이를 방치할 경우 생존율이 저하될 수 있다.

정신사회적 요인이 암에 미치는 영향에 대해서 요약하면 스트레스, 우울장애, 부정적 성격이 발암에 직접적 역할은 하지 못하지만 이미 앓고 있는 암이 정신사회적 요인에 의해 악화될 가능성은 있다. 또한 정신사회적 개입이 생존율을 높인다는 증거는 없으나 암 환자 디스트레스를 적극적으로 치료함으로써 생존율 저하를 막을 수 있다.

2) 암 환자의 스트레스 대처와 심리적 반응

암이 불치병으로 인식되던 시절에는 암 진단이 곧 죽음을 의미했다. 따라서 암 환자의 심리는 퀴블러-로스의 죽음의 5단계, 즉 부정, 분노, 타협, 우울, 수용의 단계를 밟는다고 했다. 하지만 암 투병은 단선적인 여정이 아니며, 모든 암 환자가 퀴블러-로스의 다섯 단계를 그대로 밟는 것은 아니다. 환자의 마음은 투병의 시기에 따라 롤러코스터를 타듯이 변동이 심하다.

암이 의심된다는 이야기를 듣고 정밀검사를 받을 때는 누구나 불안에 떨게 된다. 암이 확진 되었을 때는 많은 환자들이 당황하여 머릿속이 하얗게 되는 충격을 받는다. 수술, 항암화학요법, 방사선치료 등 복잡한 암 치료과정을 겪을 때는 치료의 부작용을 감내해야 한다. 드디어 일차적인 치료가 마무리되고 일상생활로 복귀할 때 긴장이 풀리면서 비로소 본격적으로 우울해지는 환자도 있다. 암 치료 이후에도 오랜 기간 동안 재발공포에 시달린다. 암이 재발하거나 전이되었을 때에는 처음 암 진단을 받을 때보다 더 고통스럽다고 호소하는 환자가 많다. 암이 진행성으로 되어 완치가 사실상 불가능해졌을 때 이를 수용하는 것은 쉽지 않다. 임종이 수개월 이내로 임박했을 때 삶을 정리하고 호스피스로 전환에 거부감을 느끼기도 한다. 이처럼 암 치료의 과정이나 암이 진행되는 단계마다 심리적 반응이 다르게 나타난다. 환자들은 특정한 의학적 상태나 사회적 상황에서 개인의 방어기제에 따라 복잡한 감정을 겪는다.

환자들은 흔히 "이제 살 만하니 암에 걸렸다"고 억울해 하거나 "왜 하필 내가 암에 걸렸을까"라고 한탄하고, 운명을 원망한다. 가족이나 의료진에게 투사하는 분노와 적개심은 환자의 절망감과 무력감, 두려움의 표현이기도 하다. 의존적이고 수동적으로 대처하는 성향의 환자는 암에 걸리면 더욱 아이 같아지면서 타인에게 전적으로 보살핌을 받으려는 모습을 보이기도 한다. 순종적인 사람들의 경우에는 모든 판단을 의사가 다 알아서 해주기를 바랄 수도 있다. 자기애적인 성격이 강한 환자는 이상화하거나 평가절하하는 모습을 보이기도 한다. 연극적 성격의 환자라면 신체 손상이나 매력 상실에 대한 과도한 두려움과 공포를 드러낼 수 있다.

회복탄력성resilience이 높은 사람들은 암 투병이라는 외상적 경험에도 불구하고 좌절하지 않고 역경을 잘 극복한다. 이런 사람들은 암 투병을 통해서 이점을 발견benefit finding하거나 외상적 성장posttraumatic growth을 이루기도 한다. 암을 앓게 되면서 자신의 삶과 다른 사람의 소중함을 알게 되고 감사하며 용서하는 삶을 살게 될 수 있다. 하지만 환자에게 의식적으로 이런 긍정적인 변화를 추구하도록 압박하는 것은 바람직하지 않다. 환자에게 원래의 성격을 바꾸고, 특정한 대처방법을 취하도록 강요하거나, 특정한 종교를 믿으라고 권한다면 그것을 받아들이기 어려운 환자들에게는 죄책감이나 반발심이 생길 수 있다. 긍정적 사고의 폭압tyranny of positive thinking을 가하는 것이 아닌지 조심해야 한다. 과거 그 사람이 특정 위기상황에서 성공적으로 대처했던 방식을 잘 살려서 그 나름대로의 대처방식을 다시 동원하여 투병에 임하도록 격려하는 것이 좋다.

2. 암 환자의 정신의학적 문제

미국정신건강의학회의 정신장애 진단 및 통계 편람(DSM)을 기준으로 볼 때 많게는 약 반수의 암 환자에서 정신의학적 진단을 내릴 수 있다. 적응장애, 기분장애, 불안장애, 수면장애, 섬망 등이 암 환자들에서 흔히 진단되는 정신의학적 문제들이다. 암 환자에게 흔한 통증, 피로, 오심이나 열감과 같은 신체적 증상 및 치료 부작용에 대해서도 정신종양학적 접근이 필요하다. 정신건강의학과에서 암 환자를 진료할 때, 기존의 질병분류체계에 따른 진단도 중요하지만 넓은 스펙트럼의 디스트레스로 파악하고 그들의 정신적 및 신체적 괴로움을 적극적으로 덜어주어야 한다.

1) 적응장애

적응장애는 암 환자에서 가장 많이 정신의학적 진단이다. 심리적 취약성을 가진 환자가 암과 관련한 스트레스에 대해 적절히 대처하지 못할 때 정서적 또는 행동적 증상이 나타나서 일상생활에 지장을 준다. DSM-5에 의하면 적응장애는 스트레스 요인이 발생한 지 3개월 이내에 시작되고 그 요인이 종료된 후 6개월 이상 지속되지 않는다. 적응장애에는 우울을 동반하는 아형과 불안을 동반하는 아형 등이 있다.

가벼운 적응장애가 있다고 해서 그런 환자를 모두 정신건강의학과에서 치료할 필요는 없다. 기존의 암 의료진이 적절하게 정서적으로 지지해주고 필요하면 소량의 수면제나 항불안제를 처방하는 것으로 적응장애 환자들은 쉽게 호전될 수 있다. 정신건강의학과에서는 지지적 정신치료를 통하여 환자가 스트레스를 조절할 수 있도록 도와준다. 수면제나 항불안제, 항우울제 등과 같은 단기간의 정신약물요법도 환자의 불면, 불안, 우울 증상을 완화할 수 있다. 암 치료 기간 동안에는 스트레스 상황이 반복되기 쉬우므로 적응장애를 앓던 환자도 회복되었다가 자주 재발할 수 있다. 문제가 고착되어 증상이 만성화되는 경과를 보일 수도 있다.

2) 우울

암 환자의 우울장애 유병률은 일반인에 비해 3배 이상 높으며 뇌졸중, 당뇨, 심장질환 등 다른 만성 신체질환 환자들에 비해 암 환자가 우울장애에 걸릴 가능성이 더 높다. 특히 두경부암, 췌장암, 유방암, 폐암 등을 앓는 환자에서 우울장애가 흔하다. 우울장애는 자살의 위험요인이며 암 환자의 자살률은 일반인이나 다른 질환 환자들에 비해 2배 정도 높다. 진행 암의 초기 진단 후 수개월 이내에 자살 빈도가 특히 높다. 예후가 나쁠수록 자살 위험도가 높으며 폐암, 두경부암 등에서 더 높다. 통증이 심하거나 섬망 때문에 충동조절이 잘 되지 않을 때 자살의 위험성이 높아진다.

주관적으로 우울한 기분 혹은 흥미나 즐거움의 상실 등 주요 증상이 2주 이상 지속될 때 주요우울장애의 진단을 고려한다. 특히 안락사euthanasia나 의사조력자살physician-assisted suicide에 관심을 보이는 환자는 우울장애의 유무를 철저하게 평가를 해야 한다.

암 환자에서 흔한 피로, 식욕저하, 체중저하, 불면 등의 신체증상의 존재가 우울장애 진단을 어렵게 만든다. 이런 신체증상들이 암이나 암 치료와 관련된 것인지, 아니면 우울장애 자체의 증상인지, 구분하기가 쉽지 않기 때문이다. 암 환자에서 우울장애를 진단할 때에는 신체증상보다는 무가치감이나 과도한 죄책감, 무력감 등의 정신증상에 초점을 두는 것이 좋다.

우울장애는 암 환자에게 흔한 의기소침demoralization과는 구분되어야 한다. 의기소침도 무력감, 절망감, 의존, 짐이 되는 느낌, 무의미감, 디스트레스 등을 동반한다. 그러나 우울한 사람은 전반적으로 즐거움을 느끼는 능력이 떨어진 상황인 반면 의기소침한 사람은 특정 상황과 관련되지 않은 다른 상황에서는 일시적으로 즐거움을 느낄 수 있다는 점이 다르다.

통증은 우울장애와 관련이 많다. 통증이 심하면 일시적으로 우울장애가 악화될 수 있고 우울하면 통증 역치가 떨어진다. 따라서 우울장애가 의심되는 모든 암 환자는 통증을 충분히 조절한 후 재평가해야 한다. 저활성 섬망이 있는 환자는 정신운동 지연이 나타나서 우울장애로 오진되기 쉽다.

어떤 환자들은 암 진단을 받고 나서도 커다란 동요 없이 잘 지내다가, 나중에 항암화학요법과 방사선치료가 일단락된 이후에 비로소 우울해지기도 한다. 이는 집중적 치료가 끝나고 회복기로 접어들면서 초기의 쇼크와 긴장 상태에서 벗어나기 때문이다. 또한 이 시기에는 의료진이나 가족으로부터 받는 지지가 차츰 감소하면서 홀로 현실적인 문제들을 본격적으로 당면하기 때문이기도 하다. 암 및 암 치료의 후유증으로 나타나는 인지기능장애, 성기능 문제 및 불임, 만성 피로, 외모의 변화 등으로 대인관계 부적응이 올 수 있다.

진행성 암환자들은 차라리 일찍 죽고 싶다desire for hastened death고 호소하거나 안락사 또는 의사조력자살을 원한다고 말할 때가 있다. 하지만 그것이 반드시 자살하고 싶다는 의미인 것은 아니다. 회복이 불가능한 환자가 자신의 삶을 스스로 통제하고 싶다는 의미를 내포하고 있다. 하지만 이런 의향이 임상적인 우울장애에 의한 증상일 수 있음을 유념해야 한다.

암 환자들이 복용하고 있는 약물이 우울장애를 유발할 수 있다. 암을 치료하기 위한 사이토카인(interferon- α, interleukin-2 등), amphotericin-B, glucorcorticoids, procarbazine, L-asparaginase, tamoxifen, vinblastine, vincristine, pemetrexed, taxane 등이 우울장애의 원인이 될 수 있다. 스테로이드나 interferon을 복용중인 환자 그리고 간뇌의 종양이 있는 환자에서는 조증이 생길 수 있다.

환자들이나 암 의료진들은 암에 걸렸으니 우울한 것은 당연하다고 생각하거나 암이 낫지 않는 이상 우울장애가 나아질 리가 없다고 생각하는 경향이 있다. 하지만 우울장애를 앓고 있는 암 환자에게는 정확한 평가와 함께 적극적인 치료가 필요하다 정신약물요법과 지지적 정신치료, 인재행동치료, 심신의학적 치료 등 비약물요법을 융통성 있게 함께 사용하는 것이 좋다. 환자의 자아 기능을 강화하고 문제 해결 기술을 증진시키고 인지적인 왜곡을 교정하는 등 개인 및 집단을 대상으로 한 정신사회적 개입이 우울장애 치료에 필수적이다.

암 환자라고 해서 항우울제의 치료 용량이 일반 우울장애환자에 비해 낮은 것은 아니다. 신체질환이 없는 정신건강의학과 환자에 비해서 부작용에 더 예민할 수 있으므로 약물의 초기 용량을 더 소량으로 시작하여 증량하는 것이 좋다. 암 환자에게 특히 더 효과적인 약제란 없으므로 항우울제의 선택은 일반적인 우울장애 약물요법 알고리즘에 따른다. 과거 우울장애 병력이 있는 경우, 전에 잘 들었던 약을 다시 처방한다. 삼환계 항우울제(TCA)는 선택적세로토닌재흡수억제제(SSRI)나 세로토닌-노르에피네프린 재흡수 억제제(SNRI)에 비해 환자의 내약성이 떨어지므로 신경병성 통증을 제외하고는 암 환자의 우울장애 치료에 일차적으로 쓰지 않는 경향이다. 방사선치료 및 항암화학요법으로 인해 구내염이나 배뇨장애가 있거나, 장 운동이 느린 환자들에게는 항콜린성 효과가 낮은 항우울제를 사용하는 것이 좋다.

약물 선택의 기준은 우울장애의 임상양상, 동반된 의학적 문제, 항우울제의 약물상호작용과 부작용, 약물투여경로(경구, 비경구) 등이다. 많은 암 환자들이 통증, 피로, 오심, 열감 등의 신체증상을 동반하기 때문에, 이를 감안하여 항우울제를 선택한다. SSRI 제제 중에서 식욕을 저하시키거나 오심을 유발하는 항우울제는 암 환자에게 사용할 때 주의해야 한다. 신경병성 통증이 동반될 때에는 amitriptyline과 같은 TCA나 duloxetine이 효과적이다. 피로가 심한 우울장애에서는 fluoxetine나 methylphenidate 혹은 bupropion 등이 좋다. Mirtazapine은 불면, 식욕부진, 오심을 동반한 우울장애에서 유용하지만 하지불안증후군을 유발할 수 있다. SSRI나 SNRI는 비스테로이드성 소염제(NSAID)와 병용할 때 위장관 출혈의 위험성을 주의해야 한다. Fluoxetine이나 paroxetine, venlafaxine 등은 반감기가 짧아서 약을 끊을 때 세로토닌 중단 증후군(discontinuation syndrome)을 초래할 수 있으니 천천히 감량해서 끊어야 한다. Methylphenidate는 항우울 효과가 빠른 편이어서 여명이 짧은 말기암 환자에서 종종 사용된다. 피로를 경감시켜주고 식욕을 자극하는 효과도 있다. 마약성 진통제에 때문에 몽롱한 상태를 각성시키고 인지기능을 향상시키기 위해 처방하기도 한다.

항우울제를 처방할 때는 환자가 복용하고 있는 다른 약제와의 상호작용이 가급적 적은 것으로 선택한다. 많은 항암제는 cytochrome P450 3A4 (CYP3A4)에 의해 대사되는데, modafinil은 CYP3A4를 유도하므로 항암제의 효과를 떨어뜨릴 가능성이 있고, fluoxetine, sertraline, paroxetine 등은 CYP3A4를 억제하여 항암제의 독성을 증가시킬 가능성이 있다. 호르몬수용체 양성 유방암 환자가 복용하는 tamoxifen은 CYP2D6을 통해서 활성대사물인 endoxifen으로 변환되어 항에스트로겐 작용을 한다. CYP2D6을 억제하는 항우울제는 이 변환과정을 방해하여 유방암 재발 위험을 높일 가능성이 있다. 항우울제 중에서 fluoxetine과 paroxetine, sertraline, duloxetine, bupropion 등은 CYP2D6을 억제하는 편이며, TCA도 CYP2D6의 기질로 작용한다. 항우울제 중 venlafaxine, desvenlafaxine, escitalopram, mirtazapine, milnacipran 등은 상대적으로 이러한 상호작용이 덜하므로 tamoxifen을 복용중인 유방암 환자에 비교적 안심하고 처방할 수 있다.

암 환자들에게서 우울장애가 흔하다고 해서, 모든 암 환자에게 예방적으로 항우울제를 투여할 필요는 없다. 우울장애가 없는 암 환자들에게 과잉약물치료를 초래하고 불필요한 약물 부작용이 나타날 수 있기 때문이다. 따라서 정신의학적 진단과정을 거쳐서 우울장애로 진단받은 환자에 한해서 약물치료를 시행하는 것이 좋다.

3) 불안

암의 특징은 경과와 예후가 불확실하다는 것이다. 불안은 암과 마주선 환자의 가장 흔한 심리반응이다. 특히 초기 단계에서 암 환자들에게 지배적으로 나타나는 정서는 '두려움'이다. 죽음에 대한 두려움, 사랑하는 이들과 헤어질지 모른다는 두려움, 치료의 고통스러울 것이라는 생각에 따른 두려움, 인간의 존엄성을 상실할지도 모른다는 두려움을 느낀다. 암 치료가 일단락된 상황에서는 재발에 대한 공포가 흔히 나타난다. 국소적인 암을 수술이나 방사선치료 등 근치적인 치료를 통해 완전히 없앤 경우라고 하더라도 자신의 몸 속 어딘가에 암 세포가 남아있을지도 모른다는 걱정은 항상 잠재되어 있다. 신체 부위가 조금만 아파도, 속이 불편하거나 설사만 해도 혹시 암이 재발되거나 전이된 것이 아닐까, 이차암이 생긴 것은 아닐까 두려움에 떨게 된다. 많은 암 생존자들이 살얼음판 위를 걷는 심정으로 하루하루를 살아간다고 호소한다. 암 생존자가 처한 이런 상황을 칼이 머리 위에서 언제 떨어질지 모르는 '다모클레스의 칼sword of Damocles'로 비유하기도 한다. 약 반 수의 암 환자가 중등도 이상의 재발공포로 고통 받는다.

암 진단 과정이나 치료 과정에서 반복된 심각한 외상적 사건에 의해 정신적 충격을 받은 환자들 중에서는 불안증상과 함께 악몽, 과각성, 집중력 장애 등의 해리성 증상이 동반되는 급성스트레스장애가 생길 수 있다. 드물게는 외상후스트레스장애posttraumatic stress disorder, PTSD로 진행할 수 있다. PTSD의 모든 진단기준을 만족시키지 못하더라도 암을 진단받았을 때의 충격이나 고통스러운 치료를 받았던 끔찍했던 경험이 자꾸 떠오르고 자신의 병의 예후에 대해 반복적으로 걱정하는 모습 등 PTSD의 일부 증상을 보이는 환자들은 더 많다.

범불안장애의 기왕력이 있는 경우 예기불안과 재발불안이 더 심해질 수 있다. 공황장애를 앓았던 환자들은 암 투병 중 호흡곤란 등 신체증상에 예민하게 반응하여 공황발작이 재발되기 쉽다. 강박장애의 기왕력이 있는 경우에는 치료법의 결정을 내리지 못하거나 질병에 대해서 반추하는 등 강박 증상이 악화될 수 있다. 장루나 요루 환자가 갑작스러운 설사나 실금에 당황하고 창피해 해서 사회공포증을 보일 수 있다. 폐소공포증이 있는 환자들은 MRI 촬영이나 방사선치료, 무균실 격리 등에 공포심을 보여서 진단과 치료과정에 지장이 생긴다. 혈액이나 주사바늘, 또는 방사선에 대한 특정공포증이 있는 환자도 마찬가지이다. 정기 검진 날에 암이 진행되거나 전이되었는지 확인하기 위해 촬영을 할 때면 촬영관련불안(속칭 SCANxiety)에 시달리기도 한다. 마찬가지로 전립선암 환자도 정기 검진 시 전립선특이항원(PSA)과 같은 종양 표지자의 오르내림에 따른 불안(속칭 PSAnxiety)을 호소하기도 한다.

호르몬을 분비하는 종양(크롬친화세포종, 갑상샘 선종, 갑상샘암, 부갑상샘선종, 부신피질자극호르몬 분비종양,

인슐린종 등)과 대사 장애(폐색전증, 저산소증, 패혈증, 저혈당, 심부전 등)와 같은 신체질환에 의해서 직접적으로 불안증상이 나타나기도 한다. 스테로이드, 갑상샘호르몬, 기관지확장제 같은 약제가 불안을 일으킬 수 있다. 항구토제인 metoclopramide가 좌불안석증을 유발해서 불안증상과 혼동될 수 있다.

암 환자의 불안에 대해서는 지지적 정신치료나 인지행동치료가 도움이 된다. 이완요법, 명상요법, 이미지요법, 향기요법 등 심신의학적 치료도 유용하다. 특정공포증의 경우 최면치료가 도움이 될 수 있다.

벤조디아제핀계 항불안제는 암 환자의 불안, 긴장 완화, 시술전 처치, 항암화학요법에서의 구토 억제 등의 목적으로 널리 사용되고 있으며, 항우울제도 각종 불안장애에 자주 처방되는 약물이다. 호흡기능이 저하된 환자에 대해서는 벤조디아제핀의 호흡 억제 가능성에 유의하여 속효성 벤조디아제핀을 서서히 증량하는 게 좋으며 비벤조디아제핀계 항불안제인 buspirone이나 항히스타민제인 hydroxyzine 소량을 써볼 수 있다. 아편양 제제를 복용하고 있는 환자는 섬망의 위험이 있으므로 지속형 벤조디아제핀 사용에 주의해야 한다. 벤조디아제핀의 역설적 반응으로 불안, 공격적 행동, 지남력 저하가 나타날 수 있다.

4) 불면

많은 암 환자들이 잠이 들기가 어렵거나 자다가 중간 중간에 자주 깨거나, 새벽에 일찍 깨어나서 다시 잠들지 못한다. 암 환자의 불안이나 우울, 섬망에 의한 수면-각성 주기의 교란 등이 불면의 원인이 될 수 있다. 암과 관련된 신체증상, 예를 들어 통증, 호흡곤란, 기침, 오심, 가려움증 등이 불면을 유발하기도 한다. 항암제를 포함한 각종 치료 약물도 수면에 영향을 준다.

불면증에 대한 치료는 수면제 처방을 우선하기 보다는 수면위생, 자극조절, 수면제한, 인지치료, 이완요법 등 인지행동치료를 먼저 고려한다. 불면증은 잘못된 수면습관으로 인해 만성화 될 수 있으므로 수면 위생을 지킴으로써 수면의 질을 향상시킬 수 있다. 피로가 심할 때 잠깐 동안 낮잠을 자는 것은 활력을 찾는 데 도움이 될 수 있으나, 야간 수면을 방해할 정도로 낮잠을 오래 자지는 않도록 한다. 암 환자는 잠을 반드시 잘 자야 한다는 부담감이 수면을 방해할 수 있다. 자정 전에 잠을 자지 못하면 면역력이 떨어진다거나, 잠을 못 자면 암이 재발한다는 등, 잘못된 생각에 집착하는 경우 불면증에 대한 걱정이 지나치게 되고 심한 불안으로 이어지기도 한다. 인지치료를 통해 이러한 역기능적 사고에서 벗어나도록 도와주어야 한다.

약물치료가 필요한 환자의 경우는 triazolam과 같은 벤조디아제핀계 수면제나 zolpidem 등의 비벤조디아제핀계 수면제를 단기간 처방할 수 있다. 불면증의 양상에 따라 lorazepam과 같은 항불안제, trazodone이나 mirtazapine과 같은 항우울제, 혹은 quetiapine 등 항정신병약물을 저용량으로 사용하는 것도 도움이 된다.

5) 섬망

섬망은 종합병원에서 정신건강의학과 자문의 중요한 의뢰 이유 중 하나이며 말기암을 비롯한 암의 모든 단계에서 나타날 수 있다. 환자가 갑자기 의식 수준이 떨어지며 시간, 장소, 사람 등에 대한 지남력의 장애가 생기고 환시와 같은 환각이 나타나는 것이 전형적인 임상양상이다. 섬망의 증상은 대체로 급격하게 발생하고 경과도 빠르게 변동하는 수가 많다.

암 환자의 섬망의 원인으로는 중추신경계에 대한 직접적인 원인(뇌전이 등)과 간접적인 원인(대사성 뇌증, 전해질 이상, 약물 부작용, 알코올 금단 등)이 있는데 후자의 경우가 더 많다. 항암제 중에서 methotrexate, cis-platinum, vincristine, asparaginase, procarbazine, 5-fluorouracil, ara-C, nitrosourea, cyclosporine, interleukin-2, ifosfamide, interferon, tamoxifen 그리고 스테로이드를 복용할 때 섬망이 많이 나타난다. 환자가 기존에 영양실조나 치매가 있을 때 섬망이 생기기 쉽다. 섬망을 연수막 전이나 수막염과 감별진단하기 위해 요추 천자가 필요할 수 있다.

섬망의 치료 원칙은 우선 기저에 있는 원인을 찾아서 교정하고 섬망 증상을 조절하는 것이다. 불필요한 약제를 중지하고 감염이 있으면 이를 치료해야 한다. 달력이나 시계 같은 것을 잘 보이는 곳에 두고, 소음이나 불빛 등의 자극을 제한하되 밤에도 적절히 부드러운 조명을 켜 두는 것이 좋다. 낯익은 사람이 안정적으로 간병하는 것이 좋으며, 낮에는 주변을 환하게 하고 수면을 제한한다. 암 환자의 섬망 치료에서 표준 약제는 haloperidol이다. Lorazepam 같은 벤조디아제핀계 약물은 역설적 흥분을 초래해 섬망을 악화시킬 수 있다. 최근에는 추체외로 부작용이 적은 비정형 항정신병약물을 많이 처방한다. 저활동성 섬망에서 methylphenidate나 modafinil과 같은 정신자극제를 단독으로나 항정신병약물과 함께 사용하기도 하는데, 환각이나 망상이 있는 환자에서는 쓰지 않는다. 심전도 검사상 QTc 간격 연장을 유발하는 경우에는 다른 약물로 교체한다. 약물의 경구투여가 힘든 환자는 olanzapine 구강붕해정을 처방하거나 haloperidol이나 lorazepam을 주사한다.

통상적 완화치료로 조절되지 않는 통증이나 호흡곤란 및 말기 섬망 등 임종기 환자의 극심한 고통을 완화시키기 위해 midazolam의 지속적 주입으로 말기 진정(혹은 완화적 진정)의 방법을 사용할 수 있다. 진정이 깊어지면서 환자와의 의사소통이 어려워질 수 있음을 유의하고, 소극적 안락사와는 달리 환자의 생명을 단축시키지 않을 정도의 진정제만 투여해야 한다.

6) 인지기능장애

항암화학요법 이후 기억력이나 집중력, 판단력이 떨어질 수 있다. 인지기능장애는 뇌종양 환자나 뇌 부위 방사선 치료 후에 생기기도 한다. 항암제 관련 인지기능장애를 속칭 '화학뇌(항암뇌chemo-brain, chemo fog)'라고 한다. 암 생존자의 세 명 중 한 명에서 만성 인지기능장애가 남아있다는 보고가 있을 만큼 환자들이 많이 호소하는 증상이다. 하지만 환자의 주관적인 호소에 비해 신경심리검사상 객관적인 소견은 뚜렷하지 않은 경우가 많다. 우울이나 불안 등 디스트레스가 인지기능의 주관적 저하를 초래할 가능성이 있고, 기존의 신경심리검사가 감지하지 못하는 미세한 인지기능장애가 실제로 존재할 가능성도 있다. 인지기능장애의 기전은 항암제가 직접적으로 혈뇌장벽을 통과하여 중추신경계 독성을 일으키는 경우, 간접적으로 대사 장애나 기타 장기의 부전에 의한 기전, 만성 염증에 의한 기전 등이 있다. 항암제 중에서 methotrexate나 cyclophosphamide, 5-fluouracil 등이 인지기능장애를 초래할 가능성이 많다.

인지기능장애를 개선하기 위해서는 우선 정신적 디스트레스를 경감시키는 것이 필요하다. 또한 인지재활과 같은 중재프로그램, methylpenidate, modafinil, donepezil, memantine 같은 약물요법이 도움이 될 수 있다.

7) 기타 신체증상 및 치료부작용

암과 암 치료에 관련된 신체적인 문제들로는 통증, 피로, 오심, 구토, 열감, 탈모, 식욕저하 등이 있다. 신체증상 및 치료부작용은 많은 경우에 디스트레스를 동반하므로 정신의학적 도움이 필요하다.

(1) 통증

암이라고 하면 연상되는 대표적인 증상이 통증이다. 통증은 암 환자들이 가장 괴로워하는 증상이다. 체온, 맥박, 호흡, 혈압의 4대 활력징후vital signs에 더하여 통증은 암 환자에 있어서 다섯 번째 활력 징후로 간주된다. 모든 암 환자는 통증 온도계pain thermometer와 같은 간단한 도구를 이용해서 선별검사를 하며, 의료진은 통증 점수를 참고하여 환자의 통증을 적극적으로 관리해야 한다. 암성 통증과 심리적 디스트레스는 서로 영향을 준다. 통증은 수면, 식욕, 기분에 영향을 주며, 반대로 불안, 우울, 초조, 분노, 불면 등은 통증을 악화시킨다. 통증이 있다는 믿음, 통증과 감정의 연관성, 통증의 기억, 죽음의 공포, 우울, 불안, 무망감 같은 심리적 변수들이 통증 경험에 기여하고 고통을 악화시킨다. 복잡한 암성 통증의 조절을 위해서는 정신건강의학과 의사를 포함한 다학제적 팀 접근이 필요하다.

통증의 치료는 WHO의 진통제 사다리에 준하여 치료하며, 진통제의 보조제로 항우울제나 항경련제를 사용할 수 있다. 특히 항암화학요법으로 초래된 말초신경염 때문에 손발저림과 함께 신경병적 통증이 있을 때 TCA나 duloxetine, gabapentin, pregabaline, lamotrigine 등이 진통보조제로 쓰인다. 물질사용장애의 병력이 있는 환자는 아편양 진통제opioids를 처방하기 전에 꼭 정신의학적 평가를 해야 하며, 암의 장기생존자의 수가 늘어나면서 마약성 진통제에 의존하는 만성통증 환자도 늘고 있다. 수면장애나 기분장애 등에 대처하기 위해 아편양 진통제로 화학적 대처chemical coping를 하는 환자들이 진통제의존으로 진행되기 쉽다.

(2) 피로

신체적, 정신적, 감성적으로 지치고 활기가 떨어진 상태를 피로라고 한다. 암 환자가 호소하는 증상 중에서 가장 흔한 것 중의 하나가 피로이다. 휴식을 취하여도 피로감이 해소되지 않고, 어떨 때는 쉴수록 오히려 더 피곤해진다. 암이 간에 전이되었을 때 피로가 심하며, 항암화학요법이나 방사선치료, 인터페론 치료의 부작용으로 암성 피로가 올 수도 있다. 통증이나 빈혈, 갑상샘 기능저하, 수면 부족, 영양 실조와도 관련이 있다. 우울장애, 통증, 신체 활동 저하 등도 피로와 밀접한 관련이 있다.

피로의 치료를 위해서는 원인을 파악하여 교정하는 것이 중요하며, 동반된 우울장애와 불면증을 치료해야 한다. 수면 위생의 유지와 적절한 휴식과 함께 적당한 유산소운동과 근력운동을 규칙적으로 하도록 한다. 인지행동치료와 함께 methylphenidate나 modafinil, 항우울제, 소량의 스테로이드 등의 약물치료가 도움이 될 수 있다.

(3) 오심과 구토

항암화학요법과 관련해서 흔한 부작용으로 오심과 구토가 있다. 제토를 위해 aprepitant나 ondansetron, ramosetron와 같은 항구토제가 처방되는데, lorazepam이나 olanzapine과 같은 약물을 병용하기도 한다. 체계적 탈감작법이나 점진적 근육이완법과 같은 행동요법이 도움이 될 수 있다. 주사를 맞는 도중에 바이오피드백이나 가상현실(VR)을 이용한 주의분산기법을 사용하여 도움이 될 수 있다.

일부 환자들은 조건화 반응으로, 항암제 주사를 맞기도 전에 병원을 보거나 냄새를 맡거나 항암에 대한 생각만으로 증상이 나타나는데, 이를 예기오심구토anticipatory nausea and vomiting라 한다. 이런 경우에는 예방적으로 lorazepam과 같은 항불안제를 처방할 수 있다.

(4) 열감

항암제로 치료받으면서 얼굴이 화끈거리고 홍조facial flushing가 생기며 식은땀이 쏟아지는 열감hot flashes이 나타나는 환자가 있다. 이는 세포독성 화학요법이나 호르몬치료로 인한 조기폐경 때문에 에스트로겐이 결핍되고 이로 인해 시상하부에서 열 조절 기능의 장애가 일어나기 때문이다. 유방암 일차 치료가 종료된 후 재발 방지를 위해 tamoxifen이나 goserelin 또는 letrozole, anastrozole 등과 같은 항에스트로겐 호르몬치료를 5년에서 10년까지 유지하곤 하는데 이들 약물에 의해 불면, 짜증, 감정기복, 우울, 두근거림, 성기능장애 등의 증상과 함께 혈관운동성 폐경기 증상으로 열감이 나타날 수 있다.

이런 경우 venlafaxine이나 desvenlafaxine과 같은 항우울제가 열감을 줄이는 동시에 동반된 감정기복이나 우울을 완화하는 효과가 있다. 또한 gabapentin, pregabaline이나 심리교육, 인지행동치료, 이완훈련도 도움이 된다.

3. 암종별 정신의학적 문제

암 환자의 일반적인 디스트레스와는 별도로 각 암종별로 특유한 정신적인 문제가 있을 수 있다. 암은 위, 간, 폐 등 각 몸 속의 거의 모든 장기organ에서 나타날 수 있고, 각각의 암은 다른 장기에 전이되기도 한다. 비유적으로 말하자면 어떤 암이건 공통적으로 침범되는 장기는 바로 마음mind이라는 장기이다.

1) 뇌종양

뇌종양은 원발성과 전이성으로 나뉘는데 전이성 뇌종양이 원발성에 비하여 훨씬 많다. 원발성 뇌종양은 뇌수막종과 교모세포종이 흔하다. 뇌로 많이 전이되는 암은 폐암, 유방암, 신장암, 간암 등이다. 종양이 뇌의 어떤 부위를 침범하는가에 따라 각각 특유한 증상이 유발되는데 정신증상은 천막 위쪽에 생기는 거의 모든 뇌종양supratentorial tumor에서 나타난다. 네 명 중 한 명에서는 뇌종양이 진단되기 전에 정신증상이 먼저 나타난다.

전두엽 뇌종양 환자의 90%에서 행동증상이 생기고 70%에서는 성격의 변화가 나타난다. 전형적인 증상은 무책임하고 억제되지 않은 행동, 부적절한 성적 행동 등이다. 전두엽 뇌종양 환자의 10%에서는 망상이나 환각 같은 정신증상이 일어난다. 양측 전두엽이 함께 침범되었을 때는 기억력 장애와 기분 불안정, 심하면 치매까지 생긴다. 정신증상은 측두엽 뇌종양에서도 흔하며, 환청과 냄새 환각 등이 나타날 수 있다. 두정엽을 침범한 경우에는 감각 및 지각 기능에 문제가 생기며 후두엽 종양의 경우에는 시각 기능에 장애가 생길 수 있다.

연수막 전이에 의한 암종증leptomeningeal carcinomatosis은 유방암, 폐암, 흑색종, 림프종 등에서 잘 생긴다. MRI에서 조영증강을 관찰하거나 뇌척수액의 세포학적 검사로 진단할 수 있으며 인지기능저하와 정신상태의 변화가 올 수 있다. 뇌 방사선치료의 후유증으로 인지기능의 저하가 생기거나 방사선 괴사나 백질뇌병증progressive multifocal leukoencephalopathy과 같은 심각한 후유증이 나타날 수도 있다. 방사선치료에 따르는 뇌부종을 치료하기 위해 처방되는 스테로이드치료의 부작용으로 정신증이 생길 수 잇다. 뇌종양 환자에서 항정신병약물을 처방할 때는 간질의 역치를 낮추는 clozapine, chlorpromazine 투여를 피하고 methylpenidate나 bupropion도 조심해서 처방하여야 한다.

2) 두경부암과 갑상샘암

두경부암으로는 후두암, 인후암, 구강암 등이 있는데 흡연과 음주와의 관련성이 높다. 두경부암 환자들은 디스트레스가 크고 자살률이 높은 편이다. 삼키고 씹고 먹고 맛보는 기능의 저하와 말하고 호흡하는 기능의 저하, 목소리의 변형, 외모의 변화 등이 디스트레스의 위험요인이 된다. 안면의 외형적 변화가 클 때는 신체 이미지, 대인관계, 의사소통에 중요한 변화가 올 수 있다.

갑상샘암은 흔한 암이며 유두암이나 여포암 같이 잘 분화된 종류는 치료에 반응이 좋고 생존율이 높다. 하지만 예후가 좋다고 해도 환자의 주관적 디스트레스를 무시할 수는 없다. 크기가 작고 느리게 진행되는 갑상샘암은 별다른 치료 없이 경과관찰만 하기도 하는데 이런 경우 어떤 환자는 오히려 더 불안해 한다. 방사성요오드 치료는 격리입원이 필요하기 때문에 폐소공포증 환자는 어려움을 겪는다.

3) 폐암

폐암은 조기발견이 어려워서 진단 당시 이미 진행된 병기인 경우가 많다. 예후가 나쁘고 따라서 디스트레스도 높은 암에 속한다. 치료 과정에서 생길 수 있는 호흡곤란이나 폐색전증이 불안이나 불면을 초래하기도 한다. 소세포폐암의 경우 뇌전이가 잦은 편이고 이에 따른 인지기능장애도 흔하다. 인지기능장애는 신생물딸림증후군paraneoplastic syndrome, 뇌의 방사선치료, 항암화학요법 등과도 관련이 있다. 흡연자에게 폐암이 생겼을 때 암을 자초했다고 하는 사회적 낙인과 비난을 두려워한다. 죄책감, 후회, 자기비난, 분노 등이 환자의 우울하고 불안하게 만든다. 반면에 비흡연 폐암 환자는 억울함, 피해의식을 느낀다.

4) 유방암

유방암 환자들은 디스트레스distress를 호소하고 정신적 도움을 구하는 비율이 다른 암종의 환자에 비해서 높은 편으로, 정신종양학의 현장에서 자주 볼 수 있는 대상이다. 유방암의 수술적 치료는 부분 절제술(유방 보존수술), 변형근치 절제술, 유방 절제술 후 재건술 등 다양하다. 수술 전후에 하는 선행 화학요법과 보조적 화학요법도 많이 받게 된다. 방사선치료나 항호르몬요법이 필요한 경우도 많다. 유방은 여성성, 아름다움, 성적인 매력, 모성의 상징이므로, 수술로 유방을 잃는다는 것은 단순한 수치심이나 상실감의 문제를 넘어서 신체 이미지와 성적 정체성의 문제를 불러일으킨다. 유방절제술 이후에 자신의 신체 이미지를 부정적으로 지각할수록 암에 대처하는 자기 효능감의 수준이 낮고 우울, 불안 등 디스트레스가 높으며 성기능도 떨어진다. 유방절제술은 외형적으로도 큰 상처를 주지만 림프 부종과 어깨 관절의 기능 저하 등의 장애가 장기간 지속될 수 있으므로 적절한 재활치료를 받을 수 있도록 도와주어야 한다.

우리나라의 유방암은 서구에서보다 젊은 나이에 흔히 발병하는 것이 특징이다. 젊은 연령의 유방암 환자는 집과 직장에서의 역할 변화, 임신과 출산 계획의 변화, 불임, 조기 폐경, 항암치료와 관련된 인지기능의 변화, 외모 및 성적 매력에 대한 걱정 등으로 고통이 더 심하다.

유방암 환자의 남편들도 디스트레스가 클 수 있으므로 배우자를 포함한 정신사회적 지지를 제공해주는 것이 필요하다.

암세포에 에스트로겐 수용체, 프로게스테론 수용체, HER-2 표적 수용체가 모두 없는 삼중음성triple negative 유방암은 항호르몬제나 표적치료제로 효과를 보기 어렵다. 삼중음성 유방암은 젊은 여성에서 발병할 확률이 높으며 암의 진행속도가 빠르고 전이와 재발 위험도도 높기 때문에 디스트레스도 크다. BRCA1이나 BRCA2 유전자의 돌연변이와 관련되는 유전성 유방암이나 난소암의 경우 예방적 유방절제술이나 난관난소절제술을 시행하기도 한다. 이런 환자들에게 유전상담을 할 때에는 환자의 불안이나 위험도의 과잉인식, 죄책감 등 심리적 측면을 고려해야 한다. 유방암은 비교적 예후가 좋은 암이기는 하지만 5년이 지나서 재발하는 경우도 드물지 않다. 따라서 일차적 치료가 일단락된 후의 생존자들이 느끼는 재발공포에 대해서도 도움이 필요하다.

5) 소화기암

소화기암에는 식도암, 위암, 대장암, 직장암, 간암, 담도암, 췌장암 등이 있다. 식도암과 위암은 입을 통해 식사를 할 수 있는지가, 대장암 및 직장암은 항문 기능을 보존할 수 있는지가 환자의 삶의 질에 큰 영향을 준다. 알코올 의존은 식도암, 간암, 췌장암 등의 위험요인이므로, 수술 전후 알코올 금단증상에 유의해야 한다. 소화기암 환자의 식사 문제를 둘러싼 가족들 간의 갈등이 있을 수 있다.

항문은 독립성의 심리발달과 관련된 장기이며, 심리적으로 통제와 조절을 상징한다. 직장암 환자가 수술에 의해 항문 괄약근이 상실되어 장루를 통해 배설해야 하는 경우 적응에 어려움을 겪을 수 있다. 신체 이미지에 대한 걱정과 성기능의 문제로, 그리고 사람들 앞에서 실수할까봐 예민해져서 대인관계가 위축되기 쉽다. 대장암 수술 이후에 생길 수 있는 성기능 장애도 남녀 모두에게서 삶의 질을 떨어뜨린 간암이나 간전이, 간부전 환자에게 정신약물치료를 할 때에는 간 기능에 영향이 적은 약제를 선택해야 한다. 항우울제 중에서 TCA나 duloxetine, agomelatine, bupropion을 처방할 때 간 손상의 위험에 주의하고 간효소치 검사를 더 자주 한다. 벤조디아제핀 중에서 lorazepam은 cytochrome P450을 매개로 한 산화성 대사과정보다는 glucuronic acid와의 포합을 통해 대사되는 과정을 밟는다. 간부전이 있을 때도 lorazepam은 간 청소율이 유지되므로 항불안제를 처방할 때 보다 선호된다.

췌장암은 진단 전에 우울장애가 먼저 나타날 수 있다. 이런 경우 우울장애가 단순히 췌장암에 대한 심리적인 반응으로서 나타나는 것으로 볼 수 없다. 췌장암이 있을 때 증가하는 사이토카인이 정신신경 면역학적인 변화를 일으켜서 질병행동sickness behavior이 나타나는데 그 일환으로 우울장애가 올 수 있다.

6) 비뇨생식기암과 부인암

전립선암, 신장암, 방광암, 고환암 등 남성 비뇨생식기에 생기는 암은 성기능 장애를 동반하는 경우가 많다. 수술 및 방사선치료의 부작용으로 요실금이 나타날 수 있는데, 이 때문에 기저귀를 사용하게 되고 냄새, 누출 등이 사회적 활동 및 대인관계 회피, 수치심 등을 유발한다. 빈뇨, 홍조, 방광 자극 과민성과 관련해 불면이 동반되기도 한다.

전립선암은 남성에게 생기는 비교적 흔한 암으로 최근 그 발생률이 점점 높아지고 있다. 진행이 느린 종류의 전립선암은 조기에 발견될 경우 치료 없이 추적관찰만 하기도 한다. 국소적 전립선암인 경우에는 근치적 전립선 적출술이 필요하다. 전립선암 환자의 성기능 장애는 암 자체나, 수술, 방사선치료, 특히 호르몬 치료에 의해 유발될 수 있다. 진행된 전립선암의 경우에는 고환 적출술과 같은 외과적 거세와, 황체형성호르몬 방출호르몬(LHRH) 촉진제의 투여를 통한 내과적 거세가 필요하다. 이런 치료를 받은 환자들은 열감이나 성욕 감퇴, 피로, 여성형 유방 등이 나타나기도 하며 인지기능장애나 우울장애가 생길 수도 있다.

방광암은 수술의 범위와 병의 진행 정도에 따라 생식기능, 소변 배설 기능장애의 정도가 달라지며 이것이 삶의 질에 큰 영향을 미친다. 배에 요루를 만들어 배뇨를 하는 데 따른 삶의 질 저하가 문제가 될 경우 요로 재건 수술을 한다. 흡연이 주요 위험인자로 알려져 있다. 고환암은 젊은 남성에게 주로 생기고 예후가 좋지만 거세, 성기능장애와 불임에 대해 불안과 우울을 보이는 환자들이 많다. 치료 전 정자 보존과 생식 능력 문제에 대한 논의가 필요하다.

자궁경부암, 자궁내막암, 난소암, 질암 등 부인암도 성기능 장애를 동반하는 경우가 많다. 여성성과 관련된 예민한 부위에 생기는 암이기 때문에 신체 이미지와 관련된 디스트레스가 클 수 있다. 자궁경부암은 성관계를 통해 전염되는 인유두종바이러스(HPV)와 관련이 있으므로 환자들은 수치심, 죄책감, 분노를 느낄 수 있고 부부 갈등도 생길 수 있다. 부인암의 수술은 광범위한 신체의 변화와 기능 변화를 초래하고 항암제는 독성 부담이 높으며 골반 부위의 방사선치료로 인해 성기능장애가 초래될 수 있다.

7) 혈액암

혈액암은 조혈 장기인 골수와 림프 조직에서 발생하는 악성 종양으로, 백혈병, 악성 림프종, 다발성 골수종, 골수이형성증후군 등이 있다. 혈액암의 대표적인 치료법은 관해유도요법과 공고요법을 포함한 항암화학요법, 그리고 자가 및 동종 조혈모세포이식이다. 조혈모세포이식은 질병의 완치를 기대할 수 있지만 이식편대숙주병graft versus host disease이나 패혈증 등 부작용이 생길 수 있고, 실패하면 사망할 수 있는 위험한 치료이기도 하다. 이식 전 종합 평가에서 정신의학적 평가를 포함시키는 것이 바람직하다. 환자가 무균실에서 격리되어 치료를 받을 때 불안, 우울, 불면, 섬망 등이 잦다. 악성 림프종에서의 스테로이드 치료, 골수성 백혈병에서의 인터페론 치료에 동반되는 정신증상에도 유의해야 한다.

혈액암은 치료방법이 힘들고 치료결과가 불확실하다는 점에서 환자의 디스트레스가 큰 암이다. 환자는 진단 직후 항암화학요법에 돌입하게 됨으로써 겪는 정신적 충격, 잦은 입원과 긴 투병 생활로 인한 고통, 골수기능이 저하된 상태에서의 감염에 대한 두려움 등으로 힘들어 한다. 고형암에 비해 비교적 젊은 나이에 발병하기 때문에 치료 후의 삶이나 사회 복귀에 대한 걱정 또한 많다.

8) 소아청소년의 암

어린이의 암은 백혈병, 뇌종양, 림프종, 골연부종양, 신경모세포종, 윌름종양 등이 있으며 청소년기에는 골육종이나 유잉육종 등도 생긴다. 성인의 암에 비해 발생율이 낮고 완치율이 높다.

어린이들은 객관적으로 현실을 판단하기 어렵고 자신의 신체적 및 심리적인 상태를 스스로 설명하기 어렵다. 통증은 소아암 환자에게 가장 견디기 힘든 것으로 골수 천자와 같은 침습적인 처치와 관련된 통증이 특히 문제가 된다. 어린이들은 제한된 인지 능력 때문에 통증을 자신의 잘못에 대한 처벌로 인식하기도 한다. 환아에게 미리 처치에 대한 충분한 설명을 해주는 것이 중요하다. 통증에 대한 예기 불안과 공포, 주사바늘에 대한 공포를 줄이기 위하여 필요시 국소 마취크림이나 최면요법을 사용하기도 한다. 어린 아이들은 통증의 정도에 대해 잘 표현하지 못하므로 그림으로 된 아동용 통증 척도를 사용하는 것이 도움이 된다.

어린 암 환자들은 오랜 기간 동안의 투병 생활로 인해 정상적인 발달 과제의 성취가 저해되고 치료의 부작용으로 발생하는 외모의 변화와 무기력감, 학습능력의 저하 등으로 열등감에 빠질 위험이 있다. 장기적으로는 우울, 대인관계 회피, 건강염려증이 생길 수 있다. 학습문제를 예방하기 위해 입원 기간 중에 병원학교 수업이 도움이 된다. 골육종 환자들은 절단amputation과 관련된 외모와 기능의 문제, 그리고 청소년기 발달과 관련된 문제들로 고민하게 된다.

수술, 항암화학요법, 방사선치료, 조혈모세포 이식과 같은 힘든 치료를 겪어내는 것도 어려운 일이지만 어린이는 성인에 비해서 그 후유증을 앓는 기간이 길다는 것도 문제다. 인지기능장애가 장기적으로 지속되는 경우 특수교육 등의 도움이 필요하다. 재발과 이차암 발병의 위험성 속에서 환아가 건강관리를 잘 하도록 생존자클리닉에서 관리하는 것이 필요하고 디스트레스 관리를 위해 정신건강의학과가 소아암생존자 다학제클리닉에 참여한다.

소아암 환자의 부모들은 비교적 젊은 나이에 경제적, 사회적 기반이 탄탄하지 않은 가운데 가족의 위기에 대처해 나가야 한다. 환아를 돌보는 것을 최우선 순위로 삼기 때문에 삶의 다른 측면에서의 희생이 크다. 부모들은 소외감, 열등감, 죄책감, 분노, 절망감, 우울, 불안 등의 부정적 정서에 시달린다. 그 와중에 가족 내 □학변화를 경험하는데 투병 과정에 가족구성원간의 결속력이 강화되기도 하지만 갈등이 악화되면 가정이 와해에 이르기도 한다. 부모들은 아동의 암에 대해 자세히 알고 싶어 하며 병원에서 조그마한 의학적 실수라도 있으면 크게 분노하는 경향이 있다. 또한 병세에 대해 아동에게 어떻게 설명해야 할지에 대해서도 갈등에 빠지기 쉽다. 부모들의 정신건강을 위하여 정신사회적 개입이 필요하며 부모자조집단에 참여하게 하는 것도 도움이 될 수 있다. 소아암 환자의 형제들은 부모의 관심을 환아에게 빼앗긴 것에 대해 소외감과 질투심을 느낄 수 있고 환아의 병세에 대해 불안감을 느끼는 경향이 있다. 본인들의 감정을 충분히 표현하도록 도와주고 관심을 가져주는 것이 필요하다.

4. 디스트레스의 체계적 관리

암 환자의 디스트레스distress는 관리하지 않고 방치할 경우 투병과 예후에 직간접적으로 부정적인 영향을 미친다. 디스트레스는 통증의 역치를 낮추며 주관적 피로감을 높인다. 치료되지 않은 우울장애는 그 자체로 암 사망률을 높인다. 또한 치료에 대한 순응도가 저하되어 간접적으로 암 사망률이 올라간다. 디스트레스가 해결되지 않은 환자들은 입원기간이 길어지고 외래와 응급실을 자주 방문하며 검증되지 않은 보완대체의료에 더 많이 의존하는 등, 의료서비스를 과다하게 이용하게 되므로 결과적으로 의료비용이 높아진다.

암 환자의 디스트레스를 여섯 번째 활력징후the sixth vital sign로 간주하여 관리하는 것이 필요하다. 미국의 종합암네트워크National Comprehensive Cancer Network, NCCN에서는 암에 대한 각종 임상진료지침을 개발하여 보급하고 있는데, 1999년 정신종양학자들로 구성된 위원회가 주축이 되어 암 환자의 디스트레스 관리지침을 발표하였다. 이 임상진료지침은 디스트레스 온도계distress thermometer와 문제목록이라는 선별도구를 이용해 암 환자에게 정기적으로 디스트레스를 선별할 것을 권장한다(그림 25-1). 또한 디스트레스 수준에 따라 적절한 정신사회적 지원 서비스를 의뢰하도록 알고리즘을 제시하고 있다. 미국외과학회 암위원회ACS CoC에서는 2015년부터 암전문의료기관 인증평가에 디스트레스 선별을 필수항목으로 추가하여 시행하고 있다.

괴로움 측정을 위한 스크리닝 도구

지침: 먼저, 오늘을 포함하여 지난 7일 동안 경험한 괴로움 정도를 가장 잘 표현하는 숫자 (0~10)에 동그라미로 표현해 주십시오

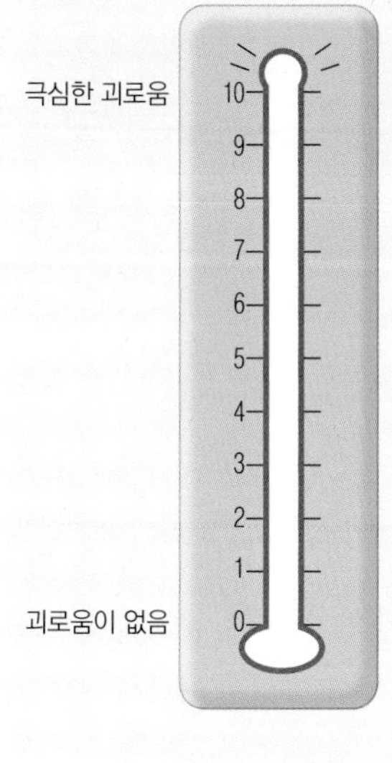

다음으로, 오늘을 포함하여 지난 7일 동안 귀하가 경험한 문제가 다음 중에 있는지 표시해 주십시오. 각각의 칸에 대해 '예' 또는 '아니오'로 표시해 주십시오.

예	아니오	실생활 문제들
☐	☐	자녀양육
☐	☐	집안일
☐	☐	보험/재정
☐	☐	교통수단
☐	☐	직장/학교
☐	☐	치료 결정

예	아니오	가족 문제들
☐	☐	자녀들과의 관계
☐	☐	배우자와의 관계
☐	☐	가임 능력
☐	☐	가족건강 문제들

예	아니오	정서적 문제들
☐	☐	우울
☐	☐	두려움
☐	☐	신경질
☐	☐	슬픔
☐	☐	걱정
☐	☐	일상활동의 흥미상실
☐	☐	영적/종교적 문제들

예	아니오	신체적문제들
☐	☐	외모
☐	☐	목욕/옷 입기
☐	☐	숨쉬기
☐	☐	배뇨 변화
☐	☐	변비
☐	☐	설사
☐	☐	식사
☐	☐	피로
☐	☐	부은 느낌
☐	☐	열
☐	☐	움직이는데 불편함
☐	☐	소화불량
☐	☐	기억력/집중력
☐	☐	입 안에 발진
☐	☐	메스꺼움
☐	☐	코 건조/코 막힘
☐	☐	통증
☐	☐	성생활
☐	☐	피부 건조/가려움
☐	☐	수면
☐	☐	술, 약물남용
☐	☐	손/발 저린 감

다른 문제들: ______________________

그림 25-1. 디스트레스 온도계와 문제 목록

우리나라에서는 보건복지부의 암정복추진연구개발사업 지원으로 2009년 국립암센터에서 '암 환자의 삶의 질 향상을 위한 디스트레스 관리 권고안'을 발표하였다. 여기에는 NCCN 디스트레스 관리지침을 참고하여 한국의 의료 현황을 반영한 디스트레스 선별 평가, 의뢰 및 치료적 개입 알고리즘이 들어있다. 이 권고안은 디스트레스의 심각도를 경도와 중증도 이상의 2단계로 나누어 심각도에 따라 관리하도록 권장하고 있다. 암 환자가 가벼운 디스트레스(디스트레스 온도계에서 절단점 4점 미만)를 겪고 있을 때에는 그 환자를 담당해 온 의료진(의사나 간호사)의 정서적인 지지만으로도 해결하되 중등도 이상의 디스트레스를 호소하는 경우에는 정신건강 전문가가 개입하는 것이 바람직하다. 의뢰를 받은 전문가는 증상을 평가하여 정신의학적 진단을 내리고 그에 따른 치료적 개입을 한다. 사회복지 상담이나 영적 상담이 필요한 경우에도 사회복지사나 목회상담자가 개입한다(그림 25-2). 이 권고안에서는 우울, 불안, 불면 및 섬망 등 네 가지 주요한 정신증상에 대한 증상별 관리 알고리즘도 제시되어 있으며 현재 국가암정보센터

를 통해 보급되고 있다.

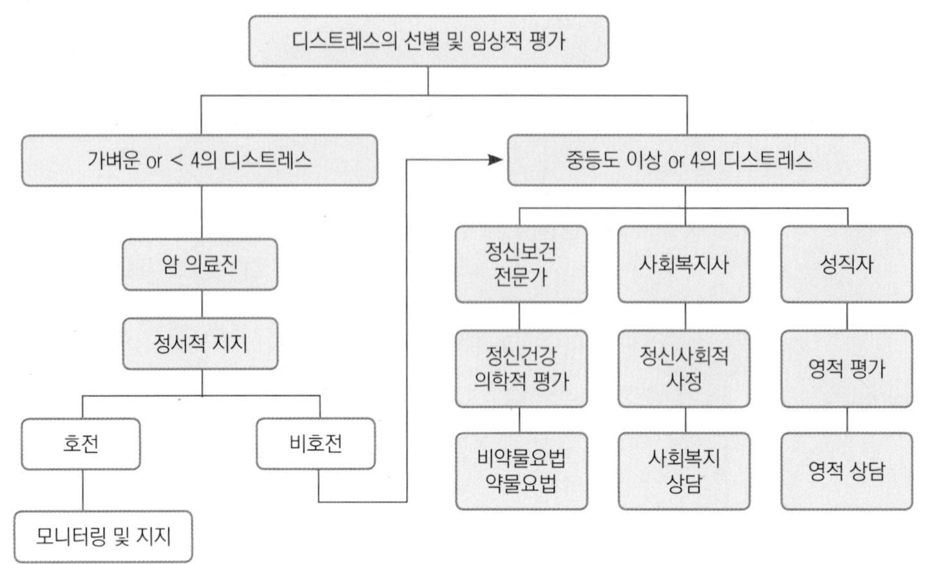

그림 25-2. 한국 암 환자의 디스트레스 관리 모형

디스트레스 관리는 암 환자 지지의료라는 보다 넓은 의미의 돌봄의 일환으로 이루어진다. 통합적 지지의료란 정신, 심리, 재활, 통증, 영양, 사회복지, 간호 등 여러 부문의 전문가들이 협력하여 암 환자의 정신적 및 신체적 증상을 조절하고 이를 표준적인 암 의료에 통합한다는 의미이다. 특히 최근 암 생존자들이 크게 늘어남에 따라 우리나라도 암 치료의 장기적 후유증을 예방하거나 회복시키는 정신사회적 재활 프로그램이 제공되고 있다. 정부는 2016년부터 시행된 제3차 암관리종합계획에서 암 생존자 통합지지사업의 실시를 명시했고 2017년부터 국립암센터와 지역암센터에 권역별 암생존자통합지지센터를 개설하여 통합적 지지의료의 시범사업을 펼치고 있다. 암 생존자의 신체건강, 정보·교육, 사회경제적 문제와 더불어 정신건강 측면의 디스트레스 관리가 통합지지사업의 주축이 되고 있다.

적지 않은 암 환자들이 심각한 수준의 디스트레스를 경험한다. 우리나라에서 암과 관련된 대부분의 정신적 문제들은 중증환자 산정특례가 적용되어 정신건강의학과 치료비도 본인 부담이 대폭 경감된다. 따라서 비용 측면에서 정신건강의학과 진료의 문턱은 낮은 편이다. 하지만 실제 정신건강의학과에 의뢰되거나 정신사회적 도움을 받는 환자는 극소수에 불과하다.

암 환자가 정신종양학적 치료를 받으러 가는 길에는 여러 장벽이 있다. 환자 입장에서 암이라는 낙인에 정신병이라는 낙인이 더하여 이중의 낙인double stigma이 찍힐까 걱정한다. 환자나 가족들 사이에서는 긍정적인 마음으로 암을 이겨내야 된다는 생각이 너무 강한 나머지 우울이나 불안과 같은 부정적인 정서를 표현하는 것을 억제하는 경향도 있다. 암 의료진 입장에서 짧은 진찰 시간 동안 환자의 신체증상에만 집중하다 보면 환자의 디스트레스를 간과하기 쉽다는 현실적인 문제가 있다. 정신적 문제에 대해 질문하는 것이 환자를 더 고통스럽게 만들거나 의사-환자와의 관계를 무너뜨릴 것이라는 우려때문에 디스트레스에 대한 탐색을 주저하는 의료진도 있다. 환자의 정신적 디스트레스를 발견하고 다룰 수 있는 암 의료진의 지식과 기술도 부족한 편이다. 디스트레스를 호소하는 환자가 있어도 주위에 정신종양학적 도움을 줄 수 있는 전문가들이 충분하지 않기 때문에 의뢰할 곳도 마땅치 않다. 이러한 여러 장벽들을 극복하고 도움이 필요한 모든 환자들에게 정신의학적인 도움이 닿을 수 있도록 디스트레스에 대한 체계적 관리법이 확립될 필요가 있다.

참고문헌

1. 김종흔. 암 환자를 위한 통합적 지지의료. Korean J Psycho-Oncology 2015;1:10-6.
2. 김종흔 편. 정신종양학 입문. 국립암센터. 2019.
3. 김종흔. 암 환자 정신건강 관리의 현재. 대한의사협회지 2019;62(3):167-73.
4. 보건복지부. 암환자의 삶의 질 향상을 위한 디스트레스 관리 권고안. 2009.
5. Adler NE, Page AEK. Cancer care for the whole patient: Meeting psychosocial health needs. Washington DC: National Academies Press; 2008
6. Breibart WS, Butow PN, Jacobsen PB, Lam WWT, Lazenby M, Loscalzo MJ. Psycho-Oncology(4th ed). New York: Oxford University Press; 2021
7. Chochinov HM, Breibart W. Handbook of psychiatry in palliative medicine(2nd ed). New York: Oxford University Press; 2009
8. Fernandez-Robles CG, Irwin KE, Pirl WF, Greenberg DB. Ch 31. Patients with Cancer. In: Massachusetts General Hospital Handbook of General Hospital Psychiatry(7th ed). Elsevier; 2017
9. Holland JC, Greenberg DB, Hughes MK. Quick reference for oncology clinicians: the psychiatric and psychosocial dimensions of cancer symptom management, IPOS press; 2006
10. Miller K, Massie MJ. Ch 22. Oncology. In: Textbook of Psychosomatic Medicine and Consultation-Liaison Psychiatry(3rd ed) ed by Levenson JL. The American Psychiatric Association Publishing; 2019
11. Uchitomi Y, Fujimori M. 나쁜 소식 어떻게 전할까: 암 환자와의 커뮤니케이션. 김종흔, 김미영, 권미림 역 고양: 국립암센터 출판부; 2008
12. Uchitomi Y, Ogawa A. 精神腫瘍學. 醫學書院; 2011

26
CHAPTER

혈액질환

이영민

혈액학적 질환이 정신증상을 유발하는 경우가 있고 정신작용약물psychotropic drug들이 혈액학적 이상 반응을 일으키는 경우도 많다. 본 장에서는 정신증상을 유발할 수 있는 혈액학적 질환들에 대해서 알아보고 정신증상들과 그 치료법에 대해서 살펴보고자 한다. 또한 흔히 처방되는 정신작용약물들이 일으킬 수 있는 혈액학적 부작용과 그 대처법에 대해서도 알아보고자 한다.

1. 빈혈과 정신증상

여러 혈액학적 질환들이 정신증상과 관련이 있지만 특히, 빈혈에서 우울, 불안 등의 정신증상의 발생이 많다.

1) 혈액의 구성

(1) 혈장과 혈구

혈액은 혈장(55%)과 혈구(45%)로 이루어져 있으며 혈구는 적혈구, 백혈구, 혈소판으로 나누어진다. 혈구의 대부분은 적혈구가 99%를 차지하고 있으며 백혈구와 혈소판은 1% 정도에 불과하다. 적혈구는 산소와 영양분을 공급하며, 백혈구는 식균작용 및 면역작용을 담당하며 혈소판은 신체손상으로부터 출혈을 방지한다. 그림 26-1은 혈액의 구성을 보여주고 있다.

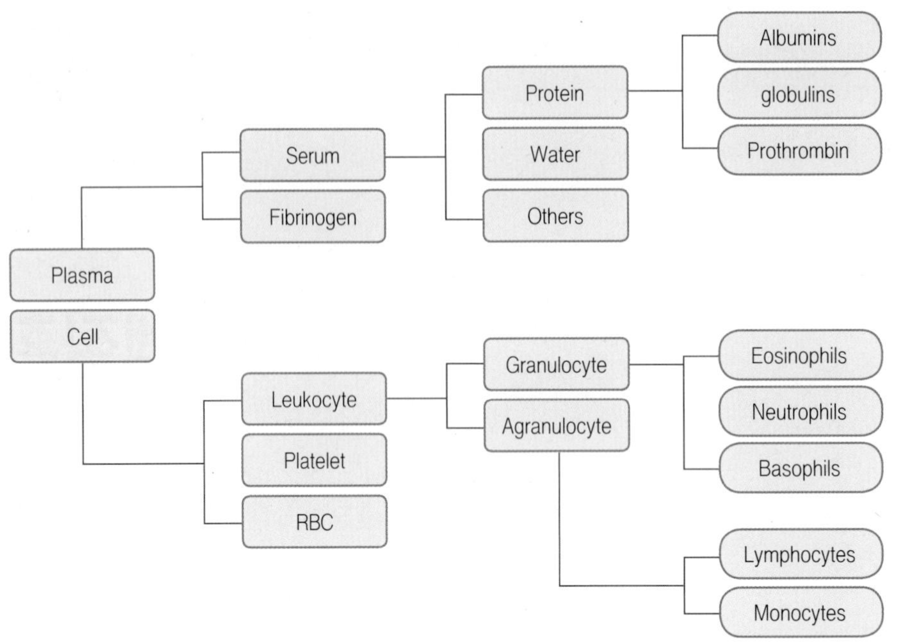

그림 26-1. 혈액의 구성

(2) 빈혈 진단과 감별 진단

혈액의 구성 성분들 중 적혈구의 이상으로 인한 빈혈은 정신증상을 잘 일으킨다. 빈혈은 흔히 적혈구 생성의 저하, 적혈구 성숙의 장애, 적혈구 파괴의 증가에 의해서 발생한다.

① 빈혈의 정의

전신을 순환하는 적혈구 양의 부족으로 조직에 필요한 산소요구량을 충족시키지 못하는 상태

② 빈혈의 증상

가. 신체적 증상: 신체에 산소공급이 충분하지 못하여 생기는 증상으로 몸에 힘이 없고 피곤하며 어지러움과 숨가빠짐을 느낄 수 있다. 또한 손발이 차고 추위를 잘 타기도 한다.

나. 정신적 증상: 불쾌감의 증가로 자극에 예민하고 짜증이 많아지며 두통을 동반하는 경우도 있다. 또한 기력의 저하로 인해 의욕이 없고 식욕도 줄어든다.

③ 빈혈의 진단

혈액 내의 적혈구의 양을 반영하는 헤모글로빈hemoglobin 수치로 판단을 한다. 일반적으로 성인 남성의 경우 헤모글로빈 농도가 13 g/dL, 성인 여성인 경우 12 g/dL 이하인 경우 빈혈로 진단된다.

이러한 빈혈을 진단하기 위한 헤모글로빈 수치는 임상 상황에 따라서 그 기준이 달라진다(표 26-1).

표 26-1. 빈혈진단을 위한 헤모글로빈 수치

	헤모글로빈 농도 (Hb, g/dl)
유아(-6세)	11.0
소아(6-14세)	12.0
성인 남성	13.0
성인 여성	12.0
임산부	11.0

④ 빈혈의 감별 진단

일단 빈혈이라고 진단이 되면, 빈혈의 원인을 감별해내는 것이 필요하다. 빈혈의 원인은 크게 세 가지가 있는데 적혈구 생산의 저하, 적혈구 성숙의 장애 및 적혈구 파괴의 증가로 구분된다. 그림 26-2는 빈혈의 감별진단과 원인질환군을 보여주고 있다.

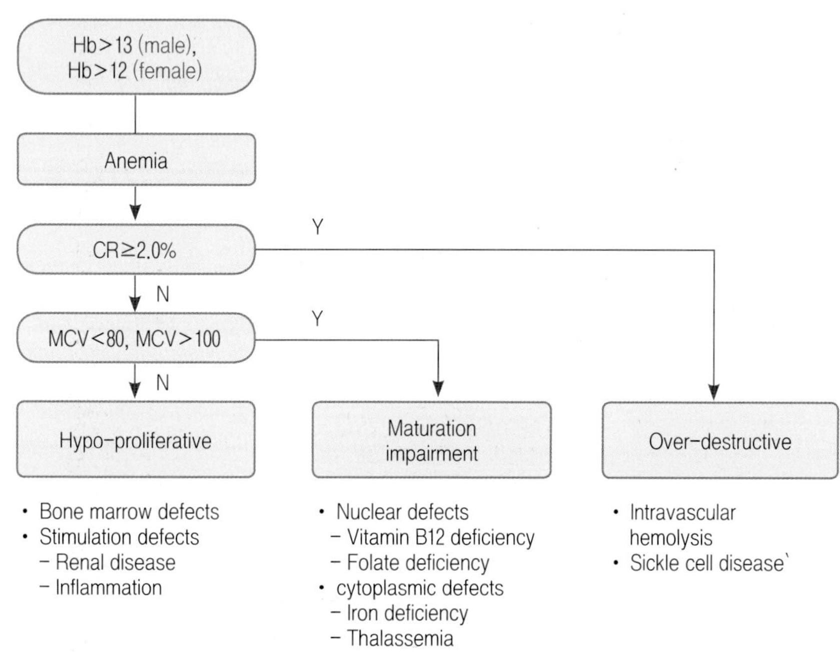

그림 26-2. 빈혈의 감별 진단과 원인질환군

가. 빈혈의 감별진단을 위해 필요한 검사

빈혈의 원인을 감별하기 위해 두 가지 검사가 필요하다. 첫 번째는 적혈구 파괴의 증가가 있는지를 확인하기 위해서 교정망상적혈구corrected reticulocyte, CR 수치를 조사하여야 한다. 일반적으로 CR ≥ 2.0% 이면 용혈 및 출혈로 인한 적혈구 파괴의 증가가 있을 가능성이 높다. 두 번째로 CR < 2.0% 이면 적혈구 파괴가 있을 가능성은 낮으므로 이후 적혈구 생산의 저하 및 적혈구 성숙의 장애가 있는 지를 알아보는 것이 필요하다. 평균적혈구용적mean corpuscular volume, MCV을 확인하여 MCV가 80-100 사이인 경우 적혈구 생산의 저하가 있을 가능성이 높으며 MCV가 80이하이거나 100이상(MCV < 80, MCV > 100)인 경우는 적혈구 성숙에 장애가 있을 가능성이 높다.

나. 빈혈의 세 가지 주요 원인질환군

빈혈의 세 가지 원인들 중 적혈구 파괴의 증가와 관련된 질환은 낫적혈구병이 있고 적혈구 성숙의 장애는 철결핍빈혈, 지중해빈혈, 비타민B12결핍빈혈, 및 엽산결핍빈혈이 있으며 적혈구 생산의 저하와 관련된 질환은 골수 장애 및 혈구자극저하(신장질환, 염증반응) 등이 있다.

2. 정신증상과 관련된 빈혈의 종류

1) 철결핍빈혈iron deficiency anemia

(1) 정의

헤모글로빈은 산소를 각 조직에 전달하는 기능을 담당하는데 철분은 이러한 헤모글로빈을 구성하는 주요성분이다. 철결핍빈혈은 철분의 부족으로 산소를 운반하는 헤모글로빈이 부족한 상태를 말한다.

(2) 임상증상

① 신체적 증상

일반적인 빈혈의 신체증상이 나타날 수 있으며 심한 경우 심계항진, 두통, 귀를 두드리는 소리pounding in the ears, 가슴통증도 동반하기도 한다. 혀의 통증glossal pain, 입마름dry mouth, 혀유두 위축atrophy of tongue papillae, 스푼형 손톱, 탈모alopecia 등은 철결핍성 빈혈에서 특이적인 증상이다.

② 정신적 증상

기분장애, 인지장애, 행동장애, 발달장애, 수면장애와 관련된 증상을 보인다.

가. 기분장애: 우울감, 의욕저하

나. 인지장애: 선택적 집중력selective attention과 인지 수행 속도에서 저하를 보임

다. 행동장애: 철결핍빈혈은 50%에서 음식이나 비음식nonfood에 대한 갈망증가로 인한 행동장애를 보인다. 음식에 대한 갈망증가는 얼음과식증pagophagia의 형태로 자주 나타나며 비음식에 대한 갈망증가가 흙, 종이, 금속 등을 먹는 이식증pica으로 나타난다.

라. 발달장애: 소아에서 철결핍빈혈은 인지저하, 운동장애 및 자폐증 등과 관련이 있다

마. 하지불안증후군restless leg syndrome: 철결핍빈혈과 흔히 연관되는 수면장애로 하지불안증후군이 있으며 이는 중추신경계에 철분의 결핍으로 발생한다. 하지불안증후군의 증상은 serum ferritin의 수치와 연관이 있으며, 철분의 보충이 증상을 호전시킨다.

바. 추체외로증상: 철분의 결핍은 neuroleptic malignant syndrome, akathisia 및 다른 추체외로증상extrapyramidal syndrome들과 연관이 있다.

(3) 진단

① 철결핍성 빈혈 진단

가. Hemoglobin, g/dL (normal value: > 13 in male, >12 in female): 저하

나. MCV, fl (normal value: 80-100): 80 미만 or 정상.

다. Serum ferritin, ug/L (normal value: 40-300 in male, 20-200 in female): 10 미만(< 10 ug/L)

라. 이외에도 트랜스페린transferrin을 이용하여 철분과 결합하는 트랜스페린 포화도transferrin saturation, TS를 구하거나 트랜스페린에 철분이 결합하는 능력을 나타내는 총철결합능total iron binding capacity, TIBC을 구하는 것도 도움이 된다. 철겹핍빈혈에서는 트랜스페린과 결합할 수 있는 철분의 부족으로 TS가 떨어지며 트랜스페린에 철분이 결합할 자리는 증가되므로 TIBC는 증가한다.

② 철결핍성 빈혈의 원인 평가

철결핍성 빈혈이 진단이 되면 그 원인에 대한 평가도 반드시 필요하다.

가. 위장관 출혈: 성인에서 가장 흔한 원인

나. 여성의 경우 월경, 임신, 출산, 수유 등으로 생길 수 있다

다. 그 외에도 식습관장애, 위장장애, 암, 호르몬 이상 등의 원인들로 생길 수 있다

(4) 치료

철결핍성 빈혈은 치료에 반응이 좋은 편으로 특히, 약물 요법 이후 약 1-2개월 이후 비교적 빨리 신체적 정신적 증상이 호전되는 경우가 많다.

① 식이요법: 육류, 해산물, 견과류, 콩, 곡물류 등

② 약물요법: 철분제제(ex. Ferrous sulfate 1회 80 mg, 1일 3회 복용)

2) 지중해빈혈thalassemia

(1) 정의

유전자 이상으로 인하여 헤모글로빈의 정상적인 성숙의 장애를 야기하는 질환이다. 헤모글로빈은 헴heme과 글로빈globin으로 이루어지며 글로빈은 두 개의 알파 체인과 두개의 베타 체인으로 구성되어 있다. 지중해빈혈은 유전적 결함으로 이러한 체인이 잘 생성되지 않는 질환으로, 상염색체 열성으로 양쪽 부모 모두에게 이상 유전자를 물려받을 경우에 증상이 심하게 나타난다. 알파 체인이 잘 생성되지 않는 알파-지중해빈혈은 지중해연안에서 잘 생기며 베타 체인이 생성되지 않는 베타-지중해빈혈은 지중해 외에도 동남아시아에서도 흔히 발생한다.

(2) 임상증상

알파와 경증의 베타-지중해성빈혈인 경우에는 대개 증상이 나타나지 않지만 양쪽 부모로부터 비정상 베타 체인을 물려받은 경우 심한 빈혈 증상을 보인다.

① 신체적 증상

가. 빈혈증상: 가벼운 움직임에도 피로감, 숨가쁨, 어지러움을 느낌

나. 신체적 비대: 부족한 적혈구의 생산 증가를 위해 신체 기관의 비대가 일어난다. 간과 비장의 비대로 인한 복부 팽만 및 골수 증식으로 인해 이마가 돌출되는 두개골과 위턱이 과하게 커지는 얼굴 모양의 변화가 특징적이다.

② 정신적 증상

가. 기분증상: 우울감과 불안이 흔히 생긴다. 특히, 소아에서는 신체변형으로 인한 자존감 저하가 나타나기 쉽다.

나. 인지장애: 소아에서 언어성 지능의 저하와 함께 집중력, 기억력, 시공간 능력 및 실행성 기능executive function의 저하가 나타난다. 노인에서는 치매가 생길 가능성이 높으며 일과성허혈발작transient ischemic attacks 및 무증상 뇌경색silent brain infarction 등도 잘생긴다.

(3) 진단

① 혈액검사

② 헤모글로빈 전기영동검사

③ 유전자 검사: 임신 시 산전검사로 실시

(4) 치료

① 신체적 치료

가. 수혈: 중증에서는 적혈구 수혈이 자주 필요하다. 빈번한 수혈로 인한 철분의 침착을 예방하기 위해 철킬레이트화요법iron chelation therapy이 필요하다

나. 비장제거

다. 줄기세포 이식

② 정신의학적 치료

우울감과 불안 등의 정신증상들을 치료하기 위해 환자가 느끼는 어려움들의 정신사회적 요인들에 대한 평가가 필요하다. 이러한 평가는 지중해빈혈 환자들의 정기검진에 일반적으로 포함되는 것이 좋다. 그룹치료, 환자교육 등도 권장된다

3) 비타민B12결핍빈혈vitamin B12 deficiency anemia

(1) 정의

비타민 B12는 세포의 DNA합성에 필요한 물질로써, 적혈구를 잘 성숙시켜 제 기능을 하도록 하는데 중요한 물질이다. 따라서 비타민 B12가 부족해지면 건강한 적혈구를 만들지 못하고 적혈구가 되기 전 단계인 거대적혈모구megaloblast가 출현하게 되어 거대적혈모구빈혈megaloblastic anemia이 생긴다. 특히 노인에서는 20%에서 비타민B12결

핍증을 보인다. 그러나 대량의 비타민 B12가 간에 저장되어 있기 때문에 결핍이 생기고 나서 3-5년까지는 빈혈 증상을 보이지 않는다.

(2) 임상증상

① 신체적 증상

가. 빈혈증상: 피로감, 숨가쁨, 어지러움 등의 일반적인 빈혈의 신체증상이 나타날 수 있다.

나. 신경학적 증상: 증상이 심해지면 신경에도 손상이 생겨 양측 손발이 저리거나numbness 드물게 근력이 약해지고 균형을 잃는 경우도 있다.

② 정신적 증상

일반적으로 정신증상은 신체적 증상보다 앞서서 나오는 경우도 많다.

가. 기분증상: 우울장애

나. 인지장애: 비타민 B12는 호모시스테인homocysteine의 대사에 관여하는데 비타민 B12가 부족하여 호모시스테인이 높아지면 기억력저하, 치매, 알츠하이머병이 발병할 수 있다.

다. 사고장애: 정신증

라. 강박장애

(3) 진단

① 비타민 B12 결핍증의 진단

가. 혈청비타민B12 농도 < 200 ng/L

나. 이 외에도 혈청 호모시스테인 농도의 증가를 확인하는 것도 비타민B12 결핍의 정도를 평가하는 데 도움이 될 수 있다.

② 비타민 B12 결핍증의 원인 질환 평가

비타민 B12 결핍증은 섭취부족이나 흡수장애로 생길 수 있다. 비타민 B12는 육류, 우유, 달걀, 연어, 참치, 조개, 굴 등에 많이 함유되어 있다

가. 악성 빈혈pernicious anemia: 비타민 B12 결핍증의 가장 흔한 원인. 비타민 B12는 위의 벽세포parietal cell에서 분비되는 내인성인자intrinsic factor와 결합하여 회장ileum에서 흡수가 된다. 그러나 자가면역질환인 악성 빈혈에서는 parietal cell이 파괴되어 비타민 B12를 흡수가 안된다.

나. 기타 흡수장애: 위장관 수술, 크론씨병, 췌장부전, 쇼그렌증후군, HIV.

다. 장기간 약물 사용: 메포르민metformin, 제산제, H2수용체길항제, 및 수소펌프억제제 등의 장기간 사용도 비타민 B12 흡수장애를 일으킬 수 있다.

라. 채식주의자vegans: 일반적인 식사량의 부족으로 비타민 B12 결핍증이 오는 경우는 거의 없으나 엄격한 채식주

의자들 경우에 간혹 생길 수 있다

(4) 치료

고용량 비타민 B12 투여 이후 환자는 수주 이내에 신체적, 정신적 증상의 호전을 보인다. 그러나 신경손상으로 인한 손발 저림이나 및 인지기능의 저하는 지속될 수도 있다.

① 첫 1주: 매일 1,000 mcg의 히드록소코발라민hydroxocobalamin 또는 시아노코발라민cyanocobalamin을 정맥 주사한다

② 이후 3주간: 매주 1번씩 1 mg을 정맥 주사.

③ 투여 1개월 후 피검사를 통해 비타민 B12 결핍 정도에 따라 1-3개월 간격으로 유지 요법을 실시한다.

4) 엽산결핍빈혈folate deficiency anemia

(1) 정의

엽산도 비타민 B12와 마찬가지로 세포의 DNA합성에 관여하는 물질로써 적혈구를 잘 성숙시켜 제 기능을 하도록 하는 데 필요한 물질이다. 따라서 엽산이 부족해지면 거대적혈모구빈혈megaloblastic anemia이 생긴다. 엽산은 비타민 B12와 달리 간에서 저장이 되지 않기 때문에 더욱 빈번하게 생기는데 정신건강의학과 환자들의 1/3에서 엽산결핍증을 보인다.

(2) 임상증상

① 신체적 증상

가. 빈혈증상: 피로감, 숨가쁨, 어지러움 등의 일반적인 빈혈의 신체증상이 나타날 수 있다.

나. 신경학적 증상: 양측 손발 저림, 근력 약화, 균형감 저하 등의 신경학적 증상은 비타민 B12결핍증 보다 적다.

다. 신경관결손neural tube defect: 임신중 엽산의 결핍이 신생아에 신경관 결손을 야기할 수 있다. 따라서 임신 시에는 일반적으로 엽산 보충이 권고된다.

라. 혀통증 및 구강 작열감

② 정신적 증상

가. 기분증상: 비타민 B12는 결핍증보다 우울장애가 더욱 흔하다.

나. 인지장애: 엽산도 비타민 B12처럼 호모시스테인homocysteine의 대사에 관여하는데 엽산 저하로 호모시스테인이 높아지면 기억력저하, 치매, 알츠하이머병이 발병할 수 있다.

(3) 진단

① 엽산결핍증의 진단

가. 혈청엽산농도: 저하

나. 이 외에도 혈청 호모시스테인 농도의 증가를 확인하는 것도 엽산 결핍의 정도를 평가하는 데 도움이 될 수 있다.

② 엽산결핍증의 원인 질환 평가

엽산결핍증은 섭취부족이나 흡수장애로 생길 수 있다.

가. 부적절한 식이: 엽산은 익히지 않은 녹색잎 채소, 아스파라거스, 브로컬리, 과일(감귤류) 등으로 익히는 조리 과정에서 엽산의 상당부분이 파괴된다. 따라서 엽산이 첨가된 식품을 섭취하는 것이 좋다.

나. 만성질환, 알코올남용

다. 약물: 항경련제phenytoin, valproic acid, lamotrigine, barbiturates, 구강피임제, trimethoprim/sulfamethoxazole.

(4) 치료

엽산을 투여하기 전에 비타민 B12 결핍증 유무를 반드시 확인하여야 한다. 비타민 B12 결핍이 동반되어 있는 경우 엽산만 투여하면 신경손상이 오히려 악화될 수도 있다. 엽산 투여 이후 환자는 수개월 이내에 신체적, 정신적 증상의 호전을 보인다. 일반적으로 6개월 정도의 유지 치료가 권고된다.

5) 낫적혈구병sickle cell disease

(1) 정의

거의 흑인에서만 나타나는 헤로글로빈의 유전적 이상으로 낫 모양의 비정상적인 적혈구가 생성되는 질환이다. 이러한 낫 모양의 적혈구는 구조적으로 취약하여 적혈구 과다 파괴를 유발할 수 있다. 또한, 모세혈관을 통과하기 어려워 혈류 막힘으로 통증을 유발할 수 있으며 비장, 신장, 뇌 및 기타 기관에 손상을 일으킬 수 있다.

(2) 임상증상

① 신체적 증상

적혈구 파괴증가로 인한 빈혈 증상과 모세혈관 혈류 막힘으로 인한 통증이 나타난다.

가. 빈혈증상: 피로감, 숨가쁨, 어지러움 등의 일반적인 빈혈의 신체증상이 나타날 수 있다.

나. 신체증상: 간, 비장 비대, 다리나 말초부위 통증

다. 낫적혈구 성향: 낫적혈구병 유전자 복제본을 하나만 가지고 있는 경우. 일반적으로 크게 증상을 보이지 않으나, 격렬한 운동 중에 갑자기 사망할 수 있다.

라. 낫적혈구 위기: 낫적혈구병 유전자 복제본을 두개 모두 가지고 있는 경우. 운동이나 등산 등의 산소가 요구되는 상황에서 갑작스런 빈혈, 통증, 숨가쁨, 복부통증 등의 증상이 나타날 수 있다.

② 정신적 증상

가. 기분증상: 우울과 불안이 자주 생긴다.

나. 통증: 급성/만성 통증과 이를 치료하기위해서 쓰는 약물 관련 장애가 생길 수 있다

다. 뇌손상: 혈류막힘으로 인한 뇌혈관 장애

(3) 진단

① 혈액검사: 말초도말검사에서 낫 모양의 적혈구 관찰

② 헤모글로빈 전기영동검사: 전류를 통해 이상 헤모글로빈을 분리해 냄

(4) 치료

① 신체적 치료

가. 빈혈치료: 증상이 경미한 빈혈의 경우 적혈구 생성에 도움을 주기 위해 엽산을 복용하게 한다

나. 낫적혈구 위기 예방: 혈액 내 산소량을 감소시킬 수 있는 운동을 자제하고 가벼운 감기나 바이러스감염증도 즉각적으로 치료를 받아야 한다. 특히, 폐렴구균이나 인플루엔자 예방접종도 필요하다.

다. 낫적혈구 위치 치료: 혈류막힘으로 뇌졸증, 심근경색 및 폐손상이 제기될 정도로 빈혈이 심각한 경우 수혈과 산소공급이 필수적이다. 심한 통증 완화를 위해 정맥 내 수액 투여가 필요하다. 약물치료로는 비정상적혈구를 감소시키는 데 효과가 있는 하이드록시유레아가 사용된다.

② 정신의학적 치료

환자의 발달 단계에 따른 적절한 개입이 필요하다. 소아 시기에 언어기능 및 인지기능의 저하로 인한 적응장애와 발달장애에 대한 개입이 필요할 수 있다. 또한 통증에 대한 두려움과 이를 위해 사용되는 약물들에 대한 의존감과 약물의 부작용에 대한 치료가 필요하다. 뇌혈류장애로 인한 뇌경색, 인지장애 및 치매에 대한 예방과 치료가 필요할 수 있다.

3. 정신작용약물이 유발할 수 있는 혈액학적 이상반응

정신작용약물은 적혈구, 백혈구, 및 혈소판의 숫자와 기능에 영향을 줄 수 있다. 특히, 백혈구는 식균작용 및 면역반응에 중요하므로 백혈구 숫자가 심각하게 감소할 경우 치명적인 결과를 유발할 수 있다. 표 26-2는 정신작용약물들과 그들의 혈액학적 이상반응들을 보여준다.

표 26-2. Psychotropic drugs and its hematological adverse effects

Psychotropic drugs	RBC	WBC	Platelet
Typical antipsychotics	Anemia	Leukopenia, agranulocytosis Eosinophilia	Thrombocytopenia
Atypical antipsychotics	Anemia	Leukopenia	Thrombocytopenia
Clozapine		Leukopenia, agranulocytosis (1-2%) Leukocytosis, eosinophilia	Thrombocytopenia
Lithium		Leukocytosis	Thrombocytosis
Valproate	Pure red cell aplasia	Neutropenia	Thrombocytopenia
Carbamazepine	Pure red cell aplasia	Leukopenia, agranulocytosis Leukocytosis, eosinophilia	Thrombocytopenia
Lamotrigine	Pure red cell aplasia	Leukopenia, agranulocytosis	Thrombocytopenia
Gabapentin		Leukopenia, neutropenia	
Topiramate	Anemia		Thrombocytopenia
SSRI			Impaired platelet aggregation
SNRI			Impaired platelet aggregation
TCA		Leukopenia, agranulocytosis Eosinophilia	Thrombocytopenia
MAOI			Thrombocytopenia
Mirtazapine		Agranulocytosis	Thrombocytopenia
Trazodone		Agranulocytosis	
Benzodiazepine		Agranulocytosis (reported but not proven)	
Donepezil	Anemia		Thrombocytopenia
Rivastigmine	Anemia		
Galantamine			Thrombocytopenia

1) 항정신병약물과 무과립구증

항정신병약물과 관련된 혈액학적 부작용으로는 백혈구감소증leukopenia, 혈소판감소증thrombocytopenia, 빈혈anemia, 무과립구증agranulocytosis, 호중구감소증neutorpenia, 호산구증가증eosinophilia 등이 생길 수 있다. 백혈구 감소는 항정신병약물의 부작용에서 중요한데, 백혈구가 3500/mm^3 미만을 백혈구감소증이라고 하며, 호중구가 2000/mm^3 미만을 호중구감소증이라고 한다. 특히 호중구가 500/mm^3 미만을 무과립구증이라고 한다.

항정신병약물의 사용과 관련된 가장 심각한 부작용으로 알려진 무과립구증은 일반적으로는 매우 드문 편으로 고역가 항정신병약물보다는 저역가 항정신병약물에서 더 잘 생긴다. 특히, 클로자핀clozapine은 복용자의 0.8%에서 무과립구증이 생기며, 복용 6개월 이내에 흔하다. 클로자핀에서 무과립구증이 생긴 경우의 치사율은 4.2-16%로 약물이 중단되기 전에 감염이 발생할 경우에 특히 높다. 또한, 과립구집락자극인자granulocyte colony stimulating factor, G-CSF의

사용이 치사율을 크게 줄일 수 있다. 표 26-3은 클로자핀 사용 시 발생할 수 있는 백혈구 및 호중구감소증의 진단 기준과 치료지침에 대해서 설명하고 있다. 항정신병약물들 중 아리피프라졸aripiprazole과 지프라시돈ziprasidone은 혈액학적 부작용이 비교적 적은 것으로 알려져 있다.

표 26-3. Clozapine induced leukopenia and its management.

Clinical condition of leukopenia	WBC*, ANC** (cells/mm^3)	Management
Normal	WBC ≥ 3500, or ANC ≥ 2000	1) Ok to initiation or continuation of clozapine 2) WBC/ANC check - the first 6 months: weekly - the next 6 months: every 2 weeks - ad infinitum: every 4 weeks
Mild	3000 ≤ WBC < 3500, or 1500 ≤ ANC < 2000	1) Ok to continuation of clozapine 2) WBC/ANC check - check 2x/week until "normal" again
Moderate	2000 ≤ WBC < 3000, or 1000 ≤ ANC < 1500	1) Stop clozapine 2) WBC/ANC check - check daily until "mild" - then check 2x/week until "normal" - may rechallenge when "normal" 3) WBC/ANC check for rechallenge - the first 1 year: weekly - the next 6 months: every 2 weeks - ad infinitum: every 4 weeks
Severe	WBC 〈 2000, or ANC 〈 1000	1) Stop clozapine permanently & do not rechallenge 2) WBC/ANC check - check daily until "mild" - then check 2x/week until "normal" - then check weekly when "normal"

* white blood count
** absolute neutrophil count

2) 리튬

기분조절제인 리튬은 골수에서 백혈구와 혈소판의 생산을 증가시킴으로써 백혈구증가증leukocytosis와 혈소판증가증thrombocythemi를 일으킨다.

3) 항경련제

카바마제핀carbamazepine은 골수에서 백혈구와 적혈구의 생산을 억제함으로써 백혈구감소증leukopenia 및 재생불량성빈혈aplastic anemia을 일으킬 수 있다. 일반적으로 약물사용 이후 한 달 동안 10% 정도의 백혈구 수치의 감소를 보인다고 알려져 있지만 드물게는 무과립구증agranulocytosis를 일으킬 수 있다. 일반적으로 카바마제핀을 사용하는 경우 백혈구 수치가 3500/mm^3 미만으로 떨어지면 약물을 중단하는 것이 추천된다.

카바마제핀은 자신의 약물 대사를 촉진시킨다. 따라서 일정기간 동안 복용한 이후에는 약물 농도가 갑자기 떨어지는 경우가 있다. 특히, 카바마제핀은 CYP 1A2, 2C, 3A4 대사 효소를 촉진하기 때문에 와파린의 항응고 기능을 저하시킨다. 따라서 항응고제를 복용하는 환자에게서 카바마제핀을 투여하는 경우 카바마제핀의 농도 감소와 INRinternational normalized ratio의 증가를 야기할 수 있다.

발프로에이트valproate는 호중구감소증, 혈소판감소증, 빈혈 등과 연관이 있으며 라모트리진lamotrigine은 무과립구증을 야기할 수 있다. 모든 항경련제는 백혈구가 3,000/mm^3 이하이면 중단해야한다.

4) 항우울제와 출혈

최근에는 선택적세로토닌재흡수억제제selective serotonin reuptake inhibitors, SSRI, 세로토닌노에피네프린재흡수억제제serotonin norepinephrine reuptake inhibitors, SNRI 등과 같은 부작용은 적고 효과도 좋은 세로토닌계 항우울제들이 가장 많이 사용되고 있다. 그러나 이러한 세로토닌계 항우울제들은 출혈과 관련성이 있다.

혈관에 미세한 손상이 발생할 경우 혈소판에서는 세로토닌을 분비해서 손상된 부위에 혈소판을 응집시킴으로써 출혈을 방지한다. 그러나 SSRI나 SNRI 같은 세로토닌계 항우울제들은 중추신경계에서는 세로토닌을 증가시키지만 혈소판에서는 세로토닌을 감소시킨다. 따라서 세로토닌계 항우울제를 복용하는 경우 혈소판에 세로토닌의 감소로 혈소판 응집에 장애가 발생할 수 있다. 특히, SSRI들은 항응고제들과 상호작용하여 그들의 약물 농도를 높여 출혈성 경향을 더욱 강화시킬 수 있으므로 주의가 필요하다. 이러한 SSRI로는 fluoxetine, fluvoxamine, paroxetine등이 있다. 서트랄린sertraline과 시탈로프람citalopram은 항응고제와 상호작용이 적다.

따라서 SSRI나 SNRI를 사용할 경우 출혈성 경향이 높은 환자들에게는 주의해서 사용할 필요가 있다. 이러한 위험군에는 출혈성 약물(anticoagulants, aspirin, wafarin, NSAID)사용자, 간경화, 출혈성질환 등이 있다.

항우울제에서 무과립구증은 매우 드물다. 그러나 이미프라민imipramine, 클로미프라민clomipramine, 데시프라민desipramine 등의 삼환계 항우울제에서 특이약물반응idiosyncratic reaction으로 발생할 수 있다.

5) 콜린에스테라제 억제제cholinesterase inhibitors

가장 흔히 처방되는 도네페질donepezil은 혈소판감소증, 빈혈을 일으킬 수 있으며 혈소판증가증이나 호산구증가증을 일으킬 수도 있다. 리바스티그민rivastigmine은 빈혈과 연관이 있으며 갈란타민galantamine은 혈소판감소증을 일으킬 수 있다.

4. 결론

본 장에서는 혈액학적 질환에서 보이는 정신증상들에 대해서 요약하였다. 이러한 혈액학적 질병은 빈혈과 연관이 많다. 대표적으로 철결핍성빈혈iron deficiency anemia, 비타민B12결핍증vitamin B12 deficiency, 엽산결핍증folate deficiency, 낫적혈구병sickle cell disease 및 지중해빈혈thalassemia 등이 있다. 정신증상으로 기분장애와 불안장애가 가장 흔했으며 인지장애도 흔히 관찰되었다. 정신작용약물은 무과립구증이나 출혈과 같은 심각한 이상반응을 유발하거나 악화시킬 수 있다. 따라서 내과적으로 질환을 가진 환자들에게 정신작용약물이 혈액학적으로 미치는 영향에 대해서 잘 숙지하는 것이 매우 중요하다.

참고문헌

1. Ballas SK, Gupta K, Adams-Graves P. Sickle cell pain: a critical reappraisal. Blood 2012;120(18):3647-56.
2. Bauman WA, Shaw S, Jayatilleke E, Spungen AM, Herbert V. Increased intake of calcium reverses vitamin B12 malabsorption induced by metformin. Diabetes Care 2000;23(9):1227-31.
3. Beard JL, Hendricks MK, Perez EM, Murray-Kolb LE, Berg A, Vernon-Feagans L, et al. Maternal iron deficiency anemia affects postpartum emotions and cognition. J Nutr 2005;135(2):267-72
4. Carmel R, Green R, Rosenblatt DS, Watkins D. Update on cobalamin, folate, and homocysteine. Hematology (Am Soc Hematol Educ Program) 2003. p62-81.
5. Casey RL, Brown RT. Psychological aspects of hematologic diseases. Child Adolesc Psychiatr Clin N Am 2003;12(3):567-84
6. Chalouch C, Faesch S, Anthoine-Milhomme MC, Fulla Y, Dulac O, Cheron G. Neurological consequences of vitamin B12 Deficiency and its treatment. Pediatr Emerg Care 2008;24(8):538-41
7. Chen MH, Su TP, Chen YS, Hsu JW, Huang KL, Chang WH, et al. Association between psychiatric disorders and iron deficiency anemia among children and adolescents: a nationwide population-based study. BMC Psychitry 2013;13:161
8. Chen YL, Hu HY, Lin XH, Luo JC, Peng YL, Hou MC, et al. Use of SSRI but not SNRI increased upper and lower gastrointestinal bleeding: a nationwide population-based cohort study in Taiwan. Medicine (Baltimore) 2015;94(46):e2022.
9. Coban E, Timuragaoglu A, Meric M. Iron deficiency anemia in the elderly: prevalence and endoscopic evaluation of the gastrointestinal tract in outpatients. Acta Haematol 2003;226(5):349-55.
10. Cunningham MJ. Update on thalassemia: clinical care and complications. Pediatr Clin North Am 2008;55(2):447-60.
11. Damiani JT, Christensen RC. Lamotrigine-associated neutropenia in a geriatric patient. Am J Geriatr Psychiatry 2000;8(4):346
12. Derbyshire E, Martin D. Neutropenia occurring after starting gabapentin for neuropathic pain. Clin Oncol (R Coll Radiol) 2014;18(8):575-6
13. Duncan D, Sayal K, McConnell H, Taylor D. Antidepressant interactions with warfarin. Int Clin Psychopharmacol 1998;13(2):87-94.
14. Elander J, Barry T. Analgesic use and pain coping among patients with haemophilia. Haemophilia 2003;9(2):202-13.
15. Flanagan RJ, Dunk L. Haemotological toxicity of drugs used in psychiatry. Hum Psychopharmacol 2008;23(suppl 1):27-41
16. Gerson SL, Meltzer H. Mechanisms of clozapine-induced agranulocytosis. Drug Saf 1992;7(suppl 1):17-25.
17. Gerstner T, Teich M, Bell N, Longin E, Dempfle CE, Brand J, et al. Valproate-associated coagulopathies are frequent and variable in children. Epilepsia 2006;47(7):1136-43.
18. Halperin D, Reber G. Influence of antidepressants on hemostasis. Dialogues Clin Neurosci 2007;9(1):47-59.
19. Herman D, Locatelli I, Grabnar I, Peternel P, Stegnar M, Lainscak M, et al. The influence of co-treatment with carbamazepine, amiodarone and statins on warfarin metabolism and maintenance dose. Eur J Clin Pharmacol 2006;62(4):291-6.
20. Hurtig AL, Park KB. Adjustment and coping in adolescents with sickle cell disease. Ann N Y Acd Sci 1989;18(6):172-82.
21. Kramlinger KG, Post RM. Addition of lithium carbonate to carbamazepine: hematological and thyroid effects. Am J Psychiatry 1990;147(5):615-20.
22. Kuo CY, Liao YT, Chen VC. Risk of upper gastrointestinal bleeding when taking SSRIs with NSAIDs or aspirin. Am J Psychiatry 2014;171(5):582.
23. Lahdelma L, Appelberg B. Clozapine-induced agranulocytosis in Finland, 1982-2007: long-term monitoring of patients is still warranted. J Clin Psychiatry 2012;73(6):837-42.
24. Liu KW, Dai LK, Jean W. Metformin-related vitamin B12 deficiency. Age Ageing 2006;35(2):200-1.

25. Lorey FW, Arnopp J, Cunningham GC. Distribution of hemoglobinopathy variants by ethnicity in a multiethnic state. Genet Epidemiol 1996;13(5):501-12.
26. Mahdanian AA, Rej S, Bacon SL, Qzdin D, Lavoie K, Looper K. Serotonergic antidepressants and perioperative bleeding risk: a systematic review. Expert Opin Drug Saf 2014;13(6):695-704.
27. Medina JL, Fareed J, Diamond S. Lithium carbonate therapy for cluster headache. Changes in number of platelets, and serotonin and histamine levels. Arch Neurol 1980;(37(9):559-63.
28. Nasreddine W, Beydoun A. Valproate-induced thrombocytopenia: a prospective monotherapy study. Epilepsia 2008;49(3):438-45.
29. Olivieri NF. The beta-thalassemias. N Engl J Med 1999:341(9):99-109.
30. Rajagopal S. Clozapine, agranulocytosis, and benign ethnic neutropenia. Postgrad Med J 2005;81(959):545-6.
31. Ramasubbu R. Cerebrovascular effects of selective serotonin reuptake inhibitors: a systematic review. J Clin Psychiatry 2004;65(12);1642-53.
32. Rector WG Jr. Pica: its frequency and significance in patients with iron-deficiency anemia due to chronic gastrointestinal blood loss. J Gen Intern Med 1989;4(6):512-3.
33. Rosebush PI, Mazurek MF. Serum iron and neuroleptic malignant syndrome. Lancet 1991;338(8760):149-51.
34. Schatz J, McClellan CB. Sickle cell disease as a neurodevelopmental disorder. Ment Retard Dev Disabil Res Rev 2006;13(3):2006.
35. Sedky K, Lippmann S. Psychotropic medications and leukopenia. Curr Drug Targets 2006;7(9):1191-4.
36. Skop BP, Brown TM. Potential vascular and bleeding complications of treatment with selective serotonin reuptake inhibitors. Psychosomatics 1996;37(1):12-6.
37. Sun ER, Chen CA, Ho G, Earley CJ, Allen RP. Iron and the restless legs syndrome. Sleep 1998;21(4):371-7.
38. Valuck RJ, Ruscin JM. A case-control study on adverse effects: H2 block or proton pump inhibitor use and risk of vitamin B12 deficiency in older adults. J Clin Epidemiol 2004;57(4):422-8.
39. Wang HX, Wahlin A, Basun H, Fastbom J, Winblad B, Fratiglioni L. Vitamin B(12) and folate in relation to the development of Alzheimer's disease. Neurology 2001;56(9):1188-94.
40. Wolff T, Witkop CT, Miller T, Syed SB. U.S. Preventive Services Task Force: Folic acid supplementation for the prevention of neural tube defects: an update of the evidence for the U.S. Preventive Services Task Force. Ann Intern Med 2009;150(9):632-9.

27

CHAPTER

류마티스 질환

한창수

류마티스 질환은 연부조직과 장기의 만성 염증을 특징으로 하는 자가 면역 질환으로서 임상 양상과 면역계 이상의 패턴에 따라 분류된다.

이 장에서는 정신신체 의학의 입장에서 류마티스 질환의 증상과 치료에 대하여 설명하고자 한다. 임상에서 가장 흔하게 접하는 류마티스 관절염Rheumatoid arthritis, RA과 루푸스Systemic lupus erythematosus, SLE에 대해 다룰 것이며 나머지 부분에서는 골관절염osteoarthritis, 쇼그렌 증후군, 전신성경화증systemic sclerosis, 측두동맥염temporal arteritis, 다발성근염polymyositis, 결절다발동맥염polyarteritis nodosa, 베체트병Behchet's disease, 베게너육아종증Wegener's granulomatosis 등을 다룰 것이다. 류마티스 질환의 치료 과정에서 생기는 정신의학적 문제에 대해서 이 장의 끝부분에서 논할 것이며 섬유근육통fibromyalgia에 대해서는 다음 장에서 다루고 있다.

1. 진단과 평가

1) 류마티스 질환의 중추신경계 침범 감지

류마티스 질환이 중추신경계를 침범한 경우에 혈액검사 결과나 임상적 징후, 증상 등만으로 진단하는 것은 쉽지 않다. 신경계를 침범한 류마티스 질환의 경우 일차적으로 임상 양상에 따라 진단을 내리고 추가적으로 혈액검사를 통해 진단을 검증할 수 있으나 신경영상학적 검사 등을 확인해서 가능한 다른 질환이나 동반질환을 배제하는 것이 중요하다.

(1) 정신상태 검사와 신경인지기능 검사

정신상태 검사는 류마티스 질환의 신경학적 침범 상태를 가장 저렴하고 정확하게 감지하거나 경과를 관찰할 수 있는 방법이다. 신경인지기능 검사를 통해 인지기능을 더 자세하게 파악할 수 있지만 진단에 특이적인 것은 아니다. 게다가 류마티스 질환이 아니더라도 신경인지기능 검사에서 이상이 있을 수 있기 때문에 중추신경계 류마티스 질환의 진단에 필수적인 것은 아니다.

(2) 혈액검사

류마티스 질환의 중추 신경계 침범을 혈액으로 진단하는 검사는 아직 없다고 할 수 있다. 혈액검사의 첫 번째 목적은 신경정신증상이 류마티스 질환 때문인지 아니면 치료약물의 부작용 때문인지를 감별하기 위함이다. 두 번째 목적은 류마티스 질환의 활성 정도를 파악하는 것이다. 신경정신증상은 다른 장기의 침범과 무관하게 독립적으로 진행하는 것이긴 하지만 질환이 심각할수록 CNS(Central nervous system) 침범을 더욱 강하게 시사한다. 질환 활성도가 높지 않은 경우에도 CNS 침범을 배제할 수는 없으며, 전신 질환의 심한 정도에 따라 피로감이나 인지기능 장애 등과 같이 특정 신경계 증상과 일부 연관이 있는 것처럼 나타날 수 있다.

혈액검사는 조현병이나 우울장애 등의 정신 질환의 과거력이 있는 류마티스 환자의 정신병적장애 증상을 평가할 때 특히 유용하다. 일반적으로 정신 질환에서는 ESR 등 염증 관련 수치의 증가가 보이지 않기 때문에 정신증상이 있으면서 ESR 증가가 동반된다면, 감염이나 CNS 침범 등의 내과적 원인을 강하게 의심해야 한다.

류마티스 환자가 신경정신 증상을 보이는 경우, 요추천자를 통해 CNS 감염이나 CNS 질환의 활성도를 평가할 수 있다. CNS 감염의 임상적 근거가 없는데도 뇌척수액 백혈구 증가증CSF pleocytosis와 뇌척수액 단백질 증가가 보인다면 루푸스 등 다른 류마티스 질환에 의한 CNS 감염을 의심하여야 한다. 요추천자를 통한 CSF 검사 항목에는 신경매독neurosyphilis, Lyme disease, 다발성 경화증multiple sclerosis, 쇼그렌 증후군, 중추신경성 루푸스(CNS SLE) 등을 알아보기 위한 올리고 클론 띠oligoclonal bands도 포함되어야 한다.

(3) 뇌파검사Electroencephalogram

류마티스 질환 환자에서 신경계를 침범한 경우엔 종종 비정상적인 뇌파 소견을 보이기 때문에 뇌파검사가 진단에 도움을 준다. 다만 경한 간질 발작이나 우울장애, 저 활동성 섬망과 구별하는 것이 어려울 수 있다.

(4) 뇌 영상Neuroimaging

류마티스 환자 중 신경정신증상을 보이는 환자의 국소적인 신경학적 병변을 확인하기 위해서는 MRI가 가장 효과적이지만 신경정신증상이라는 것이 대개 기능의 문제이기 때문에 해부학적 구조의 변화를 감지하는 MRI만으로는 한계가 있을 수 있다. 또한 MRI는 과거의 만성 병변과 현재의 활성화된 병변을 구분할 수 없다는 단점도 있다.

2) 정신증상의 평가와 진단

류마티스 질환과 동반하는 정신질환은 질환 자체의 경과와 삶의 질에 영향을 미치고, 높은 유병률을 보임에도 불구하고 잘 밝혀지지도 않고 치료도 잘 이루어지지 않는다. 이런 현상은 부분적으로 현대 의료 체계가 질환의 신체적 측면에만 집중하기 때문이기도 하고, 병원의 정신건강의학과 자문 시스템이 충분하지 않은 탓일 수도 있다. 우울장애와 류마티스 질환의 증상 일부(피로, 체중감소, 불면, 식욕 저하 등)는 서로 겹치는 경우가 많으므로 류마티스 환자에서 우울장애 진단을 하는 것이 어려운 경우도 많다.

단순히 우울장애 선별 척도를 사용한 평가에만 의존하면 우울장애의 유병률이 과장되는 경향이 있는데 이는 일부 평가척도(예, Beck Depression Inventory, BDI)의 항목이 피로감, 통증 등의 신체증상을 포함하고 있기 때문이다. 신체증상이 덜 포함된 노인우울척도Geriatric depression scale, GDS나 병원 불안 우울척도Hospital Anxiety and Depression Scale, HADS 또는 해당 질환에 특화되어 개발된 척도들을 사용하는 것이 우울장애 진단을 더욱 더 정확히 하는 데에 도움이 될 것이다. 단축형 환자 건강설문Patient Health Questionnaire, PHQ-9 등의 자가보고 척도들은 류마티스 내과 의사나 일선 간호사들이 바쁜 업무 중에서 비교적 편리하게 사용할 수 있으므로 우울장애 등의 정신적 문제를 선별하는 데 도움을 줄 수 있다.

정신건강의학 전문의, 특히 정신신체의학 전문가가 자세한 평가를 해야 하는 경우도 있다. 정신건강의학 전문의는 환자의 현재 정신 상태를 파악하는 것뿐 아니라 심리-정신증상과 신체 질환의 연관성, 치료 반응, 사회적 지지체계의 접근성, 통증 등의 증상과 관련한 정신사회적 스트레스, 또는 질병과 무관하게 존재하는 생활 스트레스 등을 파악할 수 있기 때문에 류마티스 질환 전문가들이 이런 환자들을 진단하고 치료하면서 적절히 의뢰하는 것이 중요하다. 신체 증상에 대한 환자의 부적절한 대처 양식을 조사하고 평가하는 것도 정신건강의학과 의사의 역할이다. 환자의 정신의학적 과거력과 가족력을 평가하는 것은 우울장애나 다른 정신질환에 대한 취약점을 확인하는 데에 도움을 줄 수 있다.

또한, 치료에 대한 순응도뿐만 아니라 질병의 발병, 진행과 관련한 심리 사회학 요인을 평가하고 이 부분에 대해 환자가 얼마나 인식하고 있는지를 파악하는 것도 중요하다.

2. 치료의 일반 원칙

1) 질병에 의한 신경정신증상

자가 항체에 의한 신경 손상이나 염증이 의심될 때에는 코르티코스테로이드를 사용하며 항카르디올리핀 항체 증후군anticardiolipin antibody syndrome과 같이 과응고성이 문제인 경우는 항응고제를 사용하는 것이 일차적 치료법이다. 코르티코스테로이드가 효과가 없으면 다른 면역억제제를 사용할 수 있다.

2) 정신 질환

정신치료, 특히 인지행동치료는 스트레스를 줄여주고 류마티스 질환과 관련한 문제에 대해 적절히 대처할 수 있도록 도움을 준다. 또한, 이 치료는 통증 자체를 경감시키고 기능을 호전시키는 효과도 있다.

정신의학적 문제가 동반된 류마티스 환자에게는 심리, 정신의학적인 개입을 하는 것이 필요하다. 약물 처방이 더 쉬우므로 약물학적 개입이 더 흔하게 이루어지며 정신치료는 더 복잡한 경우에 고려하는 경우가 많다. 인지행동치료는 정신건강의학 전문의나 심리치료 전문가 등에 의해 시행되며 특수한 경우에 훈련받은 전문가에 의해 시행되는 경우도 있다. 일반적으로 류마티스 질환으로 진단된 환자들은 질병과 그 경과에 대해 교육을 받는데 그 교육의 일환으로 환자 스스로 병적 행동과 심리 증상에 대해 인식하고 적절한 치료를 받을 수 있다면 류마티스 내과에서 이루어지는 진단과 치료가 좀 더 원활하게 이루어질 수 있다.

현재까지의 연구 결과에 의하면 정신적 문제를 가진 만성 통증 환자에게 적절한 용량의 항우울제를 투여하면 우울장애를 치료할 때와 거의 동등한 효과를 나타내는 것으로 알려져 있는데 항우울제마다 보이는 진통 효과, 수용성, 약물 상호작용 등의 특성은 서로 조금씩 다르다.

아미트립틸린amitriptyline으로 대표되는 삼환계 항우울제tricyclic antidepressants, TCA는 다양한 용량 사용 시 우울장애의 동반 여부에 상관없이 우수한 진통 효과를 갖고 있다고 알려져 있어서 내과 계열에서 자주 사용된다. 하지만 고용량 사용 시 생체 수용성과 안정성이 좋지 않으며, 특히 고령의 환자에게 고용량 처방을 하는 경우엔 심장이나 신경계 부작용이 심하게 발생할 수 있어서 주의해야 한다.

최근에 개발된 항우울제는 TCA와 동등한 항우울효과를 지니고 있으면서 진통 효과도 우수하다는 것이 보고되었다. 일반적으로 플루옥세틴fluoxetine이나 시탈로프람citalopram, 파록세틴paroxetine 등의 선택적 세로토닌 재흡수 억제제(SSRIs)들은 류마티스 환자에서 발생한 우울장애 치료 시 최대 권장 용량까지 증량할 것을 권고한다.

TCA를 통증 완화 목적으로 처방할 때는 저용량(25-75 mg) 사용을 권장하는데, TCA와 SSRI를 병합 사용하는 경우는 부작용의 가능성이 증가하기 때문에 전문적으로 관찰이 없는 상황에서는 처방을 피하는 것이 좋다. 기타 내과적 약물들과의 약물 상호작용이 있으므로 미리 파악하는 것이 좋겠다. 최근에는 통증을 동반한 우울, 불안 증상에 대하여 멀타자핀mirtazapine이나 둘록세틴duloxetine, 벤라팍신venlafaxine, 데스벤라팍신desvenlafaxine 등의 효능이 보고되고 있다.

류마티스 환자들의 불안 증상, 조증, 정신증상, 섬망, 통증의 치료는 다른 내과 질환을 동반한 경우의 치료 원칙과 비슷하다.

3. 류마티스 관절염Rheumatoid Arthritis

류마티스 관절염Rheumatoid Arthritis, RA은 인구의 0.8% 정도가 이환된다고 하며 남성보다 여성에게서 세 배 정도 더 많이 발생하는 것으로 알려져 있다. 이 질환은 관절 윤활막synovium의 지속적인 염증에 의한 염증성 윤활막염inflammatory synovitis을 특징으로 한다. 어떤 윤활 관절synovial joint에서도 발생하지만, 손, 발 등 말초 부위의 작은 관절에 대칭적으로 발생하는 것이 일반적이다. 마찰을 견디게 해주는 윤활막에 염증이 발생하면 관절 연골이 손상되면서 뼈의 미란bony erosion이 발생하고, 결국에는 관절이 파괴된다.

관절통 외의 증상들도 흔하게 나타난다. 이런 관절 외 증상들은 환자마다 다양하게 나타나는데 식욕 저하, 체중 감소, 전신 통증 등의 전신 증상과 류마티스 결절rheumatic nodule과 같은 국소적 이상, 심혈관계 이상(혈관염, 심장막염), 호흡기계 이상(흉수, 폐섬유화), 중추신경계 이상(척수 압박, 말초신경염) 등이 나타날 수 있다. RA는 재발과 관해가 반복되며 질병이 진행하면서 점차 관절이 파괴되고 결국 관절 운동이 제한되어 손가락이 휘는 등의 관절 변형과 기능 장애가 나타나게 되는 경과를 취하게 된다.

RA의 치료는 진통과 염증의 감소, 관절 보호 및 기능의 유지, 전신증상의 감소를 목표로 한다. 이를 위해 다양한 종류의 약물이 사용된다.

① 비스테로이드 항염증제Non-steroid anti-inflammatory drugs, NSAIDs는 국소적인 염증을 가라앉히기 위해 사용하는데 질병 자체의 경과를 변화시키지는 못한다.

② 다양한 약물들이 RA의 염증을 감소시키기 위해 사용된다. 메토트렉세이트(MTX), 항말라리아 약물, 미노사이클린minocycline, 설파살라진sulfasalazine 등이 처방될 수 있으나, 예전에 사용하던 금gold이나 페니실아민penicillamine은 더 사용되지 않는다.

③ 코르티코스테로이드corticosteroid는 경구투약이나 국소 주사를 통해 염증을 감소시키는 효과가 있다.

④ 질병의 경과 자체를 호전시키기 위해서는 anti-TNF-alpha therapy(etanercept, infliximab, adlimumab), IL-1 receptor antagonist(anakinra) 등을 사용할 수 있다.

⑤ 면역억제제(azathioprine, leflunomide, cyclosporin, cyclophosphamide)도 RA의 염증을 경감시키기는 하나 독성이 있기 때문에 다른 치료에 반응을 보이지 않는 불응성 환자에게만 사용할 수 있다.

1) 류마티스 환자의 신경정신질환

(1) 역학

신경정신의학적 문제는 RA 환자에서 흔하게 발생한다. 표준화된 진단도구를 이용한 연구에 의하면 RA 환자의 1/5 가량이 정신질환을 동반하고 있다고 한다. 다른 연구에서는 RA로 외래 치료 또는 입원한 환자의 21%가 정신질환을 갖고 있으며 12.5%가 우울장애를, 나머지는 불안증을 가지고 있는 것으로 보고되었다. 또한 19%의 RA 환자에서는 비록 진단기준을 만족시키진 않더라도 다양한 정신증상을 보인다.

(2) 원인론

RA환자에서 신경정신증상이 나타나는 원인은 네 가지로 나누어 분류할 수 있다(표 27-1).

표 27-1. 전신홍반성 낭창과 다른 류마티스 질환에서 신경정신계 증상을 보일 수 있는 있는 원인

중추신경계 감염
전신 감염
신부전(예, 루푸스 신염이나 신장동맥을 침범한 혈관염)
체액, 전해질 장애
고혈압성 뇌병증
저산소혈증
발열
중추신경계 종양(예, 면역억제로 인한 뇌림프종)
약물 부작용
동반된 신체 질환
질병에 대한 반응으로 나타나는 정신증상
동반된 정신질환

Adopted from Levenson JL. chap.25 Rheumatology. In: Textbook of psychosomatic medicine 2004, American Psychiatric Publishing. p545

1) 중추신경계를 직접 침범하는 경우

2) 질병 자체와 그 치료에 의한 이차적인 영향

3) 만성 질환에 대한 환자들의 감정 반응

4) 질병과 동반하는 일차성 정신 질환

2) RA에서 중추신경계 침범 양상

RA는 다양한 장기에 걸쳐 증상이 나타나지만 신경학적 합병증은 흔하지 않다. 그 중에서 활막의 증식synovial proliferation과 혈관염에 의한 말초신경염이 가장 흔하다. 직접적으로 중추신경계를 침범하는 것은 드물게 나타난다. 횡단척수염transverse myelitis에 의해 1, 2번 경추의 부분 탈골subluxation이 발생할 수 있는데 이것은 RA에서 가장 널리 알려진 중추신경계 합병증이다.

RA에 의한 혈관염은 대뇌 혈관을 침범하여 대뇌 허혈 혹은 경색을 일으킬 수 있으며, 이는 급성 및 만성 뇌 증후군과 관련이 있다. 코르티코스테로이드 치료는 혈관염과 부종을 경감시켜 증상을 호전시킬 수는 있지만, 경색으로 인한 장애는 되돌릴 수 없다. RA로 인하여 발생할 수 있는 혈소판 증가증thrombocytosis이나 주요 동맥의 육아종granuloma으로 인해 일과성 허혈 발작transient ischemic accident, TIA이나 색전증이 발생할 수는 있지만 흔하지는 않다.

3) RA 질환으로 인한 정신 질환

RA 환자의 정신 질환 대부분은 질환 자체에 대한 감정 반응으로 인한 것이다. 환자는 내과 질환의 만성 증상뿐 아니라 RA로 인한 장애와 개인적인 상실로 인해 생활 스트레스를 경험한다. RA 환자의 89%는 직장, 수입, 낮 휴식시간의 필요성, 여가활동, 이동수단, 가사, 사회적 의존 등의 사회경제적 기능 중 최소 한 가지 이상의 영향을 받고 있다고 하며 58%는 최소 세 가지 이상 영향을 받고 있다고 한다. 다른 스트레스로는 의욕 상실, 사회 역할 상실, 경제적 어려움, 대인관계 장애, 외모에 대한 걱정 등이 있다. RA의 스트레스를 이기기 위한 사회적인 지지는 사람들을 만나기 위해 스스로 움직이는 것이 어렵다는 점 때문에 효과가 작다. 또한, RA 환자들은 RA와 관련 없는 동반 질환이나

스트레스를 다루는 능력도 부족하다.

4) 정신증상과 임상 양상

많은 연구에서 우울장애와 RA의 내과적 증상의 연관성에 대해 보고하고 있다. 자가보고를 사용한 단면적 연구에 의하면 통증 및 기능 장애의 정도가 우울 증상의 심각도와 연관성이 있다. 자가보고형 우울척도 중 벡 우울척도Beck Depression Inventory의 경우에는 측정 항목에 다양한 신체 증상(수면장애, 피로, 식욕부진 등)이 포함되어 있으므로 혼동이 있을 수도 있지만 이들 신체 증상 항목을 배제하더라도 우울 증상과 RA의 신체 증상 사이의 연관성은 명백하다고 할 수 있다.

몇몇 추적관찰 연구를 통해서 우울 증상의 변화와 RA 증상의 중증도가 연관이 있다는 것이 알려졌다. 우울 증상의 경과는 통증 및 장애 정도와 관련이 있으나 우울장애가 동반된 환자의 17%에서만 이들 두 변수의 연관성이 보고되어 있어 관련 정도가 강하지는 않은 것으로 알려져 있다. 그러나 이들 연구에서는 신체적 증상과 정신의학적 문제와의 연관성을 과소평가했을 가능성이 크다. 신체 상태를 평가하는 방법은 단순히 각 기능의 정도만을 측정하는 것이다. 만약 우울장애의 기능의 상실과 관련 있다면 활동의 상실이 환자에게 주는 의미는 아주 클 것이다. 일반적인 기능의 정도를 평가하기는 쉽지만 그것이 개인에게 얼마나 중요하게 작용하는지를 측정하기는 쉽지 않기 때문이다.

5) 인지적 요소의 역할

RA 환자 자신의 질병에 대한 인지적 체계는 통증 및 장애가 우울장애와 관련이 있다는 것을 얼마나 이해하느냐에 달려있다. 환자가 질병에 대한 걱정이 많고 질병이 심각하다고 믿을 때 우울장애가 더 심하게 발생한다. 우울 증상을 가지는 RA 환자들은 질병에 대해 더 심각하게 받아들이고 치료에 대해서도 더 절망적으로 생각한다. 또한 우울한 환자들에겐 RA에 관련된 인지적 왜곡이 더욱 흔하다. 이런 상관관계는 RA 환자에게서 질병이나 통증이 조절되고 난 이후에도 남아있는 현상이다.

환자들이 자신의 질병에 대해 어떻게 생각하고 이해하는지는 그들의 질병 대처법에 영향을 미친다. 여기에는 인지적 요소와 감정적 요소가 모두 존재하며 건강이나 질병에 대해 얼마나 이해하고 있느냐에 따라 달라진다. 정신건강의학과 자문의가 필요한 이유가 여기에 있다.

환자의 건강에 대한 인지 변화는 질병에 대한 대처 전략을 위협하여 결국 표현의 변화나 대처 전략의 수정을 가져올 수 있다. 우울장애는 질병에 대한 일반적인 대처능력을 손상시킬 뿐만 아니라, 특히 통증의 악화와 관련이 있다고 알려져 있다. 그러므로 우울장애와 같은 정신질환은 신체적 질환을 더욱 악화시키고 질병에 대한 대처능력을 저하시킨다. 하지만 우울장애에서 인지적 조절, 질병에 대한 대처능력, 인지적 왜곡 등으로 설명할 수 있는 부분은 아주 작은 부분이며 증상 변화의 대부분은 잘 설명이 되지 않는다는 점을 알아야 한다.

6) 기타 정신사회적 요인

RA 환자에서 정신질환을 일으키는 정신사회적 요인은 아주 다양하다.

(1) 신경증적 경향Neuroticism

어떤 사람들은 건강 스트레스를 포함한 스트레스나 생활 경험에 부정적으로 반응한다. 신경증적 경향을 가진 사람들은 통증 등 신체적 감각에 더 예민하고 미미한 신체 감각도 위험한 것으로 해석하며 감정적인 괴로움을 더 크게 경험하며 미숙하게 대처하는 경향이 있다. 신경증적 경향이 있는 RA 환자들은 상대적으로 더 자주 관절통과 기분장애를 보고한다.

(2) 사회적 지지social support

사회적 지지는 건강 및 삶의 질과 관련이 있는 것으로 알려져 있다. 사회적 지지와 이를 받아들이는 정도에 따라 질병에 대한 대처 전략과 질병 관리 능력, 스트레스 정도가 달라진다. 하지만 모든 사회적 관계가 도움이 되는 것은 아니며 지인에 의한 비난이나 기분 나쁜 언행은 심리적 스트레스를 증가시킨다. RA 환자들의 경우 사회적 네트워크가 부족하고 사회적 지지가 부실한 것으로 알려져 있으며 이러한 현상은 타인과의 접촉이 적어질수록 더욱 나빠지기 때문에 질병에 의한 기능장애가 심해질수록 더욱 악화된다.

(3) 사회적 스트레스

사회적 스트레스가 우울장애를 유발하는 중요한 이유는 이것에 의해 우울장애 삽화가 더 심해지고, 이로 인해 사회적, 직업적 어려움이 더욱 뚜렷해지기 때문이다. RA 환자들은 그들의 만성 질환 자체만으로도 사회적 관계의 어려움을 느낀다. 하지만 질환 자체와 무관한 사회적 스트레스들도 RA 환자의 우울장애 발병에 기여하는 것으로 알려졌다. 실제로 통원치료를 받는 RA 환자들의 경우 RA와 관련 없는 일반적 스트레스들이 질병과 관련한 스트레스보다 우울장애에 더 관여하는 것으로 알려졌다. 그러므로 RA와 관련된 스트레스와 일반적 사회 스트레스가 동반된다면 우울장애의 발병 가능성은 더욱 높아질 것이다. 또한, 관절염 정도가 심해진다면 RA와 관련된 통증만으로도 충분히 우울장애가 유발될 수 있다.

사회적 스트레스가 RA의 발병을 유발하는 데에 중요한 역할을 한다는 연구도 많이 진행되었다. 그러나 대개의 이전 연구들은 후향적 조사이기 때문에 RA 환자들이 그들의 질병의 발병 시기와 그 시기의 생활 사건을 그럴듯하게 연결하려는 경향과 회상오류의 가능성이 있으므로 결과가 명확하지 않다고 할 수 있다.

7) 정신질환의 영향

우울장애가 통증과 장애에 영향을 미치는 병리기전은 명확하게 밝혀져 있지 않다. 우울장애와 정신적 스트레스가 면역체계의 이상과 관련이 있고 염증을 심하게 만든다는 근거는 많지만, 우울장애가 직접적으로 통증과 장애 정도를 악화시킨다는 증거는 명확하지 않다. 우울장애가 질병의 활성을 증가시키거나 정신의학적 치료가 RA의 활성을 감소시킨다는 등의 연구들은 대부분 통증 부위를 세는 등의 임상 평가에 의존하고 있기 때문이다. 임상적인 평가들은 환자의 통증 보고에 의존하는 것이기 때문에 비관적인 삶의 태도나 질병에 대한 부정적인 태도와 같은 우울증상에 많은 영향을 받는다.

몇몇 연구에서는 정신치료가 RA의 활성도 표지자(ESR, CRP, RF 등)를 감소시킨다고 보고하였다. RA 초기 환자들을 대상으로 시행한 인지행동치료 이중맹검연구 결과에 의하면 일반 치료를 받은 환자들에 비해 인지행동치료를 받은 환자들은 바로 다음 방문에서는 CRP의 호전이 있었으나 이후 6개월까지 지속되지는 않았다. 하지만 인지행동치료가 염증 활성도에 직접적으로 영향을 미친 것인지, 통원치료에 대한 순응도 증가로 인한 행동 관련 요인에 의한 결과인지는 명확하지는 않다.

위에서 언급된 것처럼 불안장애나 우울장애와 같은 정신 질환들은 RA 환자들의 부정적 인지체계와 관련이 있다. 질병에 대한 부정적 인식의 결과로 병원 쇼핑 등과 같은 비정상적인 질병 행동도 증가하게 된다. 우울증상을 가진 RA 환자들은 신체적 증상을 더 호소하고, 의사의 말을 잘 듣지 않으며 투약 순응도도 좋지 않다. RA 환자들의 의료비 지출 증가와도 밀접한 관련이 있다. 우울장애는 이런 알려지지 않은 비용에 대해 기여하는 것으로 생각되는데, 보다 더욱 간접적으로 발생하는 사회적 비용은 훨씬 더 클 것으로 생각된다.

4. 골관절염Osteoarthritis

골관절염Osteoarthritis, OA은 주로 노인에서 가장 흔한 관절 질환이지만 발병 원인이 분명하지 않은 경우가 대부분이다. 이차적으로 발병하는 골관절염의 경우 대사질환의 후유증으로 발생하기도 하지만 외상 후에 생기는 경우가 가장 많다. 골관절염은 나이에 따라 급격하게 증가하는데 45세 이전 여성에서는 2%이지만 45-64세에서는 30%, 65세 이후에는 68%의 유병률을 보인다.

어느 관절을 침범하는지는 나이와 성별에 따라 다양하다. 노인 남성은 고관절의 골관절염이 가장 흔하며 노인 여성에서는 손가락 관절interphalangeal joint과 발가락 관절first metacarpophalageal joint의 골관절염이 가장 흔하다. 단순작업의 반복이나 작업과 관련된 상해와 같이 관절에 가해지는 힘이 과도하게 지속되는 정도와 부위에 따라 발생하는 관절이 정해지는 것으로 알려져 있다. 골관절염이 생기면 움직일 때 통증이 심해지고 한참 움직이지 않으면 뻣뻣해진다. 질병이 많이 진행하면 관절의 운동 범위가 줄어들고 관절 주변 근육이 위축되어 관절 부위의 장애가 일어난다.

골관절염 환자에서 발생하는 정신 질환의 원인 및 유병률, 이로 인한 삶의 질의 영향에 관한 연구들은 거의 없다. 그 이유는 아마도 골관절염이 중추신경계를 침범하는 경우가 거의 없기 때문이며 환자들이 보이는 정신적인 증상들도 골관절염의 통증, 장애, 생활의 어려움 등에 의해 이차적으로 발생하거나 독립적으로 발병하기 때문이다.

정신 질환의 역학연구 결과를 보면 골관절염 환자에서 정신 질환이 더 많은 것은 아니다. 일반인구 전체에서 골관절염의 유병률이 아주 높다는 점을 고려하면 골관절염 환자 대부분은 이 질병으로 인한 통증과 장애를 상대적으로 적게 경험한다는 것을 의미한다고 하겠다. 골관절염 환자들의 경우 문제를 심각하게 경험하는 경우가 많지 않기 때문에 병원을 자주 찾아가지도 않을뿐더러 정신적 후유증도 흔하지 않을 것이다. 종합병원급 의료기관에 방문한 근골격계 질환 환자들에 관한 연구에서 무릎이나 손에 골관절염이 발생한 환자들은 다른 근골격계 질환 환자들보다 우울장애 척도 점수가 다소 낮았다. 이 결과를 있는 그대로 보면 골관절염 환자들이 다른 류마티스 관절염 환자들보다 우울장애가 덜 생긴다고 해석할 수 있겠지만 질병 경과에 따라 환자군을 분류하여 더욱 자세한 평가를 시행할 필요가 있다.

골관절염 환자에서 우울장애가 발생하는 경우는 젊은 나이, 낮은 교육 수준, 심한 통증, 평가방식(자가보고 여부) 등의 다양한 요소들이 관련되어 있다고 알려져 있다. 불안감, 희망 없음 등의 다른 정신적 요인들은 기능 장애와 연관되어 있다고 알려져 있다.

골관절염과 우울장애가 동반된 환자들을 대상으로 한 항우울제와 정신치료의 효용성에 관한 연구는 그리 많지 않다. 일반적으로는 항우울제와 인지행동치료를 같이 하는 것이 효과적이며, 우울장애가 호전되면 질병으로 인한 통증과 장애도 경감된다고 있다고 알려져 있다.

5. 전신 홍반성 낭창(루푸스)

전신 홍반성 낭창Systemic Lupus Erythematosus, SLE은 흔히 "루푸스"라고 불리는데 병적으로 생긴 자가 항체, 면역복합체, T 림프구 등에 의해 전신 면역 조절이 제대로 되지 않으면서 여러 신체 조직이 손상되는 자가 항체 질환이다.

90%의 환자들이 대부분 가임기 여성이다. 인구 10만 명당 2.4명의 유병률을 보이는데, 백인 여성에서는 10만 명당 90명, 흑인 여성 10만 명당 280명의 유병률을 보인다.

SLE는 발병 초기부터 하나 이상의 다양한 장기를 침범한다. 흔한 임상 양상으로는 피부 병변(광과민성, 뺨 발진malar rash, 구강궤양), 전신 증상(피로, 체중감소, 열), 관절통 및 관절염, 심막염, 흉막염 등의 장막염serositis, 신장 질환, 신경정신증상, 혈액학적 질환(빈혈, 백혈병) 등이 나타난다. 대부분 환자의 혈액검사에서 자가 항체가 검출된다.

SLE 환자의 치료는 류마티스 관절염 치료와 유사하여, 비스테로이드 소염제(NSAIDs), 항말라리아제, 코르티코스테로이드, 기타 다른 면역억제제 등을 사용한다. 질병의 병리 기전 자체에 작용하는 치료제로는 아직 없는 실정이다.

동맥이나 정맥 혈전의 병력이 있으면서 항인지질 항체antiphospholipid antibody가 있는 환자들에게는 항응고제를 투여한다. SLE 환자들의 20년 생존율은 50-70%로 보고되고 있는데 새로운 약물들이 개발되고 있다는 점을 고려하면 점차 나아질 것이다.

1) 정신의학적 양상

SLE 환자의 신경학적, 정신증상은 오래전부터 보고됐다. 뇌경색, 발작, 두통, 신경통, 횡단 척수염transverse myelitis, 운동장애뿐만 아니라 인지기능저하, 우울장애, 조증, 불안증, 정신병적장애, 섬망 등 다양하게 나타난다. SLE 환자에서 중추 신경계 침범은 사망의 가장 주된 원인이며, 신부전에 의한 사망이 그 다음이다.

(1) 신경정신증상의 원인

신경정신증상들의 원인으로는 직접적인 중추신경계 침범, 감염, 다른 전신 질환, 투약으로 인한 부작용, 만성경과에 의한 정서적 반응, 동반된 일차적 정신 질환 등이 있다(표 27-2).

표 27-2. 전신홍반성루프스 치료에 사용되는 약에 의한 정신의학적인 부작용

약제	정신의학적인 부작용
NSAIDs(고용량)	우울, 불안, 편집장애, 환각, 적개심, 혼동, 섬망, 집중력 저하
Sulfasalazine	불면, 우울, 환각
Corticosteroids	기분가변성, 이상행복감, 과민성, 불안, 불면, 조증, 우울, 정신증, 섬망, 인지능력장애
Gold	보고된바없음
Penicillamine	보고된바없음
Leflunomide	불안
Azathioprine	섬망
Mycophenolate mofetil	불안, 우울, 진정(드묾)
Cyclophosphamide	섬망(고용량, 드묾)
Methotrexate	섬망(고용량, 드묾)
Cyclosporine	불안, 섬망, 환시
Tacrolimus	불안, 섬망, 불면, 안절부절
Immunoglobulin (IV)	섬망, 불안
LJP-394[a]	보고된 바 없음
Hydroxychloroquine	혼동, 정신증, 조증, 우울, 악몽, 불안, 공격성, 섬망

[a] B-cell tolerogen-anti-anti-double-stranded DNA antibodies
adopted from Levenson JL. chap.25 Rheumatology. In: Textbook of psychosomatic medicine 2004, American Psychiatric Publishing. p549

(2) SLE의 중추신경계 침범

SLE의 중추신경계 손상 기전은 자가 항체에 의한 직접적인 신경 손상이나 미세혈관병증microvasculopathy에 의해 발생한다. 자가 항체는 신경 세포를 사멸시켜 신경 기능의 장애를 유발한다. 자가 항체에 의한 미세혈관병증에서는 다음의 두 가지 과정이 나타난다. 혈관내피세포 손상 혹은 항인지질 항체antiphospholipid antibody에 의한 응고 장애에 의해서 뇌 허혈이나 뇌경색까지 발생하는 것이다. 이 두 가지 병리기전은 서로 상호적으로 작용하면서 질병의 진행을 빠르게 진행시킨다. 즉, 중추신경계 미세혈관의 내피세포 손상이 혈액-뇌 장벽의 투과성을 증가시키고, 자가 항체의 유입을 초래해서 심한 중추신경계 손상을 일으키는 것이다.

SLE의 직접적인 중추신경계 침범 과정에서 자가 면역 항체들이 면역 복합 침착체immume complex deposition보다 중요한 역할을 한다. 항리보솜 P 항체antiribosomal-P antibody는 정신병적장애, 중증 우울장애와 연관성을 보이긴 하지만 확정적이라고 할 수는 없다. 항신경원 항체aniti-neuronal antibody는 정신병적장애, 우울장애, 섬망, 혼수, 인지기능장애 등과 관련이 있다. 항인지질 항체antiphospholipid antibodies; anticardiolipin는 국소병변(뇌경색)과 인지기능장애를 유발한다. 사이토카인cytokines 역시 명확하지는 않지만 SLE의 신경정신증상과 연관되어 있다고 밝혀지고 있다.

정신증상들의 대부분이 코르티코스테로이드 2-3주 사용 후 호전되는 것으로 볼 때, 비가역적인 신경 손상에 의한 것이라기보다는 회복 가능한 병리기전이 있을 것으로 추정된다.

직접적인 중추신경계 침범의 위험 인자로는 피부 혈관염과 동맥경화증 등이 특징인 항인지질 증후군antiphospholipid syndrome 등이 포함된다. 관절 증상이나 빰 발진 등을 보이는 환자들은 신경학적 루푸스 발병에 대한 위험도가 낮으며 ANA 음성을 보이거나 약물 유발성 SLE 의 경우도 신경학적 루푸스가 생길 가능성이 낮다. 중추신경계 침범에 대한 예측인자는 항인지질 항체antiphospholipid antibodies로서 뇌경색, 인지기능장애, 간질 등과 관련 있다고 보고되고 있다(표 27-3).

표 27-3. 정신증상들과 관련있는 항체

NPSLE manifestation	Associated Abs
인지기능장애	Anti-neuronal Abs Anti-NMDA Abs AGA LCA aCL, LA
정신병적장애	Anti-Ro Abs Anti-neuronal Abs BRAA Anti-MAP-2 aCL, LA Anti-P Anti-Ro Anti-Sm Abs
우울장애	Anti-NMDA Abs AGA aCL Anti-P Abs AECA

adopted from Ljudmila S, Gisele ZG, Sanja P, Natasa S. Psychiatric manifestations in systemic lupus erythematosus. Autoimmunity Reviews 2007; 6:421-426

2) 정신의학적 영향

SLE의 치료는 어려운 편이다. 이는 루푸스가 만성 질환인데다 종종 여러 장기를 침범하여 악화시키고 경과를 예측하기도 쉽지 않기 때문이다. SLE는 거의 모든 신체 장기를 침범할 수 있고, 한 장기에 국한되지 않는 전신 증상을 일으킬 수 있기 때문에 진단이 어려운 경우가 많다. 진단이 어렵기 때문에 환자나 치료진 모두 확신을 갖기 어려운 경우가 많으며, 원인을 찾기 힘든 경우에 병의 원인을 정신의학적인 것으로 생각하는 경우도 많다.

SLE는 한 가지 장기에 국한되어 발생하는 천식이나 염증성 대장질환 등과 같은 다른 만성, 재발성 질환과는 구분되어야 한다. SLE 환자는 다양한 증상으로 인해 여러 명의 전문의 진찰을 받는 경우도 많아 여러 임상과에서 각각의 증상에 따른 치료를 받는 경우도 많이 있다.

SLE 치료에 있어서 가장 힘든 측면은 갑작스런 악화와 관해를 보이기에 예후를 예측하기 힘들다는 것인데, 이로 인해 의사뿐만 아니라 환자로 하여금 상실감과 더불어 감당하기 어렵게 만들기도 한다.

SLE 환자의 심리적 반응은 비탄, 우울감, 불안감, 퇴행, 부정, 허약 등이다. 루푸스에 대한 사회적 무관심으로 인해 환자들은 고립감을 느끼기도 한다. SLE 환자들은 사회적으로 위축되어 있으며 특히 그들 스스로 외모 때문에 더욱 위축감을 느낀다.

SLE 환자들은 질병의 악화나 후유증, 사망을 가장 두려워한다. 또한 환자들은 인지기능장애, 뇌경색, 신부전 등의 합병증으로 인해 가족들에게 짐이 되지 않을까 두려워하기도 한다.

(1) SLE와 스트레스

스트레스는 루푸스의 악화 요인이기도 하지만 반대로 루푸스가 스트레스를 유발하기도 한다. 몇몇 연구에서는

SLE 환자에서 스트레스가 면역조절기능 이상을 유발한다고 보고하였다. 스트레스가 SLE 환자들에게서 일시적으로 인터루킨-4 생성세포interleukin-4-producing cell를 증가시키기도 한다. 이 면역반응은 SLE를 악화시키는데 인터루킨-4 생성 세포가 활성화된 B 세포activated B-cells를 증가시켜서 결과적으로 자가 항체 생산을 증가시키기 때문이다.

3) SLE 정신 질환의 분류

SLE의 신경정신증상들의 명칭은 표준화되어 있지 않고 여러 종류의 용어가 혼용되어 사용되고 있다. 염증과 전혀 관계가 없는데도 '루푸스 뇌염'으로 불리는 경우도 있다. 또한, 신경정신 SLEneuropsychiatric lupus에 대해서 표준화된 진단기준이 없다는 점이 명칭을 다양하게 만든 원인이기도 하다.

이런 문제들을 개정하기 위해 미국 류마티스 학회American College of Rheumatology, ACR에서는 신경정신 SLE의 규격화된 용어집과 가이드라인을 만들었다. 이 가이드라인에서는 신경정신 증상을 동반한 경우(신경정신 SLE)를 '중추, 말초, 자율신경계의 신경학적 증후군 그리고 SLE 환자에서 발견되는 다른 기질적 원인이 없는 정신병적 증후군'이라고 명명하였다. 정신질환에는 정신병적장애, 급성 혼동 상태, 인지기능장애, 불안장애, 기분장애 등이 포함된다. 무엇보다도 ACR의 진단기준은 명확하게 신경정신 SLE로 고려될 수 있는 증후군의 스펙트럼을 넓혔다고 할 수 있다.

하지만 이 진단기준은 민감도가 높긴 하지만 특이적이지는 않다. 신경정신 SLE의 모든 가능한 경우를 지칭할 수 있기 때문에 임상적으로 적용하기 어렵다는 문제점이 있다. 정신증상의 원인으로 일차적인 정신질환을 배제해야 SLE를 진단할 수 있는데 이는 일반적인 정신 질환의 배제진단 기준과는 반대되는 것이다. 정신장애 진단기준(DSM-5)에서는 일차적인 정신질환은 내과 질환이나 물질 남용을 원인으로 배제할 수 없으면 진단을 내리지 않는다. 그렇기 때문에 현재의 진단기준으로는 SLE 환자가 우울한 경우 그 원인으로 일차적 우울장애를 배제할 방법이 마땅치 않다.

인지기능장애는 SLE의 가장 흔한 신경 정신병적 질환 중 하나이며 환자의 80%에서 발생한다. 신경 정신학적 검사에서 뚜렷한 신경 정신증상을 경험하지 않은 환자에서도 종종 인지기능장애가 발견된다. 연구에 의하면 항카르디올리핀 항체anticariolipin antibodies를 가진 환자의 인지기능장애 위험도는 3-4배나 높다. 인지기능장애는 림프구 세포독성 항체lympho-cycotoxic antibodies, 뇌척수액 항신경세포 항체CSF antineuronal antibodies, 미세경색과 피질 위축과 같은 병적 소견과 관련 있다고 알려져 있다.

인지기능장애는 대개 가역적이기 때문에 뇌 조직의 부종이나 염증에 의한 것으로 추측하지만 다발성 경색에 의한 이차적인 경우라면 비가역적이며 결국 치매에 이른다.

우울장애는 SLE 환자에서 가장 흔하다. 우울장애 유병률은 매우 다양하며 진단기준과 인구집단, 연구 디자인에 따라 다르다. 구조화된 인터뷰를 이용하는 경우에 SLE 환자에서 우울장애 유병률은 50%에 이른다. 우울장애는 SLE와 독립적으로 발생하기도 하지만 코르티코스테로이드 등과 같은 약물에 의해 발생하거나 만성 질환에 대한 정서적 반응으로 나타날 수도 있고 직접적인 중추신경계 침범으로도 발생할 수 있다.

우울장애가 중추신경계 SLE의 직접적인 증상인지, 스트레스와 만성 질환으로 인해 생기는 것인지는 아직 확실하지 않다. 갑상선기능저하증은 반드시 배제되어야 하는데, 이는 우울장애와 유사한 정신증상을 보일 뿐만 아니라 SLE 환자에서 아주 흔하게 발생하기 때문이다.

불안은 SLE 환자에서 매우 흔한 질병 반응이다. SLE에서 불안 증상이 직접적인 중추신경계 침범으로 인한 것인지, 만성질환에 대한 감정적 반응인지는 논란이 많다.

SLE 환자들에게서 나타나는 조증 삽화의 가장 흔한 원인은 코르티코스테로이드 치료에 의한 것이다. SLE 환자의 정신병적장애 증상은 직접적인 중추신경계 침범에 의해서 나타날 수도 있으며, 항 리보솜 P 항체antiribosomal P antibodies와 관련있다는 연구 보고도 있다. 중추신경계 루푸스로 인한 정신병적장애와 스테로이드 치료(표 27-4).

표 27-4. 스테로이드 치료로 인해 유발된 정신증상들과 중추신경성 루푸스와의 감별

	Active primary CNS lupus	Corticosteroid-induced psychiatric reaction
발병 시기	스테로이드 용량을 줄이거나 저용량 사용 중에 발생	일반적으로 스테로이드 용량을 증량한 후 2주 내에 발생 (90% 정도가 6주 내에 발생)
스테로이드 용량	다양	40 mg/일 이하 용량: 드뭄 60 mg/일 이상 용량: 흔함
정신증상	정신병적장애, 섬망 〉〉 기분 장애, 인지기능장애	조증, 혼재된 상태, 우울장애 (자주 정신증상 동반) 〉〉섬망, 정신병적장애
SLE 증상	자주 동반하며 정신적인 증상과 동시에 발생	자주 동반하나 정신적인 증상에 선행
혈액검사	염증과 관련된 수치 상승	특이 소견 없음
스테로이드 치료에 대한 반응	호전	증상 악화
스테로이드 용량 감량에 대한 반응	악화	호전

adopted from Levenson JL. chap.25 Rheumatology. In: Textbook of psychosomatic medicine 2004, American Psychiatric Publishing. p546

ACR 진단기준에서 '급성 혼동 상태'로 명명된 섬망은 중증의 SLE에서 흔하게 나타나는데 중추신경계 루푸스, 약물, 내과적 상태 등에 의한 결과이다. 인격 변화는 전두엽이나 측두엽에 손상을 받은 SLE 환자들에게서 보고되며 뇌 내부의 SLE 병리로 인해 나타날 수 있다.

4) 신경정신질환의 유병률

SLE에서 신경정신질환의 유병률은 17%에서 91%까지 다양하게 보고되고 있다. 이러한 다양한 유병률의 원인은 몇 가지로 나누어 볼 수 있는데 1) 규격화된 용어의 부재, 2) 시간에 따른 용어의 변화, 3) 진단 방법의 차이, 4) 직접적인 중추신경계 침범과 예측하기 힘든 만성 질환에 대한 정서적 반응의 실제 차이, 5) 연구 집단의 차이, 6) 조사자의 전문분야의 다양성, 7) 경도의 정신증상의 포함 여부, 8) 어떤 증상까지 정신질환으로 포함하는가의 여부 등의 다양한 이유가 있다.

ACR 진단분류 기준에 의해 시행한 유병률 연구에 의하면 80-91%의 환자들이 최소 한 가지 이상의 신경정신질환을 앓는다. 인지기능장애는 가장 흔해서 SLE 환자의 79-80%에서 나타난다. 주요우울장애는 28-39%, 조증 혹은 혼재성 삽화는 3-4%, 불안증은 13-24%, 정신병psychosis은 0-5%에서 나타난다.

5) SLE의 중추신경계 침범 진단하기

SLE 증상의 악화 시기에는 보체(C3, C4, CH50)와 항 DNA 항체의 혈중농도가 증가한다. 혈중 ANA 농도의 경우 전신적 루푸스, CNS 루푸스와는 관계가 없으므로 측정할 필요가 없지만, 국소 증상을 가진 환자에서는 항인지질 항체(루푸스 항응고인자lupus anticoagulant, 항카디오리핀anticardiolipin)를 검사하는 것이 필요하다. 그 이유는 이 결과에 따라 치료와 예후가 결정되기 때문이다. 항인지질 항체를 가진 환자들은 스테로이드나 면역억제제보다 항응고치료anticoagulation therapy를 먼저 받는다. 항리보솜 P 항체는 정신증상과 관련이 있으나 양성 예측 지수가 낮기에 이 결과에만 의존하는 것은 위험하다.

다른 혈중 자가 항체들은 CNS 루푸스 진단을 예측할 수 있는 혈중 인자로 입증되지 않았다.

6) 스테로이드 치료로 유발된 정신증상

코르티코스테로이드는 다양한 정신의학적 증후군을 유발하지만 대부분의 정신증상은 코르티코스테로이드와 관련이 없다. 일반적으로 심한 정신증상은 코르티코스테로이드를 투여하기 전에 나타나며 코르티코스테로이드 치료를 받지 않은 환자에서도 나타난다. SLE 환자에서는 다른 질환에서 투여하는 양과 비슷한 수준의 코르티코스테로이드를 투여하는 경우에도 정신증상이 흔하고 심각하게 나타난다. SLE의 정신증상은 고용량의 코르티코스테로이드를 사용하는 경우 악화되는 경우는 많지 않고 오히려 종종 호전되기도 한다. 반면에 스테로이드를 감량한다고 해서 정신증상이 호전되는 것은 아니며 오히려 악화되는 일도 있다. 마지막으로, 이전에 코르티코스테로이드 치료를 받으면서 정신증상을 보인 SLE 환자에게 스테로이드를 다시 투여한다고 해서 정신병적장애가 반드시 다시 나타나는 것은 아니다. 따라서 스테로이드성 정신병적장애와 중추신경계 루푸스의 악화를 감별하는 것은 상당히 어렵다. 일반적으로 스테로이드 치료를 받은 적이 없는 CNS 루푸스 환자에서 정신증상이 나타날 때에는 경험적으로 스테로이드를 시작해 보거나 증량해 보는 것이 가장 먼저 시도해야 할 방법이다.

7) 임신과 SLE

임신 중에는 SLE가 악화할 가능성이 커지며 특히 임신 2기와 3기, 산욕기에 악화할 가능성이 크다. 항인지질 증후군 환자 일부는 혈전증, 전자간증, 태아 유산 등의 위험 때문에 피임을 권유받기도 한다.

8) 감별진단

(1) 내과 질환

다양한 질환들이 신경정신 SLE의 증상과 유사한 양상을 보인다. 첫 번째로 쇼그렌 증후군이나 결합조직 병connective tissue disease 등과 같이 중등도의 ANA titer(> 1:160) 를 보이는 질환들이다. 두 번째로 다발성 경화증, ANA-양성 류마티스 관절염, 사르코이드증sarcoidosis, C형 간염 등과 같이 낮은 ANA titer(< 1:160)를 보이는 질환들도 있다. 마지막으로 ANA는 음성이지만 CNS 루푸스로 오진될 수 있는 질환들이 있는데, 결절 다발 동맥염polyarteritis nodosa,

현미경적 혈관염microscopic angiitis, 베게너육아종증 Wegener's granulomatosis, 만성 피로 증후군, 섬유근육통fibromyalgia, 측두 동맥염temporal arteritis, 베체트병Behchet's disease 등이 포함된다.

(2) 정신약물로 인해 ANA 양성이 나타나는 경우

chlorpromazine과 같은 phenothiazine 계열의 항정신병제를 투약하는 환자들은 ANA와 항인지질 항체가 양성을 보일 수 있다. carbamazepine, divalproex 등의 항전간제와 리튬 등이 약물 유발성 루푸스를 일으켰다는 보고도 있다. 약물 유발성 루푸스에서는 중추신경계 증상이 흔하지는 않다. 의심되는 약물을 중단하면 대개 수 주 이내에 호전되는 것이 일반적이지만 ANA 검사는 수년간 양성으로 남아있을 수 있다.

(3) 신체화 장애Psychogenic pseudo-lupus

신체화 증상을 호소하는 환자들의 경우 SLE와 유사한 다양한 증상을 호소하고, 특히 젊은 여성들의 경우 ANA 검사에서 양성을 보일 수도 있기 때문에 SLE로 오진될 수 있다.

(4) 인위적 장애Factitious SLE

인위적 SLE는 흔하진 않지만 몇몇 증례가 보고된 적이 있다. 환자들은 소변검사에서 혈액이나 감염 소견이 나오게 하려고 소변 검체에 손가락을 집어넣거나 분변이나 다른 오염물질을 집어넣기도 하며 뺨 발진을 보이기 위해 볼에다가 립스틱을 바르기도 한다. 어떤 환자는 단백뇨를 가장하기 위해 방광에다가 단백질 팩을 집어넣은 경우도 있다. 당연하겠지만 이런 환자들은 자가 항체 질환의 혈액학적 증거를 보이지 않는다.

6. 쇼그렌 증후군Sjogren's syndrome

쇼그렌 증후군은 각종 외분비샘에 림프구 침윤lymphocytic infiltration이 발생하는 것을 특징으로 한다. 단독으로도 나타나지만 그 외 다른 자가 면역 류마티스 질환과 동반하는 경우도 많다. 쇼그렌 증후군이 중추신경계를 침범할 때 중추신경계 SLE와 감별하기는 쉽지 않다. 하지만 두 질환의 치료가 같으므로 임상적으로는 확진하는 것이 아주 중요한 것은 아니다. 쇼그렌 증후군의 가장 흔한 증상은 눈, 입, 상기도, 비뇨 생식기가 마르는 건조 증상이지만 전신적인 양상도 1/3의 환자에게서 나타난다.

일차적 쇼그렌 증후군 환자의 25%에서 중추 신경계 증상이 나타난다. 중추신경계 침범의 경과는 국소적(cerebellar ataxia, vertigo, opthalmoplegia, cranial nerve involvement)으로나, 전신적(encephalopathy, aseptic meningoencephalitis, 치매, 정신병적 양상)으로 모두 나타난다. 국소 병변의 경우 전두엽과 측두엽의 백질을 침범하는 경우가 가장 많다. 인지기능장애가 가장 흔하며, 이것은 일차적 쇼그렌 증후군 환자의 80%이상에서 보고된다. 주관적 인지기능저하를 호소하는 환자의 85%에서 실제로 인지장애가 증명된다. 집중력 장애가 가장 흔하며 단기기억력과 언어 유창성의 문제도 나타난다. 인지기능장애의 25%가 진행성 치매로 진단되기도 한다.

정신증상도 나타나는데, 흔히 정동장애(우울장애, 경조증, 불안증)와 신체화 장애의 양상으로 나타난다.

7. 전신성 경화증Systemic sclerosis, Scleroderma

전신성 경화증systemic sclerosis은 원인 불명의 만성 질환이다. 이 질환은 섬유성 결합조직과 미세 혈관의 손상으로 인해 피부가 두꺼워지는 것이 특징이다. 위장관계, 심장, 폐, 신장 등과 같은 다양한 신체 장기를 침범한다.

정신증상이 흔하며, 절반 정도의 환자가 우울 증상을 보인다. 한 연구에서는 환자의 20%가 중등도 이상의 우울 증상을 나타내었다. 또한, 불안감, 공격성, 신체화, 예민함 등이 많이 나타난다. 외모에 대한 불만이 흔하며, 여러 가지 정신사회적 장애도 많이 발견된다.

전신성 경화증의 진행을 막는다고 알려진 치료법은 없으며 신부전과 폐동맥 고혈압이 발생할 수 있어서 예후가 그리 좋지는 않다. 몇몇 환자들은 허혈로 인한 손가락 통증을 심하게 호소한다.

8. 측두 동맥염Temporal (Giant-cell) arteritis

측두 동맥염temporal arteritis은 원인을 알 수 없는 육아종성 동맥염granulomatous arteritis의 하나로서 60세 이후 많이 발생한다. 대부분 큰 동맥을 침범하지만 임상 양상의 대부분은 경동맥과 그 분지가 침범되어 발생한다. 경막외 동맥extradural artery을 가장 흔하게 침범하기 때문에 두통, 두피 통증, 혈관 염증으로 인한 두피 과민성이 나타난다.

혈관 박동은 없으면서 혈관 부위에 나타나는 심한 통증이 측두 동맥염의 특징이다. 얼굴, 입, 턱의 통증으로도 나타나며 입과 턱의 통증은 식사할 때 악화된다. 치료를 받지 않으면 환자의 25%에서 시력 저하가 나타나며 스테로이드 치료가 늦어지면 실명할 수도 있다. 50%의 환자에서는 관절에는 특별한 이상 없이 사지 근육의 통증이나 경직이 발생하는데 이는 류마티스성 다발근육통polymyalgia rheumatica의 진단과도 일치한다. 체중감소와 피로감 등의 전신 증상도 나타난다.

측두 동맥염의 신경정신증상은 중추신경계에 혈액을 공급하는 동맥이 침범되면서 발생한다. 뇌의 허혈성(일시적 혹은 영구적) 손상이나 뇌출혈로 나타나기도 한다. 정동장애가 나타나기도 하며 시력 손실이 진행된 80%의 환자에서 환시가 보고되기도 한다. 진단되면 가능한 한 빨리 고용량의 스테로이드 치료를 시작하는 것이 중요하다.

9. 다발 근육염Polymyositis

다발 근육염polymyositis은 알 수 없는 원인으로 인해 근육에 염증이 생기는 질환이다. 근위부 근육proximal muscle의 약화가 대칭적으로 나타나는 것이 전형적인 임상 양상이다. 부정맥, 심부전 등의 심장 증상과 위장관 증상(연하곤란, 역류, 변비), 호흡기 증상(무호흡, 호흡부전) 등이 나타날 수도 있다. 혈관염도 발생하는데 중추신경계를 침범하여 신경정신증상이 나타날 수도 있다. SLE 및 측두 동맥염과 마찬가지로 신경정신증상은 혈관 병변의 위치와 심한 정도에 의해 결정된다.

10. 결절 다발 동맥염Polyarteritis nodosa

결절 다발 동맥염polyarteritis nodosa, PAN은 작거나 중간 크기의 혈관을 침범하면서 전신적으로 나타나는 괴사성 동맥염으로 B형 간염과 관련 있는 경우가 많다. 이 질환으로 인해 다양한 장기가 손상당할 수 있지만 중추신경계를 침범하는 경우는 흔하지 않다. 미세 혈관의 뇌경색이 가장 흔한 소견이지만 동맥류나 뇌출혈 등이 보고되기도 한다.

11. 베체트 병Behcet's disease

베체트병은 아시아와 터키 지역에 많은 원인 불명의 염증 질환이다. 가장 흔한 증상으로는 구강과 성기의 궤양, 포도막염, 피부 병변 등이 있으며, 베체트병으로 인해 사망하는 경우도 있다. 10-20%에서는 신경정신증상이 나타난다. 무균성 뇌막염이나 뇌척수막염이 발생하기도 한다. 질병이 진행하면서 성격 변화, 뇌척수막염, 운동증상 등이 나타날 수 있는데, 우울장애와 불안증이 흔하다. 베체트병의 말기에 접어들면 환자의 30% 이상에서 치매 증상을 보인다. 자가 면역 질환, 다발성 경화증, 헤르페스 감염 등을 감별 진단하여야 한다. 코르티코스테로이드 치료는 급성 신경정신증상에는 반응을 보이지만 이미 만성으로 진행된 경우에는 거의 효과가 없다.

12. 베게너 육아종증Wegener's granulomatosis

베게너 육아종증Wegener's granulomatosis은 원인 미상의 희귀 질환으로서 상, 하부 호흡기의 육아종성 혈관염과 사구체신염glomerulonephritis이 동반되는 것을 특징으로 한다. 동맥과 정맥 모두에서 괴사성 혈관염을 일으킨다. 일반적으로 신경정신증상은 흔하지 않다고 알려져 있다.

13. 류마티스 질환에서 나타나는 신경정신증상의 이차적인 원인

1) 감염, 중추신경계 질환 혹은 전신 질환, 약물 부작용

류마티스 질환에서 신경정신증상은 질환 자체로 인해 일어날 수 있지만, 치료 부작용이나 감염 등의 합병증으로 인해 이차적으로 발생할 수도 있다. 많은 류마티스 질환 환자들은 중추신경계 및 전신적 감염의 가능성이 크며, 중추신경계가 직접 침범받는 경우도 많다. 이런 감염에는 크립토코쿠스cryptococcus, 결핵균tuberculosis, 수막알균meningococcus, 리스테리아 뇌수막염listeria meningitis, 헤르페스 뇌염herpes encephalitis, 신경매독neurosyphilis, 중추신경계 노카르디아증CNS nocardiosis, 톡소포자충증toxoplasmosis, 뇌농양brain abscess, 진행성 다발성 백색질 뇌증progressive multifocal leukoencephalopathy 등이 포함된다. 그 밖에 요독증uremia이나 고혈압성 뇌병증, 대뇌 림프종, 약물 부작용, 동반된 내과적 혹은 정신 질환, 질병에 대한 정신의학적 반응 등에 의해 신경정신증상이 나타날 수도 있다.

2) 스테로이드 유발성 정신증상

스테로이드는 조증, 우울장애, 정신병적장애, 불안증, 불면, 섬망 등 다양한 정신의학적 부작용을 초래한다. 스테로이드에 대한 이전 약물 반응만으로 스테로이드 투여에 대한 반응을 예측하기는 쉽지 않다.

정신의학적 부작용으로는 불면, 과도한 흥분, 감정 불안정성, 경도의 기분 고양감, 과민성, 불안, 초조감, 사고 비약 등이 포함된다. 조증 증상이 스테로이드 투여 시 가장 흔하게 나타나는 정신증상이다. 환자들은 스테로이드 치료 도중 조증과 우울장애 모두를 경험하는데, 이때의 기분 장애는 흔히 정신증상을 동반한다.

스테로이드에 의한 정신증상은 종종 양극성 장애와 비슷하게 보인다. 인지기능장애도 보고되는데, 이는 스테로이드로 유발된 대뇌피질의 위축과 해마 신경원의 감소와 관련이 있는 것으로 알려져 있다.

스테로이드로 유발되는 정신증상은 용량이 증가함에 따라 심하게 나타난다. 대개 정신증상은 스테로이드 치료를 시작하거나 증량한지 2주 이내에 발생하고 90%에서 첫 6주 이내에 발생한다. 스테로이드 치료로 유발되는 정신증상의 적절한 치료는 가능하면 스테로이드를 줄이면서 중단하는 것이 가장 좋은데, 90% 이상에서 치료 반응을 보인다. 하지만 스테로이드의 갑작스러운 감량이나 중단으로 인해 류마티스 질환의 악화, 부신피질 저하증, 스테로이드 금단 증후군 등이 나타날 수 있으므로 주의해야 한다. 스테로이드 금단 시에는 두통, 열, 근육통, 관절통, 무력감, 식욕부진, 구역감, 체중감소, 기립성 저혈압, 우울장애, 불안, 초조, 정신병적장애 등의 증상이 나타날 수 있다. 이때 스테로이드의 용량을 증량하거나 원래의 용량을 투여하면 다시 회복된다. 항정신병 약물이나 항우울제, 기분 조절제 등이 도움 되는 경우도 많다. hydroxychloroquine과 같은 류마티스 질환 치료제들도 정신병적 양상을 보이는 경우가 있으므로 주의하여야 한다.

참고문헌

1. Brown GK, Nicassio PM, Wallston KA: Pain coping strategies and depression in rheumatoid arthritis. J Clin Psychol 1989;57:652-7.
2. Cohen W, Roberts WN, Levenson JL: Psychiatric aspects of SLE, in Systemic Lupus Erythematosis. Edited by Lahita R. San Diego, CA, Elsevier, 2004,pp 785-825.
3. Griffin KW, Friend R, Kaell AT, et al: Distress and disease status among patients with rheumatoid arthritis: roles of coping styles and perceived responses from support providers. Ann Behav Med 2001;23:133-8.
4. Ljudmila S, Gisele ZG, Sanja P, Natasa S; Psychiatric manifestations in systemic lupus erythematosus. Autoimmunity Reviews 6(2007)421-6.

28

CHAPTER

만성피로 및 섬유근육통 증후군

홍정완, 이정구

이번 장에서는 만성피로증후군chronic fatigue syndrome (CFS) 및 섬유근육통증후군fibromyalgia syndrome (FMS)에 관하여 알아보고자 한다.

통증과 피로감은 특정한 질환을 가지지 않은 사람에게서도 흔히 나타나는 증상이다. 더구나 만성피로증후군과 섬유근육통증후군 모두 통증과 피로감을 주증상으로 한다. 간단히 말하자면 만성피로증후군은 통증을 동반한 피로감을 주증상으로 하고 섬유근육통증후군은 피로감이 있는 통증을 주증상으로 한다. 증상이 비슷할 뿐만 아니라 서로의 진단기준 또한 중복되는 점들이 있다. 만성피로증후군과 섬유근육통증후군이 완전히 서로 다른 질환인지, 같은 질환의 서로 다른 표현형인지는 아직은 명확하지 않다.

1. 만성피로증후군

1) 유병률

만성피로증후군은 전 세계적으로 나타나며 성인 인구에서 유병률은 0.2-0.4% 정도로 보고되고 있다. 미국 연구에 의하면 환자의 75% 이상이 여자였고 평균연령은 29-35세였다. 또한 낮은 교육을 받았거나 직업이 불규칙한 경우에도 흔히 발생하였다. 영국에서는 인구의 약 2.6%에서 발생하였고 정신질환을 동반한 사람을 제외하면 약 0.5%에서 발생하였다. 우리나라에서 시행된 연구에서는 약 0.6%로 다른 나라와 비슷하거나 약간 높은 유병률을 보였다.

2) 정의

만성피로증후군은 과거에는 근육통 뇌척수염myalgic encephalomyelitis 또는 만성피로/면역 기능부전증후군chronic fatigue and immune dysfunction syndrome으로 불리기도 하였다. 만성피로증후군은 '지속적이고, 설명이 되지 않는 피로감으로 인해 일상생활에 심각한 장애를 받는 상태'로 정의한다. 1980년대부터 의학계에서 본격적인 연구가 시작되었으나, 초기에는 만성피로증후군의 정의가 정립되지 않은 상태에서 이루어졌기 때문에 연구의 제한이 많았다. 1994년에 이르러서야 미국 질병통제예방센터Centers for Disease Control and Prevention (CDC)에서 제시한 개정 진단기준을 통해 만성피로증후군의 정의에 대한 합의를 도출할 수 있었다. 그러나 실제 임상에서는 만성피로증후군의 진단이 특징적인 임상 검사결과의 이상이나 신체검사의 이상 징후에 의한 것이 아니라 임상증상과 장애, 다른 질환을 제외함으로써 진단이 내려지기 때문에 진단에 어려움이 남아 있다.

3) 임상양상 및 진단기준

환자들은 특징적으로 지속되는 피로를 호소하며 통증, 인지장애, 근육통, 기억장애, 집중장애, 소화기증상, 두통, 관절통을 호소한다. 어지러움, 울렁거림, 식욕부진, 식은땀 등의 증상을 호소하기도 한다. 중증의 환자들은 감염질환을 앓고 난 후 갑자기 심한 피로감을 호소하는 경우가 많다. 또한 이런 증상으로 인해 환자의 직업적, 사회적 기능상의 장애가 발생한다. 만성피로증후군과 흔히 동반되는 질환이 우울장애와 같은 정신질환이다. 그러나 만성피로증후군의 정의 자체에 우울장애 등의 정신의학적 진단을 받은 경우를 배제 기준으로 정하고 있다. 따라서 만성피로증후군을 진단할 때는 정신의학적인 평가가 필수적이다.

미국 질병통제 예방센터의 진단 기준은 표 28-1과 같다. 최근에는 미국 국립의학아카데미National Academy of Medicine에서 새로운 진단 기준과 전신운동불내성병systemic exercise intolerance disease, SEID라는 새로운 진단명을 제시하기는 하였으나 아직 널리 사용되지는 못하고 있다.

표 28-1. 만성피로증후군의 미국 질병통제 예방센터 진단기준

진단기준
6개월 이상 지속되는 임상적으로 평가되거나 설명되지 않는 피로
새로운 피로(과거부터 지속되지 않음)
현재의 힘든 일 때문에 생긴 피로가 아님
휴식으로 증상이 호전되지 않음
활동 수준의 실질적인 감소
아래의 증상 중 4가지 이상
기억력 또는 집중력 장애
인후통
림프선 압통
근육통
다발성 관절통
두통
잠을 자도 상쾌한 느낌이 없음
운동 또는 힘든 일을 한 이후에 나타나는 심한 권태감
배제 기준
피로를 설명할 수 있는 신체 질환
주요우울장애 또는 양극성 장애
정신병적 장애
치매
물질남용
고도 비만

2. 섬유근육통증후군

1) 유병률

임상현장에서 섬유근육통증후군은 2% 미만의 환자에게 진단 내려지고 9:1의 비율로 여자 환자에게 흔하게 나타난다. 전 세계적인 연구에 의하면 유병률은 2-5%로 알려져 있으며 연구방법에 따라 다르긴 하지만 남녀 비율은 2-3:1로 여자에게 많은 것으로 알려져 있다.

2) 정의

섬유근육통증후군은 오랜 기간 몸 전체에 걸쳐 나타나는 만성적인 통증chronic widespread pain과 강직stiffness, 다발 압통점을 특징으로 하는 질환이다. 또한 통증뿐만 아니라 피로감, 수면장애, 인지기능장애, 우울장애와 같은 다양한 증상을 동반한다.

1904년 Gowers는 근육과 주위 결합조직fibrous tissue의 염증에 의한 근육류머티즘muscular rheumatism의 한 형태로 섬유근육통증후군을 생각하였고 이에 섬유염fibrositis란 용어를 처음으로 사용하였다. 하지만 그 후 여러 연구에서 염증변화는 없는 것으로 확인되었다. 1947년 Boland는 불안 및 우울장애와 연관된 심인성 질환으로 보았고 심인성류

머티즘psychogenic rheumatism이란 용어를 사용하였다. 그러나 후속 연구들은 불안 및 우울장애를 섬유근육통증후군의 원인보다는 하나의 결과로 보는 의견이 많았다. 확진을 위한 도구가 없고 임상증상의 특징이 분명하지 않아 진단에 어려움이 있다가 1990년 미국 류마티스학회American college of rheumatology, ACR 진단기준이 만들어진 이후 역학 연구와 다양한 기전연구들이 이루어졌지만 아직까지도 질환에 대한 이해는 부족한 상태이다.

3) 임상양상 및 진단기준

통증이 가장 흔한 중심 증상이며 사지뿐만 아니라 허리의 상, 하부에서 모두 나타난다. 약 2/3의 환자가 "온몸이 아프다"고 호소하는데 통증이 가장 잘 나타나는 곳은 등의 하부, 승모근을 포함한 어깨부위, 팔, 손, 무릎, 엉덩이, 대퇴부, 다리 그리고 발이다. 강직을 동반하기도 하며 강직은 추위, 습한 날씨, 불안이나 긴장, 과다한 활동, 그리고 수면장애로 종종 악화된다. 대부분의 환자들은 통증과 강직이 아침이나 저녁에 심하다고 하지만 약 30%에서는 일정치 않다.

피로도 섬유근육통증후군에서 흔히 나타나는 증상이며 중등도 이상의 피로가 약 85%의 환자에서 나타난다. 전형적인 섬유근육통증후군 환자는 항상 피곤하다고 표현한다. 피로는 육체적인 활동으로 악화되어 일상생활을 지속할 수 없게 하기도 한다. 수면장애도 흔하여 약 65%의 환자에서 나타나는데 수면장애가 통증을 악화시킬 뿐만 아니라 통증의 병태생리에도 관여하는 것으로 생각된다.

섬유근육통증후군은 다른 병을 제외함으로써 진단하는 질환이 아니라 그 특유의 특징으로 바로 진단할 수 있는 질환이다. 1990년 미국 류마티스학회에서 처음으로 섬유근육통 증후군의 진단기준을 제정하여 발표하였다. 환자는 척추부위와 몸의 4분위(허리 상부, 허리 하부, 좌반신, 우반신)를 모두 침범하는 3개월 이상의 만성 통증이 있어야 하며 정해진 18개의 압통점 중 11개 이상 부위에서 압통이 있어야 한다.

이 진단기준은 단지 통증에만 초점이 맞춰져 있어 피로감, 수면장애, 인지기능장애 등 다른 증상에 대해서는 고려하지 않고 있으며 대부분의 의사가 압통점을 검사하는 방법에 익숙하지 않다는 비판이 있어 2010년에 표 2와 같이 압통점 검사를 제외하고 피로감, 인지기능장애 등 다른 신체 증상을 포함한 새로운 진단기준을 제안했다.

표 28-2. 섬유근육통증후군의 미국 류마티스학회 진단기준(2010)

진단 기준 - 아래의 3항목을 모두 만족해야 함.
1) 광범위 통증지표Widespread pain index (WPI) ≥ 7점이고 증상심각도측정점수symptom severity (SS) scale score ≥ 5점 또는 WPI 3-6점이고 SS scale score ≥ 9점
2) 증상이 3개월 이상 비슷한 수준으로 지속
3) 통증을 설명할 수 있는 다른 질환이 없어야 함

3. 만성피로 및 섬유근육통증후군의 병태생리

만성피로증후군과 섬유근육통증후군의 병인은 정확히 알려져 있지 않으며 다양한 가설들이 제안되고 있다. 일부는 입증이 되기도 하였으나 모든 것을 설명하기에는 아직 부족한 점이 많다. 다만 만성피로증후군과 섬유근육통증후군은 여러 가지 요인이 복합적으로 작용하는 다인자성 증후군으로 생각되고 있으며, 각각의 질환 관련 요인들을 선행인자predisposing factor, 유발인자precipitating factor, 유지/악화인자perpetuating factor로 표 28-3에 분류하였다.

표 28-3. 만성피로증후군과 섬유근육통증후군의 관련요인

	선행인자	유발인자	유지/악화인자
생물학적 요인	유전	감염 또는 신체손상	쇠약deconditioning 수면장애 신경내분비계 변화 면역반응 변화
심리적 요인	성격과 활동성 외상의 과거력	스트레스	우울장애 부적응적인 질병믿음 활동의 회피
사회적 요인	낮은 사회경제적 상태	생활사건	질환에 대한 부적절한 정보 직업적, 경제적 요인

1) 선행인자

(1) 생물학적 요인: 유전

만성피로증후군의 쌍둥이 연구에서 일란성 쌍둥이의 55%, 이란성 쌍둥이의 20%의 일치율이 확인되었고 섬유근육통증후군에서도 비슷한 유전적 소인이 있음을 밝힌 연구가 있다. 그러나 아직 관련 유전자가 밝혀지지는 않은 상태이다.

(2) 정신사회적 요인

강박적 또는 완벽주의 성격이 만성피로증후군의 위험요인이라는 연구가 있으며 발병 이전의 활동량이 질병에 영향을 미칠 수도 있다는 보고도 있다. 또한 아동기 학대, 방임을 받은 기왕력, 낮은 사회 경제적 지위, 낮은 교육 수준 등이 만성피로증후군과 섬유근육통증후군의 위험인자로 알려져 있다.

2) 유발인자

(1) 생물학적 요인

감염질환이 만성피로 및 섬유근육통 증후군의 유발인자로 작용한다는 보고가 있다. 특히 만성피로증후군 환자의 75%가 감기, 인플루엔자, 감염성 단핵구증 같은 감염질환이 이후에 발병한 것으로 보고되기도 한다. 심각한 상처, 수술, 임신, 노동과 같은 신체적 스트레스에 의해서도 유발되는 것으로 알려져 있다. 확실한 기전은 아직은 불확실하나 스트레스 반응, 면역반응, 활동량의 갑작스런 감소 등으로 설명하고 있다.

(2) 정신사회적 요인

신체적 스트레스와 마찬가지로 정신적 스트레스 이후에 발병하였다는 보고도 많다. 한 연구에 의하면 만성피로

증후군 환자의 1/3 정도가 발병 이전에 삶의 딜레마를 겪었다고 보고하였다.

3) 유지/악화인자

유지/악화인자는 질환이 발생한 뒤 회복을 방해라고 질환의 유지/반복을 유도하는 요인이다. 임상적으로는 치료과정의 방해물이자 치료 목표가 되어야 하는 요인이라 할 수 있다.

(1) 생물학적 요인

질환의 회복을 방해하는 생물학적 요인으로는 만성적인 감염, 면역기능의 이상, 수면장애, 내분비 기능의 변화, 뇌의 기질적 변화 등이 있다. 이러한 생물학적 요인보다 더욱 중요한 역할을 하는 것은 정신사회적 요인이라 할 수 있다.

(2) 정신사회적 요인

증상이 악화됨에 따라 환자가 피하고 싶은 상황을 회피할 수 있다는 인식을 가지게 되면 질환이 악화되는 경향이 있다. 질환의 신체적인 원인이 있다고 굳게 믿고 신체적인 증상에 환자가 집착을 하거나 환자가 자신의 증상에 잘 대처할 수 없을 것 같이 느끼게 되면 통증 및 피로 등의 신체증상과 저하된 기능을 더욱 악화시킨다. 만성피로 및 섬유근육통 증후군 환자의 활동이 저하되는 또 다른 원인은 피로 또는 통증 자체의 문제라기보다는 인지기능저하에 있다. 외로움이나 사회적 지지의 부족, 질병행동을 용인하고 악화시키는 주위환경 등도 환자의 경과를 악화시킬 수 있다. 또한 치료자가 불필요한 의학적 진단방법을 환자에게 권유하거나 단순히 정신의학적인 문제로 생각하게 되면 환자와 의사소통에 문제가 생기게 되고 이는 질환의 악화인자로 작용한다.

4. 만성피로 및 섬유근육통증후군의 진단과정

만성피로 및 섬유근육통 증후군의 정의나 병태생리에 대한 연구는 많지만 실제적인 치료의 가이드라인에 대한 관심은 상대적으로 부족하다. 환자들이 자신의 증상을 다양하게 표현하는 경향이 있고 의사에게 원하는 것도 무척 다양하여 진단기준이 마련되었음에도 불구하고 임상 현장에서 의사들은 이 질환을 다루는 데 어려움을 느낀다. 따라서 환자에게 잘 접근하고 처치하기 위해서는 일관된 진료지침이 필요할 것이다.

첫째, 상세하고 정확한 면담을 투명하게 하는 것이 필수적이다. 세심한 면담을 통해 환자의 숨겨진 이득을 파악해야 한다. 일부 환자는 보험에 관계된 문제나 법적인 문제를 숨기기도 한다. 면담 초기에 이런 문제를 찾아내서 투명하고 명백한 의사소통의 장을 여는 것이 중요하다. 한 연구결과에 의하면 만성피로증후군 환자의 70% 이상이 의료서비스에 만족하지 못하고 좀 더 나은 의사소통의 필요성을 느끼고 있으며 자신의 질환에 대한 진단과 치료에 있어 의사들에 대한 전문적인 교육이 필요하다고 생각하고 있다.

둘째, 자세한 병력 이외에도 세심한 이학적 검사, 심리상태분석, 최소한의 혈액검사가 필요하다. 혈액검사는 만성피로 및 섬유근육통 증후군의 진단을 위한 것은 아니나 다른 신체질환의 유무를 감별하는 것이 중요한 목표이다.

5. 만성피로 및 섬유근육통 증후군의 감별진단 및 동반질환

1) 감별진단

만성피로증후군과 섬유근육통증후군의 감별진단에서 가장 중요한 것은 두 질환 사이의 감별이다. 두 질환 모두 만성피로와 통증을 호소하지만 만성피로증후군은 피로가 주된 증상인 반면 섬유근육통증후군은 통증이 주된 증상이라고 할 수 있다. 가장 중요한 구별점은 섬유근육통의 경우 충분한 수면을 취함에도 불구하고 피로가 회복되지 않는다는 것이고 만성피로증후군은 충분한 수면을 취하기가 쉽지 않다는 것이다.

그 외 두 질환과 감별해야 하는 신체질환들은 표 28-4에 정리하였다. 비교적 흔한 질환으로는 갑상선항진증, 갑상선저하증 등의 갑상선질환이 있으며 약물에 의해 유발된 피로, 통증도 감별이 필요하다. 또한 수면무호흡증, 척추관협착, 빈혈 등의 상태와도 감별해야 할 필요가 있으며 해당 질환에 특징적인 검사소견으로 감별할 수 있다.

표 28-4. 만성피로 및 섬유근육통증후군과 감별해야하는 신체질환

빈도	진단	감별대상 증후군	
		만성피로증후군	섬유근육통증후군
흔함	갑상선 질환	○	○
	약물	○	○
	수면무호흡	○	○
	척추관협착		○
	빈혈	○	
보통	염증성 질환	○	○
	류마티스성 다발성 근통		○
	암	○	
	폐 질환	○	
	류마티스성 관절염		○
	염증성 장질환	○	
흔치 않음	전신홍반루푸스		○
	다발근육염, 피부근육염, 근육병증	○	○
	중증근무력증, 다발경화증	○	
	기면증	○	
	부갑상선항진증	○	

2) 정신질환과의 관련성

정신장애진단통계편람-5판Diagnostic and Statistical Manual of Mental Disorders Fifth edition, DSM-5의 신체증상장애는 신체

증상에 대한 의학적인 증거가 없다는 것보다는 신체 증상에 대한 과도한 염려를 더욱 중요한 진단의 기준으로 제시하고 있다. 이러한 기준으로 본다면 만성피로 및 섬유근육통 증후군 환자들도 신체증상장애의 진단이 가능할 수도 있을 것이다. 그러나 이에 관한 연구는 아직 부족하다.

정신의학에서 정의하는 신체증상장애와 내과에서 말하는 만성피로 및 섬유근육통 증후군이 서로 동반되는 별개의 질환인지 아니면 같은 질환을 서로 다르게 보고 있는 상황인지는 아직은 명확하지 않다. 그러나 어떠한 관점을 취하든 환자가 가진 정신질환을 명확히 진단하는 것은 만성피로 및 섬유근육통 증후군 치료에 매우 중요한 의미를 지닌다.

6. 만성피로 및 섬유근육통증후군의 치료

1) 일반적인 원칙

치료의 정의는 증상의 소실, 기능회복, 직장복귀, 다른 일을 시작할 수 있는 상태 등으로 내릴 수 있다. 만성피로 및 섬유근육통 증후군 환자를 치료하는 의사는 환자가 미래에 건강한 사람이 될 수 있다는 희망을 주어야 한다. 그러나 모든 환자에서 치료 효과가 있는 것은 아니며 질병행동을 통해 이익을 얻는 경우 자신에 대한 통제능력이 부족한 경우 및 증상에 집착이 심한 경우는 예후가 좋지 않다.

만성피로 및 섬유근육통 증후군의 효과적인 치료법이나 약물이 없는 상태이어서 치료법은 환자의 증상에 맞춰 개별화하여야 한다. 치료 목표는 증상완화이므로 환자도 의사도 지속적으로 환자의 상태를 모니터하고 치료 전략도 바로 수정하여야 한다. 환자에게는 질환에 대해서 밝혀진 사실, 밝혀지지 않은 사실 모두를 솔직히 설명해야 하며 환자가 호소하는 증상을 들어주고 이해하려는 노력을 해야 한다.

2) 약물치료

(1) 항우울제

만성피로증후군은 정신질환이나 우울장애와는 다름에도 불구하고 만성피로증후군에서 항우울제 약물 치료를 한다. 만성피로증후군 환자에서 항우울제를 사용하는 데에는 3가지 근거가 주장되고 있다. 우선 만성피로증후군 환자의 절반이 우울장애를 경험하기 때문에 항우울제를 사용한다. 그리고 두 번째는 만성피로증후군 환자에서 흔히 나타나는 통증, 수면 장애 증상도 항우울제 사용으로 호전되는 것으로 알려져 있다. 마지막 근거는 항우울제는 세로토닌과 같은 중추신경계의 신경전달물질 대사에 작용함으로써 만성피로증후군의 중요한 특징인 중추신경계의 이상 소견에 직접적인 영향을 미칠 수 있다는 주장이 있으나 이에 대한 근거는 불충분하다.

만성피로증후군 환자에게 삼환계 항우울제tricyclic antidepressant, TCA와 선택세로토닌재흡수억제제selective serotonin reuptake inhibitor, SSRI 등을 이용한 임상연구는 많지 않지만 연구결과는 예상외로 항우울제의 사용이 만성피로증후군 환자의 우울증상은 호전시키나, 질환자체의 전반적 증상호전은 없다고 나오고 있다.

섬유근육통증후군의 경우에는 세로토닌-노르에피네프린재흡수억제제serotonin-norepinephrine reuptake inhibitor, SNRI 계열의 약물로 duloxetine, milnacipran, venlafaxine 등에 대한 다양한 연구결과가 보고되고 있고 일부 약제에서는 그 효과가 입증되면서 치료제로 인정을 받는 과정에 있다. 현재로는 duloxetine (2008년), milnacipran (2009년) 등이 섬유근육통증후군의 치료 약제로 미국 식품의약국Food and Drug Administration, FDA의 승인을 받았다.

(2) 항불안제 및 기타 약물

항불안제를 사용하는 근거는 동반되는 불안증, 공황장애, 수면장애, 우울장애 등의 증상 개선과 급성 스트레스 반응의 해소와 적응장애의 조절 등과 같은 증상 악화요인의 해결에 의미를 둘 수 있다. 그렇지만 만성 통증, 피로 증상을 호소하는 환자가 불안 증상을 보일 때 초기에 벤조디아제핀계 항불안제 약물은 일시적인 증상 호전 효과는 있지만 장기간 사용 후의 의존성과 금단 증상 때문에 만성피로증후군이나 섬유근육통증후군과 같은 만성 질환 환자를 위한 적절한 약제는 아닌 것으로 여겨진다.

그 외에도 통증 조절을 위한 마약성 진통제도 간혹 사용되고 있으나 효과에 대한 증거는 적다. 또한 소수의 환자에게 gabapentin, pregabalin 등의 항전간제가 효과 있다는 보고가 있으나 부작용의 발생이 흔하다고 알려져 있다.

3) 비약물치료

(1) 점진적 운동요법

불필요한 신체적 활동의 제한은 오히려 신체적 기능을 저하시키는 원인이 된다. 만성피로 및 섬유근육통 증후군 환자에서 점진적 운동 요법이 피로감과 신체적 기능을 향상시켰다. 단순 정보제공에 비해 점진적 운동을 장려하는 상담, 전화 상담, 집에서 운동을 장려하는 교육 패키지 등 다양한 방법이 모두 효과적이라고 보고하고 있다. 운동을 권할 때는 최소한의 운동량을 처방하고 서서히 늘려야 한다. 걷기, 자전거 타기, 수영 등을 포함한 점진적인 유산소성 운동이 유연성 운동, 스트레칭, 그리고 이완요법 만을 시행한 경우에 비해서 더 효과적인 것으로 알려져 있다.

환자들에게 주 5일씩 최소 12주간 운동을 하도록 하고 매번 5-15분 정도 운동을 지속하게 한다. 환자의 상태에 따라서 매주 1-2분씩 운동 시간을 늘려, 하루 최대 30분 정도의 운동량이 될 때까지 늘려나간다. 운동 강도는 최대 산소 소비량의 60% 정도로 제한한다. 환자들에게 처방된 한계 이상으로 지나치게 운동을 하지 않도록 주의를 준다. 만약 피로가 더 심하게 유발된다면 피로증상이 줄어들 때까지 그 이전의 단계로 돌아가도록 해야 한다. 가장 중요한 것은 규칙적이고 지나치지 않은 신체 활동을 지속하게 하는 것이다.

(2) 인지행동치료

만성피로 및 섬유근육통 증후군 환자에게 인지행동치료 단독으로 사용되지 않으며 약물치료, 운동요법 등과 같이 제공된다. 인지행동치료의 주된 목적은 활동량의 점진적 증가와 부적응적인 질병행동의 변화에 있다. 주로 성인에게 효과적이라고 알려져 있으나 청소년기에서도 인지행동치료는 피로도를 개선시키고 출석률을 높였다. 인지행동 치료는 질환에 대한 사고, 신념과 행동적 반응(휴식, 수면, 활동 등)을 의도적으로 변화시킨다. 현재 증상을 해결하기 위해 문제에 대한 인식과 일상생활을 하기 위한 기술을 개발하도록 한다. 활동을 증가시키고 휴식 시간을 줄이는 시도는 증상과는 관계없이 체계적으로 이루어지며 점차 정상 수준으로 늘리거나 혹은 현재 증상에 적합한 수준으로 활동량을 맞추게 된다.

7. 만성피로 및 섬유근육통증후군의 예후

만성피로 및 섬유근육통 증후군은 만성적인 경과를 가지고 악화와 호전을 반복하기 때문에 환자의 예후는 매우 다양하다.

두 질환의 전향적 연구결과에 의하면 진단 후 2-3년이 경과한 후 약 반절 정도의 환자가 부분 혹은 완전관해에 이르렀다. 나쁜 예후 인자로는 긴 유병기간, 심한 증상, 고령, 우울장애 동반, 낮은 사회적 지지체계가 있었고 특히 만성피로증후군의 경우 신체적 질환이 있을 것이라는 믿음이 나쁜 예후인자였다.

8. 결론

통증과 피로감은 병원을 찾는 환자가 호소하는 매우 흔한 증상이다. 통증에는 매우 다양한 원인이 존재하고 또 동반되는 증상과 질환이 많은 것으로 알려져 있다. 특히 정서적인 측면에서 동반된 정서 장애는 만성 통증의 발생, 유지, 악화에 여러 가지 영향을 미칠 수 있기 때문에 이런 측면을 이해하는 것이 만성 통증 환자를 효율적으로 관리하는 데 매우 중요한 요소가 될 수 있다.

자문조정의는 이러한 만성 통증과 피로감을 호소하는 환자를 효과적으로 치료하기 위해서는 생물학적, 심리 사회적 요인들을 이해하고 통합하는 능력이 필요할 것이다.

참고문헌

1. Afari N, Buchwald D. Chronic fatigue syndrome: a review. Am J Psychiatry 2003;160:221–36.
2. American Psychiatric Association. Diagnostic and Statistical Manual of Mental Disorders, 5th Edition. Arlington, VA, American Psychiatric Association, 2013.
3. Asbring P, Närvänen AL. Ideal versus reality: physicians perspectives on patients with chronic fatigue syndrome (CFS) and fibromyalgia. Soc Sci Med 2003;57:711-20.
4. Bernardy K, Klose P, Busch AJ, et al. Cognitive behavioural therapies for fibromyalgia. Cochrane Database Syst Rev 2003;9:CD009796.
5. Bidonde J, Busch AJ, Schachter CL, et al. Aerobic exercise training for adults with fibromyalgia. Cochrane Database Syst Rev 2017;6:CD012700.
6. Clark LV, Pesola F, Thomas JM, et al. Guided graded exercise self-help plus specialist medical care versus specialist medical care alone for chronic fatigue syndrome (GETSET): a pragmatic randomised controlled trial. Lancet 2017;390:363-73.
7. Cooper TE, Derry S, Wiffen PJ, et al. Gabapentin for fibromyalgia pain in adults. Cochrane Database Syst Rev 2017;1:CD012188.
8. Derry S, Cording M, Wiffen PJ, et al. Pregabalin for pain in fibromyalgia in adults. Cochrane Database Syst Rev 2016;9:CD011790.
9. Dimsdale JE, Creed F, Escobar J, et al. Somatic symptom disorder: an important change in DSM. J Psychosom Res 2013;75:223-8.

10. Harvey SB, Wadsworth M, Wessely S, et al. Etiology of chronic fatigue syndrome: testing popular hypotheses using a national birth cohort study. Psychosom Med 2008;70:488–95.
11. Häuser W, Bialas P, Welsch K, et al. Construct validity and clinical utility of current research criteria of DSM-5 somatic symptom disorder diagnosis in patients with fibromyalgia syndrome. J Psychosom Res 2015;78:546–52.
12. Hughes AM, Chalder T, Hirsch CR, et al. An attention and interpretation bias for illness specific information in chronic fatigue syndrome. Psychol Med 2017;47:853–65.
13. Institute of Medicine: Beyond Myalgic Encephalomyelitis/Chronic Fatigue Syndrome: Redefining an Illness. Washington, DC, The National Academies Press, 2015.
14. Larun L, Brurberg KG, Odgaard-Jensen J, Price JR. Exercise therapy for chronic fatigue syndrome. Cochrane Database Syst Rev 2017;4:CD003200.
15. Price JR, Mitchell E, Tidy E, Hunot V. Cognitive behaviour therapy for chronic fatigue syndrome in adults. Cochrane Database Syst Rev 2008;3:CD001027.
16. Prins JB, van der Meer JW, Bleijenberg G. Chronic fatigue syndrome. Lancet 2006;367:346–55.
17. Torres-Harding SR, Jason LA, Cane V, et al. Physicians' diagnoses of psychiatric disorders for people with chronic fatigue syndrome. Int J Psychiatry Med 2002;32:109–24.
18. Wolfe F, Clauw DJ, Fitzcharles MA, et al. The American College of Rheumatology preliminary diagnostic criteria for fibromyalgia and measurement of symptom severity. Arthritis Care Res (Hoboken) 2010;62:600-10.
19. Yunus MB. A comprehensive medical evaluation of patients with fibromyalgia syndrome. Rheum Dis Clin North Am 2002;28:201-17.

29 CHAPTER

피부질환

조소혜, 구본훈

1. 서론

피부는 가장 넓은 신체 기관으로 개인과 환경 사이에서 상호작용을 한다. 피부와 부속기관은 구심성 감각 신경과 원심성 자율 신경이 분포되어 감각을 느끼고 반응을 일으키며 사회적, 심리적 기능을 수행한다. 자율신경의 활성과 면역기능의 저하는 면역 매개 피부질환, 교감신경성 증상을 악화시킨다. 또한, 피부는 수면에 중요한 체온조절의 중심적 역할을 하므로 피부 질환에 의해 수면장애가 발생할 수 있다. 다양한 피부 질환이 정신 질환의 발생에 기여하기도 한다. 통증, 가려움증, 변색 등의 피부 상태가 외모의 변화를 일으키고 이는 신체상body image의 변화 및 기능의 손상을 초래할 수 있다. 외모의 변형disfigurement을 일으키는 만성적 피부 질환을 가진 환자의 정신 질환의 유병률은 30-40%이며 그 중 여드름과 원형탈모증이 가장 높은 정신질환 유병률을 보인다.

피부는 발생학적으로 신경 외배엽에서 분화하여 신경계와 공동의 기원을 가지며 피부는 정신mind, 뇌와 밀접하게 연결되어 상호 작용을 한다. 뇌는 중추신경계와 국소 신경내분비 시스템을 통해 피부에 영향을 준다. 피부는 주요 스트레스 매개체의 원천이자 표적으로 이러한 물질에는 부신피질자극호르몬방출호르몬, 프로오피오멜라노코르틴 유도성 펩티드pro-opiomelanocortin-derived peptides, 코티솔, 카테콜라민, 물질 Psubstance P 등이 있다. 급성 스트레스에 대한 반응으로 피부의 시상하부-뇌하수체-부신 축이 활성화되고 이는 피부 내로 면역 세포의 이동을 증가시켜 피부의 면역 기능을 강화한다. 만성적 스트레스는 피부의 면역을 억제하고 백신에 대한 면역반응을 감소시키며 상처의 회복을 늦춘다. 급성 심리적 스트레스로 인해 증가한 글루코코르티코이드는 피부 장벽 기능의 회복에 부정적인 영향을 미치고 건선이나 아토피피부염과 같은 피부질환을 악화시킨다.

2. 분류

정신피부질환psychocutaneous disorder은 심리적인 요인에 의해 영향을 받거나 병적인 사고, 지각, 행동에 의해 발생하는 피부 질환을 의미한다. 전 세계적으로 통용된 분류 체계는 없으나 J.Koo와 C.S.Lee에 의해 고안된 정신피부질환의 분류 체계가 가장 널리 사용된다(표 29-1). 정신생리학적 질환psychophysiological disorders은 일차적인 피부병리가 있으며 스트레스와 같은 심리적 인자에 영향을 받는 경우이다. 원발성 정신질환primary psychiatric disorders은 기질적 원인이 아닌 정신의학적 원인에 기인한 피부 병변을 보이는 질환이다. 속발성 정신질환secondary psychiatric disorders은 성형 후의 손상, 사회적 낙인, 가려움증 등을 일으키는 피부질환이 삶의 질에 미치는 영향을 주어 이차적인 심리 반응의 결과로 나타나는 질환이다. 피부감각질환cutaneous sensory disorders은 불쾌한 피부 감각이 있으나 질환을 진단받을 수준이 아닌 증상들로 정신신체적 요인에 강력한 영향을 받는 경우이다. 그 외의 분류에 항정신성 약물에 의한 피부반응이 있다. 각각은 별도의 범주로 나누어져 있으나 상호 배타적이지 않고 한 사례에서 여러가지 범주를 동시에 충족할 수 있다.

표 29-1. 정신피부질환의 분류

정신생리학적 질환	기타 의학적 상태에 영향을 주는 심리적 요인 : 건선, 화농성 한선염hidradentis supppurativa, 아토피 피부염, 두드러기, 혈관부종, 편평태선 lichen planus, 원형탈모증, 백반증vitiligo, 여드름, 주사rosacea, 다한증, 홍조
원발성 정신질환	1. 신체형 망상장애: 기생충 감염 망상, 후각관계증후군 2. 강박 및 관련 장애: 신체이형장애, 발모광, 피부뜯기장애 3. 명시되지 않는 강박 및 관련 장애: 손톱씹기 4. 인위성장애: 인공피부염, 심인성 자반증
속발성 정신질환	다른 의학적 상태로 인한 불안장애, 범불안장애, 주요우울장애, 적응장애
피부 감각 질환	1. 명시되지 않는 신체증상 및 관련 장애: 만성 특발성 가려움증, 특발성 항문 가려움증, 특발성 외음부 가려움증 2. 신체증상장애, 통증이 우세한 경우: 특발성 혀통증, 감각부전, 외음부 통증, 혀따가움
항정신성 약물에 의한 피부반응	1. 약물로 인한 흔한 피부 부작용 소양증, 발진형 발진, 혈관성 부종을 동반/동반하지 않는 두드러기, 고정약진, 광과민반응, 약물유발성 색소침착증, 탈모/다모증 2. 심각하고 생명을 위협하는 약물 유도성 피부 부작용은 다형홍반, 스티븐스-존스 증후군, 독성 표피괴사 용해, 약물과민증후군, 호산구증가증과 전신증후군을 동반한 약물 발진, 박탈피부염, 혈관염

3. 정신피부질환의 정신의학적 관리를 위한 지침

치료의 목표는 환자의 전반적 기능을 향상시키고 심리적 고통을 감소시키는 것이다. 치료에서 중요한 것은 공감적 접근과 긍정적이고 강한 치료적 관계를 유지하는 것이다. 환자의 삶의 질, 피부질환의 발병과 악화에 영향을 미칠 수 있는 정신 상태와 정신사회적 요인을 구체적이고 명확하게 평가해야 한다. 정신사회적 요인은 피부 질환과 관련한 스트레스, 주요 생활 스트레스 사건, 외상적 사건, 가족의 역동, 사회지지체계 등을 포함한다. 수면-각성 장애와 일주기 리듬 수면-각성 장애는 가려움증과 건선과 아토피성 피부염과 같은 면역 매개 피부 질환을 악화시키며, 불면증은 피부와 신체상의 인지에 부정적인 영향을 줄 수 있다. 피부질환을 가진 환자의 공존 정신질환에는 표준적 정신의학적 치료가 권고된다. 항정신성 약물은 원발성 정신 질환, 일차적 피부질환과 공존하는 정신 질환을 관리하고 항히스타민 효과와 같은 특정한 약물학적 기대효과를 위해 사용된다. 일차 피부 질환의 치료로 미국 식품의약품국Food and Drug Administration의 승인을 받은 경구용 항정신성 약물은 없으며 5% topical doxepin cream만이 성인의 아토피 피부염과 같은 중등도 가려움증의 단기간 치료로 승인을 받았다. 외모의 변형을 일으킬 수 있는 건선, 여드름, 아토피 피부염과 같은 특정 피부 질환은 자살 행동과 관련이 있으므로 피부질환을 가진 환자에서 자살 위험성을 평가하는 것이 필요하다. 자살 위험성의 평가 요인에는 심각한 정신의학적 공존질환, 피부 증상으로 나타나는 정신 병리, 주요 정신심리적 스트레스 요인, 질환의 만성화 및 심각성에 따른 높은 질병 부담, 안면의 흉터, 자살행동과 연관성을 가진 피부과적 약물의 사용 등이 있다.

4. 정신생리학적 질환Psychophysiological disorders

1) 아토피 피부염Atopic dermatitis

만성적이고 재발하는 피부염으로 습진과 강렬한 가려움증을 동반하는 질환이다. 모든 연령에서 발생이 가능하나 90%에서 5세 이전에 발병하고 미국 학령기 어린이에서 10-20%의 유병률을 보인다. 아토피 피부염의 가려움증은 저녁에 악화되어 수면의 질을 떨어뜨릴 수 있다. 과도한 긁음은 표피 박리를 일으켜 증상을 악화시키고 만성단순태선lichen simplex chronicus과 결절성양진prurigo nodularis을 일으킬 수 있다.

(1) 스트레스와 정신사회적 요인

스트레스와 관련된 신경 내분비 또는 자율신경의 악화는 면역학적 반응을 변화시키고, 알레르기성 염증 반응의 취약성을 높여 아토피 피부염을 악화시킨다. 아토피 피부염 환자의 70% 이상에서 증상의 발병에 선행하는 스트레스 생활사건이 있는 것으로 나타났다. 이러한 스트레스 반응에 의한 땀샘의 반응은 피부 상태를 악화시킬 수 있다. 아토피 피부염 환자는 건강한 대조군에 비하여 히스타민 유도 소양증histamine-induced itch이나 긁음 반응에 항진된 교감신경 반응을 보인다. 아토피 피부염은 스트레스에 대한 낮은 코티솔 반응을 보이며 낮은 시상하부-뇌하수체-부신축 반응성을 보인다. 이는 알레르기 염증성 반응의 심각도와 관련이 있다.

아토피 피부염과 정신질환은 상호작용을 한다. 아토피 피부염에 대한 메타분석 연구에서 아토피 피부염을 가진 소아청소년은 정상 대조군에 비해 정신질환을 가질 위험성이 더 높은 것으로 나타났다. 중증의 가려움, 재발성하고 만성적인 염증, 알레르기성 공존질환 등의 아토피 피부염의 특성과 증상이 직접적으로 심리적 안녕감을 떨어뜨리고 사회적 기능의 저하가 간접적으로 정신질환의 유발 가능성을 높였다. 아토피 피부염 환자는 우울과 불안이 발생할 위험성이 높으며 이는 아토피 피부염의 증상을 악화시켜 악순환을 반복할 수 있다. 이로 인한 교육 및 직업적 기능의 손상은 자살의 위험성을 높인다.

아토피 피부염에서 가려움증의 심각성은 우울장애의 심각도와 직접적인 연관이 있다. 미국의 표본집단 연구에서 경증-중등도 수준의 아토피 피부염 성인 환자의 2.1%에서 자살사고가 있는 것으로 나타났다. 한국 청소년을 대상으로 한 인구 기반 연구에서 아토피 피부염은 6.8%의 유병률을 보였으며, 자살사고 16.3%, 자살계획 5.8%, 자살시도 4.2%의 자살 관련 행동을 보이는 것으로 나타났다. 이러한 자살 관련 행동은 우울장애의 변수를 통제하여도 유의하게 높은 것으로 나타났다. 아토피 피부염은 가려움증과 수면의 질 저하로 소아와 성인 모두에서 삶의 질에 큰 영향을 미치며 가족관계 및 가족의 삶의 질에 부정적인 영향을 미칠 수 있다. 아토피 피부염을 가진 소아청소년 환자가 또래집단에서 괴롭힘을 당하거나 소외되는 경우 심리적으로 큰 후유증을 남길 수 있으므로 임상의사와 부모는 환아의 정서적, 발달적 요인에 대한 관심을 기울여야 한다.

(2) 치료

아토피 피부염의 약물치료는 가려움-긁음 순환고리를 끊고 수면의 질을 높이는 것을 목표로 한다. 국소 doxepin 크림은 가려움증에 효과적이며 성인에서 단기 치료제로 미국 식품의약품국의 승인을 받았다. 저용량의 경구 doxepin은 항히스타민과 진정효과로 성인에게 효과적이며 취침 전 10mg의 용량으로 시작하여 사용할 수 있다. 선택적 세로토닌재흡수억제제selective serotonin reuptake inhibitor, SSRIs는 아토피 피부염을 포함한 만성 소양증에 효과를 보인다. Doxepin, trimipramine, amitriptyline과 같은 항히스타민 및 진정 효과가 강한 항우울제가 효과적일 수 있으며 그 외 bupropion, mirtazapine의 효과성에 대한 연구가 보고되었다. Gabapentin은 아토피 피부염과 동반하는 만성 단순태선과 결절성 양진의 소양증에 효과를 보일 수 있다.

가려움-긁음 순환고리를 끊기 위해 다양한 정신치료적 접근이 이뤄진다. 성인 아토피 피부염 환자에서 이완훈련relaxation training, 표준치료와 병행한 습관-반전 훈련habit reversal training이 효과가 있었다. 무작위 대조군 연구에서 국소적 피부 치료의 효과를 높이는 보조요법으로 이완훈련, 습관-반전치료, 인지행동치료, 스트레스 관리 훈련 등과 같은 심리적, 교육적 중재의 효과를 보였으나 근거는 제한적인 실정이다. 무작위 대조군 연구에서 아토피 피부염 환아의 부모에 대한 직접적인 중재가 피부 질환의 심각도를 감소시키는 결과를 보였다.

2) 건선Psoriasis

만성적이고 재발하는 염증성 질환으로 은백색의 인설scaling로 덮여 있으며 홍반, 건조함, 비늘과 같은 국한성 판plaque을 특징으로 하는 질환이다. 건선의 전 세계 유병률은 2%이며 약 75%가 40대 이전에 발병한다. 어린 시기의 발병, 건선의 가족력은 병변의 심각성이 높고 치료의 반응도 낮다. 발진은 보통 대칭적이고 다양한 크기로 두피, 손톱이나 발톱, 팔다리 신전부위, 손, 발, 천골, 생식기 부위에 호발한다. 건선의 위험 인자는 흡연, 비만, 알코올 등이 있으며 공존질환은 심혈관질환, 이상지질혈증, 염증성 장질환, 간질환, 만성 신부전, 감염, 종양, 골다공증, 통풍 등이 있다. 건선에서 폐쇄성 수면 무호흡증(건선 36%-81.8% vs. 일반인구 2-4%)과 하지불안증후군(건선 15.1%-18% vs. 일반인구 5-10%)의 빈도가 높다. 이는 건선의 공존 질환이나 증가된 교감신경 활성도에 의한 것으로 볼 수 있다. 건선은 만성적이며 눈에 띄는 특성으로 삶의 질에 영향을 주며 부정적 신체상과 사회 및 직업적 기능의 손상에서 비롯된 정신증상이 흔하게 나타날 수 있다.

(1) 스트레스와 정신사회적 요인

오래 전부터 스트레스는 건선을 촉발하는 것으로 알려져 있다. 환자의 일상 스트레스가 높을 경우 건선의 증상 심각도가 높아지고 가려움증을 더 많이 경험하는 것으로 나타난다. 병변의 가시성, 생식기 부위의 병변, 인설, 중증의 가려움증 등의 특징은 환자의 삶의 질에 큰 영향을 미친다. 스트레스에 의한 신경단백질의 불균형은 스트레스 유발성 자율신경 반응stress-induced autonomic response을 높이고 시상하부-뇌하수체-부신 활동성을 낮추어 건선의 발병에 영향을 준다. 건선의 스트레스에 대한 낮은 시상하부-뇌하수체-부신 축과 코티솔 반응성, 증가된 교감신경 반응성은 여러 연구에서 보고되었다. 코티솔 반응성의 저하는 염증성 사이토카인의 상향조절과 관련이 있다.

건선과 정신사회 및 정신의학적 공존 이환에 대한 연구는 방대하다. 건선 환자에서 우울장애의 유병률에 대한 체계적 고찰과 메타분석에서 건선 환자의 10% 이상이 임상적 우울장애를 가지는 것으로 나타났다. 피부과 환자에 대한 13개 유럽국가의 다기관 횡단적 연구에서, 건선 환자는 대조군에 비하여 높은 우울장애[13.8%; adjusted odds ratio (AOR) = 3.02], 불안(22.7%; AOR = 2.91), 자살사고(17.3%; AOR = 1.94)를 보였다. 건선은 다른 피부 질환보다 높은 자살사고를 보인다. 주요우울장애는 건선 환자에서 건선성 관절염의 위험성을 높이는 것으로 나타났다(hazard ratio = 1.37;95%, CI = 1.05-1.80). 건선 환자의 우울장애는 염증성 사이토카인을 증가시키고, 이는 건선의 심각도와 정신사회적 요인 모두에 영향을 미친다. 또한 우울증상은 가려움증에 대한 지각의 역치를 낮추어 가려움증을 악화시키고 수면의 개시와 유지에 어려움을 초래할 수 있다.

(2) 치료

대사증후군과 같은 건선의 공존 질환을 고려하여 항정신성 약물을 선택한다. 동반된 우울 증상의 치료는 가려움증과 불면증을 감소시키는 효과를 가진다. 소규모 공개 임상시험open-label trial에서 bupropion은 약물을 중단한 이후에도 건선 증상의 호전을 보였으며 우울장애가 동반된 건선에서 paroxetine은 건선 증상의 개선 효과를 보였다. 종양괴사인자-α 억제제TNF-α antagonist를 복용하는 중등도-중증의 건선 환자에서 escitalopram 10 mg/day와 정신치료를 함께 적용할 경우 가려움증의 감소와 우울, 불안의 증상의 개선 효과를 보였다. 스웨덴 인구 기반 코호트 연구에서 판상형 건선 환자의 SSRIs 사용은 전신적 건선 치료로의 전환 위험성을 유의하게 낮추었다(OR = 0.33;95%, CI = 0.28-0.68%).

스트레스로 인해 건선의 증상이 악화되거나 정신의학적 공존 질환이 있는 경우 심리학적 중재로 도움을 받을 수 있다. 높은 수준의 걱정과 같은 심리적 괴로움이 있는 경우 psoralen + 자외선 A 광화학요법[Psoralen plus ultraviolet A (PUVA) photochemotherapy]을 이용한 치료의 증상 개선 효과가 낮은 것으로 나타났다. 집단치료(group therapy), 심리교육(psychoeducation), 마음챙김에 기반한 스트레스 감소법(mindfulness meditation-based stress reduction), 인지행동치료(cognitive-behavior therapy), 이완훈련, 심상훈련(imagery training), 최면(hypnosis), 안구운동 민감소실 및 재처리 요법(eye movement desensitization and reprocessing) 등 다양한 중재의 효과성이 보고되고 있다. CBT와 바이오피드백은 20명의 건선 환자에서 협대역 자외선B 광선치료[narrow-band ultraviolet B (UVB) phototherapy]의 치료 효과를 높이는 것으로 나타났다. 건선의 치료에 대한 메타분석에서 인지행동치료와 같은 심리적 중재가 중등도 수준의 효과를 가지는 것으로 나타났다.

3) 두드러기와 혈관부종Urticaria and Angioedema

두드러기는 혈장 유출에 의한 점막과 피부의 일시적 부종으로 특징지어진다. 두드러기는 전세계적으로 1-5%의 유병률로 모든 연령에 나타날 수 있다. 팽진wheal은 표피성 종창swelling으로 가려움증이 특징이다. 혈관부종angioedema은 진피나 피하 또는 점막 하 조직의 심부 종창으로 자주 통증을 동반하고, 인후에 발생하는 경우 아나필락시스의 특징을 보일 수 있다. 두드러기는 수일 또는 수 주간 지속되다가 완전히 소실되는 '급성 두드러기'와 6주에서 그 이상의 기간 동안 지속되거나 재발하는 '만성 두드러기'로 나뉜다. 만성 특발성 두드러기chronic idiopathic urticaria는 약 70%에서 병인이 명확하지 않으며 환자의 약 50%에서 심리적 요인이 중요하게 작용하는 것으로 나타났다. 만성 특발성 두드러기는 일반적인 피부치료에 잘 반응하지 않고, 약 20%에서 10년 이상 증상이 지속되며 삶의 질을 떨어뜨린다. 아드레날린성 두드러기(adrenergic urticaria)는 감정적 스트레스에 유도되는 드문 타입으로, 혈관이 수축된 피부로 둘러싸인 구진papules과 같은 양상을 보인다. 아드레날린성 두드러기는 epinephrine 주사에 의해 발생되고 propranolol로 해소된다. 콜린성 두드러기cholinergic urticaria는 격렬한 신체 활동, 높은 주위 온도, 강렬한 감정 등에 의해 발생할 수 있다. 이러한 환자에게 콜린성 약물을 사용할 경우 아나필락시스 반응을 포함한 호흡기, 심장순환기 등에 영향을 줄 수 있음을 인지하여야 한다.

(1) 스트레스 및 정신사회적 요인

심한 정서적 스트레스는 일차적 원인과 독립적으로 두드러기 증상을 악화시킨다. 환자의 30-81%에서 선행하는 스트레스 생활 사건이 있으며 콜린성 두드러기 환자의 77%에서 정서적 반응에 의해 증상이 악화되는 것으로 나타났다. 이러한 스트레스와 두드러기의 관련성은 스트레스에 대한 취약성을 조절하는 것에 중요한 역할을 하는 dehydroepiandrosterone sulfate (DHEAS)이 가능성 있는 매개체로 여겨진다. 만성 두드러기 환자의 일부에서 질병의 활성기 동안 낮은 혈장 DHEAS 수준을 보이는데 혈장 DHEAS 수준은 불안과 우울의 심각도가 높을수록 더욱 낮다. 45명의 만성 두드러기 환자와 동일 연령 대조군의 횡단적 연구에서 만성 두드러기는 대조군에 비해 높은 혈중 염증 표지자(Creactive protein, interleukin-8), 높은 수준의 생활 스트레스 사건, 낮은 기본 코티솔 수준을 보였다.

만성 두드러기 환자에서 우울장애, 불안장애, 강박장애, 수면장애 등 정신질환의 공존이 흔하다. 만성 특발성 두드러기 소아 환자는 건강한 대조군에 비해 더 높은 정신 질환의 유병률(70% vs. 30%)을 보이며 특히 사회불안장애, 분리불안장애, 특정공포증이 많다. 체계적 고찰에서 만성 특발성 두드러기 원인의 약 50%가 정신사회적 요인으로 나타났다. 만성 두드러기의 가려움증은 삶의 질을 크게 떨어뜨리고 공존 우울장애의 심각도와 직접적인 상관성을 가진다. 만성 두드러기 환자의 62%에서 가려움증으로 인한 수면의 질 저하가 있으며 불면증은 만성 두드러기의 최초 발병과 관련된 가장 중요한 증상이며 스트레스와 관련성을 가지기도 한다.

(2) 치료

두드러기의 일차 치료제는 진정작용이 낮은 2세대 항히스타민제인 loratadine, fexofenadine, cetirizine 등이다. 1세대 항히스타민제는 수면을 방해할 수 있는 가려움증에 효과적이다. 저용량의 doxepin은 만성 두드러기의 가려움 증상에 효과적이며 특히 수면을 방해하는 경우 도움이 된다. Doxepin은 두드러기 반응 자체를 감소시킬 수 있다. 피부 혈관은 H_1과 H_2 수용체를 모두 가지고 있기 때문에 H_1 단독 항히스타민제보다 H_1/H_2 항히스타민성 약물이 효과적이다. Doxepin, trimipramine, amitriptyline은 potent H_1/H_2 receptor antagonist으로 유용하다. 소규모 연구와 사례 연구에서 만성 두드러기에 SSRIs, bupropion, mirtazapine, gabapentin이 효과가 있는 것으로 나타났다. 사례 연구에서 olanzapine은 두드러기를 감소시켰으며 이는 약물의 항히스타민 작용에 의한 것으로 생각된다.

최면 치료를 받은 환자는 히스타민 단자검사histamine prick test의 반응이 유의하게 감소하는 것으로 나타났다. 만성 특발성 두드러기 환자를 대상으로 한 최면의 소규모 전후 비교연구에서, 최면과 함께 이완요법을 사용한 경우 팽진의 개수는 변하지 않으나 가려움증의 심각도가 낮아지는 결과를 보였다. 이 외에 개인 및 집단 정신치료와 스트레스 관리가 부가적인 치료로 유용할 수 있다.

4) 여드름Acne vulgaris

여드름은 면포whitehead, blackhead, 구진, 농포pustule, 결절nodules, 낭포cysts, 흉터scars를 특징으로 하는 모낭피지선 단위pilosebaceous unit의 다인성 장애이다. 여드름은 12-25세 인구에서 85%가 경험하는 흔한 피부 질환으로, 남성의 3%, 여성의 12%에서 성인기까지 지속된다. 찰상 여드름acne excoriee은 환자가 면포와 구진을 긁는 경우 딱딱한 미란crusted erosion이 형성하는 것으로 외모의 변형과 함께 정신 질환이 자주 동반된다. 환자가 스스로 여드름을 뜯고 찰과상을 입히는 행동을 보이는 경우 피부뜯기장애를 진단할 수 있다. 여드름은 생명을 위협하는 질환은 아니지만 신체상의 변화와 낙인화 등으로 우울, 불안, 사회공포증, 자살사고 및 자살시도, 사회적 기능의 손상 등 심리적으로 큰 영향을 미칠 수 있다.

(1) 스트레스 및 정신사회적 요인

여드름 환자의 60%는 정신사회적 스트레스로 증상이 악화되는 것으로 나타났다. 스트레스에 대한 반응으로 혈중 카테콜라민이 증가하면 피지선에 영향을 주어 여드름을 악화시킨다. 또한 스트레스는 피부의 장벽 기능에 영향을 주고 병변의 회복을 늦추며 감염의 취약성을 높인다. 일부 환자는 여드름에 의한 미용적 변형을 큰 스트레스로 느낀다. 25세 이상의 여성 환자를 대상으로 다기관 연구에서 여드름의 증상 악화 요인 중 하나로 높은 수준의 심리적 고통이 제시되었다.

여드름은 청소년 시기에 가장 높은 발생을 보이며 이 시기에 여드름과 관련한 주요우울장애, 섭식장애, 신체이형장애 등의 정신 질환이 발생할 수 있다. 여드름으로 인한 신체상의 변화, 대인관계의 어려움, 사회적 고립은 직업 및 사회적인 기능의 장애를 초래할 수 있다. 여드름이 외모에 미치는 영향으로 인한 놀림과 괴롭힘은 일부 청소년에서 불안, 낮은 자존감, 수치심, 분노, 행동화와 같은 문제를 일으킬 수 있다. 여드름 환자의 8.8%에서 우울장애의 진단기준을 충족하는 증상을 가지는 것으로 나타났다. 뉴질랜드의 12-18세 9,567명의 단면적 조사에서 '문제성 여드름problem acne'을 보고한 경우 높은 우울, 불안, 자살시도의 빈도를 보이는 것으로 나타났다. 이러한 여드름과 자살시도의 연관성은 우울 증상과 불안을 통제하여도 유지되었다. 피부과에 내원한 성인 여드름 환자에서 자살사고의 유병률은 5-7%이다. 자살사고를 보고한 환자에서 자살행동을 포함한 공존 정신질환의 심각도는 여드름의 임상적 심각도와 상관성을 보이지 않았다. 여드름은 섭식장애와 자주 공존되기도 한다. 폭식은 여드름의 급성 표출flare-ups을 일으키고, 금식은 피지샘의 활동성을 자극하는 안드로겐의 수준을 낮추어 여드름 증상이 개선된다. 여드름은 신체이형장애 환자에서 나타나는 주요한 증상이 되기도 한다. 16-35세의 여드름 환자에 대한 연구에서 임상적으로 '여드름이 없거나 '여드름이 없거나 최소minimal~nonexistent acne' 환자의 36.7%, '경한 여드름mild acne' 환자의 32.9%에서 신체이형장애의 진단 기준을 만족하는 것으로 나타났다. 또한 Isotretinoin 치료를 필요로 하는 환자는 그렇지 않은 환자보다 신체이형장애의 유병률이 2배 더 높은 것으로 나타났다.

(2) Isotretinoin과 정신의학적 부작용

Isotretinoin13-cis-retionic acid은 중증의 여드름을 치료하는 것에 사용되며 우울장애, 정신증, 자살, 공격적 행동과 관련이 있다. 미국 FDA는 1998년 이러한 관련성을 처음 보고한 뒤 isotretinoin 약제에 정신질환의 발생 가능성에 대한 경고 문구를 표시하도록 권고하였다. 그러나 Isotretinoin과 정신의학적 부작용의 관련성에 대한 연구는 결과가 상충되는 것이 많고, RCT 연구로부터 충분히 증거가 뒷받침되지 않아 합의점이 아직 불분명하다. Isotretinoin 사용자에서 우울장애의 발생률은 항생제를 사용하는 대조군과 비슷하였으며(1-11%), 다양한 연구에서 Isotretinoin으로 여드름을 치료하는 것이 환자의 우울장애와 삶의 질을 유의하게 개선시키는 것으로 보고하였다. 또한, Isotretinoin 치료 전후의 우울장애를 평가하였을 때 항생제로 치료한 대조군에 비해 통계적으로 유의한 우울 증상의 악화는 나타나지 않았다. 미국은 isotretinoin 처방 시 환자와 가족에게 정신질환의 과거력을 확인하고, 치료기간 중 매 방문마다 우울장애, 기분장애, 정신증, 공격성 등의 증상을 평가하도록 권고하고 있다. Isotretinoin과 사망 원인의 관련성에 대한 스웨덴의 후향적 코호트 연구에서 자살시도의 위험성은 isotretinoin 치료 전 이미 상승되어 있었으며 isotretinoin 치료가 끝난 후 6개월 뒤 자살시도의 증가가 더욱 분명해졌다. 해당 연구에서는 치료 종료 후 1년간 자살행동에 대한 집중적인 모니터링을 권고하였다.

(3) 치료

스트레스를 관리하기 위해 바이오피드백, 인지행동치료, 명상, 점진적 이완법과 같은 치료법을 적용할 수 있다. 일부 환자는 감정을 조절하기 위한 방법으로 피부를 뜯거나 여드름을 긁기도 하는데, 이러한 경우 기저의 정신병리를 치료할 필요가 있다. 여드름과 섭식장애는 자주 공존하므로 환자의 신체상과 섭식행동이 여드름에 미치는 영향을 평가하는 것이 중요하다.

약물치료는 환자의 근본적 정신병리에 맞추어 항정신성 약물을 사용할 수 있다. Carbamazepine, lithium, trazodone, haloperidol, aripiprazole은 여드름 모양 발진이나 농포성 발진을 유발할 수 있으므로 주의하여야 한다. 여러 사례 보고에서 여드름에 대한 paroxetine, olanzapine과 같은 다양한 항정신성 약물의 이점이 입증되었으나 아직 잘 통제된 연구의 증거는 부족하다.

5) 원형탈모증Alopecia areata

원형탈모증은 성장기 모낭의 만성적, 면역 매개성 염증질환으로 비반흔성 탈모반non-scarring patch을 보이는 질환이다. 비교적 흔한 질환으로 인구의 1.7%에서 일생 동안 한 번 발생할 수 있으며 20-30대에 높은 발생률을 보인다. 가장 흔한 부위는 두피(90% 이상)이며, 눈썹, 속눈썹, 턱수염, 음모 등 모발이 있는 신체 어느 부위에도 발생할 수 있다. 대부분 단발성으로 발생하나 다발성으로도 나타날 수 있고 드물게 가려움증 혹은 통증을 동반한다. 경과를 예측하는 것은 어려우나 대부분의 원형탈모증은 자연 회복되거나 치료에 잘 반응한다. 그러나 빠른 진행, 소아청소년, 아토피 동반, 온머리탈모증 혹은 전신탈모증, 손발톱의 변화 등은 치료에 잘 반응하지 않는 경우가 많아 나쁜 예후를 보인다.

병인은 아직 명확히 알려져 있지 않으나 유전적, 자가면역, 환경적 요인(바이러스 감염, 외상, 심리적 스트레스)의 복잡한 상호작용으로 여겨진다. 정상적인 성장기 모낭은 Transforming growth factor-beta (TGF-β), alpha melanocyte-stimulating hormone (α-MSH) 등의 면역억제사이토카인에 의해 주조직적합성 복합체 1형(major histocompatibility complex class 1)이 발현되지 않는다. 따라서 정상 모낭 하부주변에는 CD4+T-cell, CD8+T-cell, 자연살해세포가 발현되지 않는데 이를 면역특권immune privilege이라고 한다. 면역학적으로 원형탈모증 환자는 면역특권이 소실되고 melanosis-associated autoantigen이 자가 T-cell의 주공격대상이 되어 모발줄기가 빠지게 되는 것으로 이해할 수 있다. 최근 연구에서 면역특권을 형성하는 것에 도움을 주는 programmed cell death protein 1 ligand (PD-L1)의 기능장애가 원형탈모증의 병리에 기여하는 것으로 제시되기도 하였다.

(1) 스트레스 및 정신사회적 요인

원형탈모증은 미용적 측면에서 환자의 심리적 상태와 대인관계에 부정적인 영향을 미친다. 정신질환 평생 유병률은 66-74%으로, 우울장애 38-39%, 범불안장애 39-62%의 유병률을 보인다. 탈모가 발생하기 전 성인에서 9.8%, 소아에서 9.5-80%에서 스트레스 생활 사건이 선행하는 것으로 나타났다. 원형탈모증의 발생시기는 공존정신질환의 발생에 중요한 역할을 하며 20세 이하에서 발병하는 경우 우울장애의 위험이 높아지고 40-59세에서 불안과 강박장애의 위험성이 증가하였다. 급성 정서적 스트레스는 또한 원형탈모증을 악화시킨다. 이는 모낭 주변의 과발현된 type 2 β corticotropin-releasing hormone receptor의 활성에 기인하는 국소 염증반응의 결과로 생각된다.

(2) 치료

원형탈모증의 전신적 치료로 미국 식품의약품국의 승인을 받은 치료제는 없다. 원형탈모증의 치료로 국소적, 병변 내, 전신적 스테로이드, retinoid, minoxidil, antralin 등을 사용할 수 있다. 원형탈모 환자의 정신의학적 치료에 대한 연구는 동반된 정신병리에 대한 것이다. 소규모 연구에서 우울과 불안증상으로 SSRI를 복용하는 원형탈모증 환자는 유의한 우울, 불안의 감소와 모발의 재성장을 보였다. 정신치료와 이완 훈련 등에 대한 연구는 아직 더 많은 연구가 필요하다.

5. 피부 증상으로 표현되는 원발성 정신질환

1) 기생충 감염 망상Delusional infestation

과거의 기생충 망상증delusional parasitosis으로, DSM-5에서 신체형 망상장애delusional disorder, somatic type로 분류된다. 환자는 임상적, 진단적 음성 결과에도 불구하고 기생충을 비롯한 생물 또는 무생물에 감염되었다는 확고한 믿음을 보인다. 호발 연령은 50대 중반과 60대이며 50대 이하는 동등한 성비를 보이나 50대 이상은 여성에서 3배 높은 이환율을 보인다. 환자의 절반 이상이 감염의 증거로 주장하는 검체(모발, 피부, 천 조각, 종이, 테이프 조각 등)를 가져오며, 이는 질병 특유(pathognomonic)의 소견으로 성냥갑징후(matchbox sign)이라고 한다. 환자는 피부를 긁거나 소독약, 항생제, 살충제 등을 이용하여 피부를 치료하려고 하여 이로 인해 미란, 궤양, 결절성 양진, 태선화가 생길 수 있다. 망상의 주제와 관련된 환촉이나 환취가 동반될 수 있고, 피부 위나 아래에서 벼룩이 기는 듯하고 쏘이고, 물리는 듯한 피부 감각을 보고할 수 있다. 대부분의 기생충 감염 망상의 경우 일차적 망상 장애이나, 다른 정신 질환(조현병, 강박장애, 정신병적 우울증)이나 의학적 상태(뇌의 기질적 질환, 섬망, 인지장애, 내분비질환(당뇨, 갑상선저하증), 홍반성 낭창, 후천성 면역결핍증, 결핵, 비타민 B12 결핍증, 신경병증, 요독증, 간성 뇌병증, 암페타민, 코카인(cocaine bugs), 알코올 사용장애에서 비롯되는 독성 상태 등에 의한 이차성으로도 나타날 수 있다.

기생충 감염 망상을 진단하기 전에 실제 감염이나 피부 질환을 감별하는 의학적 평가가 우선되어야 한다. 기생충 감염 망상 환자는 정신의학적 진료를 거부하는 경우가 많아 치료 권고에 대한 순응도가 좋지 않다. 그러므로 정신약물에 대한 순응도를 높이기 위해 환자와 강한 치료적 동맹을 맺는 것이 중요하다. 망상적 내용의 특성보다는 그러한 믿음이 환자에게 주는 괴로움에 초점을 두고 환자가 도움을 받을 수 있다는 것을 알려주어야 한다. 정형과 비정형 항정신병 약제는 모두 효과적이며, 항히스타민 작용이 강한 항정신병 약제는 불안과 소양증을 경감시키는 데 효과적이다. 추체외로 증상이 적은 risperidone (0.5-6 mg/day), olanzapine (2.5-20 mg/day), quetiapine (25-600 mg/day), aripiprazole (2-30 mg/day), amisulpride (200-400 mg/day) 등의 비정형 항정신병 약제의 사용이 증가하고 있다. Risperidone과 olanzapine은 가장 광범위하게 사용되는 항정신병 약제이며 사례에서 69%, 72%의 완전 및 부분 관해를 보였다. Pimozide는 opiate 길항 작용으로 환자의 소양감이나 이상감각을 완화하는 작용을 가지나 다른 비정형 항정신병약제보다 우수하다는 결정적인 근거는 없다. Pimozide는 일반적으로 1mg/day로 시작하여 5-7일마다 1 mg씩 증량이 가능하며 최대 4 mg/day로 사용할 수 있다. 고용량(> 10 mg/day)의 pimozide는 QTc 연장과 부정맥의 심장독성을 일으킬 수 있으므로 치료 전후의 심전도 검사가 권고된다. 특히, QTc 연장을 일으키거나 cytochrome P450 (CYP) 3A4를 억제하는 약물과 pimozide을 함께 복용하는 경우 QTc 연장에 대한 주의를 더욱 기울여야 한다. 속발성 기생충 감염 망상은 원발성 기생충 감염 망상보다 항정신병 약물에 반응을 잘하는 편이다(78% vs. 59%). SSRIs는 망상보다 강박에 가까운 특징을 보이는 기생충 감염 망상 환자의 경우 도움이 되기도 한다.

2) 강박 및 관련 장애Obsessive-compulsive and related disorder

(1) 신체에 집중된 반복적 행동장애Recurrent body-focused repetitive behaviors

신체에 집중된 반복적 행동장애는 DSM-5에서 '명시되지 않는 강박 및 관련 장애'로 분류되며, 강박장애와 21%의 공존율을 보인다. 손톱씹기onychophagia, 피부를 씹거나 먹는 것dermatophagia, 털뽑기, 볼/입술 뜯기 등 다양한 것이 포함된다. 신체이형장애, 불안장애, 주요우울장애, 외상후스트레스장애, 섭식장애와 같은 다른 정신 질환과 공존하는 경우가 많으므로 종합적인 정신의학적 평가와 공존 정신병리의 치료가 필요하다.

피부뜯기장애Skin-picking disorder는 피부를 뜯는 행동을 줄이거나 멈추려는 반복적인 시도에도 불구하고 피부를 뜯는 행동을 지속하여 스스로 피부의 병변을 만든다. 일반 인구에서 평생 유병률 1-5%으로 여성에서 우세하게 나타난다. 소아나 청소년 시기에 가장 흔하며 여드름이 나타나는 시기에 증상이 시작되는 경우가 많아 찰상 여드름의 형태로 나타나기도 한다. 전형적으로 치유되고 있는 병변과 새로이 발생한 병변이 혼재하는 양상을 보이며 여러 형태로 경계가 명확한 피부 박리, 딱지, 착색 등의 반흔 등을 보일 수 있다. 주로 몇 cm 내외로 개수는 다양하며 쉽게 손이 닿을 수 있는 부위(얼굴, 팔, 손 등)로 병변이 두드러진다. 환자는 하루 중 상당한 시간을 피부를 뜯는 행동에 할애를 하며 일반적으로 스스로 만든 병변임을 인정한다. 피부뜯기는 가려움-긁음 사이클itch-scratch cycle로 시작하거나 일종의 의례와 같은 행동과 관련이 있을 수 있다. 일부 피부뜯기행동은 해리성 행동 특성과 관련이 있으며 중증의 신체에 집중된 반복적 행동장애는 해리적 특징을 보일 수 있다.

발모광Hair-pulling disorder은 자신의 털을 뽑는 행동을 줄이거나 중단하려는 반복적인 시도에도 불구하고 털을 뽑는 행동을 지속한다. 평생 유병률은 1-4%으로 평균 10-13세에 발병하며 여성에서 4배 높은 비율로 이환된다. 탈모 부위는 경계가 명확하며 비대칭적이며, 기하학적인 패턴을 보인다. 시진 시 다양한 길이, 'V-sign(1개의 모낭에서 동일한 길이로 끊어진 모발)', 나선형 모발을 관찰할 수 있다. 털 뽑기는 모발을 때때로 씹거나 삼키는 식모벽trichophagia과 같은 다양한 행동이 동반될 수 있다. 불안, 긴장을 포함한 여러 가지 감정 상태가 선행되거나 동반될 수 있으며 털뽑기 이후에는 만족감, 안도감 등을 느끼기도 한다. 이러한 발모광은 두 가지 유형으로 나눌 수 있다. '집중형focused pulling'은 털을 당김으로써 느껴지는 긴장과 이완에 좀 더 집중하는 강박적인 양상으로 나타나고 '자동형automatic pulling'은 스스로 인식하지 못한 채 무의식적으로 일어나는 해리성 양상으로 나타난다. 발모광은 원형탈모증, 두부백선, 견인탈모증, 남성형탈모androgenetic alopecia 등과 구별되어야 한다.

피부뜯기장애 환자는 소양증을 일으킬 수 있는 전신 및 국소적 원인에 대해 조사하는 것이 필요하다. Fluoxetine과 citalopram의 이중맹검연구와 fluvoxamine, escitalopram, sertraline의 개방연구를 통해 SSRIs는 잠재적인 치료제로의 근거를 보였다. 그러나 SSRI는 여러 연구에서 상이한 결과를 보여주고 있어 효능성이 완전히 입증되지 않았다. 체계적 고찰에서 피부뜯기장애를 위한 치료법 중 행동치료만이 유의한 이점을 보였다. Glutamate modulator인 N-acetylcysteine (NAC)은 무작위 위약 대조 임상시험연구에서 47%의 증상 개선효과를 보였다. NAC (1,200-3,000 mg/day)의 12주의 무작위 위약 대조 임상시험에서 피부뜯기증상의 유의한 향상을 보였으나 정신사회적 기능의 차이를 보이진 않았다. 동반된 가려움증에는 doxepin 5% cream이나 경구 항히스타민제인 hydroxyzine, diphendydramine을 사용할 수 있다.

발모광에 전 세계적으로 승인을 받은 일차 치료제는 없다. 7개의 무작위 대조 임상연구에 대한 체계적 고찰에서 증상의 심각도에 대한 변화는 습관반전치료가 SSRIs, clomipramine보다 우위를 보였다. 습관반전치료는 털뽑기와 관련된 상황이나 스트레스의 인식 증가, 이완 훈련, 반응 저항 훈련 등을 포함한다. 약물과 위약 또는 다른 치료를 비교한 무작위 대조 임상연구에 대한 코크란 고찰에서 fluoxetine, sertraline을 포함하는 연구 중 SSRI의 강력한 치료효과를 입증하는 연구는 없는 것으로 결론을 내렸다. 위약 대조 연구에서 olanzapine을 사용 시 85%에서 치료 반응율을 보이는 것으로 나타났다. NAC의 위약 대조 연구에서 NAC(평균 용량 1,200-2,400 mg/day)의 56%에서 치료에 반응하며 유의한 치료 효과를 보이는 것으로 나타났다. 약물의 치료적 이점에 대한 코크란 고찰에서 clomipramine, olanzapine, NAC이 예비적 근거를 가지는 것으로 나타났다. 정신치료법으로 습관반전치료, 인지행동/소거기반치료cognitive-behavioral/extinction-based treatment, 변증법적 행동치료가 증상의 완화에 도움을 주는 것으로 나타났다.

(2) 신체이형장애Body dysmorphic disorder

Dysmorphophobia으로 불리는 것으로, 객관적으로 관찰되지 않거나 타인에게 미미하게 관찰될 수 있는 신체적 외관의 결함에 집착하는 특징을 보인다. 피부과나 성형외과 진료실에서 흔히 볼 수 있으며 미국 성인 일반 인구의 유병률은 1.7-2.4%이다. 평균 발병 연령은 16-17세로, 대부분 18세 이전에 증상이 시작된다. 가장 흔한 신체 부위는 얼굴이며 피부, 코, 머리카락, 성기 등도 흔하게 관찰된다. 환자는 결함에 대한 걱정으로 자신의 외모를 타인과 비교하거나 반복 행동(거울로 확인하기, 과도한 몸단장, 피부뜯기, 재확인 등)을 보일 수 있으며, 이로 인해 사회적으로 고립되거나 직업 및 학업적 기능의 손상을 겪을 수 있다. 일반 인구와 비교 시 높은 공존 정신질환을 보이며 주요우울장애, 사회공포증, 불안장애, 강박장애, 물질사용장애 등이 있다.

신체이형장애와 자살행동에 대한 체계적 고찰에서 자살 사고와 자살 시도가 통계적으로 유의하게 높은 것으로 나타났다. 외적인 변형을 일으킬 수 있어 높은 자살경향성과 관련이 있는 여드름이나 건선과 같은 질환과 발병 연령이 중복되기도 한다. 피부과 환자에서 보일 수 있는 신체상에 대한 염려와 자살 행동의 일부는 피부 질환의 미용적 영향에만 의한 것보다는 기저의 신체이형장애에 의한 것일 수 있다. 미용적 시술이나 수술을 받은 환자의 대부분은 증상의 심각도가 변하지 않고 새로운 사고가 출현하거나 치료의 결과에 만족하지 못한다.

치료를 위해서 공감적이고 비판단적 접근이 필요하다. 인지행동치료는 증상을 유의하게 감소시킨다. 약물치료, 정신치료, 병합치료의 무작위 대조 임상연구에 대한 코크란 고찰에서, 위약과 비교 시 fluoxetine(평균 용량 78 mg/day)이 치료 반응의 전반적 우위성을 보였고(56% vs. 15%), desipramine과 비교한 clomipramine(평균 용량 138 mg/day)의 연구에서 clomipramine이 우위성을 보였다. 약물의 치료 반응은 망상적 믿음의 여부에 영향을 받지 않고 효과적이었으며 SSRI를 사용하는 경우 비교적 높은 용량(Fluoxetine ≥ 60 mg/day)과 긴 치료기간이 필요하다.

(3) 섭식장애Eating disorder

섭식장애는 2%의 평생 유병률을 보이며 여성이 전체의 90%를 차지한다. 신경성 식욕부진증 또는 신경성 폭식증의 피부과적 증상과 징후는 마름에 대한 갈망으로 영양결핍(솜털 같은 털Lanugo-like body hair, 황피증carotenoderma, 과색소침착, 여드름, 가려움증, 탈모, 손발톱손상, 구각구순염 등), 제거행동(손가락 마디의 굳은살Russell's sign, 치관경질붕괴 등), 약물사용에 의해 발생한다. 섭식장애 환자는 증상을 부인하거나 축소하기 때문에 피부 증상이 환자의 첫 번째 임상적 증거가 될 수 있다. 피부과적 증상과 징후는 신경성 식욕부진증에서 체질량지수 ≤ 16 kg/m^{2}의 경우 나타나기 쉬우므로 저체중과 소양증을 보이는 환자에서 신경성 식욕부진증을 고려하여야 한다. 30세 이하 섭식장애 환자와 건강 대조군과 비교한 횡단적 연구에서, 섭식장애 환자의 81%, 건강한 대조군 56%가 피부 상태에 불만족하는 것으로 나타났다. 섭식장애의 이차적 결과로 나타나는 피부의 건조함, 거친감과 더불어 노화, 광손상(주근깨, 주름, 과색소침착 등)과 관련한 불만족이 가장 많았다. 섭식장애에서 굶주림은 소양증과 관련이 있으며, 빠른 재영양은 androgen을 높여 여드름을 악화시킨다. 섭식장애 환자의 효과적인 치료를 위해 정신치료와 의학적 부작용, 영양적 보조에 대한 치료가 필요하다. 섭식장애의 피부 증상과 징후는 체중을 회복 시 사라진다. 섭식장애의 일차 치료는 인지행동치료이다. SSRI는 신경성 폭식증에 효과가 있으며, olanzapine은 신경성 식욕부진증 환자에서 체중 증가를 촉진시키고 심리 증상을 개선시키는 효과가 있다.

(4) 인공피부염Dermatitis artefacta

환자가 피부의 병변을 만드나 스스로 질병을 일으킨 것을 부인하며 DSM-5에서 신체증상 및 관련 장애의 카테고리의 자신에게 부과된 인위성 장애Factitious disorder imposed on self로 분류된다. 피부과 환자의 0.04-1.5%의 유병률을 보이며, 남녀 비는 1:3-1:8이고 청소년과 젊은 성인에서 더 많이 발생한다. 병변은 전형적으로 손으로 접근이 가능한 한쪽 부위에 우세하게 분포하며 호발 부위는 얼굴(34.5%)이며 그 외 하지(25%), 상지(16.6%), 손(15.5%)이다. 병변은 수단과 방법에 따라 물집, 궤양, 홍반, 부종, 결절 등 다양한 양상을 보이며, 부식제를 사용하는 경우 정상 피부에 둘러싸인 분명하고 기하학적 경계를 가지는 양상을 보인다. 환자의 손에 닿지 않으면 병변이 치유되기 때문에 폐쇄형 소독이 진단에 도움이 될 수 있다.

환자의 20-30%에서 발병 전 질병, 사고, 사별과 같은 주요 정신사회적 스트레스가 있으며 유년기 신체적, 성적, 심리적 학대와 방임의 과거력이 흔하다. 인공피부염은 충동적이며 일반적으로 해리성 증상, 해리성 기억상실증과 연관이 있다. 미성숙한 대처기전을 특징으로 하는 성격 장애에서는 자신이 만든 피부 병변이 '도움을 받기 위한 관심을 끄는' 목적으로 나타날 수 있다. 그러나 인공피부염은 인위성 장애로 거짓 정보나 기만적으로 행동하고자 하는 동기가 없기 때문에 꾀병과는 다르다. 인공피부염은 복잡한 특성을 지니는 질환으로 기분장애, 불안장애, 신체증상장애, 성격장애 등과 공존할 수 있다. 인공피부염의 예후는 좋지 않으며 질환의 경감과 악화를 반복하는 편이다.

비가역적인 손상, 불필요한 수술, 만성화를 방지하기 위해 조기 진단과 치료가 중요하다. 원발성 피부 질환을 감별하기 위해 피부과적 평가를 시행해야 한다. 그 외 타인에게 부과된 인위성 장애, 피부뜯기장애, 꾀병, 기생충 감염 망상증, 강박장애, 해리장애, 외상후스트레스장애 등과 감별해야 한다. 치료적 접근은 지지적이고 공감적이여야 한다. 병변에 대한 직접적이고 조기의 직면은 의사-환자 관계를 형성하는 것에 방해가 될 수 있다. 만족스러운 치료적 동맹이 형성되면 가능성이 있는 부작용에 대해 직접적으로 논의하는 것이 도움이 될 수 있다. Benzodiazepine, buspirone은 불안을 조절하고 항우울제는 강박적인 자기 파괴행동과 우울장애에 도움이 된다. Aripiprazole (2-5 mg/day), pimozide (0.5-1 mg/day), risperidone (0.5mg-2 mg/day), olanzapine (2.5-5 mg/day)와 같은 소량의 항정신병약제가 증상의 경감에 도움이 될 수 있다.

6. 기능적 피부 질환Functional Dermatological disorders

1) 피부 감각이상Cutaneous sensory disorders

피부과, 신경과 혹은 내과적으로 진단되는 질환이 없으나 불쾌한 피부 감각(가려움, 화끈거림, 찌르는 느낌 등), 통증, 부정적 감각 증상(무감각, 감각저하 등) 등을 호소하는 이질적인 질환 부류이다. 이에는 두피 감각장애scalp dysesthesia, 혀따가움burning mouth syndrome, 설통glossodynia, 외음부vulvodynia 등이 속한다. 피부 감각이상은 표피신경이 밀집되어 분포하는 피부 부위인 두피, 얼굴, 구강, 회음부 등의 부위에 취약하다. 중년 여성에게 빈발하며, 감각저하, 맛의 변화, 입이 마르는 등의 다양한 증상을 동반한다. 설통의 원인은 대개 특발성이나 비타민 B 결핍, 당뇨, 구강 칸디다증, 타액 이상, 폐경 후 호르몬 변화, 치아 문제 등으로 발생할 수 있다. 두피 감각장애는 경추의 퇴행적 변화와 연관이 있으며 특히 C5-C6 부위와 관련이 있다. 피부 감각이상은 기전이 복잡하여 잘 이해되지 못하는 경향이 있으나 피부 감각과 관련된 신경생물학적 측면, 신경병적 통증과 소양증, 피부 감각지각을 조율하는 신경 및 정신의학적 상태(신경근병증, 뇌졸중, 해리, 우울, 외상후스트레스장애) 등의 측면이 상호작용하는 것으로 알려져 있다. 이러한 피부 감각이상은 우울, 불안과 같은 정신질환과 자주 동반된다.

최면, 안구운동 민감소실 및 재처리 기법을 포함한 다양한 정신치료적 중재가 도움이 될 수 있다. 피부 감각장애는 주로 신경병증적 통증의 치료에 사용하는 TCAs, SNRIs, gabapentin과 같은 항경련제가 사용되나 통제된 임상적 연구는 부족한 실정이다. Amitriptyline, venlafaxine, duloxetine, gabapentin, pregabalin은 외음부통의 증상 감소에 효과적이다. Amitriptyline과 doxepin과 같은 TCAs의 항히스타민 작용은 두피 감각장애에 동반되는 특발성 소양증에 치료적으로 사용할 수 있다. 혀따가움 증상에 duloxetine, milnacipran, paroxetine, clonazepam을 적용할 수 있으나 치료에 대한 코크란 고찰에서 특정 중재에 대한 권고는 아직 근거가 불충분하다.

2) 가려움증Pruritus

가려움증은 가장 흔한 피부과적 증상으로 피부를 긁거나 문지르고 싶은 충동을 일으키는 불쾌한 감각을 의미한다. 피부 가려움증은 주관적인 감각으로서 사람에 따라 매우 다양하게 나타나고, 동일한 자극이라도 때에 따라 다른 정도의 가려움증을 일으킬 수 있다. 피부과 환자의 약 2%를 차지하며 평균 발병 연령은 30-45세이다. 얼굴과 두피는 가장 호발하는 부위이며 신체 부위 중 눈꺼풀 주위, 콧구멍, 귓구멍, 항문, 성기 및 주변 부위가 가려움증에 민감하다.

가려움증에 대한 신경학적 경로는 아직 완전히 이해되지 않았다. 가려움증은 표피-진피 경계부dermoepidermal junction와 유두진피papillary dermis의 속도가 느린 C -섬유slow conducting C fiber가 관여하는 것으로 추정되며, 히스타민, 펩티드내부분해효소endopeptidase, 프로스타글란딘 E에 의해 활성화된다. 스트레스와 같은 다양한 심리적 요인은 혈역동학적 변화, 혈류 증가, 체온 변화, 한선을 자극하면서 말초 histamine, 신경단백질, 염증 매개 인자 등의 분비를 촉진하여 가려움증에 대한 지각을 증가시키는 것으로 생각된다. 긁음은 즉각적인 불쾌감의 완화를 일으키나 계속 긁도록 부정 강화가 발생하여 긁는 행위를 반복하게 된다. 이러한 '가려움 긁음 순환구조'는 과도한 긁음을 유발하여 피부장벽 기능의 문제, 태선화, 가려움발진prurigo을 일으킬 수 있다. 가려움증 연구를 위한 국제 포럼International Forum for the Study of Itch는 6주 이상 지속되는 만성 소양증을 병인에 따라 피부과적dermotological, 전신적systemic, 신경성neurological, 심인성somatoform, 혼합mixed origin, 기타other로 분류하였다. 만성 소양증은 일차적 피부과적 질환의 흔한 증상으로 나타날 수 있으며, 일차적 피부 병변 없이 신체적 질환(신장, 간, 내분비, 감염성, 혈액학적, 신경학적 장애), 정신 질환(기분장애, 강박증, 조현병, 해리성 장애, 식이장애 등)에 의해서도 나타날 수 있다(표 29-2).

표 29-2. 가려움증을 일으킬 수 있는 질환

1. 가려움증을 동반하는 피부 질환 아토피 피부염, 습진성 피부염, 건선, 두드러기, 결절성 양진, 옴 감염, 포진형 피부염 dermatitis herpetiformis, 모포성 각화증Darier's disease, 수포성 표피박리증
2. 가려움증을 동반하는 전신 질환 1) 대사 질환: 요독증성 가려움증, 담즙정체성 가려움증(간경화, 담즙성 경변증) 2) 내분비 질환: 갑상선기능항진증/저하증, 당뇨, 폐경전후기의 가려움증 3) 감염성 질환: 기생충 감염증, 인간면역결핍 바이러스 관련 가려움증 4) 종양 질환: 림프종, 백혈병, 진성적혈구증가증 5) 약물 유발성 가려움증
3. 신경성 가려움증 1) 중추신경계 질환: 뇌졸중, 신생물, 척수 손상, 다발성 경화증, 혈관성 기형 등 2) 말초신경계 질환: 대상포진 후 가려움증, 신경압박(위팔노근 가려움증brachioradial pruritus), 감각이상성 등통증notalgia paresthetica, 신경 섬유 변성(항암제 및 알코올 유도성), 파브리병Fabry disease

심인성 가려움증psychogenic pruritus은 심리적 요인이 소양증의 발생, 중증도, 악화, 지속성에 결정적인 역할을 하는

경우로 정의할 수 있다. 가려움증은 심리, 정서적 상태와 밀접한 연관성을 가지며 우울장애는 가장 흔한 공존 정신질환이다. 우울장애의 심각도는 가려움증의 심각도와 상관성을 보이며, 우울과 스트레스와 같은 심리적 요인은 가려움증에 대한 지각을 높이는 것으로 생각된다. 히스타민 유발성 가려움증의 연구에서 심리적 스트레스는 가려움의 역치를 낮추고 가려움의 강도를 높이며 기간을 연장시켰다. 심리적 스트레스를 겪는 사람은 그렇지 않은 사람에 비해 가려움증을 경험하는 경우가 2배 이상 높은 것으로 나타났다.

가려움증 환자의 치료를 위해 약물 사용력과 같은 병력과 피부, 전신, 정신의학적 인자에 대한 평가가 필수적이다. 병력은 정신사회적 병력(최근의 생활사건, 수면의 변화, 약물사용 등)과 신체검진을 포함하여야 하며, 가려움증의 특징(발병시기, 악화인자, 위치, 완화요인 등)에 대해 자세히 조사하여야 한다. 기질적 가려움증과 구별되는 심인성 가려움증의 특징은 항소양제에 대한 반응이 낮고, 다양한 길이의 무증상 기간, 산발적인 삽화, 긁음으로써 큰 만족을 느낌, 수면 동안의 증상 중단 등이다. 심인성 가려움증은 수면을 방해하는 경우가 거의 없으나 외상후스트레스장애 에 의한 가려움증은 악몽을 동반한 수면 장애와 자주 연관을 보인다. 전신 혹은 국소적 특발성 소양증에서 가장 흔히 처방되는 약물은 단기간 완화를 일으키는 항히스타민제이다. 항정신성 약물은 공존 정신질환과 가려움증의 원인에 따라 사용될 수 있다. 소규모 연구에서 fluoxetine, sertraline, paroxetine, doxepin이 가려움증에 효과가 있는 것으로 나타났으나 대규모 연구에서의 확인이 필요하다. Mirtazapine은 염증성 피부 질환을 가진 환자의 사례연구에서 야간 소양증과 암 관련 가려움증에 효과적인 것으로 나타났다. μ- 오피오이드 수용체 길항제μ-opioid receptor antagonist인 naltrexone은 담즙정체성 가려움증과 아토피 피부염의 가려움증에 효과가 있다. 그 외 항경련제(gabapentin, pregabalin, carbamazepine, topiramate)가 가능성이 있는 치료제로 제시되고 있다. 항경련제의 작용기전은 명확하지 않으나 만성 가려움증의 중추신경계 감작과 민감화를 줄여 효과를 나타내는 것으로 보인다. 가려움-긁음 순환구조를 막기 위해 인지행동치료, 이완훈련, 습관반전치료 등을 포함한 정신의학적 치료법이 도움이 될 수 있다.

결론

정신피부의학은 피부의학과 정신의학이 맞닿아 있는 질환을 더 잘 이해하고 치료의 성과를 높이는 것을 목표로 한다. 잘못 진단되거나 적절한 치료를 받지 못하는 정신피부질환 환자들을 위해 다학제적 접근이 필요하다. 정신피부질환에 대한 이해와 치료 지침에 대한 연구는 진행 중으로 건선이나 아토피 피부염과 같은 피부질환의 병인에 심리적 스트레스의 역할에 대한 관심은 꾸준히 증가하고 있다. 정신피부질환에 공존하는 정신질환의 치료를 위해 항정신성 약물과 함께 표준적인 심리치료 중재를 사용할 수 있다.

참고문헌

1. Abedini H, Farshi S, Mirabzadeh A, Keshavarz S. Antidepressant effects of citalopram on treatment of alopecia areata in patients with major depressive disorder. Journal of dermatological treatment 2014;25:153-5.
2. Angelakis I, Gooding PA, Panagioti M. Suicidality in body dysmorphic disorder (BDD): A systematic review with meta-analysis. Clinical psychology review 2016;49:55-66.
3. Ben-Shoshan M, Blinderman I, Raz A. Psychosocial factors and chronic spontaneous urticaria: a systematic review. Allergy

2013;68:131-41.
4. Bloch MH, Landeros-Weisenberger A, Dombrowski P, Kelmendi B, Wegner R, Nudel J, et al. Systematic review: pharmacological and behavioral treatment for trichotillomania. Biological psychiatry 2007;62:839-46.
5. Bowe WP, Leyden JJ, Crerand CE, Sarwer DB, Margolis DJ. Body dysmorphic disorder symptoms among patients with acne vulgaris. Journal of the American Academy of Dermatology 2007;57:222-30.
6. Dalgard FJ, Gieler U, Tomas-Aragones L, Lien L, Poot F, Jemec GB, et al. The psychological burden of skin diseases: a cross-sectional multicenter study among dermatological out-patients in 13 European countries. Journal of Investigative Dermatology 2015;135:984-91.
7. Di Landro A, Cazzaniga S, Cusano F, Bonci A, Carla C, Musumeci ML, et al. Adult female acne and associated risk factors: Results of a multicenter case-control study in Italy. Journal of the American Academy of Dermatology 2016;75:1134-41. e1131.
8. Dowlatshahi EA, Wakkee M, Arends LR, Nijsten T. The prevalence and odds of depressive symptoms and clinical depression in psoriasis patients: a systematic review and meta-analysis. Journal of Investigative Dermatology 2014;134:1542-51.
9. Ersser SJ, Cowdell F, Latter S, Gardiner E, Flohr C, Thompson AR, et al. Psychological and educational interventions for atopic eczema in children. Cochrane Database of Systematic Reviews 2014.
10. Fordham B, Griffiths C, Bundy C. A pilot study examining mindfulness-based cognitive therapy in psoriasis. Psychology, health & medicine 2015;20:121-7.
11. Fortune DG, Richards HL, Kirby B, McElhone K, Markham T, Rogers S, et al. Psychological distress impairs clearance of psoriasis in patients treated with photochemotherapy. Archives of Dermatology 2003;139:752-6.
12. Freudenmann RW, Lepping P. Second-generation antipsychotics in primary and secondary delusional parasitosis: outcome and efficacy. Journal of clinical psychopharmacology 2008;28:500-8.
13. Girshman YJ, Wang Y, Mendelowitz A. Olanzapine for the Treatment of Psychiatric Illness and Urticaria: A Case Report. Psychosomatics (Washington, DC) 2014;55:735-738.
14. Grant JE, Chamberlain SR, Redden SA, Leppink EW, Odlaug BL, Kim SW. N-acetylcysteine in the treatment of excoriation disorder: a randomized clinical trial. JAMA psychiatry 2016;73:490-496.
15. Grant JE, Odlaug BL, Kim SW. N-acetylcysteine, a glutamate modulator, in the treatment of trichotillomania: a double-blind, placebo-controlled study. Archives of general psychiatry 2009;66:756-63.
16. Gupta M, Gupta A. Dissatisfaction with skin appearance among patients with eating disorders and non-clinical controls. British Journal of Dermatology 2001;145:110-3.
17. Gupta MA, Gupta AK. Depression and suicidal ideation in dermatology patients with acne, alopecia areata, atopic dermatitis and psoriasis. The British journal of dermatology 1998;139:846-50.
18. Gupta MA, Pur DR, Vujcic B, Gupta AK. Suicidal behaviors in the dermatology patient. Clinics in dermatology 2017;35:302-11.
19. Gupta MA, Simpson FC, Gupta AK. Psoriasis and sleep disorders: a systematic review. Sleep medicine reviews 2016;29:63-75.
20. Hundley JL, Yosipovitch G. Mirtazapine for reducing nocturnal itch in patients with chronic pruritus: a pilot study. Journal of the American Academy of Dermatology 2004;50:889-91.
21. Ipser JC, Sander C, Stein DJ. Pharmacotherapy and psychotherapy for body dysmorphic disorder. Cochrane Database of Systematic Reviews 2009.
22. Ito T. Immune checkpoint inhibitor-associated alopecia areata. British Journal of Dermatology 2017;176:1444-5.
23. Koo JY, Lee CS. General approach to evaluating psychodermatological disorders. Basic and Clinical Dermatology 2003;25:1-12.
24. Landis MN. Optimizing isotretinoin treatment of acne: update on current recommendations for monitoring, dosing, safety, adverse effects, compliance, and outcomes. American journal of clinical dermatology 2020;21:411-9.
25. Lavda A, Webb T, Thompson A. A meta-analysis of the effectiveness of psychological interventions for adults with skin conditions. British Journal of Dermatology 2012;167:970-9.
26. Lee S, Shin A. Association of atopic dermatitis with depressive symptoms and suicidal behaviors among adolescents in Korea: the 2013 Korean Youth Risk Behavior Survey. BMC psychiatry 2017;17:1-11.
27. Lewinson RT, Vallerand IA, Lowerison MW, Parsons LM, Frolkis AD, Kaplan GG, et al. Depression is associated with an in-

creased risk of psoriatic arthritis among patients with psoriasis: a population-based study. Journal of Investigative Dermatology 2017;137:828-35.

28. Lochner C, Seedat S, Hemmings SM, Kinnear CJ, Corfield VA, Niehaus DJ, et al. Dissociative experiences in obsessive-compulsive disorder and trichotillomania: clinical and genetic findings. Comprehensive psychiatry 2004;45:384-91.
29. Ludot M, Mouchabac S, Ferreri F. Inter-relationships between isotretinoin treatment and psychiatric disorders: depression, bipolar disorder, anxiety, psychosis and suicide risks. World journal of psychiatry 2015;5:222.
30. Luis Blay S. Letter To The Editor: "Depression and Psoriasis Comorbidity. Treatment with Paroxetine: Two Case Reports". Annals of Clinical Psychiatry 2006;18:271-2.
31. McMillan R, Forssell H, Buchanan JA, Glenny AM, Weldon JC, Zakrzewska JM. Interventions for treating burning mouth syndrome. Cochrane Database of Systematic Reviews 2016.
32. Picardi A, Abeni D, Melchi C, Puddu P, Pasquini P. Psychiatric morbidity in dermatological outpatients: an issue to be recognized. British Journal of dermatology 2000;143:983-91.
33. Picardi A, Mazzotti E, Pasquini P. Prevalence and correlates of suicidal ideation among patients with skin disease. Journal of the American Academy of Dermatology 2006;54:420-6.
34. Purvis D, Robinson E, Merry S, Watson P. Acne, anxiety, depression and suicide in teenagers: A cross-sectional survey of New Zealand secondary school students. Journal of paediatrics and child health 2006;42:793-6.
35. Rothbart R, Amos T, Siegfried N, Ipser JC, Fineberg N, Chamberlain SR, et al. Pharmacotherapy for trichotillomania. Cochrane Database of Systematic Reviews 2013.
36. Schumer MC, Bartley CA, Bloch MH. Systematic review of pharmacological and behavioral treatments for skin picking disorder. Journal of clinical psychopharmacology 2016;36:147.
37. Shaw RJ, Dayal S, Good J, Bruckner AL, Joshi SV. Psychiatric medications for the treatment of pruritus. Psychosomatic medicine 2007;69:970-8.
38. Ständer S, WEISShAAr E, Mettang T, SzEPIEToWSkI JC, Carstens E, IkoMA A, et al. Clinical classification of itch: a position paper of the International Forum for the Study of Itch. Acta dermato-venereologica 2007;87:291-4.
39. Sundström A, Alfredsson L, Sjölin-Forsberg G, Gerdén B, Bergman U, Jokinen J. Association of suicide attempts with acne and treatment with isotretinoin: retrospective Swedish cohort study. Bmj 2010;341.
40. Thorslund K, Svensson T, Nordlind K, Ekbom A, Fored C. Use of serotonin reuptake inhibitors in patients with psoriasis is associated with a decreased need for systemic psoriasis treatment: a population-based cohort study. Journal of internal medicine 2013;274:281-7.
41. Uhlenhake E, Yentzer BA, Feldman SR. Acne vulgaris and depression: a retrospective examination. Journal of cosmetic dermatology 2010;9:59-63.
42. Van Ameringen M, Mancini C, Patterson B, Bennett M, Oakman J. A randomized, double-blind, placebo-controlled trial of olanzapine in the treatment of trichotillomania. The Journal of clinical psychiatry 2010;71:1336-43.
43. Varghese R, Rajappa M, Chandrashekar L, Kattimani S, Archana M, Munisamy M, et al. Association among stress, hypocortisolism, systemic inflammation, and disease severity in chronic urticaria. Annals of Allergy, Asthma & Immunology 2016;116:344-348. e341.

30
CHAPTER

수술 및 장기이식

이원준, 전덕인

1. 수술

많은 수술적 치료는 수술 이전 상태로의 회복과 삶의 질 향상을 목표로 한다. 수술 후 삶의 질을 가장 잘 예측하는 요인은 외상의 심한 정도나 범위가 아니고 수술 전 삶의 질이나 심리적 안녕감이라고 알려져 있다. 따라서 수술 전 정신 상태나 스트레스에 대한 대처 방식, 사회적 지지 정도와 같은 심리사회적 측면을 평가하는 것은 수술 후 회복과 기능적 결과를 예측하는 데 중요하다.

또한 수술 자체가 주는 스트레스는 환자에게 가벼운 심리적 어려움을 느끼게 하는 수준으로부터 정신질환의 발생에 이르기까지 다양한 정도의 심리사회적 영향을 줄 수 있다. 특히 과거 정신병력이 있었던 경우 수술은 정신증상의 재발 및 악화를 유발할 수 있기 때문에 수술 환자에서 정신질환의 유병률은 50% 정도로 높게 보고되기도 한다.

수술을 위해 입원한 환자에 대한 정신의학적 자문은 주로 수술 전 적절성 평가, 수술이나 마취에 대한 불안 문제, 정신의학적 문제에 대한 관리 등에 대한 문제로 의뢰되는데 수술 전, 수술 중, 수술 후 단계로 나누어서 생각해 볼 수 있다.

1) 수술 전 단계

수술 전 단계에서는 환자가 수술을 받을 준비가 되어 있는지, 수술 후 결과에 영향을 줄 수 있는 심리사회적 요인이 있는지에 대한 평가가 필요하다. 환자가 수술이나 치료를 거부하는 경우나 동의서를 받기 위한 인지능력에 문제가 있다고 보이는 경우 등의 상황에서 수술 전 정신의학적 자문이 의뢰되는데 이 때 환자가 충분한 결정 능력을 가지는지, 환자의 결정이 정신질환에 의해 영향을 받을 수 있는지에 대한 평가가 이루어져야 한다.

(1) 의사결정능력의 평가

수술 전 고지에 입각한 동의informed consent는 반드시 필요한 과정이며 대상자는 수술과정, 수술의 위험과 이익, 대안에 대해 설명을 듣게 된다. 이 때 대상자가 정신질환 등의 이유로 치료 거부나 어떤 결정을 내리는 데 어려움이 있는 경우 환자의 의사결정능력 평가를 위해 정신건강의학과 자문의뢰가 될 수 있다.

환자는 모든 행동을 결정하는 데 어려움이 있는 것은 아닐 수 있기 때문에 정신건강의학과 자문의는 전반적인 의사결정능력에 대한 평가보다는 주어진 상황에서 특정한 의사결정능력이 있는가에 대해서 비편향적인 의견을 제시할 수 있어야 하며 의사결정능력은 대상자의 1) 이해의 수준, 2) 자유의지, 3) 일관성에 초점을 두고 평가가 이루어져야 한다. 우선 환자는 자신의 상황과 자신의 결정에 따라 예상되는 결과에 대해서 충분히 알고 있어야 하는데, 이는 환자와의 충분한 의사소통을 통해 확인되어야 한다. 둘째로 환자의 결정은 자유 의지에 근거해야 하는데, 만약 의사결정이 치료에 대한 비현실적인 두려움이나 기대와 같은 손상된 정신심리적 작용에 기반해 있다면 의사결정능력에 문제가 있다고 보아야 할 것이다. 마지막으로 생각이 자주 바뀌거나 비일관적인 것도 의사결정능력을 갖지 못한 것으로 간주된다.

의사결정능력은 정신질환의 유무와 반드시 관련이 있지는 않으나 치매의 경우 높은 비율로 의사결정능력이 저하된 경우가 많다. 다른 주요 정신질환 중에서는 조현병, 우울장애, 양극성장애 순으로 결정능력이 손상되어 있는 경우가 많으며 정신질환에 대한 병식의 유무는 의사결정능력 여부를 예측하는 주요 요인이 된다고 알려져 있다.

의사결정능력을 평가하기 위해 개발된 도구를 사용해볼 수도 있는데 간이정신상태검사mini-mental status examination, MMSE로 16점 미만의 심한 치매로 평가되는 경우에는 치료에 동의할 능력이 없을 가능성이 매우 높다. 맥아더 적격 평가도구-치료MacArthur competence assessment tool-treatment, MacCAT-T도 의사결정능력을 평가하기 위해 흔히 쓰이는 도구이다.

(2) 정신질환의 평가

과거 정신질환 병력이 있었던 환자는 수술 후 정신질환의 재발 및 악화의 가능성이 있다. 또한 정신질환이 동반되어 있는 경우 수술 후 합병증 위험 및 입원 기간의 증가, 높은 사망률, 삶의 질 저하와 관련이 있기 때문에 수술 전 정신질환력의 평가 및 치료는 중요하다. 정신건강의학과 자문의는 수술과 관련되어 금식 기간이나 약물 상호 작용, 발생 가능한 정신약물의 부작용을 예상해야 하고 수술 후 정신의학적 치료 계획에 대해서 미리 수술팀에 알릴 필요가 있다. 수술하러 온 환자 입장에서는 정신의학적 평가가 예상치 못한 상황일 수 있기 때문에 심리사회적 평가가 기본적이고 필수적으로 이루어지도록 하는 것이 바람직하다.

① 우울장애

우울장애는 여러 수술적 치료 이후 더 나쁜 결과를 보이는 것과 관련이 있다고 알려져 있다. 수술 후 감염과 섬망 발생의 증가, 수술 후 통증 조절의 어려움, 사망률의 증가가 우울장애와 관련이 있음이 보고되었고, 특히 심장 수술과 정형외과적 수술에서 관련성이 높은 것으로 알려져 있다.

수술을 받는 환자의 16%가 항우울제를 복용하는 것으로 보고되는데 항우울제 중단여부는 금식시간의 길이, 수술이 약물흡수에 영향을 주는지, 수술 후 마비성장폐색증paralytic ileus의 발생 가능성, 우울장애의 재발위험도 등을 고려해서 정해야 한다. 과거에는 모노아민산화효소억제제monoamine oxidase inhibitor, MAOI는 혈역학적 불안정성 유발 가능성 및 마취약제와의 상호작용 우려로 수술 전 사용 중단을 권고했으나 최근에는 개별적인 평가에 근거하여 중단 여부를 결정하는 것을 권고하고 있다. 세로토닌계 항우울제의 경우 출혈위험을 높일 수 있다고 되어 있지만 이는 후향적 관찰연구에 기반한 결과이고 출혈위험과 관련이 없다는 연구결과도 있다. 따라서 출혈위험이 특히 높은 경우가 아니라면 항우울제가 필요한 경우 약물변경을 하지 않는 것이 권고된다.

② 조현병

조현병 환자는 일반 환자군에 비해 표준적인 치료를 받지 않게 될 가능성이 더 높다. 피해 망상이 있는 환자는 수술적 치료를 거부할 수도 있고 사고장애나 실행기능에 문제가 있는 경우 치료 순응도나 추적 관찰이 어려울 수도 있다. 또한 통증에 대한 민감도가 낮아서 진단이나 치료 시기가 늦어질 수도 있다. 그 결과 조현병 환자에서는 수술적 치료의 부작용도 높은 편이다.

③ 양극성 장애

수술과 관련된 심리적, 생리적 스트레스는 양극성장애 환자들에게 불안정성을 유발하여, 기분 삽화의 재발을 초래할 수 있다. 특히 조증 삽화가 발생하는 경우 수술과 관련된 관리를 어렵게 하여 생명의 위험을 초래하는 부작용이 발생할 수도 있다. Lithium은 공복상태, 수액투여 및 전해질 변화에 따라 혈중농도의 변화가 있을 수 있다. 오랜 기간 동안 경구로 기분안정제를 복용할 수 없는 경우에는 haloperidol이나 valproate의 정맥주사 처치가 대안이 될 수 있다.

(3) 수술 전 불안

수술을 앞둔 환자의 11-80%는 수술 전 불안이나 수술에 대한 두려움을 겪는다. 수술 전 불안은 혈관수축, 자율신경계의 불안정, 마취 유도과정의 어려움, 마취 요구량의 증가 등 다양한 문제를 유발할 수 있기 때문에 수술 전 불안을 줄이는 것은 중요하다. 경험적으로는 diazepine, mirtazapine, gabapentin, clonidine과 같이 진정 효과가 있는 약물이 많이 사용되는데 기존에 benzodiazepine을 복용하고 있던 사람이나 알코올 문제가 있었던 경우라면 보다 고용량의 benzodiazepine을 사용해야 할 수도 있다. 체계적 문헌고찰에 의하면 비약물학적 치료로 수술에 대한 정보 제공을 위한 교육이 수술 전 불안완화에 효과가 있음이 보고되었다.

① 바늘, 수혈, 기기에 대한 불안

바늘 공포는 바늘에 대한 단순한 두려움을 보이는 경우부터 혈액-주사-상처 공포증blood-injection-injury phobia으로 진단될 수 있을 정도의 심한 상태까지 다양한 정도로 보고된다. 혈액-주사-상처 공포증이 일생 동안 발생할 유병률은 3-4.5% 정도인데 바늘에 대한 단순한 두려움이 있는 경우를 모두 포함하면 10-21% 정도로 높은 편이다.

체계적 문헌고찰에 의하면 노출기반의 개입과 응용근육긴장법applied muscle tension이 바늘에 대한 두려움을 해소하는 데 효과적이라고 알려졌다. 수혈이나 주사바늘에 의해서 감염될 것에 대한 두려움이 있는 환자들에서는 정확한 정보제공을 통해 잘못된 믿음을 교정해주는 것이 도움이 될 수 있다. 여호와의 증인과 같이 종교적인 이유로 수혈을 거부하는 경우 수술과정에서 수혈을 당연하게 진행하기 보다는 다른 수액치료를 통해 볼륨을 유지하는 대안을 모색해 볼 수 있다.

② 기타 불안

마취 자체에 대한 불안을 호소하는 경우도 흔한 편이다. 마취에 대한 불안을 호소하는 이유는 다양하지만, 주로 수술 후 통증에 대한 우려로 인한 경우가 많다.

아이들의 경우에는 40-60%가 수술 전 불안을 호소한다고 보고되었다. 수술 전 불안을 경감시키기 위하여 마취 시 부모가 같이 있는 것보다는 midazolam과 같은 약물 처치나 행동적 접근이 더 효과적이라고 보고되기도 했다. 그러나 코크란 종설에서는 어떤 방법이나 약물이 아이들에게 가장 효과적으로 수술 전 불안을 경감시킬 수 있는지에 대해서 명확한 결론을 내리지 못했다.

(4) 수술 전 약물 조정

수술을 받게 되는 환자들은 다른 약물을 복용하고 있거나 기저 질환이 있는 경우가 많은데, 이는 수술 합병증의 위험을 높일 뿐만 아니라 복용중인 정신약물들과 마취제와의 상호 작용을 나타낼 가능성을 높일 수 있다. 따라서 수술 전 평가 시 환자가 복용 중인 정신약물이 있다면 조정할 필요성이 있는지 판단해야 한다.

① 항우울제

항우울제는 마취제와 함께 사용할 때에는 안전한 편이고, 중단 시에는 중단 증후군discontinuation syndrome이나 우울증상의 재발가능성이 있기 때문에 일반적으로는 수술 기간 중 유지하는 것이 권고된다.

가. 선택세로토닌재흡수억제제selective serotonin reuptake inhibitor, SSRI와 세로토닌-노르에피네프린재흡수억제제serotonin-norepinephrine reuptake inhibitor, SNRI

SSRI는 다른 항우울제에 비해 부작용이 적고 내약성이 좋기 때문에 수술 중 유지하는 것이 권고된다. 몇 가지 고려될 사항으로는 SSRI를 복용하고 있는 환자에서 세로토닌 활성기능을 가지는 진통제(Meperidine, Tramadol, Fentanyl)를 병용 투여 시 세로토닌 신드롬 발생의 위험이 높아질 수 있으므로 세로토닌 기능을 높이지 않는 다른 아편유사진통제(Morphine, Hydromorphone, Codeine, Oxycodone, Buprenorphine)를 선택하는 것이 더 안전하다. SSRI는 고용량 사용 시 혈소판 응집을 저해하여 출혈의 위험성을 높일 수 있기 때문에 출혈위험이 높은 수술을 앞두고 있거나, 혈액응고에 영향을 미치는 다른 약제를 복용하고 있는 경우는 수 주에 걸쳐 SSRI를 중단하거나 다른 항우울제로의 교체를 고려할 수 있다. Fluoxetine, paroxetine, sertraline은 cytochrome P450 (CYP) 2D6를 억제하여 일부 아편유사진통제(Oxycodone, Hydrocodone, Codeine)의 활성 대사물로의 변환을 저하시킬 수 있으며 그 결과 원하는 진통효과에 도달하기 어렵게 될 수 있다.

SNRI도 대체로 수술 기간 중 유지될 수 있다. Venlafaxine은 간 대사 효소 기능에 영향을 주지 않기 때문에 다른 마취제 약물과의 상호작용이 없다.

나. 삼환계 항우울제tricyclic antidepressant, TCA

TCA는 카테콜아민catecholamine에 대한 민감도가 증가되면서 발생할 수 있는 부작용에 유의할 필요가 있다. 교감신경계 항진 기능이 있는 다른 약제가 함께 투여될 때는 고혈압이나 부정맥이 발생할 가능성이 높아진다. TCA를 복용 중인 환자에서 수술 중 atropine 같은 항콜린성 약제가 투여되는 경우 수술 후 혼돈confusion을 보일 수 있다. 한편 오랜 기간 TCA를 사용한 환자들은 신경 말단에서의 카테콜아민 저장이 고갈되어 저혈압이나 심장기능의 저하가 발생할 수 있다. 하지만 이러한 부작용들의 발생 가능성에도 불구하고 일반적으로 TCA는 수술 기간 중 유지되는 경우가 많고 부정맥 발생 가능성에 대한 우려가 높은 경우에는 천천히 중단을 고려한다.

다. 모노아민산화효소억제제monoamine oxidase inhibitor (MAOI)

MAOI는 부작용 및 식이 제한의 필요성으로 인해 우울장애 치료에는 제한적으로 사용된다. 과거에는 혈류역학적 불안정성 유발 가능성 및 마취약제와의 상호 작용 우려가 있어 수술 전 MAOI의 사용 중단이 권고되었으나 한 후향적 코호트 연구에서는 MAOI 사용 여부와 혈류역학적 문제(고혈압, 서맥, 빈맥)가 관련이 없음이 보고된 바 있고 현재는 수술 전 반드시 중단하기 보다는 개별적으로 부작용과 우울증상의 재발 및 중단 증후군 가능성을 고려하여 정하도록 권고된다. Moclobemide (MAOI-A)는 일반적으로 수술 24시간 전에 중단할 수 있고 selegiline (MAOI-B)은 10 mg/일 이하로 사용하는 경우에는 중단할 필요가 없으나 meperidine은 적은 용량의 selegiline 사용하고 있는 경우라도 병용 투여를 피해야 한다.

라. 기타 비정형 항우울제

Mirtazapine은 혈압이나 심박수에 미치는 영향이 없어 수술 중에도 계속 사용할 수 있고 부작용의 정도는 SSRI와 비슷하다. Bupropion의 부작용은 수술과 관련되어 보고된 바 없으나 ketamine과 병용 투여 시 경련의 역치가 낮아질 수 있다.

② 기분안정제

수술 전 단계에서 기분안정제를 갑자기 중단하는 경우 기분 삽화가 재발할 위험이 높아지므로 가급적 유지하는 것이 권고된다.

가. Lithium

Lithium은 작은 수술 중에는 유지할 수 있고, 큰 수술의 경우 일부 연구자들은 24-48시간 전에 중단을 권고하고 있으나 이는 논쟁의 여지가 있는 부분이다. 만약 수술 전 lithium을 중단했다면 수술 후 24시간 뒤 다시 투여되어야 한다. Lithium은 신장으로 배설되기 때문에 비스테로이드소염제와 같이 신기능에 영향을 줄 수 있는 약물을 함께 사용 시에는 주의해야 하며 전해질 이상에도 관심을 가져야 한다.

Lithium은 마취제와 상호작용이 있을 수 있는데, 뇌간brain stem의 노르아드레날린, 도파민의 분비를 차단하는 효과가 있어 마취제 요구량이 감소될 수 있다. 또한 신경근육차단제의 작용 시간을 증가시키는 효과가 있기 때문에 신경근육차단제 사용 시 용량을 줄일 필요가 있다.

나. Valproate

Valproate는 혈장 단백질과 강하게 결합하는 약제이기 때문에 warfarin과 같이 혈장 단백질과 결합하는 다른 약제를 전위시켜 농도를 높이거나 독성을 유발할 수도 있다. Valproate는 대부분 간에서 CYP 2A6, CYP 2B6, CYP 2C9, CYP 3A에 의해 대사되기 때문에 간 대사 효소 작용을 억제하는 다른 약제를 병용 투여 시 농도가 높아질 수 있다.

다. 기타 기분안정제

Carbamazepine, oxcarbazepine은 CYP 3A4, CYP 3A5의 유도제로 작용하기 때문에 이러한 효소들에 의해 대사되는 benzodiazepine 약물을 포함한 다른 약제들의 농도를 저하시킬 수 있다. Lamotrigine은 마취 전 중단할 필요가 없다.

③ 항정신병약물

수술 전 항정신병약물을 갑자기 중단하는 경우 정신증상이 재발할 수 있고 수술 72시간 전에 중단한 경우에는 수술 후 혼돈이 나타날 가능성이 높다고 알려져 있기 때문에 일반적으로는 수술 전 항정신병약물은 유지될 필요가 있다.

항정신병약물은 마취제에 의한 혈압 저하나 진정 기능을 높일 수 있기 때문에 일부 환자에서는 주의할 필요가 있다. 또한 시상하부 부위의 도파민 차단 효과가 있어 체온 조절 기능이 저하될 수 있다. 교감 신경계의 항진으로 수술 후 마비성장폐색증의 발생 가능성이 높아질 수 있는 것도 유의할 점이다. 항정신병약물을 복용하고 있는 환자들은 수술 후 통증에 덜 민감한 것으로 알려져 있다.

④ Benzodiazepine

Benzodiazepine을 오랫동안 사용하고 있었던 환자에서는 약물 중단 시 금단 증상이 있을 수 있으므로 수술 전 유지하는 것이 좋다. Midazolam은 CYP 3A4, CYP 3A5에 의해 주로 대사되는데 아졸*azole* 계열의 항진균제는 CYP 3A4 억제제로 작용하여 midazolam의 대사 저하를 유발할 수 있다. Diazepam은 CYP 2C19, CYP 3A4에 의해 대사되는데 fluvoxamine은 CYP 2C19 억제제로 작용할 수 있어 병용 사용 시 diazepam의 반감기를 높일 수 있다.

Benzodiazepine은 아편유사제나 정맥 주사용 마취제와 함께 사용 시에 중추신경계 억제에 대한 상승작용 효과가 있다. 일시적으로 benzodiazepine을 복용한 환자에서는 마취 요구량이 적어지지만, 오랜 기간 동안 복용한 환자에서는 마취 요구량이 늘어날 수 있다.

2) 수술 중 단계

수술 중 단계의 문제로써 마취 중 각성은 전신 마취 도중에 부분적으로 의식이 있는 상태를 경험하는 것으로 단순히 소리를 듣는 것부터 움직일 수 없는 상태로 통증을 느끼는 것까지 다양하게 경험될 수 있다. 이러한 경험은 악몽, 불안, 우울장애, 외상후스트레스장애post-traumatic stress disorder, PTSD와 같은 상태를 단기간 혹은 장기간에 걸쳐 나타나게 할 수 있다. 전신 마취 19,000 건당 1회의 마취 중 각성이 발생한다고 알려져 있으며 위험 인자로는 여성, 어린이, 비만, 이전의 마취 중 각성 경험, 마취 의사의 경험 부족, 지연된 수술, 수술 종류(심장, 산과 수술, 응급 수술), 신경근육차단제의 사용 등이 보고된다. 현재까지는 고위험군에서 이중분광계수 감시bispectral index monitoring(BIS)를 사용하는 것이 마취 중 각성을 예방하기 위한 방법으로 제안되어 있다.

3) 수술 후 단계

수술 후 단계에서는 섬망이나 급성 스트레스 장애, 주요 우울장애와 같은 정신의학적 문제가 발생할 수 있으며 이는 환자의 회복과 재활을 지연시킬 수 있다. 따라서 초기에 문제를 확인하여 위험 요인을 교정하고 신속한 약물 치료를 개시함으로써 수술 환자의 치료 경과를 개선시킬 수 있다.

(1) 물질사용장애

알코올과 같은 물질사용은 외상의 원인이 되는 경우가 흔하기 때문에 수술 환자에서 물질사용장애는 흔한 편이라고 볼 수 있다. 따라서 외상 환자들이 입원할 때 수술 후 합병증 관리나 금단증상의 모니터링과 치료, 수술 후 물질사용에 대한 치료여부 결정 등을 위해서 물질사용력을 선별검사하는 것이 필요하다.

알코올 사용은 수술과 관련하여 다른 질환의 이환율이나 사망률을 높이는 것으로 나타났다. 이는 면역 기능의 저하로 인한 감염의 증가, 수술에 대한 내분비계의 스트레스 반응의 항진으로 인한 내과적 상태의 악화, 알코올성 간질환에 의해 발생된 지혈 문제로 인하여 상처 치유가 지연되는 것 등이 그 기저의 원인으로 생각되고 있다. 또한 만성적인 알코올 사용은 마취제에 대한 민감도를 높이거나 줄이는 식으로 여러 마취 합병증을 일으킬 수 있다.

아편유사제 오남용력이 있는 환자의 경우 일반적인 용량의 아편유사제를 투여했을 때 통증 조절이 잘 되지 않는다고 보고할 때가 있는데 이것이 약물남용으로 간주되어 환자에게 실제로는 불충분한 치료를 제공하게 되는 경우도 있다.

(2) 수술 후 섬망

수술 후 섬망은 흔히 발생되며, 특정 수술이나 환자군에서 더 높게 발생하는 것으로 보고된다. 고령, 치매, 인지장애, 감각장애, 우울장애는 수술 후 섬망의 위험인자로 알려져 있고 입원 시점에서의 시각 저하, 의학적 문제의 심한 정도, 인지장애, 탈수는 섬망과 관련되어 있는 환자 특성이다.

섬망은 다른 질환의 높은 이환율과 높은 사망률과 관련되어 있다고 보고되기 때문에 섬망을 예방하기 위한 연구가 수술 환자를 대상으로 많이 이루어졌다. 초기의 무작위배정 임상시험연구에서는 낮은 용량의 haloperidol이 섬망의 발생을 예방하고 섬망의 심각도나 기간을 줄이는 것으로 보고되었고, 심장 수술 환자를 대상으로 수술 전 risperidone 1 mg 투여하는 것이 섬망의 발생을 줄인다고 보고되었다. 그러나 최근의 메타 연구에서는 항정신병약물이나, 콜린에스테라아제 억제제cholinesterase inhibitor, melatonin 등을 수술 전에 투여하는 것이 수술 후 섬망의 발생을 줄이지 못하는 것으로 나타났다. 하지만 코크란 종설에서는 비정형 항정신병약물이 섬망의 발생을 줄이는 데 어느 정도 효과가 있다고 보고되었다.

비약물적 치료도 수술 후 섬망을 예방하는 데 도움이 될 수 있다. 개별화된 관리와 교육, 조기 보행, 오리엔테이션 제공, 감각 결핍에 집중하는 것 등과 같은 다양한 측면의 개입이 수술 후 섬망의 발생을 줄이는 것으로 알려졌다.

선택적 α2 아드레날린 수용체 작용제인 dexmedetomidine (Precedex)은 호흡곤란을 일으키지 않고 섬망 발생 위험이 적기 때문에 중환자실에서 고위험군의 수술 후 섬망의 발생과 기간을 줄이는 데 있어서 항정신병약물의 대안으로 사용될 수 있다.

(3) 외상후스트레스장애(PTSD)

PTSD는 신체적 외상으로 수술을 받은 환자의 약 25%에서 발생하고 아이들은 82%까지 PTSD 증상을 보인다고 알려져 있다. PTSD는 신체적 외상이 있는 환자에서 흔하지만 심장 수술이나 신경외과적 수술 이후에도 흔히 발생한다. 수술 이후 PTSD 발생을 예측할 수 있는 인자에 관한 연구들에 의하면 PTSD의 발생은 신체적 외상의 정도나 질병의 심각한 정도와는 관련이 없었고 이전의 정서적 적응 수준이나 사회적 지지가 예방인자로 작용하는 것으로 밝혀졌다. PTSD 증상은 시간이 갈수록 줄어들지만 15%의 환자에서는 1년 뒤에도 여전히 PTSD 증상을 겪는 것으로 나타났다.

수술 후 환자에서 섬망이나 금단 증상이 있을 경우 급성스트레스장애acute stress disorder, ASD나 PTSD를 진단하는 것은 쉽지 않고 입원기간이 길지 않은 경우에는 PTSD 진단 기준에 맞는지 여부를 입원기간 중 확인하기 어렵다. 퇴원 후 PTSD 증상은 보다 미묘하게 나타나는데, 병원 방문을 피하려고 하거나 질병의 경과에 대해서 강렬한 두려움을 느끼는 것, 신체 증상에 대한 집착이나 중환자실에서의 망상적 기억/혼동에 대한 몰입, 세균 감염에 대한 두려움으로 고립되어 지내는 생활, 중환자실을 연상시키는 소음에 대한 반응 등이 그 예이다. 따라서 초기에 이러한 증상을 확인하여 개입하는 것이 PTSD가 만성화되는 것을 줄일 수 있을 것이다.

수술 후 발생한 PTSD의 치료에 대한 연구는 거의 없으나 일반적인 가이드라인에 기반하여 치료할 수 있으며 심리적 치료와 함께 SSRI와 같은 약물 사용을 권고하고 있다. 자동차 사고로 인한 PTSD 환자에서는 인지행동치료cognitive behavioral therapy, CBT가 효과적이라고 보고된 바 있다. 어린 아이들의 경우는 정신치료가 우선적으로 고려되고 SSRI는 보조적 수단으로 사용되어야 한다. 중환자실의 환자는 가족들이나 병원 직원에 의해 환자 일지를 작성하는 것이 환자나 가족의 PTSD 발생을 줄이는 데 도움이 된다.

(4) 수술 후 통증

수술 후 환자의 86%가 통증을 호소하고 퇴원 시 74%는 여전히 통증을 호소한다고 보고되고 있으며 약 1/3은 수술 후 1년이 지난 시점에서도 간헐적 혹은 지속적인 심한 통증을 경험한다고 알려져 있다.

잘 조절되지 않은 통증은 심한 정서적 고통을 초래할 수 있는데, 이러한 정서적 반응은 통증의 악화를 유발하는 악순환이 될 수 있다. 통증과 우울장애의 상호 관련성은 수술 전 우울장애가 있는 경우 수술 후 심한 통증을 호소하며 더 높은 진통제를 요구하는 경우가 많다는 점에서도 확인된다.

따라서 수술 후 통증에 대한 적절한 치료는 삶의 질과 회복을 위해서 반드시 필요하지만, 만성적인 아편유사진통제 처방은 피해야 한다. 아편유사제 의존성이 있는 많은 환자들이 수술 후 발생한 만성통증을 치료하기 위해 아편유사진통제를 사용하면서 중독성을 보이기 시작했다고 알려져 있다. 아편유사제는 수술 후 통증 치료를 위한 중요한 수단이지만 최근 미국에서는 오남용의 우려로 인해 논란이 많은 상태이다. 따라서 수술 후 통증 조절은 비아편유사진통제와의 병용 투여를 고려하고 재활 치료, 행동 치료 등의 다양한 수단을 이용하여 이루어지는 것이 권고된다.

(5) 수술 후 우울장애

수술 자체의 신체적 스트레스와 통증, 수술 전 할 수 있었던 일을 할 수 없게 되었을 때의 좌절감과 같은 스트레스 반응들은 우울 삽화를 초래하거나 기존의 우울장애를 악화시킬 수 있다. 수술 후 우울장애의 발생은 수술 종류와 관련이 있는데 개심술 특히 관상동맥우회술coronary artery bypass graft, CABG을 받은 경우에 잘 발생하는 것으로 보고되었다.

수술 후 우울장애는 회복을 지연시키고 합병증과 사망률을 높이는 것으로 알려져 있기 때문에 진단 및 치료가 중요하다. 수술 후 우울장애 증상이 어떻게 나타나는가에 관해서는 잘 알려져 있지 않은데 자극 과민성, 피곤함과 같은 증상들은 우울장애와 수술 후 회복과정에서 공통적으로 나타날 수 있기 때문에 이 둘을 구분하는 것은 쉽지 않으며 실제로는 이러한 상태를 신체적 문제의 결과로만 인식하고 우울장애 가능성이 간과되는 경우가 많다. 우울장애에 의한 증상이라면 2주 이상 지속되게 되고 적절히 치료받지 않는 경우 수개월 지속될 수 있다. 우울장애에 의한 절망감은 수술 결과가 완전히 회복되더라도 지속될 수 있다.

수술 후 우울장애의 치료는 수술과 관련되어 겪고 있는 신체적 문제를 고려해서 이루어져야 할 것이다. CABG 이후 발생한 우울장애 환자에서 CBT나 스트레스 관리 프로그램은 우울장애 치료에 효과적임이 보고되었다.

2. 장기 이식

장기 이식은 1954년 일란성 쌍둥이 형제간 신장이식이 처음 성공적으로 이루어진 이후 1980년대 까지만 해도 실험적인 방법 중 하나였으나 장기 이식 경험의 축적과 효과적인 면역억제제의 개발로 현재는 말기 장기 부전 상태에 있는 환자들에게 표준적인 치료 방법이 되었다. 그러나 장기 이식을 필요로 하는 사람에 비해 이식을 위해 사용할 수 있는 장기의 숫자가 매우 적은 상태이기 때문에 가장 필요로 하는 사람에게 장기를 이식하기 위한 선택의 문제가 생기게 된다. 또한 장기 이식을 받은 사람은 평생 동안 면역억제제를 복용하면서 이식 받은 장기의 기능을 유지하기 위해서 꾸준한 관리가 필요한데 이 자체가 많은 스트레스를 줄 뿐만 아니라, 개인적 노력과 주변 사람의 도움을 필요로 할 수 있다. 따라서 성공적인 장기 이식을 위해서는 이식 전 대상자에 대한 평가 및 이식에 적합한 상태를 위한 개입과 이식 후 장기의 기능을 유지할 수 있기 위한 관리가 중요하다고 볼 수 있고 이는 의학적 평가와 더불어 정신 심리적 측면 및 지지체계 등 대상자를 둘러싼 통합적인 평가를 필요로 한다. 따라서 장기 이식 파트에서는 이식 전 평가에 대한 부분과 이식 후 발생할 수 있는 부분, 그에 대한 정신의학적 개입에 초점을 두고 기술하고자 한다.

1) 이식 전 문제들

이식을 필요로 하는 사람들은 기저의 만성질환을 겪으면서 비롯된 심리적 고통뿐만 아니라 질환이 진행됨에 따라 그에 따른 일련의 치료 변화를 맞이하게 되는데 이러한 변화에 대한 적응 문제를 겪게 된다. 이식을 대기하는 기간 동안 매번 자신의 장기 기능이 악화되지 않을까 늘 불안과 염려 속에서 지낼 수밖에 없으며 자기 관리가 철저한 사람이라고 하더라도 질병의 진행을 막을 수 없기 때문에 그 과정에서 좌절감과 절망감을 겪게 된다. 또한 점진적으로 사회적, 직업적 기능을 잃어버리게 되면서 고립되는 경우도 흔하다. 이러한 상황들로 인해 이식 환자들에서 우울장애가 동반되는 경우가 많다. 간 이식 대상자의 경우 알코올 문제가 있었던 사람인 경우가 많으며 그 결과 알코올 문제와 관련된 여러 정신의학적 문제에 이미 이환 되어 있는 경우가 많다. 갑작스럽게 이식을 받으라는 통보를 받는 것은 환자에게 기대감도 주지만 동시에 불안과 두려움을 주는 상황이다. 어떤 환자는 예기 불안과 연락이 올 때 마다 공황을 경험하면서 장기 이식 기회를 포기하기도 한다.

이처럼 이식 대상자들은 이식과 관련된 이슈로 인하여 이미 많은 정신 심리적 문제를 가지고 있을 가능성이 높은 군으로 볼 수 있다. 정신 심리적 문제는 향후 이식 후의 임상적 결과에 영향을 미친다고 알려져 있는데 한 메타 연구에 의하면 이식 전 후의 우울장애는 이식장기의 생존 기간과 만성 거부 반응에 부정적 영향을 주는 것으로 보고되었다. 다만 불안의 경우는 그 연관성이 유의미하지는 않았다. 연구가 더 필요하지만 이식 전 우울장애에 대한 적절한 약물 치료는 환자의 예후에 긍정적 영향을 주는 것으로 보고된 바 있다. 따라서 이식 전 평가를 통한 정신 심리적 문제의 적절한 평가와 관리는 환자의 향후 경과에 중요한 역할을 할 수 있다.

(1) 이식 전 적절성 평가: 정신 심리적 문제의 평가

이식 전 정신심리학적 평가는 대상자가 이식에 적합한지, 정신의학적 문제나 심리사회적 문제의 유무, 대상자나 그 가족들이 가지는 이식과 관련된 요구들의 파악에 초점을 두고 이루어지며 구체적으로는 표 30-1에 제시된 것처럼 10가지 사항에 대해서 평가를 하게 된다.

이식 대상자를 평가하는 데 있어 보편적으로 인정하고 쓰여지는 가이드라인은 현재 없으며 적절성 평가의 근거 자료도 부족한 편이다. 이러한 평가를 한 번의 면담으로 모두 파악하기는 어려우며 이식과 관련된 부분의 평가를 위해 특별히 개발된 도구를 이용해 볼 수 있다. 이식대상자 정신사회평가psychosocial assessment of candidates for transplantation, PACT, 이식평가측정척도transplant evaluation rating scale, TERS, 스탠포드 이식 통합정신사회평가Stanford integrated psychosocial assessment for transplant, SIPAT들이 그 예이다. SIPAT은 가장 표준화된 심리사회적 평가 도구로써 환자의 심리사회적 위험 요인이나 나중에 문제가 될 수 있는 현재의 문제들을 평가하게 된다. 현재 많은 장기이식센터에서는 평가 시 대면평가를 우선적으로 시행하고 필요시 추가적인 정보를 얻는 식으로 진행된다.

이식 전 평가 의뢰를 받은 정신건강의학과 의사는 어떤 대상자가 이식에 적합하지 않은지를 판단해야 하는 일로 불편할 수 있는데 많은 이식 프로그램에서는 심리사회적 문제가 있다는 이유만으로 대상자를 이식 리스트에서 제외하지는 않는다. 정신 심리적 문제를 평가하는 자문의는 대상자의 이식 가능 여부를 평가해주는 역할 보다는 대상자가 이식에 적합한 상태로 최적화시키기 위해 도움을 주는 역할을 해야 한다. 이식 전 정신의학적 평가는 환자의 희망이나 미래의 꿈, 질병과 죽음에 대한 두려움 등을 들을 수 있는 기회이기도 하다. 즉 단순히 진단적인 평가가 아닌, 교육적이고 치료적인 부분이 함께 이루어져야 한다.

표 30-1. 이식 대상자를 대상으로 한 심리사회적 평가의 목표

1. 심리적 대처 기술을 평가하고 필요시 개입
2. 동반된 정신의학적 진단을 평가하고, 이식 전 후로 모니터링 및 치료
3. 대상자가 이식 과정을 이해하고 정보에 근거하여 사전 동의를 할 수 있는 능력이 있는지를 평가
4. 대상자가 이식 팀과 치료에 협조할 수 있는지 여부를 평가
5. 물질 오남용 병력과 오랜 기간 동안 중단할 수 있는지 여부를 평가
6. 이식 후 다른 질환의 이환율 및 사망률에 영향을 줄 수 있는 건강행동을 평가하여 필요시 문제가 되는 행동을 교정
7. 이식 대상자를 하나의 사람으로써 이해할 수 있도록 이식 팀원들에게 알려주기
8. 사회적 지지체계의 평가
9. 이식과 관련된 기간 동안 이식 대상자와 가족의 심리사회적 요구도를 결정하고 필요한 서비스를 제공
10. 이식 후 인지 수준의 변화를 모니터링할 수 있도록 평가 시점에서의 지적 상태를 평가

(2) 이식 전 적절성 평가: 정신질환 및 복잡한 심리사회적 문제가 있는 경우

이식과 관련된 임상 경험이 축적되면서 성격장애, 물질 사용 장애, 적응 능력의 부족, 낮은 치료 순응도, 지지체계의 부족과 같은 심리사회적 요인들이 동반되어 있는 경우 이식 결과가 좋지 않음이 알려졌다. 그러나 이식에 적합하지 않은 요소들을 가진 환자들이 꼭 이식 대상자가 될 수 없는 것은 아니며 적절히 관리를 받는 경우에는 좋은 치료

결과를 보일 수 있다. 미국의 한 연구에 의하면 심한 정신질환이 있는 군, 다른 정신질환이 공존하는 군, 정신질환이 없는 군을 비교했을 때 치료에 대한 순응도나 3년 후의 사망률에서 차이가 없음을 보고한 바 있다. 단 적절한 관리가 되지 않았을 때는 환자와 이식 장기의 수명에 영향을 주는 것으로 알려졌다.

① 이식 후 치료 순응도 문제

이식 장기의 기능을 유지하기 위해서는 평생 동안 면역억제제를 복용해야 하며 면역억제제에 대한 순응도 저하는 급성 거부반응, 만성 거부반응, 장기의 손실, 사망과 관련되어 있다고 알려져 있다. 따라서 향후 치료 순응도는 이식 적합성을 판단하는 데 있어서 주된 고려 요인이 된다. 실제 순응도를 이해하기 위한 정신의학적 연구들이 많이 이루어졌는데 젊은 나이, 이식 전 순응도 저하, 우울장애, 불안증, 약물 오남용, 적응 능력 부족, 낮은 자기효능감, 낮은 건강 수준, 지지체계의 부족, 낮은 건강정보 이해능력, 낮은 사회경제적 상태, 약물사용의 복잡한 정도와 같은 요인들이 이식 후 순응도 저하와 관련이 있다고 알려졌다. 무엇보다도 순응도 저하의 원인은 다양할 수 있기 때문에 원인을 찾아 이해하고 교정하려는 노력이 필요하다. 자가보고식 도구를 통한 순응도 평가도 중요한 정보들을 제공할 수 있다.

② 약물사용 문제

가. 알코올

간 이식 대상자들은 알코올성 간질환이나 오염된 바늘을 통해 감염된 바이러스성 간염에 이환되어 있는 경우가 많기 때문에 약물남용력 평가를 위해 정신의학적으로 의뢰되는 일이 더 많다. 정신의학적 평가는 대상자의 약물사용력, 회복안정성, 약물 사용에 대한 이해(자신의 건강상태나 이식 필요성, 평생 동안 금주 상태를 유지해야 한다는 것, 향후 중독 치료에 대한 것), 다른 정신질환의 유무, 가족 및 사회적 지지체계에 대해서 이루어져야 한다.

하지만 이식 대상자에서 알코올 사용 문제를 평가하는 것은 복잡한 문제이다. 우선 알코올 문제가 있는 이식 대상자들은 약물 사용 문제가 있는 환자 들에서 흔히 볼 수 있는 수치심, 죄책감, 부인과 같은 심리적 장벽이 더 강화되는 경우가 많다. 또한 간성 혼수나 알코올성 뇌 질환 유무도 평가에 영향을 줄 수 있다. 알코올사용장애 선별검사-음주alcohol use disorder identification test-consumption, AUDIC-C와 같은 선별검사도구를 사용해 볼 수도 있으나 다른 정보원을 이용한 부가적인 병력청취와 무작위 독물선별검사도 함께 이루어져야 한다.

장기 이식을 받은 후 알코올 문제가 재발하게 되면 알코올 자체의 독성뿐만 아니라, 감염에 대해 취약성 증가 및 면역억제제에 대한 순응도 저하로 인해 장기 부전으로 이어질 수 있기 때문에 재발 방지를 위한 관리가 더 중요하다. 이식 후 알코올 사용 문제 재발에 대한 예측 인자로는 이식 전 짧은 금주 기간, 알코올 문제의 가족력, 알코올 의존 진단, 낮은 사회적 지지 체계 등이 알려져 있다. 이 중 이식 전 금주 기간으로 보통 6개월의 금주기간이 제시되는 경우가 많으나 절대적인 기간이라고 보긴 어렵다. 급성 알코올성 간염의 경우 6개월의 금주기간이 만족되지 않더라도 의학적인 필요성에 의해 빠른 이식이 필요할 때가 있는데 논란의 여지는 있지만 신중히 선택된 환자에서는 좋은 치료 결과를 보였다는 연구들도 있다.

많은 이식 대상자들은 자신의 장기 기능에 대한 평가에만 관심을 가지고 중독 문제의 치료 필요성을 못 느끼는 경우가 많은 편이다. 하지만 이식 전후로 중독 치료를 받은 환자들이 가장 낮은 알코올 사용 재발률을 보이는 것도 사실이다. 동기 강화 치료motivational enhancement therapy는 치료에 대한 저항을 줄이는 데 도움이 될 수 있다. 이식 후에는 대상자와 비판단적이고 열린 대화를 통해서 알코올 사용 문제를 확인하는 것이 가장 효과적이지만 적은 양의 알코올 사용에 대해서도 허용할 수 없다는 것을 알려주는 것이 중요하다.

이식 환자를 대상으로 갈망이나 재발률을 낮추기 위해 사용되는 약물들이 연구된 바는 거의 없다. 한 연구에 의하면 알코올 사용 문제가 재발한 이식 환자들은 간독성에 대한 우려 때문에 naltrexone을 사용하기를 주저하는 것으로 보고되었다. Naltrexone은 권장 용량인 300 mg/일 초과할 경우 직접적인 간독성을 보일 수 있고 활동성 간염active hepatitis나 간부전이 있는 경우 권장되지 않는다. Baclofen은 말기 간 질환에서 안전하고 효과적으로 사용할 수 있음이 무작위배정 임상시험에서 확인된 바 있다. 이식 환자는 아니지만 알코올 문제가 재발하는 우울장애 환자를 대상으로 한 연구에서는 SSRI나 TCA가 기분을 안정화시켜 금주 기간을 늘릴 수 있다고 보고되었다. Acamprosate는 간 이식 환자에서 안전하게 사용되어 왔으며 갈망과 알코올 사용을 줄이는 데 어느 정도 효과가 있다. 다만 신장으로 배설되기 때문에 신기능 저하가 있는 경우에는 용량이 조절되어야 한다.

나. 흡연

장기 이식 환자에서 흡연은 이식 후 결과에 큰 영향을 미친다. 특히 면역억제제를 사용하면서 흡연을 하는 경우 암 발생 위험이 높아진다. 이외에도 감염, 혈전, 죽상 경화증의 위험을 높이게 되는데 죽상 경화증은 면역억제제 사용으로 인해 고혈압, 고지혈증, 고혈당에 대한 위험도가 이미 높아진 이식 환자들 에서는 더욱 문제가 될 수 있다. 흡연이 장기 기능과 향후 생존율에 큰 영향을 주고 있다는 것을 고려했을 때 정신의학적 자문 시 이식 전 흡연 유무를 반드시 평가하고 필요하면 금연 치료를 제공해야 한다.

금연 치료에 사용되는 약물로는 varenicline, bupropion, 니코틴 보조제가 있으며 행동 치료도 고려할 수 있다. 니코틴 보조제는 간, 폐질환 환자에서는 안전하게 사용할 수 있으나 신장 질환이 있는 경우 니코틴 청소율의 변화가 있을 수 있어 주의할 필요가 있다. 또한 심한 심장 질환이 있는 경우는 니코틴에 의해 협심증의 악화, 심박수의 증가, 부정맥의 악화 가능성이 있기 때문에 사용을 피해야 한다. 니코틴 보조제를 bupropion과 함께 사용하는 경우 심한 고혈압 발생이 보고된 바 있기 때문에 혈압 모니터링이 필요하다. Bupropion은 면역억제제를 사용함으로써 이미 경련의 위험도가 높아져 있는 이식 환자에서 주의가 필요하며 면역억제제의 농도가 높은 이식 초기 상태에서는 더욱 유의해야 한다. Varenicline은 신장을 통해 배설되기 때문에 신기능이 낮거나 투석 중인 경우 용량을 줄일 필요가 있다. 이식 환자에서는 소화기 부작용을 흔히 겪기 때문에 varenicline을 사용하면서 구역, 구토와 같은 부작용이 발생 시 문제가 될 수 있다.

③ 성격장애

성공적인 이식을 위해서는 이식 과정에서 대상자의 신체적 사회적 기능 변화에 대한 적응과 보호자 및 이식 팀에 대한 협조가 필수적이지만, 성격장애 환자에서는 기대하기 어려운 일일 수 있다. 정신건강의학과 자문의는 대상자의 성격장애 유무를 확인함으로써 행동 패턴을 예측하고 치료를 권유하며 환자가 치료에 잘 협조할 수 있도록 이식 팀과 함께 행동 계획을 수립할 수 있다. 이러한 일은 시간이 많이 드는 일이기 때문에 일종의 자원 할당 문제가 논의될 필요가 있다.

이식 환자에서 성격장애의 비율은 일반 집단과 비슷하게 10-26% 정도 되는데 이식 문제와 관련해서는 성격장애 환자들은 치료 순응도의 문제로 인해 질병의 이환율과 사망률을 높이는 것으로 보고되었다. 특히 경계선 성격장애 환자에서 가장 높은 이식 후 치료 순응도 저하를 보이는 것으로 알려졌다.

성격장애 환자들은 순응도를 높이고 이식 팀과의 치료협력관계를 유지하기 위해서 이식 전후로 인지 행동적 측면에 중점을 둔 지속적인 정신치료가 도움이 된다. 환자들에게는 이식의 규칙과 요구사항에 대해서 명료하고 일관적인 지침을 주고, 정기적인 외래 방문에 대해서 긍정적 강화를 주어야 한다. 제한된 인원만이 환자에게 연락을 취하도록 하고 이식팀과 정신건강의학과 사이의 정기적인 소통을 통해 환자 관리를 조율하면서 인지 왜곡이나 분열을 줄일 수 있다.

④ 정신병적장애psychotic disorders

만성 혹은 급성 정신병적장애 환자들은 많은 경우 이식에 적합하지 않다고 판단되었지만 신중히 선택된 환자에서는 이식 후 성공적으로 관리되는 경우도 많다. 이식에 적합한 정신병적장애 환자는 의학적, 정신의학적 추적 관찰이 잘 되고, 적절한 지지 체계와 거주지를 가지고 있으며 이식 팀과 협력관계를 유지할 수 있는 대상자여야 한다.

면역억제제의 사용이 정신증의 증상을 악화시킬 가능성도 늘 고려해야 한다. 이러한 증상이 나타나는 경우 항정신병약물을 적극적으로 사용해야 하며 이식 팀에서는 이식 직후 항정신병약물을 재개하는 것을 간과할 때가 많기 때문에 정신건강의학과 의사들이 더 관심을 가져야 한다. 안정기에 있는 조현병 환자의 약 1/4은 수술 후 악화될 가능성이 있다고 알려져 있기 때문에, 이식 후에는 더 잦은 검진이 필요하다. 또한 간 이식이 필요한 환자의 경우 sulpiride, amisulpiride, paliperidone을 제외한 모든 항정신병약물은 간 대사를 통해 이루어진다는 점을 고려할 필요가 있다.

(3) 이식과 관련된 특별한 문제들

① 인지기능 장애와 섬망

이식 환자에서 인지기능저하는 대상자가 의학적 내용을 이해하고 결정을 내리는 능력과 이식 후 치료지침을 수행하는 능력에 영향을 미칠 수 있으므로 중요한 부분이다. 이식 전후로 환자들은 무증상, 경도의 증상에서 심한 섬망에 이르기까지의 다양한 정도의 인지기능의 문제를 경험할 수 있다. 이는 장기 기능 부전의 결과로 인한 이차적인 생리적 결과일 수도 있고, 다른 동반된 질환의 진행, 알코올이나 약물로 인한 손상, 이전의 뇌 손상 등의 결과일 수도 있다. 장기 기능 부전으로 인한 인지기능 저하는 이식 후 회복될 수 있지만, 이식 과정에서 중추신경계에 영향을 미치는 다른 문제가 생길 수 있기 때문에 인지기능저하가 회복될 때까지 수개월에서 수년이 걸릴 수 있고, 완전한 회복이 어려운 경우도 있다.

② 간성 혼수hepatic encephalopathy

간성 혼수는 의식 수준의 변화, 인지 장애, 혼동, 정서적 불안정, 정신증상, 행동 문제, 자세고정불능asterixis 등의 증상과 징후로 나타나는 정신의학적 증후군에 해당하며 간 이식 대상자들에서 흔히 나타날 수 있다. 준 임상적인sub-clinical 간성 혼수로 나타나는 경우 진단이 어려우나 이 때에도 안전의 문제(운전으로 인한 교통 사고 등)가 생길 수 있으며 간 이식 후에도 인지 장애가 지속되는 것과 관련될 수 있다. 준 임상적인 간성 혼수는 일반적인 임상 평가를 통해 진단하기 어렵고, 정신운동속도, 행동praxis, 집중력, 주의력에 대한 신경인지검사를 통해 알 수 있다. 이 때 웩슬러 성인지능 검사-개정판Wechsler Adult Intelligence Scale-Revisited 중 선로잇기검사trail making test와 숫자-기호바꾸기검사digit symbol test나 토막짜기검사block design test가 흔히 이용되지만 비용과 시간의 문제로 인해 검사가 잘 이루어지지 않는 경우가 많다. 한 연구에서는 스마트폰 기반의 스트룹검사Stroop test를 통해서 준 임상적인 간성 혼수를 평가하는 것이 검증된 바 있다.

정신건강의학과 자문의는 간성 혼수의 증상을 잘 이해하여, 증상의 모니터링 및 치료에 관한 의견을 줄 수 있어야 한다. 치료는 암모니아 수준을 정상화시키기 위해 lactulose나 비흡수성 항생제를 투여하도록 한다. 항콜린제제나 진정제와 같은 약제는 증상을 악화시킬 수 있으므로 피해야 한다.

③ 심장 이식에서 심실보조장치ventricular assist devices, VAD

기계적 순환 보조장치mechanical circulatory support devices는 심장 이식 전 중간 단계로써 혹은 이식 기준에 맞지 않는 대상자에 대한 치료수단으로써 많이 사용되고 있고, 환자들의 삶의 질과 기능적 수준의 향상에 기여할 수 있다. 기계적 순환 보조 장치의 사용은 낮은 심박출량으로 의해 발생할 수 있는 인지장애 문제를 줄여주지만, 다른 신경학적, 정신건강의학적 문제들을 유발할 수 있다. 최신의 비맥동식 흐름nonpulsatile flow 기계적 순환 보조장치의 사용은 다른 질환의 이환율과 사망률을 줄일 뿐만 아니라 기존의 정신건강의학적 후유증의 발생도 반으로 낮추는 것으로 나타났다. 그러나 미세색전microembolic event의 발생 위험성은 여전히 있으며 그 영향은 시간이 갈수록 누적될 수 있기 때문에 주기적인 인지기능 검사가 필요하다.

④ 생체 장기 제공자 문제

장기 이식 대상자는 신장 이식의 경우 10년 전에 비해 3배 가까이 늘었으나 장기 기증자는 늘지 않고 있으며 뇌사 기증자는 연 500명 안팎으로 정체되어 있다. 국내 장기 기증은 생체 기증자가 전체 60%를 넘으며 절대 다수가 가족 기증자이다.

생체 장기 기증자는 기증에 적합한 의학적 상태에 있는지에 대한 평가뿐만 아니라 기증자가 자발적으로 동의할 수 있는 능력이 있는지, 동반된 정신건강의학적 문제가 있는지를 판단하여 정신심리적으로 건강한 상태에 있는지를 파악해야 한다. 또한 기증자의 기증동기가 자발적인가에 대한 판단이 중요하기 때문에 기증자를 둘러싼 환경과 기증동기, 이식 대상자와의 관계 역동, 이식 대상자 질환의 심각도, 가족의 압박과 같은 정신사회적 문제에 대한 평가도 필요하다. 이식 동기가 충동적이거나 가족들의 압력에 의한 경우 보상을 바라는 경우라면 모두 의학적으로 받아들여질 수 없는 동기로 볼 수 있다.

한편 기증자가 이식 수술 후유증을 포함하여 이식 과정에 대해서 충분히 알고 있는지를 확인하고 알려주는 것도 중요하다. 생체 장기 기증자의 사망률은 1%가 되지 않으나 간 기증자의 경우 40%가 1년 이내 합병증을 보고하고 3-16%는 심한 합병증을 보이기도 한다. 장기 기증 과정에서 발생하는 경제적 문제(직장에 몇 주간 결근을 해야하거나 기증 이후 보험가입이 어려워지는 문제)와 같은 현실적인 부분도 있을 수 있다. 대부분의 생체 장기 공여자들은 기증을 후회하지 않는다고 보고하지만 일부는 기증과 관련한 건강 문제에 대한 염려를 보고 하며 기증자들의 후유증은 실제 보다 적게 평가되었을 가능성도 높다. 기증자에서 우울장애 및 불안증의 발생은 일반적인 집단과 비슷한 수준이라고 알려져 있지만 기증 후 회복까지의 시간이 오래 걸리거나 기증에 양가적인 감정이 있었던 경우에는 기증 후 우울, 불안을 겪을 비율이 높다고 보고된 바 있다. 따라서 기증자에게 기증과 관련되어 발생할 수 있는 문제들을 충분히 알려 주고 관련되어 발생할 수 있는 심리적 불편감에 대해 적절한 개입이 필요할 수 있다.

2) 이식 후 관리

이식을 성공적으로 받게 되었다고 하더라도 이식된 장기 기능을 꾸준히 유지하기 위해서 요구되는 것들이 많다. 우선 면역억제제를 꾸준히 용법에 맞게 복용해야 하며 건강 관리를 일반인보다 철저히 할 필요가 있다. 면역억제제에 대한 순응도 저하는 거부반응을 일으키는 주된 요인이 되고 가끔 잊어버리는 것조차 유해한 결과를 초래할 수 있다고 알려져 있다. 현재까지 순응도를 높이기 위한 연구들은 대부분 관찰 연구에 기반해 있어 무작위 배정 임상시험 연구가 필요한 상황이지만 인지적, 심리적 개입, 조언, 및 교육 등의 여러 방법을 조합하는 것이 효과적이고 순응도를 높이기 위한 방법을 환자가 직접 선택하도록 하는 것이 좋다고 알려져 있다. 동기 부여 상담이나 문제 해결 위주의 상담도 순응도 문제를 다루는 데 도움이 된다. 한편 순응도는 시간이 갈수록 낮아지기 때문에 추가 면담이나 유지 치료가 필요하다.

(1) 정신건강의학적 문제에 대한 개입

장기 이식을 받은 사람들은 신체적으로는 이전보다 좋아짐을 느끼면서도 앞으로 자신에게 부여된 과제들에 대해서 부담을 느끼며 이식한 것에 대해서 불편감을 표현하는 경우도 적지 않다. 또한 환자들이 이식 후 가지는 기대감과 이식 과정에서 흔히 일어나는 의학적 문제들로 느낄 수 있는 실망감으로 인한 괴리감은 기분 변화를 악화시킬 수 있다. 신장 이식 환자의 20%, 간 이식 환자의 30%, 심장 이식 환자의 60%가 1년 이내에 불안 및 기분 장애가 발생한다고 알려져 있다. 또한 이식 환자의 3-15%는 PTSD나 유사증상에 시달린다고 한다. 이식 후의 우울장애는 이식 장기의 생존 기간의 저하나 만성 거부반응, 생존율 저하와 연관이 있다고 알려져 있다.

이처럼 이식 대상자들의 높은 정신건강의학적 질환의 이환율 및 관련 문제가 예후에 미치는 영향력을 고려했을 때 약물 치료 또한 필수적이다. 장기 이식 후에는 약물 동력학pharmacokinetics의 변화를 고려해야 하는데 이식 후 간기능과 신기능이 안정적인 상태의 환자들은 한달 이내에 약물의 청소율clearance과 항정상태 분포용적steady state volume of distribution이 정상인과 비슷하게 되기 때문에 수술 후 급성기 문제가 회복되고 나면 정상 용량으로 처방할 수 있고, 이식 전 적은 용량으로 복용했던 환자들은 더 높은 용량으로 조정할 필요가 있다. 한편 이식 직후 약물동력학에 영향을 줄 수 있는 가장 흔한 합병증은 이식 장기의 기능지연delayed graft function, DGF이다. DGF는 간, 신장 이식의 10-25%에서 나타나는데 간 이식을 받은 환자에서 DGF가 발생한 경우 면역억제제의 용량을 반으로 줄여야 한다. 신장 이식 환자에서 mycophenoate mofetil을 이용한 연구에 의하면 DGF가 발생하는 경우 면역억제제의 농도가 올라가지만 용량조절의 필요성은 없다고 하였다. 급성 거부반응은 간 이식의 경우 20-70%의 환자에서 이식 후 3주 내 발생하며 신장 이식의 경우 25-60%에서 이식 후 6개월 내에 발생한다. 급성 거부반응이 빠르게 조절되는 경우에는 정신건강의학과 약물을 조절할 필요가 없으나 만성 거부반응으로 인해 장기 기능이 서서히 저하되는 경우에는 말기엔 이식 전의 용량으로 조절될 필요가 있다.

심리적인 문제는 정신치료가 도움이 될 수 있다. 특히 이식과 관련된 문제에 초점을 둘 필요가 있는데 신장 이식 환자의 경우 거부반응에 대한 두려움, 성공적인 이식에도 불구하고 역설적으로 느끼는 상실감, 새로운 장기에 대한 심리적 적응과 같은 3가지 주제가 환자들이 자주 호소하는 심리적 문제이다. 이외에 이식 결과를 스스로 통제할 수 없다고 느끼는 부분이나 타인에게 의존적으로 되는 것에 대한 죄책감, 성기능 저하, 면역억제제 복용으로 나타나는 인지적 영향력에 대한 걱정 등이 정신치료에서 다루어야 할 주제들이다. 이외에도 집단 정신치료나 멘토링 서비스, 웹이나 모바일 기반의 서비스 등이 대상자들의 삶의 질 측면의 호전을 가져올 수 있는 것으로 보고되었다.

(2) 면역억제제의 종류와 정신의학적 부작용

면역억제제는 감염, 비만, 고혈압, 심혈관계질환, 골다공증, 신부전과 같은 내과적 부작용뿐만 아니라, 신경독성 및 정신증상(피해망상, 환청, 환시, 섬망 등)을 포함한 여러 정신의학적 부작용이 있을 수 있기 때문에 정신건강의학과 자문의는 면역억제제의 부작용에 대해서 잘 알고 있어야 한다.

① Cyclosporine

Cyclosporine은 일차적으로 사용되는 면역억제제로써 부작용은 떨림tremor, 안절부절함, 두통 등 경미한 수준일 때가 많지만 약 12%에서는 급성 혼돈상태, 정신증, 발작, 말실행증speech apraxia, 겉질시각상실cortical blindness, 혼수상태와 같은 심한 신경독성이 나타날 수 있다. 겉질시각상실을 보이는 일부 환자에서는 후두-두정occipitoparietal 부분의 탈수초화demyelination로 전산화단층촬영computed tomography, CT상 광범위한 백질이상diffuse white matter abnormalities이 특징적으로 보이는 후방가역백질뇌병증후군posterior reversible leukoencephalopathy syndrome, PRES가 보고되었다.

심한 신경독성은 용량을 줄이거나 감량하면 호전되는 편이지만 겉질시각상실을 보였던 환자가 약물중단 후 시각이상은 회복되었으나 탈수초화는 약물중단 이후에도 수개월간 지속되었다는 보고가 있다.

Cyclosporine을 lithium과 함께 사용하는 경우 세뇨관 재흡수가 증가되어 lithium의 혈중농도가 높아질 수 있다.

② Tacrolimus

Tacrolimus도 일차적으로 사용되는 면역억제제인데, cyclosporine에 반응이 없는 환자에 대한 구제치료rescue therapy나 이식편대숙주병graft-versus-host disease 치료 시에도 사용된다. Tacrolimus는 cyclosporine에 비해 효능이 더 강하고 신경독성은 덜하지만 정신건강의학적 부작용은 비슷하다고 알려져 있다. 흔한 부작용은 목소리떨림tremulousness, 두통, 안절부절함, 불면증, 생생한 꿈, 감각 과민hyperesthesias, 불안, 초조이고 인지저하, 혼수상태, 발작, 구음장애dysarthria, 섬망과 같은 심한 부작용은 8.4%에서 보고되었다. Tacrolimus는 혈액-뇌 장벽blood-brain barrier을 통과하는 것으로 알려졌는데 뇌졸중이나 다발성 경화증처럼 혈액-뇌 장벽의 손상이 있는 경우 심한 신경독성이 발생할 가능성이 더 높아진다.

Tacrolimus도 PRES를 유발할 수 있는데 PRES는 주로 수술 후 대개는 1달 이내 발생하지만 수년 뒤에도 발생할 수 있다고 알려져 있다. PRES는 의식수준의 변화, 국소 신경학적 증상, 전신발작 등의 다양한 증상으로 나타날 수 있기 때문에 심한 신경독성이 의심되는 경우 뇌영상을 확인할 필요가 있다. 특징적인 영상소견으로써 주로 후두-두정엽 부분의 피질이나 피질하백질이 CT 상 저음영low attenuation으로 T2강조-자기공명영상T2-weighted Magnetic Resonance Imaging, MRI 상 고신호강도 병변hyperintense lesion로 나타나는데 PRES 특징적인 변화를 확인하기 위해서는 MRI가 더 선호된다.

Tacrolimus를 장기간 사용하는 경우 다발성 신경병증이 발생할 수 있는데 이 경우 가능하다면 면역억제제의 용량을 줄이고 말초 신경병증성 통증에 대한 치료도 필요할 수 있다.

③ Corticosteroid

Corticosteroids의 경우 장기적으로 사용되기 보다는 수술 직후에 급성 거부반응을 치료하기 위한 목적의 고용량의 펄스치료로 투여되는 경우가 많다. 스테로이드에 의한 정신행동학적 부작용은 흔한 편이지만, 대개는 경미한 편이고 가역적이다. 조증, 정신증, 우울장애와 같은 심한 정신의학적 부작용은 하루 40 mg에서는 드물고, 하루 80 mg을 초과하는 용량에서는 18% 정도로 나타난다고 보고된 바 있다. 급성기 사용 시는 조증이 흔하고 6개월 넘게 사용하는 경우에는 우울장애를 보이는 경우가 많다고 알려져 있다.

섬망이 발생하는 경우 haloperidol이 정맥 주사로 사용이 가능하고 CYP 동종효소보다는 글루쿠론산화glucuronidation에 의해 대사되기 때문에 일차적으로 고려될 수 있다. 스테로이드에 의해 유발된 정신증상은 적은 용량의 항정신병약물로 치료하고 대개는 2주 이내 호전된다고 알려져 있다.

④ 약물상호작용

면역억제제는 대부분 어느 정도의 독성이 있고 좁은 약물치료지수therapeutic index를 보인다. 면역억제제는 주로 CYP 3A4에 의해 대사가 되기 때문에 CYP 3A4에 영향을 줄 수 있는 다른 약제를 함께 사용하는 경우 주의할 필요가 있다. 항우울제는 CYP 3A4 억제제로 작용할 수 있으며 fluvoxamine, nefazodone > fluoxetine > sertraline, TCA, paroxetine > venlafaxine의 순으로 억제효과를 나타낸다. Nefazodone의 경우 면역억제제의 혈중 농도를 높여 급성 신경 독성 및 섬망을 유발했다는 보고가 있지만 TCA나 fluoxetine은 면역억제제의 농도에 큰 차이를 유발하지 않았다는 연구결과가 있다. 즉, CYP 3A4 억제 정도가 적은 항우울제는 면역억제제와 유의미한 상호 작용을 보이지 않는다고 볼 수 있다. CYP 3A4 유도제로 알려진 modafinil, St. John's wort, carbamazepine은 면역억제제의 농도를 저하시켜 거부반응의 위험도를 높일 수 있다.

이 외에도 구역, 구토, 설사와 같은 소화기 증상은 면역억제제를 복용하는 사람의 60%까지 나타나는 흔한 부작용인데 SSRI나 venlafaxine과 비슷한 소화기계 부작용을 보이는 경우 다른 약물로의 교체를 고려해야 한다. 체중증가, 포도당 불내성glucose intolerance, 고지혈증과 같은 대사성 부작용도 면역억제제의 흔한 부작용이기 때문에 비슷한 부작용을 보이는 정신건강의학과 약물과의 병용 사용 시 주의해야 한다. Tacrolimus는 QT 간격 연장과 관련이 있기 때문에 QT 간격 연장을 유발할 수 있는 정신건강의학과 약물 투여 시 유의할 필요가 있다.

참고문헌

1. Andrea FD, Akhil S, Mary AD. *Organ Transplantation*. In: Levenson JL, editor. *The American Psychiatric Association Publishing textbook of psychosomatic medicine and consultation-liaison psychiatry*. American Psychiatric Pub; 2018.p.859-906.
2. Bullingham RE, Nicholas AJ, Kamm BR. Clinical pharmacokinetics of mycophenolate mofetil. *Clinical pharmacokinetics* 1998;34:429-55.
3. Evans LD, Stock EM, Zeber JE, Morissette SB, MacCarthy AA, Sako EY, et al. Posttransplantation outcomes in veterans with serious mental illness. *Transplantation* 2015;99:57-65.

4. Faeder S, Moschenross D, Rosenberger E, Dew MA, DiMartini A. Psychiatric aspects of organ transplantation and donation. *Curr Opin Psychiatry* 2015;28:357-64.
5. Freedland KE, Skala JA, Carney RM. Treatment of Depression After Coronary Artery Bypass Surgery: A Randomized Controlled Trial. *Arch Gen Psychiatry* 2009;66:387−96.
6. Laura MP. *Organ failure and transplantation*. In: Theodore AS, Oliver F, Felicia AS, Gregory LF, Jerrold FR, editors. *Massachusetts General Hospital Handbook of General Hospital Psychiatry*. Mosby Philadelphia; 2018.p327-34.
7. Leslie K, Davidson AJ. Awareness during anesthesia: a problem without solutions? *Minerva Anestesiologica* 2010;76:624-8.
8. Medved V, Medved S, Skočić Hanžek M. Transplantation psychiatry: an overview. *Psychiatr Danub* 2019;31:18-25.
9. Sanjeev S, Raed H. *Surgery*. In: Levenson JL, editor. *The American Psychiatric Association Publishing textbook of psychosomatic medicine and consultation-liaison psychiatry*. American Psychiatric Pub; 2018.p.819-57.
10. Sorrentino R. Performing capacity evaluations: what's expected from your consult. *Curr Psychiatry* 2014;13:41-4.
11. Zimbrean PC, Oldham MA, Lee HB, editors. *Perioperative Psychiatry*. Switzerland: Springer Nature; 2019.

31

CHAPTER

신경계 질환

강희주, 김재민

신경계 질환은 뇌신경에 병변이 있기 때문에 정신의학적 및 신경 행동학적 증상과 징후가 흔히 발생한다. 본 장에서는 여러 신경계 질환 중에서도 유병률이 높고 정신건강의학과 자문의뢰 되는 경우가 잦으며 임상적으로 중요한 뇌졸중, 파킨슨병 그리고 뇌전증에 대해 기술하고자 한다.

1. 뇌졸중

뇌졸중stroke은 뇌혈관의 부전insufficiency 또는 파열에 기인한 급작스러운 국소(또는 전반적) 대뇌 기능장애의 증상이 24시간 이상 지속되거나 사망에 이르는 것으로 뇌실질내로 자연발생된 출혈에 기인한 출혈성 뇌졸중hemorrhagic stroke과 혈관이 막힘으로써 뇌의 일부분에 불충분한 혈액이 공급되는 것에 기인한 허혈성뇌졸중ischemic stroke 즉, 뇌경색으로 구분된다. 출혈성 뇌졸중은 33%의 생존율을 보이는 데 비해 뇌경색은 뇌졸중 사례의 85%를 차지하고 1년 생존율이 약 75%로 중간정도의 치사율을 보이기 때문에 지속적인 장애의 주된 원인이 된다. 뇌졸중 후 흔히 발생하는 신경학적 증상으로는 편마비, 언어장애, 시야장애 또는 복시, 이상 감각, 어지러움 등이 있다. 한편 뇌졸중 후 발생할 수 있는 정신증상으로는 우울장애, 병적 웃음 또는 울음, 분노 및 공격성, 불안, 무관심, 파국반응, 정신증, 조증 등이 있으며, 각각의 증상빈도는 20-40%로 흔한 편이다. 그러나 이러한 정신증상들에 대한 연구 및 임상적 관심은 신경학적 증상에 비해 훨씬 부족하다. 뇌졸중 후에 발생하는 정신증상에 관심을 기울여야 하는 이유는 첫째, 그 유병률이 높다는 것 외에도 둘째, 정신증상이 뇌졸중의 회복을 지연시키거나 사망률을 증가시키는 등의 부정적 영향을 미치며 셋째, 증상을 정확히 파악하여 이에 대한 적절한 개입을 하면 치료에 대한 반응이 비교적 좋다는 점 때문이다. 뇌졸중 후 발생하는 여러 정신증상 가운데 가장 흔하고 임상적으로 중요한 증상은 우울장애와 병적 웃음 또는 울음이다.

1) 뇌졸중 후 우울장애poststroke depression, PSD

(1) 역학

PSD의 유병률은 조사 시점 및 우울장애의 심각성에 따라 다소 상이한 결과를 보인다. 메타분석 연구에서 시행한 합산된 유병률은 약 31-33%로 약 1/3의 뇌졸중환자에서 우울장애를 경험한다. 뇌졸중 후 급성기인 1개월 내 우울장애의 유병률을 조사한 연구에 따르면 주요 우울장애가 약 20%였고 경한 우울장애를 포함한 모든 우울장애가 약 40%로 보고되었다. 뇌졸중 후 아급성기인 6개월 시점에서는 주요 우울장애가 약 30%, 전체 우울장애가 약 50%로 보다 높았다. 뇌졸중이 안정화된 시기인 1-3년 후에는 주요 우울장애가 약 18%, 전체 우울장애가 약 35%로 약간 낮아졌다. 이를 종합하면 PSD의 유병률은 주요 우울장애가 20-30%, 전체 우울장애가 40-50%로 일반 인구의 우울장애 유병률에 비해 훨씬 높았다.

(2) 진단 및 평가

정신장애진단통계편람-5판Diagnostic and Statistical Manual of Mental Disorders Fifth edition, DSM-5에 PSD 진단을 위해 따로 마련된 기준은 없다. PSD는 DSM-5 진단부호 293.83의 '다른 의학적 상태로 인한 우울장애depressive disorder due to another medical condition'의 한 아형으로 기재된다. 현저하고 지속되는 우울한 기분 및 감소된 흥미나 즐거움이 뇌졸중에 의한 직접적인 효과라고 판단되는 경우에 '뇌졸중으로 인한 우울장애'로 진단할 수 있다. 우울 기분이 우세하지만 주요 우울장애 삽화의 완전한 기준을 충족시키지 않는 경우에는 '우울양상 동반with depressive features'으로, 주요 우울장애 삽화의 완전한 기준을 충족시키는 경우에는 '주요 우울 유사 삽화 동반with major depressive-like episode'으로 조증이나 경조증의 증상이 존재하지만 임상양상에서 두드러지지 않는 경우에는 '혼재성 양상 동반'으로 세분하여 진단한다. 정신질환의 진단에 뇌졸중과 같은 의학적 상태의 구체적인 진단명이 포함된다. 예를 들어, '뇌졸중으로 인한 우울장애, 우울양상 동반'으로 기재한다.

PSD의 평가를 위해 사용할 수 있는 척도는 PSD 외 제반 일반상황에서도 우울장애를 조사할 수 있는 일반 평가척도와 특별히 PSD을 평가하기 위해 제작된 특수 평가척도로 대별된다. 일반 평가척도로는 해밀턴 우울 척도Hamilton Depression Rating Scale이 가장 널리 사용되었고, 이 외에 병원 불안-우울 척도Hospital Anxiety and Depression Scale, 벡 우울 척도Beck Depression Inventory, 몽고메리-아스버그 우울 척도Montgomery Åsberg Depression Rating Scale, 노인 우울 척도Geriatric Depression Scale이 이용된다. PSD 특수 평가척도로는 뇌졸중 후 우울 척도 Post-stroke Depression Rating Scale, 뇌졸중 실어증 우울 설문지Stroke Aphasia Depression Questionnaire, 신경심리 행동 정서 프로파일Neuropsychology Behaviour and Affect Profile 등이 개발되었으나 일반 평가도구에 비해 흔히 사용되지는 않았고 국내용 표준화도 아직 이루어지지 않았다. 특수 평가척도 개발의 의의는 주요 우울장애에서 나타나는 우울증상과 PSD에 보다 특수한 우울증상을 비교 평가하는 데 있다.

(3) 임상양상

PSD는 뇌졸중 후에 우울장애가 발생한 시점에 따라 조발성(6개월 내) 및 만발성(6개월 후)으로 분류된다. 조발성이 만발성에 비해 우울장애의 제반 심리 및 신체적 증상이 보다 심각하다고 알려졌다. 한편 PSD의 우울증상과 내인성 우울장애에서의 우울증상에 대한 비교가 연구 및 임상에서의 관심이 되었다. 뇌졸중 환자는 신체장애나 동반

질환이 흔하기 때문에 우울장애의 신체증상이 보다 자주 나타난다. 또한 고령이고 인지장애가 흔히 동반되므로 우울장애의 인지증상도 보다 빈번히 출현한다. 그렇지만 우울한 기분이나 죄책감 또는 자살사고 등은 드문 편이다.

(4) 원인

PSD의 원인은 다른 대부분의 정신질환과 마찬가지로 심리사회적 및 생물학적 요인이 복합된 것으로 여겨진다. 즉 PSD가 발생하는 원인은 뇌졸중에 흔히 뒤따르는 신체적 장애나 불구로 인해 환자가 받는 심리적 충격 때문일 수 있고 또는 뇌졸중으로 인한 노르에피네프린이나 세로토닌 계가 위치한 곳에 뇌손상이 발생하여 이 물질들이 전달되는 데 문제가 발생하였기 때문일 수도 있다.

① 심리사회-임상적 요인

심리사회적 요인으로써 환자의 연령, 성별, 결혼상태, 사회적 지위, 사회적 지지체계, 성격특성 등이 거론된다. 임상적 요인으로 우울장애의 과거력, 신체적 기능수준, 인지저하, 뇌졸중의 심각도 등이 일관된 위험인자로 알려져 있다. 특히 신체적 기능수준의 저하가 PSD와 연관성이 깊다. 또한 신체적 기능수준은 PSD 증상의 호전과도 관련된다. 뇌졸중이 발생하였을 때는 신체적 기능수준이 비슷하였더라도 시간이 지난 후 PSD가 호전된 군이 호전되지 않은 군에 비해 신체적 기능수준이 좋았다.

② 생물학적 요인

생물학적 요인으로는 주로 뇌졸중 발생부위가 거론된다. 뇌의 전후방 부위에 따른 PSD의 발생관련연구에 따르면 뇌졸중이 뇌의 전방부위에 발생하였을 때에는 후방부위에 발생하였을 경우에 비해 PSD가 보다 잘 이환된다는 데 이견이 없어 보인다. 일부 메타분석 연구에서 연관성이 없다는 보고도 있지만 이는 뇌졸중 발생 반구위치를 함께 고려하거나 뇌졸중 발생시기 및 PSD 진단방법 등 이질성을 고려하지 않았다는 점을 해석에 반영해야한다. 최근 메타분석 연구에서 전방부위의 뇌졸중에서 뇌졸중 발생 6개월 이내에 PSD의 위험성이 현저히 증가한다고 보고되었다. 반면, 뇌의 좌우부위에 따른 PSD의 발생 정도에 관한 연구결과들은 일치되지 않는다. 이론적으로는, 뇌졸중이 뇌의 좌측에 발생하였을 때 노르에피네프린 및 세로토닌의 경로에 문제가 발생하여 PSD에 이환된다는 개념이 일반적이었다. 그러나 이와는 상반되게 뇌의 우측에 발생한 뇌졸중이 PSD와 연관성이 있다는 연구결과가 발표되었고 또한 뇌의 좌우부위와 PSD 간에는 연관성이 없다는 소견도 보고되었다. 이후 뇌졸중 발생시기에 따른 뇌의 좌우부위와 PSD간의 연관성을 다룬 체계적 문헌고찰 및 메타분석 연구들이 진행되었다. 2004년에 시행된 분석에서는 뇌졸중 발생 2주 이내에는 뇌의 좌측부위와 PSD간에 연관성이 있었으나 2주에서 6개월 내에는 이러한 연관성이 소실되고, 6개월 후에는 오히려 뇌의 우측부위가 PSD와 연관성을 보였다. 이후에 시행된 두 메타분석 연구에서는 급성이든 만성이든 뇌의 부위와 연관성이 없다고 보고하였다. 반면 이후 메타분석 연구에서 뇌졸중 1-6개월 이후의 PSD가 뇌의 우측부위와 연관성이 있다고 보고하였으나 이와 반대로 가장 최근의 메타분석 연구에서는 뇌졸중 후 1-6개월의 PSD가 뇌의 좌측부위와 연관성이 있음을 규명하였다. 현재까지의 결과를 정리하면 급성기 우울장애는 좌뇌부위 뇌졸중과 연관성이 있으나 아급성기 및 만성기 우울장애는 뇌졸중 발생부위와 상관관계가 일관되지 못하다. 이외에도 피질하 소혈관질환, 큰 부피의 경색이 PSD와 연관된다고 보고되거나, 뇌졸중의 발생부위와 무관하게 전체적인 신경변화에서 기인되는 전두변연계의 회로이상이 영향을 준다는 보고도 있다.

이 외에도 유전자 다형성 및 후생유전변이와 같은 유전적 취약성이 PSD의 발병의 기전으로 제시되고 있다. 특히 세로토닌수송체 유전자(5-HTTLPR)serotonin-transporter-linked polymorphic region 및 뇌유래신경영양인자brain-derived neurotropic factor, BDNF의 유전자다형성 및 메틸화와 같은 휴생유전변이가 발병의 위험도와 연관된다고 일관되게 보고되었다. 이외에도 아포지질단백질apolipoprotein, ApoE, 메틸렌테트라하이드로폴산염환원효소methylenetetrahydrofolate reductase, MTHFR 다형성도 위험인자로 제시되었다.

③ 심리사회-임상적 요인과 생물학적 요인의 종합

선행 연구결과들을 종합하면 뇌졸중 후 경과된 시점에 따라 PSD의 발병기전이 다소 다름이 시사된다. 뇌졸중의 급성기(약 1개월 내)에는 PSD의 발생에 생물학적 요인이 심리사회적-임상적 요인보다 우세하게 작용하며, 특히 뇌졸중이 좌측에 발생한 경우 PSD가 발생할 가능성이 높다. 한편 뇌졸중이 발생한지 6개월이 지난 시점부터는 심리사회-임상적 요인이 생물학적 요인보다 중요하다. 특히 신체적 장애나 손상으로 인한 기능장애가 PSD와 유의한 연관성이 있다. 반면, 뇌졸중의 발생부위는 별다른 영향을 끼치지 못한다.

(5) 우울장애가 뇌졸중의 경과 및 예후에 미치는 영향

PSD는 뇌졸중 환자의 경과 및 예후에 여러 부정적 영향을 끼친다. 뇌졸중 자체만도 환자에게 심각한 질병부담을 야기하는데 여기에 우울장애가 더해지면 인지기능, 일상생활수행, 삶의 질, 사망률, 부양부담에 부정적 영향을 미친다. 정신건강의학과 영역에서 PSD에 특히 관심을 가져야 하는 이유가 바로 여기에 있다.

① 인지기능 악화

뇌졸중 발생 3주 후에 우울증상과 인지기능 간의 관계를 조사한 한 연구에서, 환자가 중고도 심각성의 우울장애를 가진 경우에는 우울장애가 없거나 경한 경우에 비해 언어능력, 지각력, 기억력이 유의하게 저하된 것을 확인하였다. 또한 뇌졸중 환자들을 1년 이상 장기 추적한 연구들에서도 우울증상과 인지기능 간에 유의한 연관성이 관찰되었다.

② 일상생활수행 저해

우울장애가 있는 뇌졸중 환자가 없는 경우에 비해 일상생활수행 정도가 저하되었고 우울장애가 있는 뇌졸중 환자들 중에서는 우울장애 치료를 받지 않은 군은 받은 군에 비해 일상생활 수행 수준이 유의하게 낮았다.

③ 삶의 질 저하

뇌졸중 후 3개월 및 12개월 시점에서 삶의 질과 우울장애 간의 전향적 연관성을 조사한 한 연구에서, 우울장애가 발생한 환자가 발생하지 않은 환자에 비해 삶의 질의 여러 영역이 유의하게 훼손된 것을 확인하였다.

④ 사망률 증가

PSD는 발생한 시기에 관계없이 뇌졸중 후 1-2년 후, 3년 후 그리고 10-30년 후의 높은 사망률과 유의한 연관성이 일관되게 보고되었다. 국내 뇌졸중 환자 8-14년 장기추적 연구에서도 뇌졸중 발생 2주에 발생하는 급성기 우울장애

뿐 아니라 1년에 발생한 만성기 우울장애가 재발성 뇌졸중, 사망률 등을 포함한 장기예후의 부정적 경과를 예측함을 확인하였고 이는 급성기 및 만성이 우울장애를 모두 함께 경험한 군에서 더 현저하였다.

⑤ 부양부담 가중

뇌졸중은 환자의 기능수준을 감소시키고 만성적인 경과를 밟게 되므로, 환자를 돌보는 부양자에 많은 부담을 준다. 뇌졸중의 신경학적 증상인 제반 신체적 기능장애가 부양부담을 일으키지만 이외에도 환자에게 발생한 우울장애가 부양부담을 보다 가중시킨다.

(6) PSD의 치료

PSD의 치료는 크게 뇌졸중 관련 치료와 우울장애에 대한 치료로 대별할 수 있다. 가장 좋은 치료효과는 약물학적, 사회심리적, 뇌졸중 관련 치료가 병합될 때 도출된다. 뇌졸중 관련 치료로는 뇌졸중 자체에 대한 치료, 뇌졸중의 위험인자에 대한 치료, 그리고 뇌졸중의 재발 방지를 위한 치료가 있다. 뇌졸중 관련 치료는 대부분 신경과에서 다루므로 여기서는 우울장애에 대한 치료만을 언급한다. PSD의 치료에 대한 대부분의 연구는 주로 항우울제 약물치료에 집중되었다. 그 중 삼환계 항우울제tricyclic antidepressant, TCA와 선택적세로토닌재흡수억제제selective serotonin reuptake inhibitor, SSRI가 흔히 사용되어온 반면, 모노아민산화효소억제제monoamine oxidase inhibitor, MAOI와 lithium에 관한 문헌은 찾아보기 힘들다. 최근 반복경두개자기자극repetitive transcranial magnetic stimulation, rTMS과 같은 신경조절neuromodulation의 잠재적 이점이 많은 논문에서 제시되고 있다.

① 통제 임상시험 및 메타분석

PSD의 치료에 관한 문헌을 읽을 때 염두에 두어야 할 사항은 뇌졸중이 호전되어감에 따라 우울증상 또한 특별한 치료를 하지 않더라도 자연히 개선될 가능성이 있다는 점이다. 따라서 활성 약 또는 위약으로 통제한 임상시험이 시행되어야 시험약의 효과를 보다 정확히 판정할 수 있다. 표 31-1에는 지금까지 진행된 PSD에 대한 항우울제 치료 연구들 가운데, 잘 설계된 통제 임상시험의 결과들을 제시하였다. TCA 가운데는 항콜린작용이 비교적 적은 nortriptyline이 주로 사용되었고, SSRI중에서는 citalopram, fluoxetine, sertraline에 대한 연구가 있었다. TCA는 위약에 비해 효과가 있는 듯 보이지만, 심독성, 뇌졸중의 재발과 같은 부작용이 SSRI보다 많은 것과 연관되므로, 사용에 제한이 있다. SSRI 가운데 paroxetine은 뇌졸중 환자들에게 흔히 사용되는 wafarin의 혈중농도를 높여 출혈 위험성이 있으므로 사용을 제한하거나 주의를 요한다. 정신활성제인 methylphenidate가 사용된 연구도 있었다. 특기할 사항으로, 시험약이 위약에 비해 효과가 유의하게 우세하지 않았다는 결과가 약 절반을 차지하였다. 항우울제에 대한 임상연구에 대한 코크란 메타분석 연구에서 2005년과 2020년 모두 약물치료가 우울증상의 개선에 효과가 있지만 부작용이 항우울제에서 현저하므로 주의하여 사용해야 한다고 제시하였다.

표 31-1. 뇌졸중 후 우울장애에 대한 항우울제 통제 임상시험결과 요약

저자	발표년도	치료기간	환자수	시험약(시)	통제약(통)	결과
Lipsey 등	1984	4-6주	34	Nortriptyline	Placebo	시 > 통
Andersen 등	1994	6주	66	Citalopram	Placebo	시 > 통
Lauritzen 등	1994	6주	20	Imipramine	Desipramine	시 = 통
Dam 등	1996	12주	52	Fluoxetine	Placebo	시 = 통
Grade 등	1998	3주	21	Methylphenidate	Placebo	시 = 통
Miyai 등	1998	4주	24	Fluoxetine	Desipramine	시 = 통
Palomäki 등	1999	1년	100	Mianserine	Placebo	시 = 통
Robinson 등	2000	12주	104	Nortriptyline	Fluoxetine Placebo	시 > 통
Wiart 등	2000	45일	31	Fluoxetine	Placebo	시 > 통
Fruehwald 등	2003	12주	50	Fluoxetine	Placebo	시 = 통
Rampello 등	2004	16주	74	Citalopram	Reboxetine	시 = 통
Rampello 등	2005	16주	31	Reboxetine	Placebo	시 > 통
Murray 등	2005	26주	123	Sertraline	Placebo	시 = 통
Choi-Kwon 등	2008	12주	152	Fluoxetine	Placebo	시 = 통

② 새로운 항우울제

PSD의 약물치료에 있어서 SSRI보다 다양한 신경전달물질에 작용하는 약물이 더 효과적이라는 보고가 있다. 이는 뇌졸중에 의한 뇌손상 시 세로토닌계뿐만 아니라 노르에피네프린계 등 다른 신경전달물질의 전달경로도 훼손되기 때문이다. 기존의 통제 임상시험 결과에서 SSRI의 효과가 기대에 미치지 못하였다는 점이 이의 증거이다. 한편 SSRI보다 다양한 신경전달물질에 작용하는 nortriptyline의 경우 효과는 우수한 것으로 보고되었지만 태생적으로 TCA 계열이기 때문에 뇌졸중 환자에게 용량을 높여 사용하기는 임상가에게 부담이 된다. 따라서 최근 소개된 venlafaxine이나 mirtazapine과 같이 여러 신경전달물질에 작용하면서 내약성도 비교적 우수한 약물이 이론적으로는 PSD의 치료에 좋은 효과를 보일 것으로 기대된다. 그러나 아직까지 PSD에서 이들 약물에 대한 통제 임상시험은 시행된 바 없고, 비통제임상시험 결과만 보고되었다. 최근 venlafaxine과 mirtazapine이 PSD의 치료 및 예방에 유의한 효과가 있었다는 보고가 있다. 그러나 PSD의 치료에 있어서 새로운 항우울제의 효과를 단정하기는 아직 이르며, 앞으로 이 약물들에 대한 통제 임상시험이 이루어지길 기대한다. 2016년 이후에 눈가림이 되지 않는 연구 및 중국에서 출판된 임상연구만을 포함하여 시행된 네트워크 메타분석연구에서 SNRI계열의 약물, mirtazapine, paroxetine 등의 효과도 제시된 바 있다.

③ 기타 치료

전기경련요법electroconvulsive therapy, ECT이 PSD의 치료에 효과적이었다는 증례가 단편적으로 보고된 바 있으나, 아직까지 ECT의 PSD에 대한 효과는 논란의 여지가 있다. 전기충격이 가해지면 혈압이 일시적으로 약 20 mmHg 정도 상승되어, 뇌졸중 자체에 부정적 영향을 끼칠 수 있기 때문이다. 따라서 현재 ECT는 PSD의 치료에 일차적으로

추천할 수 있는 방법은 아니다. 최근 ECT보다 안전한 rTMS의 효과에 대한 논문이 증가하고 있다. 최근 22개의 무작위배정 임상시험(n= 1764) 에 대한 메타분석에서 rTMS의 PSD에 대한 효과가 확인되었다. 치료기간의 중위값은 4주였으며, 대부분의 연구에서 좌측 배외측전전두엽피질dorsolateral prefronal cortex을 활성화하였다. 다만 자극의 지표 및 강도가 다양하므로 이에 대한 해석에 주의를 요한다. 또한 최근에 경두개직류자극transcranial direct current stimulation, tDCS의 효과를 규명한 이중맹검무작위배정 임상시험이 시행되었다. 48명의 뇌졸중환자에서 tDCS가 대조군에 비해 우울장애의 개선에 유의한 효과를 보였다.

한편, 앞선 '원인'편에서 언급하였듯이 뇌졸중이 발생한 후 시간이 흐를수록 PSD의 병인에 생물학적 요인보다 심리사회적 요인의 중요성이 대두된다. 따라서 이러한 시점에서는 정신치료적 접근이 필요하다. 효과가 어느 정도 규명된 치료법으로는 정서적 접근법과 인지치료가 있다. 교육과 관리로 구성된 심리사회적-행동치료가 항우울제와 병합된 경우 항우울제 단독보다 효과적이었다는 무작위배정 임상시험의 결과가 있었으며, 최근 23개의 인지행동치료 연구에 대한 메타분석연구에서도 인지행동치료 단독과 항우울제와 인지행동치료의 병합이 PSD의 우울증상의 개선에 효과적임이 확인되었다. 정신분석적 접근은 추천되지 않는다.

④ 치료의 부수 효과

PSD에 대한 치료를 하면 우울증상 자체 뿐 아니라 앞선 뇌졸중의 경과 및 예후도 개선된다. 즉, PSD 치료를 통해 뇌졸중 환자의 인지기능이 개선되었고 일상생활수행도 호전되었으며 사망률 또한 유의하게 낮아졌다.

2) 병적 웃음 또는 울음pathological laughing and crying, PLC

(1) 정의 및 진단

PLC는 정서적 불안정의 극단적인 형태로써, 상황에 맞지 않는 웃음이나 울음을 보이는 경우이다. 18문항이 구성된 PLC의 평가척도로 병적 웃음-울음 척도pathological laughter and crying scale가 있으나 아직 국내 표준화는 이루어지지 않았다. 국내연구자가 PLC를 선별할 수 있는 기준을 제시하였는데, 간단히 적용할 수 있어 임상적으로 유용하게 사용할 수 있다. 그 기준은 '뇌졸중 발생 전에 비하여 특별히 우습거나 슬픈 상황이 아닌데도(예를 들어 대화 중, 사람을 만나는 중, 또는 TV 시청 중) 과도하거나 부적절하게 웃음 또는 울음을 보이는 경우가 환자 또는 가족에 의해 3회 이상 보고된 경우'이다. PLC를 진단하는 기준의 차이로 유병률이 매우 다양하게 보고되지만 뇌졸중발병 6개월 내에 약 8-30%에서 경험하며 이후는 그 빈도가 감소하는 것으로 알려져 있다.

(2) 발병 기전

PLC는 뇌졸중후 발생한 우울장애, 인지장애, 일상생활 수행 장애, 또는 사회적 기능과 관련이 없는 독립적인 현상으로 여겨진다. 뇌 영상연구에 의하면 중뇌부위에서 세로토닌 수송체의 밀도감소가 관찰되는 등 주로 세로토닌 신경전달 경로의 이상과 관련이 깊은 것으로 보고된다. 이외에도 PLC가 전두엽 병변에서 더 흔히 발생하고 피질하 병변과 밀접하게 연관이 있다는 점에서 전두-피질하회로fronto-subcortical circuit의 손상이 기여한다고 제시되기도 한다. 하지만 발병기전에 대해 일관되게 보고되는 결과가 부족하여 보다 심도 깊은 연구가 필요하다.

(3) 치료

발병기전에 주로 세로토닌계가 관련되었던 점을 반영하듯 치료에서는 SSRI의 효과가 특별히 우수한 것으로 보고되며 비교적 안전하고 부작용이 현저하지 않아 일차치료제로 사용된다. citalopram, fluoxetine, sertraline의 효과가 통제 임상시험을 통해 규명되었다. 특기할 점은 SSRI의 통상적인 항우울효과가 2주 이후에 나타나는 반면, SSRI의 PLC에 대한 효과는 투여 후 2-3일 내 늦어도 1주일 내에 발현된다는 점이다. 반면, dextromethorphan-quinidine이 다발성경화증 및 근위축성 측삭경화증에서 거짓숨뇌 감정pseudobulbar affect의 치료에 효과를 보였던 소규모의 연구결과에 의해 일부에서 치료로 제시되고 있다.

2. 파킨슨병

파킨슨병Parkinson's disease은 떨림tremor, 경직rigidity, 운동완만bradykinesia을 특징으로 하는 퇴행성뇌질환이다. 파킨슨병은 정신질환과 중복이환이 높아서 파킨슨병 환자의 65%에서 85세가 되면 치매로 진행하고 약 40%에서 결국에는 적어도 한 가지의 주요우울증후군을 갖게 된다. 이러한 정신의학적 중복이환의 정도와 항파킨슨 약물치료로 인한 정신의학적 기능이상의 추가적인 위험성은 신경과뿐만 아니라 정신의학적 관리를 필요로 한다.

1) 발생률

파킨슨병의 발생률에 대한 미네소타 연구에서는 10만 명당 10.8명이었고 핀란드 연구에서는 10만 명당 17.2명이다. 두 연구에서 파킨슨병은 남자에서 약간 많이 발생하는 경향을 보였고, 나이에 따라 발생률이 증가하였다. 이는 최근 메타 연구에서도 확인되었다. 핀란드 연구에서 파킨슨병이 시골지역에서 더 흔하였다.

2) 원인

파킨슨병의 원인은 잘 알려지지 않았다. 유전적인 경향이 있다는 것이 확인되었지만, 대부분의 환자에서 관련 유전자는 확인되지 않았다. 유사하게 환경적인 원인도 제안되었지만, MPTP (1-methyl-4-phenyl-1, 2, 3, 6-tetrahydropyridine)와 연관된 증례들을 제외하고는 단일한 원인이 일관되게 검증되지 않았다. 흡연은 파킨슨병의 위험을 낮추는 것으로 보인다.

3) 신경학적 증상

파킨슨병의 핵심양상은 떨림, 경직, 운동완만의 3가지이며 그 외에도 보행 장애, 자세불안정 등을 보인다. 운동완만은 파킨슨병의 첫 번째 징후로 가장 흔하며 보통 서서히 시작하고 결국 환자에게 가장 심각한 장애를 초래하는 증상이다. 운동완만은 우울장애나 지루함으로 오진하기 쉽다. 안정시떨림resting tremor은 파킨슨병의 가장 특징적인 소견으로 70% 이상의 환자에서 나타난다. 병의 초기 단계에서 손 떨림은 흔히 초당 4회의 엄지와 나머지 손가락에서 일어나는 알약돌리는운동pill-rolling으로 묘사된다. 떨림은 흔히 한손에서 나타나며 때로는 양손에 나타날 수도 있다. 떨림은 주로 수의적인 운동을 할 때와 수면 중에는 감소한다. 경직은 비정상적인 고정된 자세로 나타나고, 신전과 굴곡 등 움직임 범주 전반에서 수동적인 움직임에의 저항이 생기는데 흔히 톱니바퀴양상으로 나타난다. 자세불안정은 흔한 부가적인 소견으로, 병이 진행되면서 넘어질 가능성이 높아진다. 비정상적인 불수의운동은 질병의 과정과 도파민성 약물치료 두 가지 결과로 나타난다. 질병이 진행될수록 환자는 과도한 불수의적 운동이 함께 나타나지만 운동조절이 잘 되는 개시단계 "on" period와 움직일 수 없고 아무것도 할 수 없는 종료단계 "off" period 사이에서 변동될 수 있다.

환자는 일상적인 동작을 수행하는 동안 갑작스럽고 예기치 않게 자발적인 움직임이 동결freezing되거나 지연되는 것을 알아차리게 되고, 처음부터 끝까지 행동을 완전하게 끝마칠 수 없게 된다. 보행의 동결은 특히 환자에게 고통을 준다. 환자는 걷는 동안 갑자기 두 다리가 지면에 얼어붙는 듯한 느낌을 경험할 수 있다. 보행의 동결은 시각적인 단서에 대한 반응으로 생길 수 있고, 일부러 한 행동으로 오인될 수 있다. 보행은 짧은 보폭으로 종종걸음을 걷게 되고 양팔을 젓는 행동도 감소하게 된다. 걸음걸이는 점점 빨라지고 작아지는 보폭 양상을 보이며 때때로 갑자기 내닫게 되는 가속보행festinating gait을 하게 된다. 자세이상은 서거나 앉은 자세에서 저명하게 나타난다. 서있는 자세가 불안정하며 유지하기가 힘들다. 머리는 몸체 앞으로 쏠리게 된다.

안면은 눈 깜박임의 저하와 표정의 소실로 가면을 쓴 것처럼 보인다. 안면근육을 가볍게 두드리면 억제할 수 없이 눈이 감기게 된다. 환자는 삼키기 어렵게 되고, 침이 흘러나오는 경향을 보인다. 피부는 기름기를 발라 놓은 듯한 양상을 보인다. 그래서 지루성 피부염이 발생할 수 있다.

비운동nonmotor 소견은 파킨슨병에서 흔하며, 자율신경계(특히 기립성 저혈압, 방광과 위장 기능이상), 감각적(통증), 수면, 후각, 인지적 그리고 다른 정신증상을 포함한다. 후각의 상실, 렘수면행동장애, 만성변비 등이 운동증상이 시작되기 전 약 15년 정도까지 선행하기도 한다.

4) 인지장애

(1) 증상

파킨슨병 환자에서 계획수립, 목표지향적인 행동의 개시와 모니터링의 장애 등과 같은 전두엽 특징과 연관된 수행능력장애, 시공간 인지장애 등이 두드러진 인지기능 저하소견을 보인다. 치매는 파킨슨병의 초기증상은 아니지만 병이 진행되고 나이가 들면서 점차 흔한 합병증이 된다. 레비소체치매dementia with lewy body, 파킨슨병 및 치매가 동반된 파킨슨병은 공통된 특징, 운동증상, 치료반응을 공유한다. 이들 장애를 명확히 구분하기는 어렵다. 환각과 망상은 레비소체치매의 57-76%, 치매가 동반된 파킨슨병은 29-54%, 치매가 없는 파킨슨병은 7-14%에서 발생된다. 심각한 증상, 환각의 존재, 발병 시보다 낮은 간이정신상태검사 점수 등이 파킨슨병에서 치매의 위험요인으로 알려져 있다.

(2) 치료

파킨슨병에 치매가 동반된 경우 대증적인 치료를 진행한다. 아직까지 질병의 경과를 변화시키거나 예후에 영향을 미치는 치료는 확인되지 않았다. 인지저하에 대해서는 콜린에스테라아제 억제제 cholinesterase inhibitor, memantine을 단계적으로 사용해 볼 수 있으며. 부작용 및 치료효과를 모니터하며 사용한다. 콜린에스테라아제 억제제 중 rivastigmine이 대규모의 이중맹검위약대조군 연구에서 인지기능 개선에 중등도의 효과가 있는 것으로 확인되었다. Donepezil은 소규모의 이중맹검 연구 및 대규모의 이중맹검연구에서 제한된 인지영역에서의 효과가 확인되어 다음으로 사용을 고려해 볼 수 있다. 콜린에스테라아제 억제제는 경-중등도의 개선효과가 보고되고, 환각과 같은 정신증의 개선효과도 보고되나 진전 및 구역 등의 부작용을 악화시킬 수 있으므로 주의하여 사용해야 한다. Memantine은 소규모의 이중맹검 연구에서 레비소체치매 환자에서 전반적임상인상척도의 개선효과가 있음을 확인하였고 파킨슨 환자에서 안전성 및 내약성이 확인되어 단계적으로 사용을 고려해볼 수 있지만 정신증적 증상을 악화시킬 수 있음이 고려되어야 한다.

5) 정신증

(1) 증상

환각은 보통 병식이 있는 상태에서 발생하며 환시가 흔하고 현상학적으로 Charles Bonnet 증후군과 유사하다. 전형적으로 환각은 위협적이지 않으며 야간에 악화되고 아이, 동물등과 연관된다. 망상은 덜 흔하나 존재한다면 대개 편집증이 흔하고 주로 피해나 질투와 관련된다. 파킨슨병 정신증의 가장 가능성 있는 원인은 뇌 피질의 파킨슨병 병리와 노화와 관련된 중추 콜린성 기능 상실의 복합적인 결과이다. 인지기능 장애와 수면장애는 정신증 발생의 예측인자가 된다. 치매가 없는 파킨슨병 환자들에 대한 영상연구는 정신증이 오른쪽 아랫이마부위inferior frontal region, 왼쪽 관자부위temporal region 그리고 시상thalamus 부위의 회색질의 용적감소와 연관됨을 제시한다. 임상적으로 주의력의 일차적인 결손없이 아급성으로 서서히 진행되는 정신증적 상태인 도파민유사 정신증dopaminomimetic psychosis은 지남력 장애, 주의력 장애, 지각과 인지장애, 수면-각성주기의 변동이 있는 급성 발병의 섬망과 구별되어야 한다. 섬망은 selegiline과 항콜린성 약물과 같은 파킨슨병 치료에 사용된 약물에 의해 유발될 수 있다.

도파민과 도파민 작용제가 파킨슨병 정신증의 원인인자라는 근거에 논란의 여지가 있다. 이에 상충되는 결과들도 있다. 모든 것을 고려하였을 때 도파민 작용제가 파킨슨병의 초기에 환각의 위험을 증가시키는 한편, 질환이 진행되면서 인지저하 및 콜린성 경로의 저하가 정신증에 더 중요한 기여인자가 된다고 근거들은 제시한다. 도파민 작용제 관련 정신증은 초기에 약 10% 환자에서 발생되지만 치료 6년 후에는 60%까지 증가한다. Levodopa에 carbidopa를 추가하면 이러한 부작용이 덜 흔하다.

(2) 치료

도파민유사 정신증에서는 증상이 일상기능을 방해하기 시작할 경우에만 적극적인 치료가 권장된다. 도파민유사 약물의 감량은 거의 효과적이지 않고 흔히 항정신병약물이 필요하다. 비정형 항정신병약물인 clozapine이 무작위배정 임상시험에서 운동증상의 악화 없이 정신증상을 감소시킨다는 것이 유일하게 확인되었다. Quetipine은 무작위연구에서 증명되지 않았지만 정신증 치료효과가 보고되고 clozapine에 비해 안정성이 우수해 임상에서 자주 사용된다. 고역가의 정형항정신병약물과 risperidone은 피해야 한다. 파킨슨병이 있는 치매임상연구 데이터를 이용한 이차분석에서 콜린에스테라아제 억제제가 파킨슨병 정신증의 치료제로의 가능성을 제시하였을 뿐 아니라 중추 콜린성 기능 상실에 기인한 환시를 표적으로 하는 기전과 좋은 안전성도 보여주었다. 또한 최근 파킨슨병 정신증의 치료에서 선택적 세로토닌 2A 역작용제inverse agonist인 pimavanserin의 사용에 대한 관심 및 촉망받는 결과들이 제시되고 있다. pimavanserin이 현저한 정신증상의 감소를 이끌었으며 운동증상 및 비운동증상영역에서도 합리적인 부작용 특성을 보여주었다. 하지만 비용 측면에서 광범위하게 사용되기 힘든 한계가 있다.

질병과정 후기에 항 파킨슨 약물치료로 인해 정신증이나 혼돈과 같은 정신의학적 부작용이 생기면 보통 치료를 변경해야 한다. 항 파킨슨 약물은 정신상태의 변화를 유발하기 때문에, 치료의 첫 번째 단계는 이러한 약물의 투약 횟수와 용량을 줄이는 것이다. 사용하던 약물 점차 줄여서 끊어야 하고, 이러한 약물들의 독성과 이점을 잘 고려해 보아야 한다. 처음에는 항 콜린성 약물을 끊고 그 다음으로 selegiline, amantadine 그 다음에는 도파민 작용제와 COMTcartechol-O-methyltransferase 억제제, 그리고 마지막으로 levodopa 약물을 끊는다. 약물을 줄이면 신체적인 증상은 악화되지만, 환자들은 대개 정신증이 있는 것보다는 경직이 있는 것을 더 편안하게 생각한다. 그러나 갑자기 약물을 중단하면 비가역적인 운동의 악화, 신경이완제 악성증후군neuroleptic malignant syndrome 그리고 못 움직이는 것에 대한 합병증을 유발할 수 있다. 파킨슨병에서 정신증을 조절하기 위해 전형적인 항정신병약물의 사용은 피해야 한다. 비 전형 항정신병 약물인 clozpaine은 운동증상을 악화시키지 않고 정신증을 효과적으로 개선시킬 수 있지만 치명적인 백혈구감소증이 나타날 수 있기 때문에 정기적인 혈액 모니터링이 필요하다. 다른 대안으로 사용할 수 있는 약물이 비전형 항정신병약물인 quetiapine인데 혈액학적 부작용과 연관되지 않는다. 비교적 적은 용량에서도 파킨슨병의 악화 없이 정신증을 조절할 수 있다. 이들 약물은 불안, 우울, 그리고 일부 불수의적인 운동 활동을 감소시켜 준다.

6) 기분장애

(1) 증상

우울장애는 파킨슨병에서 흔한 증상이며, 유병률이 약 40-50%이고 주요우울장애는 약 23%의 유병률을 보인다. 발병 시기는 병의 초기와 후기단계에 정점을 이루는 두봉우리분포bimodal distribution를 이룬다. 몇몇 대규모 연구들에서 우울장애가 파킨슨병의 삶의 질을 결정하는 중요한 요인 중의 하나라는 것이, 특히 운동기능의 조기 악화 및 levodopa 치료의 조기 개시를 예측한다는 것이 입증되었다. 우울장애는 병발하는 질환이라기보다는 파킨슨 병의 중요한 부분으로 인식된다. 파킨슨 병의 신경퇴행성경과 뿐만 아니라 질병에 대처하는 과정에서 발생하는 심리적 문제들이 파킨슨병에서의 우울증상에 기여한다. 우울장애 발병에 대해 잘 알려진 기전은 중뇌피질mesocortical과 중뇌변연계mesolimbic의 도파민 신경세포의 변성이 안와전두엽의 기능부전을 야기함으로써 등쪽봉선핵 dorsal raphe nucleus의 세로토닌 신경세포를 손상시키고 우울장애와 연관된 안와전두엽-기저핵-시상회로 orbitofronal-basal ganglia-thalamic circuit의 기능부전을 유발하는 것이다.

운동지연, 주의력 결핍, 수면장애, 발성부전hypophonia, 발기부전, 체중감소, 피곤, 건강에 대한 몰두, 감소된 얼굴표정 등 많은 우울증상이 파킨슨병의 핵심소견과 겹치기 때문에 파킨슨병에서 우울장애 진단은 어렵다. 그러나 무쾌감증과 지속적인 슬픔이 운동증상의 심각도에 비해 지나치다면 이들 증상은 우울장애의 중요한 진단적 특징이 된다. 파킨슨병 환자에서 우울장애는 일차성 우울장애 환자에 비해 더 불안하고 자신에 대한 비난은 덜 하는 것으로 보인다.

기분변화는 on-off 현상이라고 알려진 levodopa에 반응하는 후기단계 기복fluctuation에 동반될 수 있고 일부 환자에서는 off 주기off phase 동안 주요 우울장애의 진단기준을 만족하지만 on 주기on phase 동안에는 그렇지 않을 수 있다.

(2) 치료

파킨슨환자의 우울장애 치료에 대한 확정적인 권고를 제시할만한 근거가 아직 부족하다. 2013년에 시행된 메타연구에서 6개의 연구만이 분석에 사용될 수 있었고 이 연구에서는 항우울제의 사용이 위약에 비해 더 좋은 효과를 보이는 듯 하지만 특정한 항우울제 종류를 추천하기는 어렵다고 제시하였다. SSRI가 일반적으로 사용되지만 일부에서 이들의 작용기전이 파킨슨환자에서 적합한가에 대해 의문이 제기되기도 한다. 또한 일부 증례보고에서 fluoxetine, citalopram과 paroxetine의 사용으로 운동증상이 악화되었다고 보고되었다. 하지만 보다 최근에 시행된 무작위배정임상시험에서는 운동증상을 악화시킨다는 어떤 증거도 보고되지 않았다. 최근, 작은 규모의 임상연구에서, TCA는 SSRI에 비해 보다 나은 운동 결과가 있었지만 amitriptyline과 같은 항 콜린성 작용이 강한 TCA는 인지기능과 자율신경기능(특히, 변비)에 미치는 잠재적인 유해 작용 때문에 주의해서 사용해야 한다. Mirtazepine과 같은 새로운 약물은 절충점을 제공해 줄 수 있지만 가이드를 제공할 만한 근거자료가 아직은 부족하다. 실제 최근의 체계적인 문헌고찰에서도 파킨슨병의 우울장애에 대한 잘 수행된 임상연구보다 이들의 관리에 대한 가이드라인이 더 많이 확인된바 있다. 항 파킨슨 약물이 우울증상의 치료를 증진시킬 수 있다. 도파민성 약물인 ropinirole이 주요우울장애에 효과적이었다는 보고되었다. 비맥각non-ergot 도파민 작용제인 pramipexole은 파킨슨병에서 기분과 동기motivation를 호전시켰다. 파킨슨 환자의 우울장애 치료에 인지행동치료가 도움이 된다는 것은 잘 수행된 연구에서뿐 아니라 최근의 메타연구결과에서도 지지된다. 다소 근거는 약하지만 전화를 통한 전달도 가능하다는 것도 제시되고 있다. rTMS가 짧은 기간 지속되는 부작용, 발작과 연관됨에도 불구하고 ECT와 rTMS는 파킨슨병의 우울장애를 치료하는 데 사용될 수 있다는 증례보고가 있었다. 최근 메타연구에서 ECT 및 등쪽가쪽 전전두엽피질dorsolateral prefrontal cortex의 rTMS가 파킨슨환자의 우울증상 개선에 효과적이라고 보고되었다. 최근 파킨슨병의 우울장애 치료에 대한 연구들이 진행되고 있지만 전체적으로 파킨슨병에서 우울장애 치료에 대한 근거중심의 치료지침은 아직 불충분하다.

7) 불안

(1) 증상

불안은 파킨슨병에서 흔하다. 불안은 우울장애보다 질병경과의 후기에 발생되는 경향이 있고, 운동증상의 심각도와 보다 밀접하게 연관된다. 특히, 동결 보행freezing gait과 연관된 심한 예기불안이 흔하다.

(2) 치료

적극적인 물리치료와 함께 제공된다면 항우울제와 인지행동치료가 도움이 될 수 있다. 때때로 벤조디아제핀이 필요할 수 있다.

8) 약물관련 충동조절장애medication-related impulse control disorder

(1) 증상

파킨슨 환자에서 도파민수용체 자극과 관련된 복합적인 행동문제에 대한 인식이 증가하고 있다. 이러한 행동문제들은 병적도박, 성욕과다hypersexuality, 물건을 분류/정렬하는 것에 대한 강한 집착, 강박적 쇼핑, 강박적인 약물 사용 등을 포함한다. 이러한 행동은 때로 충동조절장애로 기술되고, 파킨슨 환자의 14%에서 경험하는 것으로 보고된다. 많은 환자들이 이러한 충동적인 행동에 대해 감추고 있으며 특별히 묻지 않으면 자발적으로 보고하지 않는다.

이러한 충동적 행동의 발병기전으로 명확한 용량의존효과dose-related effect가 있는 것은 아니지만, 도파민 작용제의 사용과 연관된 것으로 알려져 있다. 도파민 작용제의 간헐적 사용으로 인한 신경세포의 감작sensitization(특히 중뇌변연계 도파민 경로에서)이 비슷한 정도의 정신자극psychostimulation에 대한 행동반응을 증가시키는 것으로 생각된다. 이러한 감작 과정은 위험을 감수하는 유전적 취약성(일반적으로 파킨슨병은 낮은 위험감수경향과 연관성이 보고됨)뿐 아니라 환경적 요인에 의해 변화될 수 있다. 젊은 나이의 발병, 오른쪽 부위에서 발병, 실행기능의 인지저하가 이러한 과정을 모두 악화시킬 수 있는 것으로 생각된다.

(2) 치료

약물관련 충동성을 조절하는 방법으로는 도파민 작용제에서 levodopa로 변경하고 가능하다면 levodopa의 총 용량을 줄이는 것이 포함된다. 소규모의 임상연구에서 성욕과다에 SSRI나 안드로젠 대항제가 다소 효과가 있다고 제안하였다. 한 증례시리즈에서 시상밑subthalamic 뇌심부자극술deep brain stimulation, DBS이 매우 고무적인 결과를 보여주었으나 메타분석에서는 충동조절장애의 과거력이 수술 후 자살의 위험인자라고 경고하였다. 따라서 충동조절장애는 논란의 여지가 있지만 DBS의 일차적인 적응증이 될 수 없다고 결론지어진다.

파킨슨병에서 충동조절장애와 관련된 두 가지 증후군에는 도파민 조절증후군dopamine regulation syndrome, DDS과 도파민 작용제 금단증후군dopamine agonist withdrawal syndrome, DAWS이 있다. DDS는 파킨슨환자에서 발생하는 강박적인 양상의 levodopa 오용을 의미하며 대개 병이 보다 진행된 상태에서 주로 발생한다. DDS가 있는 환자는 종종 행동이상과 함께 도파민 증량에 대해 갈망하고 과도하게 요구하며 간병인이나 간호사에게 도움을 비정상적으로 요청하고 공황과 합쳐진 것처럼 보이는 비정상적으로 심한 종료off 기간을 경험하며, 이러한 것들이 발생할 것에 대한 공포와 같은 두려움을 경험한다. 약물유발성 정신증이 발생할 수도 있는데, 주로 코카인 사용 시와 유사하게 편집망상을 경험한다. DDS는 질병의 초기에 발생하는 보다 심각한 종료off 기간과 연관되며 이는 특히 흑질선조체 운동경로nigrostriatal motor pathway의 심한손상과 연관된다고 여겨진다. 치료는 매우 어렵고 종종 만족스럽지 못하다. 따라서 발생에 대한 높은 수준의 경계와 예방이 핵심이다. DAWS는 기립성저혈압, 현기증, 구역, 발한 등의 자율신경계증상이 동반된 공황, 과민, 불안, 불면, 통증, 피로 그리고 약물에 대한 갈망과 같은 정신증상을 포함한다. 다른 정신자극제 금단증후군과 유사하고 충동조절장애와 매우 밀접하게 연관되어 보인다. DDS와 유사하게 DWAS는 한번 발생하면 치료하기 어렵기 때문에 예방이 핵심이다. 모든 임상가들은 도파민의 스위치를 톡톡 치는 위험의 순간을 인지해야한다고 묘사되기도 한다. 드물지만 치명적일 수 있는 파킨슨고열증후군parkinsonism hyperpyrexia syndrome을 유발할 수 있으므로 levodopa나 도파민 작용제를 갑자기 끊는 것은 피해야한다.

9) 수면장애sleep disorder

수면장애는 파킨슨 환자에서 매우 흔한 증상이다. 꿈을 행동화하는 렘수면행동장애rapid eye movement sleep behavior disorder, RBD는 파킨슨병에서 운동증상이 시작되기 수년 전부터 선행할 수 있다. 실제 RBD는 신경보호 임상시험의 초기단계에서 잠재적인 질병마커로 최근 인식되고 있는데, 그 근거는 일차성 RBD가 있는 환자의 약 절반에서 15년 내에 파킨슨병이 발병하고 나머지는 레비소체 병리와 관련된 다른 질병이 발병하며, 오직 10%에서만 RBD 단독증상을 경험하기 때문이다. 또한, 파킨슨환자의 약 1/4에서 RBD를 경험한다. 주간졸음이 문제가 되기도 한다. 파킨슨 환자에서 갑작스러운 졸음이 특히 도파민성약물과 관련되어 발생할 수 있다는 것에 대한 인식이 증가하고 있다. 따라서 이러한 가능성에 대해 환자에게 알려야한다.

3. 뇌전증epilepsy

뇌전증발작epileptic seizure은 신경세포의 과도하고 비정상적인 전기방전으로 인해 초래되는 일시적인 뇌 기능이상이다. 정의한다면, 임상적으로 발작은 환자나 관찰자에게 명백하게 임상적으로 감별가능한 사건을 유발하는 정도로 신경세포가 비정상적이고 발작적paroxysmal으로 방전하는 것을 의미한다. 이렇게 반복적이고 자극되지 않는 발작이 만성경과를 보이는 환자는 뇌전증이 있는 것으로 여겨진다. 임상양상은 다양하게 표현되며, 그에 따라 뇌전증이 발작적인 정신증상의 일차적 원인인지 고려해야 할 경우나 뇌전증의 중요한 정신의학적 합병증을 치료할때 정신건강의학과 의사들은 뇌전증을 다루게 된다.

1) 역학

뇌전증의 발생률은 일반적으로 선진국에서 10만 명당 40-70명, 개발도상국에서 10만 명당 100-190명이다. 활동성 뇌전증의 유병률은 선진국에서 1만 명당 약 7명이다. 개발도상국에서 발생률이 높은 이유는 출생외상, 뇌손상, 뇌전증을 관리할만한 건강서비스의 부족, 높은 비율의 중추신경계 감염(예, 낭미충증cycticercosis)을 유발하는 불량한 위생 등이 있다. 대부분의 연구들에서 발생률이 나이에 따라 두봉우리 분포를 보이는데 10세보다 어리거나 60세 이상에서 뇌전증의 발생률이 더 증가한다. 뇌전증은 남자에서 더 흔하다.

특정한 원인이 밝혀진 경우는 뇌전증사례의 1/3보다 적다. 원인론적 기전에는 출생전후기 장애, 뇌성마비, 두부외상, 중추신경계 감염, 뇌혈관계 질병, 뇌종양, 알츠하이머병, 물질오용 등이 있다. 소위 특발성이라고 불리는 발작에서 유전적 토대를 가지는 경향이 더 많다.

첫 번째 발작 이후 재발은 아주 다양하게 추산되는데 이는 연구대상의 인구집단에 따라 다르다. 만약 발작이 재발한다면 첫 번째 발작 6개월 이내에 보통 일어난다. 예후는 발작이 없는 기간이 길어질수록 개선된다. 확정된 뇌전증 환자들에서 예후는 아주 다양하다. 일부 양성 소아기-발작에서는 항경련제 투약 없이 관해 된다. 대부분의 뇌전증 환자들에서는 치료와 더불어 관해되며 오랜 기간 후 치료를 중단할 수 있다. 청소년근간대뇌전증juvenile myoclonic epilepsy 같은 뇌전증증후군에서는 치료가 효과적이지만 무한정 지속해야 한다. 뇌전증 환자의 약 1/3에서는 항 경련제가 적절하게 발작을 조절하지 못한다. 이런 경우는 공격적인 소아뇌전증증후군(예, 영아연축, Lennox-Gastaut 증후군)이 있는 환자들이나 분명한 구조적 또는 선천적인 원인이 있는 뇌전증 환자들에서 특히 가능성이 높다.

2) 임상 양상

뇌전증은 여러 가지 원인을 가진 장애들의 이질적인 집단이며 뇌전증의 임상적 소견은 이러한 다양성을 반영한다. 국소 기시부를 가진 발작과 전반적인 뇌 기시부를 가진 발작 사이에는 중요한 임상적 차이가 있다. 국소 기시부를 가진 발작은 발견 가능하고 잠재적으로 치료될 수 있는 뇌 병변과 연관될 가능성이 높고 전반적인 뇌 기시부를 가진 발작은 소아기 또는 청년기에 시작하거나 가족력이 있을 가능성이 더 높다. 가능한 발작의 양상이 광범위하게 다양함에도 불구하고, 환자들의 발작은 대개 상동적stereotyped이다. 발작삽화동안의 대뇌피질의 과활동에 따라오는 발작 후의 동일한 영역의 저활동의 반복적인 패턴에서 임상양상이 결정된다. 발작의 임상소견에 대한 기록이 진단에 있어서 매우 중요하다. 발작이 아주 빈번하지 않으면 직접 관찰이 거의 불가능하기 때문에 목격자의 설명(또는 홈/핸드폰 비디오)이 포함된 삽화의 병력이 가장 중요하다.

(1) 긴장간대발작tonic-clonic seizure

긴장간대발작은 뇌전증의 가장 극적인 소견으로, 운동활동과 갑작스러운 의식소실을 특징적으로 보인다. 전형적인 발작에서 환자는 발작의 시작에 대한 경고사인이 없다(몇 개의 근간대성 반사와 같은 가능한 예외가 있을 수 있음). 발작은 갑작스런 의식 소실과 지속적인 근육수축이 10-20초간 유지되는 긴장기tonic phase로 시작한다. 이후 반복적인 근육수축이 약 30초간 지속되는 간대기clonic phase가 나타난다. 혈압과 맥박상승, 무호흡증, 동공확대, 실금incontinence, 털세움piloerec tion, 청색증, 발한 등과 같은 다양한 자율신경계 변화도 함께 경험할 수 있다. 발작 후 기간에는 환자는 졸리고 혼란스러워진다. 이때 보통 신경학적 이상 징후가 유발된다.

(2) 부분발작partial seizure

부분발작은 단순한지(의식장애가 없음) 또는 복합적인지(의식장애 있음)에 따라서 분류된다. 하지만 임상에서 이 분류를 적용하는 것이 어려울 수 있다.

① 단순부분발작simple partial seizure

단순부분발작의 임상소견은 활성화되는 뇌 부위에 따라 다르다. 초기 부위가 상대적으로 국한되었더라도 비정상적인 활동이 흔히 인접 부위로 확산되어 발작양상의 진행을 야기할 수 있다. 활동이 운동피질에서 기시되었다면, 반대쪽 신체부위에서 반사운동jerk movement이 생긴다. 이것은 인접부위에서 진행성 반사를 유발할 수 있다(잭슨발작 Jacksonian march).

두정엽에서 시작하는 발작은 신체 부위의 저림tingling 또는 무감각numbness, 신체 한쪽의 감각이 없는 것 또는 복잡한 감각경험을 유발할 수 있다. 두정엽의 아래 부위에서 발작은 심한 현기증, 장소에 대한 지남력장애를 유발할 수 있다. 우성반구 두정엽 발작은 언어장해를 일으킬 수 있다.

후두엽의 발작은 보통 단순한 번쩍이는 불빛과 같은 단편적인 시각증상과 연관된다. 그러나 발작이 측두엽과의 경계에서 발생된다면, 이전에 경험했던 형상의 환시 뿐만 아니라 소시증 micropsia, 대시증macropsia, 환시 등을 포함한 보다 복잡한 경험을 하게 된다.

측두엽에 영향을 미치는 발작은 가장 진단하기 어렵지만, 측두엽은 또한 가장 흔하게 시작되는 부위이다. 단순한 소리부터 복잡한 언어에 이르는 다양한 환청, 보통 불쾌한 냄새와 관련된 환후 olfactory hallucination 등의 증상이 나타날 수 있다. 실비우스 틈새Sylvian fissure 또는 덮개 operculum에서 발작은 미각gustatory sensation을 유발시킨다. 오심 또는 공복과 같은 발작동안의 상복부 감각ictal epigastric sensation은 일반적으로 측두엽 기시에서 발생한다. 측두엽 발작에서 잘 알려진 감정적이고 정신적인 현상은 단순발작에서 발생할 수 있지만 복합부분발작에서 더 흔하다.

② 복합부분발작complex partial seizure

복합부분발작에서 환자는 발작이 시작되면서 조짐aura을 자주 경험한다. 조짐은 수 초에서 수분까지 지속되는 단순부분발작이다. 조짐은 전구증상prodrome과 구별해야 하는데, 전구증상은 발작사건ictal event이 아니며 발작 전 수 시간 또는 수 일간 지속될 수 있다. 전구증상은 보통 신경과민nervousness 또는 과민성irritability으로 구성된다.

조짐의 내용은 뇌 내의 비정상 방전의 위치에 따라 달라진다. 따라서 조짐은 운동, 감각, 내장 또는 정신요소가 포함된다. 여기에는 환각, 강력한 공포, 우울, 공황 또는 이인증depersonalization과 실어증과 같은 인지증상 등이 포함된다. 기억의 왜곡은 꿈꾸는 듯한 상태, 플래시백flashback, 사건의 친밀감에 대한 왜곡(기시감déjà vu 또는 미시감jamais vu) 등으로 표현될 수 있다. 분노는 매우 드물지만, 발생하면 거의 자극되지 않고 갑자기 종결되는 양상을 보인다. 이 시기(조짐) 이후에 의식의 장애와 대개 60초간 지속되면서 전반적으로 퍼질 수 있는 발작이 나타난다. 자동증automatism이 발생될 수 있으며 자동증은 발작이 시작되기 전의 환자 행동이 지속되어 나타날 수 있다. 흔한 얼굴 자동증은 씹기, 삼키기, 입맛 다시기, 얼굴 찌푸리기 등이 있고 사지 자동증은 물건을 만지작거림, 걷기, 일어서려고 하는 것 등이 있다. 발작 후 혼돈은 임상적으로 중요하고 전형적으로 10분 이상 지속된다.

전두엽 기시의 복합부분발작은 갑자기 시작되고 갑자기 종결되는 경향이 있으며, 약간의 발작 후 혼돈이 있다. 흔히 군발성in clusters으로 발생된다. 발작은 보통은 기괴하며, 자전거 타기와 같은 운동 자동증, 성적 운동증, 발성vocalization 등이 동반된다.

(3) 소발작absence seizure

소발작은 임상적으로 잘 정의되며 특징적인 뇌파소견을 보인다. 어떤 경고나 조짐 또는 발작후 증상도 없이 발생하는 감소된 각성상태가 갑작스럽고도 단기삽화로 나타나는 것이 필수적인 양상이다. 시작 시에 활동이 중단된다. 단순 소발작은 의식 변화만 있는 것이 특징이다. 환자는 여전히 움직이고 호흡에 영향을 받지 않으며 청색증이나 창백함이 없고 자세 긴장의 상실이 없다. 끝은 갑작스럽고 환자는 이전의 활동을 바로 다시 시작하며 흔히 발작이 일어났는지 알아차리지 못한다. 발작은 보통 약 15초간 지속된다. 복합 소발작은 자세 긴장의 변화, 얼간대성 반사, 경미한 자동증 또는 자율신경계 증상과 같은 부가적인 증상이 나타난다.

(4) 폭력행동violent behavior

뇌전증 특히 측두엽과 관련된 뇌전증은 감정적인 증상을 유발할 수 있고 아주 때때로 목표가 불분명한 난폭행동을 초래할 수 있다. 그러나 뇌전증과 관련된 대부분의 폭력은 발작 동안 억제되는 것에 대한 반응으로 발생된다. 따라서 발작에 대한 다른 폭력의 발생에 주의해야한다. 실제 체계화된 문헌고찰에서 전반적으로 뇌전증이 있는 환자에서 뇌전증이 없는 대조군에 비해 낮은 폭력의 위험도를 갖는 다는 것을 확인하였다.

3) 감별진단

뇌전증은 심인성 비뇌전증 발작(해리성 발작) 및 실신과의 감별이 어려울 수 있다. 다른 발작성 장애paroxysmal disorder도 뇌전증과 감별되어야 하는데, 여기에는 일과성허혈발작transient ischemic attack, 저혈당, 편두통, 일과성전체기억상실transient global amnesia, 허탈발작 cataplexy, 발작성 운동장애, 다발성경화증에서 발작성 증상 등이 있다. 수면 동안의 발작은 정보제공자의 보고의 유용성이 떨어지기 때문에 특히 감별하기 어렵다.

(1) 해리성 발작dissociative seizure 또는 심인성 비뇌전증 발작psychogenic nonepileptic seizures

진성 뇌전증 발작과 비뇌전증 발작 간의 감별점은 표 31-2에 요약되었다. 해리성 발작은 거짓발작이나 비뇌전증성 발작장애, 심인성 발작으로도 불리는데, 뇌전증이 의심되는 클리닉 환자의 약 30%를 차지하며 지역사회 유병률은 10만 명당 33명으로 보고된다. 해리성 발작이라는 용어가 특정한 진단인지, 유사한 발작을 일으키는 전환conversion, 공황발작, 과호흡 증후군, 외상 후 스트레스장애, 긴장증catatonia 등의 일부 정신의학적 진단이나 증상의 집합 용어인지는 불명확하다. 해리성 발작이 현저한 해리가 있는 공황장애의 한 아형이라는 의견도 있다. 해리성 발작 환자들이 뇌전증 환자에 비해 정신질환을 동반하는 경우가 많지만 해리성 발작 환자들 역시 역설적으로 조절이 필요한 신체적 부위가 있는 경향이 많고 심리적 요소가 그들의 질병에 기여할 수 있다는 것을 부인하는 경향도 많다. 일부 환자들은 뇌전증과 비뇌전증 발작 두 가지 모두가 있는데, 비뇌전증 발작장애가 있는 사람들의 약 10%만이 이러한 범주에 속한다. 이들 환자의 많은 수는 학습장애가 있고 뇌전증과 정신의학적 장애에 대한 위험이 증가된다.

표 31-2. 뇌전증 발작과 비뇌전증 발작의 감별점

	뇌전증 발작	비뇌전증 발작
야간경련	흔하다	흔하지 않다
상동증적 조짐	흔하다	없다
경련동안 청색증	흔하다	없다
자해	흔하다	드물다
실금	흔하다	드물다
발작후 혼돈	있다	없다
몸 움직임	긴장 또는 간대 또는 둘 모두	비상동적이고 비동조적
혈압과 맥박상승	있다	없다
혈중 프로락틴 증가	있다	없다
동공확대	있다	없다
병적반사	있다	없다
극파 파형 뇌파	있다	없다
경련후 서파	있다	없다

해리성 발작의 진단은 보통 주의 깊은 병력과 조사에 근거하여 내려진다. 이 증후군의 가장 핵심은 뇌전증의 반사적 움직임과는 다른 발작의 증상(종종 다양한 빈도로 떨리는 움직임)이다. 호흡은 유지된다. 일부 환자들은 쓰러져

장기간 움직임 없이 누워있다. 임상적 실마리로는 기존의 신체형 장애, 정상적인 발작 간 지적기능과 정상적인 뇌파electroencephalography, EEG 소견에도 불구하고 자주 발생하고 장기간 지속되는 발작의 비전형적 변이, 클리닉이나 병원과 같은 공적인 장소에서 특히 발작이 더 발생, 명백한 전신발작 동안에 각성상태가 시사되는 행동(눈을 뜨게 하려는 시도에 저항) 등이 포함된다. 뇌전증환자에 비해 최근 시작된 해리성 발작 환자들은 신체적 인자에 비해 심리적인 인자가 덜 중요하다고 믿는 경향이 있고 건강과 관련되지 않는 스트레스사건을 더 무시하는 경향을 보인다. 이견이 제시되기도 하지만 발작동안에 눈을 감는 것이 이 발작이 뇌전증이 아니라는 것을 의미하는 신뢰할만한 표지자로 간주된다.

과거 소아기 성적 학대가 아주 흔하지만, 진단을 받은 사람들 중에 보편적인 것은 아니다. 주의 깊은 임상적 평가와 기본조사 후에도 여전히 의심이 남는다면, 진단에 대한 표준은 비디오 원격측정video telemetry으로 발작을 관찰하는 것이다. 명백한 전신발작 동안이나 직후에 정상 EEG 소견은 해리성 발작임을 강하게 제시한다. 하지만 초점발작focal seizure 시에도 정상 EEG 소견을 보일 수 있다.

해리성 발작의 진단은 발작을 고의로 조작하는 것(꾀병 또는 인위성 장애)과는 완전히 다르다. 대부분의 환자들은 조사와 진단에 협조적인데 해리성 발작을 확인하고 뇌전증에 대해 반론을 제기할 목적이라는 것을 환자들이 미리 알고도 협조적이다.

치료는 명확한 진단과 함께 발작의 본질에 대해 설명하고, 장애를 야기하는 특성에도 불구하고 양성이라는 것에 대해 안심시켜주는 것으로부터 시작한다. 환자를 진지하게 대하고 문제에 대해 진단적인 명명을 하며 진단에 대한 논리적 근거를 설명하고 증상이 어떻게 발생하는지 어느 정도는 논의하며 회복에 대한 기대를 강조하고, 적절한 다른 치료로 연계하는 것을 치료에 포함해야한다. 병발하는 감정장애에 대하여 표준화된 약물 및 심리접근을 통한 치료가 시행되어야한다. 발작 자체도 다양한 정신치료에 효과가 있을 수 있으며, 가장 근거가 좋은 것은 인지행동치료이지만 사례보고에서 정신역동치료와 그룹치료 또한 도움이 될 수 있다고 제시하였다. SSRI가 발작에 직접적인 치료효과가 있다고 하는 일부 약한 근거들도 제시되고 있다.

(2) 실신Syncope

실신은 보통 뇌로 가는 혈액공급의 일시적인 단절로 인해 발생되는데 간대성근경련 반사myoclonic jerk가 동반되어, 흔히 잘 모르는 일반사람들이나 의학적인 목격자에 의해 뇌전증적 상태로 여겨진다. 대다수 환자들이 상복부증상, 빙빙도는 vertiginous 경험, 시각 및 체성감각somatosensory 경험 등을 조짐으로 회상하는 것이 진단에 혼란을 주는 것처럼 보다 복잡한 운동, 안구편위eyeball deviation, 눈꺼풀 깜박거림 또는 발성vocalization 등의 발생은 진단을 내리는데 혼란을 준다.

(3) 수면장애

서파수면에서 발생되는 몽유병sleep walking, 야경증night terror, 혼돈성 각성, 급속안구운동 rapid eye movement, REM, 수면행동장애, 이갈이, 율동운동장애rhythmic movement disorder, 주기적 사지운동 등을 포함하는 다양한 사건수면parasomnia 등의 수면장애는 뇌전증과 구별되어야 한다.

4) 발작의 조사

뇌전증은 특히 임상적인 진단이므로, 검사를 해석하고 사용할 때는 이를 반영해야 한다. 기본혈액검사는 전체 혈구계산, 혈청 칼슘과 마그네슘 등의 기본 화학검사를 포함한다. 심전도는 항상 시행해야 한다. EEG는 진단을 확정하고 뇌전증의 유형을 명확히 하는데(전신 대 초점, 소아나 청소년에 합당한 특징)도움이 된다. 그러나 EEG는 민감하지 못해서 한 번의 발작 간 EEG검사로는 뇌전증 환자의 약 30%에서만 명백한 뇌전증모양 이상을 발견할 수 있다. 따라서 EEG소견이 정상이라도 뇌전증을 배제할 수 없고, 소소한 비특이적 EEG 이상으로도 뇌전증을 확정할 수 없다. 수면박탈 기록을 포함한 연속적인 기록으로 진단을 약 80%까지 높일 수 있다. EEG에 비디오 녹화를 추가하여 임상증상과 EEG 이상과의 관련성을 조사할 수 있다. 24시간 보행모니터링ambulatory monitoring이 때로 도움이 된다.

EEG에서 젊은 환자의 1차성 전신뇌전증 증후군이라는 명확한 소견이 입증되지 않는다면, 모든 뇌전증환자들에서 신경영상이 시행되어야 한다. 컴퓨터단층촬영computed tomography, CT은 종양과 구조적 이상을 배제하기 위해서 적절한 검사이지만 CT는 명백하지 않은 병리를 놓칠 수 있다. 자기공명영상magnetic resonance imaging, MRI은 내측 측두경화증mesial temporal sclerosis을 포함한 난치성 뇌전증환자들의 90%까지 병리적인 이상을 발견할 수 있는 의심할 여지 없는 우선적인 영상양식이지만 일부 나라에서는 접근이 어려울 수 있다.

발작 후 환자의 혈청 프로락틴 농도를 측정하는 것이 때때로 진단적으로 도움이 된다. 혈청 프로락틴 농도가 전신발작 이후 증가할 수 있지만 일반적으로 비뇌전증발작에서는 증가하지 않는다. 검사결과를 올바로 해석하기 위해서는 기저선의 프로락틴 수치와 치료약물(항정신병약물)에 대해서도 알아야 한다. 부분발작이나 실신에서도 프로락틴이 증가할 수 있다.

도움이 될 수 있는 부가적인 심장검사로는 심장 율동 장애를 발견하기 위해 24시간 보행심전도, 구조적인 심장이상을 발견하기 위한 심장초음파검사, 기립성 실신을 확진하는 데 도움이 되는 기립경사검사tilt table test 등이 있다.

5) 정신의학적 합병증

최근 자료연계record-linkage 연구들은 뇌전증이 있는 남자에서 정신증적 증상(특히 정신분열형장애와 편집증적 정신증)이 증가된다고 보고하였다. 또한 일반 인구집단에 비해서 뇌전증이 있는 남자와 여자 모두에서 정신의학적 장애의 전반적인 비율이 4배 증가한다고 알려졌다.

(1) 정신증

정신병적 증상은 일시적인 발작 후 정신증이나 만성 발작간 정신증으로 분류될 수 있다. 메타연구에서 뇌전증에서 정신증의 전체적인 유병률은 5.6%, 측두엽뇌전증에서 7%로 확인되었다. 발작 간 정신증과 발작 후 정신증의 유병률은 각각 5.2%와 2%였다. 일반적으로 정신증 삽화는 발작 직후에 시작되지 않고 대신 2-72시간의 명료기간lucid interval 이후에 발생한다. 일시적인 발작 후 정신증이 있는 환자들은 종종 종교적이고 신비적인 양상의 조증 과대성이 존재한다.

정신증은 또한 항경련제의 잠재적 부작용일 수 있다. Levetiracetam과 topiramate과 가장 흔히 연관되며 phenytoin, valproate, lamotrigine, zonisamide, pregabalin, vigabatrin에서 종종 발생할 수 있다. 이러한 효과는 정신의학적 질

병의 과거력이 있는 환자들에서 보다 흔하게 발생한다.

(2) 인지장애

인지장애는 뇌전증과 흔히 연관된다. 경도의 전반적 인지결핍, 특히 기억력에서의 결핍이 발작이 시작된 수개월 이내에 발견될 수 있고, 소아의 경우 학교기록에서 이러한 결핍이 발작 시작 전에 선행할 수 있음도 제시되었다. 정량적 부피측정 MRIQuantitative volumetric MRI 연구에서 인지결핍이 측두엽 이상과 연관된다고 제시하였다. 인지장애는 진행하는 경향을 보일 수 있지만 반드시 일어나는 것은 아니므로 환자는 이러한 장애가 치매로 이어지는 것은 아니라고 안심할 수 있다. 발작조절이 부진한 경우, 약물의 누적된 효과가 이러한 손상의 위험인자로 여겨진다. 학업성취도가 높은 경우 인지기능의 손상이 덜 할 수 있다.

(3) 우울과 불안장애

뇌전증이 우울장애의 중요한 위험인자가 된다는 것은 잘 알려져 있다. 뇌전증이 있는 환자의 우울장애를 조사한 메타연구에서 현재 또는 과거의 우울장애의 전반적인 유병률은 23.1%로 뇌전증이 없는 환자의 유병률에 비해 2.77배 높았다. 우울장애는 뇌전증 환자에서 학습된 무력learned helplessness으로부터 발생하는데, 이는 예측할 수 없고 피할 수 없는 발작을 반복적으로 경험한 결과로 발생된다. 낙인이 되는 만성적인 질병을 안고 사는 것에 대한 스트레스도 관련이 있다. 마지막으로 뇌전증 치료에서 사용되는 항경련제 자체가 우울장애의 원인이 될 수 있다. 우울장애와 뇌전증 사이의 관련성은 양 방향으로 작용하여, 각각이 다른 것에 대한 위험인자가 된다. 우울장애는 자극되지 않은unprovoked 발작의 독립적인 위험인자이다. 우울장애가 이러한 위험에 기여하는 것은 특히 부분발작에서 현저하다. 인구기반연구에서 얻은 정보들은 우울장애가 뇌전증의 발생위험을 4-7배 높이는 것과 연관이 있다고 제시하였다. 이러한 양방향 관계가 인과성을 의미하지 않지만, 오히려 이 두 상태가 공동의 병리기전을 공유한다는 것을 제시한다. 우울증상은 뇌전증의 발생에 영향을 줄 뿐 아니라 나쁜 치료반응 및 삶의 질과 연관된다.

우울장애는 DSM-5 기분장애의 전형적인 양상일 수 있고, 발작 사건과 연관성에 의해 특징지워질 수도 있고, 발작간 불쾌장애interictal dysphoric disorder로 나타날 수도 있다. 발작간 불쾌장애는 Kraepelin과 이후 Bleuler에 의해 최초로 도입된 개념으로 이상행복감euphoria, 불안, 무력증, 불면, 통증과 섞인 현저한 짜증으로 구성된 다양한 양상으로 묘사되었다. 발작간 불쾌장애는 만성적으로 재발하고 관해되는 경과를 보이지만 항우울제에 잘 반응하는 것으로 여겨진다. 하지만 타당성에 대한 의문이 제기되는, 논란이 되는 진단이다.

뇌전증 환자에서 우울장애를 선별하는 것에 대한 관심이 증가하고 있다. 최근 16개의 선별도구에 대한 체계적인 문헌고찰에서 뇌전증 신경장애 우울척도neurological disorders depression inventory for epilepsy가 가장 광범위하게 차당성이 입증된 선별도구로 선정되었다. 이 도구는 무료이며 적용하기가 쉽고 다양한 언어로 타당성이 검증되었다. MRI와 유전체정보, 인지기능 검사를 통해 예측모델을 개발한 연구에서 뇌전증에서 약물저항성의 예측인자로서 우울장애의 중요성이 강조되었다. 발작의 악화위험에 대한 우울장애의 역할은 매우 중요하다. 많은 정신건강의학과 의사들은 항우울제가 뇌전증을 악화시킬 것이라고 걱정하지만 사실 치료되지 않은 우울장애의 지속이 더 큰 위험을 야기한다.

뇌전증에서 불안도 복잡한 원인론을 가진다. 경고 없이 발작이 있을 것에 대한 예기불안은 광장공포증과 유사한 증상과 행동을 유발할 수 있다. 최근 메타분석에서 뇌전증 환자에서 불안장애의 유병률은 20.2% 정도로 확인되었다. 불안장애를 경험하는 환자의 의료진들이 불안의 진단을 흔히 간과한다는 것은 구조화되지 않은 임상평가로 확인한 불안의 유병률이 8.1%인데 비해 구조화된 임상면담을 통한 유병률이 27.3%라는 연구결과에서도 확인된다.

뇌전증에서 우울과 불안장애의 치료는 의학적인 질환에서 불안과 우울장애의 치료와 동일하다. 일부 항정신병약물이 발작의 역치를 낮추어 발작의 위험을 높일 수 있다. 하지만 이러한 위험성은 다소 과장된 것이며 일반적으로 부족한 치료가 과한 치료에 비해 더 큰 문제를 야기해왔다. 특히 bupropion을 사용하였을 때 발작의 위험도가 많은 정보에서 과장되어 기술되었는데, 체계화된 문헌고찰에서 TCA를 사용한 경우의 위험도보다 더 낮다고 결론내렸다.

2008년 미국식품의약국의 항경련제와 자살과의 연관성에 대한 연구에서 모든 종류의 항경련제가 자살 위험성을 높인다고 제시하였다. 항경련제를 복용한 환자에서 자살행동이 0.43%로 위약을 복용한 대조군 환자의 0.24%에 비해 높았다. 하지만 아직까지 어떤 항경련제가 가장 위험도가 높은지에 대한 연구들간의 합의는 아직 이루어지지 않았고 연관성에 대한 기전 또한 밝혀지지 않았다. 뇌전증에서 높은 정신의학적 동반이환율이 위험도의 증가에 일부 기여하는 것 같다. 뇌전증 환자에서 항경련제의 이득이 위험성보다 우세하다. 이러한 주제의 복잡성은 뇌전증 환자에서 좋은 신경정신의학적 관리가 필요하다는 것을 강조한다.

6) 치료

치료원칙으로 가능하면 한 가지 약을 사용하고 발작이 조절될 때까지 용량을 서서히 올린다. 만약 발작이 조절되지 않으면 다른 약물로 교체하고 단독요법이 성공하지 못하면 두 가지 약물을 사용한다. 일반적으로 페니토인을 제외하고는 약물농도 모니터링은 불필요하다. 약물은 약물상호작용을 주의하여 사용한다. 약 20-30% 환자들은 약물치료로 조절되지 않으며 수술이 효과적일 수 있다. 수술을 시행한 환자들에서 예후를 조사한 대부분의 연구에서 50-85%에서 최소 1년간 발작관해가 보고되었다. 수술을 위해서는 신경영상에서 국소병변이 존재하고, 병변이 습관성 발작의 원인이라는 비디오 원격측정의 증거, 병변 절제술이 주요한 인지기능결핍을 초래하지 않는다는 신경심리학적 증거가 포함되어야 한다. 심리적인 요인 또한 수술을 결정하는 데 영향을 미칠 수 있다. 미주신경자극은 치료저항성 뇌전증이 있는 일부 환자들에서 발작 횟수를 줄였지만 새로운 항 경련제를 추가하는 것보다 더 효과적이지는 않는 것 같다.

참고문헌

1. Allida S, Cox KL, Hsieh CF, Lang H, House A, Hackett ML. Pharmacological, psychological and non-invasice brain stimulation interventions for treating depression after stroke Cochrane Database Syst Rev 2020;1:CD003437.
2. Berg A, Lonnqvist J, Palomaki H, Kaste M. Assessment of depression after stroke. A comparison of different screening instruments. Stroke 2009:40:523-9.
3. Bhogal SK, Teasell R, Foley N, Speechley M. Lesion location and poststroke depression. Systematic review of the methodological limitations in the literature. Stroke 2004:35:794-802.
4. Bomasang-Layno, Fadlon I, Murray AN, Himelhoch S. Antidepressive treatments for Parkinson's disease: A systematic review and meta-analysis. Parkinsonism Relat Disord 2015;21:833-42.
5. Carson AJ, Zeman A, Stone J. Neurology and Neurosurgery. In: Levenson JL (ed),The American Psychiatric Publishing Textbook of Consultation Liaison Psychiatry and Psychosomatic Medicine, Third Edition, Washington, DC: American Psychiatric Publishing; 2019, p.907-63.
6. Gholipour T, Smith FA, Huffman JC, Stern TA. chap 19. Patients with seizure disorders. In: Stern TA, Freudenreich O, Smith FA, Friccione GL, Rosenbaum JF. (ed). Massachusetts General Hospital Handbook of General Hospital Psychiatry, 7th Edition,

Philadelphia PA: Elsever; 2017, p.213-21.

7. Hackett ML, Köhler S, O'Brien JT, Mead GE. Neuropsychiatric outcomes of stroke. Lancet Neurol 2014:13:525-34.
8. Medeiros GC, Roy D, Kontos N, Beach SR. Poststroke depression: a 2020 updated review. General Hospital Psychiatry 2020;66:70-80.
9. Robinson RG, Jorge RE. Poststroke depression: A Review. Am J Psychiatry 2016:173:221-31.
10. Towfighi A, Ovbiagele B, Husseini EN, Hackett ML, Jorge RE, Kissela BM, et al., A scientific statement for healthcare professionals from the American Heart Association. Stroke 2017;48:e30-e43.

32

CHAPTER

여성의 정신건강

남범우

여성의 정신건강에 대한 완전한 이해는 젠더gender, 문화, 환경, 교육, 사회 안전망, 고용, 경제적 안정, 폭력 노출 같은 사회적 결정요소를 포함하여 그들의 삶과 삶 전반에 걸친 생식적 요소의 정신사회적 맥락을 함께 고려해야만 한다. 생식과 관련된 경험과 행동들은 기쁨, 자부심, 열정뿐만 아니라 수치심, 죄책감, 두려움 등의 강렬한 감정을 유발하며 출산은 가족과 사회적인 관계의 영구적이고 결정적인 변화의 필연적 조건이다. 따라서 생식기능은 여성의 삶의 결정적인 전제 조건이 될 수밖에 없다. 성별에 따라 정신질환의 임상적 양상이 다르고 치료에서도 다른 접근이 필요하다는 인식은 오래전부터 있어왔지만 실제 임상현장에서 그 중요성에 비해 소홀히 다루어지고 있다. 정신질환의 성별 특성은 정신사회적 요인뿐만 아니라 생물학적인 차이, 즉 성별로 다른 뇌의 해부학적 구조와 기능 그리고 생식기능의 차이가 다른 정신활성 효과를 일으키는 것에 기인하는 것이다.

이 장에서는 월경, 피임, 임신/출산, 유산, 불임, 폐경 등 여성의 생식과 관련하여 정신건강 문제를 다루고 정신질환의 치료에서 여성 관련 고려 사항에 대해 논의하고자 한다.

1. 정신장애의 성 차이와 평가

1) 전신장애의 성 차이

성별에 따른 정신장애 유병률의 차이는 오래전부터 인식되어 왔으며 임상 증상, 질병경과, 동반질환에서도 나타난다. 정신장애의 성 차이는 일부분 정신사회적 요인 때문에 발생한다. 여성의 불리한 사회적 지위, 낮은 임금, 성폭력과 가정폭력은 우울장애와 불안장애의 발병률을 높이는 원인이 된다. 생물학적인 성 차이 또한 정신장애에 있어서 여성과 남성의 차이를 설명한다. 뇌의 해부학적 구조가 다르며 남성과 여성의 생식 호르몬이 정신활성 효과를 일으킨다.

성에 따라 약동학과 약력학에 차이가 있다. 간 대사율의 차이는 마이크로좀 효소에 대한 에스트로젠의 억제효과에 의한 것으로 생각된다. 프로제스테론은 위 배출시간을 지연시켜 약물흡수에 영향을 준다. 에스트로젠과 프로제스테론은 단백질과 쉽게 결합하기 때문에 단백결합부위를 놓고 정신약물과 경쟁한다. 그러므로 단백질과 결합하지 않은 유리 약물의 혈중농도는 생식호르몬의 농도에 따라 달라진다.

월경주기가 정신약물의 혈중농도에 영향을 미칠 수 있다. 경구피임약이나 호르몬 대체요법 같은 외부 호르몬의 사용은 약물농도에 더 많은 영향을 준다. 에스트로젠제제는 간의 산화효소, 특히 씨와이피3에이4CYP3A4를 억제하여 산화에 의해 대사되는 삼환계 항우울제, 디아제팜, 클로나제팜, 클로르디아제폭사이드 같은 약물의 농도를 증가시킬 수 있다. 에스트로젠은 또한 간의 대사 효소를 활성화하기 때문에 신장을 통해 배설되기 전에 결합하는 옥사제팜, 로라제팜, 테마제팜 같은 약물의 제거율을 증가시킨다.

2) 생물학적 평가

갑상선 기능의 이상이 40대 이후 여성에 흔하기 때문에 활력, 체중, 온도에 대한 내성 등에 변화가 있을 때 반드시 평가해야 한다. 중년 여성에서 난포자극호르몬과 에스트라디올의 농도를 측정하는 것은 폐경전후기와 폐경기를 확인하는 데 도움을 준다. 약물치료를 시작하기 전에 임신 여부를 검사해야 한다. 특히 최근에 피임을 하지 않고 성관계를 했거나 월경을 거른 환자는 반드시 검사해야 한다.

만일 월경이 불규칙하거나 거르게 된다면 프로락틴과 갑상선자극호르몬 농도를 검사해야 한다. 고프로락틴혈증과 갑상선기능저하증이 월경주기에 영향을 줄 수 있기 때문이다. 일부 항정신병약물의 부작용인 고프로락틴혈증은 내분비 내과의 자문이 필요하다.

3) 정신의학적 평가

여성의 정신의학적 평가는 여성 환자 특유의 병력을 포함해야 한다(표 32-1). 환자의 증상과 월경주기와의 관계를 평가하고 임신의 가능성과 피임 여부를 질문하는 것은 놓쳐서는 안 될 중요한 내용이다. 또한 어떤 치료를 받을지, 예를 들어 정신약물치료를 할지 정신치료만 할지를 결정할 때 영향을 줄 수 있기 때문에 환자의 임신 계획에 대해서도 질문해야만 한다. 중년 여성이 수면장애를 호소할 때에는 폐경전후기에 흔한 야간의 과다한 땀 때문에 숙면을 방해하는 것은 아닌지 고려해야 한다.

생식과 관련된 기분 증상은 유전적인 경향을 보이므로 월경전불쾌기분장애와 우울장애의 가족력에 대해 알아보아야 한다. 여성의 성병은 분노, 죄책감, 슬픔을 갖게 하고 친밀한 인간관계에 심각한 영향을 줄 수 있다. 또한 성기사마귀와 성기헤르페스 같은 질환은 재발할 수 있으며 성적 기능을 저해한다. 유방절제술과 자궁절제술은 여성으로서의 정체성과 성적 정체성에 영향을 주고 배우자와의 관계에 영향을 준다. 알코올중독과 약물중독이 남성보다 드물긴 하지만 일부 여성에서는 심각한 문제를 일으킨다. 여성에서 피임약 복용, 월경 전, 출산 후, 폐경 전후 등 생식과 관련해서 정신증상이 발생했던 경우 이후에도 생식과 관련하여 정신증상이 발생할 위험도가 높아진다.

경제적 여건은 종종 의료에 대한 접근 특히 정신건강 의료체계에 대한 접근을 제한한다. 여성이 생계를 책임지거나 남성에 비해 급여 수준이 낮은 경우는 항상 경제적 압박에 시달린다. 특히 여성 노인의 경제적 어려움은 더욱 심각하다. 여성이 가족 간의 갈등, 부부간의 갈등, 가정폭력, 과도한 가사 등 자신의 생활고에 대해 편하게 털어놓을 수 있도록 격려해야 한다. 여성은 자신이 가족들과 갈등을 겪을 때 자신의 고통을 표현하는 것에 대해 죄책감을 느끼거나 수치심을 가질 수 있기 때문이다.

표 32-1. 여성의 정신의학적 평가

항목	내용
현병력 및 과거 정신병력	다음과 관련된 특정 증상 1. 월경주기 2. 피임약 복용 3. 임신 4. 출산 5. 모유수유 또는 이유 6. 유산 7. 불임치료 8. 자궁절제술 9. 폐경
복용약물	경구/비경구 피임약, 에스트로젠 호르몬대체요법, 불임 치료제
식이	음식 거부, 폭식, 인위적인 구토, 다이어트 약물 복용, 설사제 사용, 구토제 사용, 이뇨제 사용
알코올과 마약류	처방약의 은밀한 남용
정신장애의 가족력	가족의 월경전불쾌기분장애 및 산후 기분장애의 과거 병력
신체 병력 평가	루푸스, 갑상선염, 섬유근통 등 정신증상을 보이는 자가면역질환 성기능과 임신에 영향을 주는 성병의 과거 병력
월경주기 평가	복부팽만, 복통, 유방 통증, 체중증가 등 임신 및 월경에 관련된 증상 월경불순과 안면홍조 등 폐경 증상
사회성 및 발달력	성적 기호, 대인 관계의 특징, 현재 인간관계에 대한 만족도 대인 관계에서의 역할(도와준다, 이끈다, 의존적이다, 무력하다 등) 현재 혹은 과거의 성적, 신체적, 정서적 학대
사회경제적 상태	경제 수준 자녀 양육비 부담 능력

2. 월경과 정신건강

1) 월경전증후군Premenstrual syndrome, PMS과 월경전불쾌기분장애Premenstrual dysphoric disorder, PMDD

월경 전에 증상을 보이는 증후군에는 좀 더 흔하면서 증상이 가벼운 PMS, 상대적으로 드물지만 증상이 심각한 PMDD, 아주 드물며 심각한 월경정신병menstrual psychosis이 있다.

PMS는 월경 전에 발생해서 월경이 시작되면서 소실되는 정서적, 행동적, 신체적 증상으로 정의될 수 있다. 이러한 증상에는 전형적으로 가벼운 기분변화, 유방 압통, 복부 팽만감, 두통 등의 증상이 포함된다. 하지만 PMS를 진단하기 위해서 최소한의 증상이 필요하거나 직업적, 사회적 기능의 장애가 있어야만 하는 것은 아니며 이점에서 PMDD와 차이를 보이고 있다.

PMDD는 대개 예민함, 불쾌감, 긴장, 기분변화 등 심각한 정서적, 행동적 증상을 보이는 것으로 상대적으로 엄격한 진단 기준을 적용하면서 진단적 특성을 명확히 하고 있으나 PMDD가 기타 기분장애나 불안장애와 공존하는 경우가 많기 때문에 진단적 실체에 대해 의문이 제기되어 왔으나 이러한 논란은 여러 가지 증거에 의해 일소되었다(표 32-2).

표 32-2. PMDD의 고유성

- PMDD는 예민함, 분노, 내적 긴장 등 특징적 증상의 분명한 임상 양상을 갖고 있다.
- PMDD 증상의 시작과 소멸이 월경주기의 황체기에 밀접히 관련되어 있다.
- PMDD는 유전적으로 다른 우울 장애와 연관이 없는 것으로 보인다.
- PMDD는 주요우울장애와 달리 HPA축의 기능이 정상이다.
- PMDD는 기분장애와 비교해 치료반응이 다르다.
  ① PMDD는 세로토닌성 신경전달을 촉진하는 약물이 특히 효과적이다.
  ② PMDD는 간헐적인 복용으로도 효과가 좋다.
  ③ PMDD는 치료 반응이 빨리 나타난다.
  ④ PMDD는 상대적으로 적은 용량으로도 최대 효과를 보인다.
  ⑤ PMDD는 약물을 중단하면 증상이 빨리 재발한다.
- PMDD는 기분장애와 달리 월경주기가 중단되면 완전 치유된다.

PMDD= PreMenstrual Dysphoric Disorder
HPA= hypothalamic-Pituitary-Adrenal axis

자신이 PMDD라고 생각하고 병원을 찾는 여성이 사실은 우울장애, 기분저하증, 불안증 등 월경 전에 악화되는 다른 정신장애를 갖고 있는 경우가 흔하다. 다른 정신장애를 감별하기 위해서는 세심한 병력 청취와 지속적인 평가가 중요하다. 또한 월경 전에 증상을 보이는 편두통, 자궁내막증, 만성피로증후군, 섬유근통, 섬유낭종성유방질환, 과민성대장증후군, 전신 홍반성 낭창 등을 감별하기 위해 내과적 병력과 골반내진을 포함한 신체적 평가가 필요하다.

월경 전 증상을 보이는 증후군을 실제 임상에서 진단을 할 경우에는 2회의 월경주기에 걸쳐 전향적 진단 평가를 한 후 아래와 같이 5가지 범주로 진단을 할 수 있으며 이러한 분류는 월경 전 불편감을 호소하는 환자의 진단에 매우 유용한 기준을 제공한다.

(1) PMS

이 진단은 ICD-10-CM의 진단기준을 만족시킬 때 진단한다. 증상은 가벼운 심리적 불편감과 복부 팽만감 및 체중 증가, 그리고 유방의 압통과 부종, 손과 발의 부종, 다양한 통증, 집중 곤란, 수면장애, 식욕변화 등이다. 이러한 증상 중 단 한 가지만 있어도 진단 가능하며, 증상은 황체기에 국한해서 나타나야 하며 월경시작 전 가장 심했다가 월경 시작 후 바로 증상이 소멸되어야 한다.

(2) PMDD

이 진단은 DSM-5의 진단 기준을 만족시킬 때 진단한다.

"Pure-pure" PMDD: DSM-5 진단 기준을 만족 시키면서 과거와 현재 정신장애의 병력이 없을 때 진단한다.

"Pure" PMDD: DSM-5 진단 기준을 만족 시키면서 현재는 정신장애의 병력이 없지만 과거 정신장애의 병력이 있을 때 진단한다.

(3)다른 신체적 질병이나 정신장애를 동반한 PMS 혹은 PMDD

PMS와 PMDD의 진단 기준을 만족시키면서 현재 정신장애나 신체적 질병을 동반하고 있는 경우에 진단한다.

(4) 월경 전에 악화되는 기존의 신체적 질병이나 정신장애

월경 주기에 따라 악화되는 신체적 질환에는 편두통, 간질, 천식, 관민성대장증후군, 당뇨 등이 있다. 주기적이고 재발하는 양상을 보이는 정신장애가 월경 전 악화되는 것은 잘 알려져 있다.

(5) 월경정신병

일부 여성에서 월경주기에 맞추어 정신병적 증상이 나타나기도 한다. 이 진단 개념은 아직 확정된 것은 아니며 광범위한 증상군을 포함하고 있어서 월경 전 발생, 월경 중 발생, 월경 전ㆍ후 발생, 배란기 발생 등 다양하다. 상대적으로 드문 이 현상은 사례 보고가 대부분이지만 많은 논란의 대상이 되고 있다. 특징적인 임상 양상은 갑작스런 발병, 평소 건강한 정신상태, 짧은 발병 기간, 완전한 회복, 혼돈/혼미/망상/환각/조증/침묵 등의 정신병적 증상, 월경주기에 따른 예측 가능성 등이다.

(6) 진단 없음

환자 자신은 불편감을 호소하지만 진단 내릴 만큼 증상이 심하지 않을 때를 말하며 심리사회적 스트레스와 관련되었을 때가 많다.

2) 원인

PMS와 PMDD의 원인은 대부분 모르고 있으며 다양한 가설이 제기되고 있다. 최근에는 과거의 심리적 혹은 사회심리적 이해와는 달리 PMS와 PMDD가 근본적으로 생물학적 현상이라는 데에 의견이 모아지고 있다. 이러한 주장의 근거로는 질환의 유전적 성향, 난소 기능의 억제나 수술에 의한 난소의 제거 후 증상의 소멸 등이 제안되고 있다. PMDD는 반드시 월경을 하는 여성에서만 발병하며 월경하기 전의 소녀, 산후 여성, 폐경 여성에서는 나타나지 않는다.

산후우울장애와 경구피임약에 의한 기분변화를 경험한 여성에서 PMDD의 위험성이 증가하며 또한 생식과 관련되지 않은 우울장애를 경험한 경우에도 PMDD의 가족력이 있는 경우와 마찬가지로 위험성이 증가한다. 카페인, 알코올, 염분이 많이 들어간 음식은 PMDD를 악화시킬 수 있으며 경구용이든 주사용이든 피임약은 기분에 변화를 줄 수 있다.

여성 생식호르몬이 PMDD에서 중요한 역할을 할 것이라고 고려되었지만 난소의 기능이 정상이고 에스트로젠과 프로제스테론의 농도가 정상이라는 점이 논란이 되고 있다.

세로토닌 신경전달물질이 PMDD에 중요한 역할을 하는 것으로 추정되는 증거가 증가하고 있으며 몇 몇 연구는 PMDD 환자에서 세로토닌의 기능에 변화가 있다고 결론을 내렸다. 하지만 이러한 변화가 PMDD의 trait marker인지 state marker인지는 분명하지 않다. 원인에 대한 현재의 대체적인 합의는 단순한 호르몬의 불균형이라기보다는 정상 난소의 기능이 중추신경계와 다른 조직에서 주기적인 PMDD 관련 생화학적 변화를 유발한다는 것이다. 주기적인 난소의 정상적인 호르몬의 변화가 정신신경내분비psychoneuroendocrine 기전을 자극한다는 것이 가장 가능성이 높은 설명으로 받아들여지고 있다.

3) 치료

치료를 시작하기 전 확진을 내리기 위하여 두 번 연속된 월경주기 동안의 일일 증상 평가가 있어야 한다. 일단 진단이 되면 운동, 음식조절, 병에 대한 교육, 스트레스 조절 등과 같은 쉬운 대처방법을 모든 환자에게 권해야 하며 그것은 약물치료가 필요한 경우에도 마찬가지다. 다양한 약물 중에서 적절한 약물을 선택하기 위해 증상의 종류와 정도, 지속적인 치료와 증상이 있는 동안의 간헐적인 치료에 대한 환자의 선호도, 약물의 부작용, 약물 중독의 가능성 등을 중요하게 고려해야 한다.

모든 PMS와 PMDD 여성에게는 안심과 지지가 필수적이다. 환자와 가족에게 월경 전 증상에 대해 교육하는 것은 수치감, 죄책감, 절망감을 감소시키는데 도움을 준다. 매일 매일 증상의 변화를 일지에 기록하는 것은 증상을 예측하게 하고 조절할 수 있다는 자신감을 주며 월경 전주에 스트레스를 최소화하도록 일정을 조정할 수 있게 해준다. 가벼운 PMS의 경우에는 비약물 요법만으로 충분하며 약물요법을 시작하기 전에 우선적으로 시도해보아야 한다(표 32-3).

표 32-3. PMS와 PMDD의 비약물 요법

- 교육 및 지지
- 가족의 협조
- 스트레스 감소
- 식이변화: 염분, 알코올, 카페인 줄이기
- 금연
- 인지행동 치료
- 운동
- 이완요법

치료는 일반적으로 증상의 개선, 생화학적 불균형의 교정, 배란의 억제 등 세 가지 전략 중 하나를 이용하는 것이다.

SSRI는 삼환계 항우울제와 부프로피온에 비해 월경 전 증상을 현저히 감소시키고 PMDD의 일차 치료약제로 인정받고 있다. 치료가 효과적이기 위해서는 SSRI를 월경주기 내내 복용해야 한다. 하지만 월경 주기 중 황체기 즉, 월경주기 중간부터 월경시작 전까지만 복용해도 효과가 있었다는 보고도 있다.

치료를 받는 동안 지속적으로 매일매일의 증상의 변화를 기록하는 것은 매우 중요하다. 증상의 호전 정도를 평가할 수 있게 하며 또한 증상이 시작되는 때를 눈으로 확인하고 예측할 수 있게 함으로써 환자 스스로 증상을 조절할 수 있다는 자신감을 갖게 해준다.

3. 피임과 정신건강

1) 피임 실패의 원인

피임 정보가 널리 제공되고 있지만 많은 여성들이 피임에 대해 잘 모른다. 임신의 절반은 의도하지 않은 것이고 출산 중 3분의 1은 원치 않는 출산이나 시기를 놓친 출산으로 분류된다. 피임약의 선택과 사용은 지식과 잘못된 정보, 자신의 성과 성기에 대한 여성의 안정감, 성적 파트너의 선호, 사회적 관습, 의료 접근에 의해 영향을 받는다.

피임을 하지 않는 이유로는 불편함, 예상치 못한/불규칙한 성관계, 임신에 대한 양면성, 피임법 사용, 획득 또는 저장 문제, 지식 부족 또는 임신 위험 인식, 피임이 즐거움을 감소시키거나 성관계를 부자연스럽게 만든다는 믿음 등 잘못된 정보 등이 거론된다. 경구 피임약으로 인한 원치 않는 부작용, 알코올 사용 장애, 젊은 여성에서 증가하고 있는 폭음도 한 원인이 될 수 있다.

2) 경구피임제

경구피임약은 가장 많이 사용하는 피임 방법이다(표 32-4). 사용하기 쉬우며 피임 성공률이 약 99%에 이른다.

표 32-4. 경구피임제의 장 · 단점

위험성 증가	위험성 감소
- 혈전색전증[†] - 뇌혈관 질환[†] - 고혈압 - 담석 - 양성 간암 - 경구피임제 복용 후 무월경	- 자궁내막암 - 난소암 - 골반염 - 섬유낭종성유방질환 - 철결핍성빈혈

[†] 35세 이상의 흡연자에게 특히 많음

경구피임약의 또 다른 장점은 월경을 규칙적으로 하게하며 자궁내막암, 난소암, 난소낭종, 자궁외 임신, 철결핍성빈혈의 위험성을 줄여준다는 것이다. 경구피임약은 드물게 혈전성 혈관질환과 간암의 위험성을 증가시키기 때문에 경구피임약을 사용해서는 안 되는 경우가 있다. 현재 사용되고 있는 다양한 종류의 피임약은 에스트로젠 · 프로제스틴 복합 제제와 프로제스틴 단독 제제로 나누어진다.

시판되는 복합 경구피임제는 에스트로젠, 프로제스틴, 안드로젠의 활성도가 다양하다. 일반적으로 에스트로젠의 부작용은 오심, 유방 압통, 낭성 유방 변화, 두통, 혈압상승, 섬유성 조직의 비대 등이다. 프로제스틴의 부작용은 체중 증가, 피곤, 성욕감퇴, 두통 등이다. 안드로젠의 부작용은 다모증, 여드름, 체중 증가 등이다.

프로제스틴 단독 제제는 복합 경구피임제에 비해 효과가 적고 불규칙한 출혈을 일으키지만 모유 수유를 하거나 고혈압, 유방암 등으로 인해 에스트로젠이 금기인 여성에게 사용된다.

작용시간이 긴 호르몬 피임제제인 노플란트levonorgestrel implant와 데포프로베라는 사용이 편리하고 쉽게 제거할 수 있어서 최근 사용이 증가하고 있다. 노플란트는 피부 밑에 심는 형태로 5년 까지 피임효과를 제공하며 데포프로베라는 주사형 제제로 매 3개월 마다 주사를 맞는다. 노플란트와 데포프로베라의 부작용은 월경불순, 여드름, 체중 증가 등이다. 응급 또는 사후피임제는 성교 후 72시간 내에 복용하게 되는 프로제스틴 제제인데 일시적으로 메스꺼운 증상을 일으킬 수 있다.

3) 피임약과 기분 변화

대부분의 여성에서 경구피임제는 부정적인 기분변화를 일으키지 않는 것으로 나타났다. 그러나 월경전증후군의 병력을 가진 여성은 피임제에 의해 불쾌한 기분이 생길 수 있다. 이런 경우 다른 호르몬 피임제로 바꾸거나 피임 방법을 바꾸는 것이 기분 증상의 해결에 도움을 줄 수 있다.

4. 임신/출산과 정신건강

많은 여성이 임신 중에 정신질환의 발병을 경험한다. 정신질환의 병력이 있거나 현재 앓고 있는 여성은 미래 혹은 현재의 임신 중 약물 복용에 대해 상담을 해야 한다(표 32-5).

표 32-5. 산전 정신건강의학과 상담이 필요한 환자

- 임신 중 정신질환이 발병한 경우
- 정신약물을 복용하던 중에 임신을 하게 된 경우
- 정신질환의 병력이 있고 임신을 계획하는 경우
- 정신질환의 병력이 있고 임신을 한 경우

1) 임신 중 정신질환의 관리

임신 중에 정신질환을 앓고 있는 환자는 주의 깊은 평가와 관리가 필요하다. 치료의 목표는 태아에게 미칠 영향을 최소화 하면서 정신적 안정을 유지하는 것이다(표 32-6).

표 32-6. 임신 중 정신질환의 관리원칙

- 계획된 임신은 치료 방법을 선택할 수 있게 하고 필요한 경우에 더욱 안전한 약물로 교체 할 수 있는 시간적 여유를 제공한다. - 약물치료의 목표는 증상을 최대한 조절하는 것이 아니라 산모와 태아를 위태롭게 하는 증상을 감소시키는 것이다. - 가능하다면 약물치료나 전기경련요법보다 정신치료나 정신사회적치료가 우선 고려되어야 한다. - 모든 치료 방법의 선택은 환자, 배우자, 산부인과 의사와 함께 논의되어야 하며 임신 전 또는 임신 중의 모든 논의 내용은 기록으로 남겨야 한다.

가임기에 있는 여성에게 약물을 처방할 때에는 이미 임신 중이거나 투약 중에 임신을 하게 될 가능성에 대해 고려해야 하며 기형, 신경학적 후유증, 태아 성장 장애, 출생전후기 독성 등의 가능성을 평가해야 한다. 이런 사항에 대해 환자, 보호자와 함께 충분히 논의하는 것이 중요하다. 또한 임신 중에 정신질환의 재발 가능성에 대해서도 주의 깊게 검토해야 한다.

2) 임신 계획

과거에 심각한 정신질환을 앓았던 여성은 현재 증상이 없거나 약을 복용하지 않고 있더라도 임신에 대해 미리 계획을 세워야 한다. 이런 계획된 임신의 목표는 환자가 안정감을 갖고, 임신과 양육에 필요한 생리적·심리적 요구사항을 능숙하게 다룰 수 있을 때 임신을 하게 하는 것이다. 일단 환자가 임신을 결정하면 환자와 배우자가 정신건강의학과 자문을 받아야 한다.

의사는 환자의 정신병력 특히, 임신이나 출산과 관련된 병력에 대해 주의 깊게 검토해야 한다. 태아에 대한 영향을 최소화하고 임산부의 정신적 안정을 유지하기 위해 현재 가능한 모든 치료법을 고려하고 검토해야 한다. 만일 치료에 정신약물이 포함된다면 태아에 대한 약물의 위험성에 대해 논의해야 한다. 충분한 시간이 환자와 보호자의 궁금증 해소를 위해 주어져야 한다.

의사는 치료의 위험성과 장점을 분석할 뿐만 아니라 어떻게 치료 방법을 결정하였는지 기록하여야 한다. 또한 환자와 그 배우자가 무슨 설명을 들었는지, 그 결정에 따르는 위험성과 장점을 이해하였는지, 향후 계획에 대해 동의하는지 여부 등을 기록해야 한다. 종종 이를 위해 환자와 배우자의 서명을 받기도 한다. 이러한 과정은 전체 임신 기간 동안 계속되어야 한다(표 32-7).

표 32-7. 산전 상담과 임신 계획에 대한 지침

- 환자와 배우자를 함께 만난다.
- 생식기능 상태와 임신이 가능한지를 평가한다.
- 모유수유 계획에 대해 질문한다.
- 현재 복용중인 약물을 검토한다.
  · 처방약물
  · 일반의약품
  · 허브/생약제재
  · 비타민
  · 영양 보충제
- 다음 약물은 피하도록 한다.
  · 알코올
  · 담배
  · 마약
- 정신병력을 검토한다.
- 과거 임신 경험과 정신질환과의 연관성을 평가한다.
  · 산전
  · 산후
- 현재 사용되는 또는 대체 가능한 모든 치료 방법을 고려한다.
- 치료 방법이 임산부와 태아에게 줄 수 있는 장점과 위험성에 대해 논의한다.
- 약물을 투여한다면 임산부와 배우자에게 위험성을 설명한다.
  태아
  신생아(모유수유)
- 산부인과 의사, 소아과 의사, 가정의 또는 다른 치료진과 협조한다.
- 장점 및 위험성 분석과 그 분석에 대한 환자의 이해를 포함한 초기의 논의를 기록한다.
- 다음 사항을 지속적으로 기록한다.
  · 장점 및 위험성 분석
  · 산전 환자 상태
  · 산후 환자 상태

3) 비약물적 중재

임신 중에는 카페인, 담배, 술을 끊을 것을 권유해야 한다. 임신 중에는 정상적으로도 수면에 장애가 있을 수 있지만 심해지면 정신증상을 악화시킨다. 따라서 최대한 적절한 휴식을 취할 수 있도록 해야 한다. 이완요법, 인지행동치료, 개인 정신치료 등이 임산부의 불안과 환경적인 스트레스를 줄이는 데 도움이 된다. 역할 변화, 역할 갈등, 대인관계 상의 문제에 중점을 둔 대인관계정신치료가 임산부에게 효과적이다. 부부간에 갈등이 있다면 부부치료를 강력하게 권유해야 한다. 또한 비슷한 처지의 임산부가 실제적이고 정서적인 도움을 줄 수 있다(표 32-8).

표 32-8. 임신 중 정신질환에 대한 비약물적 중재

- 카페인, 담배, 알코올 금지
- 적당한 수면
- 이완요법
- 인지행동치료
- 지지집단
- 교육
- 부부치료
- 정신사회적 스트레스 감소
- 산부인과 의사와의 긴밀한 협조

4) 임신 중의 정신약물의 사용

(1) 항우울제

지금까지의 자료에 의하면 파록세틴을 제외한 SSRI와 SNRI는 유산, 심각한 선천성기형, 신경행동학적 이상을 증가시키지 않는 것으로 보인다. 또한 출생전후기 합병증도 증가시키지 않는다.

(2) 기분안정제

임신 1기에 사용된 리튬은 삼첨판이 우심실로 이동되는 심장 기형의 한 종류인 엡스타인기형Ebstein anomaly의 발생률을 10배에서 20배정도 증가시킨다. 따라서 일반 인구에서 2만 명당 1명인 발생률이 리튬을 임신 초기에 사용하면 약 천 명당 1명으로 증가한다. 대동맥축착coarctation of aorta, 승모판폐쇄증mitral atresia 같은 다른 심장 기형이 임신 초기의 리튬사용과 관련이 있다. 임신 중의 리튬 사용은 신생아의 근긴장저하, 빨기 반사 저하, 저혈당, 청색증 등과 관련이 있다. 신생아 갑상선종과 요붕증의 사례도 보고되었다. 어머니가 작성한 설문지에 근거하여 시행된, 태아기에 리튬에 노출된 어린이의 5년간의 추적 연구에 의하면 신경행동학적 후유증은 없었다.

간질에 의한 선천성기형의 위험성을 고려하더라도, 발프로에이트나 카바마제핀으로 치료 받은 산모에서 태어난 아기에서 여전히 선천성기형의 위험성이 증가한다. 임신 1기에 발프로에이트에 노출되면 안면 기형, 이분척추와 관련이 있으며 그 위험률은 0.03%에서 1% 내지 5%로 증가하게 된다. 임신 1기에 카바마제핀을 사용하면 이분척추를 포함하는 신경관결손이 1% 정도 발생한다. 최근 연구에 의하면 카바마제핀은 심혈관계 이상, 구개열, 요로계 결손을 증가시키는 것으로 보인다. 발달 지연, 두개안면 기형, 손톱 기형 등도 발프로에이트와 카바마제핀 모두에서 나타났다.

(3) 항정신병약물

임신 중에 올란자핀을 사용한 23명의 산모에서 자연유산, 사산, 기형, 미숙아의 발생 비율은 정상 대조군과 다르지 않았다. 동물 실험에서는 항정신병 약물이 행동 이상을 유발했지만 인간을 대상으로 한 단일 사례 추적연구에서는 신경행동학적 후유증이 나타나지 않았다.

(4) 항정신병약물에 의해 유발된 추체외로증상 치료제

트리헥시페니딜과 벤즈트로핀 같은 항콜린성 약물의 출생전후기 노출은 경미한 선천성기형, 기능성 장폐색, 요정체 등과 관련이 있다. 대부분의 연구에 의하면 디펜하이드라민은 기형 위험성을 증가시키지 않지만 출생전후기 금단 증상을 유발할 수 있다.

(5) 벤조디아제핀

임신 중 벤조디아제핀 사용에 대한 자료는 일관된 것이 없다. 최근 벤조디아제핀 코호트 메타분석에 의하면 임신 중 벤조디아제핀 사용과 심각한 선천성기형 사이에 연관이 없었다. 그러나 동일한 저자의 대조군 연구의 메타분석에 의하면 벤조디아제핀 사용과 구개열 발생 간에 상대 위험도 1.8로 상관관계를 보였다. 특이 디아제팜과 알프라졸람이 관련을 보였다. 구개열의 기본 위험도가 1만 명당 6명이므로 상대적 위험도는 1만 명당 12명 정도이다. 임신 5주에서 10주 동안에 태아의 구개가 만들어지기 때문에 이 시기에 벤조디아제핀의 사용을 최소화하거나 중단하는 것이 바람직하다. 임신 말기의 벤조디아제핀 사용은 근긴장저하, 금단, 섭식 이상, 무호흡, 낮은 아프가 점수 등 주산기 증후군과 관련이 있다. 태아기에 벤조디아제핀에 노출된 어린이의 발달지연은 아직 결론이 나지 않았다. 그러나 임신 중에 가끔 사용하는 것은 문제를 일으키지 않는 것으로 보인다.

(6) 전기경련요법

임신 중의 전기경련요법은 정신건강의학과 의사, 마취과 의사, 산부인과 의사 등이 팀을 이루어 시행한다면 안전하고 효과적인 치료방법이다. 정신병적 우울장애나 조절이 불가능한 조증과 같이 신속한 안정을 요하는 상황에서는 선택적 치료법이다.

5) 산전후 우울장애

출산 후 몇 개월간은 정신 질환에 취약한 시기이다. 여성의 삶의 다른 시기에 비해 출산 후 6개월 동안 정신건강의학과 입원이 매우 증가한다. 산후 기분장애는 산후우울, 산후우울장애, 산후정신병으로 분류된다. 이들 3가지가 별개의 장애인지 연속성을 갖는지는 명확하지 않지만 이 증후군은 가정생활을 파괴하고 유아의 성장 발달에 악영향을 미치며 이후에 산모의 정신건강을 위협한다. 또한 출산 이후의 시기는 공황장애나 강박장애가 발병되거나 악화되는 시기이기도 하다.

(1) 산후우울

이는 산후 기분장애 중에서 가장 경미하면서 가장 흔한 것으로 출산 후 2일 내지 4일 이후에 시작되어 2주를 넘지 않는 일시적인 상태이다. 전형적인 증상으로는 자꾸 울고 기분이 불안정하며 쉽게 화를 내거나 짜증을 내는 불안 증상을 보인다. 모든 산모의 85%에서 나타나며 따라서 출산 후 흔히 예견되는 일시적인 반응이다. 산모와 남편에게 이러한 증상이 일시적이며 곧 사라질 것이라고 안심을 시켜주는 것이 효과적이다. 보통 산모가 출산 후 하루 내지 2일 이내에 퇴원하기 때문에 퇴원 후에 이러한 증상이 생길 수 있다고 미리 알려주는 것이 좋다.

① 위험 요인

과거의 우울 병력, 특히 임신 중 우울장애가 있었던 경우에 산후우울의 발생이 증가한다. 월경전불쾌기분장애의 병력도 위험요인의 하나다.

② 치료

산후우울은 일시적이며 장기적인 후유증이 없기 때문에 의학적 치료나 정신의학적 치료는 필요하지 않으며 안심, 지지, 교육 정도면 충분하다. 우울 증상이 2주 이내에 없어지는지 산후우울증으로 이행하는지 잘 살펴보아야 한다.

(2) 산후우울증

산후우울장애는 산후우울보다 늦게 발생하는 경향이 있으며 보통 출산 후 2주에서 4주 사이에 발병한다. 최근 자료에 의하면 산후우울장애의 유병률은 10% 정도로 전체 여성 인구의 우울장애 유병률과 비슷하다. 그렇지만 산모에서 우울 증상이 더 많이 나타난다. 출산 후에 보이는 우울 증상은 산모 자신과 가족에게 중요한 문제를 일으킬 수 있기 때문에 관심을 가져야 한다. 또한 이러한 산후우울장애를 잘 진단하고 치료해야 신생아의 정서와 인지발달에 미칠 부정적인 영향을 예방할 수 있다. 3세에서 5세 아이를 대상으로 평가했을 때 우울장애가 있는 어머니에게서 자란 아이는 다른 아이에 비해 감정 조절이 더 어렵고 타인에 대해 부정적인 정서적 태도를 보인다. 이런 아이의 자존심은 더 낮은 경향이 있으며 부모나 친구에게 더 공격적이다. 어머니의 우울장애에 대한 즉각적인 치료는 행동적인 문제와 불안정한 애착을 보이는 신생아 우울장애를 현저하게 감소시킨다.

산모보다 신생아의 건강에 더 신경을 쓰다보면 산후우울장애의 진단을 소홀히 할 수 있다. 양육을 잘할 것이라는 사회적인 기대에 민감한 산모는 자신의 솔직한 감정을 표현하는 것을 꺼리기도 한다. 더군다나 가족이나 의사가 우울증상을 단지 출산 자체의 스트레스로 인한 것으로만 여기면 진단을 놓칠 수 있다.

① 위험 요인

과거에 주요우울장애를 앓았던 산모는 출산 후 24%에서 우울장애를 보인다. 임신 중에 우울장애를 앓은 산모는 출산 후 35%에서 우울장애를 보인다. 특히 산후우울장애 병력은 재발의 중요한 위험요인으로 재발의 가능성을 50%로 증가시킨다. 스트레스가 많거나 특히 배우자의 지지가 없을 때에 산후우울장애의 위험성이 증가한다(표 32-9). 사회경제적인 요인, 나이, 산과 합병증, 모유 수유 등은 산후우울장애와 관련이 없다.

표 32-9. 산후 기분장애의 위험인자

기분장애	위험인자
산후우울	임신 중의 우울 증상 우울장애의 병력 월경전불쾌기분장애의 병력
산후우울증	임신 중의 우울장애 우울장애, 특히 산후우울장애의 병력 부부 갈등 부적절한 사회적 지지 임신 중 스트레스 유발 사건
산후정신병	양극성장애의 병력 초산 산후정신병 병력

② 치료

가장 성공적인 치료는 다양한 요인을 포함하는 다각적 접근 전략이다. 여기에는 교육, 정신치료, 집단치료, 자조모임(표 32-10) 등이 포함되며 배우자와 문제가 있다면 부부 상담도 포함된다. 산후우울증에 대인관계치료와 인지행동치료가 효과적이다.

산모는 신생아를 돌보는 데 가족과 친구의 도움을 받아야 하며 가능한 많이 자고 쉴 수 있어야 하고, 다른 부담을 줄이도록 해야 한다. 가능하다면 하루 종일이 아니더라도 아기를 보살펴줄 사람을 고용하는 것이 큰 도움이 된다. 흔히 표준적인 항우울제가 매우 효과적이다. 산후우울장애의 병력이 있는 여성에게 출산직후부터 항우울제를 사용하는 것은 재발을 예방하는 분명한 효과가 있다. 약물 사용 여부를 결정할 때 모유 수유 여부를 고려해야 한다. 배우자도 반드시 치료에 참여해야 하는데 배우자의 지지가 산후우울장애의 성공적 치료에 중요한 역할을 하기 때문이다.

표 32-10. 산후 기분장애의 치료

기분장애	치료방법
산후우울	교육 지지 안심시키기
산후우울증	배우자와 다른 가족의 지지 정신사회적 스트레스 요인의 제거 개인 정신치료 및 집단치료 항우울제 전기경련요법 입원
산후정신병	입원 기질적 원인을 배제하기 위한 검사 기분안정제 항정신병약물 항우울제 항불안제 전기경련요법

5. 유산과 정신건강

1) 인공유산의 정신적 영향

원하지 않는 임신은 여성의 삶에서 중요한 위기이며 대개 인공유산을 통해 해결된다. 여성의 기분과 안녕감을 평가한 연구에서 인공유산 직후 그리고 인공유산 후 몇 년 동안 점수가 호전되어가는 것을 보여준다.

대부분의 여성은 자신의 의지에 의해 유산을 선택한 경우 심각한 정신적 휴유증을 전혀 경험하지 않거나 아주 경미하게 경험한다. 일부 여성은 유산 후 정신적 고통을 겪는다. 임신 3개월 이내에 자의로 유산한 여성에서 유산 후 정신적 후유증을 예측하게 하는 가장 중요한 요인은 임신 중 우울장애의 존재 여부이다. 부정적인 정서적 경험을 일으킬 수 있는 다른 요인으로는 의학적 · 유전적 필요에 의한 유산, 임신 중기의 유산, 특히 유산을 위해 분만을 유도하거나 출산을 해야 하는 경우, 유산 결정에 대한 양가감정이 있는 경우, 자의에 의한 유산이 아닌 경우 등이다.

2) 유산 상담

유산 상담은 유산 과정에서 매우 중요하다. 유산은 대부분의 여성에게 중요한 일이기 때문에 정신적 문제가 있는지 상담을 통해 알아보고 유산에 대해 좀 더 많은 정보를 제공하며 앞으로 계획되지 않은 임신을 피할 수 있는 방법을 교육하는 좋은 기회가 된다. 상담은 임신과 유산에 대한 감정을 표현할 수 있도록 돕고 가능한 결과들에 준비할 수 있도록 한다. 상담은 유산을 선택하는 여성에서 수술 전 불안감을 줄이고 수술 후 회복을 빠르게 한다.

강간에 의해 임신한 여성은 강간뿐만 아니라 임신 때문에도 심리적으로 심각한 문제를 경험하게 된다. 비록 유산 상담이 정신 건강을 위해 적절하고 필요하지만 이외에도 이러한 여성은 외상 경험으로 인해 더욱 심각한 정신적 후유증을 겪을 수 있기 때문에 충분한 정신의학적 치료가 필요하다. 유산을 하는 다른 여성과 마찬가지로 감정표현을 할 수 있게 해주어야 하며 유산 과정, 유산의 위험성, 가능한 합병증에 관한 정보도 검토해야 한다. 향후 이어지는 강간 위기에 대한 상담도 준비해야 한다.

유산 상담에 있어서 어려운 또 다른 상황은 태아의 임박한 사망이나 심각한 기형 때문에 유산을 선택하게 된 여성과의 상담이다. 이들 여성은 자신의 감정을 표현할 수 있는 충분한 기회를 가져야 한다. 태아를 유산하기로 결정한 여성은 갖고 싶었던 아이에 대한 상실로 큰 슬픔을 경험하게 되며, 이때 사별 상담이 도움이 될 수 있다. 추후 임신에 대한 결정은 양가감정, 두려움, 불안을 유발할 수 있기 때문에 향후 임신 기간 동안 계속해서 정신건강의학과 전문치료진의 긴밀한 도움이 필요하다. 의료진은 인내심을 갖고 공감적이어야 한다. 마찬가지로 슬픔에 잠겨있는 남편도 치료에 포함시켜야 한다.

만성 정신질환을 가진 임산부는 유산 상담에서 특별한 주의가 필요하다. 정신건강의학과 의사는 정신적인 문제를 가진 여성의 망상, 편집증, 환각 등을 평가해야 한다. 환자가 자신의 임신 상태를 이해할 수 있는지, 모든 가능한 선택을 바르게 결정할 수 있는지 평가해야 한다. 임신한 정신건강의학과 환자의 치료는 우선적으로 환자의 정신의학적 상태를 안정화시키는 데 일차 목표를 둔다. 환자의 상태가 환자 자신이나 태아에게 위험하다면 강제로라도 입원시키는 것이 필요하다. 배우자와 가족으로부터 도움을 이끌어 내야하며 일단 환자의 상태가 안정되면 임신을 유지할 것인지 중절할 것인지에 대해 논의해야 한다.

3) 자연유산

자연유산이 흔하게 발생하기 때문에 전통적으로 일반인이나 의학계에서는 임신유지 실패, 특히 첫 3개월 이내의 실패를 상당히 가벼운 것으로 생각해왔다. 따라서 자연유산으로 인한 태아에 대해 매장 및 장례 의식도 치르지 않았다. 친구나 가족은 "아이가 문제가 있어서 그렇게 된 거니까 잘 된 거예요", "언제든지 다시 가질 수 있잖아요"라고 말하면서 유산한 여성을 위로한다. 자연유산 후 아내나 남편은 배우자의 감정 상태와 어울리지 않는 급격한 감정 변화를 경험하기도 하는데, 이 때문에 부부가 서로 사이가 멀어지기도 한다.

(1) 정신역동적 측면

건강한 임신의 일차적인 목표는 건강한 아이를 낳는 것이지만 임신은 자존심과 관련된 여러 가지 의미를 지닌다. 세대 간 생물학적 연속성을 갖는다는 것은 힘을 느끼게 하며 성 정체성을 확인시켜주고 죽음에 대한 공포와 관련된 불안을 완화시킨다. 여성이 생명을 창조하는 새로운 과정으로 들어가는 때에 자연유산이 발생하기 때문에 태아의 죽음은 종종 개인의 실패로 여겨진다. 마침 인생의 새로운 발달 단계로 들어갈 준비가 되었을 때 태아의 상실을 겪게 된 여성은 발달장애에 직면하게 된다.

(2) 정신적 후유증

임신유지에 실패한 후 6개월간 여성은 정상아를 건강하게 분만한 여성보다 더욱 심한 불안, 우울, 신체화 증상을 보인다. 아이가 없거나 전에 주요우울장애를 앓았던 여성은 주요우울장애의 위험이 특히 증가한다. 우울장애는 대개 자연유산 후 한 달 이내에 시작되어 시간이 지남에 따라 서서히 감소되고 1년 후에도 심각한 정신질환을 보이는 경우는 거의 없다. 태아 상실을 경험한 대부분의 여성이 임신을 하게 되며 유산 후 1년 내에 건강한 아기를 출산하게 된다.

다시 임신하기 전에 태아 사망 후 적어도 1년을 기다린 여성은 대조군에 비해서 더 우울하거나 불안해하지 않았다. 다시 임신하기 전에 적어도 애도하는 1년이 필요하기 때문인지 혹은 임신하기로 결정한 여성이 우울이나 불안에 더욱 취약해질 수 있기 때문인지는 추후 연구가 더 필요하다. 그러나 임신 말기에 태아 사망을 경험한 부부는 다음 임신을 시도하기 전에 12개월을 기다리는 것이 현명하다.

(3) 치료

유산의 어려움을 겪고 있는 부부는 두려움을 토로할 수 있고 실망감을 이야기할 수 있으며 슬픔을 표현할 수 있는 안전한 장소에서 애도반응을 경험해야 한다. 부부가 소외감과 고립감을 느낄 때 정신건강의학과 의사는 이러한 기회를 제공하야 한다. 또한 정신의학적 평가를 충분히 해야 하며 이러한 평가를 통해 정상적인 애도반응과 병적인 애도반응을 구별하는 것이 중요하다. 오랫동안 지속되는 심한 우울 증상은 결코 정상적인 애도반응이 아니다. 태아 상실 후의 정신치료에서 비록 성격적인 문제가 드러나더라도 일반적으로 태아 상실은 인격 변화에 영향을 주려는 모든 시도를 불가능하게 만든다. 정신치료는 정해진 기간 한시적으로 시행되며 태아 상실과 그것이 환자와 배우자에게 의미하는 바에 초점을 맞추어야 한다. 치료는 건강한 방어를 격려하기 위한 지지정신치료, 외상에 대한 공포 반응을 줄이기 위한 인지행동치료, 공감적인 의사소통을 저해하는 대인관계 행동을 인식하기 위한 대인관계 치료 등 다양한 요소를 이용해 다각적으로 이루어진다.

6. 불임과 정신건강

불임은 적어도 1년 이상 피임 없이 성 관계를 한 후에도 임신을 하지 못하는 것으로 정의한다. 불임 치료에는 상당한 비용이 들어가며 특히 난소로부터 바로 난자를 꺼내는 기술 등 임신을 도와주는 치료는 더 많은 비용이 든다. 치료를 받은 불임 부부 중 약 50%가 결국 임신에 성공하게 된다.

1) 불임과 관련된 심리적 요인

모든 부부에게 불임은 중요한 삶의 위기다. 불임 부부는 처음엔 자신들이 불임이라는 사실을 믿지 못하거나 부인하게 되고 좌절과 분노, 슬픔을 느끼며 결국에는 수용하게 되는 일련의 단계를 경험한다. 치료를 선택한 부부는 불임으로 인한 스트레스 이외에도 막대한 치료비용으로 스트레스가 가중된다. 불임이 부부 관계에 좋지 않은 영향을 주지만 치료 과정에 함께 참여하며 경험을 공유하기 때문에 부부 관계가 더욱 강화될 수도 있다.

불임 부부는 흔히 같은 연령대의 다른 부부가 양육에 신경을 쓰고 아이를 중심으로 사회적 활동을 계획하는 것을 보면서 사회적으로 고립감을 느낀다. 이들은 다른 사람이 아기나 향후 가족계획에 대해 묻는 것을 피하기 위해 가족 모임에 나가는 것을 꺼려한다. 불임 검사나 치료를 위한 비용 부담은 스트레스를 가중시키며 이것은 집이나 자동차를 구입하고 휴가를 가는 등의 재정적 계획에 변화를 준다. 그리고 치료 가능성이 희박하더라도 빚으로 비용을 마련하면서까지 임신을 시도하는 부부도 흔히 보게 된다. 불임 치료를 통해 임신을 시도하는 여성은 치료에 수반되는 신체적·심리적 부담 때문에 직장에서 승진 기회를 연기하거나 포기하기도 한다.

2) 불임 치료의 심리적 영향

불임 치료는 생식과 관련된 신체 기능을 지속적으로 측정하고 성생활을 조절하며 성공에 대한 확실한 보장도 없이 막대한 비용을 소모해야 하는 스트레스와 함께 불임 부부에게 불쾌한 기분과 불안을 불러일으킬 수 있다(표 32-11). 또한 불임 치료에 사용되는 다양한 약물은 우울과 짜증 같은 부작용을 일으킬 수 있다. 수개월에 걸친 치료과정이 주는 스트레스에 대한 반응으로써 급격한 감정 변화가 생길 수도 있다.

표 32-11. 불임과 불임 치료의 부작용

- 우울, 불안, 적대감(여성이 남성보다 심함) - 성기능에 미치는 부정적 영향: 발기부전, 오르가즘을 느끼지 못함, 성욕감퇴 - 사회적 고립 - 재정적 어려움 - 임신에 대한 비현실적 기대 - 다태 출산

종종 부부는 불임 치료의 필요에 의해서 성생활을 맞추게 되고 자연스런 성생활을 상실하게 되는 자신들을 발견하게 된다. 이러한 자발성의 상실은 남성의 발기 및 사정을 못하게 하며 여성의 경우에는 질 경련이나 성교통을 일으킬 수 있다. 그리고 만약 다태 임신을 하게 되는 경우에는 조기 분만이나 태아에게 문제가 생기기도 한다. 몇 년 동안 불임 때문에 보조생식술의 도움을 받아 오로지 임신 성공에만 매달린 부부는 실제 육아에 대한 현실적 이해가 부족하게 된다. 역설적으로 이러한 부부는 막상 부모가 된다는 목적이 달성되었을 때 허탈감에 빠질 수 있다.

직업적 성공을 위해서 육아를 연기해 온 여성은 흔히 자신의 삶을 잘 통제하고 신중하게 계획된 목적을 달성한다. 이러한 여성이 자신이 불임임을 알게 되었을 때에는, 자신이 조절할 수 없는 상황에 직면하였다는 사실 때문에, 좌절하고 분노를 느낀다. 과거에 의도적으로 임신을 미루었거나 유산을 했던 사람은 죄책감을 흔히 느낄 수 있다.

3) 불임과 관련된 심리적 어려움에 대한 치료

불임 전문가는 불임 여성에게 불임치료를 시작하거나 계속하기 전에 정신건강의학과 상담을 받아보도록 권유해야 한다. 계속되는 실패로 장기간 치료를 받아온 부부에게는 휴식기간을 주어서 치료 일정과 무관한 본래의 자연스런 일상생활로 돌아가도록 하는 것이 도움이 된다. 이러한 휴식은 불임 부부에게 다른 선택에 대해 좀 더 생각해볼 수 있는 여유를 제공한다. 부부 중 어느 한쪽이 정신적으로 더 힘들어할지라도 최소한 몇 번은 부부를 함께 만나는 것이 매우 효과적이다. 불임 부부를 위한 자조 모임은 불임과 관련된 낙인을 없애고, 불임 부부에게 힘을 주고, 고립감을 덜 느끼게 해줄 수 있다.

4) 불임 부부의 임신

수년 동안 임신을 위해 노력해온 부부에게는 아기의 탄생이 더할 수 없는 기쁨이 된다. 하지만 불임 부부가 부모로써의 새로운 역할에 심각한 어려움을 겪게 되는 것은 흔한 일이다. 많은 불임 부부가 임신 성공에만 노력하다가 서로간의 관계를 재정립해야 하는, 한 아기의 부모로써의 역할을 제대로 예상하지 못할 수 있다.

지지정신치료에서 부부는 임신, 치료에 의해 요구된 성생활, 의료진과의 관계 등의 문제에서 벗어나 서로의 관계를 더 깊게 생각해 볼 수 있는 기회를 갖게 된다. 불임이라는 사실을 알기 이전부터 오랫동안 부부 사이를 묶어주었던 정서적 유대를 되새겨보는 것이 아기의 탄생을 기다리는 부부에게는 매우 중요하다.

7. 폐경과 정신건강

폐경은 여성에게서 월경이 영구적으로 멈추게 되는 시점이다. 폐경 전기는 대개 폐경 전 5년에서 7년 사이에 시작되며 규칙적인 배란성 월경주기와 난소의 기능이 완전히 멈추는 때까지를 말한다.

최근까지 폐경은 우울, 짜증, 신체화의 시기라고 생각되었다. 1890년 Kraepelin은 초조성 우울, 건강염려증, 허무망상 등을 보이는 증후군에 대해 '갱년기 멜랑콜리아involutional melancholia'란 용어를 제안하였다. 그러나 1970년대에 조사된 광범위한 역학 자료에서 이 진단을 위한 명확한 증거를 찾지 못했기 때문에 이후 개정판(DSM-Ⅲ)에서는 진단에서 삭제되었다.

1) 호르몬의 변화

폐경전기 동안 난소기능과 수정 능력이 감소되면 쇠퇴의 징후가 나타난다. 월경주기 간격이 짧아지거나 길어지며 월경출혈의 양 또한 적어지거나 많아진다. 때때로 월경을 거를 수도 있는데 이것은 일반적으로 배란이 없는 달과 일치한다. 폐경이 가까워지면서 월경의 양이 적어지고 기간도 점차 짧아지며 횟수가 뜸해지다가 완전히 멈추게 된다.

2) 신체적 변화

폐경전기와 폐경기의 신체적 증상은 에스트로젠 생산 감소로 인해 발생한다. 열감과 식은 땀 같은 혈관운동성 증상은 폐경전기 여성의 80%에서 발생한다. 이러한 증상은 마지막 월경 이후 몇 년 동안 지속될 수 있다. 열감은 얼굴, 상지 혹은 전신에서 예기치 않게 발생하는 과도한 열기로 1분에서 수분 동안 지속된다. 이어서 발한과 함께 땀이 증발하는 듯한 냉감이 발생한다. 숨이 차고 어지럽거나 맥박이 빨라지기도 한다. 이러한 증상은 공황발작 증상과 다르지 않기 때문에 중년기 여성에서 공황장애를 감별할 때 폐경전기의 혈관운동성 증상을 반드시 고려해야한다. 야간에 혈관운동성 증상이 나타나면 불면증과 이로 인한 집중력 감소, 피로 및 짜증을 경험한다. 아직 월경을 하는 경우에도 열감이 흔히 발생한다.

난소의 에스트로젠 생산의 감소는, 질과 비뇨기계에 염증을 유발하는 비뇨생식기 점막의 위축 등 다양한 신체적 변화에 영향을 미친다. 빈뇨, 긴박뇨, 스트레스성 요실금과 함께 감염 및 성교통이 생길 수 있다. 낮은 에스트로젠 농도의 장기적인 영향에 의해 골다공증과 심혈관계 질환이 발생할 수 있다.

3) 폐경과 우울장애

현재 장기간의 종적인 연구는 자연적인 폐경이 우울장애의 위험을 증가시킨다는 증거를 발견하지 못했다. 그러나 일부 여성은 폐경기에 우울증상을 경험한다. 특히 폐경전기가 길었던 여성에서 우울장애의 위험이 높다. 폐경 이후에, 기분은 흔히 폐경 전의 정상 상태로 돌아간다. 월경전불쾌기분장애와 산후우울장애를 포함한 생식 관련 기분장애의 병력이 있는 여성은 우울장애의 위험이 증가한다. 건강 문제와 사회적 스트레스 역시 폐경전기 여성에서 우울장애의 위험을 증가시킨다. 이혼, 사별, 별거, 낮은 교육수준, 부양에 대한 부담으로 인한 스트레스 등은 폐경기 우울과 관련이 있다. 폐경전기 이전의 우울장애는 폐경전기의 우울장애를 증가시킨다.

4) 폐경과 성 생활

폐경 전에 성적으로 활발했던 여성들은 폐경전기에도 마찬가지로 활발하다. 그렇지만 에스트로젠 감소로 인한 생리적 변화는 성 반응과 성욕 감소를 초래할 수 있다. 이런 변화로 인해 겪는 어려움의 정도는 평소의 성적 관심과 관련이 있는 것으로 보인다. 비뇨생식기 점막의 위축은 질건조, 감염, 성교통을 유발한다. 에스트로젠 보충은 경구 투약, 질크림, 혹은 피부에 붙이는 패치의 형태로 제공되며 비뇨생식기 점막의 위축에 효과적이다.

흔히 여성은 자궁절제술이 성기능에 부정적인 영향을 줄 것이라고 염려한다. 이러한 선입견과는 달리 수술 후에 많은 여성에서 성기능이 증진된다. 즉, 성교통이 감소되면서 성생활과 오르가즘의 빈도가 증가한다. 그러나 자궁절제술 전에 우울장애로 고통을 받은 여성은 수술 후에 성기능이 감소되는 경향이 있다.

5) 호르몬대체요법

에스트로젠이 폐경 후의 뼈 손실을 효과적으로 예방하고 고관절과 손목관절의 골절 위험을 의미 있게 감소시키는 것은 명확하지만 최근 유방암과 심혈관질환의 위험성에 대한 에스트로젠의 영향이 논란이 되고 있다.

유방암과 관련해서는 현재 혹은 최근에 호르몬대체요법을 받고 있는, 즉 지난 4년 내에 호르몬 치료를 받은 여성에서 유방암의 위험이 다소 증가하고 있는 것으로 보인다. 최근의 후향적 연구 결과는 마른 여성에서 에스트로젠이 해마다 약 3% 정도 유방암의 위험을 증가시키는 것으로 드러났다.

호르몬대체요법은 현재의 건강상태, 골다공증의 위험, 심장질환, 유방암의 개인 병력과 가족력, 혈관운동성 증상에 따르는 불편감, 비뇨생식기계 기능 장애, 삶의 질 등 중요한 요인을 고려하여 개인에 특성에 따라 결정해야 한다.

8. 여성 정신질환의 치료

1) 조현병

성별에 따라서 조현병의 임상경과와 증상에는 뚜렷한 차이가 있다(표 32-12).

표 32-12. 성에 따른 조현병의 차이

여성 조현병 환자는 남성에 비해 - 뇌의 구조적 이상이 적다. - 같은 질환을 가진 친척이 많다. - 늦게 발병하는 비율이 높다. - 약물중독이 적다. - 자살 사망이 적다. - 양성증상을 더 많이 보이며 음성증상은 적게 보인다. - 정서적 증상을 더 많이 보인다. - 더 적은 용량의 항정신병약물에 효과를 보인다. - 높은 취업률과 기혼률 등 더 나은 사회적 기능을 유지한다.

여성 조현병병 환자를 치료하는 데 있어 고려해야 할 사항이 있다(표 32-13). 여성 조현병 환자의 월경주기는 정기적으로 평가해야 한다. 아미설피라이드, 팔리페리돈, 리스페리돈, 할로페리돌 같은 항정신병약물은 뇌하수체의 프로락틴을 증가시켜 난포자극호르몬의 분비를 억제함으로서 월경불순을 일으킨다. 정상 혈중 프로락틴 농도는 5 ng/mL에서 25 ng/mL인데 60 ng/mL 이상 증가하면 무월경이 발생한다. 또한 프로락틴의 농도가 증가하면 유루 혹은 유두 분비물이 발생할 수 있다. 혈중 프로락틴 수치가 100 ng/mL를 넘을 경우는 프로락틴 분비종양을 감별하기 위해 반드시 뇌자기공명영상(MRI) 검사를 시행해야 한다. 만약 고프로락틴혈증의 원인이 항정신병약물에 의한 것이라는 것이 밝혀질 경우 약물 용량을 줄이거나 아리피프라졸, 올란자핀, 퀘티아핀 등 고프로락틴혈증을 야기하지 않는 다른 약물로 교체해야 한다.

조현병을 앓고 있는 여성의 경우 피임을 효과적으로 하지 못하거나 성폭행을 당하는 빈도가 높기 때문에 임신을 할 가능성이 높다. 심지어 무월경을 일으키는 항정신병약물을 복용할 때에도 배란이 되어 임신할 수도 있다. 여성 조현병 환자를 치료할 때 계획임신과 원치 않는 임신을 막기 위한 방법을 교육하는 것은 치료의 중요한 부분이다.

표 32-13. 여성 조현병 환자의 치료에서 특별히 고려할 사항

- 월경 주기에 따른 증상의 변화를 평가해야 한다. - 월경불순, 무월경, 유루증에 대해 조사하고 혈청 프로락틴 농도를 측정한다. - 원치 않는 임신에 대해 상담한다. - 계획임신에 대해 상담한다. - 임을 하지 않은 최근의 성관계에 대해 조사하고 임신반응검사를 시행한다.

2) 기분장애

(1) 우울장애

여성 우울장애의 높은 유병률은 사춘기에 시작되며 모든 문화에 걸쳐 나타나는 보편적인 현상이다. 또한 여성은, 긍정적인 자극에 기분이 쉽게 밝아지는 특징과 함께 과다수면, 과식, 사지가 무겁고 마비되는 느낌, 거부에 대한 예민함 중 한 가지가 동반되는 비전형우울장애와 계절성정동장애가 더 흔하다.

가임기의 여성에게 약을 처방할 때 임신의 가능성을 염두에 두는 것은 매우 중요하며 현재 성적으로 활발한 여성은 피임을 해야 한다. 임신을 계획하고 있고 임신 중에도 계속해서 약물치료가 필요한 여성은 안전한 항우울제를 선

택하는 것이 임신이 되고 나서 다시 약을 바꾸게 되는 번거로움을 피하게 해준다.

삼환계 항우울제와 선택적세로토닌재흡수차단제를 포함한 일부 항우울제는 세로토닌의 증가로 인해 고프로락틴혈증이 발생할 수 있다. 이러한 부작용은 아주 드물지만 환자가 무월경, 유루, 유방의 통증 등을 호소할 경우에 중요하게 고려해야 한다.

(2) 양극성장애

비록 양극성장애가 남여 같은 비율로 발생하지만 경과와 증상에 있어서는 성에 따라 분명한 차이를 보이고 있다(표 32-14). 양극성장애가 있는 여성은 우울장애 삽화를 더 경험하는 반면 남성은 조증 삽화를 더 경험한다. 게다가 불쾌한 기분의 혼합형 조증은 여성에서 더 흔하다. 1년에 4번 내지 그 이상의 정동 삽화를 보이는 급속순환성 양극성장애의 경우 여성의 비율이 남성에 비해 거의 2배에 이른다. 급속순환 주기의 수는 남자와 여자에서 분명한 차이를 보이지 않고 리튬에 대한 치료 반응도 비슷하다. 여성에게 급속순환성 양극성장애가 왜 더 자주 발생하는지는 아직 불분명하다. 여성이 급속순환을 유발할 수도 있는 항우울제 치료를 받는 경향이 더 많기 때문이라는 설명이 있다. 또한 갑상선기능장애는 여성에게 더 흔하며 갑상선기능저하증은 급속순환과 연관되지만 일치된 자료는 아직 없으며 갑상선호르몬 보충요법의 치료효과 역시 마찬가지다.

표 32-14. 양극성장애의 성에 따른 차이

여성 양극성장애 환자는 남성에 비해 - 급속순환이 더 흔하다. - 리튬에 의한 갑상선기능저하가 더 잘 생긴다. - 우울장애 삽화가 더 많다. - 불쾌한 기분의 혼합형 조증이 더 흔하다.

양극성장애를 가진 여성의 치료에서 특별히 고려할 점이 있다(표 32-15). 리튬을 복용하는 여성은 리튬에 의한 갑상선기능저하증이 발생할 위험이 높기 때문에 적어도 6개월에 한 번씩 갑상선기능검사를 해야 한다. 특히 40세 이상의 여성에서는 리튬에 의해서든 또는 다른 이유에 의해서든 갑상선기능 이상의 위험성이 높다.

표 32-15. 여성 양극성장애 환자의 치료에서 특별히 고려할 사항

- 월경 전에 증상이 재발하거나 악화된다. - 약물 농도가 월경주기에 따라 변동이 있다. - 카바마제핀은 간 효소를 촉진하여 경구피임제의 효과를 감소시킨다. - 항정신병약물과 발프로에이트는 월경불순을 일으킨다. - 기분안정제(특히 발프로에이트, 카바마제핀)는 임신 첫 3개월 동안에 사용하면 상대적으로 높은 태아기형의 가능성이 있다. - 양극성장애를 가진 여성은 산후정신병의 위험성이 높다.

카바마제핀은 호르몬의 제거와 대사를 촉진하여 경구피임제의 효과를 감소시킨다. 그렇기 때문에 양극성장애를 가진 여성이 카바마제핀과 경구피임제를 함께 복용하고 있으면 피임 방법을 바꾸거나 다른 형태의 피임 방법을 추가할 것을 권유해야 한다.

한 소규모 연구는 특히 20세 이하의 여성에서 발프로에이트와 다낭성난소증후군 사이의 연관성을 보고하였다. 리스페리돈, 할로페리돌 등의 항정신병약물은 혈중 프로락틴의 농도를 높여 무월경이나 월경불순을 일으킨다.

과거 월경주기에 대한 정보를 얻는 것은 월경주기와 연관된 양극성장애의 증상 악화 유형을 평가하고 정신약물에 의해 유발된 월경주기의 이상을 조사하는 데 필수적이다.

3) 불안장애

불안장애는 남성보다 여성에서 더 흔하고 불안장애를 가진 여성은 남성에 비해 합병증으로 우울장애를 더 많이 경험한다. 공황장애를 가진 여성의 회복률은 남자와 같지만 그 후에 증상이 재발하는 경향이 2배나 더 높다. 강박장애의 유병률은 남여 차이가 없지만 여성 25세, 남성 20세로 여성에서 더 늦게 발병한다.

불안장애가 여성에 더 흔한 이유는 밝혀지지 않았다. 직장과 가정에서의 과도한 부담, 생식과 관련된 호르몬의 변화, 자기만족과 확신에 대한 어렸을 때부터의 차별, 신체적·성적 학대 등이 이유일 수 있다.

여성의 흡연과 카페인의 사용 또한 불안 및 불면 증상과 관련하여 반드시 평가해야 한다. 비록 최근 몇 년 사이에 전체 인구에서 흡연율이 감소하고 있지만 십대 소녀의 흡연율은 증가하고 있다.

불안장애를 평가하기 위해서는 또한 과거와 현재의 외상에 대해서도 평가해야 한다. 여성은 남성보다 강간이나 성폭행을 당하기 더 쉽다.

폐경기의 여성은 열감, 발한, 숨가쁨, 불안 등을 경험하게 된다. 이러한 증상은 공황이나 불안 발작으로 오인될 수 있다.

강박증의 유병률은 남녀 동일하지만 여성에서는 음식과 체중 증가와 관련한 강박사고가 더 많으며 신경성거식증이 동반되는 경우가 더 많다. 그러므로 여성 강박증 환자에서는 식사장애의 증상에 대해 세심하게 평가해야 한다.

4) 알코올중독

여성의 알코올중독의 위험요소는 과거 성폭력, 약물중독의 가족력, 반사회성인격장애 등이다(표 32-16). 우울장애는 남성에 비해 여성에서 훨씬 더 중요한 알코올중독의 위험요인이다. 실제로 여성의 우울장애는 알코올중독에 선행하는 경향이 있고 반면에 남성의 우울장애는 알코올중독 이후에 나타나는 경향이 있다. 배우자가 약물중독자인 경우 또한 중요한 위험요소이며 성공적인 치료를 방해하는 요인이다.

표 32-16. 여성 알코올중독의 위험요소

- 과거 성폭력
- 우울장애
- 배우자의 약물중독
- 알코올중독의 가족력
- 반사회성성격장애

여성의 음주와 약물 사용 패턴은 배우자에 의해 크게 영향을 받기 때문에 만일 배우자가 금주를 한다면 환자의

금주 가능성도 높아진다. 그러므로 배우자의 음주 혹은 약물 사용 패턴을 평가하는 것이 중요하다. 치료를 어렵게 하는 자녀 양육 문제에 대해서도 주의를 기울여야 한다.

여성 음주에 대한 사회적 비난은 여성이 음주 문제를 숨기게 하는 원인이다. 또한 여성은 알코올중독 환자라는 사실이 알려지면 자녀 양육권을 잃을 지도 모른다는 두려움을 가지고 있다. 그러므로 알코올중독 여성을 대할 때에는 지지적이어야 하며 함부로 도덕적인 판단을 해서는 안 된다. 수치심과 손상된 자존심을 회복하고 자신감을 심어주는 데 집단치료와 개인 정신치료가 도움이 된다.

참고문헌

1. American Psychiatric Association: Diagnostic and Statistical Manual of Mental Disorders, 5th Edition. Arlington, VA, American Psychiatric Association, 2013.
2. Cho SE, Nam BW, Seo JS: Impact of Eating-Alone on Depression in Korean Female Elderly : Findings from the Sixth and Seventh Korea National Health and Nutrition Examination Survey 2014 and 2016. Mood Emot 2018;16:169-77.
3. Cohen LS, Altshuler LL, Harlow BL, Nonacs R, Newport DJ, Vigueraet AC et al: Relapse of major depression during pregnancy in women who maintain or discontinue antidepressant treatment. JAMA 2006;295(5):499–507.
4. Cohen LS, Viguera AC, McInerney KA, Freeman MP, Sosinsky AZ, Moustafa D et al: Reproductive safety of second-generation antipsychotics: current data from the Massachusetts General Hospital National Pregnancy Registry for Atypical Antipsychotics. Am J Psychiatry 2016;173(3):263–70.
5. Huybrechts KF, Palmsten K, Avorn J, Cohen LS, Holmes LB, Franklin JM, et al: Antidepressant use in pregnancy and the risk of cardiac defects. N Engl J Med 2014;370(25):2397–407.
6. Kim JH, Lee JS, Nam BW, Choi JY, Yang SK: The Influence of Urinary Incontinence and Depression in Elderly on the Quality of the Life. Korean J Psychosomatic Medicine 2017;25(2):129-35.
7. Kim SY, Kee BS, Nam BW, Lee SH: Cognitive Function in Postmenopausal Women with or without Estrogen Replacement Therapy. Korean J Neuropsychiatry 2000;39(1):183-9.
8. Lanza di Scalea T, Pearlstein T: Premenstrual dysphoric disorder. Psychiatr Clin North Am 2017;40(2):201–16.
9. Manson JE, Aragaki AK, Rossouw JE, Anderson GL, Prentice RL, LaCroix AZ et al: Menopausal hormone therapy and long-term all-cause and cause-specific mortality: the Women's Health Initiative randomized trials. JAMA 2017;318(10):927–938.
10. Meador KJ, Loring DW: Risks of in utero exposure to valproate. JAMA 2013;309(16):1730–1.
11. Moon SW, Seo JS, Ryu EJ, Nam BW: Premenstrual Syndromes Nosology, Etiology, and Treatment. Konkuk J Med Sci 2004;14(1):53-64.
12. The NAMS 2017 Hormone Therapy Position Statement Advisory Panel: The 2017 hormone therapy position statement of The North American Menopause Society. Menopause 2017;24(7):728–53.
13. Ornoy A, Koren G: Selective serotonin reuptake inhibitors during pregnancy: do we have now more definite answers related to prenatal exposure? Birth Defects Res 2017;109(12):898–908.
14. Ryu EJ, Seo JS, Ham MY, Park YR, Moon SW: Sex-role Identity in Adolescents and its Relation to Anxiety, Depression and Suicidal Ideation. J Korean Acad Psychiatr Ment Health Nurs 2006;15(2);136-43.
15. Seo JS, Kim SJ, Nam BW: The Psychiatric Perspectives- The Changes in Pregnancy and the Mood Syndrome in Delivery. Konkuk J Med Sci 2004;13(1):17-25.
16. Vigod SN, Wilson CA, Howard LM: Depression in pregnancy. BMJ 2016;352:i1547.
17. Yonkers KA, Simoni MK: Premenstrual disorders. Am J Obstet Gynecol 2018;218(1):68–74.
18. Yu JW, Lee BR, Ahn MC, Nam BW, Lee SH, Yi SH et al: The Pharmacokinetics of Alcohol in Healthy Korean Female Adults. J Korean Academy Addiction Psychiatry 2015; 19(2):49-55.
19. Yun A, Seo JS, Nam BW: Prevalence and Risk Factors of Postpartum Depression in Provincial Area. Mood Emot 2021;19(1):11-6.

CHAPTER

소아청소년 질환

양찬모, 이문수

이 장에서는 소아청소년에 대하여 정신의학, 심리학적 자문에 관한 주요 쟁점들에 대하여 다룰 것이다. 소아청소년에서 이야기되는 많은 쟁점은 성인들에서와 유사하다. 하지만 소아청소년들에게는 발달 및 가족의 상대적 중요성이 성인과는 다르기 때문에 이 요소들은 모든 개입과 권고사항에 영향을 미치므로 평가 초기에 고려되어야 한다.

1. 평가와 치료의 일반 원칙

1) 소아청소년의 신체 및 질병에 대한 발달적 이해

어린 아이들의 신체에 대한 지각은 다양하며 이는 자신의 경험에 의해 영향을 받는다. 하지만 대개 아이들은 피아제의 인지 발달 단계와 일치하게 스스로의 몸을 이해하는 발달 경로를 따르는 것으로 보인다.

감각운동기(약 2세까지)는 주로 말을 하기 전의 시기이며 자신의 경험을 말로 설명할 능력을 갖추고 있지 않다. 자신의 신체 및 질병에 대한 인식은 주로 감각적 경험에 기초하며 어떤 공식적인 이유가 있는 것은 아니다.

전조작기(약 2-7세)에는 지각을 통해 이해를 하나 단어들 및 아주 기본적인 원인과 결과에 대한 개념을 사용할 수 있다. 이 시기에는 뼈, 심장, 혈액과 같이 직접적으로 느낄 수 있는 신체 부위에 대해 잘 알게 된다. 하지만 원인과 결과에 대한 명확한 느낌이 없어서 일시적으로 연관되어 보이는 일들을 인과관계가 있는 것으로 보기도 한다. 그들은 또한 장기들에 대한 실제적인 느낌은 없지만 신체 자체를 일종의 '그릇'으로 생각하여 혈액과 음식이 드나드는 것으로 개념화하기도 한다. 이는 다소 유머러스하기도 하나 가정과 오해로 혼란스럽게 만든다.

구체적 조작기(약 7-11세)에는 더욱 통합적인 방식으로 자신의 지각에 논리를 적용할 수 있다. 그들은 자신의 몸과 질병에 대한 사실적인 정보를 배우기 원하지만 결과에 대하여 한 가지 원인만을 제시하는 경향이 있고 추상적인 추론을 요구하는 개념들에 어려움을 겪는다.

형식적 조작기(11세 이상)는 단순 장기 수준 이상으로 전체적인 신체에 대하여 추상적인 추론을 사용할 수 있는 수준이 되며 질병의 여러 원인을 통합시킬 수 있다. 하지만 모든 청소년이 이러한 수준의 인지로 신체와 질병에 대하여 이해하고 있다고 가정해서는 안 된다. 실제로 성인 대부분은 자신의 전문 분야에 대해서만 이 정도 사고 수준으로 기능한다.

인지에 관한 모든 영역에 대하여 교육 및 경험이 차이를 만든다. 의학적 문제를 가진 아동의 경우 다른 아동보다 신체 및 그 기능에 대해 더 많이 알고 있을 것이다. 하지만 아동은 이것이 무엇을 의미하는지에 대해 실질적인 이해 없이 자신들이 들었던 것을 반복할 수도 있다. 아이들이 어떤 일이 왜 일어나는지에 대하여 자신의 말로 설명하도록 요구하는 것을 통해 아이들의 이해 수준을 평가하는 것은 항상 중요하다. 이는 아이들에게 치료 순응도에 영향을 미칠 수 있는 오해 혹은 두려움에 대해 알 수 있게 해 준다.

2) 가족 구조

소아청소년 환자들은 가족과 동떨어져 생각할 수 없다. 부모는 아이들의 법적 의사결정권자이며 돌봄의 모든 영역에 있어 관련되어 있다. 아이들은 세상을 이해하기 위해 부모를 본다. 아이들은 질병과 치료에 대한 자신들의 반응으로 질병이 얼마나 위험한지, 그리고 어떻게 대응해야 하는지 결정한다. 높아진 부모의 스트레스가 만성 질환을 앓는 아동의 심리적 적응을 더 나쁘게 예측한다는 점을 고려했을 때 부모의 두려움, 무력함, 화, 위축 등을 해결하는 것이 아동에게 도움이 된다.

3) 소아청소년 정신건강의학과 상담을 위한 면담 기법

우선 소아청소년과 가족 모두 상담 받을 준비가 되어 있어야만 한다. 의뢰받은 의사는 소아청소년과 부모 모두와 의뢰받은 이유에 대해 상의함으로써 소아청소년이 이 과정에 자신도 포함되어 있다고 느끼게 해주고 배제된다고 느끼지 않게 한다.

3세 미만 아동과 인터뷰를 할 땐 직접적인 질문을 하기 보다는 놀이와 관찰을 통해 감정과 관심 사항에 대한 간접적 표현을 사용하는 것이 필요하다. 상담자의 상호교류방식은 활동적이고 흥미롭고 재미있어야 한다. 손가락 인형, 박제동물, 인형과 같은 장난감을 사용할 수도 있다. 우선 비구조화된 관찰을 시행해 전반적인 발달사항을 평가한다. 3세 미만에서는 부모-자녀 관계를 관찰하는 것이 매우 중요하다. '부모와 아동 간의 눈 맞춤은 어떠한가?' '부모는 아동의 신호에 잘 반응하고 그 반대도 마찬가지인가?' '아동과 부모가 조화롭게 어울리는가?' '아동이 확신과 안정감을 얻기 위해 부모를 쳐다보는가?' '아동의 기질은 어떠하며 요구사항에 부모가 어떻게 대처하는가?' '아동과 부모는 분리에 대해 어떻게 대처하는가?' '낯선 이에게 어떻게 반응하는가?'와 같은 것들을 평가해야 한다. 발달수준에 따라 낯가림은 정상 반응이며 낯가림이 나타나지 않는 것은 애착 장애의 증상일 수 있다.

3-6세 사이의 아동 또한 면담 동안 여전히 부모가 함께 해야 할 수 있다. 이러한 요청은 존중해야 하지만 면담 중 어느 시점에는 부모를 방에서 내보내야 한다. 면담 중 언어, 사회적 상호작용, 대근육 및 소근육 운동 조화와 같은 발

달사항을 평가하는 것은 필수다. 생각과 감정을 표현하는 데 어려움이 있는 소아청소년의 경우 그리기가 중요한 도구가 된다. 정신건강의학과 의사는 한 번의 면담만으로 평가를 완료할 수 있으리라 생각해선 안 된다. 이 과정에는 여러 번의 면담이 필요할 것이며 각 면담은 소아청소년의 피로도와 다른 검사들에 의해 짧은 시간으로 이루어질 가능성이 크다. 상담자는 식사시간이나 옷 갈아입기와 같은 중요 행동을 관찰하기 위해 적절한 시간으로 상담시간을 조정할 수 있다.

7-12세 사이의 잠재기 연령의 아동의 경우 면담 시 훨씬 언어적으로 참여할 수 있다. 현재와 이전의 학교출석, 학교에서의 행동, 학업능력, 방과후활동, 친구, 정신건강을 포함한 가족의 건강상태, 가족 간의 문제, 외상적 경험에 대한 가족 구성원의 반응에 대해 질문해야 한다. 정신상태검사는 처음에는 관계 방식에 초점을 둬야 한다. 아이는 활동적이게 말을 잘 할 수도 있고, 수줍어하며 감정을 억누를 수도 있다. 상담자의 접근 방식은 아동의 상호작용유형에 따라 유연해야 한다. 좀 더 전통적인 면담을 통해 적극적으로 표현하는 아동에게 접근할 수 있고, 수줍은 아이는 그림이나 게임을 통해 접근할 수 있다. 이러한 활동을 통해 치료 동맹을 촉진하고 기질적 문제를 확인하는 데에 도움이 될 수 있다. 처음 몇 세션 동안에는 아동이 상담자에 대한 신뢰를 쌓게 하고 침습적이거나 고통스러운 일을 하지 않을 것을 인식시키는 것이 필요할 수 있다. 이 초기 단계에서 통증, 식욕부진, 불면증, 대처전략에 대해 평가하고 증상 및 어려운 감정을 다루는 방법에 대한 지지적 의견을 표현하는 등 많은 유용한 관찰을 수행할 수 있다.

13-18세 사이의 청소년은 치료 동맹을 형성하기 더 어려울 수 있다. 일반적으로 부모나 보호자 없이 환자를 면담함으로써 민감한 주제를 말할 수 있는 공간을 제공하고 자신의 의견을 들어줄 것을 인식시키는 것이 중요하다. 다만 어떤 청소년들은 자신의 감정을 열심히 표현하는 데 반해 일부 청소년들은 표현하는 것을 꺼릴 수 있고 또 불완전하거나 왜곡된 개인사를 말하는 때도 있어서 다른 가족들을 통해 총체적인 정보를 얻는 것은 필수다. 일반적으로 청소년 환자의 경우 느긋하게 접근하는 것이 도움이 된다. 상담자는 환자에게 면담에 어느 정도의 시간이 걸릴지, 의뢰된 이유가 무엇인지, 면담을 통해 기대되는 바와 한계는 무엇인지, 비밀 보호가 어느 정도까지 되는지를 명확히 설명해 주고 상담자를 환자가 겪는 어려움에 대해 알아보고 도와주기 위한 의료팀의 일원으로 표현함으로써 치료적 동맹을 구축할 수 있다. 치료프레임을 형성함으로써 환자는 면담이 자신의 통제범위 내에 있다고 느끼게 되고 이를 통해 면담에 더 적극적으로 참여할 수 있다. 또 상담자는 환자의 질환에 대해 자신이 이해한 바를 명확히 하고 환자의 관점에서 어떻게 느끼는지 설명하도록 해야 한다.

일부 청소년들은 면담에 있어 질문에 대답하기 꺼리거나 움츠러들 수 있는데 이들의 침묵이 무관심이 아닌 불안과 취약함의 표현이라는 점을 인식하는 것이 중요하다. 이 경우 스포츠 경기, TV 프로그램 혹은 진료실 내의 물건이나 그림에 대한 질문과 같은 좀 더 편안한 주제로 대화를 시작하는 것이 도움이 될 수 있다. 불안과 병원에서의 낯선 충격과 같이 예상 가능한 흔한 주제에 대해 공감적인 말을 해주는 것 또한 도움이 될 수 있다.

환아를 평가하기 위한 초기면담의 하나로 가족 면담의 역할에는 약간의 논란이 있다. 많은 임상가가 환아를 평가하는 데에 있어 가족평가가 필수적이라고 믿지만 가족평가의 시기는 다양하다. 신체 증상 및 연관 질환, 식이장애, 학교 공포증, 반복되는 복통과 같이 가족 간 상호작용이 증상을 촉발하거나 유지할 수 있는 특정 질환에서는 가족평가가 필수적이다. 소아집중치료실에서는 가족평가 세션이 정기적으로 이루어져야 하는 경우가 있는데 다음과 같다. ① 환아의 입원에 대한 반응이 부적절할 때, ② 정신질환의 가족력이 있을 때, ③ 학대가 의심될 때, ④ 가족이 임상 정보를 적절하게 이해할 수 있는 능력이 있는지 의문이 들 때

이외의 경우 가족평가는 덜 긴급한 사안이 된다.

2. 정신의학적으로 중요한 문제들

1) 질병에 대한 심리적 반응들

아동기의 만성 질환은 성인기까지 이어질 수 있는 정서적 문제들의 위험 증가와 관련되어 있다. 따라서 아동기 질환의 정서적 후유증을 효과적으로 예방 및 치료하는 것은 장기적 이점을 가질 수 있다. 예를 들면, 소아청소년 고형 이식 환자들의 20-50%에서 심각한 심리적 고통을 경험한다. 마찬가지로 뇌전증이 있는 아동은 정상 발달 아동보다 우울장애의 발생 위험이 크며 진단 도구 및 인구통계학적 공변량에 따라 12-40% 정도의 유병률을 보인다. 심지어 편도절제술과 같은 경미한 수술을 시행 받는 아동도 고통의 위험에 처할 수 있다. Broekman 등의 연구에 따르면 그러한 시술들이 예정된 환자들이 정상 환자들보다 시술 전 행동 및 정서적 문제를 더 많이 가지고 있었고, 수술 후 아동 중 1/4이 심리적 증상의 악화를 경험하였다. 마지막으로 소아 질환의 영향 또한 지속될 수 있다. 소아암 생존자들의 하위그룹은 만성적인 심리적 고통을 가지고 있는 것으로 확인되었고 첫 진단 이후 수십 년 뒤에도 심리적 증상이 보였다.

임상적으로 더 초점이 맞춰지는 영역은 의료 시술을 받거나 생명을 위협하는 상태의 아동에게 질병 혹은 치료와 관련된 외상 후 스트레스 증상들이다. 몇 가지 위험 요소들이 의인성의 의학적 트라우마 증상들에 대한 취약성을 증가시키는 것으로 확인되었다. Davydow 등은 병전 정신병리, 여성, 젊은 나이, 발달과정의 문제들, 모성의 부정적 사건들이 치명적인 질병으로부터 생존한 소아청소년들의 정신의학적 문제의 위험을 증가시켰다는 것을 발견했다. 다른 연구들 또한 트라우마 관련 요인들의 중요성을 강조하였다. 당시의 심리적 혹은 행동 문제나 외상, 높은 심박수, 트라우마가 심각하거나 생명을 위협하는 것에 대한 믿음이 초기 증상 발생의 위험을 증가시켰다. 일단 이런 예비적 증상이 발생하면 아동들의 자신들 증상에 대한 믿음과 대처 기술로서 사고 억제 및 이전의 부모의 외상후스트레스장애는 청소년들을 급성 스트레스 장애로 발전시키는 경향이 있다. 이러한 사례들은 대부분 본격적인 외상후스트레스장애가 아닌 급성 외상 반응에 초점을 맞추고 있지만 이런 트라우마 전후 증상들은 성인기로 이행하기까지의 기능, 삶의 질, 심리적 안녕의 저하를 예측하는 것으로 보인다. 심각한 질환을 앓고 있는 아이들의 부모는 외상 후 반응에 특히 취약할 수 있다. 발생률에 대한 추정치는 다양하나, 중환자 치료를 받는 아동의 부모 중에서 외상 후 스트레스장애로 진단되는 비율은 21%까지 높을 수 있으며 외상후스트레스장애 증상들의 비율은 거의 84%에 달한다. 낮은 학력, 이전의 정신병리, 미혼 상태, 이전 스트레스 관련 생활 사건에 대한 부모의 외상후스트레스장애가 아동 외상 다음으로 이차적인 발생을 예측하는 것으로 보인다.

환경적 요인 역시 중요하다. 예기치 않은 질병이 있거나 더 급한 돌봄이 있어야 하는 자녀의 부모들은 외상후스트레스장애의 위험이 더 크다. 시스템적 요소들도 중요한데 부모들이 정보가 없거나 의료진으로부터 도움 혹은 정보를 받지 못한 것으로 보고하는 경우에 이차적 외상 반응의 위험이 더 컸다. 사회적 지원은 질병에 대한 심리적 적응의 핵심 요소로 보인다. 소아 환자들은 종종 건강한 또래들과 달리 스스로 바람직하지 못하다고 느낀다. 그들은 의학적 요법에 따라 방해받을 수 있고 학교를 결석하거나 질병 혹은 치료로 인하여 나타난 부작용으로 학업에 불이익을 얻을 수도 있고 과외활동에 참여하거나 또래와 같이 동등한 사회적 독립의 혜택을 받을 수 없다. 이러한 취약성은 우울장애와 낮은 자존감의 위험 증가에 있어 일부 차이를 설명할 수도 있는데, 이는 심리·사회적 지원을 강화하여 감소될 수 있다. 만성 질환의 심리·사회적 부담을 줄이기 위한 개입에 관한 연구는 가족을 통합시키는 프로그램이 개인을 대상으로 하는 프로그램보다 지속 가능한 효과를 더 많이 갖는 것으로 나타났다. 마찬가지로 소아청소년 만성 질환에 대한 개입에 동료들을 포함하는 구성 요소를 넣는 것도 도움될 수 있다. 부모의 정신질환에 아동이 신체적, 심리적으로 모두 부정적 영향을 받는다는 점을 고려하였을 때 의학적으로 병든 아동의 부모들에 대한 지원 또한 중요하다. 한 연구는 부모가 우울장애 혹은 불안증을 앓는 천식 아동이 훨씬 호흡 기능이 좋지 않고 천식에 대한 조절 능력이 떨어지는 것을 확인하였다. 부모들에게 사회적 지원, 문제해결 및 의사소통 도구들, 질병의 영향에 대한 교육을 제공하는 것이 부모들의 심리적 고통을 줄이고 아동 또는 가족의 안녕을 개선하는 데 도움이 될 수 있다.

심리적 고통과 행동 문제들이 질병의 치료로 인해 직접 야기될 수 있다. 예를 들면 기분장애, 불안장애 등은 상대적으로 중추신경계 소아 전신 루푸스 홍반증의 비교적 흔한 징후이다. 주의력 및 집중의 문제들은 항암치료와 이식 후 면역억제 치료의 부작용으로 관찰된다. 저혈당이 있는 미취학 아동은 이자극성, 동요, 조용함, 짜증 등의 행동적 변화들을 보일 수 있다. 염증 상태에서 스테로이드를 사용할 때 기분과 행동에 심각한 부정적 영향을 미칠 수 있다.

2) 정신건강의학적 문제들의 선별 및 예방

심리적 적응장애는 비교적 흔하게 나타나기 때문에 만성 질환, 급성 질환 또는 부상을 입은 아동은 소아청소년과 의사나 다른 전문가에 의해 우울장애, 불안, 행동 장애 선별검사를 받을 것을 권장한다. 불안과 우울장애가 흔한 일부 소아청소년 입원치료에 대해서는 예방 프로그램이 필요하다. 예를 들어, 화상과 같은 매우 고통스러운 상태에서는 통증 관리와 함께 불안 치료가 가장 필요하다. 이것이 PTSD의 진행을 막는 데 도움이 될 수 있다는 일부 근거가 있다. 사망률이 높은 조건에서는 처음부터 일관된 정신사회적 지원을 받을 수 있어야 한다.

3) 치료 시의 고려 사항

일반적으로 정상적인 적응과 편안함 이후에도 지속되는 불안 치료는 일반적인 정신건강의학과에서 제공되는 불안 치료와 유사하다. 인지행동치료와 선택적세로토닌재흡수억제제의 사용이 가능하다. 주사기 공포증이나 음식 혐오증 같은 단순한 공포증이 있는 환자에게는 노출과 탈감작과 같은 개별 행동 기법이 효과적일 수 있다. 복합적인 불안장애가 있는 아동에게는 여러 차원에 걸친 불안감을 다루는 더 광범위한 인지행동치료를 시행할 수 있는데, 인지행동치료와 선택적세로토닌재흡수억제제의 조합이 단일 전략 접근법보다 더 효과적인 것으로 나타났다.

입원 중인 만성 질환의 아이들은 종종 우울 증상을 경험한다. 우울하거나 짜증스러운 기분, 활동에 관한 관심이나 즐거움 감소, 상당한 체중 감소 또는 식욕의 변화, 불면증 또는 과민증, 정신운동 초조 또는 지체, 그리고 피로나 에너지의 손실은 의학적 상태나 친구나 가족과의 장기적인 분리에 부가적으로 나타날 수 있다. 이러한 증상의 시기 및 심각도에 대한 신중한 평가는 임상 의사가 적절한 치료 결정을 내리는 데 도움이 될 것이다. 무가치하거나 부적절한 죄책감, 생각하거나 집중하는 능력 저하, 자살에 대한 생각이나 자해하려는 의도를 보일 수도 있다. 이러한 증상의 평가에는 자살 환상이나 행동에 대한 조사, 자살 시도 또는 달성 시 아동이 생각하는 것, 자살 행위 이전의 경험, 자살 행위 당시의 상황, 자살 동기, 사망 경험, 가족 및 환경 상황 등이 포함되어야 한다. 질문은 아동의 발달 수준에 맞춰야 하며, 아동에게 사용할 수 있도록 선별 도구를 검증해야 한다. 자살 의도와 계획을 세운 청소년들, 자살 가족력, 동반 정신질환, 다루기 힘든 통증, 지속적인 불면증, 사회적 지원의 부족, 부적절한 대처 기술, 우울장애 증상의 최근 개선 또는 충동성은 자살의 위험을 높인다.

지지 및 인지 행동 개입이 우울장애 증상의 상당한 개선으로 이어질 수 있지만, 심리치료와 선택적세로토닌재흡수억제제의 조합은 최적의 것으로 입증될 수 있다. 몇몇 청소년들에게, 자살에 대한 생각은 알려지지 않고 통제할 수 없는 병의 과정에 직면하여 중요한 통제력을 제공한다. 인식된 통제력 부족, 격리 및 고통스러운 신체적 증상을 해결하는 것이 최우선 과제여야 한다. 자살 생각이 있는 사춘기의 청소년에게 항우울제를 사용하는 것은 자살 사고가 증가할 가능성이 있다는 점을 고려하여 자세히 관찰해야 한다.

의학적으로 우울장애 치료에서 escitalopram, sertraline이 우선 고려되어야 한다. 이 선택적세로토닌재흡수억제제는 복잡한 의학적 문제를 가진 아동에게 효과적이고 견딜 수 있으며 약물 상호작용을 일으킬 가능성이 가장 낮은 편이다. 또한, 불안과 의인성 외상 증상의 치료에 도움이 될 수 있다. Risperidone과 quetiapine 둘 다 더 심각한 불안과 외상 증상에 효과가 있다는 것이 입증되었다. 저용량의 벤조디아제핀은 선택적세로토닌재흡수억제제보다 더 즉각적인 영향을 미칠 수 있어서 병원에서 급성 불안과 초조감 조절을 위해 소아청소년과 의사들에 의해 종종 처방된다. 그러나 벤조디아제핀은 흥분된 반응 또는 외상후스트레스 증상의 위험성을 증가시키므로 가능하면 피해야 한다. 임상가는 즉각적인 대응이 필요할 때 항정신병 약물 등 대안을 제시할 수 있어야 한다.

4) 침습적 시술에 대한 준비

소아청소년 종양 환자들의 불안과 우울장애의 주요 예측 변수가 회피하는 대처방식이라고 알려져 있다. 암 치료 중에 경험하는 많은 적극적인 시술에 대한 준비도 광범위하게 연구된 분야이다. 이미지 훈련, 이완, 오락, 모델링, 감응, 긍정적인 강화를 포함한 인지 행동 기법의 효과가 잘 확립되어 있다. 비록 아이 대부분이 고통스러운 시술에 대해 크지 않은 고통을 겪지만, 어떤 아이들은 고통에 더 민감하고 시술의 고통에 대한 심리적 개입에 대해 다른 반응을 보인다. 아동 정신병리, 어려운 기질, 이전의 고통스러운 사건, 그리고 부모 또는 가족의 스트레스와 기질 및 아동 행동에 대한 반응 그리고 아동 고통에 대한 예상은 모두 고통에 더 민감하게 반응하는 것으로 나타났다. 개입 중 고통을 줄이기 위해 여러 가지 심리 및 신체적인 개입이 확립되었지만 심각한 고통을 겪는 아동의 경우 약물치료가 유용한 것으로 입증되었다. 국소 마취 크림은 정맥의 통증이나 소아청소년 종양학 환자에 대한 다른 피상적 시술의 국소적 고통을 완화하기 위한 효과가 나타나기 위해 충분한 시간을 투여하여 어느 정도 성공적으로 사용됐다. 외상 후 증상의 위험을 줄이기 위해 진통제와 진정제의 조합이 진정보다 권장된다. 소아청소년 암환자와의 의사소통을 강화하도록 설계된 중재 치료법이 개발되었지만, 엄격히 평가되지는 않았다. 일반적으로 암에 걸린 청소년은 질병에 대한 적응을 촉진하기 위해 정보 개입, 절차 관련 지원 및 건강에 대한 의사결정에 참여함으로써 혜택을 받을 수 있다.

5) 순응도

순응도라는 용어는 일반적으로 환자의 건강 행동이 의료 권고와 일치하는 정도를 설명하는 데 사용된다. 이처럼 순응도에는 약물 복용과 진료 약속 참석뿐만 아니라 권장되는 식단, 운동 및 기타 생활 습관도 포함된다. 건강 행동은 의학적 조건과 질병 심각도 수준에 따라 다르므로 순응도 여부는 연구하고 측정하기가 어려운 구조이다. 적절한 순응도에 대해 알려진 변수로는 자가 효능, 환자와 제공자 간의 일치 정도 그리고 최소 50%의 소아청소년 환자가 규정된 치료법을 따르지 않는다고 추정하는 문헌의 해석에 있어 문화적 매개 차이 등이 있다. 비순응은 의료비 지출 증가, 응급실 방문, 입원, 질병 악화 및 조기 사망과 관련이 있다.

비순응의 예측 변수에는 나이, 사회경제적 지위, 치료의 길이와 복잡성, 가족과 의사 사이의 의사소통 오류, 그리고 매일의 스트레스 및 질병에 대한 부모의 믿음과 같은 가족 요인이 포함된다. 병의 원인과 적절한 치료법에 대해 가족과 의사가 가지고 있는 믿음은 순응도 평가에서 무엇보다 중요한 것으로 보인다. 성인 대상 연구에 따르면 의사들에 대한 부모의 신뢰감과 의사들의 문화적 역량에 대한 그들의 믿음은 순응도를 예측할 수 있다. 마지막으로 공존 정신병리는 천식, 당뇨, 장기 이식, 염증성 대장 질환이 있는 젊은이들을 포함한 많은 소아청소년 환자 집단에서 비순응과 관련이 있다.

소아청소년 환자와 그 가족의 순응도를 높이기 위해 사용되는 접근법은 일반적으로 ① 교육적, ② 조직적, ③ 행동적 세 가지 범주로 나뉜다. 만성 질환 청소년에 대한 심리적 중재를 조사하는 70개 연구의 메타 분석에서 행동 및 다중 전략 중재를 위한 중간 효과 크기와 교육만을 위한 작은 효과 크기를 발견했다. 한 흥미로운 연구는 외상 후 스트레스장애 환자에서 간 이식 수혜자를 치료하는 것이 그들의 약물 복용에 대한 순응도를 높이는 것으로 확인되었다. 또한, 만성 질환 아동의 개입에 대한 메타 분석은 성공적인 개입 프로그램이 순응도를 높일 뿐만 아니라 건강 결과도 장기적으로 개선했다는 결론을 내렸다.

6) 아이들의 사망과 사별

아이의 죽음은 대처하기 어려운 정서적 문제 중의 하나이다. 의학의 엄청난 발전으로 인해 어린 시절의 죽음은 불공평해 보이기 때문에 소아청소년과 의사와 가족들은 종종 적극적인 치료에서 완화의료로 전환하는 것을 거부한다. 이런 결정을 내려야 하는 시점에 의료진과 아이, 가족 구성원 간에 불일치가 있을 때 정신건강의학과 자문 의사에게 의뢰를 한다. 때때로 이러한 의견의 차이는 문화적 또는 철학적 차이 때문이다.

어떤 대가를 치르더라도 죽음에 맞서 치료해야 한다고 믿는 임상가는 아이가 불필요하게 고통스러운 치료를 받고 있다고 느끼는 다른 임상가의 감정을 이해하는 데 어려움을 겪을 수 있다. 신앙심이 깊고 기적에 대한 희망을 품고 있는 가족들은 현 상태를 지속해서 부정하게 되고 이를 해결하기 위해 정신건강의학과 상담을 요청할 수도 있다. 아이를 보호하고자 하는 가족들은 질병의 예후나 다른 잠재적인 혼란스러운 정보에 듣지 않는 것이 최선이라고 느낄 수 있다. 죽어가는 아이는 편안함을 느끼기 위해 진정제를 투여받기를 원할 수 있지만 가족들은 아이가 정신을 바짝 차리기를 바랄 수도 있고 그 반대도 있을 수 있다. 정신건강의학과 자문은 종종 매우 감정적으로 부담이 되는 이러한 논의를 통해 관련된 모든 사람이 아이를 돌보기 위해 함께 계획을 세우고 서로를 잘 이해할 수 있도록 한다.

말기 질환을 앓고 있는 아동들에게서 다양한 감정적 반응이 보일 수 있으며 부모와의 면담을 통해 이러한 반응을 예상해야 한다. 아동과 청소년은 부정적인, 적대적인, 공격적인, 감정적인 행동을 하거나 가족과 친구들에 무관심하고 사회적으로 고립됨으로써 혼란과 상실을 드러낼 수 있다. 그들은 죽음에 관해 이야기하거나 죽은 사람이나 신과 대화를 나눌 수 있다. 그들은 언제 죽는지 아는 것처럼 보일 수도 있다. 초기에 혼란이나 섬망으로 보일 수 있는 것은 실제로 은유를 통한 의사소통의 시도일 수 있다. 자문 의사는 그러한 대화를 장려하고 의료진과 부모가 죽는 과정에 대처하는 아이의 이러한 시도를 견딜 수 있도록 도와야 한다. 놀이치료나 미술치료는 특히 어린 아이들과 비언어적 방식을 선호하는 아이들에게 도움이 될 수 있다. 경우에 따라 아이들이 작별 인사, 속죄, 추도식 계획 또는 특정 소지품을 나누는 것 등과 같은 아직 하지 못했던 일들을 정리하려고 할 수 있다.

암으로 사망한 아동의 부모를 대상으로 한 연구에 따르면 죽어가는 아이들과 그들의 부모 모두 환자들이 그들의 두려움, 희망 그리고 결국 원하는 것을 표현하도록 돕고 예후나 기대수명, 치료 중단 등과 같은 어려운 논의를 돕는 등의 가족 중심 접근으로부터 혜택을 받았다. 이를 통해 부모가 아이 사망 후 종종 보고하는 죄책감과 후회를 줄여줌으로써 유족의 장기적인 심리적 안녕을 개선할 수 있다. 다른 연구에 따르면 의료진과의 소통 및 치료의 지속성과 관련하여 더 높은 평가를 한 부모에서 자녀가 사망한 후 부모의 장기적인 슬픔이 더 낮다고 보고했다.

환경에 대한 개입은 많은 신체적 불편을 덜어줄 수 있고 의사소통과 이해를 향상하기 위한 개입은 많은 감정적인 불편과 두려움을 덜어줄 수 있다. 그러한 중재가 고통스러운 증상을 해결하기에 충분하지 않다면 약물을 고려해야 한다. 진정과 내성에 대한 선호도가 아이와 부모가 다르다는 것을 인식하는 것이 중요하다.

마지막으로 아이를 집으로 데려가 임종을 맞기 위해서는 세심한 준비와 지원이 필요하다. 증상 관리를 위한 많은 완화적 중재 시술은 호스피스 치료로의 전환을 고려하기 전에 시작될 수 있다. 때때로 아이가 집에서 사망하는 것이 최선이지만 어떤 가족은 그렇게 생각하지 않을 수 있다. 부모에게는 휴식뿐 아니라 정서적, 기술적 지원이 필요하다. 형제자매에게도 나이에 맞는 정보와 정서적 지지가 필요할 것이다.

3. 신체질환에 영향을 주는 정신적 요인

신체질환과 정신질환은 흔히 함께한다. 많은 연구를 통해 천식, 당뇨, 뇌전증, 염증성 장 질환과 같은 다양한 만성질환을 앓고 있는 젊은 환자들에게서 정신적 문제가 발병할 확률이 더 높다는 것이 확인됐다. 질환과 관련된 증상 및 장애가 심리적 기능에 영향을 미치는 것 이외에도 증상, 중증도, 합병증 그리고 심지어는 질병의 치료과정 또한 정신적 요인과 복잡한 상호작용이 나타낼 수 있다.

1형 당뇨가 있는 환자에서 우울장애는 불충분한 혈당조절, 망막병증, 입원 필요성과 연관된다. 더욱이, 이전의 연구는 제1형 당뇨병이 훨씬 더 심각한 심리 사회적 및 정신건강 문제와 관련이 있음을 제시했다. 다만 제1형 당뇨병 청소년을 대상으로 한 2014년 노르웨이의 한 연구에선 정신질환의 동반 이환이 현저히 높지는 않게 나타났으며 이는 의료 기술의 향상으로 인한 것으로 추정된다.

천식이 있는 아동의 경우, 산모의 불안과 우울장애는 둘 다 아동의 천식 발병 위험 증가와 관련이 있었으며, 더 심각하고 지속적인 천식이 있는 5세 아동에서 불안 및 정서적, 신체적, 적대적 문제행동을 보일 가능성이 5-17세 청소년에서 더 높았다. 천식이 있는 청소년의 경우 불안과 우울장애의 중증도와 천식의 중증도 사이에 연관성을 보인다.

뇌전증이 있는 소아청소년은 불안장애, 정서 장애 및 주의력 결핍 과잉행동장애attention deficit hyperactivity disorder, ADHD를 포함한 정신질환의 동반이환율이 37-77% 정도로 높게 나타난다. 또 증상이 있는 뇌전증 및 중증 뇌전증 증후군 환아는 전반적 발달지연과 자폐스펙트럼장애가 발생할 확률이 높았으며 더 나아가선 지적장애가 동반된 뇌전증 환아에서 행동문제빈도가 더 높게 나타난다.

염증성 장 질환이 있는 소아청소년 및 청소년에선 우울장애 및 불안이 흔한 동반질환으로 잘 알려져 있다. 질병과 관련된 염증과 스테로이드 치료 모두 정신질환의 공존과 발현에 영향을 미치는 것으로 보이며 이는 정신질환의 진단과 치료를 더 어렵게 만든다. 인지행동치료가 잠재적으로 우울장애와 위장 증상을 줄이는 것을 도울 수 있는 개입으로 제안됐다.

생명을 위협하는 소아청소년질환의 이환과 그 치료과정에서 오는 공포와 무력감을 경험한 환자와 그 가족들은 회피, 침습, 과각성을 보이는 외상후스트레스장애가 발생할 수 있으며 치료과정이 외상후스트레스장애를 자극해 이후의 치료를 더 복잡하게 만들 수 있다.

소아청소년과 의사들은 많은 만성 질환들에 대한 개입 필요성을 평가하는 데 있어서 어린아이들의 경우 부모의 보고를, 좀 더 나이 많은 아이들의 경우 자가보고에 의하며 불안, 불쾌감, 감정적 취약점 혹은 무감동이 발견될 때 종종 더 광범위한 의학적 개입이 이어진다.

천식에 관한 연구에서 스테로이드 처방이 악화에 대한 환자의 불안과 관련을 보였고 폐 기능 검사의 변화 정도와는 관련이 없었다. 후속 연구에서는 이 표현된 불안을 '호흡기능부전'으로 분류하고 의료인들에게 둘을 구분하도록 경고했다. 심각한 폐 질환이 있는 환자의 무감동 또는 불쾌감은 기침을 감소시키고 심각한 폐 손상을 유발할 수 있으며 뇌혈관질환 또는 교통사고 후 재활을 받는 아동에서의 좌절 혹은 무력감으로 인한 무감동은 물리치료를 방해할 수 있다. 최선의 건강을 위해 노력하는 데 있어서 핵심적 요소인 동기부여는 기분의 영향을 자주 받는다. 자신의 최고 수준의 기능에 도달하기 위해 노력하는 아이들을 돕기 위해서는 건강회복을 방해하는 정서적 문제를 이해하는 것이 필수다. 이러한 정신적 요인을 이해하려면 다음을 고려해야 한다.

1. 아이에게 질병과 치료의 어떤 측면이 가장 어렵거나 두려운 일인지 물어본다.
2. 아이에게 자신의 치료 목표와 그 목표에 도달하기 위해 노력하는 동안 어떤 좌절을 겪었는지에 대해 설명해보도록 한다.
3. 질병과 치료과정이 소아청소년의 병원 밖 삶에 미치는 영향에 대한 아동의 경험을 추적해본다.
4. 아이가 누군가가 자신이 경험하고 있는 것을 이해하고 있다고 느끼는지 알아본다.
5. 아이가 이해해주지 못해서 특히 실망한 사람이 있는지 알아보고, 누군가에게 배신당했다고 느끼지는 않는지 알아본다.
6. 아이가 자신의 질환이 있는 누군가를 알고 있는지 그리고 그 사람의 상태가 어떻게 변화했으며 그 이유가 무엇인지 확인해본다.
7. 질환과 질환의 변화과정을 안다.
8. 환자의 관점에서 일어날 수 있는 최악의 상황에 대해 알아본다.

의사의 목표가 아이의 목표와 상충되는 경우는 흔하다. 예를 들어, 뇌졸중을 앓는 10대 소녀는 지팡이를 든 노부인처럼 걷고 싶지 않다며 목발을 포기하지 않고 재활 치료에 열중할 것이다. 입원 중 경험하는 많은 실망과 예상치 못한 재입원은 환자가 자신의 의견이 반영되지 않는다고 느끼거나, 최선의 노력에 차질이 발생했다고 느낄 때 더욱 복잡한 문제가 되어 분노, 좌절, 불신, 불안 또는 무감동으로 이어질 수 있다. 이런 점을 고려할 때 소아청소년을 치료과정에 참여하게 하여 자신의 경험에 대해 말하게 하는 것은 그 자체로 치료가 될 수 있다. 또 소아청소년에게 적합하도록 병원 프로토콜을 변경하거나 가정생활의 우선순위를 반영하여 아동의 치료프로그램을 조정하는 방법이 있을 수 있다. 상담자는 입원 기간 소아청소년을 돕고 외래를 통한 심리치료가 필요한지를 결정해야 하는데, 병원 밖에서 시간을 보내는 방법과 어떤 좌절을 경험했는지 아는 것이 이러한 결정에 도움이 된다. 증상과 정신의학적 진단에 따라 정신 약물학적 개입도 도움이 될 수 있다.

4. 특정 정신신체 질환들

1) 섬망delirium

소아청소년 섬망은 성인 섬망에 비해서 임상적, 연구적 관심을 덜 받아왔다. 치명적인 질환을 앓는 소아청소년 환자 중의 30% 가량에서 섬망이 발생하는 것으로 추정되며 이는 저활동성 섬망의 진단이 적게 이루어지기 때문에 유병률이 더 낮게 추정되는 것으로 생각해 볼 수 있다. 성인과 마찬가지로, 소아청소년 섬망 또한 과활동성, 저활동성, 혼재성으로 분류할 수 있다. 섬망은 종종 정신 증상을 동반하기도 한다. 그러나 불안정한 정동, 조절 장애, 자율신경계 이상, 무의미한 행동과 같은 몇몇 증상들은 소아청소년에서 특징적이고 더 흔하게 나타난다. 소아청소년 섬망의 광범위한 증상과 양상 등을 고려할 때 정신의학적 자문의 사유는 초조와 반항부터 설명되지 않는 기면, 우울, 착란에 이르기까지 매우 다양하다.

소아청소년을 대상으로 한 연구는 드물지만 성인 대상 연구에 따르면 기계호흡을 하거나 입원 기간이 길고 인지 장애가 있는 경우 사망률이 더 높아진다. 또한, 연구에 따르면 소아청소년 섬망은 성인보다 예후가 나쁘고 저활동성 섬망은 다른 섬망의 아형들보다 예후가 더 나쁘다.

일부 소아청소년중환자실에서는 최근에 섬망 선별검사를 시작했다. ICU 소아섬망평가척도Pediatric Confusion Assessment Method for the ICU, pCAM-ICU와 코넬소아섬망평가척도Cornell Assessment of Pediatric Delirium, CAP-D 두 가지 모두 입원 환경에서 타당화되었고 좋은 특이도와 민감도를 보였다. CAP-D는 특히 저활동성 섬망의 진단과 발달지연이 있는 소아청소년에 유용하다. 두 가지 선별검사 모두 검사자의 관찰과 환자와의 상호작용에 의존하기 때문에 추가적으로 차트를 검토하는 것도 권고된다.

간호사와 가족 구성원에 의한 지지와 지남력 정보를 제공하는 것은 환자의 공포와 혼란을 줄이는 데 도움이 되고, 여기에는 친숙한 물체, 사진, 아이를 안심시키고 지남력을 제공할 수 있는 사람, 연령에 맞는 시계, 달력 또는 표지판 등이 포함된다. 교육은 부모에게 무엇이 일어나고 있는지 이해시키고 그들의 스트레스를 감소시키며 아이에게 짜증이나 공포감 대신 지지적으로 반응할 수 있도록 도와준다. 비정형 항정신병약물은 안전하고 효과적이라고 알려져 있다. Turkel과 Hanft는 olanzapine과 risperidone, quetiapine을 사용하는 것을 권고하였다. 참고로 벤조디아제핀은 사용하지 않는 것이 권장되는데 벤조디아제핀 계열의 약물은 섬망을 악화시키고 PTSD의 발생 위험을 증가시키기 때문이다.

섬망의 발생 위험은 수면을 조절함으로써 감소시킬 수 있다. Melatonin의 효과와 부작용을 고려하였을 때 소아청소년에서 수면각성주기를 조절하기 위한 치료로 고려해볼 수 있다. 불면 관련 섬망을 최소화하기 위해서 일상생활 방식을 확립하고 유지하는 것을 목표로 하는 행동 개입도 권장된다. 많은 약물이 수술 이후 섬망의 발생률을 낮춘다고 알려졌지만 소아청소년 환자에서 이 약물들을 사용함에서 안정성과 효과를 확립하기 위해서는 더 많은 연구가 필요하다.

2) 인위성 장애factitious disorder

(1) 질병 조작

인위성 장애는 자신의 심리적 욕구를 충족시키기 위해 신체적 또는 심리적 증상이나 징후를 의도적으로 조작하는 것으로 정의할 수 있다. 스스로 부여된 인위성 장애는 자신을 향한 조작 행위이고 타인에게 부여된 인위성 장애는 다른 사람이나 동물을 향한 조작 행위를 의미한다. 꾀병은 외부적 이득을 얻거나 원치 않는 책임이나 결과를 회피하기 위해 자신의 신체적 또는 심리적 징후를 의도적으로 조작하는 것을 의미한다. 질병 조작은 과장, 위조, 모방, 유도 등을 포함한다. 과장은 실제 증상이나 문제를 사실보다 지나치게 불려서 나타내는 것이고 위조는 병력이나 증상에 대한 거짓 진술이다. 모방은 질병을 암시하기 위해 의무 기록을 조작하거나 검사실 검사를 비정상적으로 보이기 위해 조작하는 것을 포함한다. 유도는 증상을 만들어 내거나 이미 존재하고 있던 증상을 악화시키는 것을 포함한다.

소아청소년의 질병 조작 행동에 관한 연구는 거의 이루어지지 않았다. 문헌에 따르면 성인 인위성 장애 중 일부는 유년기에 발생하고 질병을 조작하는 일부 소아청소년은 질병 조작의 피해자 또는 질병 조작에 대한 양육자의 강요로 인한 수혜자로서의 조기 경험이 있었다. 소아청소년 피해자는 무기력감, 만성적인 통제력 부족, 의료 체계에 대한 실망감을 느끼고 이는 미래에 질병 조작으로 이어질 수 있다.

Libow는 질병을 조작하는 소아청소년 환자 사례에 관한 문헌을 조사하였고 평균 나이 13.9세의 42개의 사례에 대해 발표하였다. 환자 대부분은 여성(71%)이었고, 성인에서보다 성비 불균형이 더 컸다. 허위 증상 보고와 증상을 유발하기 위해 약물을 주입하거나 스스로 타박상을 입히거나 약물을 복용하는 환자들이 포함되었고 가장 흔하게 위조된 질환으로는 열, 케토산증, 자반, 감염이 있었다. 조작이 발견되기까지는 평균 약 16개월이 걸렸고 많은 환자는 그들의 기만을 인정했고 몇몇은 추적관찰에서 긍정적인 예후를 보였다. 환자들의 모습을 단조롭고 우울하고 의료 서비스에 매료된 것처럼 보였다고 기술했다.

(2) 질병 조작의 피해 아동

질병 조작의 피해 아동은 무력감, 자신에 대한 의심, 자존감 저하, 자기 파괴적 관념, 섭식 장애, 행동 성장 문제, 악몽, 그리고 학교 집중력 문제를 포함하여 어린 시절에 중요한 심리적 문제를 경험할 수 있다. 성인기에는 자살 충동, 불안, 우울장애, 낮은 자존감, 격렬한 분노 그리고 PTSD 증상을 포함한 정서적 어려움을 보인다. 법정에서 질병 조작의 피해자로 판명된 40명의 아동 표본에 대한 종적 자료에 따르면 아동 피해자는 아동의 발달 연령, 노출 기간, 강도, 보호 및 지원 수준 등에 따라 달라지는 심각한 정신질환 증세를 보이는 것으로 나타났다. PTSD와 적대적 장애는 현실 왜곡, 낮은 자존감, 애착 장애의 패턴과 마찬가지로 중요한 후유증이라는 것을 발견했다. 비록 이 아이들은 피상적으로 사회적으로 능숙하고 잘 적응한 것처럼 보일 수 있지만, 종종 기본적인 관계들로 인해 어려움을 겪는다. 거짓말은 흔한 일이며 다른 아이들에 대한 조작적인 질병 행동과 가학적인 행동도 마찬가지이다. 많은 이들이 정신적 충격에 반응하며 주기적인 분노, 우울장애, 그리고 적대감을 경험한다. 친부모로부터 분리되어 안전한 곳에서 보호받은 경우나 학대자가 학대를 인정하고 재결합을 위해 수년간 노력한 경우의 아이들은 비교적 잘 지낸 것으로 나타났다.

질병 조작의 피해 아동을 위한 치료에는 건강, 사회화, 일상생활 활동, 학교출석 등 아이의 삶을 최대한 정상화하는 노력이 필요하다. 내재화 및 외재화 증상과 정신 또는 행동 증상은 증거 기반 접근 방식을 사용하여 해결해야 한다. 또한 청소년들은 그들의 건강이 회복되는 것을 직면하기 때문에 그들의 과거를 이해하도록 지지해야 한다.

3) 섭식 장애 - 식이 거부, 선택적 식이 및 공포증

유아와 취학 연령 아동의 섭식 장애는 일반적이다. 이들의 유병률은 일반적으로 발달하는 아동에서 25-45%로 추정되고 발달 장애가 있는 아동에서 80%까지 높다. 이러한 장애 대부분은 일시적이며 부모 교육, 영양 또는 정상적인 아동 발달에 대한 교육, 양육자와의 상호작용 조언, 음식 준비에 대한 조언으로 쉽게 해결할 수 있다. 그러나 보다 적극적인 치료가 필요한 심각한 섭식 장애가 3-10%의 아동에게 발생하며 다른 신체적 또는 발달적 문제를 가진 아동에게 흔하다. 이들은 흡인, 영양실조, 침습적 의료 시술, 입원, 정상 기능 및 발육의 한계, 간 기능 상실 및 사망의 위험에 처해 있다. 실제로 소아청소년 입원의 1-5%는 성장 장애에 기인한다. 가장 최근의 진단 기준은 체중 감소, 성장 장애 또는 영양 결핍, 장내 영양 공급 또는 영양 보충제에 대한 의존, 심리사회적 기능 저하 등 중대한 우려를 일으키는 부적응적 식이 패턴으로 정의되는 새로운 진단으로 회피적/제한적 식이장애를 도입했다.

정상적인 식사를 악화시킬 수 있는 신체적 요인에는 해부학적 이상, 감각 장애, 구강 운동 기능 장애, 만성 의학적 문제가 포함된다. 다른 기여 요인에는 혐오적 경험과 식습관의 결합, 선별적인 식품 선택에 대한 보호자의 강화 그리고 정상적인 조기 섭식 경험 부족 등이 포함될 수 있다. 섭식 문제의 80% 정도가 중요한 행동 요소를 가지고 있는 것으로 간주한다.

섭식 장애는 세 가지 범주로 분류될 수 있다. ① 너무 적게 먹는 것, ② 제한된 수의 음식을 먹는 것, ③ 먹는 것에 대한 두려움을 드러내는 것이다. 섭식 관련 공포증은 면담 또는 식품을 보여주는 방식에 대한 두려움 또는 불안 행동을 관찰함으로써 평가할 수 있다. 이러한 경우에 치료 목표는 안심과 불편감 원인의 평가 및 치료를 통해 환자와 양육자 모두의 불안감을 줄이는 데 초점이 맞춰져 있다. Munk와 Repp는 식품의 반복적 표시에 대한 반응에 기초하여 개인의 섭식 패턴을 분류할 수 있는 심각한 인지 및 신체장애가 있는 개인의 섭식 문제를 평가하는 방법을 개발했다.

불안장애가 아닌 섭식장애 치료의 경우 방법론, 비교군 부재, 치료 유형과 기간의 차이로 인해 연구가 통합되기 어렵다. 치료는 다학제적 접근 및 행동 기법 통합이 필요하다. 입원 또는 주간 치료 환경에서 최상의 결과를 보인다면 행동 중심 치료가 필요하다. 더욱이, 임상에서의 식이행동의 관찰이 오랫동안 식이장애 평가의 표준 방법으로 여겨져 왔지만 일부는 그러한 관찰에 필요한 시간을 고려하면 대부분의 식품이 발생하는 가정환경에 대해 반드시 일반화할 수 있는 것은 아니라고 주장했다. 일반적으로 음식 기피증과 구강 운동 장애는 경험 있는 임상가에 의해 치료될 수 있다. 효과적인 행동 개입에는 적절한 영양 공급과 부적절한 대응에 대한 무시 또는 안내에 대한 긍정적인 강화가 포함된다. 탈감작 기법은 공포증이나 변화된 감각 처리를 다루기 위해 효과적으로 사용될 수 있다. 식이 거부, 선택적 식이 또는 공포증 치료에 향정신성 의약품의 사용을 직접 검토한 연구는 없지만 불안장애와 관련된 섭식 장애가 있는 사용을 고려하는 것이 유용할 수 있다.

4) 성장 장애

현재 체중 또는 체중 증가율이 유사한 연령 및 성별의 다른 아동에 비해 현저히 낮은 아동은 성장하지 못한 것으로 진단된다. 성장 장애는 일반적으로 유기 또는 비유기적 원인에 의한 것으로 분류되지만 특히 대부분은 명확하지는 않지만 다양하고 잠재적으로 다발성, 조직적 원인을 가진 증상으로써 성장 장애를 생각하는 것이 도움이 된다. 예를 들어, 부모들은 수유 기술에 대한 이해가 부족하거나 조제분유를 부적절하게 준비할 수 있다. 엄마들은 수요 공급이 부족할 수도 있다. 성장 장애의 생물학적 요인에는 음식 섭취의 부족, 섭취 열량의 손실, 에너지 요구량 증가, 태아기 손상 등이 포함된다. 환경적 요인에는 경제적 또는 정서적 결핍이 포함된다.

Cole과 Lanham은 성장 장애를 부적절한 열량 섭취, 부적절한 열량 흡수, 과도한 열량 소모의 세 가지 범주로 분류할 것을 권고한다. 성장 장애의 대부분은 부적절한 열량 섭취의 범주에 속하며, 무응답 육아 또는 돌봄 제공, 불충분한 영양 지식, 재정적 어려움을 비롯한 가족 요인의 영향을 많이 받는 것으로 생각된다. 실제로 성장 장애의 육아 측면의 차이에 대한 Black과 Aboud의 종설은 부자연스러운 부모-자녀 관계가 이러한 문제가 있는 영양 역학에서 많은 차이를 설명할 수 있다는 것을 밝혔다. 민감하지 않은 양육은 과도한 통제나 양육자와 아이의 상호작용 부족 또는 식이 방임을 특징으로 한다. 불안정한 영양 공급은 부모와 아이 사이의 애착을 방해할 수 있고, 결과적으로 아이의 배고픔 신호가 발달하는 능력과 자율성을 방해할 수 있어서 장기간의 후유증을 남길 수 있다. 부모와 아이 사이 관계의 유대관계가 손상되고 및 성장 장애가 있는 아동이 학대를 받을 가능성이 커짐에 따라, 아동방임과 학대는 항상 성장 장애 평가에 포함되어야 한다.

최근 연구는 가정 내 역동 외의 심리학적 요인을 포함하도록 그 초점을 확대했다. 예를 들어, 양육과 아이 발달에 대한 적절한 교육이 부족하고 저소득인 표본에 과도하게 나타나는 특징인 높은 스트레스의 부모는 성장 장애가 있는 아이를 가질 위험이 증가한다. 성장 장애의 다른 심리학적 요인에는 특정 식품의 과다 섭취 또는 의도하지 않은 성장 장애로 인한 부모의 불안이 포함될 수 있다. 성장 장애 아동에 관한 종적인 연구는 학습 또는 행동 장애와 낮은 지능의 위험이 증가했음을 보여준다. 그러나 이러한 연구는 역사적으로 가장 심각한 영향을 받은 아이들을 조사했고, 따라서 부정적인 결과를 겪을 가능성이 큰 아이들을 조사한 것이다.

치료의 목표는 만족스러운 성장을 촉진하고 체중이 불안정할 가능성을 높이는 위험 요소를 줄이는 데 필요한 의료, 정신, 사회 및 환경 자원을 제공하는 것이다. 치료에 대한 다학제적 접근법을 권고한다. 양육자도 정신건강에 대한 평가 및 치료가 필요할 수 있다. 가정 내 개입을 포함하여 부모 자녀 관계를 대상으로 한 개입은 일부 가족에게 효과적일 수 있다. 가정의 사회경제적 상태에 대한 개입 매우 중요할 수 있다. 부적절한 양육의 경우 부모가 필요한 재정 지원, 부모 교육 및 정신 치료를 받는 동안 위탁 돌봄이 필요하다. 이럴 때 가정으로의 복귀는 자녀를 적절히 돌볼 수 있는 부모의 능력과 자원에 기초해 자세히 평가되어야 한다.

5) 자폐스펙트럼장애

환자가 아직 진단을 받지 않았다면, 자폐스펙트럼장애가 있는 아이들과 그 부모가 자폐스펙트럼장애에 대해 이해하고 아이들의 특정한 강점, 약점, 필요에 대해 교육받는 것이 크게 도움이 될 수 있다. 자폐스펙트럼장애가 있는 입원 아동의 경우 시술과 일상적 일과에 대해 세심하게 준비하는 것, 예상치 못한 변화에 적응할 수 있는 시간을 허용하는 것, 관리에 참여하는 직원의 수를 최소화하고 괴로운 감각 자극을 신중하게 관리하는 것이 도움이 된다. 자폐스펙트럼장애가 있는 아동과 소통하고 통증 또는 다른 증상을 감지하고 전달하는 방법을 배우려면 추가적인 노력이 필요할 수 있다. 현재 응급 상황, 수술 및 입원치료 환경에서 자폐스펙트럼장애가 있는 어린이를 지원하는 데 도움이 되는 자료가 개발되었다.

6) 만성 신체 증상

소아청소년은 식별 가능한 기저 질환이나 의학적 상태에 해당되지 않는 지속적인 신체적 문제및 관련 기능 장애를 보고하는 경우가 많다. 예를 들면 두통, 만성적인 메스꺼움 또는 구토, 현기증, 섬유근육통, 만성피로, 기능적 복통, 과민성장증후군, 근막통증, 가슴 통증 또는 두근거림, 전환 마비, 비경련성 발작 등을 들 수 있다. 알려진 또는 알려지지 않은 병리학적 증상과 더불어 그러한 증상에 대한 과도하고 불균형한 생각, 감정 및 행동과 관련된 경우, DSM-5의 신체증상장애에 대한 기준을 충족할 수 있다.

역사적으로 '기질적인' 병리의 양을 고려할 때 예상되는 것 이상의 장애와 증상은 심인성으로 간주되었다. 그러한 상황에서 어린이와 가족은 선의의 임상의로부터 증상이 생리적 근거가 없다는 사실을 때때로 전달받았고 어린이가 증상을 조작하고 있다는 의도된 혹은 의도하지 않은 의도되거나 의도하지 않은 제안을 받았다. 임상 경험뿐만 아니라 연구의 발전은 모든 증상이 신경 감각의 변화와 관련이 있고 심리학적 요인에 영향을 받기 때문에 증상을 기질적 또는 비기질적으로 이분하는 것이 가족들에게 오해의 소지가 있고 혼란스럽다는 것을 시사한다. 기질적/비기질적 이분법을 유지하는 것은 불필요한 검사와 치료 또는 도움이 되지 않는 공감의 결여로 이어질 수 있다. 따라서 신체 증상의 경험은 생물학적 과정, 심리적, 발달적 요인, 사회적 맥락의 통합 결과라는 것을 기억하고 가족에게 전달하는 것이 도움이 된다. DSM-IV 기준은 의학적으로 설명할 수 없는 증상의 개념을 강조했지만 DSM-5 기준은 환자의 신체 증상에 대한 생각, 감정, 행동이 불균형하거나 과도한 정도에 초점을 맞춘다.

정신의학적 평가는 증상을 악화시킬 수 있는 정신증상, 행동 강화, 정신적 스트레스 요인을 식별하는 데 맞춰져 있다. 일반적인 동반 질환에는 불안장애, 감정표현 불능증, 우울장애, 예상치 못한 학습 장애, 발달 장애 또는 의사소통 장애, 사회 문제, 신체적 또는 정서적 외상, 가족 질환, 만성 스트레스 그리고 가족 문제를 포함합니다.

가족과 치료팀은 생명을 위협하는 문제나 전통적인 생물 의학 모델 내에서 교정될 수 있는 진단이 빠지는 것을 종종 걱정한다. 이 두려움은 환자가 증상에 대해 심각한 고통을 가지고 있을 때 특히 강하다. 치료팀은 문제를 이해하고 치료하기 위한 추가 평가가 없음을 가족에게 명확히 전달할 수 있도록 합리적인 평가가 완료되었다고 믿어야 한다. 재활 접근방식은 독립적이고 정상적인 기능을 개선하고, 대처 능력과 자기 효율을 향상시키며 2차 장애를 예방하는 역할을 할 수 있다. 증상보다는 기능을 추적하여 진행 중인지 여부를 판단해야 한다. 기능, 대처 능력, 자기효능감이 향상되면 증상과 관련된 고통이 완화되는 경우가 많다.

구체적인 치료 계획은 증상과 장애를 악화시키거나 유지하고 있는 생물학적, 심리적, 사회적 요인을 대상으로 한다. 기저 감각 신호 메커니즘과 특정 증상을 목표로 설계된 치료 기법에는 인지 행동 전략, 행동 기술, 가족 개입, 신체적 중재, 수면위생, 약물치료가 포함될 수 있다. 일반적으로 능동적 대처를 촉진하는 개입이 수동적 의존이 필요한 개입보다 선호된다.

현재 사용되는 약리학적 전략의 대부분은 아동의 효능 증거 없이 성인 시험에서 추정된다. 고려해야 할 의약품 종류에는 신경통이나 과민성장증후군에 대한 삼환계 항우울제 또는 항경련제, 기능적 복통, 불안, 우울장애의 증상에 대한 선택적세로토닌재흡수억제제, 근막통증에 대한 근이완제, 급성 불안과 심한 고통을 동반한 다양한 신체 증상과 만성적인 메스꺼움에 대한 저용량 항정신병 약물이 포함된다. 벤조디아제핀은 때때로 그들의 몸에 과민하고 통제력 상실을 염려하는 아이들에게서 역설적인 반응을 끌어낸다. 중추신경계를 더욱 자극하는 신경 차단, 발통점 주사trigger point injection, 경막외 및 기타 침습적 평가와 치료는 때때로 문제를 악화시킬 수 있다. 가능한 증거 기반 치료를 사용해야 한다.

7) 암

2014년 미국에서 15,000명 이상의 아이들이 암 진단을 받은 것으로 추정되었고 2,000명가량이 암으로 사망한 것으로 추정되었다. 암은 1-14세 미국 아동 사이에서 가장 많이 발생하는 질병이지만 매우 드물다. 백혈병과 중추신경계 암은 어린이들 사이에서 가장 흔한 두 종류의 암이다. 향상된 치료 접근법 덕분에, 생존율은 1975년 이후로 급격히 향상되었다. 그러나 많은 어린이가 단기 및 장기 치료 부작용을 모두 경험한다. 건강한 학생이나 천식을 앓고 있는 어린이와 비교하여 암에 걸린 어린이들이 우울장애 증상을 적게 억압하고 회피하는 방식을 더 많이 사용한다는 점이 흥미롭다. 이러한 관찰에 대한 설명은 Erickson과 Steiner에 의해 제안되었는데, 그들은 장기 소아청소년 암 생존자들의 대처방식이 외상성 회피로 형성된다는 것을 발견했다. 이 연구결과와 일치하게 암 진단과 암 치료의 개념화가 잠재적으로 외상적이라는 것을 뒷받침하며 장기적인 심리적 장애를 예방하기 위해 이러한 경험들을 조기에 다루는 것의 중요성을 강조한다. 6,542명의 소아청소년 암 생존자와 368명의 형제자매를 대상으로 한 연구는 형제자매와 비교하여 암 생존자에서 외상후스트레스장애 위험이 4배 더 높다는 것을 발견했다. 더 집중적인 암 치료More intensive cancer treatment는 외상후스트레스장애의 위험을 증가시켰다. Sahler 외 연구진은 문제해결 기술 훈련 개입인 Bright IDEAS(I: identify the problem, D: determine the options, E: evaluate options/choose the best, A: act, S: see if it worked)를 완료한 암 투병 아동의 어머니에게서 문제해결 능력, 기분, 불안감 및 외상 후 스트레스가 개선되었음을 발견했다.

8) 천식

천식은 가장 흔한 심각한 소아청소년 만성 질환으로 결석이나 입원의 흔한 원인이 된다. 더 나은 약물치료에도 불구하고, 유병률과 이환율 모두 증가하고 있다. 정신질환이 동반된 경우 천식의 치료 순응도가 저하될 수 있으며 일상의 기능을 훼손하고 또는 자율신경계 반응이나 폐 기능에 직접적인 영향을 줄 수 있다. 내재화 장애는 천식 환자에게 흔한 것으로 보이며 유병률은 5%에서 43%까지 다양할 것으로 추정된다. 문헌에는 동반 정신질환의 유병률과 유형에 대한 일부 상반된 결과가 포함되어 있지만 내현화 장애internalizing disorder는 천식 환자에게서 흔하며 유병률은 5%에서 43%까지로 추정된다. 일부 연구자들이 천식과 정신질환 기저에 있는 공통된 메커니즘을 통해 두 질환의 연관성을 설명할 수 있다고 주장했지만, 다른 연구자들은 정신질환이 단순히 천식의 중등도를 반영하는 것일 수도 있다고 주장하였다. 예를 들어, Letitre 등은 건강한 대조군과 비교했을 때 천식이 잘 조절된 아동은 불안, 우울장애, 자존감 저하가 높지 않은 것으로 나타났다. 또한, 조절되지 않은 천식과 높은 비율의 우울 및 불안 증상 사이의 상관관계를 발견했으며 이는 질병 부담이 천식과 관련된 심리적 고통의 증가를 설명할 수 있음을 시사한다.

그런데도 질병의 중등도와 부담이 정신질환과 천식 사이에 공통된 차이를 모두 설명하지는 못한다. 대신, 저자들은 천식 및 정신질환 모두에서 흔한 면역학적, 내분비적 그리고 말초 신경계의 기능장애가 이 연관성을 설명할 수 있을 것으로 생각했다. 우선 천식의 증상으로 환자가 숨이 차는 것을 느끼면 자연스럽게 불안으로 이어지게 된다. 마찬가지로, 염증성 알레르기 반응은 사이토카인 및 기타 매개체를 방출함으로써 종종 우울장애로 해석될 수 있는 피로, 집중력 저하 및 과민성을 유발할 수 있다.

공황 증상 또한 흔한데, 이는 강한 감정과 관련된 생리적 반응이 천명음wheezing을 유발할 수 있다는 점을 고려하면 이해할 수 있다. 공황과 천식의 연관성에 대한 한 가지 가설은 공황이 동맥혈에서 이산화탄소 분압을 모니터링하는 화학 수용체에 의해 유발되는 질식에 대한 경보 시스템 역할을 한다는 것이다. 공황 장애에 대한 유전적 취약성이 높은 소아청소년이 천식으로 인해 이산화탄소 분압이 주기적으로 증가하는 경우 공황 발작이 유발될 수 있다. 적절한 치료를 받지 않은 채 방치하면 이러한 불안은 공황 장애로 발전할 수 있다. 실제로, 전향적 연구에 따르면 초기 성인기에 공황 장애가 발생하는 주요 위험 요인 중의 하나는 아동기 천식의 병력이다. 한 연구는 아동기 및 가정에서의 스트레스와 PTSD 및 불안과 관련된 유전자의 발현이 천식 이환율과 관련이 있음을 발견했다. 그렇지만 대부분의 천식 약물이 정신증상을 유발하는 것으로 알려져 있으므로 이 또한 동반 질환이 증가하는 것에 대한 이유가 될 수 있다.

천식은 또한 어린이가 ADHD에 걸리기 쉽게 한다. 아토피 피부염이 있는 어린이는 정상적인 또래보다 ADHD 발병 확률이 30-50% 더 높았다. 우울장애와 불안이 동반되는 경우와 유사하게 천식이 있는 어린이는 공유된 유전적 및 환경적 요인 때문에 ADHD가 발생하기 쉽다. 사실, 염증성 사이토카인 증가 및 심리적 스트레스를 포함한 천식의 병태생리학적 영향은 ADHD에 영향을 받는 전전두엽 피질 영역의 성숙을 방해할 수 있다.

유전적 또는 병태생리학적 원인에도 불구하고 심리적 장애는 건강상태 및 삶의 질에 미치는 영향 때문에 적극적으로 치료해야 한다. 천식 및 심리적 장애가 있는 소아 청소년은 천식만 있는 경우보다 건강상태와 건강 결과가 더 나쁜 것으로 나타났다. 한 가지 이상의 정신질환을 보고하는 소아청소년 천식 환자 또는 조절되지 않거나 불안 또는 우울이 함께 발생하는 소아청소년 천식 환자는 삶의 질이 가장 낮았으며 이는 심리적 고통이 건강에 미치는 영향에 추가될 수 있음을 시사한다.

천식이 있는 소아청소년을 진료하는 임상의는 다음 사항을 평가해야 한다.

1) 정신사회적 혼란 및 특히 불안 및 우울장애 증상과 같은 정신 증상
2) 치료 비순응의 가능성
3) 증상을 인지하는 능력
4) 성대 기능장애의 존재

천식은 가족 부담을 증가시킬 수 있으며 주 양육자가 우울한 경우 치료 순응도가 저하될 위험이 크다. 환자가 폐활량 측정 전 또는 메타콜린 검사 후 최대 흐름을 추측하거나 증상을 평가하게 하는 것은 환자가 순응도를 정확히 평가하게 하는 한 가지 방법이다. 증상 인식에 어려움이 있는 환자는 최대 유량계와 같은 객관적인 평가 방법을 사용하도록 훈련받을 수 있다. 천식 교육은 순응도 향상 및 건강 결과 향상과 관련이 있는 것으로 밝혀졌다.

정신사회적으로 어려움이 있고 신체질환을 앓는 아동을 위한 약물 및 심리치료는 천식 환자에게도 적용될 수 있다. 더 많은 연구가 필요하지만 정신사회적 개입이 천식 교육에만 의존하는 것보다 더 성공적인 것으로 보인다. 약물치료와 관련하여 항우울제는 일반적으로 우울장애와 불안 치료에 안전하고 효과적인 것으로 보이며 선택적세로토닌재흡수억제제가 일차 약물로 간주한다. 항정신병약물 사용에 대한 금기 사항은 없으며 특히 스테로이드 유발 정신증에 사용할 수 있다. 테오필린은 리튬 청소율을 증가시키므로 두 약물의 농도를 모두 모니터링해야 한다.

9) 소아청소년 비만

유전적 요인은 인체 체중 변동의 70%를 차지한다. 지난 25년 동안 미국에서 소아청소년 비만 유병률이 놀라울 정도로 증가했음에도 불구하고, 유병률은 지난 10년 동안 정체되었으며 2003-2004년과 2011-2012년 사이에 큰 변화는 없었다. 아동과 청소년의 체질량 지수body mass index, BMI가 나이와 성별에 따라 95 백분위 수 이상이면 비만으로 간주하고 BMI가 85-95 백분위 수 사이이면 과체중으로 간주한다. 2011-2012년 국민건강영양조사 데이터에 따르면 미국 청소년의 약 17%가 비만인 것으로 확인됐다. 이러한 결과는 1976년과 1980년 사이에 수행된 유사한 연구에서는 비만이 5% 보고된 것과 비교된다. 이러한 비만의 급격한 증가는 미국에서 빠르고 쉽게 구할 수 있는 저렴하고 열량이 높은 식품의 확산과 어린이들이 TV 시청 및 컴퓨터 게임과 같은 앉아있는 활동에 소비하는 시간의 증가에 기인한다. 호주, 브라질, 캐나다, 칠레, 핀란드, 프랑스, 독일, 그리스, 일본과 영국에서 유병률이 2-3배 증가한 것을 포함하여 대부분의 선진국과 저소득 국가의 많은 도시 지역에서 아동 비만의 유사한 증가가 기록되었다.

비만의 영향은 즉각적이고 장기간 지속한다. BMI가 95 백분위 수 이상인 아동과 청소년은 건강 관련 삶의 질 및 자존감이 현저히 감소한 것으로 나타났다. 소아청소년 비만의 즉각적인 건강 위험 요소에는 이상지질혈증, 고혈압 또는 고인슐린혈증을 앓고 있는 비만 아동 5명 중 1명에서 발생하는 심혈관 문제가 있다. 소아청소년 비만의 다른 위험성으로는 대사 질환, 폐쇄성 수면 무호흡증, 비알코올성 지방간 질환, 근골격계 문제, 정신사회적 문제 및 식이 장애가 포함된다. 비만 아동은 비만 성인이 될 가능성이 크며 성인으로서 신진대사 및 수면 문제, 천식, 치아 건강 문제, 심리적 장애의 내재화 및 외부화 등 여러 신체적 합병증을 겪을 가능성이 있다.

소아청소년 비만에 대한 개입은 약물, 외과적, 운동 기반 및 정신사회적 접근에 걸쳐 있다. 61건의 임상 시험에 대한 메타 분석에 따르면 sibutramine과 orlistat을 포함한 약물의 단기 사용이 과체중 아동과 청소년의 BMI를 줄이는데 효과적인 것으로 확인됐다. 신체 활동에 초점을 맞춘 개입은 체지방에는 중간 정도의 치료 효과가 있지만 BMI에는 영향을 미치지 않는다. 체중 상태의 단기 변화는 여러 생활 방식 개입을 통해 입증되었고 기초적인 증거 또한 장기적인 효과를 보여준다. 다른 메타 분석에서는 생활 방식 개입이 과체중/비만 청소년의 체중을 줄이고 심혈관 건강을 개선하는 데 효과적이라는 결론을 내렸으며 대조군에 비해 치료군에서 상당한 개선이 나타났다. 식습관과 생활 방식 선택이 비만에 미치는 중요한 영향과 변화를 가능하게 하는 가족 요인의 중요성을 감안할 때 연구원들은 가족 기반 행동 프로그램에 관한 연구를 점점 더 많이 하고 있다. 가족 개입은 일반적으로 가족의 식단 섭취, 신체 활동 습관 또는 둘 다를 수정하도록 권장하는 것으로 구성된다.

세 가지 핵심 요소인 식이 섭취, 신체 활동 증가 및 행동 전략에 초점을 맞춘 행동학적 가족 개입에 대한 메타 분석 결과 프로그램이 연구 종료시점에서와 이후 추적관찰 기간에서 중간 효과 크기를 보여주었으며 영향을 받은 가족에서 장기적인 변화에 대한 가능성을 보여주었다.

소아청소년 비만을 예방하기 위해 고안된 개입 중 Wang 등이 시행 한 메타 분석에서는 학교, 가정 및 지역사회 환경에서 단일 구성 요소와 다중 구성 요소 프로그램을 비교하였다. 가정 구성 요소와 함께 학교에서 이뤄지는 신체 활동 개입과 가정 및 지역사회 구성 요소와 함께 학교에서 제공되는 식이 및 신체 활동 복합 요법에서 강력한 효과가 있었다. 학교에서 제공되는 식이 요법 또는 신체 활동 개입, 가정 또는 지역사회 구성 요소와 함께 학교에서 이뤄지는 식이 및 신체 활동 복합 요법, 그리고 학교와 지역사회에서 제공되는 식이 및 신체 활동 복합 요법에서는 중간 효과가 발견됐다. 보육 또는 가정환경에서 제공되는 통합 개입에 대한 증거는 그다지 좋은 결과를 보이지 않았다.

비만 청소년을 위한 수술은 여전히 논란의 여지가 있다. 한편으로 수술은 신체적 성숙에 이르지 못한 환자의 성장과 발달에 악영향을 미칠 수 있다. 다른 한편으로, 이러한 조기 개입은 또한 앞서 언급한 비만과 관련된 많은 불리한 건강 결과의 발병을 예방할 수 있다.

청소년을 위한 외과적 개입에 대한 메타 분석에서는 가장 일반적으로 사용되는 두 가지 수술 절차인 복강경 조절식 위 밴딩Laparoscopic adjustable gastric banding, LAGB과 Roux-en-Y 위 우회술Roux-en-Y Gastric Bypass, RYGB 모두에서 지속적이고 임상적으로 유의한 BMI 감소를 확인하였다. RYGB는 지속적인 체중 감소 측면에서 좋은 결과를 보여주었지만, 성장 결핍과 같은 합병증은 LAGB보다 RYGB에서 더 빈번하고 심각했다. 청소년이 식이 요법 및 기타 지침을 따르지 않을 가능성, 성장에 대한 잠재적인 방해, 청소년의 동의를 얻는 것에 대한 문제, 수술의 장기적인 결과에 대한 정보 부족을 고려할 때 외과적 개입은 비만으로 인한 심각한 합병증이 있고 더 전통적인 치료에 반응하지 않은 환자를 위해 남겨둘 수 있고 RYGB는 가장 심각하게 영향을 받은 청소년에게만 권장된다.

10) 당뇨병

청소년 당뇨병은 2001년과 2009년 사이에 발병률이 21% 증가했으며 미국에서는 약 200,000명의 청소년에게 영향을 미치고 있다. 제1형 당뇨병으로 인해 인지기능 장애가 발생할 수 있다. Gaudieri 등의 메타 분석에 따르면 어린 시절 발병된 제1형 당뇨병은 언어 및 시각적 학습, 기억력, 주의력 및 실행 기능이 감소하는 등 전반적인 인지능력이 낮아지는 것으로 나타난다고 한다. 이러한 질병의 영향은 성인기까지 지속한다. 소아청소년 제1형 당뇨병이 있는 중년의 성인은 만성 고혈당 비율과 미세 혈관 질환의 정도를 통해 예측되는 임상적인 장애를 동반할 가능성이 5배 더 높은 것으로 나타났다.

사춘기의 생리학적 변화는 인슐린 저항을 증가시키게 되며 청소년기 및 성인 초기에 발생하는 제1형 당뇨병 발병률이 특히 증가하는 원인이 되기도 한다. 또한, 또래 수용의 중요성과 정체성과 자율성의 정상적인 발달과 동반된 부모 감독의 철회는 청소년기 동안의 상당한 순응 문제를 일으키게 된다. 관리되지 않는 당뇨병은 당화혈색소 측정을 통해 확인할 수 있다. 게다가 나이가 든 후에 신진대사 조절 불량 및 당뇨병 관련 합병증의 예측 인자로 확인된 변수로는 부모 모니터링 및 당뇨병 관리 소홀, 자제력 저하 및 기능적 자율성 감소, 당뇨병 기간 연장, 소수 민족 해당 여부, 미혼 간병인 보유 여부, 주사식 인슐린 요법 대 지속적 피하 인슐린 주사요법 사용 등을 들 수 있다.

제1형 당뇨병 환자의 미래에 대한 불안감뿐 아니라 경미한 우울감 및 고립감, 상실감 또는 슬픔은 당뇨병과 관련된 정상적인 반응인 것으로 생각된다. 정신장애는 당뇨병이 있는 청소년 및 젊은 성인에게서 더 많이 발생하며 일부 연구에서는 그 비율이 42%에 이른다고 했다. 우울장애와 불안은 당뇨병과 가장 일반적으로 연관된 장애인 반면, 섭식 장애는 젊은 여성에서 유병률이 증가하는 것으로 나타났다. 정신건강 문제에 대한 선별검사의 중요성은 감정 문제 및 혈당조절 불량 사이와 당뇨병 관련 삶의 질을 통해 확립된 연관성으로 강조된다. 우울장애와 불안장애의 증가는 나이가 많은 아이들에게서만 나타나는 것은 아니다. 제1형 당뇨병을 앓고 있는 어린이들을 대상으로 한 연구에 따르면 인구통계학적 특징과 관계없이, 그 나이 또래보다 정서적 및 행동적으로 비정상적인 증상을 보일 가능성이 크며 이는 당뇨병과 심리적 건강 사이의 초기 연관성을 시사한다.

대부분의 항우울제, 기분 안정제 및 비전형적 정신병 약물은 식욕, 체중 및 포도당 내당성에 영향을 미칠 수 있으므로 약물을 이용하여 동반 정신질환을 치료하기 위해서는 신중한 모니터링이 필요하다. 메타 분석 연구에 따르면 항정신병약에 노출된 청소년은 그렇지 않은 청소년에 비해 제2형 당뇨병이 발병할 위험이 상당히 크다고 한다. 그런데도 정신건강 증상이 당뇨병 발병률을 완화할 수 있다는 점을 생각하면 신속한 정신의학적 평가 및 치료도 중요하다.

당뇨병 어린이를 위한 심리사회적 개입의 효과는 아동 발달수준 및 유병 기간, 프로그램의 종류 등의 다양한 요인에 따라 달라질 수 있다. 프로그램들은 어린이의 연령과 질병 단계에 맞춰 조정되어야 한다. 메타 분석에 따르면 가족 역동을 대상으로 하는 개입이 행동 코칭에만 초점을 둔 개입보다 더 성공적인 것으로 나타났다. 조절되지 않은 당뇨병이 있는 청소년을 위한 심리 사회적 프로그램의 결과에 관한 연구는 그 방법론적인 문제 등이 복잡하게 관련되어있다. 예를 들어, 당화혈색소는 프로그램이 종료된 2-3개월 후까지 변화하지 않을 수 있으며 참가자들을 장기적으로 추적하지 못해 많은 프로그램이 실패하기 때문에 효과 크기에 관한 결과는 프로그램 전후의 당화혈색소 간의 변화를 측정하는 것으로 제한되었다. 당뇨병이 있는 청소년에게 일반적으로 사용되는 동기 강화 치료에서도 순응도를 목표로 하는 프로그램이 혈당 결과에만 초점을 둔 프로그램보다 더 효과적이라는 사실이 입증되었다.

11) 심장질환

(1) 가슴 통증

소아의 경우 기저 심장질환의 징후가 거의 없으므로 건강한 소아에게 나타나는 흉통은 성인의 흉통과는 다르게 위험한 증상은 아니다. 이 증상으로 심장내과에 의뢰된 소아청소년환자의 99%는 심초음파상 정상적인 결과를 보인다. 일반적인 비 심장 관련 흉통의 원인으로는 근골격, 특발성 및 심리적 장애 등이 포함된다.

(2) 항정신성 약물

12세 미만의 어린이에게 처방되는 대부분 정신약물은 미국 식품의약처U.S. Food and Drug Administration, FDA에서 소아를 위해 승인을 받지 않은 약품들이다. 1999년 미국 심장협회는 어린이용 정신약물의 사용에 대한 권장 사항을 발표했고 각성제가 임상적으로 유의미한 심박 수 증가 및 혈압 상승을 초래한다는 결론을 내렸다. 2011년 FDA는 ADHD로 각성제를 복용하는 건강한 환자의 돌연사 위험은 증가하지 않는다는 결론을 발표한 바 있으나 각성제 및 아토목세틴의 사용이 "심각한 심장 문제가 있거나 혈압이 증가하거나 심박 수가 증가하는 어린이에게는 문제가 될 수 있다"라고 경고했다. 최근 Aggarwal 등은 미국 심장협회 및 FDA가 제시한 권장 사항을 재평가했다. 심박 수 및 혈압의 매우 경미한 증가와 관련이 있음에도 불구하고, 각성제의 사용으로 인한 급성 심장사의 발생률은 증가하지 않는다는 기존의 연구결과를 반복하면서 각성제를 처음 복용하기 전에 심전도를 반드시 확인할 필요는 없다고 결론 내렸다. 또한, 저자들은 심전도가 가족들의 불안을 증가시키고 치료 시작을 지연시킬 수 있다고 지적했다. 심장질환이 있는 소아청소년 환자의 정신약물 사용에 대한 다른 권장 사항으로 치료 시작 전 가족력에 대한 철저한 평가, 각성제를 사용하는 동안 심계항진, 가슴통증, 실신 등을 호소하는 환자에 대한 즉각적인 평가, 빈맥, 고혈압, 흉통 또는 심계항진이 있는 모든 환자에 대한 세밀한 모니터링, 심장질환 또는 그 가족력이 있는 소아청소년환자에 대한 소아청소년 심장 전문의의 평가 등등을 들 수 있다.

성인과 마찬가지로, 어린이의 심장질환은corrected QT interval, QTc의 연장 및 염전성 심실빈맥torsade de pointes의 위험을 증가시킨다. 일부 정신약물은 그 자체적으로 QT 간격을 증가시킬 수 있으며 다른 약물은 기타 QTc 연장 약물의 대사를 억제하여 그 간격을 증가시킬 수 있다. 그런데도 연구자들은 소아청소년과에서 처방되는 항정신병 약물 및 항우울제의 이점이 일반적으로 위험보다 크다는 결론을 내렸으며 특히 두 종류의 약물 모두 일반적인 소아청소년 처방 용량으로는 장기간의 QTc 연장과 관련이 없다는 점을 고려하면 더욱 그렇다. 정신약물의 중단으로 인한 QTc에 관한 염려가 제기되는 경우, 정신건강의학과 의사는 methadone 등과 같은 다른 QTc 연장 약제의 사용에 대해 소아청소년과 의사에게 주의를 시켜야 한다.

12) 태아 알코올 스펙트럼 장애

출산 전 알코올에 대한 노출은 선천성 신경장애의 주요 원인 중 하나로 미국과 서유럽 어린이 중 2-5%에게 영향을 미치며 그 영향을 받은 개인의 평생에 걸쳐 심각한 결과를 초래할 수 있다. 출산 전 알코올 노출의 영향은 초기에 인식된 것보다 더욱 광범위하며 가장 치명적인 합병증으로는 뇌 발달 및 신경인지와 행동인지장애를 들 수 있다. 태아 알코올 스펙트럼 장애는 선천적 알코올 노출에 의한 결과의 범위를 식별하는 광범위한 용어로 가장 심각한 형태인 태아 알코올 증후군을 포함하여 태아 알코올 증후군의 일부 기준만 충족하는 경우와 알코올 관련 신경발달 장애를 포함한다. 태아 알코올 증후군 및 태아 알코올 스펙트럼 장애 진단용으로 개발된 진단 도구들은 일부 차이가 있지만, 안면 기형, 성장 지연 및 중추신경 기능장애라는 세 가지 광범위한 증상을 반영한다는 점에서 일치한다.

태아 알코올 증후군에서 가장 흔한 안면 기형은 짧은 안검열과 인중이 얇고 주홍색을 띠는 형태를 포함한 상악부위의 이상 등이 있다.

성장 지연은 백분위 수 중 하위 10번째 미만에 해당하는 신장과 체중으로 특성화되거나 신장에 대한 체중의 불균형으로 나타난다. 중추신경계와 관련된 영향은 작은 머리둘레, 뇌 구조 이상, 신경 기능적 증거 및 인지 장애 등을 포함한 다양한 증상을 반영한다. 지적 능력의 감소는 낮은 언어 IQ, 작업 기억력, 실행 기능, 일반적 능력 및 개념적 능력뿐만 아니라 ADHD의 높은 비율, 행동적 및 적응적인 문제, 학업 성취도 저하, 사회적 기술 부족, 운동 지연 및 언어발달 지연 등으로 나타난다. ADHD와 관련된 일부 연구에 따르면 태아 알코올 증후군 및 동반된 ADHD가 있는 어린이는 순수한 ADHD가 있는 어린이보다 지속적인 주의력 문제는 적지만 시공간 능력, 정보 처리, 문제해결 유연성에는 더 많은 어려움을 나타내는 것으로 보인다. 태아 알코올 증후군 또는 태아 알코올 스펙트럼 장애의 진단 기준을 충족하는 경우, 그 진단을 위해 산모의 알코올 섭취 여부를 확인할 필요는 없다. 마찬가지로 뚜렷한 안면 이상이 없는 경우에도 진단할 수 있다.

5. 결론

소아청소년의 정신의학적 문제는 성인에서 볼 수 있는 것과 유사한 경우도 많지만 둘을 구분 짓는 몇 가지 중요한 차이점이 존재한다. 첫째, 개념화 및 치료 계획에 반드시 아동의 발달 단계를 고려해야 한다. 둘째, 정신의학적 문제의 발생, 유지 및 예후에 있어서 가족 요인의 중요성을 고려할 때 심리사회적 장애를 개념화할 때나 강점과 문제점을 확인할 때, 치료 목표를 정할 때 그리고 환자와 가족 모두와 관련된 스트레스 요인을 해결하려 시도할 때 항상 환자의 가족을 고려해야 한다.

소아청소년의 정신의학적 문제를 치료하기 위해선 다양한 접근 방식이 중요하다는 것이 임상경험이나 증거기반 연구를 통해 확인됐다. 이러한 접근을 위해선 반드시 세심한 평가 및 선별이 있어야 하고, 환자 또는 가족을 위한 심리치료 서비스, 그리고 필요한 경우 약물 요법까지 사용되어야 한다. 숙련된 인지 행동 전략의 효과, 유용성 및 실용성은 과학적 근거를 지니고 있다. 약물 요법의 관점에서 환아를 치료하는 임상의는 신체장애가 있는 청소년에게 부작용을 일으킬 가능성이 가장 적은 약물을 고려한다. 임상의가 소아청소년에서의 정신의학적 문제의 영향을 완화하는 데에는 세심한 평가, 심리치료적 지지 및 향정신성 약물을 조합하는 것이 필요하다.

참고문헌

1. Aggarwal V, Aggarwal A, Khan D. Electrocardiogram before starting stimulant medications: to order or not? Cardiol Young 2016;26:216-9.
2. Broekman BF, Olff M, Tan FM, Schreuder BJ, Fokkens W, Boer F. The psychological impact of an adenoidectomy and adenotonsillectomy on young children. Int J Pediatr Otorhinolaryngol 2010;74:37-42.
3. Cole SZ, Lanham JS. Failure to thrive: an update. Am Fam Physician 2011;83:829-34.
4. Erickson SJ, Steiner H. Trauma spectrum adaptation: somatic symptoms in long-term pediatric cancer survivors. Psychosomatics 2000;41:339-46.
5. Gaudieri PA, Chen R, Greer TF Holmes CS. Cognitive function in children with type 1 diabetes: a meta-analysis. Diabetes Care 2008;31:1892-7.
6. Letitre SL, de Groot EP, Draaisma E, Brand PL. Anxiety, depression and self-esteem in children with well-controlled asthma: case-control study. Arch Dis Child 2014;99:744-8.
7. Levenson, James L. Textbook of Psychosomatic Medicine and Consultation-Liaison Psychiatry. Washington, D.C.:American Psychiatric Pub;2018. p.1011-53.
8. Sahler OJ, Dolgin MJ, Phipps S, Fairclough DL, Askins MA, Katz ER, et al. Specificity of problem-solving skills training in mothers of children newly diagnosed with cancer: results of a multisite randomized clinical trial. J Clin Oncol 2013;31:1329-35.
9. Turkel SB, Hanft A. The pharmacologic management of delirium in children and adolescents. Paediatr Drugs 2014;16:267-74.
10. Wang Y, Cai L, Wu Y, Wilson RF, Weston C, Fawole O, et al. What childhood obesity prevention programmes work? A systematic review and meta-analysis. Obes Rev 2015;16:547-65.

34

CHAPTER

비뇨생식기 질환

이재창, 손인기

성기능 장애는 매우 흔하게 발생한다. 국내에서는 일반 인구의 약 30%, 미국에서는 43%의 여성과 31%의 남성에서 성적 어려움을 보고하고 있고 약 10%에서는 만성적인 경과를 호소한다. 남성보다 여성에서 더 자주 발생하며 고령, 낮은 사회경제적 지위, 비만, 좌식 생활 방식, 공존하는 의학적(예: 심혈관) 및 정신 질환, 성적 외상의 이력에서 더 자주 발생한다. 의료의 발전은 많은 암을 포함하여 다양한 만성 질환에서 생존율을 크게 향상시켰지만 성기능에서는 부정적인 영향이 늘었다. 성적 만족의 부족은 심각한 정서적 고통(예, 우울장애, 부부 갈등) 및 신체적 문제(예, 심혈관 질환, 당뇨병)와 관련이 있다. 말기신장병End-Stage Renal Disease, ESRD과 같은 몇몇 의학 조건에서는 성기능 장애가 거의 불가피한 것처럼 보인다. ESRD에서는 남녀 모두에게서 성욕 장애의 유병률은 거의 100%에 가깝다.

질병의 맥락에서 성기능 장애를 동반하는 고통 또한 다양하다. 척수손상을 입은 환자 중 상당수에서 부상의 수준과 관계없이 성기능 회복을 첫 번째 또는 두 번째 우선순위로 간주한다. 만성적으로 건강이 좋지 않다고 보고하는 성인 526명 중 40%에 가깝게 성적 건강이 여전히 삶의 질의 중요한 측면이라 답했다. 정신건강의학과 의사는 상담 중에 일상적으로 성적 건강을 다루어야 하지만 이 주제를 완전히 피할 수도 있다. 만성 질환은 성적 친밀감에 대한 필요성을 증가시킬 수도 있으나 성적 활동이 특히 만족스럽지 못하다면 참여하지 않는 것도 당연할 수 있다.

만성 질환은 성기능에 직간접적으로 영향을 미칠 수 있다. 질병과 관련된 신경계, 혈관계, 호르몬 환경의 변화가 문제의 주요한 결정 요인이 아닐 수 있다. 예를 들어, ESRD가 있는 남성과 여성 모두의 성 기능은 대부분 우울장애의 유무에 의해 결정된다. 마찬가지로 우울장애는 골수 이식을 받은 남성과 여성, 류마티스 관절염이 있는 여성, 파킨슨병이 있는 남성과 여성, 다발성 경화증이나 당뇨병을 앓고 있는 여성에서 성기능에 영향을 미치는 주요 요인이다. 그 외의 일차적인 정신 질환이 성기능 장애를 동반할 수 있다(표 34-1).

만성 질환은 일반적으로 사람의 자의식sense of self을 변화시킨다. 질적 연구에 따르면 사람들은 만성 질환을 겪으면서 신체의 변화에 적응하고 수용하는 것이 필요하며 추가적으로 성에 대한 문제도 나타난다. 성적 친밀감의 일부가 다른 사람의 필요를 충족시키는 것과 관련이 있다는 인식은 또 다른 요인이며 자신의 바뀐 성적 요구를 전달할 수 있어야 한다.

표 34-1 성적 기능 저하를 동반하는 정신의학적 문제

정신 장애	성적 문제
우울장애	성욕저하, 발기부전
양극성기능 장애(조증삽화)	성욕증가
범불안장애, 공황장애	성욕저하, 발기부전, 윤활문제, 무극치감증
강박장애	성욕저하, 발기부전, 윤활문제, 무극치감증, 파트너의 부정적인 면에 초점
조현병	성욕저하, 기괴한 성적 욕망
변태성욕장애	일탈적인 성적 흥분
성별 불쾌감	자신의 할당된 성별 및 성적 표현형에 대한 불만족으로 인해 괴로움 및/또는 위해를 초래함
성격장애(강박성, 연극성)	성욕저하, 발기부전, 조기사정, 무극치감증
부부관계장애/대인관계문제	다양함
친밀감에 대한 두려움	다양함, 깊은 정신의 문제

성기능장애는 다른 증상이 없는 전신 질환의 전조가 될 수 있다. 1986년 연구에서 발기부전을 보고한 건강한 남성 참가자 32,616명 중 향후 16년 동안 파킨슨병 발병 위험이 4배 높은 것으로 밝혀졌으며 이는 발기부전이 파킨슨증의 고전적 운동 이상의 발병보다 상당한 차이로 먼저 발생할 수 있음을 시사한다. 발기부전은 현재 심근 경색의 중요한 위험 인자로 받아들여지고 있다.

1. 평가

성적 이력은 성적인 문제를 발견할 귀중한 기회를 제공한다. 환자와 의사 모두 성적인 문제에 대해 논의하는 것을 꺼릴 수 있다. 따라서 성적 병력 청취를 일상적으로 수행하는 것이 무엇보다 중요하다. 의사는 면담 기술에서 항상 민감하고 비판단적인 태도를 유지해야 하며 일반적인 주제에서 더욱 구체적인 주제로 이동해야 한다. 성 기능에 대한 질문은 병력의 측면에서 자연스럽게 따를 수 있다(예: 새로운 약물 투약 후 부인과 또는 비뇨기과 문제와 관련한 주요 불편감 조사). 선별 질문에는 다음이 포함된다. 성생활을 하고 있습니까? 남성, 여성 또는 둘 다? 성생활에서 바꾸고 싶은 것이 있습니까? 성생활에 변화가 있었습니까? 현재의 성생활에 만족하십니까? 그 효과를 극대화하기 위해 성적 병력 청취는 환자의 필요와 목표에 맞게 조정될 수 있다. 의사는 부분적으로 법적, 사회적 영향으로 인해 변태성욕장애가 있는 환자가 종종 자신의 활동에 대해 비밀을 유지한다는 점을 인식해야 한다. 환자는 비밀유지에 대해 안심할 수 있어야 한다(예: 아동 학대와 같이 행동에 법적 보고가 필요한 경우 제외).

성기능 장애에서 병력 청취가 종종 가장 중요한 도구인 반면, 신체검사 및 적절한 검사실 검사는 기질적 원인을 배제하는 데 유용하다. 일상적인 검사는 없지만 내분비계, 신경계, 혈관계, 비뇨기과 및 부인과 계통에 특별한 주의

를 기울여야 한다. 전신 질환에 대한 검사에는 전체혈구계산Complete blood Count, CBC, 소변검사, 크레아티닌, 지질성분, 갑상선 기능 및 공복 혈당Fasting Blood Sugar, FBS이 포함된다. 내분비 연구(테스토스테론, 프로락틴, 황체 형성 호르몬Luteinizing Hormone, LH 및 난포 자극 호르몬Follicle-Stimulating Hormone, FSH 포함)를 수행하여 낮은 성욕과 발기부전을 평가할 수 있다. 에스트로겐 수치와 질 도말의 현미경 검사는 질 건조를 평가하는 데 사용할 수 있다. 성교통의 진단을 조사하기 위해 자궁경부 배양과 Papanicolaou(Pap) 도말을 수행할 수 있다. 야간 음경 팽창Nocturnal Penile Tumescence, NPT 검사는 발기부전Erectile Dysfunction, ED을 평가하는 데 유용하다. NPT가 정기적으로 발생하는 경우(Rigi-Scan 모니터로 측정), 발기 문제가 기질적일 가능성은 낮다. 음경 혈량측정법은 시각 및 청각 자극에 대한 개인의 성적 각성을 측정하여 성애 장애를 평가하는 데 사용된다.

성기능장애 평가의 세부 사항은 표 34-2에 나와 있다. 질병 혹은 건강 중의 성기능 장애는 심신의 상호작용을 반영하기 때문에 심인성 접근이 필요하다. 예를 들어, 심리적 스트레스만으로 시상하부 무월경이나 남성의 성선기능저하증을 유발하여 성호르몬 감소로 인한 기능장애를 유발할 수 있다. 대안적으로 다발성 경화증이나 근치적 골반 수술로 인한 신경 손상은 성 극치감 기능 장애 또는 발기부전으로 이어져 성적 자신감과 기분을 약화해 성기능장애를 악화시킬 수 있다. 성적 지향이나 성별에 대한 가정 없이 그러나 성적 표현의 범위를 수용하면서 자세하고 정중한 조사가 필요하다.

평가는 현재 인간의 성적 반응 모델에 따라 진행된다. 단계는 나이와 신체 상태에 따라 다르며 약물, 질병, 부상 및 심리적 상태에 따라 영향을 받는다. 세 가지 주요 모델이 제안되었다. Masters and Johnson은 인간의 성적 반응에 대한 첫 번째 모델을 개발했으며 이는 4가지 뚜렷한 단계를 통한 선형 진행으로 구성된다. 1) 흥분(각성), 2) 정점지속(성극치감 전 최대 각성), 3) 성극치감(율동적인 근육 수축), 4) 해소(기준선으로 복귀). 해소 후 남성에게는 불응기가 존재한다. Kaplan은 욕망 단계(신경심리학적 입력)를 도입하여 Masters and Johnson 모델을 수정했다. Kaplan 모델은 세 단계로 구성된다. 1) 욕망, 2) 흥분/각성, 3) 성극치감(근육 수축). 가장 최근에 Basson은 여성의 성적 반응의 복잡성을 인식하여 다음과 같은 4가지가 겹치는 요소로 구성된 여성의 성 생물학적 심리사회적 모델을 제안했다. 1) 생물학, 2) 심리학, 3) 사회문화적 요인, 4) 대인 관계. 이 모델은 많은 요인이 여성의 성에 대한 수용성을 자극할 수 있음을 인정한다. 실제로 성적 만족은 정서적 친밀감과 같은 요인에 의해 유발될 수 있으며 직접적인 욕망이 없이도 달성될 수 있다. 또한, 여성 각성의 물리적 측정(예: 질 분비물의 증가)은 성적 만족도와 낮은 상관관계가 있는 것으로 알려져 있다. 노화는 정상적인 인간의 성적 반응의 변화와 관련이 있다. 남성은 발기 속도가 느려지고 더 직접적인 생식기 자극이 필요하다. 여성은 에스트로겐 수치가 감소하여 질 윤활이 감소하고 질이 좁아진다. 남녀 모두 테스토스테론 수치가 나이가 들면서 감소하여 성욕 또한 감소할 수 있다.

표 34-2. 만성 질환과 관련된 성 기능 장애 평가

- 의료 및 정신병력을 검토
- 현재 의학적 상태 검토: 성교, 자기 자극 및 오르가즘을 포함한 성행위에 대한 호흡, 심장, 움직임 및 금욕과 관련된 요구 사항을 고려하십시오.
- 현재 약물을 검토
- 성 기능 장애와 기간을 파악
- 관계의 상태와 정도를 명료화
- 성적 활동에 대한 환경을 검토 : 가정 / 기관 / "의료"(예를 들어, 혈액투석기, 호흡보호구, 일상생활의 독립부족).
- 만성 통증을 검토
- 현재 기분을 평가
- 성적 자기 이미지에 질병의 영향을 평가(매력에 관한 우려, 외모).
- 기능장애를 자세히 검토. 성적 어려움이 무엇인지 질문함.
- 각 불만 사항에 대해, 자기 자극의 어려움이 파트너 섹스와 동일한지 확인. 발기부전의 경우 잠에서 깨어날 때 발기 상태를 확인.
- 파트너를 만족하게 하고자 하는 욕망이나 성욕, 충동을 포함한 성행위에 대한 동기를 명확히 함. 성행위를 피하는 이유를 파악.
- 주관적인 각성이나 흥분과 즐거움을 명확히 함.
- 생식기 울혈, 윤활, 발기를 명확히 함.
- 성적 자극과 성적 맥락의 다양성과 유용성을 검토.
- 부부의 성적 의사소통을 평가.
- 성적 활동 중 주의 산만한 생각 또는 부정적인 감정에 대해 질문함.
- 원하는 극치감이 가능한지, 매우 지연되거나, 강렬하지 않거나, 고통스러운지 확인.
- 사정 어려움 확인(지연되거나 너무 이르거나 고통스럽거나 불가하거나)
- 성교가 가능한지 아닌지를 확인.
- 여성 성교통 평가: 삽입 시, 깊이에 따른, 얼마나 지속하는지, 파트너의 사정액으로 인한 악화, 성교 후 작열감, 성교 후 배뇨 곤란.
- 질병 전 성 반응을 명확히 함: 모든 기능장애, 성적 활동이 얼마나 보람 있고 중요했는지, 욕망 불일치 또는 성도착증.
- 약물이 성욕과 반응에 미치는 영향을 검토
- 지금까지의 성기능장애의 치료를 검토.
- 신체검사(생식기를 포함)를 시행: 의학적 상태(신경 질환의 경우 특히 중요)로 인해 필요할 때마다. 예) 전신성 발기부전, 성교통 또는 각성을 동반한 통증이 발생할 때마다
- 필요에 따라 검사실 검사 등을 시행. 빈혈, 높은 프로락틴 수치, 갑상선, 또는 남성 호르몬 수치(남자에서). 에스트로겐 수치는 일반적으로 병력과 생식기 또는 골반 검사로 평가됩니다.

2. 의학적 환자의 성기능 장애에 대한 치료 개요

성기능 장애 치료의 본질은 기존 질병의 치료, 문제가 되는 약물의 중단 또는 대체, 생활 방식 수정(예: 알코올 및 흡연의 감소, 식이 및 운동 개선), 정신 질환에 대한 약물의 추가를 포함한다(예: 우울장애). 일반적으로 환자나 부부에게 공식, 즉 가장 중요한 문제의 근본 원인에 대한 요약을 먼저 설명하는 것이 필요하다. 인간의 성적 반응 모델에 대한 참조가 도움이 될 수 있다. 쇠약, 피로 및 통증은 종종 타고난 또는 자발적인 욕망을 감소시켜 각성 또는 욕망을 감지하기 전에 시작되는 성행위가 될 수 있다. 이 경험은 특히 남성의 경우 질병 전의 경험과 다소 다를 수 있다. 필요한 의학적 보조제(예: 포스포디에스테라아제 5형, Phosphodiesterase-5, PDE-5 억제제 또는 국소 에스트로겐 요법)의 처방, 성적 자극의 유형, 만남의 맥락, 집중할 수 있는 능력 모두를 수정해야 할 수 있다. 또한, 대인 관계에 문제가 있

는 경우 새롭게 바뀐 형태의 성적 행위를 즐길 가능성이 떨어진다. 이에 대해 설명하고 필요한 자원을 찾아야 할 수도 있다. 파트너도 주요 성적 불만을 일으킬 수 있어 두 파트너 모두에 대한 치료 제공을 권장한다.

표준 치료에는 심리 교육, 인지행동치료Cognitive Behavioral Therapy, CBT, 마음챙김 기반 인지치료Mindfullness Based Cognitive Therapy, MBCT 및 성요법이 포함된다. 성요법은 일반적으로 감각 집중 요법을 포함하며 이로써 각 파트너는 교대로 관능적인 접촉, 애무, 키스를 주고받도록 권장된다. 처음에는 생식기 부위와 유방이 금지된다. 과거의 목표와 기대보다는 순간에 머물도록 격려가 필요하다. 부부는 3-4주 동안 주당 2-3회, 15-20분 세션을 계획한다. 임상의는 유방과 생식기 부위가 포함되는 시기와 궁극적으로 성교(여전히 가능한 경우)가 포함되는 시기도 안내한다.

마음챙김은 다른 분야에서는 오래전부터 시행되었지만 성기능 장애 치료에 새롭게 추가되었다. 초기 연구는 건강 및 골반암 이후의 성기능 장애에 대한 이점을 보여준다. 무작위 대기자 명단 통제 연구는 생식기-골반 통증이 있는 여성과 성적 관심/각성 장애가 있는 여성에게 이점이 있음을 보여줬고 남성을 위한 프로그램도 시작되었다. 인지행동치료는 질병으로 인한 변화로 생긴 왜곡된 자기관이나 파국적 사고에 도전하는 데 매우 도움을 줄 수 있다. 만성적으로 몸이 좋지 않은 사람은 자신의 성적 장애 때문에 동반자에게 매력적이지 않고 보살핌과 관심을 받을 가치가 없다고 생각할 수 있다. 어떤 사람들은 감정적, 신체적 또는 성적 학대를 경험하는 관계를 유지할 수도 있다. 치료의 특정 주제는 표 34-3에 나와 있습니다.

표 34-3. 의학적 장애와 관련한 성기능 장애의 관리

- 동반 이환하는 우울장애 치료: 미르타자핀, 부프로피온 또는 보티옥세틴을 포함한 "성적으로 중립적인" 항우울제 사용을 고려.
- 현재의 효과적인 항우울제가 복합적인 성기능 장애를 나타내는 것으로 보이면 남성에게 PDE-5 억제제 사용을 고려함. 다발성 경화증이 있는 여성에서 SSRI에 의해 유도된 극치감 기능 장애 시 실데나필이 도움이 될 수 있음.
- 통증 완화: 통증 조절이 더 잘되는 시기에 성적인 만남을 계획할 것을 제안.
- 인간의 성 반응 모델을 참조하여 환자(및 가능한 경우 파트너)와 성기능 장애 공식을 공유.
- 적절한 지원: 개인 정보 보호, 성병으로부터의 안전, 임신, 특히 거동이 불편한 경우 의료 제공자의 도움이 필요.
- 성적 파트너 간의 개방성을 장려: 신체적으로 매력적이지 않거나, 흉터가 보기 흉하거나, 장루가 "좋은" 동반자를 실망시킬 것 같다는 두려움은 맞지 않을 수 있음.
- 목표 지향적이지 않은 성행위를 장려: 성적 활동이 질병 전과 같지는 않지만 덜 만족스러울 필요는 없다는 것을 받아들이는 것이 현실적인 접근임.

표 34-4. 일반적으로 사용되는 약물의 자주 언급되는 성적 부작용

약물 치료	성적 부작용	부연설명
항우울제	SSRI와 SNRI는 여성과 남성의 30-50% 에서 성욕 감소와 지연된 극치감을 유발할 수 있으며 환자에게 물었을 때 22-41%에서 새로 발병한 발기 부전을 유발할 수 있음. 트라조돈은 지속발기증을 드물게 유발할 수 있음.	PDE-5 억제제는 발기부전을 호전시킬 수 있음. 실데나필은 다발성 경화증 여성의 극치감 지연을 호전시키는 제한된 증거가 있음. 부프로피온이 SSRI 유발 기능 장애를 되돌릴 수 있다는 제한된 증거가 있음. 보티옥세틴은 성적으로 중립적일 수 있음.
항정신병제	환자에게 직접 질문했을 때, 전통적인 항정신병 약물을 복용하는 환자에게서 50-73%에서 성적 욕구, 최대 70%에서 새로 발생한 발기 부전을 보고함. 역행 사정도 보고.	프로락틴 수치를 높이지 않는 2세대 항정신병 약물이 바람직할 수 있지만 다른 기전이 여전히 기능장애를 유발할 수 있음.
항고혈압제	성욕 감소: 안지오텐신전환효소(ACE) 억제제 및 안지오텐신 II 길항제와 비교하여 베타차단제는 남성의 성욕을 감소시킴. 베타차단제는 안지오텐신 II 길항제와 비교하여 여성의 성욕을 감소시킴. 선택적 및 비선택적베타 차단이 있는 약제에 적용됨. 발기부전: 중추 작용 알파 차단제에 의해 증가됨; 베타 차단제(이론이 있음); 35,000명의 환자에 대한 메타 분석의 증거가 거의 없지만 비선택적이고 고용량인 경우에 가능. 지속발기증: 중추에 작용하는 알파 차단제에서 드물게 발생.	안지오텐신 수용체 길항제, 칼슘 채널 차단제 또는 말초 작용 알파 차단제를 사용.
이뇨제	티아지드, 클로르탈리돈, 스피로노락톤에서 발기부전이 발생	비티아지드 약물을 선택.
항안드로겐	고용량의 GnRH 작용제, 플루타미드, 시프로테론 아세테이트 및 스피로노락톤과 같은 제제는 GnRH, LH, 안드로겐 수용체의 길항 작용을 억제하여 성욕 및 반응을 억제함. 피나스테리드는 성욕을 낮추고 사정을 지연시키며 발기부전을 유발할 수 있음.	선택적 안드로겐 수용체 조절제는 현재 사용할 수 없음.
합성대사스테로이드(만성 사용)	성욕 감소, 발기부전, 사정기능상실, 고환 위축.	
마약	GnRH억제를 통한 남성의 성욕 감소; 여성은 근거가 제한.	남성을 위한 테스토스테론 보충한다는 적은 데이터가 존재.
뇌전증약	SHBG를 증가시키고 유리 테스토스테론을 감소시킬 수 있음.	옥스카르바제핀, 라모트리진, 레비티라세탐 같은 효소 중성 뇌전증약에서 적은 성 기능 장애가 있는지를 확인하는 연구가 필요
항파킨슨병 약물	레보도파와 함께 도파민 작용제를 초기 사용하였을 때의 강박적 성행위 도파민 작용제에 레보도파를 추가했을 때 성도착증.	도파민 작용제를 중단하면 부작용은 호전

ACE=안지오텐신 전환 효소; GnRH= 생식샘자극호르몬방출호르몬; LH = 황체호르몬; PDE-5= 포스포디에스테라아제-5; SHBG=성 호르몬 결합 글로불린; SNRI=세로토닌-노르에피네프린 재흡수 억제제; SSRI=선택적세로토닌재흡수억제제

3. 다양한 의학적 상태에서의 성기능

1) 심장 질환

심장 질환이 있는 환자의 성 기능에 강한 영향을 미치는 것으로 알려진 요인에는 연관된 발기부전 치료의 용이성, 수반되는 우울장애, 성행위가 위험하다는 개인 또는 파트너의 두려움이 포함된다. 대부분 환자는 심근경색 후 성행위의 빈도가 감소하고 10-54%는 성행위를 전혀 재개하지 않는다고 보고한다. 환자에게 추가 심장 손상의 위험이 낮고 오래 지속한다는 것을 조언하는 것이 중요하다. 성적 자극, 성교, 극치감을 위한 에너지 요구량은 계단을 오르는 것과 유사한 3-4개의 대사 등가물Metabolic Equivalent of Task, MET로 추정된다. 환자는 3-4 MET에 대한 운동 테스트 중에 심장 증상이 발생하지 않으면 위험이 매우 낮다고 조언할 수 있다. 운동을 처방하면 성적 활동에 대한 내성이 증가한다. 심혈관 위험도에 따른 심장 질환 환자의 성적 활동 재개에 대한 지침이 존재한다(표 34-5). 미국과 유럽 심혈관 학회 지침은 의사가 급성 심근 경색 후 성행위를 재개하는 것에 대해 남성과 여성 환자에게 조언할 것을 권장하지만, 이 조언의 실행은 임상의마다 매우 다양하다.

표 34-5. 심혈관 위험 평가를 기반으로 한 권장사항

위험 등급	심혈관 질환 카테고리	권고사항
저위험	무증상, < 3개의 CAD의 주요 위험 요소, 연령 및 성별 제외	1차 진료 관리 모든 1차 치료제 고려
	조절되는 고혈압	정기적인 재평가(6-12개월)
	경증의 안정협심증	
	성공적인 관상동맥 재건술 후	
	합병증이 없었던 이전 심근경색 (> 6-8 주)	
	경미한 판막 질환	
	LVD/CHF (NYHA 클래스 I)	
중등도	성별을 제외한 CAD의 ≥3가지 주요 위험 요소 중등도의 안정협심증 최근의 심근경색(2-6주)	성적 활동 및 극치감 중 심근 허혈의 위험 때문에 발기 부전 치료를 시작하기 전에 심장 전문의에 의한 평가
	LVD/CHF (NYHA 클래스 II)	전문 심혈관 검사(예: ETT, 심초음파)
	동맥경화성 질환의 비심장성 후유증 (예: CVA, 말초 혈관 질환)	심혈관 평가 결과에 따라 고위험군과 저위험군으로 다시 구분함
고위험	불안정 또는 난치성 협심증	전문 심혈관 관리를 위한 의뢰를 우선
	조절되지 않는 고혈압 LVD/CHF (NYHA 클래스 III/IV) 최근 심근경색 (< 2 주), CVA	성기능 장애 치료는 심장 상태가 안정될 때까지 연기하고 전문가의 권고에 따름
	고위험 부정맥	
	비대성 폐쇄성 및 기타 심근 병증	
	중등도 또는 중증 판막 질환	

CAD=관상 동맥 질환; CHF= 울혈심부전; CVA=뇌혈관사고; ETT=운동 내성 시험; LVD=좌심실 기능 부전; NYHA= 뉴욕 심장 협회

실데나필과 같은 PDE-5 억제제는 질산염 또는 비선택적 알파-아드레날린 차단제의 병용 처방으로 인한 저혈압의 위험이 없다면 심장 질환이 있는 남성에게 사용할 수 있다. 사이토크롬 P450(CYP) 3A4 억제제(예: 시메티딘, 에파비렌즈, 에리트로마이신, 케토코나졸, 이트라코나졸, 리토나비르)는 PDE-5 억제제의 대사를 현저히 감소시켜 원치 않는 축적을 유발할 수 있다. 사용 가능한 3개의 PDE-5 억제제(실데나필, 바데나필, 타다라필)는 내피 기능을 향상한다. 실데나필은 만성 안정 협심증이 있는 남성의 스트레스 테스트 중에 ST 분절 저하가 되는 시간을 변경하지 않지만 협심증까지의 시간을 연장할 수 있다. 대조적으로 바데나필은 그러한 남성에서 ST 저하의 기간을 연장할 수 있다. 이것의 임상적 중요성은 불분명하다. 바데나필은 긴QT증후군을 가진 사람에게 처방해서는 안 되며 QT간격이 더 증가하기 때문에 퀴니딘, 프로카인아미드, 아미오다론 또는 소타롤을 복용하는 환자에게 처방되어서는 안 된다. PDE-5 억제제는 심박출량이 낮은 상태(예, 중증 대동맥 협착증)에서 사용해서는 안 된다. PDE-5 억제제가 금기일 때 자신 또는 파트너에 의한 프로스타글란딘 E1 (PGE1; 알프로스타딜 주사)의 해면체 내 주사를 가르칠 수 있다.

관상동맥질환 환자의 50% 이상이 우울장애를 앓고 있다. 우울장애, 허혈성 심장 질환 및 발기부전의 상호 강화 3요소는 하나가 있는 경우 다른 두 가지 상태에 대한 선별검사를 권장해야 한다. 실데나필은 심부전이 있는 남성의 성기능과 우울장애를 개선할 수 있다. 항우울제 유발 발기부전은 PDE-5 억제제로 개선될 수 있다. 일부에서(예: 티아지드, 스피로노락톤, 디곡신) 발기 기능을 감소시킬 수 있지만, 심장 약물은 우울장애를 거의 변화시키지 않는다. 이전의 믿음과는 달리 35,000명의 환자에 대한 메타 분석은 베타 차단제가 비선택적이고 더 높은 용량을 사용하는 경우에만 최소한의 발기부전을 유발한다고 제안했다.

2) 만성 폐쇄성 폐 질환

만성 폐쇄성 폐질환Chronic Obstructive Pulmonary Disease, COPD 환자의 성기능 장애에 관한 연구는 제한적이다. 대부분의 연구는 남성을 대상으로 하며 COPD가 있는 남성의 70-80%에 존재하는 발기부전에 초점을 맞춘다(반면 COPD가 없는 동년 남성의 발기부전 유병률은 60%에 가깝다). 한 연구에 따르면 비침습적 기계 환기를 사용하는 만성 호흡 부전 환자의 약 1/3이 성적으로 활동적이었다. 일부 환자에서 비침습적인 기계 환기는 몇 년 동안 불가능했던 성행위를 가능하게 했다. 환자가 극치감에 도달하려면 빈도와 일회 호흡량에 대한 인공호흡기 설정을 높여야 했다. 코크란 리뷰는 남성의 성기능 개선에 있어 보충 산소 또는 테스토스테론의 이점을 확인하기 위한 COPD 데이터가 충분하지 않다고 결론지었다.

3) 류마티스 질환

류마티스 질환을 앓고 있는 남성과 여성의 성생활은 일부 장애에서 통증, 쇠약, 움직임 상실, 동반 이환 우울장애 및 생식기 조직 변화로 종종 부정적인 영향을 받는다. 류마티스 질환을 앓고 있는 509명의 환자(남녀를 포함)를 조사한 연구에서 우울장애와 불안이 성 기능 장애의 유일한 예측 인자로 확인되었으며 이러한 연관성은 신체적 요인을 조정한 후에도 유지되었다. 통증과 우울장애는 많은 류마티스 질환의 맥락에서 성 기능 장애의 주요 결정 요인이기 때문에, 이를 조절하는 것이 이 환자의 성기능장애를 해결할 때 우선순위이다.

움직임의 제한은 동반자나 자신의 성적 애무와 특정 성적 자극을 방해할 수 있다. 성행위에 필요한 움직임이 너무 고통스럽거나 불가능할 수 있다. 달라진 가동성은 자기 이미지, 특히 청소년의 자기 이미지에 부정적인 영향을 미칠 수 있으며 관계를 형성하는 데 어려움을 겪을 수 있다. 류마티스 관절염에서 고관절치환술은 이전 수준으로 성 기능을 개선할 가능성이 1/2이다.

관절의 변화 외에도 다른 조직 변화가 성 기능을 방해할 수 있다. 쇼그렌 증후군은 질 건조 및 성교통과 관련이 있으며 환자는 이러한 증상을 건강한 대조군보다 2배 이상 보고한다. 전신 경화증이 있는 여성의 경우 질 건조와 궤양과 마찬가지로 질 탄력의 상실이 일반적이다. 관련 혈관염으로 인한 발기부전은 전신 경화증에서 흔히 발생하며 유병률은 최대 80%이다. PDE-5 억제제는 전신 경화증이 있는 남성에 관한 일부 연구에서 효과적인 것으로 나타났다.

4) 신경계 질환

신경 질환은 성적 동기, 성적 자아상, 성적 욕망, 파트너 간의 성적 욕구를 전달하는 능력을 변화시킬 수 있다. 이는 성적 착취 또는 강압에 대한 취약성을 증가시킬 수 있다. 또한, 신경 질환은 종종 뇌, 척수 및 말초 신경 수준에서 성 반응 시스템의 손상을 유발한다.

대부분은 신경학적 결손은 성적 결핍으로 이어지지만, 파킨슨병 치료를 위해 투여되는 도파민 작용제로 인한 성욕과다나, 클뤼버-부시 증후군에서 전두엽 또는 양측 편도체에 대한 심각한 외상으로 인한 탈억제된 과잉성애와 같은 문제가 발생할 수 있다. 또한, 드물기는 하지만 오른쪽 측두엽에 영향을 미치는 뇌졸중에서도 비슷한 일이 생길 수 있다. 역설적이지만 해부학적 변화와 손실은 때때로 질병 이전에 경험한 것보다 더 보람 있고 친밀한 성생활로 이어질 수 있다.

5) 뇌 손상

외상이든 뇌졸중이든, 뇌 손상은 성과 성기능과 관련된 중요한 측면에 직간접적으로 영향을 미칠 수 있으며 환자가 뇌 이외의 광범위한 신체 손상을 입거나 우울장애나 말초혈관 질환과 같은 동반 질환이 있는 경우 유병률을 추정하기 어려울 수 있다. 환자의 약 50%에서 나타나는 우울장애는 뇌의 기계적 손상 후 성적 결과에 대한 가장 민감한 단일 예측 인자다.

변연계 구조 또는 그 연결의 손상은 뇌졸중 후 기질적 성기능 장애의 주요 원인이다. 중대뇌동맥 뇌졸중은 여러 변연계 및 부변연계 부위에 손상을 준다. 전대뇌동맥 허혈은 변연계 영역에서부터 내측 전두엽 피질과 인접 대상회를 손상한다. 앞쪽 맥락막 동맥 뇌졸중은 내측 측두엽의 변연계 구조에 손상을 준다.

뇌졸중의 부위나 혼수상태의 지속 기간과 성기능 장애의 정도 사이에는 명확한 관계가 발견되지 않았다. 일부 연구에서 뇌졸중 환자의 약 60%가 성기능 장애를 보고한다. 그들의 성 동반자도 평가할 때 뇌졸중 이후 의학적, 심리적 삶의 모든 변화에 이어 성 기능 장애도 비슷한 숫자로 보고된다. 가장 흔한 기능장애는 성욕 감소, 발기부전, 조루 또는 지연된 사정, 윤활 상실에 따른 성교통이다. 항우울제 및 항정신병 약물은 성욕 감소와 지연/불감 극치감의 발병률을 더욱 높일 수 있다.

심한 두부 외상은 뇌하수체 손상으로 이어질 수 있으며 황체형성호르몬 및 난포자극호르몬 생산 손상으로 인한 2차 성선기능저하증이 발생할 수 있다. 이것은 기저 두개골 골절이 뇌하수체를 둘러싸는 접형골을 포함하거나 미만성 뇌부종이 뇌하수체 줄기를 따라 시상하부 및 연결 문맥에 압력을 가하여 제3 뇌실을 압박할 때 의심된다. 임상의는 심각한 뇌 손상 후 3개월과 12개월에 뇌하수체 손상을 선별해야 한다. 환자가 초기 요붕증이 있는 경우 심각한 범뇌하수체기능저하증이 이미 존재할 수 있다.

뇌 외상은 병식과 인지의 손상으로 이어져 사회적 상호작용에 어려움을 일으킬 수 있다. 많은 뇌 외상 생존자들은 젊고 이러한 환자들에게는 성관계를 형성하고 유지하는 것과 관련된 미묘한 부분에 관여하는 것이 특히 어려울 수 있다. 뇌 외상 후 환자의 성 건강에 대한 의료 제공자의 관심 부족에 대한 인식이 높아짐에 따라 재활 센터는 점점 더 성 기능 장애 평가 및 치료를 프로그램에 통합하고 있다.

6) 파킨슨 병

파킨슨병은 자율신경계, 변연계, 체성운동계를 침범하기 때문에 성기능 장애의 비율은 높다. 도파민 대체 요법으로 인한 추가 기능장애가 발생하기도 한다. 전통적으로 도파민은 성적 동기, 성적 각성 및 보상을 촉진하는 데 중요한 역할을 하는 것으로 생각되었다. 도파민은 운동 기능뿐만 아니라 성행위에 대한 파킨슨병의 영향 대부분을 설명하는, 일반적인 각성에도 중요하다. 파킨슨병에서 성기능 장애의 유병률은 남성의 경우 40%에서 68%, 여성의 경우 30%에서 88%로 다양하다. 증상에는 남성의 발기 및 사정 문제(조기 및 지연 모두)가 포함되며 여성의 각성, 윤활 및 극치감의 어려움 그리고 남녀 모두에서 성적 만족과 욕구가 손상되었다. 특히 왼쪽이 우세한 파킨슨병에서 더 흔하다. 고통스러운 자발적 성극치감과 사정도 보고된다. 도파민 회로의 관여에도 불구하고 남성과 여성의 경우 우울장애, 성 및 파킨슨병에 대한 태도가 생의학적 요인보다 성기능에 더 중요할 수 있다는 것이 밝혀졌다. 파킨슨병 남성의 건강한 여성 파트너는 파킨슨병 여성보다 더 많은 성적 불만을 경험할 수 있다.

성기능 장애는 발기부전이 초기 징후일 수 있고 다계통 위축의 파킨슨병 변이체에서 거의 예외 없이 존재한다. 다계통 위축이 있는 여성의 약 50%가 생식기 민감도가 감소했다고 보고했지만 특발성 파킨슨병 여성은 4%만 보고했다. 성기능 장애는 파킨슨병의 모든 단계에서 발생할 수 있거나 그 이전에 발생할 수 있으며 발기부전은 파킨슨병 발병의 위험 요소로 간주될 수 있다.

도파민 작용제 약물은 내측전시각중추영역 도파민2형(D2) 수용체의 직접적인 자극을 통해 성기능과 동기를 증가시킬 수 있으며 또한 요천추 척수의 프로락틴 생성을 억제하고 옥시토신 활성을 증가시켜 발기를 촉진할 수 있다. 이러한 효과는 도파민 요법이 일부 파킨슨병 환자에서 성행위를 재개할 수 있지만 다른 환자에게는 성욕 과잉을 유발할 수 있는 이유를 설명하는 데 도움이 된다. 도파민 작용제 요법은 파킨슨병 환자의 2.0-3.5%에서 강박적인 성행위와 관련이 있으며 13.6%에서 기타 충동 조절 장애와 관련이 있다. 병적인 성욕과다를 보이는 사람은 강박적으로 폰섹스, 매춘을 이용할 수 있으며 가족과 지인에게 부적절한 접근을 할 수 있다. 기분 장애의 병력, 알코올 섭취, 새로움을 추구하는 개인적 특성, 파킨슨병의 조기 발병, 도파민 작용제의 조기 사용은 병적 성욕 과다의 위험 요소다. 특히 L-도파와 함께 도파민 작용제의 투여는 D2 수용체, 특히 D3 서브 클래스의 과도한 자극을 통해 이러한 증상을 유발할 수 있다고 현재 생각된다. 성적 강박은 L-도파 요법을 계속하면서 도파민 작용제 치료를 중단함으로써 해결할 수 있다. 심부 뇌 자극Deep brain stimulation의 사용은 도파민성 약물의 감소를 허용할 수 있지만 또한 성욕 과잉을 유발할 수 있다.

파킨슨병의 이러한 잠재적 과잉 성욕은 신경 퇴행성 과정에 의해 야기되는 성 기능 장애와 정반대이다. 고조된 성욕과 손상된 성 기능의 조합은 요양원 환경에 있는 부부 또는 환자에게 엄청난 문제가 될 수 있다.

7) 다발성 경화증

다발성 경화증이 있는 남성과 여성에서 성기능 장애의 유병률은 높으며, 남성의 75%(주로 발기부전 및 사정 기능장애)와 여성의 최대 85%(성기 감각 상실 및 각성, 욕구, 윤활 및 극치감 장애)에 영향을 미친다. 대부분에서 종종 관계에서 불만족스러운 성적 행동을 하고 있고 파트너들은 더 낮은 성적 및 동반자 관계 만족도를 보인다. 진단 시에도 다발성 경화증 증상의 지속 기간이 평균 2.7년이었을 때 성기능 장애는 건강한 대조군의 21%에 비해 여성의 35%에서 나타났다. 또한, 초기 질병이 있는 여성 63명 중 4명에서 생식기 감각 감소가 나타났다. 피로, 경련, 통증, 자존감 상실, 우울장애, 불안 및 요실금은 모두 남성과 여성 모두의 성기능 장애에 기여한다. 방광 기능장애는 일반적으로 여성의 성기능 장애와 상관관계가 있지만, 절박성 요실금이 있는 여성에서는 극치감은 일반적으로 보존된다. 발기부전이 있는 남성 환자의 야간 발기는 보존될 수 있다. 그러나 이것은 신경계 질환이 없는 남성에서와같이 심인성 병인을 의미하지는 않는다. PDE-5 억제제는 다발성 경화증 남성, 특히 잔여 반사 발기 및 상부 운동 뉴런 병변이 있는 남성의 발기부전에 효과적이다. PDE-5 억제제는 여성의 항우울제로 인한 극치감 기능장애를 개선할 수 있다. 생식기 진동 자극은 남성과 여성의 극치감 지연에 도움이 될 수 있다. 바클로펜, 티자니딘, 보툴린 독소 및 경화제는 성행위를 방해하는 경련을 완화할 수 있다.

8) 근위축측삭경화증

근위축측삭경화증Amyotrophic Lateral Sclerosis, ALS에 대한 발표된 데이터는 거의 없다. ALS 환자는 생식기에 자율 신경 및 감각 신경 공급이 손상되지 않는다. 결과적으로 ALS가 성기능에 미치는 영향은 주로 뇌간과 척수의 원심성 경로의 손상을 통한 운동의 상실에 의한 것이다.

Wasner 등은 ALS가 있는 62명을 대상으로 성생활을 평가하였고 환자의 62%와 파트너의 75%가 성적인 어려움을 보고하였는데 발병 전에는 19%와 20%였다. 그러나 성적인 관심사 및 활동은 남아 있었다. 거부에 대한 두려움과 신체적 제한에 의한 억제가 중요했다. 성에 관한 주제는 의료진과 거의 논의되지 않았다. 제한된 폐 기능으로 인해 삽입 성교가 어렵거나 불가능했다. 그러나 연구에서 인공호흡기를 사용하는 6명의 환자 중 5명은 적어도 한 달에 한 번 성교했다고 보고했으며 이는 진행된 질병에서도 성의 중요성이 예상외로 높은 것과 일치한다.

9) 척수와 말총 손상

데이터에 따르면 척수손상 환자의 약 86%가 성욕을 유지하지만 이 손상은 모든 신경학적 상태에서 가장 높은 비율의 성기능 장애와 관련이 있다. 척수손상의 정도와 완전성에 따라 성기능 장애는 다양하다. 요실금이 있는 신경인성 방광은 척수손상이 있는 여성의 성욕에 큰 영향을 미치는 것으로 보인다. 극치감을 느끼기 전의 감각은 배뇨와 혼동되어 극치감을 피할 수 있다.

S2, S3, S4 척추를 침범하는 매우 낮은 병변은 정신적 흥분으로 인해 어느 정도의 발기 및 질 윤활 및 외음부 부종

을 유발하지만 음경의 반사적 발기 및 외음부 부종은 소실된다. 척수로부터의 T10-L2 교감신경 유출은 정신적 성적 흥분을 동반하는 발기/윤활을 제공하는 것으로 생각된다.

강한 자극(진동기)으로 요천골 수준 이상의 병변이 있는 많은 남성이 사정할 수 있다. 이것은 매우 빠르게 발생할 수 있으며 성적 욕구가 생기면 사정을 지연시키는 기능이 없을 수도 있다. 반사 사정은 오르가즘과 유사하고 자율 과반사와 유사한 심장, 근육 및 자율 감각을 동반한다. 이 과반사증은 교감신경 유출을 억제하는 신호가 차단되기 때문에 일반적으로 T6 이상의 병변이 있는 환자에게 영향을 미친다. 성적이거나 고통스러운 지속적인 생식기 자극은 체성 구심성 및 내장 구심성을 통해 척수의 흉부 분절로 이동하고 반사적으로 갑작스러운 전신 혈관 수축을 유발하여 혈압을 증가시킬 수 있다. 지끈거리는 두통, 목과 얼굴의 홍조, 피부 온도 상승, 시력 흐림이 나타날 수 있다. 혈압을 낮추는 치료가 필요할 수 있다. 니페디핀은 이상적이지는 않지만, 일반적인 선택이다. 여성의 음핵 또는 가까이 배치된 진동기, 수동 자극으로 완전한 병변에도 불구하고 반사 극치감이 발생할 수 있다. 시간이 지남에 따라 신경 가소성은 몸통, 어깨 및 목을 포함한 신체 부위에 대한 자극이 매우 성적으로 자극되도록 할 수 있다. 척수의 모든 수준에서 완전한 병변이 있는 여성은 여전히 경추 진동 자극으로부터 오르가즘을 경험할 수 있으며 이는 아마도 척수 신경축 외부의 미주 신경에서 별도로 이동하는 경부에 온전한 신경 공급을 통해 매개될 수 있다.

척수원추 또는 말총 손상은 자율 신경 및 체세포에서 생식기로의 신경분포를 방해하여 생식기 감각의 다양한 상실과 생식기 울혈뿐만 아니라 방광과 장의 수의적 조절 상실을 일으킨다.

PDE-5 억제제와 해면체 내 PGE1은 반사 및 심인성 발기를 증가시키는 데 효과적이다. 최근 대규모 국제 연구에서 척수손상의 성기능 장애 치료에서 실데나필의 안전성과 효능이 확인되었다. 완전한 병변이 있는 남성에게 이득이 늘어 더 단단한 발기가 회복되면서 사정 능력이 종종 회복되어 원하는 정자 채취를 위한 의료 개입을 피할 수 있었다. 또한, 사정은 음경 진동 자극과 결합한 미도드린에 의해 촉진되며 이는 음경 진동 자극 단독보다 더 효과적이다. 그러나 T10 척추 아래의 부상은 개선이 부족하다.

10) 뇌전증

성욕저하는 일반적으로 뇌전증 발병 이후에 발생하지만 그보다 먼저 발생하지는 않으며 측두엽 간질에서 특히 흔하다. 간질은 또한 발작 중에 비자발적인 성적 제스처를 유발할 수 있다. 이것은 발작이 중변연계 측두 구조 또는 생식기 감각을 담당하는 반구간 두정피질에서 생길 때 발생한다. 또한, 색정 전조가 발작 전에 나타날 수 있다. 자동증은 일반적으로 발작의 기억상실 단계에서 발생하기 때문에 빈도가 과소보고될 수 있다. 비디오-뇌파검사는 의학적으로 굴절성 발작이 있는 200명의 선택된 환자 중 11%에서 성적 자동증을 감지했다. 특징적으로 발작과 함께 반사적 성극치감을 느끼는 여성은 완전히 성욕이 낮다.

페니토인, 바비투르산염 및 카르바마제핀(옥스카르바제핀은 아님)을 포함한 효소 유도 항간질제는 알려지지 않은 기전에 의해 성호르몬 결합 글로불린 수치를 증가시킨다. 테스토스테론의 총(유리 + 결합) 혈청 농도는 일반적으로 이러한 항경련제에 의해 변하지 않지만 성호르몬 결합 글로불린의 증가는 결합 테스토스테론의 비율을 증가시키고 유리 또는 생체이용 가능한 테스토스테론의 수준을 감소시킨다. 이 오래된 항간질제는 남성의 성욕을 손상하지만 여성에 대한 데이터는 결정적이지 않다. CYP 효소 억제 항간질제인 발프로산은 남성과 여성 모두에서 혈청 안드로겐 수치와 에스트라디올 수치를 증가시킬 수 있다. 적어도 이론상으로는 효소 중립적인 항경련제는 성적인 부작용을 일으킬 가능성이 낮다. 후자는 옥스카르바제핀, 가바펜틴, 프레가발린, 레베티라세탐 및 라모트리진을 포함한다. 일부 증거는 라모트리진이 성적 부작용의 가장 낮은 특성이 있음을 나타낸다.

11) 치매

치매 환자의 최대 25%는 성적 행동의 정상적인 억제 통제를 잃을 수 있다. 간병인과의 부적절한 성적 제스처(또는 시설에 수용된 다른 환자와의) 또는 공개적인 자기 자극이 발생할 수 있다. 부적절한 성적 행동은 남성에서 더 흔하다. 불안은 위험 요인일 수 있다. 이러한 어려움은 발기부전으로 인해 자기 자극이 극치감을 생성하는 데 효과적이지 않을 때, 성적 해소를 경험할 수 없다는 좌절감으로 인해 악화할 수 있다. 그러한 행동은 일반적으로 위험하지 않지만 관련된 모든 사람에게 엄청난 고통을 줄 수 있다. 부적절하거나 억제되지 않은 성적 행동으로 보이는 것이 단순히 사생활 보호 부족(예: 혼자 있는 것이 불가능하여 자기 자극을 하거나 친밀한 파트너와 함께 있지 못함)에 대한 좌절감의 결과가 아님을 확인하는 것이 중요하다. 그러나 일부 의료 시설에서는 입원 환자의 성적 요구에 대한 인식과 수용이 없다. 정신건강의학과 협진의는 문제가 있는 성행위를 평가할 뿐만 아니라 환자의 성적인 표현을 위한 적절한 환경과 병원 직원의 허용 의사를 협상해야 한다. 근본적인 건강 상태(예를 들면, 요로 감염)도 이러한 행동의 발병에서 찾아야 한다.

환자나 다른 사람에게 해를 끼치는 것을 방지하기 위해 의학적 치료가 필요한 경우 세로토닌성 항우울제가 항정신병제보다 효과적일 수 있다. 항안드로겐 요법이 때때로 고려된다. 과학적 연구는 매우 제한적이지만 스피로노락톤, 메드록시프로게스테론 아세테이트(MPA) 및 성선자극호르몬 방출 호르몬 작용제가 어느 정도 도움이 된다. 카르바마제핀과 같은 항경련제, 리바스티그민과 같은 콜린에스테라제 억제제, 비선택적 베타 차단제의 이점에 대한 일화적인 증거도 있다. 약리학적 요법의 사용에 관한 결정이 내려질 때, 의료팀 구성원, 가족 및 가능한 경우 법적 조언을 포함하는 것이 좋다.

12) 당뇨병

당뇨병은 남성과 여성 모두에게 성기능 장애의 위험이 있다. 남성의 경우, 당뇨병 조절과 질병 기간이 기능장애(특히 발기부전 및 사정 기능장애)의 발병률과 상관관계가 있다. 여성에서는 성기능 장애는 대다수의 연구에서 동반이환된 우울장애와 강하게 연관되어 있다. 남성의 경우 인슐린 저항성과 비만 증가는 낮은 테스토스테론 수치와 관련이 있다. 여성의 경우 인슐린 저항성은 높은 테스토스테론 수치와 관련이 있다.

일부 연구에서는 발기부전이 당뇨병이 있는 남성의 최대 85%에 영향을 미칠 수 있다고 제안한다. 제1형과 제2형 모두 많은 표본 집단에 존재한다. 관상 동맥 질환에 대한 다른 위험 요소가 없는 합병증이 없는 제2형 당뇨병에서 발기부전은 무증상 심장 허혈을 나타낼 수 있지만, 당뇨병 환자의 약 63%는 성기능 장애에 대해 질문을 받은 적이 없다고 보고한다. 당뇨병 유발 발기부전의 병인은 다양하며 내피 및 평활근 기능장애, 자율 및 체세포 신경 병증, 대인관계 또는 심리적 문제를 포함할 수 있다. 당뇨병과 발기부전이 모두 있는 남성은 대사 조절 불량, 치료되지 않은 고혈압, 말초 신경병증, 미세 및 거대단백뇨, 망막병증, 심혈관 질환, 이뇨제 치료, 비만 관련 테스토스테론 감소 및 심리적 취약성의 병력이 있는 경향이 있다. 혈당 조절 개선과 함께 PDE-5 억제제는 당뇨병의 발기부전에 대한 1차 치료제이다. 그러나 이러한 약물은 당뇨병이 있는 일부 남성에서 다른 남성보다 덜 효과적이다. 진공 장치 또는 PGE1의 해면체 내 주사는 2차 옵션이다. 사정 문제는 일반적이다. 교감신경병증은 정관연동의 결핍으로 인한 사정기능상실, 내부요도괄약근의 기능부전으로 인한 역행성 사정을 일으킨다. 때때로 누정은 발생하지만 방출은 발생하지 않는다. 정액이 남근에서 새어나오고 극치감 강도가 덜할 수 있다.

혈당 조절을 개선하면 사정 기능장애를 되돌릴 수 있다. 교감신경작용제는 제한적인 성공을 거두었지만, 최근에는 이미프라민과 슈도에페드린을 모두 사용하여 남성의 61%가 도움을 받았다. 불임이 문제인 경우, 정자는 자궁 내 수정 전에 성적 자극, 음경 진동기 자극 또는 직장 당 전립선 신경총의 전기 자극 후 방광 세척에 의해 회수될 수 있다.

복부 비만과 고지혈증이 있는 남성의 경우 낮은 테스토스테론이 일반적이다. 낮은 테스토스테론의 병인은 복잡하며 높은 수준의 에스트로겐과 렙틴, 염증 및 직접적인 고환 손상을 포함하다. 테스토스테론 대체 요법은 인슐린 저항성, 지질 성분 및 성 기능을 개선하지만 생식력을 억제하므로 오프라벨 클로미펜을 사용하여 내인성 테스토스테론 생산을 자극할 수 있다.

26개 연구에 대한 메타 분석에서는 건강한 대조군 여성과 비교하면 당뇨병이 있는 여성에서 성기능 장애의 위험이 증가하는 것으로 나타났다[1형 및 2형에 대해 각각 교차비(ORs)=2.27 및 2.49]. 메타 회귀는 성기능 장애가 체중 증가와 관련이 있을 수 있음을 나타낸다. 일부에서 고혈당으로 인한 질 점막 탈수, 성교통, 오르가즘 장애 및 성적 불만으로 인한 윤활 감소는 대조군에 비해 당뇨병 여성에서 약 2배 더 흔했다. 참고로, 제1형 또는 제2형에 국한된 연구와 전향적 연구 모두에서 성기능 장애의 유일한 예측 변수는 우울장애와 결혼이었다. 이 발견은 혈당 조절이 불량하고 당뇨병 합병증이 성기능 장애의 주요 예측 인자인 남성의 발견과 현저한 대조를 이룬다.

심혈관 위험 때문에 전신 에스트로겐은 일반적으로 당뇨병에서 피하게 된다. 국소 에스트로겐은 폐경의 비뇨 생식기 증후군에 대한 질 링, 정제 또는 크림을 통해 처방될 수 있다. 당뇨병과 관련된 여성 성기능 장애에 대한 특별한 치료법은 없지만, 성적 동기를 상실하도록 하는 요로 및 질 감염과 관련 성 통증을 최적으로 치료하는 것이 필요하다. 또한, 치료 가능한 동반이환 우울장애에 대한 선별검사가 강력히 권장된다.

13) 남성 생식샘저하증

2차 생식샘기능저하증에서 1차 병리를 조사하고 치료하는 것이 중요하다. 기저 질환은 혈색소증이나 프로락틴종과 같이 생명을 위협할 수 있으며, 나타나는 증상은 일반적으로 성적 증상이다. 원발성 고환 부전의 경우를 포함하여 이차성 생식샘기능저하증으로 이어지는 기저 장애가 해결되면 테스토스테론 대체 요법은 일반적으로 성욕을 개선하고 사정 지연, 사정 감소, 정자 수 감소 및 가변 발기부전을 완화한다. 비경구와 달리 경피 제제는 적혈구증가증과 기분 변화를 모두 일으키는 경향이 있는 테스토스테론 수치의 최고점과 최저점을 피하려고 권장된다. 노년 남성의 "늦은 발병 생식샘기능저하증"의 개념은 논쟁의 여지가 있으며, 최근 연구에서는 테스토스테론 보충과 심혈관 위험 증가의 이점이 거의 없다고 지적했다.

14) 말기신장병

성기능 장애는 말기신장병End Stage Renal disease, ESRD이 있는 남성과 여성에서 매우 흔하다. 당뇨병, 고혈압, 관상동맥 질환 및 우울장애를 포함한 동반 질환으로 인해 병인이 복잡하다. 성적 활동과 관련된 증상에는 골이영양증, 피로, 식욕 부진, 메스꺼움, 구내염, 가려움증 및 영양실조로 인한 뼈와 관절의 통증이 있다. 보고된 발기부전의 유병률은 85%로 높으며 빈혈, 내피 기능장애, 요독증 및 자율 신경 기능장애가 모두 기여한다. 금기 사항이 없다면 PDE-5 억제제를 사용할 수 있다. 신부전증에서는 약물 용량이 감소하지만, 투석 중에는 감소하지 않는다. 이식은 발기부전을 개선할 수 있으며 실데나필은 이식 후 효과적이고 안전하다. 재조합 인간 에리스로포이에틴 요법은 헤모글로빈 수치에 따라 진행되며 투석을 받는 남성의 발기부전을 개선할 수 있지만, 요독증이 있을 때는 그렇지 않다. ESRD가 있는 남성의 최대 100%에서 성욕 감퇴가 나타난다. 낮은 테스토스테론, 높은 프로락틴, 빈혈, 우울장애, 만성 통증 그리고 가정 혈액 투석에서 자기 이미지의 변화와 침실의 의료화를 포함한 심리 성적인 요인이 모두 기여한다. 테스토스테론 요법은 부분적으로 빈혈과 높은 프로락틴 수치 때문에 제한된 이점을 가지고 있다. 에리트로포이에틴은 낮은 테스토스테론 수치를 부분적으로 교정한다.

낮은 성욕은 ESRD가 있는 여성과 혈액투석을 받는 여성의 최대 100%에 나타나며 이식 후 80%까지 높은 편이다. 빈혈, 빈혈, 성적 상호작용에 대한 부정적인 결과, 높은 프로락틴 수치, 우울장애, 만성 통증, 심리 성적 및 대인 관계 문제를 비롯한 여러 요인이 관련된다. ESRD가 있는 여성의 40%는 완전히 무월경이고 10% 미만이 규칙적인 월경을 하며 조기 폐경이 흔하다. 모두 에스트로겐 결핍으로 인한 성교통에 취약하다.

ESRD를 가진 아동은 성적 관계를 형성할 때 많은 장애물에 직면할 것이다. 그들의 삶에 의료가 많이 관여되어 있어 사회적 상호작용을 제한한다. 사춘기가 지연되어 성적 자신감이 감소했을 수 있다. 그들의 상황은 성적 반응에 대한 의료 개입의 부정적인 영향으로 인해 악화된다.

15) 암

악성 질환 관리의 발전으로 더 많은 생명을 구할 수 있게 되었고 이제는 삶의 질에도 중점을 둔다. 부정적인 성적 후유증은 대부분의 암 환자에게 존재하며 그중 50%는 성기능 장애 치료가 가능하다면 분명히 치료를 받을 것이다. 암에서 성기능 장애의 원인은 표 34-6 및 34-7에 나와 있다.

표 34-6. 악성 질환과 그 치료가 성기능에 미칠 수 있는 직접적인 영향

손상	장애
성기관의 손실: 유방, 외음부, 음경	성욕과 반응 감소, 성교는 거의 불가함.
화학요법 유발 성선 부전	성욕과 반응 감소
골반 자율신경의 수술로 발기부전, 외음부 및 질울혈 실패	성욕 및 각성 감소, 발기부전, 성교통
고환암 또는 림프종에 대한 후복막 림프절 절제술	사정 실패
질을 포함한 조직, 자율 신경 및 음경, 질, 외음부의 혈관 공급에 대한 골반 방사선 손상; 신경성 극치감 장애를 유발하는 고용량	성욕 및 각성 감소, 발기부전, 성교통 또는 음경이나 딜도를 수용할 수 없음, 극치감 장애
안드로겐 박탈 요법에서와 같이 테스토스테론을 고갈시키는 호르몬 조작 및 아로마타제 억제제에서와 같이 에스트로겐, 양측 난소 절제술, 에스트로겐 요법 중단	성욕 및 각성 감소, 발기부전, 극치감 및 사정 장애, 성교통

표 34-7. 성기능에 대한 악성 질환의 간접적인 영향

잠재적인 불치병에 대한 지식
통증과 우울장애
파트너를 만족하게 할 수 없다는 두려움, 특히 방사선으로 인해 질이 협착되거나 근치적 골반 수술 또는 방사선으로 인한 발기부전이 PDE-5 억제제 또는 해면체 내 PGE1로 개선되지 않는 경우
성교를 통해 암을 옮기는 것에 대한 두려움
성교가 암의 원인이 되었다는 두려움(예: 항문암 또는 자궁경부암)
성기 상실로 "중성화"된 느낌
화학 요법 후 생식력 상실로 인한 무성이라는 느낌
조기 폐경을 동반한 조기 노화에 대한 인식
장루, 회장 도관, 외과적 변형으로 인해 매력적이지 않은 느낌

PDE-5=포스포다이에스테라아제-5; PGE1=프로스타글란딘 E1

신경 손상 수술이나 방사선은 하복부 신경총과 해면 신경의 골반 자율 신경을 훼손하고 생식기 울혈을 방해하여 윤활 감소로 인한 발기부전 또는 성교통을 유발하여 모두 간접적으로 극치감을 지연시키거나 예방할 수 있다. 성기 구조로 향하는 교감신경 섬유가 여러 경로를 취하기 때문에 오르가즘을 경험할 수 있다(예: 진동기 사용).

종양학적 치료와 기능 보존을 모두 허용하는 수술이 진화하고 있다. 직장암에 대한 직장간막 절개는 더 나은 성적 및 암 결과로 이어진다. 여기에서는 상복부 신경총, 하복 신경, 골반 신경총 및 신경 혈관 다발이 보존된다. 로봇 보조 해면체 신경 보존 복강경 근치 전립선 절제술은 개방 또는 다른 복강경 접근법보다 더 나은 발기 기능을 허용할 수 있지만, 결과는 대부분 연령과 수술 전 발기 기능에 달려 있다. 근접요법은 외부 빔 방사선보다 기능을 더 잘 보존할 수 있다. 간헐적이거나 바람직하게는 매일 PDE-5 억제제를 사용하는 "음경 재활"도 수술 며칠 전부터 시작하는 것이 좋다. 자궁경부암에 대한 신경 보존 근치 수술에 대한 메타 분석에서는 비신경 보존 수술과 비교하면 예후의 악화가 없었고 성기능이 개선된 것으로 확인되었다. 음경 재활을 통한 신경 보존 방광 절제술은 발기 기능에 이점을 제공하고, 유사하게 신경 혈관 다발과 함께 전방 질벽을 보존하면 여성의 기능을 보존할 수 있다.

(1) 생식샘호르몬의 급격한 손실

화학 요법으로 인한 조기 난소 부전이 성적인 결과에 영향을 미치는 주요 요인이지만 호르몬 변화 자체가 원인인지는 아직 밝혀지지 않았다. 진행 중인 항에스트로겐 요법의 결과로 과거 유방암과 복잡한 내분비 상태를 가진 여성에 대한 파일럿 연구에서는 성적 결과에 영향을 미치는 요인을 결정하기 위해 다중 회귀 분석을 사용했다. 연구에 따르면 관계 요인은 성욕을 예측했지만, 화학 요법의 병력은 문제가 있는 각성, 윤활, 극치감 및 통증을 예측했다. 그러나 성기능과 안드로겐 대사 산물을 포함한 안드로겐 수치 사이에는 아무런 관련이 없었다. 연구자들은 화학 요법과 관련된 성 기능 저하가 안드로겐 비의존적 경로에 의해 매개된다고 결론지었다. 성적 동기를 가장 심하게 감소시키는 것은 수면 부족, 안면 홍조, 기분 변화, 질 건조와 같은 갑작스럽고 종종 심각한 폐경 증상일 수 있다. 건조증과 성교통에 도움이 되는 국소(질) 에스트로겐은 일반적으로 에스트로겐 의존성 암의 병력이 있는 경우에도 안전한 것으로 간주된다.

전립선암에 대한 안드로겐 차단 요법은 지속적이거나 간헐적일 수 있다. 후자 그룹에서는 환자가 치료의 "휴지

기" 단계에 있을 때 욕구가 향상된다. 발기부전은 PDE-5 억제제로 치료할 수 있다. 그러나 체중 증가, 근육량 감소, 여성형 유방, 생식기 수축으로 인한 신체 이미지 손상은 심각할 수 있다. 겉보기에 "선천적인" 리비도가 상실되면서 성 경험을 시작하는 것이 너무 이질적으로 느껴질 수 있으므로 임상의의 조언 없이는 남성이 어떤 종류의 성행위도 시도하지 않을 수 있다.

암 환자의 생식력 보존은 이제 때때로 가능하다. 남성의 정자은행은 비교적 간단하지만 자가 자극을 꺼리거나 진단의 스트레스로 인해 사정할 수 없는 남성의 경우에는 제외될 수 있다. 진동 자극은 선택 사항일 수 있지만 많은 남성은 여전히 미래의 생식 능력이 해결되지 않은 것을 후회한다. 여성의 경우, 한 주기의 호르몬 자극 후 성숙한 난모세포 또는 배아의 동결보존을 허용하기 위해 암 치료를 연기하는 것은 매우 어려운 결정일 수 있다. 또한, 일부 상황(예: 호르몬 수용체 양성 유방암 이후)에서는 임신이 재발 위험을 증가시킬 수 있다. 기증자의 정자를 사용하지 않는 한 배아는 현재 파트너와 공유 재산이 되기 때문에 배아를 사용하는 보다 확립된 옵션은 어려울 수 있다. 이 두 가지 승인된 옵션에 시간이 충분하지 않으면 난소 조직 동결보존을 고려할 수 있다. 정신건강의학과 의사가 최종 암 치료를 준비할 때 환자의 생식 능력을 보존하기 위한 현재 및 새로운 옵션에 대해 어느 정도 이해하는 것이 도움이 된다.

(2) 암 생존자에 긍정적인 성적 후유증

성에 대한 긍정적인 효과도 볼 수 있다. 예를 들어, 골수 이식과 같이 암 치료가 극단적일 때 생존자들은 삶을 소중히 여기고 성적으로 친밀한 순간을 포함하여 매 순간에 집중하는 경험을 설명했다. 더는 성적 "수행"이 목표는 아니다. 실제로 성기능 장애는 골수 이식 후 약 5년 동안, 특히 여성에서 남아있을 수 있다. 그러나 친밀함과 성적인 접촉을 공유하는 것은 암 이전의 성교보다 더 보람있는 것으로 보고된다.

16) 장루 수술

장루와 관련된 성적인 어려움은 관계를 시작하는 걸 주저하는 것에서부터 현재 동반자가 이제 냄새, 누출 또는 위창을 통과하는 소음으로 인해 기분이 상하지 않을까 하는 두려움까지 다양하다. 성적 자기 이미지는 특히 이미 매력적이지 않다고 느끼는 청소년에게 취약하다. 그러나 제한된 연구에 따르면 젊은 성인이 되면 성적 자신감이 나타나도록 현저한 적응이 일어날 수 있다. 나이든 환자의 경우, 한 환자-대조군 연구에 따르면 장루가 있는 남성 퇴역군인은 장루 생성을 포함하지 않는 주요 장 수술을 해야 하는 사람들에 비해 발기부전의 유병률이 더 높았고 성적으로 덜 활동적이었다. 한 클리닉에서 연속적으로 모집된 141명의 환자를 대상으로 한 연구에서는 남성과 여성의 광범위한 성기능 장애를 나타냈다. 장루가 필요하지 않은 환자에 비해 현재 또는 이전에 장루가 있었던 환자에서 더 심각한 기능장애가 있었다. 장루가 있는 남성 중 성 활동을 중단한 남성은 일반적으로 덜 적응했으며 사회적 활동에 더 많은 고립과 간섭이 있다고 보고했다.

17) 남성과 여성의 하부 요로 증상

다양한 비뇨기 증상이 일반적이며 남성과 여성 모두에서 성기능 장애의 유병률 증가와 관련이 있다.

남성의 경우 절박뇨, 빈뇨 및 야간뇨 증상이 포함된 양성 전립선 비대증이 종종 존재한다. 발기부전과 하부 요로 증상은 동시에 발생하며 동일한 병인을 공유할 가능성이 있다. 양성 전립선 비대증에 대한 수술은 경우의 약 10%에서 발기부전을 유발하고 사정 지연의 위험은 약 20%이다.

하부 요로 증상에 대한 약물 요법(전통적으로 알파-아드레날린성 길항제 및 5-알파-환원효소 억제제, 최근에는 항무스카린제 및 PDE-5 억제제)은 성기능에 부정적 또는 긍정적인 영향을 미칠 수 있다. 알파-아드레날린성 수용체 길항제와 5-알파-환원효소 억제제와의 병용 치료는 성적 부작용의 누적 위험을 생기게 한다. 대조적으로, PDE-5 억제제로 성기능 장애를 치료하면 하부 요로 증상을 개선할 수 있다.

여성의 경우 하부 요로 감염의 증상에는 빈뇨, 절박뇨, 야간뇨, 요실금, 배뇨지연, 배뇨 후 지림 등이 있다. 감염이 없을 때, 요실금 유무에 관계없이 절박뇨, 빈뇨, 야간뇨의 조합은 과민성 방광 증후군을 구성한다. 절박뇨, 빈뇨, 야간뇨, 골반통 및 성교통은 통증성 방광 증후군 또는 사이질방광염을 구성한다. 성교통은 이 두 증후군을 모두 동반할 수 있고, 통증은 일반적으로 입구(질 입구)에 위치한다. 잘 설계된 연구가 부족하고 성기능 장애의 병태 생리학이 불분명하다. 하부 요로 증상에 대한 약물(옥시부티닌, 톨테로딘, 솔리페나신)이 여성의 성기능에 미치는 영향에 대한 데이터는 희박하다. 골반저근육 훈련은 하부 요로 증상에 효과적이며 성교통을 포함한 성기능에 도움이 될 수 있다. 하부요로 증상에 대한 요도하 슬링 및 탈출 수술을 포함한 비뇨부인과 외과적 치료가 여성의 성기능에 미치는 영향은 다양하다.

18) 양성 질환에 대한 단순자궁절제

전향적인 연구에 따르면 수술 방법에 관계없이 대부분의 여성이 양성 질환에 대한 자궁절제 후 성기능이 개선되었다고 보고한다. 주인대 및 자궁천골 인대의 외음부로 이동하는 자율신경은 단순자궁절제에서 보존되는데, 그 이유는 이러한 인대의 절개가 정중선 근처에 있는 반면 자율신경은 인대의 외측 부분에 있기 때문이다. 성 기능의 수술 후 개선의 기본은 성교통의 감소와 탈출증 또는 만성 월경과다의 완화를 통해 더 나은 성적 자기상을 갖는 것이다.

19) 양쪽자궁관난소절제

3개의 전향적 연구에 따르면 양성 질환에 대한 단순자궁절제와 함께 양쪽자궁관난소절제를 받은 폐경기 여성은 향후 1-3년 동안 추적 관찰했을 때 부정적인 성적 효과가 나타나지 않았다. 2,207명의 미국 여성을 대상으로 한 대규모 조사에서 비교적 최근에 양쪽자궁관난소절제를 받은 여성에서 성욕감소에 대한 고통의 유병률이 증가했지만 성욕감소 자체의 유병률은 증가하지 않았다는 것을 발견했다. 이 대규모 설문조사에서 양쪽자궁관난소절제 시행에 대한 적응증은 제공되지 않았다. 거의 확실하게, 일부는 악성 질환에 대한 것이었다.

4. 결론

질병이나 의원성으로 인한 쇠약이나 성적 반응의 중단은 대부분의 만성 질환이 있는 사람들의 성적 욕구를 제거하지 못한다. 질병이나 암을 치료하는 의사가 성 건강이라는 주제를 회피할 때 환자는 매우 흔한 상황인 이 논의를 시작하기를 꺼릴 수 있다. 일상적으로 성 건강을 언급하는 것이 정신건강의학과 의사가 동반이환 우울장애나 기타 정신 장애를 치료하는 동안 성 장애를 평가, 진단 및 관리하는 데 적합하다.

참고문헌

1. Abda E, Selim Z, Teleb S, Zaghira M, Fawzy M, Hamed S. Sexual function in females with rheumatoid arthritis: relationship with physical and psychosocial states. Arch Rheumatol 2016;31(3):239-47.
2. Abdelhamed A, Hisasue S, Nada EA, Kassem AM, Abdel-Kareem M, Horie S. Relation between erectile dysfunction and silent myocardial ischemia in diabetic patients: a multidetector computed tomographic coronary angiographic study. Sex Med 2016;4(3):e127-e34.
3. Absher JR, Vogt BA, Clark DG, Flowers DL, Gorman DG, Keyes JW, Wood FB, et al. Hypersexuality and hemiballism due to subthalamic infarction. Neuropsychiatry Neuropsychol Behav Neurol 2000;13(3):220-9.
4. Alder J, Zanetti R, Wight E, Urech C, Fink N, Bitzer J. Sexual dysfunction after premenopausal stage I and II breast cancer: do androgens play a role? J Sex Med 2008;5(8):1898-906.
5. American College of Obstetricians and Gynecologists. ACOG Practice Bulletin No. 141: management of menopausal symptoms. Obstet Gynecol 2014;123(1):202-16.
6. American College of Obstetricians and Gynecologists' Committee on Gynecologic Practice, Farrell R: ACOG Committee Opinion No. 659 Summary: the use of vaginal estrogen in women with a history of estrogen-dependent breast cancer. Obstet Gynecol 2016;127(3):618-9.
7. Anderson KD. Targeting recovery: priorities of the spinal cord-injured population. J Neurotrauma 2004;21(10):1371-83.
8. Anderson KD, Borisoff JF, Johnson RD, Stiens SA, Elliott SL. Long-term effects of spinal cord injury on sexual function in men: implications for neuroplasticity. Spinal Cord 2007;45(5):338-48.
9. Anderson KD, Borisoff JF, Johnson RD, Stiens SA, Elliott SL. Spinal cord injury influences psychogenic as well as physical components of female sexual ability. Spinal Cord 2007;45(5):349-59.
10. Anyfanti P, Pyrpasopoulou A, Triantafyllou A, Triantafyllou G, Gavriilaki E, Chatzimichailidou S, et al. Association between mental health disorders and sexual dysfunction in patients suffering from rheumatic diseases. J Sex Med 2014;11(11):2653-60.
11. Atmaca M, Kuloglu M, Tezcan E. A new atypical antipsychotic: quetiapine-induced sexual dysfunctions. Int J Impot Res 2005;17(2):201-3.
12. Aziz A, Brännström M, Bergquist C, Silfverstolpe G: Perimenopausal androgen decline after oophorectomy does not influence sexuality or psychological well-being. Fertil Steril 2005;83(4):1021-8.
13. Bancroft J. Sexual arousal and response: the psychosomatic circle, in Human Sexuality and Its Problems, 3rd Edition. Edited by Bancroft JHJ. Edinburgh, UK, Churchill, Livingstone, Elsevier;2008. p 96-106
14. Basaria S, Lieb J 2nd, Tang AM, DeWeese T, Carducci M, Eisenberger M, et al. Long-term effects of androgen deprivation therapy in prostate cancer patients. Clin Endocrinol (Oxf) 2002;56(6):779-86.
15. Basson R. Human sex-response cycles. J Sex Marital Ther 2001;27(1):33-43.
16. Basson R, Schultz WW. Sexual sequelae of general medical disorders. Lancet 2007;369(9559):409-24.
17. Basson R, Smith KB. Incorporating mindfulness meditation into the treatment of provoked vestibulodynia. Current Sexual Health Reports 2014;6(1):20-9.
18. Basson R, Rees P, Wang R, Montejo AL, Incrocci L. Sexual function in chronic illness. J Sex Med 2010;7(1):374-88.
19. Bennett N, Incrocci L, Baldwin D, Hackett G, El-Zawahry A, Graziottin A, et al. Cancer, benign gynecology, and sexual function-issues and answers. J Sex Med 2016;13(4):519-37.
20. Bergmark K, Avall-Lundqvist E, Dickman PW, Henningsohn L, Steineck G. Vaginal changes and sexuality in women with a history of cervical cancer. N Engl J Med 1999;340(18):1383-9.
21. Bhadauria S, Moser DK, Clements PJ, Singh RR, Lachenbruch PA, Pitkin RM, et al. Genital tract abnormalities and female

sexual function impairment in systemic sclerosis. Am J Obstet Gynecol 1995;172(2 Pt 1):580-7.

22. Bhasin S, Enzlin P, Coviello A, Basson R. Sexual dysfunction in men and women with endocrine disorders. Lancet 2007;369(9561):597-611.
23. Boller F, Agrawal K, Romano A. Sexual function after strokes. Handb Clin Neurol 2015;130:289-95.
24. Bronner G, Vodu?ek DB. Management of sexual dysfunction in Parkinson's disease. Ther Adv Neurol Disord 2011;4(6):375-83.
25. Brotto LA, Basson R. Group mindfulness-based therapy significantly improves sexual desire in women. Behav Res Ther 2014;57:43-54.
26. Brotto LA, Basson R, Luria M. A mindfulness-based group psychoeducational intervention targeting sexual arousal disorder in women. J Sex Med 2008;5(7):1646-59.
27. Brotto LA, Heiman JR, Goff B, Greer B, Lentz GM, Swisher E, et al. A psychoeducational intervention for sexual dysfunction in women with gynecologic cancer. Arch Sex Behav 2008;37(2):317-29.
28. Brotto LA, Heiman JR, Tolman DL. Narratives of desire in mid-age women with and without arousal difficulties. J Sex Res 2009;46(5):387-98.
29. Brotto LA, Basson R, Smith KB, Driscoll M, Sadownik L. Mindfulness-based group therapy for women with provoked vestibulodynia. Mindfulness 2015;6(3):417-32.
30. Brown RG, Jahanshahi M, Quinn N, Marsden CD. Sexual function in patients with Parkinson's disease and their partners. J Neurol Neurosurg Psychiatry 1990;53(6):480-6.
31. Bruner DW, Lanciano R, Keegan M, Corn B, Martin E, Hanks GE. Vaginal stenosis and sexual function following intracavitary radiation for the treatment of cervical and endometrial carcinoma. Int J Radiat Oncol Biol Phys 1993;27(4):825-30.
32. Budoff MJ, Ellenberg SS, Lewis CE, Mohler ER, Wenger NK, Bhasin S, et al. Testosterone treatment and coronary artery plaque volume in older men with low testosterone. JAMA 2017;317(7):708-16.
33. Busnelli A, Somigliana E, Vercellini P. "Forever Young" -testosterone replacement therapy: a blockbuster drug despite flabby evidence and broken promises. Hum Reprod 2017;32(4):719-24.
34. Canevelli M, Lucchini F, Garofalo C, Talarico G, Trebbastoni A, D'Antonio F, et al. Inappropriate sexual behaviors among community-dwelling patients with dementia. Am J Geriatr Psychiatry 2017;25(4):365-71.
35. Carpenter LM, Nathanson CA, Kim YJ. Physical women, emotional men: gender and sexual satisfaction in midlife. Arch Sex Behav 2009;38(1):87-107.
36. Carr SV: Psychosexual health in gynecological cancer. Int J Gynaecol Obstet 2015;131(suppl 2):S159-S63.
37. Chiles KA, Schlegel PN. Role for male reconstruction in the era of assisted reproductive technology. Fertil Steril 2016;105(4):891-2.
38. Chung E, Gillman M. Prostate cancer survivorship: a review of erectile dysfunction and penile rehabilitation after prostate cancer therapy. Med J Aust 2014;200(10):582-5.
39. Clayton AH, Warnock JK, Kornstein SG, Pinkerton R, Sheldon-Keller A, McGarvey EL. A placebo-controlled trial of bupropion SR as an antidote for selective serotonin reuptake inhibitor-induced sexual dysfunction. J Clin Psychiatry 2004;65(1):62-7.
40. Clayton A, Kornstein S, Prakash A, Mallinckrodt C, Wohlreich M. Changes in sexual functioning associated with duloxetine, escitalopram, and placebo in the treatment of patients with major depressive disorder. J Sex Med 2007;4(4):917-29.
41. Cordeau D, Courtois F. Sexual disorders in women with MS: assessment and management. Ann Phys Rehabil Med 2014;57(5):337-47.
42. Corney RH, Crowther ME, Everett H, Howells A, Shepherd JH. Psychosexual dysfunction in women with gynaecological cancer following radical pelvic surgery. Br J Obstet Gynaecol 1993;100(1):73-8.
43. Courtois F, Charvier K. Sexual dysfunction in patients with spinal cord lesions. Handb Clin Neurol 2015;130:225-45.
44. Courtois F, Rodrigue X, Côté I, Boulet M, Vézina JG, Charvier K, et al. Sexual function and autonomic dysreflexia in men with spinal cord injuries: how should we treat? Spinal Cord 2012;50(12):869-77.
45. Cramp JD, Courtois FJ, Ditor DS. Sexuality for women with spinal cord injury. J Sex Marital Ther 2015;41(3):238-53.
46. DeBusk R, Drory Y, Goldstein I, Jackson G, Kaul S, Kimmel SE, et al. Management of sexual dysfunction in patients with cardiovascular disease: recommendations of The Princeton Consensus Panel. Am J Cardiol 2000;86(2):175-81.

47. DeLamater JD, Sill M. Sexual desire in later life. J Sex Res 2005;42(2):138-49.
48. Devinsky O. Neurologist-induced sexual dysfunction: enzyme-inducing antiepileptic drugs. Neurology 2005;65(7):980-1.
49. De Giorgi R, Series H. Treatment of inappropriate sexual behavior in dementia. Curr Treat Options Neurol 2016;18(9):41.
50. Dobesberger J, Walser G, Unterberger I, Embacher N, Luef G, Bauer G, et al. Genital automatisms: a video-EEG study in patients with medically refractory seizures. Epilepsia 2004;45(7):777-80.
51. Dossenbach M, Hodge A, Anders M, Molnar B, Peciukaitiene D, Krupka-Matuszczyk I, et al. Prevalence of sexual dysfunction in patients with schizophrenia: international variation and underestimation. Int J Neuropsychopharmacol 2005;8(2):195-201.
52. Doumas M, Douma S. Sexual dysfunction in essential hypertension: myth or reality? J Clin Hypertens (Greenwich) 2006;8(4):269-74.
53. Drory Y, Kravetz S, Weingarten M. Comparison of sexual activity of women and men after a first acute myocardial infarction. Am J Cardiol 2000;85(11):1283-7.
54. Duggal N, Rabin D, Bartha R, Barry RL, Gati JS, Kowalczyk I, et al. Brain reorganization in patients with spinal cord compression evaluated using fMRI. Neurology 2010;74(13):1048-54.
55. D ü sing, R. Sexual dysfunction in male patients with hypertension: influence of antihypertensive drugs. Drugs 2005;65(6):773-86.
56. Enzlin P, Rosen R, Wiegel M, Brown J, Wessells H, Gatcomb P, et al. DCCT/EDIC Research Group: Sexual dysfunction in women with type 1 diabetes: long-term findings from the DCCT/EDIC study cohort. Diabetes Care 2009;32(5):780-5.
57. Erwin-Toth P. The effect of ostomy surgery between the ages of 6 and 12 years on psychosocial development during childhood, adolescence, and young adulthood. J Wound Ostomy Continence Nurs 1999;26(2):77-85.
58. Evans AH, Lawrence AD, Potts J, Appel S, Lees AJ. Factors influencing susceptibility to compulsive dopaminergic drug use in Parkinson disease. Neurology 2005;65(10):1570-4.
59. Fallowfield L, Cella D, Cuzick J, Francis S, Locker G, Howell A. Quality of life of postmenopausal women in the Arimidex, Tamoxifen, Alone or in Combination (ATAC) Adjuvant Breast Cancer Trial. J Clin Oncol 2004;22(21):4261-71.
60. Farquhar CM, Harvey SA, Yu Y, Sadler L, Stewart AW. A prospective study of 3 years of outcomes after hysterectomy with and without oophorectomy. Am J Obstet Gynecol 2006;194(3):711-7.
61. Finkelstein FO, Shirani S, Wuerth D, Finkelstein SH. Therapy Insight: sexual dysfunction in patients with chronic kidney disease. Nat Clin Pract Nephrol 2007;3(4):200-7.
62. Flyckt R, Falcone T. Fertility preservation in the female cancer patient, in Cancer and Fertility (Current Clinical Urology). Edited by Sabanegh ES. Basel, Switzerland, Springer International Publishing;2016. p143-54.
63. Flynn KE, Lin L, Bruner DW, Cyranowski JM, Hahn EA, Jeffery DD, et al: Sexual satisfaction and the importance of sexual health to quality of life throughout the life course of U.S. adults. J Sex Med 2016;13(11):1642-50.
64. Fogari R, Zoppi A, Corradi L, Mugellini A, Poletti L, Lusardi P. Sexual function in hypertensive males treated with lisinopril or atenolol: a cross-over study. Am J Hypertens 1998;11(10):1244-7.
65. Fogari R, Preti P, Derosa G, Marasi G, Zoppi A, Rinaldi A, et al. Effect of antihypertensive treatment with valsartan or atenolol on sexual activity and plasma testosterone in hypertensive men. Eur J Clin Pharmacol 2002;58(3):177-80.
66. Fogari R, Preti P, Zoppi A, Corradi L, Pasotti C, Rinaldi A, et al. Effect of valsartan and atenolol on sexual behavior in hypertensive postmenopausal women. Am J Hypertens 2004;17(1):77-81.
67. Franzen D, Metha A, Seifert N, Braun M, Höpp HW. Effects of beta-blockers on sexual performance in men with coronary heart disease. A prospective, randomized and double blinded study. Int J Impot Res 2001;13(6):348-51.
68. Freitas D, Athanazio R, Almeida D, Dantas N, Reis F. Sildenafil improves quality of life in men with heart failure and erectile dysfunction. Int J Impot Res 2006;18(2):210-2.
69. Gao X, Chen H, Schwarzschild MA, Glasser DB, Logroscino G, Rimm EB, et al. Erectile function and risk of Parkinson's disease. Am J Epidemiol 2007;166(12):1446-50.
70. Gazzaruso C, Giordanetti S, De Amici E, Bertone G, Falcone C, Geroldi D, et al. Relationship between erectile dysfunction and silent myocardial ischemia in apparently uncomplicated type 2 diabetic patients. Circulation 2004;110(1):22-6.
71. Ghigo E, Masel B, Aimaretti G, Leon-Carrion J, Casanueva FF, Dominguez-Morales MR, et al. Consensus guidelines on

screening for hypopituitarism following traumatic brain injury. Brain Inj 2005;19(9):711-24.
72. Giuseppe PG, Pace G, Vicentini C. Sexual function in women with urinary incontinence treated by pelvic floor transvaginal electrical stimulation. J Sex Med 2007;4(3):702-7.
73. Goldstein I. The mutually reinforcing triad of depressive symptoms, cardiovascular disease, and erectile dysfunction. Am J Cardiol 2000;86(2A)(suppl):41F-5F.
74. Goldstein I, Lue TF, Padma-Nathan H, Rosen RC, Steers WD, Wicker PA. Oral sildenafil in the treatment of sexual dysfunction. N Engl J Med 1998;338(20):1397–1404.
75. Guo M, Bosnyak S, Bontempo T, Enns A, Fourie C, Ismail F, et al. Let's talk about sex!-improving sexual health for patients in stroke rehabilitation. BMJ Qual Improv Rep 2015;4(1):ii.
76. Hallinan R, Byrne A, Agho K, McMahon C, Tynan P, Attia J. Erectile dysfunction in men receiving methadone and buprenorphine maintenance treatment. J Sex Med 2008;5(3):684-692.
77. Hand A, Gray WK, Chandler BJ, Walker RW. Sexual and relationship dysfunction in people with Parkinson's disease. Parkinsonism Relat Disord 2010;16(3):172-6.
78. Healey EL, Haywood KL, Jordan KP, Garratt AM, Ryan S, Packham JC. Ankylosing spondylitis and its impact on sexual relationships. Rheumatology (Oxford) 2009;48(11):1378-81.
79. Huffman LB, Hartenbach EM, Carter J, Rash JK, Kushner DM. Maintaining sexual health throughout gynecologic cancer survivorship: a comprehensive review and clinical guide. Gynecol Oncol 2016;140(2):359-68.
80. Humphreys CT, Tallman B, Altmaier EM, Barnette V. Sexual functioning in patients undergoing bone marrow transplantation: a longitudinal study. Bone Marrow Transplant 2007;39(8):491-6.
81. Huyghe E, Sui D, Odensky E, Schover LR. Needs assessment survey to justify establishing a reproductive health clinic at a comprehensive cancer center. J Sex Med 2009;6(1):149-63.
82. Incrocci L. Sexual function after external-beam radiotherapy for prostate cancer: what do we know? Crit Rev Oncol Hematol 2006;57(2):165-73.
83. Jackson G. Phosphodiesterase type-5 inhibitors in cardiovascular disease: experimental models and potential clinical applications. Eur Heart J 2002;Suppl 4(suppl H):H19-H23.
84. Janssen E, Everaerd W, Spiering M, Janssen J. Automatic processes and the appraisal of sexual stimuli: toward an information processing model of sexual arousal. J Sex Res 2000;37(1):8-23.
85. Janssen E, McBride KR, Yarber W, Hill BJ, Butler SM. Factors that influence sexual arousal in men: a focus group study. Arch Sex Behav 2008;37(2):252-65.
86. Kadıoğlu A, Ortaç M, Brock G: Pharmacologic and surgical therapies for sexual dysfunction in male cancer survivors. Transl Androl Urol 2015;4(2):148-59.
87. Katz A, Dizon DS. Sexuality after cancer: a model for male survivors. J Sex Med 2016;13(1):70-8.
88. Kaut O, Asmus F, Paus S. Spontaneous unwelcome orgasms due to pramipexole and ropinirole. Mov Disord 2012;27(10):1327-8.
89. Kelly DF, McArthur DL, Levin H, Swimmer S, Dusick JR, Cohan P, et al. Neurobehavioral and quality of life changes associated with growth hormone insufficiency after complicated mild, moderate, or severe traumatic brain injury. J Neurotrauma 2006;23(6):928-42.
90. Kennedy SH, Dickens SE, Eisfeld BS, Bagby RM. Sexual dysfunction before antidepressant therapy in major depression. J Affect Disord 1999;56(2-3):201-8.
91. Kim SY, Kim SK, Lee JR, Woodruff TK. Toward precision medicine for preserving fertility in cancer patients: existing and emerging fertility preservation options for women. J Gynecol Oncol 2016;27(2):e22.
92. Klos KJ, Bower JH, Josephs KA, Matsumoto JY, Ahlskog JE. Pathological hypersexuality predominantly linked to adjuvant dopamine agonist therapy in Parkinson's disease and multiple system atrophy. Parkinsonism Relat Disord 2005;11(6):381-6.
93. Knegtering H, Boks M, Blijd C, Castelein S, Van den Bosch RJ, Wiersma D. A randomized open-label comparison of the impact of olanzapine versus risperidone on sexual functioning. J Sex Marital Ther 2006;32(4):315-26.
94. Ko DT, Hebert PR, Coffey CS, Sedrakyan A, Curtis JP, Krumholz HM. Beta-blocker therapy and symptoms of depression, fatigue, and sexual dysfunction. JAMA 2002;288(3):351-7.

95. Kocsis A, Newbury-Helps J. Mindfulness in sex therapy and intimate relationships (MSIR): clinical protocol and theory development. Mindfulness 2016;7(3):690-9.

96. Komisaruk BR, Whipple B, Crawford A, Grimes S, Liu WC, Kalnin A, et al. Brain activation during vaginocervical self-stimulation and orgasm in women with complete spinal cord injury: fMRI evidence of mediation by the vagus nerves. Brain Res 2004;1024(1-2):77-88.

97. Korfage IJ, Pluijm S, Roobol M, Dohle GR, Schröder FH, Essink-Bot ML. Erectile dysfunction and mental health in a general population of older men. J Sex Med 2009;6(2):505-12.

98. Kornblith AB, Ligibel J. Psychosocial and sexual functioning of survivors of breast cancer. Semin Oncol 2003;30(6):799-813.

99. Kralik D, Koch T, Telford K. Constructions of sexuality for midlife women living with chronic illness. J Adv Nurs 2001;35(2):180-7.

100. Kummer A, Cardoso F, Teixeira AL. Loss of libido in Parkinson's disease. J Sex Med 2009;6(4):1024-31.

101. Lauretti S, Cardaci V, Barrese F, Calzetta L. Chronic obstructive pulmonary disease (COPD) and erectile dysfunction (ED): results of the BRED observational study. Arch Ital Urol Androl 2016;88(3):165-70.

102. Levack WM, Weatherall M, Hay-Smith EJ, Dean SG, McPherson K, Siegert RJ. Goal setting and strategies to enhance goal pursuit for adults with acquired disability participating in rehabilitation. Cochrane Database Syst Rev 2015;(7):CD009727.

103. Likes WM, Stegbauer C, Tillmanns T, Pruett J. Pilot study of sexual function and quality of life after excision for vulvar intraepithelial neoplasia. J Reprod Med 2007;52(1):23-7.

104. Lindau ST, Abramsohn EM, Bueno H, D'Onofrio G, Lichtman JH, Lorenze NP, et al. Sexual activity and counseling in the first month after acute myocardial infarction among younger adults in the United States and Spain: a prospective, observational study. Circulation 2014;130(25):2302-9.

105. Macdonald S, Halliday J, MacEwan T, Sharkey V, Farrington S, Wall S, et al. Nithsdale Schizophrenia Surveys 24: sexual dysfunction. Case-control study. Br J Psychiatry 2003;182:50-6.

106. Meston CM, Buss DM. Why humans have sex. Arch Sex Behav 2007;36(4):477-507.

107. Meuleman EJ, van Lankveld JJ. Hypoactive sexual desire disorder: an underestimated condition in men. BJU Int 2005;95(3):291-6.

108. Miner M, Rosenberg MT, Perelman MA. Treatment of lower urinary tract symptoms in benign prostatic hyperplasia and its impact on sexual function. Clin Ther 2006;28(1):13-25.

109. Mize SJS. A review of mindfulness-based sex therapy interventions for sexual desire and arousal difficulties: from research to practice. Current Sexual Health Reports 2015;7(2):89-97.

110. Montorsi F, Briganti A, Salonia A, Rigatti P, Margonato A, Macchi A, et al. Erectile dysfunction prevalence, time of onset and association with risk factors in 300 consecutive patients with acute chest pain and angiographically documented coronary artery disease. Eur Urol 2003;44(3):360-364, discussion 364-5.

111. Moreira ED, Kim SC, Glasser D, Gingell C. EPIDEMIOLOGY: Sexual Activity, Prevalence of Sexual Problems, and Associated Help-Seeking Patterns in Men and Women Aged 40-80 Years in Korea: Data from the Global Study of Sexual Attitudes and Behaviors (GSSAB). JSM 2006;3(2):201-211.

112. Moreno A, Gan C, Zasler N, McKerral M. Experiences, attitudes, and needs related to sexuality and service delivery in individuals with traumatic brain injury. NeuroRehabilitation 2015;37(1):99-116.

113. Moreno JA, Lasprilla A, Gan C, McKerral M. Sexuality after traumatic brain injury: a critical review. NeuroRehabilitation 2013;32(1):69-85.

114. Schmidt EZ, Hofmann P, Niederwieser G, Kapfhammer HP, Bonelli RM. Sexuality in multiple sclerosis. J Neural Transm 2005;112(9):1201-11.

115. Moskovic DJ, Mohamed O, Sathyamoorthy K, Miles BJ, Link RE, Lipshultz LI, et al. The female factor: predicting compliance with a post-prostatectomy erectile preservation program. J Sex Med 2010;7(11):3659-65.

116. Muller JE, Mittleman MA, Maclure M, Sherwood JB, Tofler GH. Determinants of Myocardial Infarction Onset Study Investigators: Triggering myocardial infarction by sexual activity. Low absolute risk and prevention by regular physical exertion. JAMA 1996;275(18):1405-09.

117. Nurnberg HG, Fava M, Gelenberg AJ, Hensley PL, Paine S. Open-label sildenafil treatment of partial and non-responders to double-blind treatment in men with antidepressant-associated sexual dysfunction. Int J Impot Res 2007;19(2):167-75.

118. Oertel WH, Wächter T, Quinn NP, Ulm G, Brandstädter D. Reduced genital sensitivity in female patients with multiple system atrophy of parkinsonian type. Mov Disord 2003;18(4):430-2.

119. Ohl DA, Carlsson M, Stecher VJ, Rippon GA. Efficacy and safety of sildenafil in men with sexual dysfunction and spinal cord injury. Sex Med Rev 2017;5(4):521-8.

120. Owens AF, Tepper MS. Chronic illnesses and disabilities affecting women's sexuality. Female Patient (Parsippany) 2003;28(1):45-50.

121. Paredes RG, Agmo A. Has dopamine a physiological role in the control of sexual behavior? A critical review of the evidence. Prog Neurobiol 2004;73(3):179-226.

122. Peak TC, Gur S, Hellstrom WJG. Diabetes and sexual function. Current Sexual Health Reports 2016;8(1):9-18.

123. Peng YS, Chiang CK, Kao TW, Hung KY, Lu CS, Chiang SS, et al. Sexual dysfunction in female hemodialysis patients: a multicenter study. Kidney Int 2005;68(2):760-5.

124. Peng YS, Chiang CK, Hung KY, Chiang SS, Lu CS, Yang CS, et al. The association of higher depressive symptoms and sexual dysfunction in male haemodialysis patients. Nephrol Dial Transplant 2007;22(3):857-61.

125. Penson DF, McLerran D, Feng Z, Li L, Albertsen PC, Gilliland FD, et al. 5-year urinary and sexual outcomes after radical prostatectomy: results from the prostate cancer outcomes study. J Urol 2005;173(5):1701-5.

126. Pezzella FR, Colosimo C, Vanacore N, Di Rezze S, Chianese M, Fabbrini G, et al. Prevalence and clinical features of hedonistic homeostatic dysregulation in Parkinson's disease. Mov Disord 2005;20(1):77-81.

127. Pontiroli AE, Cortelazzi D, Morabito A. Female sexual dysfunction and diabetes: a systematic review and meta-analysis. J Sex Med 2013;10(4):1044-51.

128. Previnaire JG, Lecourt G, Soler JM, Denys P. Sexual disorders in men with multiple sclerosis: evaluation and management. Ann Phys Rehabil Med 2014;57(5):329-36.

129. Priori R, Minniti A, Derme M, Antonazzo B, Brancatisano F, Ghirini S, et al. Quality of sexual life in women with primary Sjögren syndrome. J Rheumatol 2015;42(8):1427-31.

130. Rees PM, Fowler CJ, Maas CP. Sexual function in men and women with neurological disorders. Lancet 2007;369(9560):512-25.

131. Reese JB, Finan PH, Haythornthwaite JA, Kadan M, Regan KR, Herman JM, et al. Gastrointestinal ostomies and sexual outcomes: a comparison of colorectal cancer patients by ostomy status. Support Care Cancer 2014;22(2):461-8.

132. Roehrborn CG, Siami P, Barkin J, Damião R, Major-Walker K, Morrill B, et al, CombAT Study Group. The effects of dutasteride, tamsulosin and combination therapy on lower urinary tract symptoms in men with benign prostatic hyperplasia and prostatic enlargement: 2-year results from the CombAT study. J Urol 2008;179(2):616-21, discussion 621.

133. Sanchez C, Asin KE, Artigas F. Vortioxetine, a novel antidepressant with multimodal activity: review of preclinical and clinical data. Pharmacol Ther 2015;145:43-57.

134. Sarkar M, Wellons M, Cedars MI, VanWagner L, Gunderson EP, Ajmera V, et al. Testosterone levels in pre-menopausal women are associated with nonalcoholic fatty liver disease in midlife. Am J Gastroenterol 2017;112(5):755-62.

135. Schonhofer B, Von Sydow K, Bucher T, Nietsch M, Suchi S, Kohler D, et al. Sexuality in patients with noninvasive mechanical ventilation due to chronic respiratory failure. Am J Respir Crit Care Med 2001;164(9):1612-7.

136. Segraves RT, Lee J, Stevenson R, Walker DJ, Wang WC, Dickson RA. Tadalafil for treatment of erectile dysfunction in men on antidepressants. J Clin Psychopharmacol 2007;27(1):62-66.

137. Soler JM, Previnaire JG, Plante P, Denys P, Chartier-Kastler E. Midodrine improves ejaculation in spinal cord injured men. J Urol 2007;178(5):2082-6.

138. Stevenson RW. Sexual medicine: why psychiatrists must talk to their patients about sex. Can J Psychiatry 2004;49(10):673-7.

139. Symms MR, Rawl SM, Grant M, Wendel CS, Coons SJ, Hickey S, et al. Sexual health and quality of life among male veterans with intestinal ostomies. Clin Nurse Spec 2008;22(1):30-40.

140. Syrjala KL, Kurland BF, Abrams JR, Sanders JE, Heiman JR. Sexual function changes during the 5 years after high-dose treat-

ment and hematopoietic cell transplantation for malignancy, with case-matched controls at 5 years. Blood 2008;111(3):989-96.

141. Teplin V, Vittinghoff E, Lin F, Learman LA, Richter HE, Kuppermann M. Oophorectomy in premenopausal women: health-related quality of life and sexual functioning. Obstet Gynecol 2007;109(2 Pt 1):347-54.

142. Thakar R. Is the uterus a sexual organ? Sexual function following hysterectomy. Sex Med Rev 2015;3(4):264-78.

143. Tristano AG. The impact of rheumatic diseases on sexual function. Rheumatol Int 2009;29(8):853-60.

144. Tunn U. The current status of intermittent androgen deprivation (IAD) therapy for prostate cancer: putting IAD under the spotlight. BJU Int 2007;99(suppl 1):19-22, discussion 23-24.

145. Turan O, Ure I, Turan PA. Erectile dysfunction in COPD patients. Chron Respir Dis 2016;13(1):5-12.

146. Tzortzis V, Skriapas K, Hadjigeorgiou G, Mitsogiannis I, Aggelakis K, Gravas S, et al. Sexual dysfunction in newly diagnosed multiple sclerosis women. Mult Scler 2008;14(4):561-3.

147. van Nimwegen JF, Arends S, van Zuiden GS, Vissink A, Kroese FG, Bootsma H. The impact of primary Sjögren's syndrome on female sexual function. Rheumatology (Oxford) 2015;54(7):1286-93.

148. Verdelho A, Gon?alves-Pereira M. Inappropriate sexual behaviors in dementia, in Neuropsychiatric Symptoms of Cognitive Impairment and Dementia. Cham, Switzerland, Springer International Publishing;2017. p.251-62.

149. Wasner M, Bold U, Vollmer TC, Borasio GD. Sexuality in patients with amyotrophic lateral sclerosis and their partners. J Neurol 2004;251(4):445-8.

150. Weintraub D, Koester J, Potenza MN, Siderowf AD, Stacy M, Voon V, et al. Impulse control disorders in Parkinson disease: a cross-sectional study of 3090 patients. Arch Neurol 2010;67(5):589-95.

151. West SL, D'Aloisio AA, Agans RP, Kalsbeek WD, Borisov NN, Thorp JM. Prevalence of low sexual desire and hypoactive sexual desire disorder in a nationally representative sample of US women. Arch Intern Med 2008;168(13):1441-9.

152. Yilmaz H, Yilmaz SD, Polat HA, Salli A, Erkin G, Ugurlu H. The effects of fibromyalgia syndrome on female sexuality: a controlled study. J Sex Med 2012;9(3):779-85.

153. Yoshino S, Fujimori J, Morishige T, Uchida S. Bilateral joint replacement of hip and knee joints in patients with rheumatoid arthritis. Arch Orthop Trauma Surg 1984;103(1):1-4.

154. Zivadinov R, Zorzon M, Bosco A, Bragadin LM, Moretti R, Bonfigli L, et al: Sexual dysfunction in multiple sclerosis, II: correlation analysis. Mult Scler 1999;5(6):428-31.

35

CHAPTER

노인성질환

박종일

현대사회의 가장 특징적인 변화 중 하나는 인간이 그 어느 때보다 오래 삶을 살아가는 시대라는 점이다. 지난 수십 년 동안 인간의 기대여명은 매 10년마다 약 2년 또는 하루에 4-5시간씩 지속적으로 증가하고 있다. 1950년대 이전에는 기대여명의 증가의 대부분이 젊은 연령대의 사망률 감소 때문이었으며 20세기 후반에는 의학의 발전과 함께 노인들의 생존의 개선으로 수명이 증가하고 있다. 이러한 기대여명의 증가는 자연스럽게 인간사회의 고령화를 가져왔다. 고령화사회는 65세 이상의 인구가 총 인구에서 차지하는 비율이 7% 이상인 사회를 말한다. 다른 선진국들에 비해 우리나라의 고령화 정도는 더욱 빠르다. 프랑스의 경우 노인인구가 7%(고령화사회)에서 14%(고령사회)로 늘어나는데 약 110년이 소요되었고 스웨덴은 80년, 영국은 50년이 소요되었다. 하지만 우리나라는 2000년에 고령화사회에 진입한 이후 20년도 채 되지 않은 2017년에 고령사회에 도달하였다. 2020년 우리나라의 노인 인구 비율은 15.7%이며 향후에도 지속적으로 증가하여 2025년에는 20.3%에 이르러 초고령사회로 진입할 전망이다.

급속한 고령화로 인해 노인에서의 신체질환 역시 급격히 증가하고 있다. 보건복지부에서 발표한 '2020 노인실태조사' 결과를 살펴보면 우리나라 노인들은 평균 1.9개의 만성질환을 앓고 있었으며 이 중 1개는 29%, 2개 27%, 3개 이상은 28%를 차지하고 있었다. 종류별로는 고혈압(56.8%), 당뇨병(24.2%), 고지혈증(17.1%), 골관절염 또는 류머티즘 관절염(16.5%), 요통 및 좌골신경통(10.0%) 등의 순이었다. 2020년 사망원인 통계를 살펴보면 노인들은 악성신생물(암), 심장질환, 뇌혈관질환, 폐렴, 알츠하이머병, 당뇨병, 고혈압성 질환, 만성하기도 질환, 고의적 자해, 간질환 등으로 사망하였다.

노인성 질환(노인병)은 노화에 따른 기능의 저하와 질병이 복합적으로 발현되는 것을 의미한다. 노인성 질환을 정의하기는 쉽지 않으며 나이가 들면 기본적 질병에 노화가 더해져 그 양상은 더욱 다양하고 복잡하게 된다. 노인성 질환은 다양한 종류의 질병들을 포함하고 있으며 일반적으로 청장년기부터 가지고 있던 질병들과 노인이 되어야만 발생하는 노인 특유의 질환들 2가지로 정리할 수 있다. 하지만 보다 정확한 의미의 노인성질환들은 노쇠, 노인증후군 등일 것이다. 이들은 노인이 되어야만 겪는 상황들이며 청장년기부터 가지고 있었던 질병들과 혹은 노인이 되어 새로 발병한 질병들과 생리적 노화가 복합적으로 엉켜 새로운 병적 상태로 드러나는 질환 내지는 증후군인 것이다.

노인에서는 특정질환의 증상들뿐 아니라 노쇠해가는 상태로 인해 발생하는 복잡함이 존재하게 된다. 노쇠는 노화에 따라 동반되는 점진적인 기관이나 조직 등의 변화를 의미하며, 여러 건강상의 문제가 발생할 수 있는 위험성이 증가되어 있는 상태이다. 노인들에서 노화에 의한 생물학적인 변화들은 비록 특정 질병의 진단 기준에 미치지는 못하더라도 그 기능이 감퇴하는 경향을 나타내게 된다. 치매와 같은 상태를 제외하고 노인에서 어떤 특정질환이 증가한다기보다는 젊은 성인에 비해 여러 질환들을 흔히 경험하게 된다. 본 장에서는 노화의 생물학적 변화, 노인증후군, 다중이환, 포괄적인 노인평가, 노인성질환에서의 정신의학적 평가와 치료에 대해 다루고자 한다.

1. 노화의 생물학적 변화

노화는 배아의 발생에서부터 죽음에 이르기까지 나이가 들어가면서 나타나는 삶의 전체적인 변화라고 볼 수 있다. 나이가 들면서 신체적, 인지적으로 점차 쇠퇴하여 질병과 사망에 대한 감수성이 급격히 증가하면서 쇠약해지는 과정이다. 노화는 일반적으로 세포의 노화를 의미하며 생물학적으로 노화를 설명하는 이론들은 다양하다. 유전체 불안정성, 텔로미어telomere의 단축, 예정된 세포 노화, 후성유전적 변화, 자유라디칼free radical에 의한 세포손상, 미토콘드리아 기능이상, 유전자 손상 누적 등 다양한 현상들이 노화와 관련된 이론들로 알려지고 있다. 노화는 앞서 언급된 다양한 이론들 중 어느 하나에 의해서 발생되는 것은 아니며 나이가 들면서 점차 신체의 모든 부분에 영향을 미치게 된다.

연령이 증가하면서 노화에 따른 다양한 신체적 변화가 초래될 수 있다. 정상 노화의 특징은 ① 기관계통의 예비력 감소(운동이나 스트레스 상황에서만 나타남), ② 내부 항상성 유지능력의 감소(체온조절기능 둔화, 압수용체 민감도의 저하), ③ 타 환경에 적응하는 능력의 감소(기온변화에 대한 취약성, 체위 변화에 따른 기립성 저혈압) ④ 신체 스트레스 대응능력의 저하(운동, 열, 빈혈) 등으로 알려져 있다. 나이가 들어가면서 경험하는 노화과정 속에서 질병이나 손상에 대한 취약성이 증가하고 지속적으로 세포와 조직, 장기에 병변을 축적하게 된다. 누적된 병변은 유전적, 환경적 요인 등 여러 요인들에 영향을 받을 수 있고 비록 나이가 같다고 하더라도 개인마다 가지는 병변의 정도는 다를 수 있으며 한 개인에서도 각 장기마다 병변의 정도에서 차이를 보이게 된다.

한 개인에서 병변의 축적은 각 장기의 기능저하를 야기한다. 노화에 따른 기관계통 기능organ-system performance 변화들은 다음과 같다. ① 서로 다른 기관과 계통은 각각 노화의 속도가 다르다. 예를 들어, 최대호흡능력은 60%까지 감소되지만 신경전도속도와 기초대사율은 15%만 저하된다. ② 복잡한 기능의 경우 노화에 따른 변화가 크다. 즉, 단순 기능(신 사구체여과)에 반해 달리기와 같은 복합기능은 다중 기관계통 기능(근수축의 속도, 정도, 순서와 균형, 고유수용감각, 시각, 심혈관반응 등)을 조절하고 통합할 필요 때문에 노화에 의한 변화가 더 크다. ③ 적응반응의 변화: 체온 혹은 자세변화와 같은 적응반응은 생리적 조절(감각되먹임)의 감소로 가장 많이 영향을 받는데, 이는 스트레스 상황(질병, 환경의 갑작스런 변화)에서 증폭된다. 이러한 변화들이 질병의 표현형을 보일 정도로 뚜렷한 만성질환의 형태를 보이는 경우들도 있지만, 질병으로 발현되지 않는 잠재적 병리로 존재하는 경우들이 더 많다. 여러 잠재적 병변들이 존재하는 상황에서 단일 장기에 영향을 미치는 급성기 질환이 발생하였을 때 계통적으로 연관성이 떨어지는 다른 장기의 이상을 유발할 수 있다. 이러한 부분이 다른 연령대에서와 다른 노인성 질환들이 가지는 특징적인 양상으로 볼 수 있다.

2. 노인증후군geriatric syndrome

노인에서는 각각의 질병과 질병 발현의 연관성이 떨어지는 경우들이 존재하며 그 표현양상이 비특이적이고 복잡한 경우들이 많다. 이렇게 노인에게 흔하면서 별개의 질병 범주에 속하지 않는 복잡한 임상 상태들이 존재하는데 이러한 경우에서 '노인증후군geriatric syndrome'이라는 용어를 사용하고 있다. '노인증후군'이란 노인(특히 노쇠한)에서 다발적인 원인에 의해 노인의 기능을 감퇴시키고 상황에 따른 위험에 취약하게 하여 삶의 질에 영향을 주는 잦은 병적 상태를 말한다.

2011년 아시아태평양 지역의 노인병 전문가들의 견해를 종합하여 연구한 문헌에 의하면, 90% 이상의 전문가들이 치매, 실금, 섬망, 낙상, 청각장애, 시각장애, 근감소증, 영양불량, 노쇠, 거동장애, 보행장애, 압박궤양을 노인증후군으로 포함하였다. 이외에도 골다공증, 수면장애, 기능적의존, 자기무시self-neglect, 식욕부진 등을 포함시키는 학자들도 있었다. 노인 증후군을 연령대로 구분하여 세 부류로 다음과 같이 나누기도 한다. 첫째, 주요 급성질환에서 수반되는 증후로 청장년과 비슷한 빈도로 발생하지만 그 대처방법은 청장년과 달리 별도의 수련이 필요하다. 둘째로 주된 만성질환에 수반되는 증후로 65세 이상의 노인에서 서서히 증가한다. 셋째는 75세 이상에서 증가하는 증후로 일상생활기능의 저하와 밀접한 연관이 있고 개호가 요구되는 일련의 증후군이다. 나이에 따라 변화 없는 증후는 어지러움, 숨참, 복부종류, 흉복수, 두통, 의식장해, 불면, 전도, 복통, 비만, 황달, 림프절 종창, 설사, 저체온, 비만, 수면 시 호흡장해, 각혈, 토혈, 하혈 등이 있다. 65-74세에 증가하는 증후는 인지증, 탈수, 마비, 골관절변형, 시력저하, 발열, 관절통, 요통, 가래, 해수, 천식, 식욕부진, 부종, 여윔, 저림, 언어장해, 오심구토, 변비, 호흡곤란, 체중감소 등이다. 75-84세에 증가하는 증후로는 일상생활기능의 저하, 골다공증, 척추골절, 연하곤란, 요실금, 빈뇨, 섬망, 우울, 욕창, 난청, 빈혈, 영양불량, 출혈소인, 흉통, 부정맥 등이 있다.

Inouye 등(2007)은 문헌 검토를 기반으로 하여 5가지 일반적인 노인 증후군(욕창, 요실금, 낙상, 기능 쇠퇴 및 섬망)에서 4가지 공유 위험 요인(나이, 기준 인지 장애, 기준 기능 장애 및 이동 장애)을 언급하였다. 학자들마다 노인증후군의 범주는 여전히 불명확한 부분들이 존재한다. 하지만, 궁극적으로 이러한 상태들은 노인의 삶의 질quality of life, QOL을 저하시키고, 노인의 이환율morbidity과 사망률mortality을 증가시킨다. 노인증후군에 대한 치료는 노인증후군의 확인과 포괄적인 노인평가로부터 시작될 것이다. 복합적인 요인들에도 불구하고, 노인 증후군과 관련된 기본 메커니즘을 이해하는 것이 중요하며, 향후 관련된 연구를 발전시키고 표적 치료 옵션을 개발하는 데 있어 지속적인 관심이 필요할 것이다.

3. 다중이환multimorbidity, 노쇠frailty, 다중약제사용polypharmacy

노인성 질환을 가진 환자들의 진료 시에는 다중이환된 여러 상태의 치료, 치료지침들의 근거 부족으로 인한 불확실한 효과, 다중약제 사용에 따른 조절 등의 어려움들이 흔히 수반된다. 노인은 잠재되어 있는 다양한 만성질환이 기저에 함께 이환된 경우가 흔하다. 고령사회가 됨에 따라 노인층에서 동반이환되는 질병들이 점차 다양해지고 많아지고 있으며, 한 가지 증상에도 다양한 원인과 다양한 병리소견이 존재하는 경우가 흔하다. 이러한 상황은 현재의 노인 환자들이 과거의 노인환자들에 비해 보다 더 복잡한 상태를 가지고 있음을 시사한다.

노인 증후군은 병리학적 변화와 노화과정에 연관된 복합적인 증상들을 유발할 수 있는 상태를 의미하며, 노인증후군의 상태(예를 들어, 연하 곤란, 섬망, 우울장애, 낙상 및 요실금)는 75세 이상의 노인들과 요양을 필요로 하는 노인들에서 더욱 많이 관찰된다. 이러한 증상들은 일상생활활동, 삶의 질, 기대 수명에 해로운 영향을 미치며, 노인증후군에서는 흔히 진통제, 항정신병약물, 항우울제, 수면제 및 완하제와 같은 약물을 단독 또는 복합으로 사용한다. 이러한 상태들은 다약제polypharmacy로 알려진 복잡하거나 과도한 처방들로 이어질 수 있으며 이는 다중이환된 노인 환자들의 관리를 더 어렵게 만들 수 있다.

의사들은 환자들의 치료를 결정할 때 주로 젊은 환자들을 근거로 만들어진 질병치료지침, 최신의학논문들을 참고하여 주요 질환별 진료지침들이나 근거중심의학에 근거한 치료법들을 적용하게 된다. 이러한 치료법들에서는 엄격한 치료 목표의 달성과 여러 약물들의 조합이 질병의 조절을 위해 권고된다. 이러한 방법들은 수십 년 동안 환자들에게 더 나은 예후를 가져왔다. 환자의 상태가 심각할수록 고용량의 치료제 또는 여러 치료제들을 병용하는 것이 종종 권고된다. 고령 환자의 경우에서도 치료지침과 최신의 근거들을 바탕으로 치료가 진행되며, 물론 상태가 심한 경우 여러 종류의 약물들, 고용량의 약물, 장기적인 투여가 적용되게 된다. 건강한 노인의 경우에서는 젊은 환자에서와 마찬가지로 엄격한 질병 관리와 치료가 충분한 도움이 될 수 있다. 그러나 고령의 환자들에서는 노화나 질병과 관련된 장기의 손상이 자주 나타나기 때문에 약동학적으로 약물 효과가 연장 혹은 강화될 수 있다. 또한, 고령의 환자들에서는 여러 약제들의 사용으로 인한 약물상호작용의 빈도가 증가하고 오히려 약제의 효과가 감소될 수도 있다. 특히, 약물 부작용으로 이어지는 약물의 의도하지 않은 영향들에 주의를 기울일 필요가 있다.

노인에게서 근거기반의학이나 임상지침의 적용을 엄격히 적용하는 것이 반드시 좋은 결과를 가져오는 것은 아니다. 하지만 많은 전문 학회들에서는 단일 질환을 중심으로 한 지침들을 발표해왔으며 이러한 지침들의 근거가 되는 대규모 임상시험에서는 복잡한 상태의 환자들을 대부분 배제하였기 때문에 복잡한 상태의 환자들에게 적용될 수 있는 지침을 마련하는 데에는 어려움이 있다. 최근의 연구들에서는 고령의 환자가 다수 포함되기도 하지만 치매가 있거나 요양이 요구되는 환자들을 포함한 연구는 여전히 매우 적다. 이러한 환자들은 임상시험에서 평가하고자하는 것들 이외의 다른 심각한 질병이 있을 수 있으며 이러한 상태들은 임상시험의 결과에 영향을 줄 수 있다. 예를 들어, 뇌졸중 예방을 위한 특정 치료제의 효과를 확인하는 임상시험을 하는 경우, 폐렴 환자들이 많거나 장기 요양이 필요한 상태인 경우에는 임상시험약물을 지속적으로 투여하는 것이 어려울 수 있다.

그리고 각각의 의학적 상태와 증상에 대해 개별적인 약물치료를 실시할 때 다른 요인들을 고려하지 않는 것은 부적절하다. 하지만 많은 진료지침들에서는 해당 특정질환 외에 환자가 가지는 동반질환들에 대해 거의 언급하지 않고 있으며 환자와 보호자가 여러 질병을 복합적으로 치료하는 상황에 대한 부담에 대해서 다루지 않고 있다. 또한, 그 동안의 여러 진료지침들에서는 지침들에서 권고하고 있는 다양한 약물들을 동시에 사용하는 경우 기대되는 효과가 미미할 수 있다는 점을 대체로 염두에 두지 않고 있다. 한 노인 환자에서 사용되는 일곱 번째, 여덟 번째 또는 아홉 번째 약물이 두 번째 또는 세 번째에 비해 어떤 추가적인 이득(추가적인 피해 없이)을 줄 수 있는지에 대해서는 의문이 있다. 의사들은 약물의 수가 증가하는 것이 부작용의 발생을 증가시킨다는 점을 알고 있지만 아마도 여러 약물들의 사용에 따르는 문제점들은 과소평가되었을 것이다. 확인 가능한 정보들에서는 이미 알려진 부작용만을 반영하고 있고 여전히 알려지지 않거나 검토되지 않은 보다 광범위한 신체적, 인지적, 심리적, 기타 영향들은 반영하지 않기 때문이다.

앞서 언급된 것처럼 각각의 질병들의 치료 가이드라인을 따르는 것이 고령 환자에게 항상 효과적인 것은 아니다. 다중이환을 가진 환자들은 사망률뿐 아니라 기능 저하, 삶의 질 저하 및 더 많은 의료 사용의 위험을 가지게 된다. 노쇠frailty는 기능저하로 인해 발생할 수 있으며 노쇠함의 정도는 질병의 중증도 못지않게 중요한 부분이다. 다중이환을 가진 환자의 수는 나이가 들수록 증가하고 노쇠함을 지닌 노인들 나이가 들수록 더욱 급격히 증가한다. 노인 증후군에 포함될 수 있는 이러한 기능 저하 상태를 다중이환환자를 치료할 때 고려해야 한다. 어떤 연구들에서는 기능저하상태가 다중이환보다 노쇠한 환자의 예후에 영향을 미칠 수 있으며 예를 들어 빨리 걸을 수 있는 고혈압 환자의 경우에서는 높은 혈압(≥ 140 mmHg)이 사망률의 위험과 연관되었으나 걸음속도가 느리거나 잘 걷지 못하는 고혈압 환자들의 경우에서는 높은 혈압이 사망률의 위험을 높이지 않았다. 최근의 노쇠에 대한 가이드라인에서는 노쇠를 예방하기 위한 중재들을 권고하지만 노쇠에 대한 치료는 아직 확립되지 않았다.

다중이환의 또 다른 문제는 다중약제복용polypharmacy의 피해일 것이다. 다중약제복용은 일반적으로 다양한 약물들의 동시적인 사용으로 정의된다. 각각의 약물들은 질병에 효과를 나타낼 수 있으나 부작용을 유발할 수 있다. 그리고 약물이 늘어남에 따라 오히려 효과가 줄어드는 경우들도 있다. 다중약제복용에서 약물의 수에 대한 명확한 정의는 없지만 약물의 수와 관련하여 많은 연구들에서 최소 5가지 약물을 사용하는 경우 다중약제복용라고 기술하며 일부 연구들에서는 과다약제복용hyperpolypharmacy을 10개 이상의 약물을 사용하는 것으로 정의하고 있다. 특히, 노쇠한 고령 환자들에서 여러 가지 약제들을 복약하는 경우들이 있다. 다중약물복용은 동반질환들의 수와 무관하게 노쇠함과 유의하게 연관되어 있으며 이는 다중약물복용이 부작용과 노쇠 모두의 위험이 될 수 있음을 의미한다. 한편, 노쇠한 환자에서 다중약물복용 시 그렇지 않은 환자에 비해서 사망과 장애의 발생률이 높았는데, 이러한 결과는 다중약물복용이 분명히 노쇠와 연관되어 있으며 다중이환의 치료를 더 어렵게 만든다는 것을 보여준다.

약물불순응은 다중약제와 관련되어 관심을 가져야 할 중요한 이슈이다. 다중약제복용을 유발하는 요인에는 의료인의 잘못된 다중이환multimorbidity과 다양한 노인의 상태에 대한 관리, 여러 상태에 대한 협진으로 인해 불필요한 처방들이 늘어나는 것들이 포함된다. 환자에서 다양한 질병을 조절하거나 중증 질환을 조절해야 하는 경우 다양한 약물의 사용이 임상적으로 적절할 수 있다. 약물의 수가 적으면 효과가 제한될 수 있고 부작용의 가능성도 적을 수 있다. 약물의 수가 증가함에 따라 다양한 또는 심각한 증상을 조절할 수 있지만, 그 수가 역치를 넘으면 부작용이나 복약오류가 증가하여 약물에 의한 부작용이나 투약과오가 현저히 늘어날 수 있다. 그리고 약물들에서 기대하는 효과는 낮은 복약 순응도, 기타 동반 질환, 노쇠frailty, 장애 또는 제한된 기대 수명으로 인해 감소할 수 있다.

4. 포괄적인 노인평가Comprehensive Geriatric Assessment, CGA

노인성 질환을 가진 환자들의 진료시에는 각각의 환자들을 대상으로 한 포괄적인 노인평가Comprehensive Geriatric Assessment, CGA가 우선적으로 이루어져야 한다. 노인에서는 가능성 있는 진단의 우선순위가 다를 뿐 아니라 더 다양한 미묘한 소견을 보이므로 적절한 평가를 위해서는 조율이 필요하다. 이를 위해 필수적으로 고려해야할 사항은 다음과 같다.

1) 신체적, 심리적, 사회경제적 요인들이 서로 상호작용을 하며 노인들의 건강과 기능적 상태에 영향을 미친다.
2) 노인의 건강상태에 대한 포괄적인 평가는 이런 영역들 각각에 대한 평가를 필요로 한다. 의학적 상태에 대한 평가뿐만 아니라 인지기능, 일상생활기능, 영양상태 및 생활환경에 대한 종합적이고 포괄적인 노인평가가 필요하다. 질병의 중증도뿐 아니라 다중이환, 노쇠 및 다중약제복용 상황을 평가하는 것이 중요하다. 이를 위해서는 여러 분야에서 모인 한 팀으로서 서로 다른 보건전문가들의 잘 조화된 노력이 필요하다.
3) 기능에 대한 평가는 포괄적인 노인 평가의 핵심이 되어야 한다. 좀 더 다른 전통적인 건강 상태에 대한 측정(진단과 신체적 및 검사실 소견)은 기저의 원인을 처리하고 치료 가능한 상태를 찾아내는 데 유용하지만 노인에서 기능의 측정은 전반적인 건강과 안녕, 보건과 사회적 서비스의 필요성을 결정하는 데 필수적인 경우가 많다.

5. 노인성질환에서 정신의학적 평가와 치료

노인성 질환을 가지고 있는 환자들에서는 건강한 노인들에 비해 여러 정신의학적 문제가 발생하는 경우가 더 흔하다. 만성질환을 가진 노인들은 우울, 불안, 외로움 등의 심리적인 고통을 잘 느낄 수 있기 때문에 주의 깊은 면담이 필요하다. 노인 환자들은 정상적인 노화의 과정으로 인지기능의 감소, 생리적 예비능의 저하에 따른 급성기 스트레스에 대한 질병다발성에 따른 다양한 약물 복용 및 이에 의한 상호작용의 가능성이 높아 작은 충격에도 쉽게 혼돈이나 의식저하, 섬망과 같은 정신의학적 증상을 나타낼 수 있다. 또한, 노인들은 스스로의 증상을 제대로 표현하지 못하는 경우들이 있다. 청력의 상실과 같은 문제도 정상적인 노화의 일부로 생각하여 치료의 기회를 놓치고 악화되는 경우도 많다. 우울감이나 수면의 어려움 등이 노년에서 당연히 나타나는 문제로 취급되어서는 안된다. 예를 들어, 노인이 수면장애를 나타내는 경우 수면장애, 우울장애, 불안장애 등이 기저에 존재하는지 평가가 필요하며, 다른 의학적 상태(비뇨기계, 순환기계, 호흡기계)가 원인으로 작용하는지에 대한 평가도 함께 이루어져야 한다. 백내장 및 난청 등으로 인한 감각박탈이 노인에서 낙상을 비롯한 안전사고의 위험성을 증가시킬 뿐 아니라 불안, 의심, 인지저하 등을 초래할 수 있다. 반대로 우울장애나 인지장애로 인하여 스스로의 건강관리를 소홀히 하거나 복약을 제대로 하지 못해 기존의 신체질환의 관리에 문제가 발생하는 경우도 있다.

노인성질환을 가진 환자들에서는 신체질환이 정신건강에 영향을 미치는 부분과 정신질환으로 인해 신체건강에 미치는 영향을 동시에 고려하여야 한다. 정신질환 진단 및 통계 편람 5판Diagnostic and Statistical Manual of Mental Disorders, 5th edition, DSM-5에서는 다른 신체 상태에 의해due to another medical condition 발병한 정신질환에 대해 분류하고 있다. 실질적으로 정신의학적 증상은 전신적인 병발systemic involvement을 나타내거나 대사장애 혹은 중추신경계에 직접적인 영향을 주는 그 어떤 신체적 질환에서도 동반될 수 있으며 약물의 사용(독성용량, 금단, 또는 정상용량) 중에서도 동반될 수 있다.

노인성 질환을 가진 환자들에서 더욱 체계적이고 주의 깊은 정신의학적 평가를 하기 위해서는 다음의 내용을 고려할 필요가 있다. 첫째, 여러 정보제공자로부터 정보를 얻어야 한다. 노인 환자들의 경우 가족이나 간병인의 도움을 받는 경우가 많으며 특히 인지기능이 저하된 경우 다른 정보제공자로부터의 병력청취가 필수적이다. 다른 여러 의학적 상태에 대해서는 이전의 의무기록이나 담당 주치의와 상의가 필요하다. 둘째, 노인 환자에서의 독특한 임상양상을 고려할 필요가 있다. 노년기의 우울장애는 젊은 성인에서의 우울장애에 비해서 신체증상과 기억력 문제를 호소하는 경우가 많다. 신체질환과 사용 중인 약물의 영향으로 정신병리가 모호할 수 있다. 치매와 동반된 섬망의 경우 그 증상이 무시되는 경우가 있을 수 있으며 더욱 세심한 평가가 필요하다. 셋째, 여러 정신증상을 유발할 수 있는 의학적 원인에 대한 탐색이 필요하다. 전형적인 정신증상을 보이더라도 노인에서 신체질환의 가능성에 대해서 조사할 필요가 있다. 약물 사용력을 포함한 자세한 병력과 신체 상태에 대한 타과 의사들과의 의사소통이 필수적이다. 노인성 질환을 가진 노인에서 정신질환이 더 흔히 나타날 수 있으며 정신질환을 가지고 있는 노인들에서 부정적인 건강관련 행동이 유발되어 신체질환 관리에 대한 위험을 가중시키기도 한다. 또한, 정신질환을 갖고 있는 환자의 기저에 있는 신체적 장애의 가능성에 대한 임상적 단서를 놓치지 않고 발견하는 것이 중요하다. 노인성질환을 가진 환자들의 정신질환에 대한 적절한 치료는 환자들의 삶의 질뿐 아니라 신체질환의 경과와 기능회복에도 긍정적인 영향을 미칠 수 있을 것이다.

노인성질환이 동반된 환자들의 정신질환에 대한 치료를 계획 시에 비약물적 치료가 가능하다면 우선적으로 고려할 필요가 있다. 비약물적 치료로는 다양한 정신치료 기법들(지지정신치료, 인지행동치료, 위기개입, 단기정신치료, 그룹정신치료 등)을 사용할 수 있다. 정신치료의 경우 환자가 무엇을 필요로 하는가에 따라 치료 방법을 정하며, 신체질환의 상태에 따라 한 가지 혹은 여러 가지 기법을 동시에 사용할 수도 있다. 또한, 광치료, 경두개자기자극술, 전기경련치료 등도 고려할 수 있다. 약물치료를 시도하는 경우 적은 용량으로 시작하여 천천히 증량하는 것이 원칙이다. 정신약물 선택 시에는 약물의 효과와 부작용의 특성을 고려하여 선택할 필요가 있다. 다른 약물에 의해 정신증상이 유발되었을 가능성에 대해서도 검토하여 꼭 필요한 약물만을 처방하는 것이 중요하다. 노인 환자들의 경우 약동학과 약역학의 변화로 인해 약물의 수용능력과 약물 효능에 있어 차이를 나타낸다. 또한, 여러 약물들을 복용하는 경우가 많으므로 약물 간 상호작용에 대해서도 고려하여 약물 선택에 신중할 필요가 있다. 여러 정신약물들이 노인환자에서 비교적 안전하게 사용될 수 있다. 증상의 심각도에 따라서는 성인 용량까지 점진적인 증량이 필요한 경우도 있지만 대게는 적은 용량에서도 그 효과를 기대할 수 있다. 마지막으로, 환자들의 복약 순응도를 주의 깊게 모니터링해야 한다. 의사는 평가 시 환자뿐만 아니라 가족 및 간병인으로부터 복약 순응도에 대한 자세한 정보를 수집하고, 복약 순응도를 저하시킬 수 있는 요인을 파악하고 수정하여 복약 불순응을 조절할 수 있다. 필요한 경우 의사는 복합제제, 단일용량사용 또는 제형 변경을 통해 약물 요법을 단순화시키고 이를 통해 복약순응도를 높이는 것을 고려해야 한다. 그리고 비약물적 치료를 우선 시도하여 비약물적 치료를 통한 개선이 가능한 경우라면 약물 사용을 늦추어야 할 것이다.

6. 노인성질환에서의 주요 정신질환

1) 노년기 우울장애와 자살

노인에서의 우울장애와 자살은 주요한 공중보건의 문제 중 하나이다. 다중이환된 노인 환자에서 우울장애는 흔히 나타날 수 있으며 노인 환자의 삶의 질을 저해한다. 노인에서의 인구대비 자살률은 다른 연령대에 비해서 매우 높으며, 우울장애는 높은 자살의 위험과 깊은 연관성이 있다. 자살을 시도한 노인의 90% 이상에서 자살의 여러 위험요인들을 가지고 있다(예; 우울장애와 다른 정신질환, 정신사회적 스트레스사건, 물질사용장애, 과거의 자살시도, 가정폭력, 신체적 혹은 성적 학대, 가정 내에 자살에 사용되는 위험한 도구 등). 우울장애의 높은 유병률과 함께 노인은 사회적으로 고립되어 있는 경우가 많으며, 자살의 위험시 더욱 치명적인 방법을 시도한다. 자살은 우울장애의 초기(주로는 첫 6개월)에 발생하지만, 그 외 어느 시간대에서도 발생이 가능하다. 노인 자살자들은 상당수가 우울장애가 있었음에도 제대로 치료 받지 못한 경우가 흔하다. 그러므로 노인에서 심각한 신체질환, 배우자 사별, 우울과 자살의 위험신호를 나타내는 경우 적극적으로 정신건강의학과적인 접근이 이루어질 필요가 있다.

신경학적 질환, 심장질환, 암성질환을 가진 환자의 50% 정도에서 우울증상을 가지고 있다. 뇌경색 이후의 시기에도 역시 우울장애의 위험은 높으며 뇌경색 이후 2년 이내 25-50%환자에서 우울장애가 발병한다고 한다. 알츠하이머 치매환자에서도 우울장애의 위험은 높다. 치매환자의 우울장애에서는 망상을 동반하는 경우도 두드러진다. 또한, 최근의 연구들에서는 우울장애가 노년기 알츠하이머치매의 위험성을 높인다고 알려지고 있다. 파킨슨병을 가진 환자의 50% 정도에서 우울장애, 불안을 동반한 우울장애, 기분부전증을 동반한다고 한다.

노인에서의 우울장애의 정신건강의학과적 진단은 다른 연령대와 동일하다. 하지만, 노인성 질환을 가진 환자들에서는 흔히 우울감보다는 신체적 호소가 정신건강의학과 치료를 받는 주요 이유가 된다. 우울장애 환자에서의 신체적 호소는 의학적 문제(예; 가슴통증, 두통, 관절통증, 오심, 어지럼증, 피로)처럼 표현되기도 하고, 의학적 문제와 연속선상에서 함께 존재하기도 한다. 우울장애에서 표현되는 신체적 호소는 입원 환자들에서 의학적 문제들의 치료에 부담을 주게 된다. 타과 의사들은 우울장애에서 동반된 신체증상들을 다른 질환들의 증상들로 오인할 수 있으며, 이로 인해 우울장애를 제대로 발견하여 치료하지 못하는 경우가 있다. 이런 점에서 몇몇 우울척도들(노인우울척도: geriatric depression scale, 환자건강설문지: patient health questionnaire-9)이 유용한 도구가 될 수 있다. 특히, 노인환자에서는 자신들의 증상을 밝히지 못하는 경우들이 있어 가족이나 조호자들로부터 충분한 정보를 얻는 것이 중요하다.

노인에서의 우울장애의 치료는 상당한 진전이 있어왔다. 약물을 처방하는 경우 항우울제들 사이에서 그 효과는 비슷한 것으로 알려져 있으며 환자의 주된 증상과 약물의 특성을 고려하여 적절한 항우울제를 선택하는 것이 중요하다. 예를 들어, 수면장애와 식욕저하를 동반한 우울장애 환자라면 진정작용과 체중증가와 연관된 약제를 선택할 수 있다. 항콜린성 작용이나 지나친 진정작용을 나타내는 약물은 부작용의 위험이 있어 피해야만 한다. 약물 선택 이후 낮은 용량에서 서서히 증량하는 것이 기본적인 원칙이다. 우울장애로 인해 내외과적인 상태에서의 회복에 부정적인 영향이 큰 경우에는 신속하고 집중적인 치료가 필요할 것이다. 때로는 정신자극제 단독이나 항우울제와의 병용요법의 사용도 고려된다. 약물 치료에 반응이 없는 경우에는 환자 및 환자 가족들과의 충분한 논의 후에 전기경련치료를 고려할 수 있다.

2) 치매와 섬망

치매 환자의 수는 나이가 들어감에 따라 급속히 증가하며 치매 환자들의 경우 입원기간동안 섬망의 위험이 높아진다. 입원한 노인 환자에서 섬망은 흔하며 정신건강의학과적 자문 상황에서 흔히 자문의들은 치매와 섬망의 감별에 어려움을 경험한다. 노인들은 동반된 여러 내외과적 질환, 뇌기능의 변화, 치매를 포함한 퇴행성 뇌질환, 약물 대사능력의 저하, 청각, 시각 등의 감각기관 변화 등 여러 섬망의 위험요인들을 가지고 있는 취약한 계층이다. 특히, 치매, 뇌경색, 뇌출혈, 뇌손상, 심장수술, 심한 화상 등의 상황은 더욱 섬망의 위험을 높인다고 알려져 있다. 노인에서의 섬망은 재원기간을 장기화시키고 높은 사망률과 연관되어 있다. 종합적인 의학적 상태에 대한 평가, 사용 중인 약물에 대한 자세한 검토, 복약순응도 파악이 섬망의 유발요인을 파악하고 적절한 개입을 하는 데 있어 중요하다. 항콜린성 작용이 있는 약물은 섬망에서 인지기능의 저하시킬 수 있어 피해야만 한다.

초조와 행동증상은 치매와 섬망 환자에서 흔히 나타난다. 치매의 정신행동증상에 대한 1차 치료는 유발환경이나 행동에 대한 교정을 통한 비약물적 치료이다. 섬망 환자의 치료에서도 비약물적인 접근이 우선적으로 적용되어야 하며, 가능하면 가족이나 친숙한 사람의 돌봄을 통해 환자의 심리적 안정과 지남력 회복을 유도할 필요가 있다. 그러나 수면장애, 정신병적 증상 등으로 인해 조절이 어려운 경우에는 약물의 사용이 필요하다. 저용량의 비정형 혹은 정형 항정신병 약물의 사용이 섬망의 증상을 개선시키는 데 도움이 된다. 약물 사용 시 서서히 용량을 조절하여 필요 이상으로 투여되지 않도록 해야만 한다. 환자에게 복약을 시킬 수 없는 상황이거나 치료에 협조가 되지 않는 심한 행동장애의 경우에는 항정신병약물의 근주나 정맥 내 사용을 고려할 수 있다. 항정신병 약물 사용 시 QTc 연장이나 torsades de pointes와 같은 부작용 발생에 유의해야 한다.

3) 불안

노인에서 나타나는 불안은 정상적인 노화반응은 아니며 무시되어서는 안 된다. 의학적 상태, 경제적 어려움, 통제에 대한 상실감, 스트레스에 대한 취약성이 노년기의 불안의 위험요인이다. 이러한 위험요인들로 인해 여러 신체질환으로 입원 중인 노인 환자에서 흔히 발견된다. 당뇨에서의 저혈당, 갑상선기능항진증, 심장질환처럼 내과적 질환에서 불안(걱정, 공포, 우려, 염려, 불길한 예감)과 신체적 증상호소(빈맥, 발한, 복부통증, 어지럼증)가 함께 존재하는 경우 비슷한 증상이 표현되기 때문에 그 파악에 어려움이 있을 수 있다. 불안은 우울장애, 양극성장애, 치매, 물질사용장애 등 여러 다른 정신질환에서도 함께 나타나는 경우가 많아 감별이 필요하다. 물질이나 약물사용(예, 카페인, 정신자극제, 에페드린, 기관지확장제)의 경우에서도 불안과 유사한 증상을 나타낼 수 있다. 알콜, 벤조디아제핀의 갑작스러운 중단에서 심한 불안과 금단증상이 나타날 수 있다.

불안을 나타내는 경우 벤조디아제핀이나 SSRI, SNRI와 같은 항우울제의 사용으로 효과적으로 조절할 수 있다. 벤조디아제핀이 불안 경감에 효과적이지만 노인 환자들에 따라서는 과도한 진정, 낙상, 혼동과 같은 부작용을 나타내기도 하여 주의 깊은 사용이 필요하다.

4) 양극성장애

노인에서의 양극성장애의 유병률은 명확하지는 않으나 노인에서의 발병의 경우는 신체질환과 공존하는 경우가 많은 것으로 알려져 있다. 따라서 기저의 신체질환, 특히 신경학적 증상과 증후를 확인하고, 두부 손상이나 뇌혈관 질환의 유무 등을 잘 확인해야 한다. 노인에서의 양극성 장애는 인지손상을 더 많이 동반하며 젊은 연령대의 환자들에 비해서 조증 혹은 조증과 관련된 정신병적 증상은 적지만 우울장애의 경우 더욱 심각하고 정신병적 증상도 더 많이 동반되는 것으로 알려져 있다. 양극성 장애의 약물치료로는 기분안정제, 비정형 항정신병약물, 항우울제 등이 사용된다. 우울삽화의 경우 항우울제 단독 사용은 권고되지 않으며 기분안정제(예; 발프로에이트, 리튬, 라모트리진, 카바마제핀)의 경우 신체질환의 치료에 사용되는 약물들과 상호작용이 높아 유의할 필요가 있다.

5) 정신병

노인에서 환청, 망상 등의 정신병적 증상을 보이는 정신병은 다양한 병인을 가지고 있다. 노인에서의 초발 정신병은 기질적인 원인(예: 뇌진탕, 뇌출혈, 간성혼수, 전해질 불균형, 뇌졸중, 약물, 감염, 저혈당, 저산소증, 영양결핍)에 대한 철저한 파악이 필요하다. 기질적인 원인을 제외한 다른 병인들로는 다양한 치매의 아형들(알츠하이머 치매, 루이소체치매, 혈관성치매, 전측두엽치매, 파킨슨병 치매), 조현병, 조현정동장애, 양극성장애, 정신병적 증상을 동반한 우울장애 등이 있다.

정신병은 조현병과 망상장애에서 가장 일반적으로 나타나는 증상이지만 노인의 경우 섬망과 정신병은 치매와 연관된 정신행동증상인 경우가 흔한 편이다. 치매에서의 정신병은 종종 망상, 환각, 착각 중 하나로 나타난다. 망상의 종류로는 물건을 훔쳐갔다는 도둑망상, 부정망상, 유기망상이 흔하며 환각으로는 환시와 환청이 주로 나타난다. 잦은 착각의 내용으로는 물건을 잘못 지각함, 대상을 인식하지 못함, TV속의 내용이 현실에서 일어나고 있다는 내용 등이다. 정신병적 증상들은 환자 뿐 아니라 가족 및 조호자들에게도 고통스러운 증상이며, 충동성이나 공격성, 심한 불안으로 인한 행동문제들은 위험을 초래하기도 한다.

조현병은 대개 후기 청소년기 혹은 초기 성인기에 발병하지만, 노년기에 발병하는 조현병도 드물지는 않으며, 노년기에 조현병으로 진단되는 경우 적극적인 치료가 필요하다. 노인들이 가지고 있는 다양한 요인들(인지기능저하, 치매, 우울장애, 동반이환된 내외과적 질환, 여러 약물)로 인해 정신병의 치료 중 부작용이 동반되기도 한다. 항콜린성 작용, 기립성 저혈압, 낙상, 진정작용, 추체외로 증후군이 흔한 부작용이기 때문에 주기적인 평가를 해야 한다. 노인들은 젊은 환자들에 비해 지연성운동장애에 더욱 민감하다. 정형항정신병약물의 경우 비정형항정신병약물에 비해 부작용의 위험이 높고 고역가 약물이 저역가 약물에 비해서 유용하다. 비정형항정신병약물이 정신병의 치료에 주로 사용되고 있다. 항정신병 약물의 경우 치매 환자들에서 뇌혈관질환과 사망의 위험성을 높인다는 보고들로 인해 사용에 있어 깊은 주의가 요구된다.

7. 결론

고령사회로 넘어서 초고령사회를 향해 가고 있는 우리나라에서 노인성질환의 개념과 특징을 이해하는 것은 점점 그 중요도가 높아지고 있다. 노쇠한 환자에서 여러 노인성 질환이 동반이환된 경우 임상적인 불확실성이 존재하기 때문에 단순질환들에 대한 진료지침만을 바탕으로 한 대처에는 한계가 존재한다. 노인성 질환을 가진 환자에서 우울장애, 불안, 섬망, 치매, 정신병 등 정신의학적 문제가 흔히 발생한다. 노인성 질환들의 증상과 기존 약물들의 영향으로 인해 정신병리가 모호하고 분명하지 않은 경우들도 존재한다. 노인성 질환들을 복합적으로 다루는 진단체계나 치료 방법 등에 대한 연구들은 정신의학적 영역 뿐 아니라 비정신의학적 영역에서도 아직 부족한 실정이다. 하지만, 노인성질환을 다루는 의료인들은 노인에서의 신체적 상태뿐 아니라 정신건강의학과적 상태들을 염두에 두어야 할 것이다. 포괄적인 노인 평가를 통해 신체상태와 정신상태를 종합적으로 파악하고 치료 목표를 수립하는 것이 노인성질환의 치료 효과를 높이고 삶의 질을 향상시키는 데 중요할 것이다. 한 번에 한 가지 증상을 다루기보다는 종합적인 안목을 가지고 의사와 환자관계를 돈독히 하며 다중이환에 맞추어 진료전달체계를 재조직하고, 복용하는 약제 및 치료방침에 대한 의료진들의 통합적인 진료가 필요하다. 비약물적 치료를 충분히 사용하고, 약물학적 치료 시 예상되는 이익과 부작용을 섬세하게 살펴야 한다. 노인에게 중복된 약물이나 부적절한 약물은 아닌지, 약물 불순응이 영향을 주고 있는지에 대해서도 섬세하게 살펴야 할 것이다.

참고문헌

1. 김선욱, 김광일. 노인의 다중이환 관리. Journal of the Korean Medical Association 2014;57(9):743-8.
2. 대한노인병학회. 노인병학 개정 3판. 범문에듀케이션; 2015
3. 대한노인정신의학회. 노인정신의학 개정 2판. 엠엘커뮤니케이션; 2015.
4. 대한신경정신의학회. 신경정신의학 개정 3판. 엠엘커뮤니케이션; 2017.
5. 류성곤, 권희정. 신체질환이 있는 노인 환자의 정신신체 의학적 치료: 자문정신의학을 중심으로. 정신신체의학 2008;16(1):25-30.
6. 유형준. 노년기 질환의 특징-노인증후군. 대한내과학회 2009;77(S4): 1073-6.
7. 유형준. 노인증후군과 임상적용. Journal of the Korean Medical Association 2014;57(9);738-42.
8. 최은석. 노화의 생물학적 변화. 대한노인재활의학회지 2011;1(1):1-9.
9. Cremens MC, Wilkins JM, Wiechers IR. (2017). Care of the geriatric patient. In: Massachusetts General Hospital Handbook of General Hospital Psychiatry (pp. 539-545). Elsvier.
10. Kojima T, Mizokami F, Akishita M. Geriatric management of older patients with multimorbidity. Geriatrics & gerontology international 2020; 20(12):1105-11.
11. Inouye SK, Studenski S, Tinetti ME, et al. Geriatric syndromes: clinical, research, and policy implications of a core geriatric concept. J Am Geriatr Soc 2007;55(5):780-91.
12. Tinetti ME, Bogardus ST Jr, Agostini JV. Potential pitfalls of disease specific guidelines for patients with multiple conditions. N Engl J Med 2004; 351: 2870-4.
13. Toba K. Geriatric syndrome. In: Toba K, editor. How to treat for the geriatric syndrome. 1st ed. Tokyo: Medical View; 2005. p. 2-6.
14. Won CW, Yoo HJ, Yu SH, Kim CO, Dumlao LC, Dewiasty E, Rowland J, Chang HH, Wang J, Akishita M, Tan TL, Lum C, Prakash O. Lists of geriatric syndromes in the Asian-Pacific geriatric societies. Euro Geriatr Med 2013;4:335-8.

36

CHAPTER

재활의학

임우영, 이강준

1. 개요

대부분 사람들은 자신의 건강한 신체기능과 정신기능을 당연하게 여긴다. 그러나 이러한 기능은 외상성 뇌손상이나 척수손상과 같은 사고나 질환 등에 의해 갑자기 상실될 수 있다. 그러한 상태에 놓인 사람들은 기능상실을 회복하기 위해 재활이 필요하다. 정신건강의학과 의사는 환자가 기능상실을 극복할 수 있도록 지지를 해주고 한계를 인식하며 궁극적인 치료목표를 받아들일 수 있도록 도움을 주어야 한다.

재활의학은 환자들이 그들의 신체장애를 극복하고 신체적, 정신적, 사회적, 직업적 기능을 최대한 수행할 수 있도록 도움을 주는 것이 핵심이다. 다양한 증상을 가진 환자들이 최고의 삶의 질을 얻을 수 있도록 독립성을 최대화하는 것이 중요하다. 이러한 목표를 이루기 위해서 재활은 보통 다학제적인 접근이 필요하다. 재활의학과 의사뿐만이 아니라 물리치료사, 작업치료사, 언어치료사, 임상심리사, 사회복지사, 간호사 등 전문가들의 참여가 요구되며 정신적이고 신경심리적인 평가와 치료를 위하여 정신건강의학과 의사가 필요하다. 재활의 과정 동안 전반적인 환자의 정서, 인지, 행동, 사회적인 측면에 대한 관리가 필요하기 때문이다. 현대 의학이 발전함에 따라 많은 재활의 기회와 과제들이 생겨 정신건강의학과 의사들의 역할은 점점 중요해지고 있다.

재활을 하는 데 있어서 재활의 단계를 생각해보는 것은 임상 증상의 맥락을 이해하는 데 도움을 준다. 입원환자 재활의 초기 단계에는 생리적 과각성 및 초조와 관련된 정신의학적 문제가 발생하기 쉽다. 중기에는 재활 환자가 자신의 부상과 관련된 결손을 부정하는 증상이 정신의학적 영역에서 흔히 나타난다. 기능 손상에 대한 불안으로 자신의 손상을 받아들이는 데 어려움을 겪게 된다. 이럴 때 환자가 기능을 회복할 수 있도록 자신의 결함을 인식하는 전략을 개발하는 것이 좋다. 예를 들어, 다리에 장애가 있는 환자에게 매일 재활요법을 시행하고 있는데 그 환자가 다리의 장애를 부정하는 사람이라면 재활은 스트레스가 될 수 있다. 편마비인 환자가 한쪽 팔의 장애를 부정하고 방치하는 경우도 마찬가지 경우인데, 이렇게 환자가 장애나 의료진에 의해 설정된 치료목표를 부정하는 문제는 소외된 사지에 대한 인식을 높이고 작업치료 및 재활치료를 진행하면서 신속하고 직접적으로 해결하는 것이 좋다. 재활 기간이 길어지면 좌절감이 커져 정신적인 스트레스가 높아지며 퇴원이 다가오면 퇴원 후에 의료적인 지원이나 치료를 제대로 받지 못할 수 있다는 우려가 나타나기 시작한다. 이와 관련된 불안을 해소하기 위하여 퇴원 전에 의료진과 적극적인 의사소통을 통해 환자 또는 가족의 특성에 맞추어 퇴원 계획을 조정하는 것이 필요하다.

재활의 기간 동안 환자와 가족들은 안도감과 낙담을 반복적으로 경험한다. 기능은 점차 개선되지만 동시에 결손과 관련된 슬픔이 나타난다. 개인의 상황에 따라 다양할 수 있는데, 사무직에서의 다리결손과 운동선수에서의 다리결손은 그 의미가 다르기 때문이다. 낙담에 대해 환자가 견디는 힘은 이전의 병전 스트레스 내성 수준에 따라 달라질 수 있으므로 정신건강의학과 의사는 병전 스트레스 대처 방식 등을 평가하여 환자를 치료하는 것이 바람직하다.

이 장에서 저자는 재활 환경에서 직면하게 되는 많은 질환 중에서 특히 외상성 뇌손상, 그리고 척수손상 재활에서의 정신의학적 문제를 주로 다룰 것이다. 이들 손상은 정신의학적 개입과 중재를 요구하는 고도로 복잡한 영역이다.

2. 외상성 뇌손상

외상성 뇌손상으로 인해 부적응적 행동과 성격 변화뿐만 아니라 우울장애, 불안을 포함한 정신장애가 나타날 수 있으며 그 유병률은 매우 다양하다. 이러한 증상들은 일시적일 수도 있지만 지속해서 나타날 수 있다.

1) 역학

외상성 뇌손상은 개인의 건강과 공중보건 측면에서 모두 중요한 문제인데 실제보다는 적게 보고되고 있다. 미국의 경우, 매년 약 280만 명이 외상성 뇌손상을 경험하는데 이 중 약 282,200명은 입원하여 생존하였고, 250만 명은 응급실에서 치료를 받고 퇴원하였다. 미국 인구의 2% 정도인, 최소 530만 명이 외상성 뇌 손상으로 장애를 가지고 살아간다.

의학 기술의 발전으로 외상성 뇌손상의 사망률은 점차 낮아지고 있지만 그로 인한 장애는 증가하고 있다. 외상성 뇌손상은 주로 자동차 사고나 추락 등으로 젊은 남성들에게 많이 발생한다고 알려졌지만 노령층의 증가로 이러한 손상을 경험하는 사람들의 연령은 지속해서 지속적으로 높아지고 있다.

외상성 뇌손상으로 인하여 심각한 장애를 겪는 경우가 많아지고 있는데, 특히 젊은 층에서 문제가 되고 있다. 연구에 따르면 외상성 뇌손상 환자의 30-40%만이 직장에 복귀할 수 있으며 이로 인해 입원한 사람의 43%가 영구적인 장애를 갖는다고 한다. 미국의 경우 2013년 통계에서 외상성 뇌손상으로 인한 생산성 저하 및 장애 비용으로 647억 달러가 지출된 것으로 추정되고 있다. 또한 외상성 뇌 손상으로 입원하는 정신건강의학과 환자들도 점차 증가하고 있어 향후 정신건강의학과 의사들은 이들 환자의 치료에 좀 더 빈번하게 관여하게 될 것이다.

2) 정의

DSM-5 진단기준에 의하면 외상성 뇌손상은 다음 한 가지 이상을 포함한다. ① 의식의 소실, ② 외상 후 기억상실, ③ 지남력 상실 및 혼란 ④ 부상에 대한 신경학적 영상, 새롭게 시작된 경련, 기존 경련 장애의 현저한 악화, 시야 차단, 후각소실, 또는 편측마비와 같은 신경학적 징후.

또한, 부상의 중등도의 평가 기준을 경도(30분 미만의 의식소실 그리고/또는 외상 후 기억상실 지속시간 24시간 미만, 부상 30분 후 글래스고 혼수 척도Glasgow Coma Scale, GCS 점수가 13-15일 때), 중등도(0.5-24시간의 의식소실 그리고/또는 외상 후 기억상실 1-7일, 부상 30분 후 GCS 점수 9-12), 중증(의식소실 24시간 이상 그리고/또는 외상 후 기억상실 7일 이상, 부상 30분 후 GCS 점수 3-8)으로 분류할 수 있다.

우울장애, 인지기능장애, 적응장애 등 특정 정신질환이 재활을 받는 환자들에게 흔하지만 정확하게 진단기준을 충족시키지 않는 경우가 많다. 재활 중인 환자들을 평가할 때에는 정신증상들에 좀 더 중점을 두고 접근하는 것이 좋다.

3) 병태생리학

외상성 뇌손상에서 발생하는 물리적 힘으로 인해 신경학적 기능장애가 초래되는데 부상 시 발생하는 1차 손상과 시간이 지남에 따라 악화하는 2차 손상으로 나뉜다. 1차 손상은 두개골 골절, 뇌좌상 및 열상, 두개내출혈과 같은 부상이 포함된다. 미만성 축삭 손상이 부상의 주된 기전인데 신경 기능장애로 인하여 축삭이 단절되는 것으로 보통 부상 후 24-72시간 내에 진행된다. 2차 손상은 시간이 지남에 따라 나타나는 신경화학물질의 변화로 발생한다. 흥분성 글루탐산염 수치가 급격하게 증가하게 되며 이는 세포 내 칼슘 방출로 이어져 신경손상, 활성산소와 질소화합물의 생성, 미토콘드리아 장애가 나타난다. 부상 후 며칠 동안 포도당 대사의 증가도 동반된다. 또한, 중추신경계의 면역세포의 활성화를 통해 염증 전 상태를 유발한다. 글루탐산염, 아세틸콜린, 세로토닌, 도파민, 노르에피네프린 등 신경전달물질의 변화로 인한 뇌대사 및 기능저하는 외상성 뇌손상에서의 인지장애와 우울장애를 설명해줄 수 있다. 스트레스로 인한 시상하부-뇌하수체-부신수질 축의 조절기능 이상은 코르티졸 분비로 이어지고 우울장애의 원인이 된다.

4) 외상성 뇌손상의 심리적 측면

외상성 뇌손상으로 신경이 손상되고 환자의 심리상태에 직접적인 영향을 미치게 되어 자아 인식의 손상이 나타날 수 있다. 또한, 환자가 신경학적 결손을 인식하지 못하는 질병실인증이 나타날 수 있고 신경학적 결손으로 나타난 불안과 타협하기 위한 방어기제로서 결손의 의미를 과소평가할 수 있다. 부정 등의 심리적 원인으로 인한 의식결손을 회복시키는 중재 요법들은 비가역적인 신경손상에 의한 의식결손에는 효과적이지 못하다고 알려져 있다.

외상성 뇌손상 이전의 개인 방어기제나 적응도 중요한데, 이전에 사용하던 방어기제를 사용하지 못하게 되면 환자의 스트레스나 증상이 악화되기 쉽다.

외상성 뇌손상은 가족관계나 사회적 기능에도 커다란 영향을 미친다. 기능 손상으로 인해 이전의 업무로 복귀하지 못하게 되면 환자 본인에게도 스트레스가 되지만 가족들에게도 부담이 된다. 그리고 뇌손상 환자의 신경행동학적 문제가 가족들에게 불안, 우울 등의 스트레스로 작용할 위험이 크다. 심한 경우 별거나 이혼으로 이어지기도 한다.

5) 외상성 뇌손상의 정신의학적 장애

(1) 인지장애

외상성 뇌손상은 DSM-5에서 주요 혹은 경도 신경인지장애 체계로 분류되며 두 진단의 차이는 중증도이다. 외상성 뇌손상 이후 인지결손은 시간의 흐름에 따라 양상이 달라질 수 있다. 초기에는 부상으로 인한 의식 상실이, 이어서 인지와 행동 변화가 나타날 수 있는데, 이러한 시기에 공격성, 안절부절증, 탈억제, 정서적 불안정 등이 나타날 수 있다. 이후 인지기능 회복이 이루어지며, 시간이 흐르면서 기억력, 언어, 주의력, 정보처리속도, 실행기능 저하 등의 인지결손은 지속될 수 있다. 전두엽에 의해 매개되는 실행기능이 최근 관심의 초점이 되고 있는데. 이 기능의 장애로 무관심, 탈억제 등의 증상이 나타나 환자의 재활치료에 부정적인 영향을 미친다. 실행기능이 좋지 않으면 기능부전으로 적응능력이 떨어지게 된다.

외상성 뇌손상의 회복은 개인마다 다른데, 경도 수준의 부상은 3-6개월 이내로 회복되지만, 중등도 이상이면 2년 이상의 기간이 필요할 수 있다. 또한, 우울장애 등의 정신의학적 요인으로 인해 회복 과정이 늦어질 수도 있다. 외상성 뇌손상의 심각도가 증가함에 따라 치매의 위험은 증가할 수 있다.

(2) 뇌진탕후증후군

뇌진탕후증후군의 진단기준은 논란의 대상이 되고 있는데, 표준화된 진단기준은 ICD-10에 정립되어 있다; 의식소실을 동반한 두부외상이 증상보다 최대 4주 먼저 나타나며 아래 증상들 중 3가지 이상이면 진단된다. ① 두통, 어지럼증, 불쾌감, 피로, 소음 과민 ② 이자극성, 우울, 불안, 감정적 불안정 ③ 현저한 신경심리학적 장해의 증거가 없는 주관적인 집중, 기억, 혹은 지적 장애 ④ 불면 ⑤ 감소한 알코올 내성 ⑥ 상기 증상에 대한 지속적인 몰두, 건강염려증과 환자 역할을 동반한 뇌손상에 대한 두려움.

경도의 외상성 뇌손상을 가진 환자들은 대부분 수일에서 수주 후 회복된다고 알려져 있다. 뇌진탕후증후군은 주요우울장애, 외상후스트레스장애, 신체증상장애 등과 중복되는 부분이 있는데, 진단기준을 모두 충족할 경우 외상성 뇌손상으로 인한 신경인지장애와 동시에 진단할 수 있다.

뇌진탕 이후 증상이 지속되는 경우도 있는데, 한 연구에서는 교육연수, 손상 이전의 정신의학적 장애, 이전의 외상성 뇌손상이 6개월 이상 지속되는 뇌진탕 후 증상들의 강한 예측 인자라고 보고하였다. 한편, 경증 외상성 뇌손상에서 지속적인 증상의 위험인자는 우울장애, 외상 후 스트레스, 부정적인 손상지각, 회복에 대한 낮은 기대감, 감정적 스트레스, 불안, 소송이었다. 지속적인 증상을 보이는 환자들은 손상 수준으로 예측되는 것보다 심한 인지장애를 보이는데 이는 외상 이외의 다른 요인의 영향을 받기 때문인 것 같다.

(3) 우울장애

외상성 뇌손상 후 우울장애의 유병률은 한 연구에 의하면 약 27%로 보고되었으며 자가진단을 통한 연구에서는 더욱 높았다. 우울장애와 함께 통증, 피곤함, 수면장애, 인지기능부전, 무감동 등의 증상이 함께 동반될 수 있다. 외상성 뇌손상으로 인한 주요우울장애의 주요위험인자로는 여성, 손상 전 우울장애의 과거력, 손상 후 실직 등을 들 수 있고 연령, 교육, 결혼상태는 우울장애의 예측인자가 아니었다. 상당히 많은 경우에서 우울장애의 발생은 외상성 뇌손상 발생 이후 지연되어 나타나며, 첫해에 우울장애가 없는 대부분의 환자들은 추적 관찰 기간 중에 우울장애를 경험하지 않지만, 26%는 증상을 보일 수 있다고 한다. 초기에 우울장애가 있는 대부분의 환자들은 추적 관찰시 우울장애가 지속되지만 상당한 비율은 증상의 경감을 경험한다.

외상성 뇌손상으로 인해 무감동, 동기상실, 목표지향적 행동상실을 특징으로 하는 무의욕증이 나타날 수 있는데 상대적으로 우울한 기분을 불평하지 않고 자살에 덜 몰두하는 특징이 있다.

(4) 불안장애 및 외상후스트레스장애

외상성 뇌손상 후 범불안장애, 공황장애, 광장공포증, 사회공포증, 강박장애 등이 흔하게 나타나며, 병전 불안장애의 존재는 외상 후 불안의 유의한 예측인자이다.

이전에는 외상성 뇌손상 후 의식상실로 인해 기억하지 못하기 때문에 환자들에게 외상후스트레스장애가 생기지 않는다는 의견이 많았다. 그러나 여러 연구를 통해 외상성 뇌손상 이후에도 외상후스트레스장애가 발병한다는 결과가 보고되었다. 외상후스트레스장애는 글래스고 혼수 척도로 평가된 손상의 중증도와는 무관하였으나 외상 후 기억상실이 짧을수록 발병위험은 커졌고 특히 외상에 대한 기억이 있는 경우 발병위험은 5배 이상 증가하였다. 외상 전의 정신의학적 과거력, 연령, 성별, 교육수준과 상관관계는 없었다.

(5) 분노, 공격성, 초조

외상성 뇌손상 환자들은 감정이나 행동의 통제에 어려움을 보인다. 이를 외상후 초조라고도 하는데 다양한 유병률의 차이를 보인다. 외상성 뇌손상 환자가 공격성을 보이는 경우, 의도적이거나 개인의 목적달성을 위해서 증상이 나타나지는 않으며 자극보다 과도한 반응을 보이는 경우가 많다. 병전에 충동적인 공격성이 있었거나 전두엽 병변, 병전 물질남용 과거력과 연관되어 있으며 회복기의 초기 단계에만 국한되지 않고 장기적으로 지속될 수 있다. 우울장애가 심각하거나 젊었을 때 손상을 당하면 나중에 공격성이 나타날 확률이 커진다. 또한, 분노도 나타날 수 있는데 보통 안정적인 기간을 지내다 갑자기 폭발적으로 증상이 표출된다.

(6) 물질사용장애

물질사용장애는 발생빈도가 높을 뿐만 아니라 외상성 뇌손상의 원인이 되기도 하고 결과가 되기도 한다. 연구에 의하면 외상성 뇌손상 환자의 44-79%가 손상 이전 심각한 알코올관련문제를 가지고 있었으며 10-44%는 불법약물 사용의 과거력이 있었다고 한다. 손상 후의 물질사용장애 위험인자로는 남성, 물질남용으로 인한 법적 문제의 과거력, 가족이나 친구 등 주변 사람들의 물질사용장애, 손상 후 우울장애 진단, 젊은 연령, 덜 심각한 손상을 들 수 있다.

6) 치료

외상성 뇌손상 환자의 재활치료 영역에서 정신의학적 장애의 치료계획을 설정하는 데 있어 환자의 신체적, 인지적 장애를 반드시 고려해야 한다. 또한, 환자의 기능적, 사회적, 직업적 상태에 대한 파악도 필요하다. 환자를 장애로 이르게 한 사건의 정신역동적 의미를 탐구해보는 것도 도움이 된다. 환자의 가족, 친구 및 간병인과의 면담은 현재의 정신상태에 대한 중요한 정보를 제공해준다.

증상의 불완전한 완화 가능성을 포함한 현실적인 관점을 치료 초기에 전달해야 환자는 장기간의 힘든 재활 과정을 극복할 수 있다. 다음은 재활 환경에서 정신의학적 문제를 치료하기 위한 약물학적, 심리사회적 개입이다.

(1) 약물학적 치료

재활 과정 중에 향정신성 약물이 자주 사용되는데 이들 약물의 부작용에 대해 환자와 간병인에게 미리 설명하는 것이 바람직하다. 외상성 뇌손상 환자는 약물로 인해 진정작용, 추체외로증후군, 항콜린성 효과, 경련 등이 나타날 가능성이 크기 때문에 낮은 용량에서 시작하고 서서히 증량하는 것이 좋다. 그리고 여러 가지 약물을 사용해야 하는 경우, 가능하면 한 번에 하나씩 처방하여 각 약물의 치료 효과 및 부작용을 정확하게 파악하는 것이 좋다.

① 우울장애

외상후 뇌손상 환자를 위한 1차 항우울제로 선택적세로토닌재흡수억제제가 널리 사용되며, 보통 사용되는 초기 용량의 절반에서 시작하고 서서히 증량하는 것이 좋다. 세로토닌 노르에피네프린 재흡수 억제제는 우울장애 및 통증에 효과적이라고 알려져 있다. 삼환계 항우울제와 모노아민 산화효소 억제제는 진정, 저혈압, 항콜린 효과 등으로 인해 주의해서 사용해야 한다. 그리고 mirtazapine, trazodone은 불면증이 있는 환자에서, bupropion은 피로하거나 무감동 증상이 있는 우울장애 환자에게 도움이 된다. 삼환계 항우울제와 bupropion은 경련의 위험성이 있어 심각한 외상성 뇌손상 환자에서는 주의해서 사용해야 한다. 병리적 울음이나 웃음은 선택적세로토닌재흡수억제제에 비교적 잘 반응하는 것으로 알려져 있다.

② 불안

벤조디아제핀은 외상성 뇌손상 환자의 급성 불안에 대해 효과가 있지만 인지장애 및 진정작용을 유발하기 때문에 저용량으로 사용해야 한다. 선택적세로토닌재흡수억제제, 세로토닌 노르에피네프린 재흡수 억제제, 삼환계 항우울제는 우울과 동반된 불안에 효과적이며 buspirone은 전반적 불안 증상에 사용할 수 있다. 항정신병 약물이 외상성 뇌손상 환자의 불안증에 대한 1차 치료제는 아니지만, 불안 및 불면 증상에 quetiapine과 olanzapine이 유용하게 사용될 수도 있다.

③ 분노, 공격성, 초조

벤조디아제핀은 급성기에 빠른 진정 효과를 나타내지만 정신 지연, 기억상실, 탈억제 등과 같은 부작용 때문에 저용량으로 시작하여 점진적으로 증량해야 한다. 초조가 빈번한 경우 단기간에 clonazepam을 사용할 수 있다. 외상성 뇌손상 환자의 공격성과 초조 증상을 치료하는데 비정형 항정신병 약물이 사용되기도 하며 선택적세로토닌재흡수억제제도 도움이 될 수 있다.

Carbamazepine, valproate와 같은 항경련제는 외상성 뇌손상 환자의 행동조절치료에 광범위하게 연구되었다. 행동조절을 위해 이들 약물을 사용하는 경우, 경련 예방 농도보다 높은 약물농도가 필요할 수 있다. 베타 차단제도 고려할 수 있지만 고용량을 투여해야 하고 서맥과 저혈압 등의 부작용이 나타날 수 있어서 주의해야 한다.

④ 인지장애

외상성 뇌손상 환자의 인지기능 향상을 위한 약물요법에 관한 연구는 거의 없지만 주의력 장애에는 methylphenidate, atomoxetine과 같은 정신자극제를, 기억력 장애에는 콜린에스테라제 억제제를, 실행기능 장애에는 amantadine, bromocriptine과 같은 도파민 작용제를 사용할 수 있다. 우울장애가 공존하는 경우 우울장애를 치료하면 인지기능이 향상될 수 있다.

(2) 비약물학적 치료

우울과 불안을 치료하기 위한 심리사회적 개입으로 정신치료, 인지행동치료, 문제해결요법 등을 들 수 있다. 이러한 치료는 재활 환자가 직면하는 어려움을 해결하거나 새로운 삶에 적응하는 데에 도움을 줄 수 있다. 예를 들어, 환자가 자신은 평생 팔을 들 수 없을 것이라고 불안해하고 우울해한다면 현재 문제에 초점을 맞추어 팔을 들 수 있는 능력을 기르기 위해 하루 동안 노력은 했는지, 호전은 있었는지 질문하는 것도 한 가지 방법이다.

초조 증상은 재활의 초기 및 중간 단계에서 흔히 발생하는 증상이며 증상과 효과 평가는 척도를 활용하는 것이 도움된다. 심리사회적 문제, 섬망, 변비 및 감염 등의 신체적 문제에 대한 평가도 함께 이루어져야 한다. 초조 증상의 심각도와 유발요인을 파악하는 것도 중요하다. 급성기에 혼수와 기억상실증으로부터 깨어나면서 초조 증상이 나타나는 경우가 흔한데 대개는 2-3주 후에 호전된다. 의사소통이 어려운 환자의 경우, 정서적인 고통을 표현할 수 있게 하는 방법을 찾아야 한다. "예, 아니오."와 같은 간단한 대답과 비언어적 의사소통을 사용할 수 있게 되면 일반적으로 초조 증상은 감소한다. 초조가 심해지면 재활치료를 받기 어려운데 조명이나 소음을 감소시키고 같은 방에 있는 사람 수를 제한하는 등 환경으로부터의 자극을 최소화하는 것이 필요하다. 초조 증상이 지속한다면 좀 더 적극적 개입이 필요한데 원인이 되는 문제로부터 주의를 돌려 다른 것에 집중하도록 도와주는 것도 한 가지 방법이다. 환자가 만성적으로 공격적인 언어와 부적절한 행동을 보이면 가족 및 주변 사람들과 갈등이 나타나는데 이러한 공격적인 행동에는 인지행동치료와 행동조절기법이 효과적이라고 보고되고 있다.

외상성 뇌손상 후에 인지장애도 흔한데 초기에는 지남력 장애, 혼동 등이 매우 흔하게 나타나며 행동 및 분노조절장애, 기억력 장애, 불안 증상이 동반되거나 이어진다. 지남력 장애 치료를 위해서는 조용한 환경을 유지하고 환경을 자주 바꾸지 않는 것이 좋다. 그리고 환자에게 반복적으로 어디에 있고 왜 여기에 있는지 설명해주는 것이 도움이 되며 날짜와 시간을 자주 묻고 가족이나 친숙한 사람이 간호하면서 익숙한 물건을 주변에 두는 것이 도움된다. 급성기에는 각성과 주의력 등이 문제가 되는데, 각성이 저하되면 치료 중에도 자주 졸고 주어진 과제를 중단하게 되거나 치료를 거부한다. 이러한 경우에는 중간중간 휴식을 취하게 하면서 환자의 각성 상태에 따라 적절한 과제를 배치하는 것이 좋다. 최근 뇌손상 관련 인지장애를 호전시키는데 사용할 수 있는 기술을 환자에게 가르치는 인지재활치료도 크게 발전하고 있다.

수면장애는 재활을 방해하고 인지기능에 부정적인 영향을 미치므로 역시 치료가 필요한데 비약물적 치료로 환경조작, 이완요법, 행동치료 등을 할 수 있다. 벤조디아제핀, 항우울제 등을 처방할 수 있으나 인지기능을 저해할 수 있으므로 약물의 사용이 재활치료에 부정적인 영향을 미치는지 잘 고려해야 한다.

3. 척수손상

1) 역학

척수손상의 가장 흔한 원인으로 자동차 사고, 작업 사고, 스포츠 운동 손상 그리고 낙상 등이 있다. 남성들은 여성보다 대략 2배 정도 많이 발생하고 척수손상 환자의 절반 이상은 30세 이하의 나이에서 손상을 겪는다.

척수손상의 절반은 하반신 마비, 나머지 절반은 사지 마비의 결과를 일으킨다. 이러한 마비로 인해 환자뿐만 아니라 가족들도 지속적인 경제적 부담과 돌봄에 대한 책임을 떠안게 된다.

2) 정의

척수손상이란 척수에 가해진 외상으로 인해 운동 및 감각, 자율신경기능에 이상이 생긴 것을 말한다. 척수손상을 지닌 환자는 손상된 척수절 이하의 모든 기능이 손상되기 쉽다. 척수손상에 의해 운동, 감각, 자율신경계의 이상뿐만 아니라 배뇨, 배변, 성기능 장애 등의 다양한 합병증이 발생할 수 있다. 척수손상을 지닌 환자들은 본인이 다시는 이전에 지니고 있던 정상적 신체기능을 할 수 없음에 좌절감을 경험하고 있는 것을 의료진들은 이해해야 한다.

3) 병태생리학

척수는 뇌에 비해 적은 공간에 여러 신경이 밀집되어 있어 손상 부위와 관련된 기능 소실이 훨씬 심할 수 있다. 척수손상의 병태생리는 복잡하며 아직 완전히 밝혀지지 않았다. 척수의 완전한 절단 손상이 없더라도 척수에 대한 충격으로 척수의 비가역적인 신경학적 손상이 발생할 수 있다. 외부 충격의 정도와 방향에 따라 척수손상의 양상이 다르게 나타나며 손상된 위치에 따라서 손상 후 후유증이 다양하게 발현된다. 일반적으로 척수손상은 외상성 척수손상을 일컫는데, 그 외의 비외상성 척수손상은 종양, 염증, 혈관, 퇴행성, 선천성, 독성-대사성 등 다양한 질병으로 인해 발생할 수 있으며 비외상성 척수손상은 외상성보다는 임상적으로 덜 심한 손상과 불완전 손상을 보여 신경학적 회복이 더 잘 일어난다.

4) 척수손상의 생리학적 변화

뇌와 신체 사이에 신경전달이 원활하지 않아 운동마비 및 감각마비를 초래하는데, 우리 몸에 있는 교감신경 대부분이 척수와 연결되어 있어 온도를 느끼는 감각의 이상이 발생하기도 하고, 자율신경 과반사로 인한 통증을 느끼기도 한다. 아울러 자율신경계에 의해 조절되는 방광과 장운동 조절에도 이상을 보이며 호흡근력의 약화에 의한 폐렴, 욕창, 요로감염, 심부정맥혈전증 등의 합병증을 동반하기도 한다. 저나트륨 혈증이나 고칼슘혈증 등의 전해질 불균형으로 의식 혼미 또는 전신성 발작도 나타나며 불수의적 근육 수축이나 경축, 반사 항진 등 근골격에서의 경직을 수반하기도 한다.

5) 척수손상의 심리학적 측면

척수손상 환자들도 Kübler-Ross model의 비통의 5단계5 Stages of Grief를 겪는다.

(1) 5 Stages of Grief (Kübler-Ross model)

① Denial(부정): 본인이 영구적인 장애를 갖게 되었다는 것을 부정한다.

② Anger(분노): 본인에게 이러한 일이 일어난 것에 대해 억울해하며, 주변 사람들에게 화를 낸다.

③ Bargaining(타협): 현재 상황이 더는 어쩔 수 없음을 깨닫고, 조금씩 화를 누그러뜨리면서 받아들인다.

④ Depression(우울): 현실적인 경제적 부담과 과거의 일상으로 돌아갈 수 없는 자신의 모습에 무력감과 우울감을 느낀다.

⑤ Acceptance(수용): 영구 장애를 갖게 된 것을 인정하고, 현재 상태에서 잘 지낼 방법에 대해 모색하고 받아들인다.

(2) 심리적 문제

① 두려움: 척수손상을 지닌 환자들은 영구적인 장애에 대한 두려움과 사람들로부터 받게 될 차별에 대한 심리적 압박을 겪는다.

② 자아개념의 혼란: 자아존중감이 낮아지며 자신의 가치에 대해 회의적이 되며 이전의 정상적인 자기 자신과의 비교에서 오는 존재론적인 열등감을 가지게 된다.

③ 투사와 왜곡: 기혼자의 경우는 낮아진 자존감으로 인해 배우자가 떠나지 않을까 하는 걱정과 함께 성기능의 장애를 안고 있을 때 본인이 만족하게 해주지 못한다는 열등감을 부인에게 투사하여 의처증 양상을 보이기도 한다.

④ 우울 및 불안: 뇌를 다치지 않았음에도 주위에서 성격이 바뀌었다는 말을 듣게 되는데, 이는 우울 및 불안 등의 정신질환이 동반되면서 세상에 대한 회의 및 적개심의 감정 등이 혼재되어 여러 가지 감정 및 충동을 조절하지 못하는 양상을 보인다.

⑤ 절망감 및 자살사고: 미래에 대한 염세적 생각은 삶의 의미를 잃어버리게 하여, 희망이 없는 삶보다는 죽음을 택하고자 하는 생각을 불러일으키기도 한다.

(3) 특수상황 - 소아 척수손상

소아청소년기 척수손상은 성인과 비교하면 상대적으로 드물게 발생하여 전체 척수손상의 4.5%에 해당한다. 분만 시 사고에서 교통사고까지 손상의 원인은 여러 가지로 다양하며 아동학대에 의한 척수손상의 가능성에 대해서도 전문가들은 항상 염두에 두어야 한다.

소아청소년기에는 신체 및 정신적 성장의 속도가 빠르게 일어나므로 정기적인 재활 평가를 통해 기능적 목표 등을 주기적으로 재설정해야 한다. 또한, 다양한 심리적 문제들이 발달학적 측면과 맞물려 나타날 수 있으므로 신체적 재활뿐만 아니라 아이의 정서 상태 및 인지발달 그리고 가족 및 주변인들과의 관계 형성에 유의하여야 아이가 삶에 대해 만족해나갈 힘이 생긴다. 아이가 비록 장애를 지니고 있어 제한이 있지만 아이가 원하는 자아실현의 현실적 목표를 설정하고 인도해주는 것이 주변의 어른과 전문가들의 몫이다.

6) 척수손상의 정신의학적 장애

척수손상 후에 신체장애의 호전 또는 불편함에 적응하기까지는 2년에서 5년까지 상당한 시간이 걸리며 상황에 따라서는 평생에 걸쳐 적응의 문제가 해결되지 않을 수도 있다. 척수손상을 겪은 환자의 30% 이상에서 정신의학적 문제가 나타난다고 한다.

척수손상을 지닌 환자는 알코올 남용과 의존, 우울장애, 외상후스트레스장애, 성기능장애 등의 동반 질환을 나타내는 경우가 많으며, 이럴 때 정신의학적 협진이 권고된다.

(1) 알코올 남용과 의존

척수손상 환자들은 수상 전 음주 문제가 있었거나 수상 당시 알코올 중독 상태에서 사고로 이어진 경우가 간혹 있다. 수상 사고의 직접적인 연관이 알코올 문제과 밀접한 연관이 있으면 수상 후 알코올 의존을 초래하는 빈도가 그렇지 않은 경우보다 많다. 또한, 척수손상 이후에 할 수 있는 취미 생활 및 놀이, 레포츠 등의 제한으로 인해 알코올 남용과 의존으로 빠르게 진행되기도 하며 간혹 우울감을 스스로 조절하기 위한 비적응적 방법으로 알코올을 이용하기도 한다. 이러한 알코올 남용은 또다시 수면 및 기분 문제로 이어져 악순환의 과정을 가져온다.

(2) 우울장애

척수손상을 지닌 환자의 10-45%에서 손상 후 1개월 이내 우울장애가 나타난다고 한다. 우울장애가 척수손상 환자의 절반 이하에서 나타난다고 할지라도 우울장애는 이환율 및 사망률 증가와 관련이 깊으므로 반드시 치료해야 할 동반 질환이다. 척수손상 환자는 정상인보다 자살률이 2-6배 높으며 손상 후 5년 이내 시행할 가능성이 크며 완전 척수손상보다는 일부 신체를 움직일 수 있는 불완전 척수손상 환자에게서 자살이 더 많이 발생한다. 우울장애의 재발률도 정상인에 비해 높아서 6개월 이상의 지속적인 치료가 필요하며 치료받지 않고 우울증상이 장기간 지속될 경우에는 정신병적 증상을 동반한 우울장애로 진행되거나 경우에 따라서 조현병이나 망상장애로 발전하기도 한다

(3) 외상후스트레스장애(PTSD)

전쟁에서 척수손상을 겪었거나, 혹은 손상 이전에 잦은 폭력에 노출된 전력이 있는 사람이 척수손상을 겪게 되면 추후 수상 당시 사고 상황에 대한 재경험 및 과각성 그리고 회피 등의 외상후스트레스장애(PTSD)의 증상들이 나타날 수 있다. 그로 인해 악몽 및 수면장애, 그리고 자율신경계 항진으로 인한 여러 신체적 불편감 등을 동반하게 된다.

(4) 성기능 장애

척수손상으로 인해서 발생한 성기능 장애를 관리하는 것은 환자의 정서적 그리고 심리적 안녕에 매우 중요하다. 성적 활동을 하면서 관계 시 자세의 어려움, 장과 방광에서의 실금incontinence으로 인한 위생 문제 및 불쾌감, 자율신경계 반사부전autonomic dysreflexia에 의한 조절되지 않는 고혈압, 빈맥, 서맥 등이 나타날 수 있고 근육 경직spasticity 등의 운동장애는 여성과 남성 모두에게 문제가 될 수 있다.

완전한 척수손상은 성기 무감각genital anesthesia을 유발할 수 있으나 몇몇 환자들은 미세한 성기 감각 및 성기 반응genital response을 보유하기도 하고 성교가 가능할 정도로 충분한 반사 발기reflex erections가 되어 관계 및 절정감을 느낄 수도 있다. 그러나 상당수의 척수손상 남자들에게 있어 약물의 도움 없이는 발기나 사정을 하는 것이 어려워 sildenafil와 같은 약들이 발기부전 등의 성기능장애에 처방된다.

7) 치료

척수손상을 지닌 환자들에게 있어 정신의학적 장애에 관한 치료 연구는 많지 않다. 그러나 임상에서는 척수손상 이후에 정신의학적 장애를 동반하여 그에 대한 치료가 필요한 경우가 상당히 많다. 척수손상으로 인한 절망감으로 정신의학적 치료뿐만 아니라 척수손상에 대한 치료조차 받기를 거부하는 경우 정신의학적 협의 진료를 통해 좋은 치료 동맹을 확립하고 치료에 대한 의욕 저하를 해결할 수 있도록 도움을 주어야 한다.

(1) 약물학적 치료

정신건강의학과 의사는 척수손상 환자의 약물치료 시, 반드시 척수손상의 생리학적인 후유증 및 합병증과 정신약물에 대한 작용기전 및 부작용 등을 고려하여 신중히 약제를 선택하고 치료해야 한다.

척수손상을 지닌 환자들은 체중이 증가하고 포도당 불내성glucose intolerance 등의 합병증이 생길 수 있다. 이는 mirtazapine 보다는 bupropion을 선호하는 이유가 된다.

또한, 기립성저혈압 및 서맥 그리고 정맥성 혈전증의 발생 등 심혈관계 질환의 위험성이 증가하는데, 이는 삼환계 항우울제 보다는 선택적세로토닌재흡수억제제를 선호하는 이유가 된다.

척수손상 환자들이 사용하는 항강직성 약물Antispasticity agents은 종종 진정작용을 하기 때문에, 수면을 유발하는 항우울제보다는 활성화를 시키는 우울장애 약이 더 도움이 된다. 또한, 척수손상 환자의 15-45% 정도가 수면 무호흡이 발생하는데, 항강직성 약물Antispasticity agents을 투여하는 경우 상기도 근육을 이완시켜 수면 무호흡의 발생률을 높일 수 있으므로 주의해야 한다. 호흡 근력의 약화가 나타나는 척수손상 환자에게는 benzodiazepine 계열 약물 사용 시 호흡 저하에 주의해야 한다.

손상부위의 통증에 대해서는 gabapentin 등을 사용할 수 있으며 마약성 진통제를 사용하고 있는 경우 이로 인한 약물의존성, 변비, 인지기능 저하 등의 부작용이 나타날 수 있으므로 사용 중에 약물에 대한 면밀한 검토가 필요하다. 통증을 동반할 경우 항우울제의 선택에서 세로토닌노르에피네프린재흡수억제제를 적용해 볼 수 있다.

불수의적 근육 수축이나 경축, 반사 항진 등으로 근육 강직을 호소하는 척수손상 환자는 소량의 diazepam을 제한적으로 사용해볼 수 있으나 섬망 발생의 가능성에 대해 항상 유념해야 한다.

뇌손상을 동반하는 척수손상 환자는 발작seizure의 가능성이 크므로, 발작의 역치값threshold을 낮출 수 있는 노르에피네프린도파민재흡수억제제 사용은 가급적 피하는 것이 좋다.

척수손상 환자들은 운동 부족 및 자율신경계 이상으로 배변장애 혹은 배뇨장애 등이 종종 나타나므로 이러한 증상을 악화시킬 수 있는 항콜린성작용이 강한 quetiapine, risperidone, olanzapine, mirtazapine과 같은 약물 등은 지양하는 것이 좋다.

발기력 저하 및 성기능 저하를 호소하는 척수손상 환자들은 성기능 저하를 악화시킬 수 있는 선택적세로토닌재흡수억제제 사용보다는 세로토닌노르에피네프린재흡수억제제나 노르에피네프린재흡수억제제 계열로 대체해볼 수 있겠다.

(2) 비약물적 치료

활동적으로 생활을 하던 젊은 사람이 척수손상을 겪으면 스스로에 대한 자책감과 자기 비난, 죄책감, 후회 등의 감정을 느끼게 된다. 이러한 감정은 재활치료의 참여에 대한 거부로 이어져 향후 재활의 경과에 상당한 부정적 영향을 준다. 이 상황이 지속되면 재활 팀은 정신건강의학과 협의 진료를 통해 환자의 상태에 대한 정신의학적인 평가 및 개입을 요청해야 한다. 정신건강의학과 의사는 환자의 상태가 손상을 겪은 뒤 찾아오는 일시적 정상반응인지 아닌지를 구별하기 위해 환자의 재활치료 동기를 재활의학과 의사로부터 얻는 것이 중요하다. 협의 진료를 통한 재활 팀의 효과적인 개입과 협력으로 향후 물리치료 및 작업치료의 참여를 강화하기 위한 인지행동요법을 적용해 볼 수 있다.

신체장애 및 성기능 장애로 인한 정체성 혼란에 대해서는 지지요법을 통해 손상된 자아의 방어 능력을 회복시키고, 가족에 대한 개입을 통해 가족 및 사회적 지지와 격려를 활용할 수 있도록 한다. 외상 사건에 대한 심각한 재경험에 대해서는 안구운동 민감소실 및 재처리 기법Eye Movement Desensitization and Reprocessing, EMDR 등의 트라우마 치료가 도움이 될 수 있다.

4. 결론

정신의학적 재활은 의사와 환자가 회복을 촉진하고 삶의 질을 향상시키기 위해 협력 관계에 있다는 가정에 기초한다. 기본 모델은 서로의 협업과 의사 결정의 공유이며 환자들이 어떤 선택을 할 때 정신건강의학과 의사는 환자의 선택권을 존중하면서 그 선택이 위험한지 그렇지 않은 것인지를 고려하고 환자가 바른 선택을 할 수 있도록 도움을 주어야 한다. 실제로 환자의 선택이 잠재적으로 해로울 수 있는 경우 대안을 고려할 수 있게 하는 협력 절차는 권위적인 접근이나 훈계보다 좋은 선택을 도출할 수 있다.

참고문헌

1. 대한재활의학회. 재활의학. 파주: 군자출판사; 2020. p.601-650.
2. 한태륜, 방문석, 정선근. 재활의학. 6판. 파주: 군자출판사; 2019. p.711-738.
3. American Psychiatric Association. Diagnostic and Statistical Manual of Mental Disorders, 5th Edition. Arlington, VA: American Psychiatric Assocation; 2013.
4. Boland R, Verduin M, Ruiz P. Kaplan & Sadock's synopsis of psychiatry. 12th ed. Philadelphia: Wolters Kluwer Health; 2021.
5. Hawryluk GWJ, Bullock MR. Past, present, and future of traumatic brain injury research. Neurosurg Clin N Am 2016;27(4):375-396.
6. Kemuel LP, James RR, Pamela JN, James LL. Clinical manual of psychosomatic medicine: A guide to consultation-liaison psychiatry, 2nd ed. Washington, DC: American Psychiatric Association; 2012.
7. Kennedy P, Duff P. Post traumatic stress disorder and spinal cord injuries. Spinal Cord 2001;39(1):1-10.

8. Levenson JL. Textbook of psychosomatic medicine and consultation-liaison psychiatry. Washington DC: American Psychiatric Association Publishing Inc; 2012. 460-465.
9. Stern TA, Herman JB, Rubin DH. General hospital psychiatry, 4th ed. Boston: MGH Psychiatry Academy; 2017. 371-379.
10. Taylor CA, Bell JM, Breiding MJ, Xu L. Traumatic brain injury-related emergency department visits, hospitalizations, and deaths-United States, 2007 and 2013. MMWR Surveill Summ 2017;66(9):1-16.
11. World Health Organization. International Statistical Classification of Diseases and Related Health Problems, 10th Revision. Geneva: World Health Organization; 1992.

37
CHAPTER

의학적 독성학

은헌정

독성학toxicology이란 외인성화합물(생체이물xenobiotics)에 노출 후 발생한 질병을 돌보는 임상의 전문분야이다. 독성학은 독에 관한 과학으로 인간을 비롯한 다른 생명체에 대해서 어떻게 다양한 종류의 물질이 해를 미치게 되는지 이해하고 독성화학물질 또는 물리적인 성질을 가진 물질이 생명체에 미치는 유해효과adverse effect를 연구하는 학문이다. 유해효과는 즉사immediate death에서부터 수개월 내지 수년이 지나도 미묘한 변화를 알지 못 하는 범위까지 많은 형태로 일어날 수 있다. 또한 기관, 세포의 형태 또는 특정 생화학물질과 같은 체내에 있어 다양한 수준으로 일어날 수 있다. 의학적 독성학medical toxicology은 독성학에 중점을 두고 약물, 직업 및 환경 독성 물질, 생물학적 제제로 인한 중독 및 기타 부작용의 진단, 관리 및 예방을 제공하는 의학의 하위 전문 분야이다.

모든 물질은 복용량에 따라 약이나 독이 될 수 있다. 독소의 영향은 노출 후 지연될 수 있으며 갑자기 나타나고 진행할 수 있다. 이것은 중독에 대한 진단이 명확하지 않을 수 있음을 의미한다. 독성이 있어도 처음에는 안정된 것처럼 보이다가 갑자기 악화되고 발작, 부정맥 또는 불응성 저혈압으로 귀결될 수 있다. 뇌는 급성 중독에 가장 흔하게 영향을 받는 기관이다. 행동, 의식 수준이 급격히 방해받는 환자의 경우 독성 여부에 대해 의심을 해보아야 한다. 많은 정신의학적 문제가 독성과 관련될 가능성이 있다.

1. 독성학 용어와 독성물질의 분류

독성학 용어 중 생체이물은 생체로 유입된 외부 이물질이며 유익한 작용과 독성을 유발하기도 한다. 독성작용 유발물질에 대한 일반적 용어로 독물toxicant, 독소toxin, 독poison, 독성제제toxic agent, 독성물질toxic substance, 독성화학물질toxic chemical 등이 있으며 각 문헌에서 서로 혼용되어 사용되고 있다.

독성제제는 유해한 생물학적 작용adverse biological effect을 일으킬 수 있는 경우이고, 화학적(예. 청산cyanide) 또는 물리적(예. 방사능radiation), 생물학적(예. 뱀독snake venom) 형태를 가질 수 있다. 독물은 어떤 성질에 의해 유해한 생물학적 작용을 나타내는 물질이며 천연에 있는 화학물질이거나 물리적인 물질일 수 있다. 또한 급성, 만성의 다양한 형태의 효과를 나타낼 수 있다. 독소는 생물체에 의해 생산된 특정 단백질(버섯독소 또는 파상풍독소)의 형태로 대부분 즉각적인 작용을 보인다. 독은 아주 적은 양으로 노출 시 즉사나 병을 유발하는 독물을 의미한다.

질병을 일으키는 생물학적 유기체들은 생물학적 활성을 통해 그들의 작용을 나타내므로 독성시약으로 분류되지 않는다(예. 세포막에 손상을 주어 세포사를 일으키는 바이러스). 침입한 유기체가 독성의 원인이 되는 화학물질을 분비한다면 생물학적 독소biological toxins로 간주되며, 이를 독성유기체toxic organism라 한다(예. 파상풍). 파상풍박테리아clostridium tetani 자체는 세포에 침입하여 세포를 파괴함으로써 병을 일으키지는 않지만 박테리아에 의해 분비된 독소가 신경계로 이송되어 병을 일으킨다(신경독소).

독성물질은 단순히 독성을 가지는 물질을 총칭한다. 단일 물질이거나 혼합물일 수 있다(예. 크롬산납lead chromate, 석면asbestos, 가솔린gasoline 등). 크롬산납은 단일성분의 독성물질에 해당되고 석면은 특정한 화학조성을 가진 것이 아닌 다양한 섬유소나 광물질로 구성된 독성원료toxic material에 해당된다. 가솔린은 독성화학물질이 아닌 많은 화학물질들로 구성된 독성물질이다. 독성이 항상 일정한 조성을 가지는 것은 아니다(예. 가솔린의 조성은 옥탄수준, 제조사, 계절 등에 따라 상이함). 독성물질은 조성에 따라 유기, 무기물로 구별된다. 유기독소organ toxins는 살아있는 유기체로부터 유래된 물질이며 탄소원자를 포함하고 있고 자연에서 얻어질 뿐만 아니라 인간에 의해 합성이 가능한 거대분자이다. 무기독소inorganic toxins는 살아있는 생물체로부터 유래되지 않은 특정 화학물질(광물)이며 단지 소수의 원자로 구성된 작은 분자물질(이산화질소nitrogen dioxide)이다. 독성물질은 전신독소systemic toxins 또는 장기독소organ toxins로 구분할 수 있다. 전신독소는 특정한 부위보다는 몸 전체 또는 여러 장기에 영향을 미치는 것이다. 예를 들어 청산칼륨potassium cyanide은 산소를 사용하는 모든 세포의 작용을 방해함으로써 몸에 있는 모든 세포와 장기에 영향을 주는 독성물질이다.

독물은 또한 신체 전체가 아닌 오로지 특정조직 또는 특정장기에만 독성을 보일 수도 있다. 이러한 특정 부위를 표적장기target organs 또는 표적조직target tissues이라 한다. 벤젠benzene은 주로 혈액생성조직에 독성을 보이는 특정장기독소이다. 납lead은 특정장기독소이며 세 가지의 표적장기를 가진다(중추경계, 신장, 조혈기관). 독물은 몇몇 장기에 존재하고 있는 특정한 형태의 표적조직(예. 결합조직)에 영향을 주기도 한다. 신체에는 다양한 유형의 세포가 존재하고 있다. 즉, 기본구조(예. 입방형 세포), 조직형태(예. 간세포), 배(생식)세포(예. 난자와 정자), 체세포(예. 몸의 비생식세포)로 분류된다. 배세포germ cell는 생식과정에 포함된 세포로 새로운 개체를 생성할 수 있는 세포이다. 남성 생식세포는 정자로, 여성 생식세포들은 난자로 발달하는데 배세포에 대한 독성은(선천적 결손 또는 유산 같은) 발생 중인 태아에 대하여 영향을 야기할 수 있다. 체세포somatic cell는 생식세포를 제외한 신체의 모든 세포들을 말하며 두 쌍의 염색체를 가진다. 체세포에 대한 독성은 노출 개체에 대하여(피부염, 사망, 종양 같은) 다양한 독성작용을 초래한다.

2. 신경정신의학 영역의 독성학

자문하는 정신건강의학과 의사는 독성물질에 노출된 환자를 만날 때 대략 3가지 범주를 경험할 가능성이 있다. 첫째, 의도적인 섭취나 기분전환용 마약 모험으로 인해 급성 중독 증상을 보이는 환자. 둘째, 정신병력이 있거나 증상이 독성 물질과 관련이 있는 신경행동학적 혼란을 보이는 병원 환자. 셋째, 노출 또는 신체증상장애가 의심되며 아급성 또는 만성적으로 괴로움을 겪는 외래 환자.

자살 시도 후 사망한 미국인의 20%가 독성물질에 의한 것으로 알려져 있다. 의도적 섭취를 한 환자의 정신 상태는 크게 변하지 않을 수 있다. 지속적 자해 충동의 높은 위험때문에 독성물질에 대한 관리가 필요하다. 독성물질을 음용한 환자에 대한 정신건강의학과 자문의 조기개입은 중환자 관리에 아주 중요한 부분이다. 명시된 섭취 시간은 치료의 방향을 이끄는 데 도움이 될 수 있지만 많은 연구에서 과다 복용으로 섭취한 물질의 정체와 양에 관한 환자 보고서의 신뢰성이 부족함이 강조되었다. 자살의도가 없는 약물오용에 따른 환자의 인지저하는 병력을 조사하는 소통과정을 방해할 수도 있다.

독성 문제는 항상 주관적 자료로 활력 징후, 객관적 신체 소견, 검사 결과의 관점에서 고려해야 한다. 잠재적으로 관련된 물질의 약동학적 프로파일(윤곽)은 평가 및 모니터링 과정 외에 의도적 노출 후 독성 지속 시간의 한계를 알

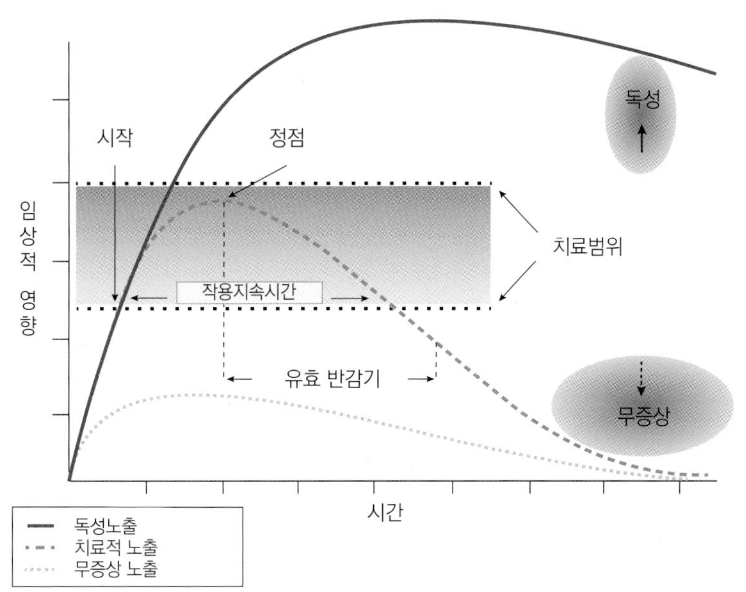

그림 37-1. **중독 사건과 관련된 약동학.** 잠재적 독성 노출이 있는 단일 사건 상황 하에서 세 가지 매개 변수가 각각의 관심을 끄는 의심 물질에 대해 평가와 치료과정을 정의한다. 시작 시간은 노출 후 임상적 영향을 관찰하는데 얼마나 오래 걸리는지 한계를 정한다. 정점효과까지의 시간은 생리적 영향이 최대로 나타나는 지점에 대한 추정치를 제공한다. 유효 반감기($t_{1/2}$)는 대략 임상적 영향의 한계 값을 건너뛰게 될 경우 얼마나 오래 급성 결과가 지속되는 되는 지를 정의한다. 세 가지 매개변수의 표준적 게시 값은 치료적 투여량(파선 곡선)에 근거한다. 치료적 범위는 관찰 가능한 임상 효과와 해를 끼치지 않고 견딜 수 있는 최대 용량을 생성하는 데 필요한 최소 투여량에 의해 제한된다. 한 가지 물질의 반감기가 만약 환자에서 어떤 임상적 영향이 나타나지 않으면서 시작과 정점 시간을 지나갔다면 독성학적으로 무관하다(점선 곡선). 영향이 관찰되지만 정점이 독소의 심각성이 나타나지 않고 지나간다면 시간이 진행되면서 작용지속시간은 최소 영향의 한계 값 미만의 물질 제거로 끝나는데 그 때까지 증상이 줄어들게 될 것이다(파선 곡선).

독성에 노출되는 상황 하에서 약동학이 정점 효과의 지연과 유효 반감기의 연장이 둘 다 나타나면서 교란될 수 있다(실선 곡선). 자신의 흡수를 지연시키는 물질은 쉽게 제거 기전을 압도하며 비정상적인 독성동태학의 분포 표시가 많이 나타난다. 적절한 임상 관찰은 과다 복용 상황에서 잘못 보는 것을 분명하게 해준다. 이유는 시작 시간은 변하지 않으며 관찰 가능한 징후와 증상은 예상되는 시간표에서 분명해질 뿐만 아니라 강화되고 지속되기 때문이다. 독성과 관련된 대부분의 상황에서 증상의 강도가 독성의 한계 값 이하의 강도로 감소하는 데 최소 2회 또는 3회의 유효반감기가 걸릴 것이다. 독성동태학의 이러한 기본 원리는 진행 중인 노출과 말단 기관 손상이 지속되지 않았다는 가정 하에서 필요한 관찰 기간과 예상되는 치료 기간의 윤곽을 알려준다. 만성 노출(의도적, 우발적 또는 의원성) 환경 하에서 독성은 높은 조직 부담과 제거 동역학이 오래 걸리기 때문에 지속될 수 있다.

려준다(그림 37-1). 짧은 기간 내에 증상이 거의 없는 환자에 대해서는 관찰만으로도 충분할 수 있지만 어떤 물질-연장 방출, 항콜린 및 아편양 약물 포함-은 지연 및/또는 장기 독성을 일으킬 수 있다.

1) 신체검사

신체검사에서 과다 복용 또는 독소 노출이 확인되면 도움을 받을 수 있다. 약물 독성의 가장 흔한 초기 증상은 위장기관, 중추신경계central nervous system, CNS/자율신경계autonomic nervous system, ANS 징후이며 금단 상태 또한 이러한 생리적 시스템에서 나타난다. 안진nystagmus은 비특이적 신체소견이며 새로 나타난다면 독성과정을 의미한다. 아편유사제opioid 독성 외에는 동공의 크기와 반응성이 매우 변화하기 쉬운 상태로 나타난다. 피부 이상은 특정 독소를 암시하거나 정맥 주사의 사용이 있었음을 나타낸다. 근육 긴장도, 운동 징후 및 심부 힘줄 반사도 검사의 중심적이 부분이다. 환자 호흡의 특이한 냄새, 피부, 의복, 구토물, 또는 비위흡인nasogastric aspirate은 유용한 진단 단서를 제공할 수도 있다(표 37-1). 하지만 그러한 냄새가 없는 것이 의심되는 작용제agent가 존재하지 않는다는 증거로 채택되지는 않아야 한다.

표 37-1. 독성 노출에서 선별된 냄새

특징적 냄새	가능한 중독제
쓴 아몬드/땀이 많은 라커룸	시안화물(청산가리)
태워진 밧줄	대마초, 아편
당근	물 독 당근(시쿠톡신)
살균제	페놀
과일 같은	에탄올, 아세톤, 이소프로필알코올, 파라알데히드, 아질산염, 염소화 탄화수소(예: 클로로포름)
마늘	비소, 디메틸설폭사이드dimethysulfoxide, DMSO, 유기인산염, 흰색 인, 셀레늄, 탈륨
접착제(풀)	톨루엔, 자일렌, 유기용매
나방	파라디클로로벤젠, 나프탈렌, 장뇌
매운/배와 같은(pear-like)	염소수화물, 파라알데히드
제비꽃	테레빈 유(소변의 대사 산물)
썩은 계란	디설피람, 황화수소, 설파제, 수산화안티몬(stibine)
구두약	니트로벤젠
윈터그린(상록초의 일종)	메틸살리실 산

2) 실험실 검사

의도적 섭취가 의심되거나 알려진 환자는 검사결과를 빠르게 받아 관리할 수 있는 지침이 필요하다. 아세트아미노펜과 살리실레이트 수치 검사, 리튬과 일산화탄소, 항경련제 농도는 신속하게 분석할 수 있다. 급성 양극성 환자의 리튬과 발프로에이트는 과다 복용 후 증상 발현이 지연되므로 조기 개입 후 조치한다면 독성을 최소화할 수 있다. 기타 물질에 대한 혈청검사도 가능하다(예. 삼환계 항우울제tricyclic antidepressants, TCA).

음이온 차가 증가한 대사성 산증은 메탄올, 에틸렌글리콜, 파라알데히드, 톨루엔, 철, 이소니아지드, 비스테로이드성항염증약물non-steroidal antiinflamamtory drugs, NSAIDs 또는 살리실산염의 섭취를 시사한다. 삼투압 차이는 에틸렌글리콜, 메탄올 또는 이소프로판올과 같은 화합물과 같은 저분자량 삼투활성물이 존재함을 나타낸다. 저혈당증은 독성 알코올, 이소니아지드, 아세트아미노펜, 살리실레이트, 프로프라놀롤, 발프로산 또는 설포닐우레아에 중독된 환자에서 흔하다. 혈청아미노트란스퍼라제aminotransferase의 수준은 대부분의 약물로 인한 간독성 시 상승하기 때문에 유용하다. 혈청 크레아틴포스포키나제 및 미오글로비뇨증myoglobinuria의 상승으로 나타나는 횡문근융해증rhabdomyolysis은 CNS억제 효과(특히 오피오이드)를 일으키는 약제의 과다복용 후 장기간 움직이지 않을 때(부동성immobility) 나타난다. 근세포를 직접 손상(예. 에탄올, 콜레스테롤 조절제, 스트리키닌, 항정신병약, 항우울제, 덱스트로메토르판, 각성제, 살충제, 식물, 독액)시키는 화합물로 인해 발생하며 그로 인해 세포의 신진대사가 손상되며, 근육의 강직이 나타나고, 발작이 촉발된다. 아스팔테이트아미노트랜스퍼라제aspartate aminotransferase, AST는 근세포에 존재하는데 알라닌아미노트랜스퍼라제alalnine aminotransferase, ALT에 비해 증가되었을 경우 구획증후군의 가능성이 있는지에 대해 모든 주요 근육집단검사를 포함하여 신속한 정밀 검사를 추진해야 한다.

정상 또는 증가된 동맥산소분압을 가진 헤모글로빈(혈색소)의 산소 포화도 감소는 일산화탄소carbon monoxide, CO 중독 환자 또는 메토클로프라미드, 페나세틴, 니트로글리세린, 국소 마취제 및 일부 항균제(예. dapsone)에 의해 발생할 수 있는 메트헤모들로빈혈증methemoglobinemia에서 발견된다. 흉부 방사선 사진 상 비심장성 폐부종은 아편유사제(오피오이드), 코카인 또는 살리실레이트 독성을 시사한다. 일부 약물은 방사선 불투과성(예. 중금속, 페노티아진, 칼륨, 칼슘, 염소화탄화수소)인데 때로 방사선 검사 중 위장관 내에서 시각화 될 수 있지만 복부 X 선은 금속 또는 신체의 오염 제거 모니터링을 제외한 중독 환자의 진단에 거의 도움이 되지 않는다.

3) 독성 시험

독성 검사는 임상적 진단에 도움이 되지만 높은 수준의 특이도와 민감도를 가지고 사용 가능한 모든 독소를 식별하는 것은 시간과 비용의 제약으로 불가능하다. 약물 스크리닝screening으로 표준 소변 약물 스크리닝이 흔히 사용되며 면역 분석 기술을 사용한다. 소변 검사는 높은 위음성과 위양성으로 인해 제한된다. 아주 낮은 벤조디아제핀benzodiabenzodiazepine, BZD 검출 민감도는 질량 분석 기술을 사용하면서 최근 개선되고 있다. 새로운 남용 물질(예: 합성 카나비노이드, 카티논, 합성 아편유사제)은 표준 스크리닝 패널에 의해 검출되지 않는다.

포괄적인 독성 검사는 더 넓은 범위의 진통제, 마약, 정신작용제를 탐지할 수 있지만 완료하는 데 시간이 걸린다. 알려지지 않은 독소를 탐지할 수 있는 가장 좋은 방법은 소변 분석이다. 이유는 약물이 농축된 형태로 소변으로 배설되기 때문이다. 동시에 채취한 혈액은 임상 양상과 약물 수준의 상관관계를 정량화하는 데 유용하다. 포괄적인 검사의 음성 결과가 독성 상태를 배제하지 않는다는 점에 유의하는 것이 중요한데 그 이유는 일반적으로 섭취하는 많은 약제조차도 분석할 수 없기 때문에 그리고 체액이 모이는 시간이 맞지 않을 수 있기 때문이다. 참 양성true-positive 검사라 할지라도 스크리닝에서 발견된 약물이 환자의 증상에 대해 관련된 약물이 아닐 수 있기 때문에 검사는 오도될 수 있다. 다량의 분포 및/또는 높은 지방 용해도를 가진 물질이 마지막 투여 후 오랜 시간 동안 소변에서 탐지될 수 있지만 임상 증상이 그 화합물의 결과로 나타나지 않을 수 있다. 병력 및 신체검사(입원 이전과 도중에 사용 가능하고 투여된 모든 약물에 대한 설명을 포함하는)는 포괄적 약물 스크리닝 보다 약물의 급성 관리에 더욱 중요하다.

Tandem 크로마토그래피chromatography(질량분석기)검사는 광범위하게 사용되고 있지만 결과는 여전히 급성 치료에 영향을 미치지 않을 수 있다. 독성 검사 및/또는 정량은 신속한 개입에 대한 요구가 있으며 시간이 부족한 급성 병원 환경에서 유용하다. 또한 이는 보다 만성적인 노출이 의심될 때와 증상이 덜 심각할 경우 외래 진료 환경에서 더욱 유용할 수 있다.

3. 급성노출관리의 원칙

독성 치료 급성기의 세 가지 주요 목표는 다음과 같다. 추가 약물 흡수 방지, 해독 요법 제공 및 흡수된 독소의 제거촉진이다. 알려진 노출물질에 대한 해독제 목록이 표 37-2에 나와 있다.

표 37-2. 섭취된 노출물질에 대한 비상해독제

독소	해독제
아세트아미노펜	N-아세틸시스테인(NAC)
항콜린제	피소스티그민
벤조디아제핀 및 플루마제닐	비벤조디아제핀 수면제
베타아드레날린성 차단제	글루카곤
칼슘 채널 차단제	칼슘, 인슐린 + 포도당
시안화물, 황화수소	하이드록소코발라민, 나트륨, 티오황산염
디기탈리스 배당체	디곡신 면역 팹
에틸렌글리콜, 메탄올	포메피졸(에탄올보다 선호됨)
철	데페록사민
리드(납)	디메르카프롤(BAL), 칼슘 이나트륨베르네이트(CaNa2EDTA),석시머(DMSA)
아편유사제, 알파2작용제	날록손, 날메펜
유기인산염 및 카르바메이트	아트로핀, 글리코피롤레이트, 프랄리독심
설포닐우레아	옥트레오타이드
발프로산	L-카르니틴

BAL=British Anti-Lewisite(2,3-dimercaptopropanol, DMSA= Dimercaptosuccinic acid, EDTA=ethylenediaminetetraacetic acid, NAC=N-acetyl cysteine

특정 독소에 대한 해독제 외에 많은 중독환자들에 대해 톡시드롬(독소증후군toxidrome)을 인식하고 지지적 치료와 함께 문제를 일으키는 물질을 제거할 필요가 있다. 표준적이면서 역사적으로 사용된 가정 내 치료법은 토근ipecac으로 구토를 유도하여 위를 비우는 것이었다. 그러나 토근은 다른 섭취 물질의 심근에 대한 부정맥 유발을 민감하게 하고 또한 폭식 행동을 지속시키므로 더 이상 권장되지 않는다. 구토 유도는 응급실에서 사용될 때 독소 회수가 크게 향상되지 않으며 흡인을 유발할 수 있다. 활성탄 및 해독제와 같은 더 유익한 치료법의 효율적 사용을 지연시킬 수 있다.

활성탄은 구토 또는 위 세척 보다 더 나은 독소 회복과 더욱 적은 합병증을 일으킨다. 흡착에 의해 많은 독소의 소화기관 흡수를 최소화한다. 따라서 이러한 방법을 대부분의 과다복용 환자에서 오염제거의 1차적인 수단으로 삼아야 한다. 활성탄의 사용은 숯에 흡착되지 않는 이온, 용매, 알코올 및 대부분의 금속과 같은 약제의 섭취에는 권장되지 않는다(표 37-3).

표 37-3. 활성탄에 잘 흡착되지 않는 독소

에탄올, 메탄올, 이소프로판올, 에틸렌글리콜	철
산	헤비 메탈(중금속)
알칼리	사이안화물
탄화수소	붕산염
리튬	브로마이드

표 37-4. 다중 투여활성탄에 의해 잠재적으로 제거가 강화되는 독소

발프로산	테오필린, 아미노필린
페노바르비탈	디곡신, 디지톡신
카바마제핀	사이클로스포린
페니토인	퀴닌
살리실산염	답손

활성탄은 섭취 후 조기에 줄 때(1시간 이내에 가장 효과적임), 아스피린, 항콜린제, 아편유사제, 서방형과 같은 지연된 흡수 약물 또는 바디스터퍼body stuffer의 약물 패킷packets과 흡수가 지연된 상태의 섭취 약물에 적용될 때 유익할 수 있다. 독성물의 섭취 후 수 시간이 지난 경우 활성탄은 일반적으로 효과가 없다. 흡인이 일어나면 기관지 경련과 폐렴을 유발할 수 있다. 활성탄의 사용은 기도 보호가 둔한 환자에서 비위nasogastric 투여 전 삽관을 경유하여 안전하게 될 수 없다면 구토 반사가 온전하며 의식이 있는 사람으로 제한되어야 한다. 활성탄을 여러 번 투여하면 소화기관 점막을 통해 다시 확산되는 약물의 장간 재순환 및 흡착을 이롭게 하여 특정 약물의 혈청 제거가 향상된다(표 37-4).

오염 제거 절차는 섭취시기가 최근이고 잠재적으로 생명을 위협할 때 그리고 그 절차가 과도한 위험 없이 수행가능 할 때만 적용해야 한다. 위장의 오염 제거는 여전히 사용되고 있지만 대부분 과량투여 환자에서 결과를 개선시키지 않는다. 폴리에틸렌글리콜 용액으로 장을 세척하면 최근에 다량의 지속 방출 및 지연 흡수(예: 일부 칼슘채널 길항제, 서방형 리튬, 장용피복 아스피린)되는 약물을 섭취한 특정 경우에 유용하다. 그것은 활성탄에 의해 잘 흡수되지 않는 금속과 같은 다른 독소의 제거에 도움을 줄 수 있다. 전체 장세척은 장을 바디패커body packer로 부터 큰 알약 조각 및 약물 패킷의 배설을 돕는 데 사용되었다. 흡수되지 않은 화합물을 제거하기 위한 위세척은 거의 적용되지 않으며 환자가 고독성 물질(예: 칼슘채널 차단제, TCA, 콜히친) 및/또는 위 배출을 지연시키는 것(예: 아편유사제, 항콜린제) 또는 응결물을 형성하는 경우에만 고려되어야 한다. 위세척은 식도 천공의 위험이 높기 때문에 알칼리성을 섭취한 경우 금기이다. 연구에 따르면 흡인성 폐렴과 장기간의 집중 치료를 포함한 위세척 사용의 부작용이 증가하는 것으로 나타났다. 위세척의 불확실한 이점을 감안할 때, 증상이 없는 환자에서 이를 행하기 위한 유일한 목적만으로

진정제를 투여하거나 삽관을 해서는 안 된다.

흡수된 독의 제거를 향상시키기 위해 가장 이용가치가 있으면서 사용 가능한 방법은 소변 pH 조절, 혈액 투석 및 혈액관류hemoperfusion이다. 소변 pH(수소이온농도지수)의 변화는 독소가 주로 신장에 의해 제거되는 경우에만 제거를 촉진하는 것이 효과적이다. 이뇨작용은 단백질 결합이 높거나, 매우 지용성이거나 또는 간으로 배설되는 화합물을 거의 제거하지 않는다. 소변의 알칼리화는 약산성 화합물(3.0 < pK < 7.2), 즉 이 범주에서 가장 일반적으로 과용되는 약물인 아스피린 및 페노바르비탈 제거를 높인다. 소변 pH의 상승은 중탄산나트륨(탄산수소나트륨)과 칼륨을 정맥내로 첨가함으로 달성된다. 이론상으로는 펜시클리딘과 암페타민 같은 약염기(7.2 < pK < 9.8)는 산성화된 소변에서 더 빨리 제거될 수 있지만 이 과정은 거의 권장하지 않는다. 산증(대사성 또는 호흡성)이 심각한 과다 복용에 따라 나타나므로 화합물을 산성화하는 치료는 신장 또는 간 질환자의 임상 경과를 악화시킬 위험이 있다.

신기능 장애 및/또는 압도적인 중독 상태에서 체외요법extracorporeal therapy은 최소한의 단백질과 결합되고 수용성이 높거나 분포 부피가 낮은 약물을 효과적으로 제거할 수 있다. 리튬이온과 메탄올, 에틸렌글리콜, 살리실산염, 페노바르비탈과 같은 작은 분자들은 합성 막을 가로질러 빠르게 확산되므로 혈액투석hemodialysis에 의해 효과적으로 제거된다. 치료 용량 범위에서 단백질과 결합된 발프로에이트, 카바마제핀, 페니토인과 같은 화합물조차도 증가된 유리 약물 농도로 인한 독성이 있는 경우 혈액투석을 통해 임상적으로 의미 있는 정도로 제거할 수 있다. 저혈압, 용혈, 저산소혈증 및 부정맥이 투석과정으로 인해 발생할 수 있지만 혈액투석은 여전히 가장 널리 추천되며 이용되는 방식이다. 혈액관류hemoperfusion는 또한 바르비투르산염, TCA, 테오필린 및 아스피린을 포함한 일부 약물을 추출하는 효과적인 방법이다. 혈액관류는 혈액투석보다 비용이 많이 들지만 혈액관류에 필요한 시설과 기술은 본질적으로 혈액투석을 하는 데 필요한 기술과 동일하다. 잠재적인 합병증으로 저혈압, 혈소판 감소증, 저체온증 및 저칼슘혈증이 있는데 이러한 위험이 종종 혈액관류의 이점보다 크게 나타난다. 지속적인 신장대체 요법Continuous renal replacement therapy, CRRT은 합병증의 위험이 감소하면 비용 효율성문제로 나타날 수 있지만 혈액투석 또는 혈액관류에 대한 합리적인 대안이 될 수 있다.

킬레이션chelation 요법은 주로 급성 환경에 국한된다. 에틸렌디아민테트라아세트산ethylenediaminetetraacetic acid, EDTA, 디메르캅토숙신산dimercaptosuccinic acid, DMSA 또는 succimer 및 2,3-dimercaptopropanol (British Anti-Lewisite, 또는 BAL)과 같은 금속 킬레이터(chelator 또는 chelating agent)가 다량의 납 또는 비소를 신속하게 제거 하는 것을 가능하게 한다. 활성탄, 혈액 투석 또는 혈액 관류와 같은 제거 방식에 킬레이터의 사용을 결합하여 일부 중독(예: 탈륨)에서 생명을 구할 수 있다. 조직에서 독성 효과를 발휘하는 것을 방지하고 안전하게 제거하도록 설계된 디곡신과 같은 특정 화합물을 결합하도록 설계된 면역 요법의 경우에도 동일하게 적용된다.

4. 과다 복용과 독성 노출

1) 아세트아미노펜

아세트아미노펜은 쉽게 구할 수 있고 잠재적으로 치명적이며 과량투여에 가장 흔히 관여하는 약제이다. 우발적 중독은 어린아이와 노인들에게 더 흔하지만 거의 모든 급성 아세트아미노펜 독성이 있는 청소년 및 성인은 의도적으로 자신에게 해를 입혔다. 15g 정도 소량의 급성 과량 투여는 성인에 독성을 유발할 수 있으며 200 mg/kg의 단일 섭취는 어린이에게 심각한 해를 끼칠 수 있다. 간 독성은 의료 개입의 주요 관심사이다. 경구 섭취 후 약물의 약 94%가 글루쿠로나이드 또는 황산염 결합체로 대사되며 약 2%는 체내에서 변화 없이 배설된다. 부모약물parent drug이나 접합된conjugated 형태는 모두 간독성이 없다. 하지만 나머지 4%는 일차적으로 사이토크롬 P450(CYP) 2E1을 통해 대사되고 어느 정도는 독성 대사산물인 N-아세틸벤조퀴논이민N-acetyl p-benzoquinone imine, NAPQI이라는 독성대사물을 형성하는 CYP3A4를 통하여 대사된다. 과잉의 NAPQI의 직접적인 영향과 간부전은 신장, 췌장 및 중추신경계를 포함한 다른 장기 시스템의 기능에 영향을 미칠 수 있다.

임상적으로 환자는 급성 섭취 24시간 이내에 메스꺼움, 구토 및 권태감을 나타낸다. 간 손상이 진행됨에도 불구하고 환자가 더 좋아 보이고 기분이 좋아지는 시간의 창window이 있을 수 있다. 외양만 보고 임상의가 아세트아미노펜의 과다 복용을 고려하지 않는다면 그 결과는 치명적일 수 있다. 아미노전이 효소 수치는 대사성 산증, 황달 및 전격성 간부전을 예고하는 뇌병증 전에 10,000 IU/L를 초과할 수 있다.

심각한 아세트아미노펜 과량투여 환자를 신속하게 식별하는 것과 지체 없이 해독제 N-아세틸시스테인N-acetylcysteine, NAC을 도입하는 것이 중요하다. NAC는 NAPQI를 해독하기 위해 글루타치온glutathione[GSH(환원형)]의 저장을 보충하고 비손상 대사 경로가 부모약물parent drug을 제거할 때까지 독성이 진화하는 것을 막기 위해 항산화제로서 작용한다. 경구 과량 투여 후 치료 필요성은 섭취 후 최소 4시간 후에 측정된 시간제한 혈장 아세트아미노펜 수치를 기반으로 계산할 수 있다. 이러한 노모그램nomogram (계산도표)으로 정의되는 치료 선은 많은 논란이 있어 왔다. 현재 150 μg/mL의 4시간 수준은 미국, 호주 및 뉴질랜드에서 해독제 개입을 위한 로그 선형 임계값을 정의한 반면 영국은 100 μg/mL 임계값을 사용한다. 다른 국가는 일반적으로 4시간 수준이 200 μg/mL 미만인 과다 복용은 치료하지 않는다. 혈청 아세트아미노펜 농도가 200라인 이상일 때만 치료를 선택하는 것은 이 임계값이 독성 위험을 정의하는 원래의 데이터 분석과 가장 일치하더라도 제한된 자원 가용성으로 인해 만들어진 것이다.

해독제 사용 전의 치료지연이 나쁜 예후의 가장 중요한 예측인자이다. 다른 위험 요소는 일반적으로 주어진 독성 아세트아미노펜 대사산물을 더 많이 생산하거나 산화 효과를 견딜 수 있는 개인의 성향과 관련이 있다. 고령, 영양실조 상태(예: 신경성 식욕 부진) 및 활동성 간 질환 환자는 더 큰 독성을 일으키기 쉽다. 비만은 더 높은 수준의 CYP2E1 활동과 관련이 있다. 만성적 알코올 사용은 또한 CYP2E1을 유도하고 GSH 저장을 고갈시켜 더 나쁜 결과의 위험을 증가시킨다. 하지만 과다 복용 시 알코올을 함께 섭취하면 에탄올은 CYP2E1에 대해 아세트아미노펜과 경쟁하고 따라서 독성 NAPQI의 생산이 감소하기 때문에 약간 보호되는 상태가 될 수 있다.

2) 살리실산염

아스피린 및 기타 살리실산염의 독성은 이환율과 사망률의 주요 근원이다. 어린이 보호를 위한 포장으로 어린이의 아스피린섭취 발생률을 감소시켜왔으나 이러한 진통제의 의도적 과다복용은 여전히 청소년 및 성인의 사망을 일으키고 있다. 살리실산중독증salicylism의 진단은 발열, 구토, 호흡곤란 등의 증상이 살리실산염을 복용한 질병을 포함한 다른 질병에 기인하여 나타날 수 있기 때문에 종종 지연된다.

아스피린은 정상적인 상황에서 소장 상부에서 빠르게 흡수된다. 과량투여 시 유문경련이 일어나고 흡수가 느려진다. 살리실산 혈청 농도는 섭취 후 24시간 이상 증가할 수 있다. 치료 용량에서 대부분 살리실산은 혈장 단백질에 결합되지만 과량투여 시 단백질이 결합되지 않은 약물의 양이 증가하여 심각한 독성의 가능성을 증가시킨다. 알부민 및 기타 단백질을 고갈시키는 조건(예: 신경성 식욕부진증)은 환자를 주어진 혈장 농도에서 독성의 불균형적 위험에 빠지게 한다. 살리실산염은 사구체 여과 및 세뇨관 분비라는 두 가지를 경유하며 일차적으로 신장을 통해 제거된다.

살리실산중독증의 대사성 산증은 결합되지 않은 산화성인산화를 포함한 살리실산염의 여러 효과로 인한 결과이다. 살리실산염은 CNS 호흡 중추의 자극에 이차적으로 과호흡을 유발하여 호흡성 알칼리증을 유발한다(설명할 수 없는 호흡곤란은 아스피린 과다복용을 의심해야 하며 불안에 기인하지 않아야 한다). 전형적인 산-염기 상태는 호흡성 알칼리증에 의해 유발되는 경미한 알칼리혈증과 음이온차anion gap 대사성 산증이 혼합되어 나타난 것이다. 심한 탈수, 전해질 장애, 상당한 혈당 변화는 살리실산 독성과 함께 발생할 수 있다.

급성 독성의 증상은 이명, 메스꺼움, 구토, 탈수, 과호흡, 과열, 급성 세뇨관 괴사, 핍뇨, 섬망, 발작 및 혼수상태의 진행 등이다. 덜 흔한 소견으로 출혈, 용혈, 폐부종, 기관지 경련 및 아나필락시스(과민증anaphylaxis)가 있다. 가역적 이독성ototoxicity은 결합되지 않은 혈청 살리실산과 직접 관련이 있다. 증상은 일반적으로 급성 섭취 1-2시간 이내에 발생하지만 서방형 제재, 유문연축 또는 위 결석형성으로 인해 4-6시간까지 지연될 수 있다.

살리실산염에 대한 직접적인 해독제는 없으며 흡수 방지 및 제거, 활성탄, 알칼리성 이뇨 및 혈액 투석을 촉진하는 중탄산나트륨 용액으로 수액 소생resuscitation을 시행할 수 있다.

3) 비스테로이드성 소염제nonsteriodal anti-inflammatory drugs, NSAIDs

살리실산염 보다 독성이 훨씬 덜 하지만 다른 NSAIDs는 훨씬 더 비처방용 제품에 널리 사용되므로 자살하기 위해 섭취한 경우 더욱 자주 접하게 된다. 이부프로펜, 나프록센, 케토프로펜은 1형 사이클로옥시게나제cyclooxygenase에 경쟁적이고 가역적인 억제를 통한 치료 및 독성 효과를 나타낸다. 2형 사이클로옥시게나제억제제(celecoxib, meloxicam, rofecoxib 및 valdecoxib)를 이용한 효소 선택성은 고용량에서 극도로 손실된다. 따라서 이러한 약제는 과다 복용 시 유사한 독성을 나타낼 수 있다.

급성 섭취 후 상복부 통증, 메스꺼움과 구토와 같은 소화기의 고통은 실제로 거의 항상 존재하며, 구토가 없으면 독성이 거의 나타나지 않는다. 음이온차가 높은 대사성 산증이 흔하다. 매우 큰 과다 복용 시 의식의 혼동 및 우울과 함께 발작, 혼수상태 및 사망으로 진행될 수 있다. 지지적 검사와 공격적인 정맥 내 수액 요법은 약물을 더 빨리 제거하고, 산증을 해결하며, 급성 손상으로부터 신장을 보호하기 위해 적용된다. 합병증으로 중추신경계 기능저하가 발생하지 않는 한 NSAIDs 중독 환자의 대부부은 생존한다.

4) 일산화탄소

일산화탄소(CO)는 인간의 감각양식에 의해 감지할 수 없는 독성가스이다. 노출의 근원으로 연소엔진의 배출물, 화재로 인한 연기, 연료 스토브 및 적게는 담배 연기가 포함된다. 배기가스 또는 타는 숯에 의도적으로 노출하는 것은 치명적 자살 방법이다. 독소는 산소보다 250배 더 큰 친화력으로 헤모글로빈에 결합하여서 조직의 산소 전달을 현저히 감소시킨다. 대부분 메스꺼움, 두통 및 현기증을 경험한다. 정신병, 우울장애, 함구증, 기억상실, 섬망을 보이며 실신과 혼수상태는 더욱 심한 노출 시 나타난다. 심혈관 독성으로 호흡곤란과 함께 협심증에서 저혈압, 심근경색, 치명적인 부정맥까지 진행한다.

자살도 병력이 불분명 상태에서 만성적이거나 미분화된 양상을 보인다면 진단이 어려울 수 있다. 실제로 고전적인 체리-레드cherry-red 피부모습을 보이는 환자는 거의 없다(사후에 대부분 충격적인 회색으로 나타난다). 혈액 가스 분석 및 맥박 산소 측정기는 심각한 전신저산소증에도 불구하고 중독을 식별하지 못한다. 혈청 일산화탄소헤모글로빈carboxyhemoglobin, COHb농도는 진단적이며 치료지침에 도움이 된다. COHb는 차량에서 발견된 과량투여 환자에서 지체 없이 분석되어야 한다. 100% 산소치료는 산소증을 해결하고 독성 가스 제거를 향상시킨다. 고압산소치료hyperbaric oxygen therapy, HBO는 더 심하게 중독된 환자에서 CO의 제거를 더욱 가속화하고 더 나은 결과를 만들 수 있다. 지속적인 정신 상태의 변화, 좋지 않은 시공간 기능과 운동실조 및 실행증의 징후는 가장 중요한 고압치료의 적응증 지표다. CO와 태아 혈색소hemoblobin, Hb사이의 강렬한 결합 상호작용으로 인한 자궁 내 독성 가능성은 임신한 환자에서 보다 적극적인 산소 치료를 위해 임계값을 낮추는 것이다. 임신 중 CO중독은 드물게 보고되지만 발생할 경우 산모와 태아에 심각한 문제를 발생시킬 수 있다.

심각한 일산화탄소 중독은 중추신경계에 대한 저산소 손상으로 인한 결손을 유발할 가능성이 높다. 대뇌 위축, 뇌실 주위 백질 변화, 기저신경절의 저밀도 병변을 나타낼 수 있다. 일산화탄소 중독에서 조기에 지연성신경정신의학적후유증delayed neuropsychiatric sequelae, DNS을 예측하기 위하여 초기에 자기공명영상magnetic resonance imaging, MRI를 이용하여 연구한 결과 HBO가 DNS의 발생을 예방하지 못한다고 보고하였다. 신경정신병적 후유증은 최대 환자의 절반에서 나타날 수 있으며 경미한 기억력과 집중력 결핍에서 기분 및 성격 변화, 파킨슨병 및 고밀도 뇌병증에 이르기까지 다양하다. 환자들은 낮은 수준의 일산화탄소에 만성적으로 노출된 후 급성적인 중독의 삽화가 없는 경우에 신경정신의학적 영향은 없는 것으로 나타났다. CO중독 이후 발생한 지연무산소뇌병증 환자에 고용량프레드니솔론 및 콜린에스테라아제억제제로 치료 전후 일련의 신경인지기능검사 및 확산텐서영상diffusion tensor imaging, DTI의 정량적 분석에서 호전이 있음이 보고되었다.

5) 독성 알코올

에틸렌글리콜은 부동액의 기본 성분이다. 프로필렌글리콜도 또한 부동액에서 발견되며 로라제팜, 디아제팜, 에스몰롤과 기타 약물의 비경구제재의 희석제로서 연속적 주입을 하게 함으로서 잠재적인 의인성 독성의 근원이 된다. 바람막이 유리 세척액 및 연료 첨가물은 메탄올을 함유하고 있다. 이소프로판올은 문지르는 알코올에서 발견된다.

독성 알코올의 초기 효과는 심각한 과다복용 시 혼수상태와 불분명한 발음, 운동실조증, 중추신경계 저하와 함께 나타나며 에탄올과 유사하다. 알코올 탈수소분해효소에 분해가 빠르게 되고 메탄올(포름산)과 에틸렌글리콜(이온산 및 옥살산)로부터 유기산을 생산하기 때문에 음이온간격이 높은 대사산증이 핵심 소견이다. 이소프로판올은 아세톤으로 대사되며, 섭취의 결과는 심각한 산증이 없는 중추신경계 저하와 케톤증(특징적 과일 냄새와 함께)으로 나타난다. 산증과 그 대사물의 직접적인 영향은 에틸렌글리콜에 의한 신장독성, 메탄올에 따른 실명 등 기관의 손상이다. 메탄올은 또한 조가비핵putamen에 괴사를 일으킬 수 있고, 그로 인해 파킨슨증과 유사한 비가역적 운동 장애가 나타난다.

독성 알코올에 대한 치료는 제거와 신진대사를 억제하는 것이다. 알코올 탈수소화효소의 억제는 적절한 치료법이 아니다. 포메피졸fomepizole은 선호 해독제이지만 더 좋은 병원 치료가 제공되기 전 일시적 지연효과만을 보인다. 독성 알코올의 제거에 혈액 투석을 적용하여 촉진시킬 수 있다.

6) 탄화수소 및 흡입제

탄화수소는 대부분 광택제, 용제, 윤활유, 연료로 구성된 제품에 있으며 흔히 구할 수 있는 것으로 확인된다. 경구 섭취는 어린이의 사고나 성인의 자살 의도를 반영하지만 폐로 흡입되지 않는 한 치명적인 결과는 드물다. 여러 탄화수소는 흡입제로 남용된다(이 약물들을 이용하여 냄새를 맡고, 숨을 헐떡이고, 봉지에 담아 흡입하는 것은 행복감을 자아내기 위해 모두 의도적으로 이루어진다). 탄화수소 흡입의 정신의학적 결과로 기분 장애(예: 정동의 불안정성, 흥분, 우울장애, 조증), 정신증, 불면증, 기억상실, 혼란, 그리고 기괴한/폭력적인 행동이 포함된다. 트리클로로에틸렌, 염화메틸, 톨루엔, 에틸렌 산화물, 프로판, 아세톤, 아산화질소와 같은 다른 작용제가 심각한 신경정신의학적 손상을 일으킨다. 흡입제 남용자들에서 동반이환된 정신의학적 장애의 비율이 높은 것으로 알려져 있다. 많은 사람들이 전반적인 백질부 변화, 대뇌 및 소뇌 위축, 뇌량의 얇아짐 및 기저신경절에 대한 손상 등 뇌 이상을 보인다(컴퓨터 단층 촬영computed tomography 또는 MRI 소견). 신경병증 또한 만성적 사용과 함께 나타날 수 있으며 사용 중단 후에도 오래 지속된다. 급성노출이 클수록 운동실조증, 뇌신경마비, 섬망, 발작, 그리고 혼수로 이어질 수 있다. 갑작스러운 코들이쉬기 사망 또는 사망증후군(sudden sniffing death, sudden sniffing death syndrome, SSD, SSDS)은 흡입 남용으로 인한 돌연사를 말한다. 이는 흡입에 따른 심장부정맥으로 인해 발생할 수 있다. 탄화수소 및 기타 용매의 경구 섭취의 일차적 위험은 흡인이며 이는 화학적 폐렴으로 이어진다. 폐렴 및 관련 호흡기의 손상은 용매가 액체 형태로 흡인되는 경우가 아닐 때에도 허핑huffing(정신활성물질의 흡입)만으로도 발생할 수 있다.

급성 탄화수소 섭취의 관리는 주로 대증적이다. 만성 독성 환자의 돌봄에는 재활 요법, 화학물질 의존성 중재 표적 정신약리학, 신경정신의학적 재평가가 필요하다.

7) 농약 및 살충제pesticides

동물, 식물 및 진균 해충을 죽이는 데 사용되는 약제는 사람에게 심각한 급성 및 만성 독성을 유발할 가능성이 있다. 이는 환경 독성을 더 미묘하게 유발하는 데 이는 중요한 공중 보건의 문제로 나타나고 있다.

(1) 스트리키닌strychnine

스트리키닌은 한때 치료적으로 판매되었던 알칼로이드 식물성 유도체이지만 현재는 실험실 시약과 포유동물과 새를 죽이는 데 상업적으로 이용이 가능하다. 그것은 헤로인, 엑스터시 및 코카인과 같은 불법 약물의 흔한 혼합물이다. 스트리키닌은 때때로 자살이나 살인 의도를 가진 경우에 사용된다. 류머티즘과 위장관 질환을 치료하기 위해 고안된 중국과 캄보디아의 몇몇 약초 의약품에서 발견되었다. 스트리키닌독성은 안진, 과반사 및 심각한 전신성의 고통스러운 골격근수축을 포함하며 간혹 고열, 횡문근융해증, 신부전, 긴장성 호흡마비 및 사망에 이르는 신경성 흥분의 빠르고 광범위한 말초 증상을 유발한다.

스트리키닌 독성의 간대성근육경련증myoclonus, 경련미소risus sardonicus 및 후궁반장opisthotonus 자세는 발작으로 오인될 수 있다. 감별 진단은 파상풍, 세로토닌증후군, 신경이완제악성 증후군neuroleptic malignant syndrome, NMS, 각성제독성 및 약물유발성 근긴장이상을 포함한다. 환자는 대사 및 호흡기 산증 외에 미오글로빈뇨, 크레아틴 포스포키나아제와 및 혈청 아미노전이효소의 수치 상승을 나타낸다. 스트리키닌중독에서 살아남은 환자는 장기적인 신체 후유증이 없지만 외상후스트레스장애posttraumatic stress disorder, PTSD는 나타날 수 있다.

(2) 살충제insecticides

많은 살충제는 급성 노출되더라도 대개 후유증 없이 진행되지만, 만성 노출은 잘못 귀속되거나 의학적으로 설명되지 않은 상태로 남아 문제가 될 수 있다. 낮은 수준의 노출에 대한 사례 보고는 기억장애, 말초신경증, 비특이적 피부 소견을 포함한 다양한 만성적 문제를 시사한다.

유기인산염은 해충을 제거하는 데 외에 일부(사린sarin, 타분tabun, 및 소만soman)는 화학전에 사용되었다. 대만, 중국과 인도의 농촌 지역에서는 유기인산염을 의도적으로 섭취하여 매년 많은 사람들이 사망한다. 농장이나 정원에서 우발적인 노출로 특히 어린이들이 피해를 본다. 카바메이트(예: 피리도스트그민pyridostigmine, 네오스티그민neostigmine도 비슷한 위험을 내포하고 있다. 이 물질들은 모두 아세틸콜린에스테라아제의 억제를 통해 효과를 발휘하는데 과도한 콜린성 활동의 특징적 징후로 나타난다. 유기인산염은 일반적으로 carbamates보다 혈관-뇌 장벽blood-brain barrier, BBB을 더욱 쉽게 통과하며 혼수상태로 진행되면서 발작을 유발할 수도 있다. 유기인산염은 또한 효소에 대한 결합이 비가역적이며 더 심각하고 오래 지속되는 콜린성 독성을 일으키기 때문 때문에 치료가 지연되면 더 치명적이다.

치료는 피부와 의복의 세심한 오염 제거 후 특별한 해독제를 적용하는 것이다. 아트로핀atropine은 과도한 미주신경 자극의 영향을 상쇄한다. 프랄리독심pralidoxime은 활성 부위에서 독소를 제거하여 콜린에스테라제를 재활성화한다. 섬망, 기분 변화, 불안 및 저절로 소멸되는 파킨슨병 운동이 나타나지만 급성 중독에서 회복된 환자는 종종 후유증을 겪지 않으며 몇몇 정신증상은 그 사건 후 수개월간 지속될 수 있다.

만성 유기인산염 독성은 일반적으로 작업 관련 노출에서 발생한다. 증상으로는 동공축소에 따른 흐려진 시야, 메스꺼움, 설사, 발한, 쇠약 및 기타 신경학적 호소를 포함한다. 추체로pyramidal trac징후가 때로 나타난다. 기억에 대한 불편, 기분 변화, 과민하거나 기타의 비정상적인 행동을 포함하는 말초신경병증 및 중추신경계 영향은 만성 유기인산염 노출 후 이차적으로 보고되었다.

다른 살충제는 상대적으로 낮은 수준의 노출에서 독성 증후군과 관련이 있다. 유기염소(예:디클로로디페닐트리클로로에탄dichlorodiphenyltrichloroethane, DDT)는 모두 발작의 역치를 낮춘다. 구충제 린단lindane과 같은 화합물은 인지와 행동, 특히 어린이에게 부정적인 영향을 미칠 수 있다(저렴한 옴 치료제로 가장 많이 처방되기 때문임). 친유성lipophilic 살충제 클로르데콘chlordecone에 만성적인 직업적 노출은 확산성 떨림, 운동실조, 과장된 놀람 반사, 안구간대경련opsoclonus, 쇠약, 체중 감소 및 대사성 간 손상을 야기할 수 있다. NN-디에틸-3-메틸벤즈아미드N, N-diethyl-3-methylbenzamide, DEET의 의도적 과다 복용은 상업용 벌레 스프레이에서 흔히 볼 수 있으며 발작을 일으킬 수 있다. 뇌병증과 발작이 DEET에 대한 과도한 피부 노출이 있었던 어린 소아에서 보고되었다.

8) 방사능

전리방사선원에는 진단 및 치료 동위원소 외에 핵무기와 원자로, 자연 상태의 요소(예: 라돈), 소비재가 포함된다. 전리방사선은 높은 회전율과 함께 피부, 면역계, 폐의 상피 및 위장관을 포함한 세포에 우선적으로 피해를 준다. 전리 방사선에 대한 인지적 또는 실제 노출에 따른 스트레스가 정신장애를 결과적으로 발생시킬 수도 있다할지라도 CNS의 방사선 손상 및 괴사는 신경 기능 장애 및 정신 상태 변화를 유발할 수 있다. 독성증상에는 우울장애,수면장애, 피로, 기억력 문제, 집중력 저하 및 드물게 정신병이 포함된다. 암 치료 시 두개부의 방사선조사irradiation는 신경정신의학적 이상, 특히 어린이에서 위험을 증가시킨다. 하지만 모든 두개부의 방사선조사는 기능 장애를 유발하지 않으며 경우에 따라 신생물의 위치와 유형 및 치료의 특성에 따라 인지 능력 향상이 나타난다. 전리방사선은 발달적 기형 유발 물질이므로 태아에 대한 높은 수준의 노출은 지적 장애를 유발할 수 있다.

생존자 장기 연구는 그들이 기분과 불안 장애의 위험에 처해 있다하였고 특히 후자는 노출 후 건강의 결과에 대한 지속적인 걱정 때문이었다. 사고 또는 공격 후 단순한 피폭 위협에 따른 외상 후 반응은 유의미한 수준이었으며 정신증상은 방사선 에너지가 거의 또는 전혀 방출되지 않았을 때조차도 흔히 보고되었다. 방사선공포증radiophobia은 방사선자체에 기인하지 않은 스트레스반응을 반영하는 심리적이고 기능적인 신체 증후군이다. 불안과 같은 감성적이고 신체적인 증상은 전형적으로 암과 원자력 발전소 내에서 자연적 노출, 진단 방사선 촬영에 이르기까지 다양한 노출로 인해 발생하는 기타 질병에 대한 두려움을 동반한다.

비이온화 방사선은 전자기 주파수(예: 레이더, 전자레인지, 텔레비전 신호, 휴대전화 전송)의 낮은 에너지 때문에 위에서 설명한 독성 잠재력을 가지지 않는다. 그러나 전자기 범위의 방사선에 민감한 특발성 환경불내성이 보고된 경우와 유사한 증후군적 증상을 가진 환자연구에서 환자들은 연령 및 성별이 일치하는 대조군에 비해 특정한 지각적 차이를 보여준다고 하였다. 명확한 인과관계는 없어도 인지행동 치료와 같은 심리적 개입으로 도움을 받을 수도 있다.

9) 금속

노출 방지책의 발전에도 불구하고 금속 중독은 계속해서 빈번한 신경정신의학적 징후와 함께 심각한 질병을 일으킨다. 정신신체진료에서 가장 중요한 신경독성 금속은 납, 비소, 탈륨, 망간, 셀레늄 및 수은이다. 독성은 급성 섭취에서 발생할 수 있지만 대부분의 경우 만성적 노출에 따라 모호한 신체 증상 및 정신의학적 징후가 완만하게 발전된다. 금속중독의 결과로 의심되는 신경정신증상에 대한 일반적인 정밀검사는 주의 깊은 신경학적 검사와 정신상태검사, 일반혈액검사(전혈구검사) 및 금속에 대한 혈청 및 소변의 스크리닝 분석을 포함한다. 금속은 킬레이트화chelation될수 있지만 대부분 만성 및/또는 낮은 수준의 노출이 있을 경우 개입할 수 있는 역할은 제한적이다. 근거가 불충분하며 유해한 치료에서 환자를 분리하여 안내하는 것은 중요한 일이다. 신경심리검사는 인지 장애를 설명하고 재활을 안내하는 데 도움이 될 수 있다.

(1) 납

납 중독으로 인한 증후군은 고전적으로 플럼비즘plumbism(만성적 납중독)으로 불리워졌다. 급성 증후성 납 중독 및 납에 의한 뇌병증은 집 페인트와 가솔린에서 납을 제거한 이후 드물지만 납 독성은 여전히 과소진단되는 주요 문제이다(특히 소아과). 어린이에 대한 납의 주요 공급원은 오래된 페인트다. 가정 내 먼지의 높은 금속 함량에 의해 도시 거주자들을 큰 위험에 처하게 할 수 있다. 어린이는 성인에 비해 높은 호흡수로 인해 공기 중 노출의 위험이 더 크다. 납 페인트는 달콤한 맛이 있으며 단일한 1 g의 얇은 조각을 먹을 경우 크기의 순서에 따라 모든 개인(특히 작은 어린이)의 주간 허용 섭취량을 초과할 수 있다.

성인의 납 중독은 직업적 또는 환경적 노출에서 납을 기반으로 한 제품에 의한 노출까지 다양하다. 휘발유에서 납을 제거함으로 공기 중 배출이 현저히 감소했으며 혈액 내 납 농도가 그에 따라 감소했다. 일부 수입 장난감, 납 기반 페인트로 된 저가의 보석, 공공상수도오염, 환기가 안되는 미국의 실내사격장, 스테인드글라스 및 도자기, 힌두교도와 이슬람교도의 전통적 화장품, 멕시코의 민간요법인 azarcon 및 greta가 대표적으로 알려진 납의 오염원이다.

납은 CNS의 정상적인 발달과 기능을 방해한다. 높아진 납의 혈청수준은 낮은 지능intelligence quotient, IQ, 낮은 집중력, 수면 문제, 및 기분 조절 장애와 연관성이 있다. 급성, 진행성 중독에 따른 두통, 구토, 서투름, 비틀거림 및 졸음은 경련, 혼미, 및 혼수상태로 진행할 수 있는 뇌병증 발생의 조짐일 수 있다. 기타 전신성 징후와 증상은 더욱 경한 만성 납중독증을 감별 진단하는데 도움이 될 수 있다. 위장에 대한 영향으로 경련성 통증, 식욕부진, 체중 감소, 메스꺼움 및 변비가 나타난다. 납은 또한 빈혈, 말초운동신경병증, 신병증nephropathy, 생식기관의 부작용을 유발한다. 금속은 신경 조직에서 긴 반감기를 가지며 뼈에 매우 오랫동안 저장된다. 전신에 있는 납의 대부분은 뼈에서 발견되고 노년의 탈회demineralization(광물질제거)는 금속을 다시 전신 순환시키기 때문에 조기 노출이 알츠하이머 치매의 위험인자로 의심되었다. 대규모 외상성 골절, 갑상선기능항진증 및 임신과 같은 조건은 납을 재가동하여 성인 또는 발달 중인 태아에게 독성이 나타날 가능성이 있다.

전혈whole blood의 증가된 납 수준은 노출에 대한 가장 유용한 지표이다. 허용 가능한 납 수준에 대한 임계값은 원래 60 μg/dL로 설정되었지만 더 적은 노출로 인한 기여 가능한 위험의 증거는 지속적으로 감소되어 현재 허용되는 수준인 10 μg/dL로 이어져 왔다. 미국에서 6세 미만 어린이의 2% 이상이 혈중 납 수치가 10 μg/dL 이상인 것으로 나타났다. 다른 물리적인 증상이 없어도 10 μg/dL미만의 수준에서 인지 및 행동 장애 형태의 독성 신경 손상에 대한 분명한 증거가 나와 있다. 말과 언어, 주의력, 교실 내 행동의 이상은 또한 낮은 수준의 납 노출과 관련이 있는 것으로 보고되었다. 납에 노출되었지만 분명히 무증상인 피험자들의 어린 시절을 추적한 결과 젊은 성인이 되어서는 높은 납 농도 그룹에서 고등학교 졸업 실패가 7배 증가했고 읽기 능력의 장애가 6배 높게 확인되었다. 행동 조절 장애 및 반사회적 성격 특징도 용량-반응 관계의 납에 노출된 코호트cohort에서 더욱 많았다(유아기의 더 높은 혈중 납수치가 아동 연령에 따른 비행이 더 커지는 것과 상호관련성이 있음).

납 독성 치료의 초석은 출처를 확인하고 노출을 막는 것이다. 킬레이션은 급성 질환의 경우 중요하며 분석된 수준이 높을 때(특히 어린이에서) 역할이 있지만 킬레이션이 혈액 수치가 10 μg/dL보다 낮은 환자에게 도움이 될 가능성은 적은 편이다.

(2) 비소

비소는 상업, 산업 및 의약품에서 발견되며 다양한 노출 범위에 따라 독성을 유발할 수 있다. 중독은 의도하지 않은, 자살충동, 살인, 직업, 환경 또는 의원성으로 나타날 수 있다. 오염된 물, 토양, 음식이 대부분의 사람들에게 노출되는 일차적 근원이다. 비소는 또한 제초제, 살균제 및 살충제에서 발견된다. 삼산화 비소는 급성 전골수성promyelocytic

백혈병을 치료하는 데 사용된다. 아시아의 자연 요법 제재는 때때로 상당한 수준의 비소를 함유한다. 무기 비소는 무취, 무미이며 다양한 경로로 잘 흡수된다.

급성 경구 중독은 수분에서 수 시간 내에 구역, 구토 및 심한 설사를 유발한다. 저혈압, 빠른 부정맥, 쇼크가 종종 뒤따른다. 섬망은 전형적으로 일찍 나타나지만 발생이 며칠 지연될 수 있다. 심각한 감각 이상과 피부과적 변화를 동반한 말초 신경병증은 섭취 후 몇 주 이내에 나타난다.

시간이 지남에 따라 낮은 수준의 비소 노출은 다양한 양상을 나타낸다. 피로, 빈혈, 백혈구감소증, 피부의 저색소 침착, 과각화증이 흔하며 레이노드Raynaud 현상을 포함한 말초혈관 기능부전이 관찰된다. 환자들은 트랜스아미나아제가 증가된 비경화성 문맥고혈압으로 고통을 받기도 한다. 기억 상실, 소뇌의 기능장애, 경미한 피질 손상이 만성 노출이 있는 성인에서 나타난다. 걱정, 과민성 및 성격 변화도 보고되었다. 아이들은 지적 장애의 징후를 보인다.

(3) 탈륨

탈륨 중독은 오늘날 시장으로부터 제모제와 쥐약 화합물의 제거가 탈륨의 이용을 크게 감소시켰기에 흔하지 않다. 하지만 탈륨중독은 우발적인 노출 외에 살인 및 자살 시도에서 여전히 발생하고 있다. 일부 보석 제조에 탈륨이 사용된다. 약초 제제와 헤로인 및 코카인과 같은 불순물이 섞인 불법 약물로 섭취될 수도 있다. 직업적 노출은 드물다. 섬망, 발작 및 호흡 부전은 급성 섭취 후 치명적인 궤적을 따르게 된다.

만성 탈륨 독성은 신경정신의학적 호소(예: 우울장애,과민성, 편집증, 기억 상실, 혼란)가 탈모증, 손발톱 이영양증, 통증성 신경병증, 소화기관 장애에 의해 동반되는 환자에서 의심을 해보아야 한다. 무도병 및 안근마비는 때때로 관찰된다. CNS 병리로 대뇌 및 뇌간 부종이 나타난다. 정신증상은 다른 독성 후유증이 해결된 후에도 오랫동안 지속될 수 있다. 단일 표본 소변 배설 및 탈륨의 혈청 수준이 다양하다는 것을 고려하면 진단은 24시간 소변 수집으로 확인되어야 한다. 중독이 의심되지만 요검사에서 음성인 경우, 머리카락이나 손톱검사를 통해 진단을 밝힐 수 있다(비소도 동일).

(4) 망간

망간 중독은 일반적으로 금속을 흡입하는 광부, 금속 세공인 및 용접공에서 만성적인 직업적 노출의 결과이다. 가장 이른 20세기 초 칠레 망간 광부의 중독에 대한 가장 초기의 설명은 초조를 보이며 통제할 수 없는 정서적 표현의 증상 및 정신병에 대해 윤곽을 설명하였고 유사한 증후군이 여전히 확인되고 있다. 망간광기manganese madness는 강박 행동, 정서적 불안정, 환각의 초기 정신병 증후군을 설명하는 데 사용된 용어였다. 기억력과 집중력 결핍은 흔하다. 또한 만성 신경정신의학적 독성의 원인으로 의심이 되는 망간계 살균제가 있다. 파킨슨병 및 기타 운동 장애는 자주 발생하지만 일반적으로 정신의학적 문제가 일정기간 나타나지 않는다.

이런 경우 뇌 MRI는 특히 기저신경절에서 망간 침착이 있음을 종종 확인해준다. 혈청 및 소변 분석에서 만성 독성의 증상이 상관관계가 없는 것으로 나타난다. 급성 흡입에 대한 치료는 지지적 방법이다. 만성 신경정신병적 후유증에 대한 약물 요법은 망간이 뇌를 손상시킨 후에는 효과가 없다.

(5)셀레늄

셀레늄은 고용량에서 독성을 유발할 수 있는 필수 미량 원소이며, 아주 흔하게 산업 화합물 또는 식이 보조제에 대한 노출로 인해 발생한다. 일반적으로 셀렌산 또는 셀레늄 염을 의도적으로 섭취한 결과 사망하게 된다. 산(총을 산화시키는 용액-gun bluing solutions-에서 가장 흔히 발견됨)은 상부 위장관에 부식성 손상, 구토, 설사, 저혈압, 근병증, 신장애, 호흡부전, 그리고 진행성 중추신경계 기능저하를 일으킨다. 만성 셀레늄증은 피로, 부서지기 쉬운 머리카락과 손톱, 다양한 피부과적 변화로 나타난다. 셀레늄의 축적은 또한 반사과다, 감각이상, 과민성, 우울장애 및 불안을 야기한다.

셀레늄의 전혈 및 적혈구 농도에 대한 분석은 혈청 수준보다 독성을 확인하는 데 신뢰할 수 있다. 활성탄은 급성 섭취에 유용하지만 지지적 치료 외에 효능을 확립한 다른 치료법은 없다. 만성 셀레늄증을 역전시키는 일은 일차적으로 지속적인 노출근원의 확인과 제거이다. 항산화제인 아스코르브산과 NAC는 급성 또는 만성 독성에 어느 정도 가치가 있을 수 있다.

(6) 수은

수은은 의약품, 민간요법, 실험실 및 농약, 산업용 기기 및 큰 육식성 물고기의 몸에 축적되는 치환된 알킬 화합물로 발견된다. 수은의 금속성 형태에 따른 독성은 흡입 노출을 통해 매개되지만 유기물 수은과 그 염류는 섭취를 통해 중독을 일으킨다.

급성 흡입은 심각한 화학적 폐렴을 유발할 수 있다. 수은염의 급성 섭취는 출혈성 위장염을 일으킨다. 더욱 많은 만성적인 노출은 신경정신증상을 일으킨다. 만성적 흡입은 수줍음과 철수withdrawal를 보이다 폭발적으로 얼굴을 붉히는 흥분이 번갈아 나타나는 성격 변화의 단일 조합을 유발할 수 있다. 이러한 증후군을 에레티즘erethism(신경과민)이라 한다. 휘발성 수은은 한때 모자를 만들기 위한 모피를 준비하는 데 사용되었다. 에레티즘은 미친 모자장수mad as a hatter라는 별명이 언급한 상태를 의미한다. 걱정, 조증, 기억 상실 및 집중력 저하가 기본적인 수은중독과 함께 보고되었다. 또한 수은중독 환자에게서 떨림과 무도증이 발생할 수 있다.

CNS는 유기 수은 섭취에 따른 독성이 나타나는 주요 부위이다. 증상은 일반적으로 무기 수은으로 인한 증상과 다르며 감각이상, 구음장애, 운동실조, 시력 및 청력 상실을 포함한다. 유기수은 화합물은 또한 기형을 유발하며 태아에 노출될 때 뇌성 마비와 유사한 발달 장애 및 신경학적 장애를 초래할 수 있다. 따라서 임산부와 수유부는 육식성 어류의 섭취를 제한하는 것이 좋다.

자폐증이 어린 시절에 백신의 방부제로 사용된 에틸수은티오살리실레이트thimerosal에 의해 유발될 가능성에 많은 관심이 집중되어 왔다. 엄격한 역학 조사에서 백신의 수은과 자폐증 사이의 연관성을 뒷받침할 증거가 발견되지 않았다. 자폐증에 대한 킬레이션 치료의 무작위 대조시험은 안전 문제 때문에 2008년 말에 중단되었다. 치과용 아말감amalgam 내 소량의 수은이 전신 독성을 생성함을 암시하는 증거는 확인되지 않았다.

10) 처방전 없이 살 수 있는 치료법

처방전 없이 구할 수 있는over-the-counter, OTC 의약품은 흔히 치료 이상 용량(실수 및 고의)으로 사용되고 또한 자살 의도를 가지고 섭취된다. 기침과 감기약이 때때로 치명적인 결과를 초래하는 알레르기 또는 감염성 증상이 없는 경우에도 진정을 유도하기 위해 부모 및 기타 보육 제공자에 의해 어린 아이들에게 너무 자주 투여된다. 진통제 이외에 일부 제품에는 진단 및 치료를 복잡하게 만들 수 있는 다양한 잠재적 독성조합의 화합물이 포함되어 있다.

(1) 덱스트로메토르판

덱스트로메토르판은 기침 및 감기 제품으로 청소년들이 자주 남용하는 코데인의 합성 유사체이다. 기침 억제의 효능은 대략 코데인과 같지만 과량 투여하더라도 매우 약한 오피오이드 활성을 보인다. 여러 기전을 통해 세로토닌 활동을 증강시키며 적게는 글루타메이트 수용체를 길항한다. 이는 덱스트로메토르판의 바람직한 효과와 해로운 영향을 모두 중재한다. 낮은 중독 수준에서 현기증, 운동실조, 안진, 정좌불능과 함께 행복감 및 환각이 발생할 수 있다. 세로토닌 증후군은 다른 세로토닌성 작용제와 함께 복용할 때 과량 투여시 흔하며 정상 투여량에서도 발생한다. 더욱 심한 덱스트로메토르판 중독은 발작과 CNS억제, 호흡 부전, 혼수상태로 나타날 수 있다. 급성 섭취 시에 활성탄에 의해 효율적으로 결합된다. 날록손은 정신 상태를 개선하는 것으로 보고되었지만 BZD, 수액, 냉각, 및 지지 요법(즉, 세로토닌 증후군 및 그 후유증 치료)은 덱스트로메토르판 과다복용 관리에서 기본적으로 필요하다.

(2) 충혈완화제decongestants 및 관련 약물

일부 교감신경 흥분제는 국소 및 말초혈관을 수축시켜서 비충혈 완화제로 사용된다. 그들은 상기도 감염과 환경 알레르기의 증상을 관리하는 데 사용하기 위해 단독 또는 조합된 제재로 조합된 제재로 나온다. 가장 흔히 사용되는 이 부류의 약물은 슈도에페드린과 페닐에프린이며, 둘 다 알파-아드레날린 작용제이며 슈도에페드린이 추가로 일부 베타 자극 활동에 작용한다. 에페드린은 또한 더 많은 비특이적 아드레날린 효과를 가지며 오락적으로 섭취한 약초 조합재와 에너지 향상을 위해 복용하거나 피트니스 보조제로 사용되는 것으로 알려져 있다. 과다 복용 시 고혈압은 주요 독성 효과이다. 그리고 불안, 과민성, 행복감 및 불면증 등을 나타낸다. 급성 및/또는 만성 남용에 따른 증상은 훨씬 더 오래 지속되며 조증과 유사한 증상을 나타낸다. 혈관 부작용이 없이 단기 작용 화합물에 의한 급성기 독성 단계에서 생존할 경우 일반적으로 완전한 회복으로 이어진다.

(3) 항히스타민제

우발적으로 치료기준 이상의 섭취가 어린이에게서 자주 발생한다. H1차단제의 독성은 섬망이 동반된 고령 환자 또는 잠재적으로 독성이 있는 디펜히드라민을 의도적으로 과량 투여한 자살시도 환자 둘 다에서 가장 흔하게 발생한다. 독실아민과 하이드록시진도 또한 과다복용 시 문제가 된다. 최신의 차단제는 말초 H1수용체에 대해 더욱 선택적이고 독성이 덜한 것으로 알려져 있다.

급성 중독은 무스카린성 수용체에 대한 화합물의 직접적인 작용과 히스타민성/콜린성 신경전달 경로의 중첩에 기인한 항콜린성 중독으로 나타난다. 종종 홍조를 보이며 건조한 피부, 빈맥, 의식장애, 환각 및 비정상적인 움직임 등 전형적인 증상을 보인다. 소화기관의 운동성을 늦추면 이러한 기타 속효성 제제의 흡수와 독성 지속 기간이 연장될 수 있다. 발작과 횡문근 융해는 심각한 과다 복용에서 발생한다. 다량의 디펜히드라민 섭취는 심장 전도 장애를 일으키고 나트륨 채널 차단으로 인한 치명적 부정맥을 유발할 수 있다(TCA 독성과 유사). TCA와 마찬가지로 심장 독성은 중탄산염을 함유한 정맥내 수액을 사용하여 혈청을 알칼리화해야 한다. 콜린에스터라제억제제 피소스티그민physostigmine은 항콜린성 증상에 대해 효과적 해독제이다. 더욱 심각한 중독에서는 이러한 속효성 치료제를 여러번 복용시킬 필요가 있다.

5. 독소증후군

일반적으로 톡시드롬toxidrome(독소증후군)이라고 불리는 징후와 증상의 특정한 무리는 특정 부류의 화합물에 의한 중독을 암시할 수 있다(표 37-5).

표 37-5. 톡시드롬toxidrome: 두드러진 임상 결과

약물 클래스	예시들	임상 징후	해독제
항콜린제	아트로핀, 항히스타민제, 스코폴라민,진경제, TCA, 페노티아진, 항파킨슨병약, 자치령 대표, 짐손 위드	동요, 환각, 짚는 운동, 빈맥, 동공산대, 건막, 고열, 장음의 감소, 소변저류, 홍조과다/건성 피부	피소스티그민
콜린제	유기인산염, 카바메이트 살충제, 콜린에스테라제 억제제	타액 분비, 눈물, 실금, 위장경련, 구토, 서맥, 발한, 동공 축소, 폐부종, 쇠약, 마비, 속상수축	아트로핀, 글리코피롤레이트,프랄리독심
아편유사제	옥시코돈, 하이드로코돈, 하이드로모르폰, 프로폭시펜, 펜타닐, 메페리딘, 모르핀, 코데인, 헤로인, 메타돈, 부프레노르핀, 카르펜타닐	중추신경계 및 호흡기 저하, 동공 축소, 서맥, 저혈압, 저체온증, 폐부종, 반사저하증	날록손, 날메펜
진정-수면제	벤조디아제핀, 졸피뎀, 잘레플론, 에스조피클론, 바르비투르산염, 에탄올, 클로랄 하이트레이트, 에클로르비놀, 메프로바메이트, 다양한 근육 이완제	중추 신경계 저하증, 반사저하증, 느린 호흡, 저혈압, 저체온증, 서맥	플루마제닐(약간)
교감신경유사제	흥분제, 암페타민, 슈도에페드, 페닐에프린, 에페드린, 코카인, 합성 카티논과 다른 페네틸아민	고혈압, 빈맥, 부정맥, 동요, 편집병, 환각, 구역질, 구토, 동공산대, 복통, 입모	벤조디아제핀, 알파2-아드레날린성 작용제, 직접 혈관 확장제
신경이완제	전형적이고 비정형적 항정신병제, 페노티아진 항구토제	저혈압, 안구운동 위기(발작), 트리스머스(입벌림 장애), 근긴장이상, 운동실조, 파킨슨증, 항콜린제 증상 발현(약간)	피소스티그민(약간)
세로토닌제	SSRI, SNRI, TCA, MAOI, 부스피론, 볼티옥세틴, 트라마돌, 메페리딘, 펜타닐, 덱스트로메토르판, 시부트라민, 팬에틸아민 그리고 약간의 합성 카나비노이드	정좌불능, 떨림, 동요, 고열, 고혈압, 발한, 반사과다증, 간대성경련, 더 낮은 말단 근육질의 과긴장성, 설사	벤조디아제핀,알파2-아드레날린성 작용제, 사이프로헵타딘[†]

MAOIs=monoamine oxidase inhibitors; SNRIs=serotonin norepinephrine reuptake inhibitors; SSRIs=selective serotonin reuptake inhibitors; TCAs=tricyclic antidepressants.
+심각한 세로토닌 독성의 경우에 cyproheptadine의 효과를 뒷받침하는 것이 부족하다(Isbister et al. 2007).

1) 항콜린제

항콜린성 섬망은 많은 약물 및 기타 생체이물이 항콜린성 특성을 가지고 있기 때문에 자주 발생한다. 평균적으로 더 많은 약물을 복용하고 부작용에 더 민감한 노인에서 만연한 문제이다. 항콜린제로 분류되지 않는 다수의 일반적으로 사용되는 약물(예. 항정신병제, 근육이완제, 항고혈압제)은 약간의 항콜린 작용을 가진다. 중추신경계의 항콜린성 독성은 섬망을 유발하며, 종종 중얼거리는 말과 헛손질carphology 또는 손가락의 목적 없는 움직임floccillation을 일으킨다. 생생한 환시와 옷을 벗는 행동도 흔하다. 말초 항콜린성 징후는 섬망이 있는 경우 항상 나타나지는 않으나 빈맥, 구강 건조, 피부 홍조, 체온 상승, 동공산, 장폐색 및 요저류로 나타날 수 있다(표 37-5).

대부분 문제가 되는 약제를 제거하고 지지 요법을 제공함으로써 회복되지만 섬망은 급성적인 무스카린 길항제의 과다 복용 후 24시간 이상 지속될 수 있다. 피소스티그민은 유용하며 섬망을 신속하게 해결할 수 있는 해독제이다. 반감기가 짧기 때문에 심한 항콜린성 독성에서 반복적인 체중 기반 용량(0.02 mg/kg, 0.5 mg/min IV 제공)이 필요할 수 있다. 심장 전도에 영향을 줄 수 있는 약물에 의해 유도된 항콜린성 상태에서 피소스티그민의 안전성과 유용성에 대해 광범위한 임상 경험이 알려져 있다. 피소스티그민 사용에 대한 상대적 금기 사항은 반응성기도 질환, 활동성 파킨슨병 및 방실 차단을 포함한다. 피소스티그민의 부작용으로 메스꺼움, 구토, 설사 및 발작이 포함된다. 과량 투여할 경우 기관지경련이나 심각한 서맥이 나타날 가능성이 있다.

2) 콜린제

콜린성 독성은 일반적으로 환자를 건조하게dry 만드는 항콜린성 증후군과 반대로 젖어 있는wet상태의 환자를 나타낸다(심한 발한, 침 흘림, 눈물 흘림, 구토, 설사, 요 실금). CNS(예. 발작, 혼수상태) 및 골격근육(예. 쇠약, 근섬유다발수축)도 또한 관련될 수 있다(표 37-5). 콜린성 과잉은 우발적인 유기인산염 또는 예상치 못한 피부오염을 통해 발생할 수 있는 카바메이트 살충제 노출에 의해 아주 흔히 야기될 수 있다. 이러한 대체재 및 기타 치매 치료에 사용되는 콜린에스테라제 억제제는 자살시도에 사용될 수 있다. 콜린성 효과는 사린과 과 같은 신경 가스와 깔때기버섯, 삿갓땀버섯에서 유래하는 독성의 원인이다. 콜린성 증후군의 인식 후 선택된 약제로 인한 심각한 독성의 경우 아트로핀과 콜린에스테라제 재생기인 프랄리독심의 사용을 신속히 진행해야 한다.

3) 아편유사제(오피오이드)

아편유사제의 독성은 진통에서 마취에 의한 중추신경계의 저하, 우울장애, 혼수상태, 쇼크, 그리고 사망에까지 이를 수 있다. 호흡곤란은 특히 오피오이드 과다복용으로 두드러지게 되며 일회호흡량tidal volume 또는 호흡수는 혈압이나 맥박이 감소하기 전에 감소한다. 동공수축 또한 특징적(표 37-5)이며 순수한 아편유사제 독성에서 중요한 소견이다. 오피오이드 과다 복용의 진단은 종종 톡시드롬의 역전을 위해 적절한 용량의 날록손 또는 날메펜의 투여에 의해 확인된다. 날록손에는 약 1시간의 제거 반감기가 있으며 반면에 날메펜의 경우 10시간 이상인 반면, 후자의 μ-수용체 길항제는 지속성 약물(예: 메타돈)에 따른 아편유사제 독성의 경우에 잠재적으로 유용하다. 대부분 환자에서, 단기 작용 해독제가 금단이 촉발되지 않도록 조심스럽게 적정하는데 더욱 많은 효과를 낼 수 있기 때문에 날록손이 선호되는 약제이다. 알려진 만성 사용자의 경우 0.04 mg의 날록손 정맥 투여로 시작하여 신중하게 호흡 추친력이 돌아올 때까지 30초마다 이 용량을 반복하는 것은 금단의 유발을 피하기 위함이다. 0.4 mg의 용량은 일반적으로 적당한 환기에 충분하다. 더 높은 복용량은 해독제가 고친화성 합성 아편유사제를 역전시키는 데 사용되지 않을 때까지 신경학적 또는 호흡 상태에 추가적인 이점을 제공하지 않고 단지 불안한 금단의 가능성을 증가시킬 뿐이며 이런 경우에 2 mg 이상의 용량이 유용할 수 있다. 심폐혈관 증상이 CNS저하증처럼 오래 지속되면서 역전되지 않으면 생명을 위협하는 증상이 재발할 수 있기 때문에 해독제 투여 후 모니터링이 중요하다.

4) 진정제-최면제

진정제-최면제는 오피오이드 독성과 유사한 신경학적 저하증을 유발할 수 있다. 순수한 감마아미노부티르산gammaaminobutyric acid, GABA 독성증후군은 때때로 병력의 기초, 상대적으로 보존된 폐 기능, 수축된 동공의 부재(표 37-5)로 구별될 수 있다. 충분한 양을 복용하면 진정성 최면제는 의식과 반사의 완전한 상실과 함께 전신 마취를 유발하며 심폐기능의 쇠퇴를 나타낼 수도 있다. 심박수와 혈압에 미치는 벤조디아제핀(BZD)의 효과는 오피오이드 처럼 심각하지 않다. 이 증후군은 BZD 길항제 플루마제닐로 역전될 수 있다. 플루마제닐flumazenil은 BZD 및 비벤조디아제핀 수면제(예. 졸피뎀, zaleplon, eszopiclone)로부터 나타나는 독성의 반전 외에도 중추성 작용이 있는 골격근 이완제 바클로펜, 카리소프로돌 및 메탁살론의 과량투여에서 약간의 효능을 보였다. 그러나 플루마제닐은 GABA 활성이 약물 유발 부정맥 및 발작에 대해 보호적임을 고려할 수 있지만 부정맥을 유발하는 또는 경련을 유발하는 제재를 포함할 가능성이 있는 혼합성 과량투여 상황에 주의해야 한다. 운동 및 반사 활동 검사에 따른 자율신경지수는 적정한 환자 선택에 도움이 된다. 용량을 낮게(0.5 mg) 유지하고 흐르는 정맥 라인에 최소 30초에 걸쳐 투여하면서 플루마제닐로 인한 부작용(BZD 중단 포함)은 일반적으로 피해진다. 플루마제닐은 짧게 여러 번 투여할 수 있으며 지속적 신경학적 및 심폐 모니터링이 중요하다.

5) 교감신경흥분제

교감신경 유사 증후군은 일반적으로 코카인, 암페타민, 합성 고안약물(예: 카티논), 또는 충혈 완화제의 급성 또는 만성 남용 후에 나타난다. 임상양상은 이러한 화합물이 다중의 신경전달 물질 효과를 가지므로 세로토닌 증후군과 겹친다. 교감신경유사 증후군의 징후에는 동요, 빈맥, 고혈압, 동공산대 및 입모(표 37-5)가 포함된다. 항콜린제 중독과 달리 피부는 일반적으로 건조하지 않지만 두 개의 톡시드롬은 임상 검사에서 구별하는 것이 어렵다. 경미한 독성은 드물게 심장병으로 이어지지만 그러나 교감신경 흥분제 과다 복용은 부정맥, 혈관 손상 및 쇼크를 일으킬 수 있다. 환자는 복잡한 편집성 망상을 가지며 정신병적일 수 있다. 발작이 흔하며 발작 후 상태는 정신 상태의 변화에 더욱 영향을 줄 수 있다. 특정한 해독제가 없지만 BZD치료가 기본인데 이유는 그것이 카테콜아민 방출을 약화시키고, 고혈압을 감소시키며, 발작을 예방하고, 도움이 되는 진정을 시켜 주기 때문이다. 극도의 동요가 관찰되며 치명적일 수 있는 고열과 산증을 예방하고 부상으로부터 환자와 응급요원을 보호하기 위해 속효성 진정제를 필요에 따라 적용한다. 케타민ketamine은 선택적인 약물로 인정되어 왔지만, 진정 시간이 더욱 짧은 극적인 이익에도 불구하고 카테콜아민 방출제는 교감신경 흥분제에 의해 유발된 초조성 섬망을 가진 환자에서 전통적 진정제보다 더 많은 합병증을 발생시킬 수 있다. 중추성 알파2 작용제(예: 덱스메데토미딘)는 바람직한 교감신경차단sympatholysis을 제공하면서 초조 상태의 관리에 역할을 할 수 있다. 베타차단제는 알파-아드레날린 자극을 억제하지 않는 상태로 남길 수 있으므로 주의해서 사용해야 한다. 하이드랄라진, 나이트로푸르사이드nitroprusside 또는 펜톨라민phentolamine 같은 직접적인 혈관 확장제는 진정제만으로는 반응하지 않는 중증 고혈압 치료에 선호된다. 피소스티그민으로 혼란과 초조상태가 해결되지 않는다면 항콜린성 섬망으로 인한 톡시드롬 및 세로토닌증후군을 구별하는 데 도움이 될 수 있다. 교감신경흥분제 독성으로 인한 정신의학적 후유증은 신체적 증상이 해결된 후에도 오래 지속될 수 있으며 항정신병 약물이 필요할 수도 있다.

6) 항정신병약

항정신병약의 항도파민성 효과는 치료적 사용으로 인한 이상반응을 나타낼 수 있다(표 37-5). 많은 항정신병 약물은 과량 사용 시 높은 항콜린작용을 나타내는데 피소스티그민은 잠재적으로 유용한 해독제이다. 신경이완제악성증후군neuroleptic malignant syndrome, NMS은 특발성이며 극도의 추체외로 반응으로 심한 근육 강직, 횡문근융해증, 고열, 자율신경계 불안정 및 변경된 정신 상태를 나타낸다. 항정신병 약물의 중단과 공격적인 증상 중심의 의료개입이 필요하다. 독성이 있는 경우 관리에 문제가 되는 핵심 약물을 제거하고 대증적으로 다루어야 한다.

7) 세로토닌제

세로토닌 작용제(자살 시도 또는 의도하지 않은 다중약물처방, 훨씬 더 자주 코카인 또는 기타 각성제와 함께 사용할 경우)는 신경근 증상, 고열, 정신 상태 변화가 특징인 세로토닌 증후군을 유발할 수 있다. 하지 근육 경직, 반사과다, 특히 소화기 운동성증가와 발한이 함께 나타나는 발목의 간헐성 경련 같은 고전적 징후는 항콜린성 중독과 잠재적으로 치명적인 톡시드롬을 구별하는 데 도움이 된다(표 37-5). 촉발하는 약물의 차이 외에도 NMS는 증상을 일으키지 않으며 일반적으로 보다 전신성이며 과반사 없이 심한 근육 강직을 나타낸다. 하지만 도파민과 세로토닌 수용체 모두에 부분 작용제로 작용하는 새로운 항정신병 약물(아리피프라졸, 브렉스피프라졸 및 카리프라진)은 세로토닌 독성, 혼란스러운 신경근 징후를 생성하며, 진단적 양상이 복잡해진다. 세로토닌 독성 발생 시 문제를 일으키는 물질의 제거가 필요하며 수액 및 냉각 조치를 통한 지지적 치료 또한 중요하다. 지지치료에 사용되는 약물이 증후군을 악화시키지 않도록 하는 것이 중요하다. 펜타닐은 세로토닌 과잉이 있는 독성 환자에서 피해져야 한다. BZD은 약리학적 치료에 중요한 부분이다. 사이프로헵타딘cyproheptadine은 약간의 항세로토닌 활성이 있으며 경증에서 중등도의 독성을 나타내는 경우에 증상 관리에 유용하나 결과를 개선시키는 것이 입증되지 않았다(표 37-5). 이 약물은 증상을 감소시킬 수 있지만 경구 투여만 가능하며 심각한 영향을 받은 환자는 그 약물의 이점을 얻을 수 없으며 대신에 많은 양의 비경구BZD이 필요하게 된다. 교감신경독성과 관련하여 알파2 작용제는 자율신경과잉증hyperautonomia에 효과가 있으며 GABA성GABAergic 치료의 부담을 줄일 수도 있다.

6. 걸프전 증후군Gulf war syndrome

걸프전 증후군Gulf war illness, GWI은 페르시아 걸프만의 충돌에 따라 전쟁에 참전한 수천 명의 군인과 민간인에서 나타난 의학적으로 설명되지 않는 신체 증상을 말한다. 귀환 부대의 10% 이상이 발진, 위장 장애, 피로, 근육통, 감각 이상, 두통, 기억력 장애, 집중력 장애, 과민성 및 불면증을 포함한 변하기 쉬운 증상의 숙주를 보고했다. 톡시드롬은 대부분 증상이 주관적이고 비특이적이었다. 톡시드롬에서 독성병인의 가능성은 매우 낮았다. GWI는 무력 충돌에 따른 많은 중증 외상에 의해 정신과 신체의 복잡한 반응을 나타내는 것으로 추정된다. 배치된 군인에게 해충퇴치제, 해독제 및 백신이 주어졌기 때문에 다양한 독성학적 설명이 문제로 제기된 반면 이러한 화합물의 원인적 역할이 입증되지는 않았다. 독성학적 기전이 장애를 설명하지 못하기 때문에 치료를 위해 인구 기반의 다학제적/생물심리사회적 접근이 권장되었다. 적절한 개입을 위해 PTSD가 거의 항상 신체증상을 나타낸다는 인식을 포함하였고 질병을 초래한 외상경험의 한 측면으로 생체이물의 노출을 인정하는 모델을 사용하면서 가장 잘 치료될 수 있게 되었다.

7. 비난-X 증후군Blame-X syndrome

때로 병력을 조사해도 특정 독성을 밝히지 못할 뿐만 아니라 노출되지만 검사 및 실험실 검사도 외인성 물질이 환자의 고통에 관계가 있음을 확인하지 못한다. GWA에 의해 예시된 바와 같이 불만이 수없이 나타나는 것은 일치하는 객관적 독성 자료의 부족과 노출에 따르는 것이며 그러한 상황이 증가한다는 것이다.

증후군의 출현과 진화를 개념화하는 데 유용한 틀을 Dr. Alvan Feinstein이 제시하였다. 그는 외부 속성을 가진 기능적 신체 표현을 비난-X증후군Blame-X syndrome이라 하였다. 거의 무제한적인 진단검사(독성학 포함)의 가용성은 고통을 의료화하는 데 기여한다. 환자의 불만과 아무 관련이 없더라도 단순한 통계적 확률에 기초하여 일부 비정상적인 결과가 나타나게 한다. 그 때 증상과 객관적인 소견의 병태생리학적 상관관계의 입증에 대한 요구를 포기하는 경향이 있었다. 그 결과 초기의 의심과 답을 확인하기 위해 그에 상응하는 바람이 원인이 엄격하게 밝혀 지기전에 새로운 질병의 명칭을 즉각적으로 만들게 하였다. 진단을 위해 이러한 Blame-X의 표현은 환자의 기능 회복의 방식에 서있게 하고 기저 원인을 적절히 분명하게 하는 진행 중인 연구를 방해할 수 있다.

의학적으로 설명되지 않는 증상을 포함하는 모든 비난-X 증후군에서 신체적 증상, PTSD, 강박 장애, 정신병 및 허위성 장애 외에 건강 불안, 이상 질환행동, 꾀병을 포함하는 광범위한 정신의학적 감별 진단 스펙트럼이 존재한다. 초기에 설명할 수 없던 증상의 종단적 과정은 가변적이며 발생하는 인구통계뿐만 아니라 그들의 특성과 심각도를 포함한 숙주 요인에 따라 달라진다. 특히 장기간의 불만호소가 시간에 따라 기복을 보이는 것들은 어떤 지속적인 노출이 근거로 확인되지 않는 한 독성학적 기원이라고 주장하기에는 매우 타당하지 않다.

1) 약물 민감도

약물 민감도라는 용어는 병원에서 흔히 접하는 환자의 특징적 호소를 기술하기 위한 것이다. 그것은 특발성 환경적 과민증과 특히 냄새와 공기 중 물질에 민감한 개인과 관련하여 동의어적 조건인 다중 화학적 민감성과 구별되어야 한다. 의료 차트에 있는 약물 알레르기 항목의 대부분은 실제 알레르기 반응을 나타내지 않지만 대신 약물독성이 있을 것으로 추정된다. 광범위한 약물 과민증을 가진 사람들은 최근 또는 먼 과거에 투여된 양성인 약물과 관련 없는 증상을 탓하기도 하지만 객관적으로 물리적 또는 병리학적 소견이 부족하다. 여러 약물에 잘 반응하지 않는 대부분의 환자들은 항원 공격에 대한 알레르기 민감성이 높지 않다. 이 환자들에 대해 도움이 될 약물연구, 특히 이중-맹검 시험은 부족한 실정이다. 이러한 약물 반응 중 일부는 노시보nocebo 반응이다. 약물이 불쾌하거나 해로운 부작용을 초래할 것이라는 예기불안과 비관적인 기대때문에 위약placebo을 준 경우에서조차 나타날 수 있는 부작용인 노시보는 라틴어로 '나는 해를 입을 것이다'라는 뜻으로 노시보 효과는 약의 부작용에 대해 지나치게 걱정하면 가짜 약(위약)을 주어도 실제로 부작용을 경험하는 것을 말한다. 광범위한 비알레르기성 약물 내성이 있는 환자를 더 잘 이해하기 위한 연구가 부족하지만 임상에서 정신의학적 동반 질환이 높은 비율로 나타나며 의학적 서비스에 대해 호소하고 접촉하는 빈도가 높게 나타난다.

2) 특발성 환경 불내성idiopathic environmental intolerance

일부 환자는 수많은 증상이 하나 이상의 외부 환경 요소에 따른 독성 효과 탓이라고 보고한다. 오히려 이러한 범주 내에서 대부분의 환자는 약물을 증상의 유발자로 인식하기보다 그들의 증상과 손상이 다양한 인자의 지속적인 노출에 기인하는 것으로 여긴다. 특발성 환경 불내성은 다중 화학적 민감도, 환경 신체화 증후군, 환경 알레르기 증후군, 그리고 초기에는 총알레르기 증후군total allergy syndrome 또는 20세기질병(후자는 현대 산업화된 세계의 생태학적 위협에 대해 의심되는 역할을 강조하는 이름)으로 표시되었다. 증후군의 특징은 (1) 건강 영향에 대한 최소한의 (또는 전혀) 객관적인 증거를 생성하거나 하지 않았던 환경적 노출 후 발생, (2) 자극에 따라 반응이 변하고 다중 기관과 체계에 관계를 갖게 하며 기복을 보이는 증상, (3) 장기 손상의 증거 또는 증상을 설명하기 위한 비정상적인 검사 결과의 부족을 포함한다.

의심되는 독소로 건축 자재, 직물, 식품 첨가물, 식수, 연기, 비전리 방사선 및 농약을 포함한다. 증상은 원인만큼 다양하며 호흡곤란, 심계항진, 두통, 피로, 불면증, 기침, 메스꺼움, 설사, 변비, 감각이상, 근육 경련, 골격 통증, 팽만감 및 발한을 포함한다. 임상 과학에서 광범위한 검토가 이루어졌지만 증상을 설명할 수 있는 독성 또는 알레르기 기전의 증거를 찾지 못했다.

인구 기반 연구에 따르면 이러한 유형의 건강 불안은 우울장애 및 낮은 기능성과 상호관련이 있음을 암시한다. 환자는 신체 증상장애로 고통받는 사람들과 같은 특징을 나타낸다. 외래 독물학 진료실 연구에서 단일 독소에 대해 우려를 나타내는 환자에서 객관적 신체 소견이 부족하였는 데 이는 음성 화학 분석 결과 및 상당한 수준의 부적응에 의한 투사 및 신체화와 상관관계가 있다. 꾀병도 간혹 나타난다. 공식적으로 진단된 정신의학적 질병으로 비특이적 신체 증상의 경험과의 연관성을 완전히 설명하지 못한다. 중증도가 극단인 경우에 동반이환된 정신질환의 관리가 적용되어도 정신치료적 개입에서 도망치는 경향을 나타내기도 한다. 특발성 환경 불내증의 치료는 외부 귀인을 최소화하고 행동 및 인지 요법을 통하여 기능성을 강조하는 방향으로 나아가야 한다.

3) 병든 건물 증후군sick building syndrome, SBS

특정 실내 환경에 기인하는 증상에 대한 우려, 일반적으로 작업장에서 나타나는 이러한 특징을 SBS라 한다. 환자는 자주 무기력, 콧구멍 막힘, 목구멍 건조, 점막 자극성, 두통 등을 자주 호소한다. 때로 가슴의 답답함과 호흡곤란을 호소한다. 의심되는 독소로 단열재 및 기타 건설 자재, 사무용 상품의 잔류물 그리고 곰팡이와 함께 부적절하게 환기된 공기 중 오염물질을 포함한다. 독성 침전물이 확인된 경우, 노출된 사람에서 호흡기와 상관관계가 있는 히스타민 방출이 증가된 것으로 나타났다. 기관지염, 천식, 또는 과민성 폐렴과 같은 기저 질병이 발견되면, 표적 치료가 효과적일 수 있다. 개별 환자의 감염성 질환 또는 독성 노출의 직접적인 증거가 일반적으로 부족할지라도, 일부 연구는 유병률이 높은 건물 내 곰팡이 종 또는 특정 휘발성 화합물의 역할이 가능함을 지지하였다.

신경정신의학적 장애를 호소하는 일부 환자는 곰팡이 노출로 인한 뇌 손상에 이차적인 것으로 주장하였지만 의학적 평가는 어떤 신경병리적 내용을 증명하지 못하였다. 이러한 집단의 소송 중인 개인에 대한 신경심리검사에서 꾀병은 드물지 않게 나타난다. SBS의 유병률은 컴퓨터 작업과 관련된 데스크 작업 및 상당한 양의 복사 작업을 수행하는 여성에서 더욱 높은 편이다. 직장 스트레스 및 직장만족도와 관련된 정신사회적 요인들은 신체적 증상과 상관관계가 있지만 제한된 통제 연구에서 그들 스스로 건물 요인에 기인하는 환자의 차이점을 설명하지 못한다. 이러한 문제의 해결방안은 현재로서 정신의학적 개입뿐이다.

8. 결론

철저한 병력과 신체검사가 독성 진단의 핵심이다. 약물의 독성은 입원 환자에서 빈번하고 흔히 오진 되는 문제이다. 많은 정신건강의학과 환자는 다양한 동기와 해당 결과로 약물을 오용한다. 다른 독극물에 대한 노출은 의도적이거나 우발적이거나 명백하거나 숨겨져 있으며 가정, 직장 또는 심지어 병원에서 있을 수 있다. 설명할 수 없는 급성 또는 만성 신경정신증상의 감별 진단에 CNS 독성을 유발할 수 있는 약물에 대한 잠재적 노출여부를 포함해야 한다. 진행 중인 노출 근원에서 환자를 분리하는 것과 적절한 치료시설이 필요하다. 정신건강의학과 자문은 상처를 덜 받는 응급 병원 입원을 하게 하고 상습적 범행의 가능성을 줄이는 일에 상응하는 좋은 기회와 함께 중독, 취약성, 남용 또는 악의적인 의도와 관련된 촉발요인을 드러낼 수도 있다. 입증할 수 있는 근거가 없는 독성 반응과 기능 장애를 보이는 환자에서 지지적인 입장과 다른 원인적 요인에 대한 시선으로 시작하는 정신치료적 개입은 웰빙(복지)과 회복을 촉진하는 데 도움이 될 수 있다. 식품의약품안전처 식품의약품안정평가원 독성정보제공시스템은 의심물질에 대한 정보와 해결책을 제공하여 유용하다.

참고문헌

1. 국립독성연구원 일반독성팀. 알기 쉬운 독성학의 이해. 국립독성연구원;2007.p.1-8.
2. 김갑득, 문기준, 오성범, 최한주, 오용해, 고찬영 등. 구연: 일산화탄소 중독에서 지연성 신경정신후유장애에 대한 고압산소치료의 예방효과. 대한응급의학회 학술대회초록집;2013;2:280.
3. 식품의약품안전처. 식품의약품안정평가원독성정보제공시스템 Tox-Info, https://www.nifds.go.kr/toxinfo/

4. Battaglia J: Pharmacological management of acute agitation. Drugs 2005;65:1207–22.
5. Boehnert MT, Lovejoy FH Jr: Value of the QRS duration versus the serum drug level in predicting seizures and ventricular arrhythmias after an acute overdose of tricyclic antidepressants. N Engl J Med 1985;313:474–9.
6. Carpenter DO, Belpomme D. Idiopathic environmental intolerance. Rev Environ Health 2015;30:207.
7. Chung SP. Roh HG. Antidote for organophosphate insecticide poisoning:atropine and pralidoxime. J Korean Neurol Assoc 2018;36:358-62.
8. Feinstein AR. The blame-X syndrome:problems and lesons in nosology, spectrum and etiology. 2001;54:433-9.
9. Heller MK, Chapman SC, Horne R. Beliefs about medication predict the misattribution of a common symptom as a medication side effect—evidence from an analogue online study. J Psychosom Res 2015;79:519–29.
10. Laura M. Lead poisoning in c hildren. Am FM Physician 2019;100;24-30.
11. Levenson JL. The american psychiatric association publishing textbook of psychosomatic medicine and consultation-liaison psychiatry. 3rd edition, Washington, DC:American Psychiatric Association Publishing;2019. p.1566-1623.
12. Research Advisory Committee on Gulf War Veterans' Illness. 1 November 2008. U.S. Department of Veterans Affairs. Archived from the original on 9 November 2013. Retrieved 9 may 2012.
13. Redlich CA, Sparer J, Cullen MR. Sick-building syndrome. Lancet 1997;5:349:1013-16.
14. Ryu HS. Kim YW. Jung BK. Kim YW. Delayed anoxic encephalopathy after carbon monoxide poisoning: evaluation of therapeutic effect by serial diffusion-tensor magnetic resonance imaging and neurocognitive test. J Korean Neurol Assoc 2018;36:358-62.

38
CHAPTER

중환자실

최재원

중환자실 환자는 일반 병실 환자와는 달리 심각한 질환을 가진 경우가 많고 이에 대한 평가와 치료 또한 다르다. 중환자실 환자와 같이 생명에 위협적인 질환을 경험하는 환자들은 심리적인 고통을 경험하고 사고와 행동의 장애를 일으킬 가능성이 높다. 그리고 중환자 치료를 위한 독특한 환경-24시간 밝은 조명, 기계알람이나 소음, 개인의 비밀이 보장되지 않는 비인간성-자체가 정신의학 증상의 발생 확률을 높인다. 이런 이유로 중환자실에서 근무하는 의료진들은 정신건강의학과 의사에게 자문의뢰되는 여러 정신증상을 "중환자실 정신증ICU psychosis" 이라는 잘못된 용어로misnomer 부르는 경우가 많다. 그리고 중환자실에 근무하는 의료진들 또한 생명을 다룬다는 책임감, 일의 신속성, 질병의 중등도 및 속성 등으로 상당한 스트레스를 경험하게 된다. 중환자실 치료 상황에서 정신건강의학과 의사는 생물학적, 정신의학적, 행동적인 개입에 대한 빠른 의사결정을 해야만 한다.

1. 위중한 환자의 정신의학적 평가

1) 일반적인 접근

중환자실에서 효과적으로 정신의학 자문을 수행하는 것이 특별한 기술을 요하는 것은 아니다. 중환자실에서 유능한 자문 정신건강의학과 의사는 일반 정신건강의학과 의사와 똑같은 원칙하에 진단과 치료를 하고 다른 영역에서의 자문과 마찬가지의 원리를 적용한다. 즉 정신약물학의 지식과 기술, 행동 중재, 정신치료 등의 기술을 사용한다. 하지만 중환자실 환자는 내과적으로 심각한 상태인 경우가 많고 종종 환자가 너무 위중해서 자세한 병력을 청취하고 정신상태를 평가하는 데 어려움이 있고 자세한 평가를 위한 협조가 어려운 경우가 많다. 또한 중환자실 상황에서의 자문은 다른 상황에 비해 평가결과에 대한 시간적 압박이 더 심하다. 중환자실에서의 정신의학적 평가는 환자의 생체 징후를 측정하기 위한 기계들과 산만하고 시끄러운 환경, 개인의 비밀이 보장되지 않는 개방된 환경 등으로 인해 어려움이 따른다.

기관 내 삽관과 같은 신체적인 방해물이나 진정제 같은 약물학적인 방해물 또한 정신의학적 평가를 어렵게 한다. 가족들은 감정적으로 압도되어 너무 많은 병력을 이야기하기도 하고 만나기조차 어렵기도 하다. 중환자실의 치료진은 환자의 신체상태에만 집중하다 보니 환자의 인지, 행동, 정동에는 소홀한 경우가 많다. 중환자실의 의학적 기록은 정신의학적 평가에 적절한 부분보다 더 많은 양의 정보가 포함되어 있으므로 환자에 대한 정보를 적절하게 취사선택해야 한다.

중환자들의 정신건강의학과적 문제에 대한 일반적인 치료 원칙은 표 38-1에 요약되어 있다.

표 38-1. 중환자들의 정신건강의학과적 문제에 대한 일반적인 치료 원칙

① 정신건강의학과적 평가가 선행되어야 한다.
② 치료를 위한 팀 구성원들 간의 의사소통이 원활해야 한다.
③ 환자와 직접 의사소통을 하고 감정표현을 허용하되 강요하지 않는다.
④ 치료자의 참을성 있는 평온한 태도가 환자의 행동장애를 자제시킬 수 있다.
⑤ 가능한 환자들이 원하고 다룰 수 있는 것은 스스로 숙달시킨다.
⑥ 적개심, 의존 및 공황상태에서 나타나는 행동장애에 대해서 극단적인 행동은 제한을 가하되 부분적으로 표출하도록 허용한다.
⑦ 치료자에게 잘 협조하지 않을 경우 "누구도 환자가 원치 않는 것을 하게 할 수 없다"는 것을 이해시키고 자존심을 상하게 하지 않도록 한다.
⑧ 때때로 유머의 구사는 환자의 분노와 갈등을 분산시킬 수 있다.

2) 병력 청취

의학적 평가와 마찬가지로 환자의 병력은 진단에 가장 도움이 된다. 하지만 불행히도 중환자실 환자들은 자신의 병력을 제공할 수 없는 경우가 많다. 그러므로 가족, 간호진, 자문을 의뢰한 의사에게서 얻어진 병력을 취합하는 것이 중요하다. 대개의 경우 초기 평가와 의뢰 당시에 얻었던 병력은 신뢰도가 떨어진다. 차후에 환자의 의식이 명료해지고 가족들이 추가 정보를 제공하고 치료진이 환자의 진행상황에 대한 정보를 지속적으로 제공함으로써 신뢰도가 높은 정보를 획득할 수 있다.

중환자실 기록은 중요한 정보의 원천이다. 자문조정 의사는 경과기록지 특히 입원, 타과 자문 및 요약 노트 등을 잘 검토해야한다. 중환자실의 진행기록지flowsheet는 생체징후, 검사결과, 약물, 환자 행동 등을 그래프로 보여준다. 이는 치료적 개입과 증상 발현의 시간적 관계를 평가하는 데 도움이 된다. 또한 정신의학적 증상의 원인이 되거나 이에 기여하는 전해질, 대사, 혈액, 감염 등을 확인할 수 있는 검사기록지를 검토해야한다. 약물에 대해서는 현재 복용중인 약물뿐만 아니라 이전에 복용하였거나 최근에 복용을 중지한 약물까지도 주의해서 검토해야 한다.

수술을 하였던 환자의 경우에는 수술 중 발생한 저산소증, 저혈압, 투여하였던 약물 등이 기록되어 있는 수술 기록지를 면밀히 검토해야 한다. 중추신경기능의 변화를 유발할 수 있는 중요한 사건의 변화에 대한 정보를 제공하는 마취 기록지 또한 검토해야 한다.

3) 환자의 검사

중환자실 환자가 의식이 명료하고 협조가 된다면 전형적인 정신의학적 평가 기술을 사용할 수 있다. 하지만 중환자실에서의 정신의학적 평가는 대부분 제한적일 수 밖에 없다. 평가의 첫 단계는 환자의 의식 수준과 집중력에 대한 평가일 것이다. 자문조정 의사가 요구하는 명령을 수행할 수 있는 능력을 평가함으로써 의식의 명료도를 알 수 있다.

기관 삽관을 하고 있는 환자의 경우에는 개방형 질문에 대한 대답이 불가능하지만 전반적인 평가는 가능하다. 환자는 종이에 의사를 적는 방법으로 정보를 제공할 수 있다. 또는 폐쇄형 질문(예 혹은 아니오)으로 정보를 얻을 수 있으며 얼굴 표정 등의 비언어적 기술을 사용하여 의사소통을 할 수 있다.

4) 인지기능의 평가

인지기능의 평가는 중환자실에 있는 모든 환자에게 필요하다. 비록 전체적인 신경심리학적 평가도구의 사용은 힘들지라도 간단하고 구조화된 검사를 통해 인지기능을 평가할 수 있다. 이러한 인지검사를 위하여 흔히 간이정신상태검사Mini-Mental State Exam, MMSE를 사용하며 시공간 구성, 쓰기, 읽기, 언어기능, 회상, 계산능력, 주의력, 정보의 회상, 지남력의 평가를 쉽고 빠르게 할 수 있다. 간단하고 쉽게 수행할 수 있으며 추적 평가에 용이하다는 것이 MMSE의 장점이다. 하지만 민감성이 떨어지고 검사 이름 자체가 타의료진에게 마치 전반적 정신상태 검사인 것으로 오인될 가능성이 있다는 것이 단점이다.

5) 진단

제한적인 병력과 환자가 보이는 정신증상만으로 최종적인 진단을 내리는 것은 어려운 일이다. 그러므로 불충분한 정보가 제공된 상태에서는 잠정적인 진단을 내리는 것이 좋다. 자문조정 의사는 자문을 의뢰한 의사와 환자에 대한 의사소통을 충분히 해야 하며 차트에는 전문용어 또는 약어 등을 사용하지 않는 것이 좋다. 중환자실에 입원한 환자의 정신 역동은 진단적으로 자주 재평가와 수정이 필요하다.

중환자실 환자의 정서적, 행동적, 인지적 장애는 신체적인 질환과 이에 대한 치료에 의해서 이차적으로 발생하는 경우가 많다. 그러므로 의학적 또는 물질 유도성 질환의 결과로 발생하는 정신장애(특히 섬망), 기분장애, 불안장애로 진단되는 경우가 많다. 물질관련질환, 약물금단상태, 주요우울장애, 성격장애는 중환자실 환자의 경우 자주 관찰되며 특히 자살시도 후 중환자실에 입원한 환자의 경우 더욱 그러하다.

2. 위중한 환자의 정신의학적 치료: 일반적인 원칙

1) 내과적-외과적 처치의 변경

중환자실에 입원한 모든 환자는 심각한 신체적 질병을 가지고 있다. 정신증상과 질병의 대부분은 환자의 신체적 질병과 그에 따른 치료로 인해 이차적으로 생긴 경우가 많다. 그러므로 정신증상의 치료와 개선을 위해 의학적 처치의 변경을 우선적으로 고려해야 한다. 예를 들어 저혈당과 저산조증에 의한 섬망의 치료로 포도당과 산소를 공급하는 것이 급선무이다. 이때 항정신병약물을 사용하는 것은 비논리적이며 효과적이지도 않다.

중환자실에 있는 환자가 보이고 있는 정신적 증상이 신체적 원인에 의한 것인지를 평가하는 것이 무엇보다도 중요하다. 특히 섬망에 대한 진단이 중요한데 섬망의 원인을 평가하는 데 있어 I WATCH DEATH 기억법 표 38-2을 활용하는 것이 유용하다.

표 38-2. 섬망의 흔한 원인(I WATCH DEATH 기억법)

Infection: 감염
Withdrawal: 금단
Acute metabolic: 대사 불균형
Trauma: 외상
CNS pathology: 중추신경계 병변
Hypoxia: 저산소증
Deficiencies: 결핍
Endocrinopathies: 내분비질환
Acute vascular: 급성혈관성 질환
Toxins or drugs: 중독, 약물 부작용
Heavy metals: 중금속

정신증상과 환자가 받고 있는 내/외과적 처치 변화의 시간적인 상관성을 파악하는 것도 중요하다. 중환자실 차트, 진행기록지, 검사결과표에는 의식의 상태를 설명할 수 있는 신체적인 문제들이 기록되어 있다. 증상이 나타나기 전에 추가하였던 약물과 약물금단증상이 발생할 수 있는 기간이 충분히 지났는지 확인해야 한다. 이러한 시간적인 상호관련성은 중환자실 환자의 정신증상을 유발시키는 원인을 알아내는 데 일차적인 단서를 제공한다. 신체적인 문제가 정신증상의 원인으로 의심되면 자문 보고서를 적을 때 내/외과적 처치의 변경을 권고해야한다. 자문을 의뢰한 의사는 신체적인 문제를 놓쳐버린 것에 대해 당황해 할 수도 있기 때문에 자문 보고서는 비판이나 비아냥거림 없이 직접적이고 도움을 주는 태도로 작성되어야 한다. 어떤 경우에는 기록을 남기는 것보다 직접 전화를 하는 것이 효과적일 수 있다. 임상적으로 한 수 앞선다는 인상을 주거나 자문을 의뢰한 의사의 감정에 상처를 주는 것은 환자에게 나쁜 영향을 줄 수 있다.

2) 정신약물학적 치료

자문조정 의사는 약물투여 전에 환자 개개인의 신체적 상태를 면밀히 고려해야 한다. 대부분의 향정신약물에 대한 약역학과 약동학은 심각한 신체적 질환이 없는 환자를 대상으로 얻어진 자료이다. 간기능과 신기능의 감소는 약물 청소율에 영향을 미친다. 또한 심각한 신체적 질환이 있는 환자는 약물 부작용에 민감하다. 이러한 이유로 초기 치료 전에 정확한 진단을 위해 노력해야 하며 증상 위주의 치료는 문제를 해결하는 데 도움이 되지 않으며 새로운 문제를 유발할 수도 있다. 약물처방의 지침은 표 38-3에 기술하였다.

표 38-3. 중환자에 대한 향정신약물의 처방 지침

1. 주의 깊게 정신병력을 수집한다(가정하에 치료하지 않는다).
2. 치료 시작 이전에 진단한다.
3. 환자의 주변환경을 최적화한다.
4. 타과에서 처방된 약과의 상호관계를 고려해야 한다.
5. 저용량으로 시작하고 서서히 용량을 증량한다.
6. 여러가지 약물사용을 피한다.
7. 목표증상에 대한 반응과 약물에 대해 정기적으로 점검한다.
8. 약물부작용에 대해 관찰한다.
9. 자문을 의뢰한 의사와 환자의 상태를 평가한다.
10. 위중한 질병이라는 이유만으로 향정신성 약물 사용을 피해서는 안 된다.

향정신약물의 약물학적인 지식은 중환자실에서의 약물치료 성공에 결정적인 역할을 한다. 대부분의 향정신성 약물은 간에서 대사되며 간과 신장을 통해 청소된다. 그러므로 간기능과 신기능의 변화는 향정신성 약물을 사용하는 데 중대한 영향을 미친다. 향정신성 약물을 사용하기 전에 자문조정 의사는 환자의 신체적인 문제를 감안하고 약물 상호 간의 작용과 부작용에 대해서 고려해야 한다. 예를 들면 심장전도체계에 문제가 있는 환자에게는 삼환계 항우울제나 항정신병약물 사용에 주의해야 한다. 중증환자의 경우 향정신성 약물의 약동학과 약역학에 대한 예측이 힘들기 때문에 초기에 저용량을 사용해야 한다.

즉각적인 처치가 필요하지 않은 이상 약물을 저용량부터 사용하기 시작해서 최고 용량까지 증량한다. 중환자의 경우 정상보다 표준 치료 범위가 낮은 용량에서 치료효과가 나타나기도 한다. 이는 약물상호작용에 의한 것이거나 신기능/간기능 손상으로 인한 약물제거율이 느리기 때문이다. 하지만 중환자 중에서도 건강한 성인에서 요구되는 용량과 비슷하거나 그 이상의 용량이 요구되는 경우도 있으므로 약물의 부작용과 이익을 잘 고려하여 약물을 사용한다. 자문을 의뢰하기 전 주치의나 타과 자문의가 향정신성 약물을 사용하는 경우가 있으므로 자문조정 의사는 환자에게 처방되는 약물을 잘 검토해야 한다. 중환자에서 약물 부작용은 때로는 상태를 악화시키며 진단을 어렵게 만든다. 예를 들면 항정신병약물에 의한 정좌불능증은 극도의 초조함과 안절부절못함의 원인이 되기도 한다.

향정신성 약물의 일반적인 부작용을 예방하는 가장 좋은 방법은 저용량을 사용하는 것이다. 하지만 환자가 중증이라는 이유만으로 향정신성 약물을 초저용량으로 사용하거나 사용을 피하는 것은 현명하지 않다. 적절하게만 사용된다면 향정신성 약물은 일반적으로 유효하며 내약성이 있다. 정신증상은 환자의 신체적 고통에 더하여 이중고를 초래한다. 따라서 효율적인 치료법이 있다면 적극적으로 활용하는 것이 좋겠다.

3) 비약물적 처치

비약물적인 방법을 이용하여 환자의 고통을 줄여줄 수 있다. 예를 들어 혼동, 섬망, 치매 환자인 경우 자주 방문하여 안심을 시키고 주기적으로 지남력을 확인하며 조용한 환경을 제공하고자 하는 노력은 상당히 도움이 된다. 불안하거나 공포심이 많은 환자의 경우 가족, 친지가 자주 방문하는 것도 환자를 안심시키는 데 도움이 된다. 중환자실 환자가 보이는 심각한 정신증상은 대부분 신체질환이나 그에 대한 치료에 기인한 뇌의 기능이상에서 주로 발생되지만 환경에 대한 조정은 이러한 환자에게도 도움이 될 수 있다.

환자를 안심시키고 지남력을 교정함과 동시에 수면방해로부터 보호하기 위하여 조용하고 차분한 분위기를 제공하는 것은 섬망 환자를 진정시키는 데 도움이 된다. 환자에게 너무 자극이 없을 때에는 현실감을 가지도록 적절한 질문을 하여 자극을 줄 수 있다.

4) 중환자실 환경 관리

정신증상 발생에는 중환자실의 환경 또한 중요하게 작용한다. 그러한 요소로는 높은 소음, 정상적인 일주기 리듬의 부재, 수면 박탈, 감각 박탈, 여러 시술 등으로 인한 통증, 다른 환자의 죽음 목격 등이 있다. 따라서 간단한 환경 조정으로 정신증상 발생을 예방할 수 있을 것이다. 장비나 치료진 간 대화로 인해 발생되는 소리를 감소시키고, 외부와 통하는 창문을 만들며 시계와 달력을 보이는 곳에 배치하고 적절한 수면을 유지하여 낮과 밤의 주기를 형성하며 좀 더 인간관계를 가질 수 있도록 배려하는 것 등이 그 예이다.

5) 정신치료적 접근

중환자실 상황에서 정신치료는 일견 터무니없어 보이기도 한다. 하지만 환자가 정신치료를 받을 수 있는 컨디션이 되기만 한다면 일반적인 정신치료에 비해 손색이 없다. 정신역동학적 이론에 대한 지식은 중환자실에서의 환자를 평가하는 데 때때로 유용하다. 부적응적 행동과 성격적인 문제는 심각한 신체적 질환의 스트레스 하에서 더욱 증폭되기도 한다. 정신치료적 개입은 중환자실에서의 정신의학적 문제의 치료에 중요한 요소이다. 가끔 중환자실 환자 중에는 단기 정신치료를 받을 수 있을 정도로 오랜 기간 입원하는 경우도 있다. 환자의 가족치료에서 환자의 중증 질환에 의해 초래되는 정신역동적 문제를 다뤄야 하는 경우도 있다.

6) 강박의 사용

환자가 섬망 등의 증상으로 행동 조절이 되지 않고 자해 및 타해의 위험성이 있을 때 치료진은 환자 개인 및 치료진의 안전을 위해 적절한 조치를 취하게 된다. 물리적인 강박은 자해 및 타해의 위험성이 아주 높거나 초조감이 급격히 증가할 때 행해진다. 물리적인 강박의 사용은 객관적이어야 할 것이며 규정에 따라서 시행되어야 한다. 물리적인 강박에 의해 신체적 상해를 입은 경우가 보고되기도 하지만 면밀한 지시 감독하에 안전한 방법으로 행해진다면 의학적 치료의 목표를 달성할 수 있다.

신체 강박은 진정제나 항정신병약물과 함께 사용되는데 이는 약물의 효과가 나타나기 전까지 환자의 행동을 조절하기 위함이다. 때로는 중환자실 환자에게 오랜 기간 동안 강박이 유지되는 경우도 있다. 강박 시 안전한 방법과 환자 상태에 대한 임상적인 평가에 대한 문서기록은 필수적 요건이다. 신체 강박이 유지되는 경우 이에 대한 평가가 자주 이루어져야 하며 지속적 강박으로 인한 상해를 예방하기 위해 주기적인 환자의 신체상태에 대한 검사 등이 반드시 이뤄져야한다.

7) 추적 진료의 빈도

중환자실 환자의 효과적인 정신의학적 자문을 위해서는 자주 방문하여 추적하는 것이 매우 중요하다. 의학적 평가가 지속되면서 자문 초기에는 알지 못하였던 정신질환의 원인과 적절한 치료에 대한 새로운 단서가 드러난다. 환자 상태의 호전은 보다 철저한 정신병력 청취 및 정신상태검사의 시행을 용이하게 할 것이다.

중환자실 환자의 상태는 극적으로 변화하고 이에 따라 치료의 안전성, 유효성과 내약성에 미치는 영향이 시시각각 변화한다. 심각한 신체 질환을 가진 환자의 경우 치료 반응을 예측하기 더 어렵다. 그러므로 주의 깊게 환자의 상태를 모니터링하는 것이 필요하다.

3. 중환자의 정신장애

중환자실 환자의 정신질환의 진단과 치료는 아주 오랫동안 간과되어 왔고 단순히 "중환자실 정신증ICU psychosis"으로 치부하고 넘어가는 경우가 많았다. 하지만 최근에는 이러한 부분에 대한 인식이 높아지고 관리되고 있다. 섬망, 불안장애, 수면장애, 우울감이 동반된 적응장애, 피해사고를 동반한 단기 정신병적 장애 등이 주요 정신질환이라 할 수 있다. 이러한 정신질환의 발생은 중환자실 입원기간뿐만 아니라 일반병실로 전실 이후, 심하게는 퇴원 후 수개월 뒤에도 발생할 수 있다.

1) 불안

불안은 중환자실 환자들에게 흔히 발생하는 증상이다. 불안감은 공포감, 두려움, 긴장감, 공황발작과 유사한 증상 또는 극심한 초조함 등으로 표출될 수 있다. 불안한 환자는 일반적으로 그들의 불안감의 원인을 알지 못한다. 불안은 수면을 방해할 수 있고 치료를 저해할 수도 있다. 또한 불안 및 스트레스는 교감신경의 각성과 카테콜아민 수치의 상승, 전기전도성 또는 허혈성 심장 질환과 관련되어 있기 때문에 중환자에게 불리한 생리적 현상을 야기할 수도 있다.

중환자실 환자의 불안에 대한 감별진단을 할 때 특히, 불안장애의 개인력, 가족력이 없는 환자에서는 신체적 또는 물질적 원인에 중점을 두어야 한다. 흔한 원인으로 저산소증, 대사장애, 패혈증, 약물 부작용(중독 및 금단) 등이 있다. 중환자실 환자들은 완벽한 병력청취가 불가능한 경우가 많기 때문에 약물의 금단증상이 나타나기까지 물질남용의 병력을 확인하지 못하는 경우가 자주 있다.

이미 불안장애가 있는 환자에서는 중증질환의 스트레스로 인해 불안증상이 더 심하게 나타날 수 있다. 생명을 위협하는 중환자실의 경험은 환자에게 외상후스트레스장애 발생의 위험을 증가시키기도 한다. O'donnell (2010) 등의 연구에 따르면 외상환자 중 중환자실에 입원한 환자 군이 그렇지 않은 군에 비해 12개월 뒤 외상후스트레스장애 발생률이 더 높았다(17% vs. 7%). 중환자실 입원 자체가 외상후스트레스장애의 위험요인일 수 있다. 따라서 이러한 고위험군의 환자에서는 정신건강의학과 협진을 통한 선별검사 및 초기 중재가 필요하다.

중환자실 환경에서 불안의 치료는 우선적으로 증상을 유발하는 기저의 신체질환이나 불균형을 교정하는 것이 필요하다. 항불안제 투여 등의 대증적 치료로 불안을 감소시킬 수 있으나 이러한 치료는 일차적 문제점을 완전히 해결할 수가 없다. 그러나 근본적인 치료법이 언제나 가능한 것은 아니다. 만약 신체적 질환 치료에 반응하지 않거나 추정되는 유발약제를 중단할 수 없는 경우 등에서는 대증적 치료가 환자의 고통을 감소시킬 수 있다.

벤조디아제핀benzodiazepine은 중환자실에서 불안을 치료하는 데 가장 일반적인 약물이다. 모든 벤조디아제핀이 불안에 효과가 있지만 그 중에서도 로라제팜이 선호된다. 그 이유는 경구제제뿐만 아니라 주사제도 있고, 근육주사로도 잘 흡수되며, 흡수와 대사도 빠르기 때문이다. 로라제팜은 산화적 대사를 거치지 않고 결합된 채 배설되며 활동성 대사산물을 형성하지도 않는다.

만약 불안이나 공포가 극심하거나, 정신병적 증상 또는 정신혼동이 동반되어서 복합 증상을 보이는 경우에는 일시적인 항정신병약물 사용이 효과적이다. 일부 환자에서는 벤조디아제핀에 의해 역설적인 탈억제disinhibition 반응이 나타날 수 있다. 이러한 환자에게도 역시 항정신병약물이 도움이 될 수 있다. 중환자실에서는 할로페리돌haloperidol과 같은 고역가 항정신병약물이 선호되는데 이는 고역가 약물이 졸음을 덜 유발하고 항콜린성이 낮으며 심장 부작용이 적고 중환자실 환경에서 사용된 역사가 길기 때문이다. 하지만 최근에는 사용된 역사는 짧고 연구는 부족하지만 비전형 항정신병약물이 더 안전한 약으로 선택되는 경향이 있다.

치료적 지지와 이완요법, 최면, 인지치료 등이 일차적 치료나 약물치료의 부가적 치료로서 도움이 되기도 한다. 때로는 이러한 비약물적 치료만으로도 불안을 감소시키는 데 충분히 효과적인 경우도 있다.

2) 우울장애

중환자실에서 우울장애는 무감동, 위축, 무력감, 눈물 흘림, 치료 비협조, 자살사고, 자살행동 등으로 나타난다. 의학적 문제에 대한 걱정과 실망은 중환자실의 환자에서 매우 흔하다. 이것을 우울장애의 증상으로 잘못 이해할 수 있다. 행동문제, 초조, 분노 등의 증상을 동반하지 않는 섬망(특히 저활동성 섬망)은 종종 우울장애로 오진된다. 우울장애가 심해 자살을 시도하는 등의 문제로 중환자실에 입원하게되는 환자도 있다.

사실여부와 상관없이 죽어가고 있다고 느끼는 중환자실 환자들은 파국 반응을 보인다. 이렇게 부정확한 지각을 하고 있는 경우, 실제 임상적 상황에 대한 간단한 교육이 큰 위안을 가져다 줄 수 있다. 하지만 이러한 안심시키기로 슬픔과 낙담이 해결되지 않는다면 우울장애 진단을 고려해야한다. 환자의 병이 실제로 생명을 위협하는 상태이거나 말기 질환을 앓고 있다면 개방적이며 공감적이고 지지적인 태도가 환자에게 도움이 된다. 자문조정 의사가 편안함,

자율성, 사랑하는 사람의 존재, 버림받는 것에 대한 두려움 등에 중점을 둔 중재를 할 때 환자는 안도하게 된다.

우울감을 보이는 일부 환자는 주요우울장애의 진단 기준에 만족하지 못하는 경우가 있을 수 있다. 하지만 우울증상의 정도가 진단 기준에 못 미치더라도 사망률 증가와 기능장애를 초래한다. 우울장애는 치료받지 않은 경우 전체 사망률을 증가시키고 특히 심장질환으로 인한 사망률을 증가시킨다.

주요우울장애의 치료는 주로 약물을 사용한다. 중환자실에서는 선택적세로토닌재흡수억제제selective serotonin reuptake inhibitor, SSRI와 정신자극제가 삼환계 항우울제와 MAO 억제제보다 더 많이 사용된다. SSRI는 삼환계 항우울제나 MAO 억제제와 비교했을 때 부작용이 덜 해서 중환자실 환자에게 안정성 측면에서 더 우수하다. 삼환계 항우울제는 심부정맥, 변비, 기립성 저혈압, 항콜린성 섬망을 야기할 수 있다. MAO 억제제는 고혈압 위기 등을 예방하기 위한 식이 제한 및 약물 제한이 필요하다.

중환자실의 우울한 환자에서 정신자극제의 주요 이점은 치료 반응이 빠르고 부작용이 나타나더라도 약물 제거율이 빠르며 대개 저용량으로 사용되어 안정성과 내약성이 높다는 것이다. 덱스트로암페타민이나 메틸페니데이트 등의 자극제를 저용량부터 사용하여 원하는 치료적 효과가 달성될 때까지 또는 부작용이 발생할 때까지 서서히 증량한다. 정신자극제의 부작용으로는 고혈압, 빈맥, 부정맥, 초조, 혼란, 불면, 식욕억제 등이 있다. 저용량의 정신자극제는 우울증상을 가진 신체질환 환자에서 종종 식욕을 증가시키기도 한다. 자문조정 의사는 각각의 약물을 증량하는 과정에서 이러한 부작용들에 주의해야 한다.

3) 정신 혼동

중증질환 환자는 흔히 혼동 또는 초조를 경험한다. 중환자실에서 경험하는 혼동이나 초조한 행동에는 여러가지 원인이 있을 수 있지만(분노, 통증, 불안, 질환에 대한 스트레스 등) 대부분의 중환자실 환자들이 겪는 혼란스러운 상태는 신체질환이나 물질에 의한 이차적인 원인이 많다. 이러한 이차적인 정신 혼동은 신체적 질환의 심각도와 주로 관련이 있다.

중환자실 환자의 혼동 상태의 양상은 다양하다. 때로는 섬망을 중환자실 치료진들이 인지하지 못하는 경우가 종종 있다. 혼동은 중환자실 환자에서 매우 흔해서 심한 행동 문제가 동반되지 않는다면 대개 정신건강의학과로 협진이 의뢰되지 않는다. 조용한 혼동(저활동성 섬망) 환자는 우울장애, 불안 또는 치료진을 불쾌하게 하는 인격의 문제로 오인되기도 한다. 하지만 반대로 환자가 초조해하거나 비협조적이고 난폭하면 급히 정신의학적 도움을 요청한다.

중환자실에서 보이는 모든 혼동 사례는 주의를 기울여야 하고 평가해야 할 필요가 있다. 혼동 상태는 보통 기저질환의 의학적 합병증의 증후이기 때문이다. 그리고 의식이 명료하고 인지적으로 온전한 환자가 치료에 더 협조적이고 치료 지시를 잘 준수하기 때문에 섬망을 초기에 적극적으로 선별하고 치료하는 것이 중환자실 재원 기간을 단축하고 좋은 예후에 있어 중요하다.

중환자실에서의 섬망의 치료는 원인이 되는 의학적 요소나 약물에 대해 철저한 탐색을 함으로써 시작된다. 약물이나 약물 간 상호작용이 고려되어야 하며 가능한 유해한 약물은 중단해야한다. 흔히 섬망을 일으키는 약물에는 항부정맥제(Lidocaine, Quinidine), 항생제(Penicilin, Rifampin), 항콜린제(Atropine), 항히스타민제(Diphenhydramine, Cimetidine), 베타차단제(Propranolol), 마약성 진통제(Morphine, Pentazocine) 등이 있다. 환자들은 일반적으로 남용

물질 사용을 축소보고하기 때문에 입원 당시 물질남용(특히 알코올과 진정-수면제) 병력이 없었더라도 금단 상태도 항상 염두에 두어야한다.

중환자실에서 초조를 조절하기 위해 사용되는 약물에는 항정신병약물, 벤조디아제핀, 마약성 진통제, 마취제가 있다. 벤조디아제핀 약물은 단독으로 또는 항정신병약물과 병합되어 흔하게 쓰이지만 탈억제에 의해 역설적으로 혼돈이 더 심해질 수 있어 항정신병약물이 중환자실에서 사용되는 일차적 선택 약물이다.

할로페리돌은 오랫동안 입증되어 온 안정성과 사용 경험 때문에 중환자실에서 가장 흔하게 사용되는 항정신병약물이며 주사제가 있다는 것이 큰 장점이다. 할로페리돌 사용 시 주의해야 할 부작용으로는 추체외로증상, EKG상 QTc 연장, Torsade de pointes 부정맥, 정좌불능, 악성 신경이완 증후군 등이다. 비정형 항정신병약물(예: 리스페리돈, 아리피프라졸, 올란자핀, 쿠에타핀 등) 또한 섬망 치료에 도움을 준다.

하지만 Society of Critical Care Medicine (SCCM)의 PADIS (Pain, Agitation/Sedation, Delirium, Immobility and Sleep Disruption in Adult Patients in the ICU) guideline (2018)에 의하면 여러 연구를 종합한 결과 항정신병약물을 투약한 섬망 환자와 그렇지 않은 섬망 환자를 비교했을 때 섬망의 기간, 인공호흡기ventilator의 사용기간, 중환자실 재실 기간, 중환자실 사망률 모두에서 유의한 차이가 나타나지 않아 항정신병약물을 루틴으로 사용하지 않을 것을 권고하고 있다. 그리고 섬망의 예방을 위해 항정신병약물을 사용하는 것도 추천하지 않고 있다. 다만 섬망증상으로 심각한 고통을 받는 환자들에게는 단기간 항정신병약물 사용이 도움이 될 수 있다고 명시하고 있다.

초조해하는 중환자실 환자를 진정시키는 것이 일차적인 목표일 때는 마취제가 종종 사용된다. 최근에는 속효성 정맥 주사형 마취제인 프로포폴Propofol이 이러한 목적으로 많이 사용되고 있다. 프로포폴의 장점은 효과가 빠르고 쉽게 용량 조절이 가능하며 미다졸람Midazolam이나 유사제제에 비해 약물 중단 후 진정작용에서 일찍 깨어난다는 장점이 있다. 특히 초조함으로 인해 인공호흡기 점감weaning을 하지 못하는 환자들에서 덱스메데토미딘dexmedetomidine을 사용하였을 경우 효과가 있다는 연구가 있어 SCCM의 PADIS guideline (2018)에서는 인공호흡기가 필요한 중환자의 진정에는 프로포폴이나 덱스메데토미딘 사용을 권고하고 있다.

벤조다이아제핀은 오히려 섬망을 야기할 수 있다는 점에서 SCCM의 PADIS guideline (2018)에서는 사용을 최소화할 것을 권유하고 있다. 섬망에서 멜라토닌의 효용성에 대한 연구가 진행되고 있지만 아직까지는 중환자실 환자의 수면 개선의 질적, 양적 효과를 판정하기에 근거가 부족한 실정이다.

4) 정신증

중환자실은 잠재적으로 정신병적 환자에게 공포감과 스트레스를 주는 공간이다. 조현병이나 다른 정신병적 장애, 망상장애, 양극성장애, 정신병적 우울장애 환자 등은 중환자실의 치료와 중증 질환의 스트레스에 적응하기 어렵다. 이는 특히 환자가 편집증적이거나 활동성 정신병적 증상이 있는 경우 더욱 그렇다.

조현병의 진단 또는 추정은 중환자실 치료진과 자문의뢰의사에게 공포감을 가져다 준다. 중환자실의 정신병적 환자의 평가와 치료 외에도 효과적인 관리를 위해서는 중환자실 치료진과의 밀접한 협조가 필요하다. 중환자실 치료진들은 정신병적 환자의 행동을 관리하는 지침이나 가르침이 필요하며 환자가 이상행동, 적대성 등을 보일 때 이에 대하여 표현할 수 있는 기회가 제공되어야 한다. 치료진들이 불편감을 느끼는 상황이 되면 환자의 신체질환에 대한 관심이 저하되므로 임상적 치료를 소홀히 하는 경우가 발생할 수 있다.

정신병적 환자는 정신건강의학과에서와 같은 방식으로 중환자실에서 치료된다. 항정신병약물이 치료의 핵심이다. 만약 환자가 복용 중인 항정신병약물이 외래치료에서 효과적이었다면 중증 질환에도 견딜 수 있는 범위에서는 그 약물을 지속하는 것이 일반적이다. 필요한 경우에는 저역가 항정신병약물보다는 고역가 항정신병약물이 효과적일 수 있다. 중환자실에서는 장기지속형 주사제는 거의 사용하지 않는다. 때때로 벤조디아제핀이 부가적인 치료제로 도움이 될 수 있다.

5) 수면장애

수면장애는 중환자실 환자들이 흔히 호소하는 증상이다. 중환자실 환자들의 수면 특징으로는 수면 분절, 일주기리듬의 반전, 얕은 수면의 증가와 깊은 수면 및 렘수면의 감소 등이 있다. 총수면시간이나 수면 효율은 정상인 경우가 많다. 심지어 섬망환자에서도 총수면시간이나 수면 효율은 변화가 적은 것으로 알려져 있고 섬망환자에서 얕은 수면과 깊은 수면의 비율이 변하는지에 대한 연구가 부족하다. 섬망에서 주요한 수면의 특징은 일주기리듬의 반전이 일어나 주간수면시간이 증가하고 야간수면시간은 감소한다는 것이다. 수면장애의 원인으로는 여러가지 약물들, 통증, 중한 질병 자체, 섬망, 중환자실의 환경 등이 있다. 그리고 수면장애가 있으면 중환자실 재원기간 및 기계환기 사용시간이 늘어나고 섬망의 위험이 높아지며 인지기능저하에도 영향이 미칠 수 있다.

이러한 수면장애에 대하여 SCCM의 PADIS guideline (2018)에서는 멜라토닌, 프로포폴, 덱스메데토미딘에 대한 고려를 하고 있으나 모두 아직은 충분한 근거가 없어 추천하고 있지는 않다. 대신 수면 촉진 프로토콜이 수면의 질을 향상시킬 수 있다며 권유하고 있다. 이중 중요한 행동요법은 중환자실 소음을 줄일 수 있는 귀마개를 착용하는 것과 빛을 차단할 수 있는 안대를 착용하는 것이다. 이 두 가지 간단한 방법만을 적용한 환자와 섬망이 없는 환자에서 수면제stilnox를 투약한 경우, 섬망이 있는 환자에서 할로페리돌을 투약한 경우를 비교하였을 때 환자가 주관적으로 호소한 수면의 질에는 차이가 없었다.

4. 중환자실에서의 특별한 임상적 상황

1) 인공호흡기

인공호흡기 장착 상태는 정신의학적 평가를 어렵게 하는 특수한 상황이다. 평가의 어려움 외에도 환자에게 인공호흡기를 장착하는 자체가 흔히 불안, 우울, 초조, 섬망 등을 초래하기도 한다.

인공호흡기 장착 상태에서는 불안이 가장 흔한 정신증상이다. 폐의 기저 질환은 종종 저산소증을 야기하며 이는 불안 증상을 일으키거나 더욱 악화시킨다. 기계적 환기는 저산소증을 교정함으로써 그러한 불안을 해결하는 데 도움이 되지만 환자는 기관 내 삽관, 기계적 환기 자체로 인해 더욱 불안함을 느낄 수 있다. 기관 내 삽관은 매우 불편하며 인공호흡기 자체의 소음은 환자의 중증 상태를 각인시킴으로써 심각한 불안, 초조를 초래하기도 한다. 의식이 명료한 환자는 병의 예후에 대해 매우 불안할 수 있으며 자기통제력 상실과 무력감을 느낄 수도 있다.

불안은 특히 환자가 인공호흡기를 중단할 때 흔히 나타난다. 인공호흡기 점감 시도과정에서 짧은 시간 동안이지만 다소간의 저산소증을 경험한다. 장기적인 인공호흡은 호흡근의 탈조건화를 야기하고 환자는 이들 근육이 재조건화가 될 때까지 호흡곤란을 경험한다. 환자들은 종종 인공호흡기에 심리적으로 의존 상태가 되어 장치를 제거할 때 공포감을 느끼기도 한다.

불면 또한 의식이 명료한 상태의 인공호흡기를 장착한 환자에게서 자주 나타나는 증상이다. 이런 경우 바로 벤조디아제핀 등의 약물을 사용하게 된다면 호흡에 영향을 줄 수 있으니 주의해야 한다. SCCM의 PADIS guideline (2018)에 의하면 압력조절환기pressure control ventilation, PCV에 비해 보조조절환기assist control ventilation, ACV를 사용하는 경우 수면효율을 향상시킬 수 있고 렘수면을 증가시킨다는 연구결과에 따라 수면문제가 있는 인공호흡기 장착환자에서 PCV보다는 ACV를 밤 동안 사용할 것을 권유하고 있다.

우울과 혼동 상태 또한 인공호흡을 하는 환자에서 흔하게 나타난다. 인공호흡기를 사용한다는 것 자체가 심각한 의학적 질환과 관련되어 있기 때문이다. 우울장애는 동반된 의학적 질환의 심각도와 관련이 있다. 인공호흡기를 필요로 하는 환자는 호흡부전뿐만 아니라 감염이 있거나 대사 불균형 또는 여러가지 약물 부작용이 동반되어 있다. 이러한 모든 조건들이 섬망을 발생시키는 요소가 될 수 있다.

2) 치료진의 스트레스

중증질환 환자들에게 집중치료를 제공하는 것은 매우 스트레스가 많은 업무이다. 중환자실 환자들은 매우 위독하다. 급성기 질환과 상태가 급변하는 질환의 치료는 중환자실 치료진에게 엄청난 시간의 압박과 매우 어려운 상황에서 좋은 임상적 결과를 만들어야 한다는 압력을 가한다. 보호자들은 그들이 사랑하는 사람이 심각하다는 것에 대한 걱정으로 인해 압박을 받으면 이러한 두려움과 좌절감을 중환자실 치료진들에게 표현한다. 압박을 받는 치료진의 일부는 위축되기도 하고 덜 지지적으로 되거나 환자나 환자의 가족들을 향해 좌절감, 분노감, 무력감을 부적절하게 표현하기도 한다. 중환자실 의학에 내재된 강도, 속도감과 활동 등의 요소는 그들이 선택한 이 분야의 매력 중에 하나이다. 그러나 이러한 요소들이 중환자실에서 일하는 치료진들을 탈진하게 하는 위험요소이기도 하다.

스트레스나 소진을 야기하는 이러한 요소들이 조정되지 않는다면 중환자실 근무자들은 매일매일 직면하는 일의 강도와 탈진으로부터 도망치기 쉽다. 의료의 질, 근무자의 잦은 교체, 건강에 부정적 영향, 무단결근, 개인의 사생활에 미치는 부정적 영향 등이 문제점으로 발생할 수 있다.

집중치료를 제공하는 것과 관련된 잠재적 스트레스 요인을 인식하는 것이 치료진에 대한 예방과 중재를 위해 필요하다. 표 38-4는 중환자실 근무자의 스트레스들을 나열했다. 일부 스트레스는 치료진의 인원부족과 관련 있다. 이는 중환자실에서 흔한 일로서 인원보충을 하거나 업무 부담을 감소시킴으로써 조정될 수 있다. 또 다른 스트레스 요인으로 연수와 교육의 결핍이 있다. 이는 현장 교육과 지도감독에 의해 조정될 수 있다. 죽음과 심각한 질환을 다룸으로 지속적으로 떠오르는 감정들 또는 중환자와 가족들의 요구에 응대함으로써 생겨나는 감정들은 다루기가 훨씬 어렵다. 스트레스로 인해 우울장애, 불안장애 또는 다른 정신질환의 증상이 발생했을 때 정신의학적 평가가 그 질환을 치료하는 데 도움이 되며 치료진들이 자신의 상황을 객관적으로 스스로 평가하게 도와주며 그들이 스트레스가 많은 중환자실의 환경에 대한 대처 기술을 증진시킬 수 있도록 한다.

표 38-4. 중환자실 치료진의 흔한 스트레스

의사의 스트레스	간호사의 스트레스
수면박탈	과도한 업무량
긴 근무시간	환자 또는 보호자의 감정적 요구에 대한 부담
고도 기술의 치료를 제공	죽음을 다룬다는 사실
심각한 질환자를 다루는 부담감	예측하기 힘든 근무 스케줄
환자의 가족에 대한 책임감	환경적 장애에 노출(예: 소음)
복잡하고 침습적인 시술	행정업무와 갈등
정보 과잉	무력감, 불안정감
재정적 부담	
의료과실에 대한 불안감	

5. 요약

비록 중환자실에서의 정신건강의학과 자문조정은 어려움이 있고 힘들지만 일반 병동에서의 정신건강의학과 자문과 질적으로 다르지 않다. 일반 병동과 비교했을 때 환자들의 병이 좀 더 심각하고 속도가 빠르며 환자의 스트레스 수준이 더 높을 뿐 다른 병동에서 볼 수 있는 것과 같은 종류의 정신질환을 중환자실에서 본다. 하지만 이러한 것은 환자의 신체적 문제의 심각도와 역동적 상태에 따라 복잡해질 수 있다. 자문조정 정신건강의학과 의사는 이렇게 신체적으로 위중한 중환자실 환자의 임상적 치료에도 전력을 다 해야 하지만 중환자실 치료진의 탈진을 예방하면서 중환자를 잘 치료할 수 있도록 도와주는 노력도 해야 한다.

참고문헌

1. 고경봉. 스트레스와 정신신체의학, 서울, 일조각, 2002
2. Balas MC, Weinhouse GL, Denehy L, et al. Interpreting and Implementing the 2018 Pain, Agitation/Sedation, Delirium, Immobility, and Sleep Disruption Clinical Practice Guideline. *Crit Care Med* 2018; 46:1464-70.
3. Devlin JW, Skrobik Y, Gelinas C, et al. Clinical Practice Guidelines for the Prevention and Management of Pain, Agitation/Sedation, Delirium, Immobility, and Sleep Disruption in Adult Patients in the ICU. *Crit Care Med* 2018; 46:e825-e73.
4. Hu RF, Jiang XY, Zeng YM, et al. Effects of earplugs and eye masks on nocturnal sleep, melatonin and cortisol in a simulated intensive care unit environment. *Crit Care* 2010; 14:R66
5. Rivosecchi RM, Kane-Gill SL, Svec S, et al. The implementation of a nonpharmacologic protocol to prevent intensive care delirium. *J Crit Care* 2016; 31:206-11
6. Srivastava VK, Agrawal S, Kumar S, et al. Comparison of dexmedetomidine, propofol and midazolam for short-term sedation in postoperatively mechanically ventilated neurosurgical patients. *J Clin Diagn Res* 2014; 8:GC04-GC07..
7. Trompeo AC, Vidi Y, Locane MD, et al. Sleep disturbances in the critically ill patients: Role of delirium and sedative agents. *Minerva Anestesiol* 2011; 77:604-12.
8. Wu XH, Cui F, Zhang C, et al. Low-dose dexmedetomidine improves sleep quality pattern in elderly patients after noncardiac surgery in the intensive care unit: A pilot randomized controlled trial. *Anesthesiology* 2016; 125:979-91.

4

PART

치료

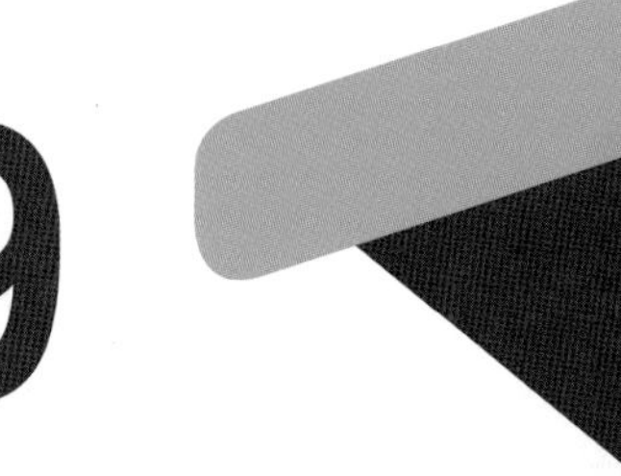

39
CHAPTER

정신신체의학에서 약물요법

김성완

1. 정신신체의학에서 약물요법의 원칙

1) 신체질환이 있는 환자에게 약물 처방할 때 고려할 점

신체질환으로 치료를 받고 있는 환자에게 정신건강의학과 약물을 처방할 때 일반적인 경우와 달리 다음과 같은 사항을 고려해야 한다.

① 환자의 신체기능에 따라 약물의 흡수와 대사 과정이 일반인과 다를 수 있다.

② 신체질환 때문에 다양한 약물을 복용하는 경우가 많아 약역학 및 약동학적 약물 상호작용이 발생할 수 있으므로 주의해야 한다.

③ 약물의 효능에 대한 승인은 일반적으로 건강한 피험자를 대상으로 한 연구를 통해 이루어진다. 따라서 신체질환이 있는 환자의 특정 정신의학적 상태에 대한 약물의 효과가 입증된 약물을 선택하거나 신체상태를 고려해 처방을 조절하는 것이 필요하다.

④ 정신의학적 상태뿐만 아니라 신체질환과 치료에 따른 통증, 피로, 구토 등과 같은 다양한 신체상태를 함께 개선할 수 있는 약이 선호된다.

⑤ 신체질환으로 인해 쇠약해져 약물의 부작용에 민감할 수 있다.

⑥ 정신건강의학과 약물이 신체상태를 악화시킬 수 있는 지 점검해야 한다.

⑦ 신체질환 치료 약물 또는 신체질환으로 인한 정신증상인지 감별하고 이 경우 정신건강의학과 약물 유지보다 원인 제거를 우선적인 치료 방향으로 설정한다.

2) 약물 대사

(1) 흡수

약물의 투여 경로에 따라 흡수되는 정도는 서로 다르다. 일반적으로는 위, 설하, 직장 등의 점막을 통해서 흡수된다. 근육이나 피하를 통해서도 흡수되고, 정맥을 통해 약물을 직접 주입하는 것이 보통은 흡수율이 가장 높다. 예외적으로 diazepam은 지방친화성이 매우 높아 근육 주사할 경우 경구로 투여할 때보다 흡수가 오히려 더 늦게 되므로 근주하는 것을 피해야 한다. 연령이 증가함에 따라 약물 흡수의 변화는 크지 않다. 하지만, 약물 흡수율의 개별 차이가 존재하고, 특히 위 산성도의 변화, 융모villi의 감소, 위장운동의 변화, 위장으로의 관혈류 변화에 따라 약물 흡수의 차이가 날 수 있다.

(2) 분포

약물의 전반적 분포는 혈중 산성도, 단백 결합, 지방 용해도 등에 영향을 받는다. 대부분의 약물은 알부민이나 당단백질과 같은 단백질에 결합하는데 일반적으로는 약물이 단백질에 결합되어 있지 않은 상태에서 약리적으로 활성을 나타낸다. 따라서 연령이 증가하고 만성질환이 있는 경우 알부민이 감소하여 약물의 활성이 증가할 수 있다. 특히, 간경화, 세균성 폐렴, 급성 췌장염, 신부전, 수술, 외상 등의 상황에서 알부민 결합이 감소하여 약물 부작용이 쉽게 발생할 가능성이 있으므로 주의가 필요하다. 반대로 갑상선기능저하증에서는 단백 결합이 증가할 수 있다. 크론병, 심근경색, 스트레스 등에서는 당단백질 농도가 상승할 수 있다. 단백 결합에 따라 약물의 활성이 달라지므로, 단백 결합 상태의 약물까지 함께 측정되는 약물의 혈중 농도보다는 약물에 대한 임상적 반응을 토대로 약물의 용량을 결정하는 것이 좋다. 지용성 약물의 경우 연령이 증가할수록 총 체액량과 지방뺀체중lean body mass이 감소하고 총 체지방이 증가하여 분포용적volume of distribution이 연령에 따라 증가한다.

(3) 대사

대부분의 정신건강의학과 약물은 간대사와 신장배설을 통해 제거된다. 위장관계로부터 흡수된 약물은 혈류를 통해 간을 거쳐 전신순환을 한다. 몸의 다른 부분에 노출되기 전에 간에서 먼저 대사된다. 대사산물이 때로는 정신약물학적으로 활성물질이 되기도 한다. 간에서 약물의 대사는 산화oxidation와 접합conjugation의 두 과정을 거친다. 산화 과정은 시토크롬 P-450시스템cytochrome P450(이하 CYP) 효소 체계에 의해 이루어진다. CYP에 의한 1차 대사는 유전적 또는 약물 상호작용에 의해 영향을 받을 수 있는데, 때로는 약물 효능의 저하나 심각한 부작용의 발생으로 이어지기도 하기 때문에 주의해야 한다.

신장의 일차 약동학적 역할은 약물의 배설이다. 하지만 신장질환은 약물의 흡수, 분포, 대사 모두에 영향을 미칠 수 있다. 크레아티닌 청소율creatinine clearance은 혈중 크레아티닌 농도보다 신장 기능을 평가하는 데 보다 유용한 기준이 된다. 신장기능이 저하되어 있을 때 용량을 조정해야 하는 중추신경계 약물이 많지 않지만 lithium, gabapentin, risperidone, paliperidone, amisulpride, pramipexole 등은 사용 시 주의하며 용량을 감량해야 한다.

3) 약물 상호작용

(1) 약동학적pharmacokinetic 상호작용

두 가지 약물이 서로의 대사에 영향을 미침으로서 약물의 활성이나 혈중농도에 영향을 미치는 상호작용을 약동학적 상호작용이라고 한다. 정신신체의학 영역에서 약동학적 약물상호작용의 중요성에 대한 대표적 예가 tamoxifen과 항우울제 간의 상호작용이다. tamoxifen은 항에스트로겐 약물로 호르몬 수용체 양성인 유방암 환자의 재발을 막기 위해 사용되는 약물이다. 간의 CYP 2D6 효소에서 대사되어 활성대사물인 endoxifen이 된다. 따라서 CYP 2D6 효소 활성이 저하되면 tamoxifen이 endoxifen으로 대사되지 못하여 항암효과가 저하될 수 있다. 유방암 환자를 대상으로 한 연구에서 CYP 2D6 효소의 유전적 변이 또는 이 효소의 활성을 억제시키는 약물(paroxetine, fluoxetine 등)을 병용투여 한 경우 유방암의 재발이 빨랐다는 보고가 있다.

영국에서 tamoxifen과 단일 선택적세로토닌재흡수억제제Selective Serotonin Reuptake Inhibitor, SSRI를 투여받은 2,430명의 유방암 환자를 대상으로 각 항우울제 별로 사망률을 비교하였다. 영국에서는 유방암 환자들 중 약 30%가 다양한 이유로 항우울제를 복용하고 있었는데 paroxetine을 복용했던 환자가 연구 대상자의 약 25%로 가장 많았다. 분석결과 비가역적으로 CYP 2D6를 억제하는 paroxetine을 사용하는 환자에서 사망률이 유의하게 높았다. 절대적 위험도를 계산해보면 tamoxifen과 paroxetine을 함께 복용하고 있는 약 7명의 환자 중 1명이 추가적으로 더 사망하는 정도이니 그 영향이 적지 않았다. 따라서 tamoxifen을 사용하는 유방암 환자에게는 CYP 2D6 대사를 억제하는 약물을 피하는 것이 필요하다. 대신 CYP 2D6 대사에 영향이 적은 escitalopram이나 venlafaxine을 사용하는 것이 권유된다. 만약 이들 약물에 효과가 없거나 내약성이 떨어져 꼭 CYP 2D6 대사를 억제하는 항우울제를 사용해야 하는 경우에는 종양치료 의사와 상의하여 tamoxifen을 대체할 수 있는 방법을 고려해야 한다. 항정신병약물 중에는 haloperidol, chlorpromazine, clozapine 등이 CYP 2D6를 억제하기 때문에 사용을 피해야 한다.

이처럼 약물상호작용으로 인한 약물 농도의 변화나 약물활성의 저해는 때로 임상경과에 치명적인 영향을 미치기도 한다. 정신신체의학 영역에서 정신약물을 사용할 때는 환자들이 대부분 타과 약물을 복용하고 있기 때문에 약동학적 상호작용 발생에 주의해서 약물을 선택해야 한다. 또한 흡연(CYP 1A2 촉진), 카페인(CYP 1A2 억제), 자몽쥬스(CYP 3A4 억제)처럼 기호식품이 정신건강의학과 약물의 대사에 영향을 미칠 수 있으므로 주의해야 한다. CYP 1A2로 대사되는 olanzapine이나 clozapine을 복용 중인 환자가 흡연을 하면 혈중 농도가 절반 가까이 낮다는 보고가 있다. 반대로 CYP 1A2로 대사되는 약물을 복용하던 중 흡연량을 줄이거나 금연을 하면 약물 농도 상승으로 인한 약효의 증가나 부작용이 발생할 수 있다. 따라서 타과 약물복용, 신체상태, 기호식품 복용 등을 종합적으로 고려하여 정신건강의학과 약물을 조정하는 것이 필요하다.

(2) 약역학적pharmacodynamic 상호작용

약물의 혈중농도와 관련된 작용이 약동학적 상호작용이라고 하면 수용체 수준에서 약물의 작용 기전이 서로 겹치거나 상쇄되는 효과를 약역학적 상호작용이라고 한다. 이는 비단 같은 계열의 치료약물을 중복 사용하는 경우에만 해당하는 것은 아니다. 예를 들어 암 환자의 통증 조절에 사용되는 아편성 진통제의 경우, 세로토닌성 항우울제와 함께 사용 시 세로토닌 증후군의 위험이 증가한다. 이는 opioid가 세로토닌성 신경을 억제하는 GABA작용성의 신경을 억제해 결과적으로 세로토닌 분비를 증가시키기 때문이다. 따라서 아편성 진통제를 복용하고 있는 환자에게 세로토닌성 항우울제를 추가할 경우에는 낮은 용량부터 부작용을 주의 깊게 관찰하며 사용해야 한다.

비마약성 진통제로 널리 사용되는 tramadol 계열 약물(Ultracet®)은 opioid 수용체에 대한 작용과 더불어 세로토닌-노르에피네프린 재흡수를 억제하는 작용이 있다. 따라서 SSRI, mirtazapine, venlafaxine 등과 병용할 때 약역학적 상호작용이 일어나 세로토닌 수용체에 대한 작용이 강하게 나타날 수 있다. 또한 sertraline, paroxetine처럼 CYP2D6 억제작용을 하는 항우울제들은 tramadol의 대사를 방해하는 약동학적 상호작용이 더해져 tramadol의 세로토닌성 효과를 더욱 강화시킨다. 따라서 아편성 진통제 및 tramadol과 항우울제 병용 시 진전, 발한, 과다반사, 초조 및 정신상태 변화 등 세로토닌 증후군에 대한 주의가 필요하다. 또한 tramadol과 mirtazapine을 병용 투여 시 하지불안증후군 Restless Legs Syndrome, RLS의 발생위험이 증가하였다고 보고된다. 이는 tramadol의 세로토닌 재흡수 억제작용 외에도 tramadol에 의한 α-2 수용체의 하향조절down regulation이 α-2 수용체 차단에 의해 작용 초기 세로토닌 및 노르에피네프린 분비를 촉진하는 mirtazapine의 작용을 증강시키기 때문으로 보인다.

2. 항정신병약물의 사용

1) 전반적 사용 원칙과 부작용

(1) 약물 개요

항정신병약물은 도파민 길항효과를 주 기전으로 하는 약물로 1950년대부터 사용되었다. 1990년대부터 세토로닌 수용체 차단효과가 함께 있는 약물이 소개되면서 비정형atypcial과 정형 항정신병약물로 대별하고 있으나 최근에는 비정형 계열 약물이 더 많이 사용되면서 2세대 항정신병약물로 지칭된다. 1세대 또는 정형 항정신병약물은 도파민 수용체 차단효과가 상대적으로 강한 고역가 약물과 도파민 수용체 차단효과가 상대적으로 약해 여러 다른 수용체 차단효과를 갖고 있는 저역가 약물로 다시 구분된다. 저역가 약물은 α-노르에피네프린, 아세틸콜린, 히스타민 수용체 차단효과가 강해 기립성 저혈압이나 진정효과가 강하게 나타나서 신체질환이 있는 환자에게 널리 사용되는 편은 아니다.

정신신체의학 영역에서 항정신병약물은 섬망, 신체질환이 동반된 조현병 범주장애 또는 조울병, 신체질환에 의해 유발된 정신병적 증상, 치매 환자의 초조증상, 우울장애나 불안장애의 보조치료 목적으로 주로 사용된다. 다양한 신체 상태에 따라 선호되거나 주의해서 사용해야 하는 항정신병약물에 대해서는 표 1에 정리하였다.

(2) 주요 부작용

대표적인 1세대 항정신병약물인 haloperidol은 추체외로계 증상extrapyramidal symptoms, EPS의 발생이 빈번한 편인데, 2세대 항정신병약물은 도파민 신경의 5HT2 세로토닌 수용체를 차단하여, 중뇌피질, 중뇌변연계 도파민 궤도의 도파민 분비를 촉진해 상대적으로 EPS 발생을 줄인다. 하지만 2세대 항정신병약물 중 risperidone이나 amisulpride처럼 도파민 차단효과가 강한 약물은 용량에 비례하여 EPS가 발생하는 경향이 있다. 이들 약물을 3개월 이상 사용 시 손가락이나 안면 근육이 저절로 움직이는 지연성이상운동증tardive dyskinesia이 발생할 수도 있어서 장기 사용 시 주의해야 한다.

amisulpride, risperidone, paliperidone, haloperidol은 고프로락틴혈증hyperprolactinemia을 빈번하게 유발해 무월경, 여성형유방증gynecomastia, 젖흐름증 등이 발생할 수 있다. 여성에서 고프로락틴혈증과 이로 인한 신체증상이 더 빈번하게 발생한다. 유방암이 발병하였거나 고위험 상태의 여성에게는 고프로락틴혈증을 유발할 수 있는 약물 처방을 피하는 것이 좋다. 프로락틴이 유방상피의 분화와 증식에 관여하는데, 여러 동물 실험에서 프로락틴은 유방 세포의 분화, 암의 혈관화 등을 촉진해 유방의 종양형성tumorigenesis에 관여한다고 보고되었다. 비록 항정신병약물이 유방암의 악화나 전이와 관련된다는 직접 증거는 뚜렷하지 않지만, 일반 환자 대상 역학연구에서 프로락틴 수치의 상승이 유방암의 재발 및 전이와 관련된다고 보고되었다. 또한 조현병 환자에서 유방암 유병률이 일반인에 비해 높고, 이는 프로락틴 상승과 관련된다고 보고된다. aripiprazole은 고프로락틴혈증 발생이 거의 없을 뿐만 아니라 risperidone이나 haloperidol과 병합해서 사용할 때도 프로락틴 수치를 낮추는 효과가 있어 고프로락틴혈증을 피하고 싶을 때 가장 선호되는 약물이다. 다만 amisulpride는 도파민 수용체 친화성이 강해 aripiprazole을 병합해도 프로락틴 수치 감소 효과는 미미하다.

2세대 항정신병약물을 사용하면 체중증가가 나타나는 경우가 빈번하다. 비만은 대사증후군, 당뇨, 심혈관계 질환 발생 위험성을 증가시키고 수명에도 부정적 영향을 미칠 수 있다. 따라서 장기간 약물 처방 시 식이조절 및 운동과 같은 체중증가에 대한 대책이 필요하다. olanzapine과 clozapine이 체중증가 위험이 크고 haloperidol, aripiprazole, ziprasidone 등이 체중증가 발생 정도가 상대적으로 작다. olanzapine을 포함한 항정신병약물은 당뇨 발생 위험을 유의하게 증가시키는데, 특히 젊은 연령층에서 이들 약물을 사용할 때 당뇨 발생위험이 3배 정도 증가하는 것으로 보고되었다. 용량 의존적으로 당뇨 발생위험이 증가했고, 청소년에서는 risperidone이나 aripiprazole도 당뇨 발생위험성을 증가시키는 것으로 나타나 필요한 경우에 유효한 최소량의 약물을 사용하는 것이 바람직하다.

2) 항정신병약물의 특징

정신건강의학과 자문의뢰의 가장 빈번한 사유인 섬망의 치료 약물로 사용되는 각 항정신병약물의 특성을 정리한다. 원인제거가 섬망 치료의 가장 우선적인 원칙이지만 행동조절과 안전 확보를 위해 항정신병약물을 사용해야 하는 경우가 빈번하다. 섬망이 이질적인 질환이고 유발 원인에 따라 경과가 좌우되므로 섬망에 대한 임상 연구에서 항정신병약물 효과에 대해 일관된 결과를 확인하기 어렵다. 환자의 신체상태와 각 약물의 특성을 함께 고려한 처방이 필요하다.

(1) Haloperidol

haloperidol은 강력한 항도파민성 작용으로 섬망의 치료에 효과적으로 사용되고 있다. 특히 근육주사제형이 있어 심한 행동장애가 있는 섬망 환자의 빠른 행동 조절을 위해 유용하게 사용할 수 있다. 혈소판이 감소된 환자 등에서 haloperidol을 정맥주사로 사용하기도 하는데, QTc 연장이 더 크게 나타날 수 있어 주의해야 한다. QTc 간격이 남성에서 450 msec, 여성에서 470 msec 이상이면 haloperidol 정맥주사를 피해야 한다. EPS의 발생 가능성이 비정형 항정신병약물에 비해 상대적으로 높은데, 특히 haloperidol 사용에 의한 좌불안석증은 섬망에 의한 초조와 구분하기 어려운 경우가 있다. 섬망이 주로 발생하는 노인에서 EPS가 더 잘 발생하는 경향이 있어 소량의 haloperidol을 처방하는 것이 필요하다. 여러 임상연구에서 haloperidol의 도입용량은 1 mg/day 였고, 노인에서는 0.5 mg/day로 시작하였다. 간기능 또는 신장기능 저하 등 신체적으로 쇠약한 환자에서 비교적 오랜 경험과 증거가 축적된 haloperidol을 우선 사용할 수 있다.

(2) Risperidone / Paliperidone

risperidone은 2세대 항정신병약물 중에서 항콜린성 효과가 적고 항도파민성 효과가 큰 약물로 섬망치료에 효과적인 기전으로 생각되어 비교적 널리 사용되고 있다. haloperidol에 비해 EPS 발생이 상대적으로 적은 것이 장점이다. 또한 구강내 붕해정oral disintegrating tablet인 Quicklet 제형이 있어서 약을 삼키기 힘들거나 의식상태가 좋지 않아 흡인성 폐렴의 위험성이 있는 환자에서도 편리하게 사용할 수 있다. 섬망치료에 대한 연구에서 risperidone은 평균 0.75-2.6 mg/day 정도 사용되었다. 70세 이상의 노인 환자에서는 risperidone의 치료효과가 상대적으로 떨어진다는 보고도 있다. risperidone은 일차적으로 간에서 대사가 되나 활성 대사물질은 신장을 통해 배설되므로 약물 사용 전 BUN, creatinine을 검사하여 신장기능을 확인해야 한다. 신장기능이 저하된 환자에서는 risperidone의 용량을 줄이거나 사용을 피하는 것이 좋다.

paliperidone은 risperidone이 간에서 CYP 2D6 효소에 의해 대사된 유일한 활성 대사산물인 9-OH-risperidone으로 장에서 서서히 흡수되는 서방형 제형으로 시판되고 있다. 간에서 약물 상호작용이 없고 risperidone 보다 부작용이 다소 적다는 장점이 있다. 장운동에 따라 흡수되는 정도가 영향을 받을 수 있으므로 아침에 복용하는 것이 좋다. 신장으로 배설되기 때문에 risperidone처럼 신기능이 저하된 환자에서는 주의가 필요하다.

(3) Olanzapine

섬망 치료에 olanzapine도 효과적인 것으로 보고된다. haloperidol과의 비교 연구에서 유사한 정도의 섬망 개선 효과를 보이면서, 부작용은 더 적다고 보고되었다. olanzapine은 다양한 제형이 있어 약을 삼키기 힘들거나 의식상태가 좋지 않은 환자에게 구강내붕해정을 사용할 수 있다. 수면유도효과가 상대적으로 강해 섬망의 가장 빈번한 증상인 수면장애에 효과적일 수 있다. 안전성 측면에서도 EPS 발생과 QTc 간격 증가 위험성도 상대적으로 낮다. 하지만 olanzapine의 항콜린성 작용은 섬망을 오히려 악화시킬 수 있으므로 주의해야 한다. 또한 667명의 입원 환자를 대상으로 한 국내연구에서 27%에서 정상 범위 이상으로 간기능 수치가 상승했다는 보고도 있어, 간기능이 저하된 섬망 환자에서 사용하는 데 제한이 있다. 고령의 환자와 저활동성hypoactive 섬망 환자에서는 olanzapine의 효과가 상대적으로 떨어진다는 보고가 있다. 선행연구에서 섬망 치료를 위한 olanzapine의 사용 용량은 4.5-8.2 mg/day였으나, 국내에서는 이보다 낮은 용량이 사용되는 경향이 있다. 섬망 환자에서 risperidone과 olanzapine의 효과를 비교한 국내 연구에서 두 약물의 효능에 유의한 차이가 없었으나 약물 사용 첫 날 olanzapine의 효능이 크고 응급 주사제 사용 빈도도 낮은 경향을 보였다.

olanzapine의 장기간 사용 시 체중증가, 고지혈증 등 대사성 부작용 발생 위험성이 상대적으로 크고 당뇨가 발생하거나 악화된다는 보고도 있어 주의가 필요하다. 항정신병 효과는 다른 약물들에 비해 비교적 강한 것으로 보고되지만 대사성 부작용 위험성이 커 미국에서는 지침에 따라 조현병 치료의 1차 약물로 선택하지 않는 경향이 있다.

(4) Quetiapine

quetiapine은 국내외 임상연구에서 섬망의 치료에 안전하고 효과적임이 보고되고 있다. 위약대조 연구에서 섬망의 증상을 빠르게 개선한 것으로 나타났다. 또한 haloperidol, risperidone, amisulpride등과의 비교연구에서도 quetiapine은 섬망 개선에 유사한 수준의 효과를 보이면서 부작용은 오히려 적었다. 특히 quetiapine은 다른 항정신병약물에 비해 EPS가 현저히 적고, 섬망의 가장 흔한 증상인 수면장애에 효과가 좋다. 특히 국내에서 quetiapine을 이용한 섬망 연구가 많았는데, 이는 국내에서 quetiapine이 섬망 치료에 선호되고 있음을 간접적으로 시사한다. quetiapine을 이용한 여러 국내외 선행연구에서 평균 사용용량 범위는 40-110 mg/day였다.

장기간 사용 시에도 quetiapine은 지연성이상운동증 발생이나 프로락틴 상승 부작용 발생 빈도가 낮다. 600 mg 정도의 용량에서 양극성장애의 우울증상에 효과적이라는 보고가 있고, 저용량에서는 조절되지 않는 불면증, 불안, 우울증상에 보조적으로 처방되기도 한다. CYP 3A4로 대사되는 quetiapine이 고용량 사용되면서 약물 상호작용이 발생할 경우 QTc 간격이 증가할 수도 있으니 주의가 필요하다.

(5) Aripiprazole

도파민 부분효현제partial agonist로 다른 항정신병약물과 작용 기전이 달라 섬망 치료에 제한적일 수 있으나 haloperidol과 유사한 효과가 보고되기도 하였다. 특히 진정 효과가 강하지 않아 저활성hypoactive 섬망 치료에 효과적이라는 보고가 있다. 또한 QTc 연장 효과가 강하지 않아 기저 QTc 간격이 길거나 위험 요인이 있는 경우 사용될 수 있다.

비교적 체중증가와 당뇨 발생 위험이 적으나 젊은 환자나 약물의 첫 사용 시 관련 부작용이 나타날 수 있다. 고프로락틴혈증이 거의 발생하지 않을 뿐더러 다른 약물에 의한 프로락틴 상승도 완화시킬 수 있어 프로락틴 상승을 피하고 싶을 때 가장 선호되는 약물이다. 병용 시 용량 의존적으로 프로락틴 수치를 낮추지만 5-10 mg 이상 용량에서는 prolactin 수치 감소 효과가 비례해서 나타나지 않는다. 우울장애 환자에서 세로토닌성 항우울제 사용에 충분한 효과가 나타나지 않는 경우 보조요법으로 함께 사용하여 뚜렷한 개선을 나타내어 효과적으로 사용된다.

(6) 기타 비정형항정신병약물

ziprasidone은 대사성 부작용이 가장 적은 항정신병약물로 알려져 있다. 식사와 함께 복용해야 혈중 농도가 적정하게 유지될 수 있다. QTc 연장 가능성이 상대적으로 높지만 일반 정신병적 증상을 치료할 때 문제가 될 정도는 아니다. 하지만 섬망 환자들의 경우 복합적으로 약물을 사용하고 있고 전해질 이상 등 QTc 연장 위험요소가 있을 가능성이 높아 주의가 필요하다.

amisulpride는 세로토닌 수용체에 작용하지 않는 유일한 2세대 항정신병약물이라고 할 수 있다. 도파민 D2, D3 수용체만을 선택적으로 길항하여 항정신병 효과를 나타내는데, 저용량에서 음성증상에 효과가 있다고 알려져 있고, 유럽에서는 항우울제로서도 사용된다. 5HT2 수용체에 작용하지 않는 특성 때문에 강박증상이 동반된 정신병적 증상 치료에 효과적이다. 하지만 강력한 도파민 길항작용으로 고프로락틴혈증 발생 가능성이 높은 점은 주의해야 한다. 섬망에 효과적이라는 일부 보고가 있다.

clozapine은 무과립구증 위험성 때문에 섬망 환자에서 처방되는 경우는 극히 드물다. 대신 EPS 발생이 거의 없어 파킨슨병에서 나타나는 정신병적 증상 조절에 효과적으로 사용된다. 체중증가와 대사증후군 발생 위험성이 상대적으로 높은 특성이 있지만 다른 항정신병약물 치료에 반응하지 않는 난치성 조현병 환자에서 뚜렷한 효과가 있다. 높은 대사증후군 발생 가능성에도 불구하고 clozapine을 복용 중인 환자에서 평균 수명이 가장 길다는 역학 연구가 있었는데, 이는 clozapine의 자살예방 효과와 기능 개선에 따른 건강한 일상생활 관리에 의한 것으로 추정된다.

(7) 도파민 길항제인 항구토제

도파민 길항제인 항정신병약물은 항구토제로도 사용된다. 반대로 항구토제로 사용되는 약물 중 상당수가 도파민 길항제의 기전을 갖고 있다. 따라서 항구토제 사용 후 근육긴장이상dystonia, 좌불안석akathisia, 파킨슨증parkinsonism 등이 발생할 수 있다. 따라서, 파킨슨병을 진단하기 전에 항정신병약물은 물론 clebopride, levosulpiride, metoclopramide 등과 같은 항구토제 복용 여부를 꼭 확인해야 한다. 근육긴장이상은 혀가 밀려나오거나 눈이 올라가는 증상은 물론이고 마치 간질발작처럼 보이는 경우도 있다. 좌불안석증은 가장 흔한 EPS로 원인 모를 초조감이 발생해 한 자리에 가만히 앉아 있거나 누워 있을 수 없게 된다. 이는 불면증이나 심한 불안으로 보고되기도 한다. 따라서 항구토제를 처방 받는 환자에서 보고되는 불면이나 초조감이 항구토제에 의한 좌불안석증이 아닌지 감별해야 한다.

표 39-1. 신체 상태에 따른 항정신병약물의 선택

신체 상태	주의해야 할 약물	선호되는 약물
간(liver) 질환	chlorpromazine, olanzapine, clozapine	paliperidone, amisulpride
허혈성 심부전	clozapine, chlorpromazine, quetiapine	haloperidol
기립성 저혈압	clozapine, chlorpromazine, quetiapine, paliperidone, risperidone	aripiprazole, amisulpride, blonanserine, haloperidol
QTc 연장	amisulpride, pimozide, ziprasidone, sertindole, haloperidol 정주	aripiprazole, lurasidone
신장 질환	risperidone, paliperidone, amisulpride, chlorpromazine	haloperidol, quetiapine
대사증후군 / 당뇨	clozapine, olanzapine	ziprasidone, aripiprazole, molindone
뇌전증	clozapine	molindone, haloperidol, risperidone
고프로락틴혈증	amisulpride, risperidone, paliperidone, haloperidol	aripiprazole, quetiapine, clozapine
파킨슨병	대부분의 항정신병약물	clozapine, quetiapine
변비, 배뇨장애	chlorpromazine, clozapine, olanzapine	amisulpride, aripiprazole, ziprasidone, risperidone, paliperidone
지연성이상운동	haloperidol, risperidone, paliperidone, amisulpride	clozapine, quetiapine, aripiprazole

3. 항우울제의 사용

1) 전반적 사용 원칙과 부작용

(1) 정신신체 영역에서 항우울제 사용

신체질환이 있는 환자에서 우울장애의 유병률은 일반인보다 높고, 우울장애가 신체질환의 임상 경과에 부정적인 영향을 미치기도 한다. 하지만 실제 임상에서 신체질환에 수반된 우울장애는 적절히 진단되거나 치료되지 못하고 있다. 여기에는 신체질환을 치료하는 의사의 우울장애 자체에 대한 이해 부족, 환자나 보호자의 정신의학적 치료에 대한 거부감, 그리고 신체질환 및 치료 과정에서 발생하는 관련 증상을 우울증상과 구분하기 어려운 점 등이 영향을 미친다. 예를 들면 DSM-5의 우울장애 진단기준 9개 항목 중 활력의 상실/피로감이나 체중/식욕의 변화와 같은 항목은 신체질환으로 인해 발생할 수 있기 때문이다. 게다가 절망감이나 우울기분 같은 심리적 증상까지도 신체질환의 투병 과정 중 나타나는 정상적인 심리 반응으로 받아들여 우울장애를 간과하는 경우가 적지 않다. 하지만 우울장애는 암, 심근경색, 뇌졸중 등 다양한 신체질환의 재발과 예후에 부정적 영향을 미치는 것으로 알려져 있기 때문에 적극적으로 발견하여 치료하려는 노력이 필요하다. 또한 여러 항우울제들이 우울증상은 물론이고 다양한 신체증상에도 효과적인 경우가 있어서 유용하게 사용될 수 있다.

(2) 주요 부작용

항우울제로 세로토닌의 활성을 높이는 약물이 가장 흔하게 사용되는데, 선택적세로토닌재흡수억제제(SSRI)와 선택적 세로토닌 노르에피네프린 재흡수 차단제(SNRI) 모두 세로토닌 수용체에 작용하기 때문에 부작용이 공통적으로 나타날 수 있다. 삼환계 항우울제의 항콜린성 부작용은 거의 없지만 5HT3 수용체를 자극하여 메스꺼움과 구토 등 위장관계 부작용이 흔히 나타난다. 성욕 저하, 발기 부전, 사정 지연 등 성기능 장애가 세로토닌성 약물 복용자의 절반 이상에서 나타나지만 문화적 특성상 환자가 먼저 부작용에 대한 호소를 하지 않는 경우도 많아 진료 중 이에 대한 확인이 필요하다. 초조, 불안, 불면, 두통, 손떨림, 식욕부진, 발한 등도 세로토닌 수용체 자극과 관련하여 나타날 수 있다.

세로토닌성 항우울제(SSRI, SNRI)는 상부위장관 출혈 위험성을 2-3배 높이는 것으로 보고된다. 비스테로이드성 소염진통제나 항혈소판 약물과 함께 사용하면 출혈 위험성이 더욱 증가한다. 이는 5HT2 수용체가 혈소판 응집에 관련되어 혈소판의 세로토닌 재흡수 억제 작용이 지혈작용을 방해하여 출혈 시간을 증가시키기 때문이다. 이러한 부작용을 피하기 위해서는 세로토닌에 작용하지 않는 bupropion이나 5HT2 수용체 차단효과가 있는 mirtazapine을 사용할 수 있다. 출혈 소인이 있거나 관련 약물을 복용하고 있는 경우, 수술을 앞 둔 환자들에서 SSRI, SNRI와 같은 세로토닌성 약물을 사용할 때는 약물 사용에 따른 효과와 위험을 함께 고려해 처방해야 한다.

세로토닌 증후군은 드물지만 치명적인 부작용이 될 수 있어 주의해야 한다. 항우울제간 병용이나 고용량 사용, 약물상호작용 등에 의해 나타날 수 있다. 상기한 세로토닌성 약물의 흔한 부작용과 더불어 반사항진hyperreflexia, 근육 강직, 실조ataxia와 같은 신경학적 이상, 의식의 변화와 섬망, 빈맥과 혈압의 변화와 같은 자율신경계 이상, 체온조절이상에 의한 고열 등이 나타날 수 있다. 항우울제와 병용 시 세로토닌 증후군을 유발할 수 있는 약물은 세로토닌 분비를 촉진하는 lithium과 마약성 진통제, 세로토닌 합성을 촉진하는 L-Tryptophan, 세로토닌 수용체를 자극하는 buspirone, 세로토닌 대사를 방해하는 모노아민산화효소 억제제(MAOI)나 isoniazid, 세로토닌 재흡수를 억제하는 vortioxetine과 vilazodone등을 포함하는 항우울제와 tramadol 등이 있어 이들 약물을 병용할 때 주의해야 한다. 혈액검사에서 대사성 산증, 횡문근융해rhabdomyolysis, 간기능 수치의 상승 등이 나타나기도 한다. 치료는 세로토닌에 작용하는 모든 약물을 중단하고 대증적 치료를 시행하며 필요시 세로토닌 길항제를 사용할 수 있는데 식욕촉진제로 사용되는 cyproheptadine (Trestan®)은 항히스타민이면서 5HT2 수용체를 차단하기 때문에 세로토닌 증후군을 완화시킬 수 있다.

SSRI 약물 사용 중 흔하지 않지만 치명적 부작용이 될 수 있어 주의해야할 부작용으로는 QTc 연장과 저나트륨혈증hyponatremia이다. SSRI는 부정맥이 있는 노인 환자에서 드물게 서맥을 일으키는 경우도 있다. SSRI 중 citalopram

은 QTc 연장을 잘 일으키는 약물이다. 저나트륨혈증으로 전신 상태가 급격히 악화되는 경우가 있는데, 이뇨제를 복용 중인 노인 환자에서 SSRI와 venlafaxine은 저나트륨혈증을 일으킬 수 있어 주의가 필요하다. 여성, 기저 낮은 혈중 나트륨 수치, 만성 질환은 SSRI에 의한 저나트륨혈증의 위험 요인이 될 수 있다.

2) 선택적세로토닌재흡수억제제(SSRI)

(1) Fluoxetine

1980년대에 처음 개발된 SSRI로 오랜 사용 경험과 연구 결과가 누적된 항우울제이다. 다른 SSRI에 비해 반감기가 길어 약물의 갑작스러운 중단에 의한 금단증상이 거의 없는 장점이 있다. 반면, CYP 2D6 효소를 억제하여 약물 상호작용이 발생할 수 있으니 주의해야한다. fluoxetine은 암환자, 말기신장질환자, 뇌졸중 후 우울장애 예방, 병적 웃음과 울음Pathological Laughing and Crying, PLC 등에서 효과적이라는 보고가 있다.

(2) Paroxetine

paroxetine은 CYP 2D6를 강하게 억제해 약물 상호작용을 주의해야 한다. 다른 SSRI 계열 약물들에 비해 다양한 수용체에 작용하는 특징이 있는데, 항콜린성 작용이 상대적으로 강한 편이다. 또한 다른 SSRI 제제에 비해 체중증가가 상대적으로 큰 편인데, 오히려 이는 식욕부진을 호소하는 환자에게는 장점으로 작용할 수 있다. paroxetine은 서방형controlled release 제형으로도 사용되는데, 일반 제형에 비해 메스꺼움 발생이 유의하게 적어 위장관계 부작용을 호소하는 환자에게 사용을 고려할 수 있다. paroxetine은 유방암, 과민성대장증후군, 비피부성 소양증non-dermatological pruritus 등에도 효과적이라는 연구 결과가 있다.

(3) Sertraline

sertraline은 paroxetine이나 fluoxetine 보다는 덜하지만 CYP 2D6를 억제하는 경향이 있다. 관상동맥질환 후 발생한 우울장애 환자에 대한 임상 연구들에서 sertraline은 항우울 효과는 물론이고 대조군에 비해 사망률을 감소시키는 것으로 나타났다. 뇌졸중 후 우울장애에 대해 50-100 mg의 sertraline은 위약에 비해 우울증상의 개선은 유의한 차이가 없었지만, 삶의 질과 정서적 디스트레스의 유의한 개선효과를 나타냈다. 한편 소량의 sertraline은 위약대조군 연구에서 뇌졸중 후 발생한 PLC에 효과적임이 보고되었다. 암환자의 생존율에 대한 효과를 보기 위해 주요우울장애를 배제한 진행암 환자를 대상으로 한 연구에서 sertraline은 진행암 환자의 생존율, 우울, 피로, 전반적인 삶의 질에 대한 효과가 위약과 유의한 차이가 없었고, 탈락률은 위약에 비해 유의하게 높았다. 진행암이라는 특성과 주요우울장애 환자가 배제 된 상태에서 정신건강의학과 의사가 아닌 종양전문의사에 의해 낮은 고정용량(50 mg)으로 연구가 진행된 점이 부정적 결과의 원인으로 생각된다.

(4) (Es)citalopram

escitalopram은 SSRI 약물 중 약물 상호작용이 가장 적은 약물이다. 따라서 신체 상태로 인해 다른 약물을 복용하고 있는 환자에게 사용하는 데 이점이 있다. 실제로 유방암 환자에서 tamoxifen과 (es)citalopram을 함께 복용한 약 800명 이상의 환자에서 paroxetine처럼 암의 진행에 부정적 영향을 미치는 결과는 나타나지 않았다. citalopram은 이중맹검 대조시험에서 위약과 비교해 뇌졸중 후 우울장애 치료에 유의하게 효과적이었다. 또한 escitalopram은 뇌졸중 후 우울장애 개선, 예방, 인지기능에도 유의한 호전을 나타냈다. citalopram 10-20 mg은 뇌졸중 후 PLC에 위약과 비교해 치료 초기부터 뛰어난 효과를 나타냈으며 과민성대장증후군 증상 개선에 효과적이라는 보고도 있다. 국내 연구팀에서 무작위대조시험을 통해 escitalopram이 심혈관계 질환이 동반된 우울장애 환자의 우울증상 개선과 장기적인 신체적 예후에도 효과적이라고 보고하였다.

(5) Fluvoxamine

fluvoxamine은 우울장애, 강박증 등에 효과적으로 사용되어 왔고, 비교적 많은 임상 연구결과가 존재한다. 특히 다른 SSRI에 비해 성기능 장애 등 내약성이 상대적으로 뛰어나고, 정신병적 증상에 효과적이라는 보고도 있다. 하지만 CYP 1A2를 강하게 억제하기 때문에 신체질환으로 다른 약물을 복용하고 있는 환자에서는 약물 상호작용을 확인한 후에 사용해야 한다.

3) 이중 작용 항우울제

(1) Venlafaxine

venlafaxine은 세로토닌과 노르에피네프린의 재흡수를 차단하는 SNRI이다. 신경병성 통증, 수술 후 통증, 암성 통증 등에 효과가 있다는 여러 연구결과가 있다. 이러한 통증의 개선은 불안 및 우울증상의 개선과는 독립적으로 나타나고 소량에서 빠르게 나타난다. 약물상호작용이 적어 다른 약물과 함께 사용하기에 좋은데 유방암 환자의 tamoxifen 대사에도 영향을 거의 주지 않아 병합 사용할 수 있다. 더욱이 venlafaxine은 폐경 후 또는 유방암 환자의 안면홍조에 37.5 mg의 저용량에서도 효과적임이 보고되고 다른 비호르몬성 안면홍조 치료제인 clonidine과 비교한 이중맹검 연구에서도 효과가 뛰어나 tamoxifen 사용으로 폐경 후 증상을 겪고 있는 유방암 환자에게 장점이 있다. 단, venlafaxine은 고용량에서 혈압 상승을 유도할 수 있어 주의를 요하고, 부정맥의 위험이 있거나 고혈압이 잘 조절되지 않고 있는 환자에서는 가급적 사용을 피하는 것이 좋다. desvenlafaxine은 venlafaxine과 거의 유사한 효과를 보이나 상대적으로 메스꺼움 등의 부작용 발생 빈도가 낮은 것으로 보고된다.

(2) Duloxetine

duloxetine도 SNRI 계열 약물로 다양한 종류의 통증 조절을 위해 널리 사용된다. 특히 당뇨병성 말초신경병성통증, 섬유근성통증fibromyalgia 등에 대해 사용허가를 받았다. 또한, 기타 신경병성통증, 만성통증, 허리통증 등에도 효과적이라는 보고가 있다. 안면홍조 등 혈관운동성 증상 개선에도 효과적이다. 하지만 CYP 2D6를 억제하는 작용이 있어 약물 상호작용에 주의해야 한다.

(3) Mirtazapine

mirtazapine은 noradrenergic and specific serotonin antagonist(NaSSA)로 분류되는 약물로 5HT2와 5HT3 수용체 차단에 의해 SSRI 사용 시 나타나는 불면, 성기능 장애, 오심 등의 부작용으로부터 자유롭다. 초기 항우울 효과는 α2 아드레날린성 자가 수용체를 차단하여 세로토닌과 노르에피네프린의 분비를 촉진하는 것에서 시작해 약효가 빠른 편이다. 5HT3 수용체를 선택적으로 길항하는 mirtazapine의 기전은 항암제에 의한 구토를 치료하는 ondansetron과 같은데, SSRI 사용 시 나타나는 메스꺼움이 현저히 적은 것은 물론 항구토 효과를 나타낸다. 실제로 항암치료를 받는 암 환자의 메스꺼움은 물론 위마비gastroparesis 환자에서 일반 항구토제에 반응하지 않는 심한 메스꺼움 개선에도 효과적이었다. 경구용해제형도 있어 음식이나 물을 삼키기 불편해하는 환자에게 더욱 효과적이다. 강력한 항히스타민 작용과 5HT2 수용체 길항작용으로 진정 및 식욕촉진 작용이 있어 불면과 식욕부진을 겪고 있는 환자들에게 유용할 수 있다. 다만 암 환자들이 복용하는 마약성 진통제나 항암제도 진정효과가 크고 암 자체로 인한 신체적 쇠약감을 호소하는 환자도 적지 않아 이들에게 mirtazapine을 사용할 때 초기 과도한 진정효과 발생에 대한 주의를 요한다. mirtazapine 사용 시 나타나는 진정은 사용초기에 빈번하게 발생하지만 시간이 지나면서 대부분 점진적으로 소실된다. 따라서, 초기 진정효과에 대한 사전 교육이 비순응을 예방하는 데 도움될 수 있다.

mirtazapine은 약동학적 약물 상호작용이 비교적 적은 편이다. 하지만, 도파민 수용체 길항제인 항구토제나 tramadol을 복용 중인 환자에게 투여할 때, 약역학적 상호작용이 발생하여 투여 초기에 RLS가 잘 발생한다. 무작위 대조연구에서 mirtazapine은 뇌졸중 후 우울장애의 치료 및 예방에 유의한 효과가 있었고 뇌졸중 후 발생한 PLC에도 효과적이라는 보고가 있다.

(4) Bupropion

bupropion은 노르에피네프린 및 도파민 재흡수 차단제로 세로토닌에 작용하지 않는 특성 때문에 SSRI나 SNRI 사용 시 발생할 수 있는 성기능 장애, 땀 흘림, 상부위장관 출혈 등 관련 부작용이 적다. 특히 mirtazapine과 대부분의 SSRI 사용 시 나타날 수 있는 RLS 발생에 대한 보고도 거의 없다. 오히려 도파민에 작용하는 특성 때문에 RLS 치료에 효과적으로 사용될 수 있음이 보고되었다. 세로토닌 계열 약물보다는 덜 빈번하지만 도파민 상승과 관련해 메스꺼움이 발생할 수 있다. bupropion은 금연에 효과가 있기 때문에 금연이 필요한 폐암, 심혈관계 질환에 동반된 우울장애 환자에게 효과적일 수 있다. 일부 연구에서는 bupropion이 피로감 개선에 효과적이라고 보고된다. 고용량 사용 시 경련이 유발될 수 있고 bupropion 사용과 관련해 혈압 상승이 보고되고 있어 주의를 요한다.

4) 기타 항우울제

(1) 삼환계 항우울제tricyclic antidepressant, TCA

TCA 계열 약물은 항콜린성 작용으로 인해 변비, 입마름, 요저류, 어지럼증과 같은 부작용이 빈번하게 발생하여 신체 질환이 있는 환자에게 사용하는 데 제한점이 있다. 또한 기립성 저혈압, 심장내 전도속도 감소, QTc 간격의 연장 등의 심혈관계 부작용이 상대적으로 빈번하다. TCA 중에서는 항콜린성 작용이 비교적 적은 nortriptyline이 기립성 저혈압 발생 가능성이 가장 낮은 것으로 보고된다. TCA는 오랜 임상 및 연구 경험이 축적되어 있는데, 특히 신경병성 통증을 포함한 다양한 통증에 소량의 amitriptyline이 효과적으로 사용되어 왔다. 또한 뇌졸중 후 우울장애 치료에도 nortriptyline이 효과적임이 보고되었다.

(2) tianeptine

처음 소개 당시에는 세로토닌 재흡수를 촉진하는 기전의 약물로 소개되었지만 최근에는 glutamate와 시상하부-

뇌하수체-부신피질 축 등에 영향을 주어 항우울효과를 나타내는 것으로 알려져 있다. 세로토닌성 항우울제의 세로토닌 관련 부작용을 피하고 싶을 때 선택할 수 있다. 불안이나 알코올 문제를 동반한 우울장애에 효과가 있는 것으로 알려져 있다. 천식 환자에서 호흡기능을 호전시킨다는 보고도 있어 천식을 동반한 우울장애 환자에서도 고려할 수 있다. 약물의 대사는 일차적으로 간에서 대사되지 않고 신장으로 배설되어 약물 상호작용이 적다는 장점이 있다.

(3) methylphenidate

정신자극제로 분류되는 methylphenidate는 도파민 재흡수를 억제함으로써 중추신경계의 도파민 농도를 증가시켜 항우울 작용을 나타낸다. methylphenidate는 우울장애 치료의 1차 선택약으로 사용되지는 않지만 치료 반응이 없는 우울장애 환자에게 보조적으로 사용되고 있다. 또한 일반적인 항우울제가 약효를 내기까지 최소 1-2주 이상의 시간이 걸리는 점과 달리 약효가 빠르기 때문에 여명이 길지 않을 것으로 예상되는 말기암 환자에서 즐겨 사용되고 있다. 통상 5-30 mg 용량에서 약물 투여 1-2일 후부터 빠른 항우울 효과를 낸다. 60 mg까지 증량해서 사용했다는 보고도 있다. 불면증을 유발할 수 있으므로 아침 또는 아침과 낮에 투약한다. 항우울효과 이외에도 마약성 진통제로 인한 진정 효과를 개선시키기 위한 병합요법으로도 사용되고 있다. 하지만 methylphenidate의 진정 개선 효과는 한 달 이내에 내성이 생긴다는 보고도 있다. 뇌손상 후 발생한 우울장애와 인지기능 개선에 위약 및 일반 항우울제보다 효과적이라는 보고도 있다. 특히 피로감에 대한 효과가 여러 이중맹검 통제 시험에서 입증되어 methylphenidate를 피로감 개선 목적으로 사용할 수 있다. 혈중 반감기는 2.2시간이며 간장 및 신장 기능 장해 시 용량 조절은 필요하지 않다. 다만 SSRI, 항경련제, TCA, warfarin과 함께 사용 시 이들의 대사를 저해하여 혈중농도를 증가시킬 수도 있으니 주의해야 한다. methylphenidate의 일반적인 부작용은 초조, 식욕부진, 빈맥, 부정맥, 고혈압, 불면과 약물 오남용의 위험 등이다. 하지만 말기 암환자에서 치료 목적으로 사용할 경우 약물 오남용의 위험은 매우 적다. 하루 30 mg이하의 용량으로 단기간 사용 시에는 심혈관계 부작용이 흔하지 않다고 알려져 있지만 심부전이나 부정맥이 있는 환자들에게 사용할 때는 주의를 요한다. 고용량 사용 시 경련의 위험성이 있다. methylphenidate는 과수면과 정신운동성 지체가 주 증상인 저활동성 섬망의 치료에도 사용해볼 수 있지만, 중추신경계의 도파민 증가는 초조 및 환각의 위험을 동반하므로 주의해야 한다.

4. 기분 조절제/항경련제

1) 전반적 사용 원칙

lithium과 항경련제는 양극성 기분장애 치료에 사용된다. 아울러 정신신체의학 영역에서 충동조절장애나 우울증상 조절에도 사용된다. 항경련제 중 valproate, lamotrigine, carbamazepine, gabapentin 등이 기분장애, 경련예방 및 통증 조절 등의 목적으로 사용된다. 이들 약물 복용 중 심한 부작용이 발생하는 경우도 있어 신체질환이 있는 환자에게 처방 시 숙지하고 있어야 한다.

2) Lithium

리튬은 오랜기간 기분장애와 충동성 및 자살위험성 치료에 사용되어 왔다. 흔한 부작용은 메스꺼움, 구토, 설사와 같은 위장관계 부작용과 손떨림이다. 장기간 복용 시 다음, 다뇨, 갑상선기능저하, 여드름 등이 나타날 수 있다. 이는 대부분 용량 의존적으로 감량하거나 음식과 함께 분복하면 완화될 수 있다. 신경학적 증상으로 인지기능저하나 실조ataxia가 나타날 수 있다. 심혈관계 부작용으로 동결절 기능이상sinus node dysfunction이나 부정맥을 일으킬 수 있다.

lithium은 대부분 신장배설된다. 비스테로이드항염증약물(NSAIDs), thiazide 이뇨제, 앤지오텐신angiotensin 작용고혈압약, 전해질 이상, 탈수 등으로 인해 lithium 농도가 상승할 수 있다. lithium 혈중농도가 1.5 mEq/L 이상에서 독성반응이 나타날 수 있는데 상기한 부작용과 더불어 경련, 혼미, 신경학적 이상반응, 신기능 장애 등이 나타난다. 독성을 완화시키기 위해 수액(0.9% NaCl) 주입으로 lithium의 배설을 유도할 수 있다. 독성이 심할 경우 혈액투석으로 치료할 수 있다.

3) 항경련제

(1) Valproate

valproate는 양극성 정동장애의 유지치료에 즐겨 사용되는 약물로 뇌손상 환자의 충동성이나 경련 조절을 위해서도 처방된다. 다른 항경련제와 마찬가지로 메스꺼움, 구토, 소화불량 등의 위장관계 증상이 가장 흔한 부작용이다. 용량 의존적으로 나타나 감량이나 분복, 음식과 함께 섭취함으로 조절할 수 있다. 혈액검사에서 간수치 상승이나 혈소판 감소증이 나타날 수 있다. 고암모니아혈증hyperammonemia이 발생할 수 있어 의식변화가 나타나면 혈중 ammonia를 측정해야 한다. 여성 환자에서 다낭성난소증후군polycystic ovarian syndrome이 나타날 수 있다. 탈모를 호소하기도 하는데 이 경우 셀레니움이나 아연 복용으로 개선되기도 한다.

(2) Carbamazepine/Oxcarbazepine

carbamazepine은 양극성 정동장애의 치료와 정신증상이 흔히 수반되어 나타나는 복합성 부분 발작complex partial seizure 치료에 사용된다. 일시적인 백혈구 감소증이 나타나기도 해서 백혈구 수치가 3,000/mL 미만으로 감소하면 약물 사용을 중단하거나 감량하고 자주 검사하는 것이 필요하다. 백혈구 수치가 2,000/mL 미만으로 감소하거나 중성구가 1,000/mL 미만으로 감소하면 사용을 중단해야 한다. 엽산 섭취가 carbamazepine에 의한 혈액학적 이상을 개선할 수 있다는 보고도 있다. oxcarbazepine은 혈액학적 이상 발생 빈도가 낮으나 저나트륨혈증이 잘 발생하여 혈액검사가 필요하다. 가장 치명적인 부작용으로는 면역학적 이상으로 발생하는 드레스 증후군drug reaction with eosinophilia and systemic symptoms, DRESS이다. 피부 발진에서 시작하여 고열과 간기능 손상으로 이어져 심한 경우 사망할 수도 있다. 이는 lamotrigine에서도 발생 가능하고 드물게 valproate 복용 환자에서도 나타날 수 있다. Stevens-Johnson 증후군과 독성표피괴사toxic epidermal necrosis는 0.1-0.01%의 환자에서 발생하는 치명적인 피부 부작용으로 치사율이 45%에 이른다. 주로 치료 시작 2개월 이내에 발생한다. 경한 피부 발진은 보다 빈번하게 발생할 수 있는데 심각한 부작용으로 이어질 수 있으니 주의해서 살펴봐야 한다. carbamazepine은 CYP3A4 효소대사를 유도해 다른 약물 농도를 낮출 수 있어 처방 시 약물상호작용을 고려해야 한다.

(3) 기타 항경련제

gabapentin은 RLS나 통증 치료에 효과적으로 사용된다. 특히 도파민 관련 약물이 아니어서 내성의 위험성이 낮은 장점이 있다. 반면 짧은 반감기(5-7시간) 때문에 분복하는 것이 좋고 간에서 대사되지 않고 신장으로 배설되므로 신장투석 환자에서는 감량하여 사용해야 한다. 어지러움, 졸림, 말초 부종 등이 나타날 수 있는데 용량과 비례하여 나타난다. lamotrigine은 양극성정동장애의 우울증상 조절에 효과적인 약물인데 피부발진 관련 부작용이 10%까지 발생한다고 보고되고 있고 이중 일부(전체 사용자의 1% 이하)에서 치명적인 상태로 발전할 수 있어 주의가 필요하다. 대부분 약물 도입 2달 이내에 발생하고 빠른 증량이나 valproate와 병용으로 인한 약물 농도 상승 시 피부 부작용 발생이 증가할 수 있다. levetiracetam은 항경련제로 자주 처방되는 약물인데 충동성이 증가하는 부작용이 발생할 수 있어 관찰이 필요하다.

5. 수면제 및 항불안제의 사용

1) 일반적 사용 원칙

불안과 불면증 치료에 오랜 기간 benzodiazepine (BZD)이 사용되어 왔다. BZD은 효능이 뛰어나고 비교적 안전하게 사용할 수 있는 장점이 있지만, 남용과 의존성의 위험 때문에 제한점이 있다. 이에 남용의 가능성이 상대적으로 낮은 대체약물로 불안에는 buspirone을, 불면에는 Z-class 수면제를 사용할 수 있다. 또한 다양한 불안장애에는 SSRI, SNRI 등의 항우울제가 효과적이다.

2) Benzodiazepines

(1) 약동학 및 약역학

gamma-aminobutyric acid(GABA)는 가장 대표적인 억제성 신경전달물질로서, BZD는 $GABA_A$에 결합하여 이를 보통 BZD 수용체라고 부른다. 그러나 여기에는 BZD계 약물 외에도 다양한 리간드가 결합하므로 omega(ω) 수용체로도 부른다. BZD 수용체의 세가지 아형 중 ω1과 ω2는 중추성, ω3는 말초성인데, 약리적 효과는 중추성 ω수용체가 매개한다. ω1 수용체는 α1, ω2 수용체는 α2, α3 또는 α5 소단위를 각각 함유한 $GABA_A$ 수용체에 존재한다. α1 소단위는 진정수면 및 기억상실 효과에 주로 관여하며, 항불안 및 항경련 효과에도 일부 관여할 것으로 추정한다. 반면에 α2 소단위는 주로 항불안 및 근이완 효과에 관여하지만, 진정효과에는 관여하지 않을 것으로 생각된다. α3 소단위는 근이완 효과에 미약한 정도의 효과를 중개하지만 진정수면이나 항불안 효과와는 무관한 것으로 보인다. 현재 임상에서 사용되는 BZD계 약물은 ω수용체 아형에 선택성이 거의 없이 전반적으로 작용한다.

BZD은 호지질성lipophilic으로서 경구 투여 시 90% 이상 흡수되고, 흡수된 약물은 대부분이 혈장단백과 결합한다. 혈장최고농도는 지질용해도가 높은 약물이면 투약 후 0.5-1시간 이내에 도달하고 낮은 약물은 수 시간이 걸린다. lorazepam을 제외한 BZD의 근육 주사는 흡수가 일정하지 않고 작용시작이 경구 투여와 큰 차이가 없다. BZD의 대사는 대부분 간에서 일어난다. 3-hydroxyBZD (lorazepam, lormetazepam, oxazepam, temazepam)은 간기능의 변화에 거의 영향 받지 않아 간기능이 약화된 환자나 노인에서 사용하기 적합하다. 또한 다른 약물과의 상호작용이 적다는 장점도 있다.

(2) 약물 상호작용

BZD은 CYP 효소를 유도하지 않기 때문에 약동학적 관점에서는 비교적 안전하다. 그러나 많은 BZD(alprazolam, clonazepam, diazepam, midazolam, triazolam)이 CYP 3A4를 통해 대사되기 때문에 이 효소를 이용하는 다른 약물들이 BZD의 대사에 영향을 줄 수 있다. CYP 3A4 효소를 억제하는 약물들(fluoxetine, fluvoxamine, cimetidine, cyclosporine, diltiazem, ketoconazole)은 상기 BZD의 혈장농도를 증가시킬 수 있다. 반대로 이 효소를 유도하는 항간질제(carbamazepine, phenytoin)는 BZD의 효과를 저하시킬 수 있다. 과량의 급속한 음주는 CYP 효소의 이용에 alcohol과 BZD이 서로 경쟁하므로 BZD의 대사가 느려지고 진정효과도 더해져 약효가 증가할 수 있어 피해야 한다. CYP 3A4를 억제하는 자몽 쥬스도 BZD의 생체이용도 및 혈장농도를 증가시킨다.

(3) 부작용 및 의존성

BZD의 흔한 부작용은 대부분 CNS에 대한 비특이적 억제(진정)효과 때문으로, 피곤감, 졸림, 집중력 저하, 혼돈, 근무력감, 몸의 균형감각 상실, 조화운동불능, 말더듬, 시야 흐림, 복시, 어지럼증, 전향성 기억상실 등이 나타난다. 이런 부작용은 특히 간기능, 인지 및 운동기능이 약한 노인에서 심하여, 섬망도 쉽게 발생할 수 있다. 다행히 이런 부작용은 대부분 용량 의존적이며 치료적 용량에서는 문제가 크지 않다. 또한 부작용에 대한 내성은 항불안이나 항경련 효과에 대한 내성보다 더 빠르고 쉽게 발생한다. 노인에서는 소량의 BZD을 사용하더라도 낙상이나 골절의 위험성이 유의하게 증가하므로 주의해야 한다.

BZD은 상기도의 근긴장도muscle tone를 감소시키고, 고탄산혈증hypercapnia에 대한 각성반응을 둔화시켜 호흡억제를 일으킬 수 있다. 정상인에서 치료적 용량이라면 문제가 없지만 만성폐쇄성호흡질환 및 폐쇄성수면무호흡증 환자에서는 주의를 요한다. BZD이 역설적으로 불안, 안절부절, 공격성, 흥분, 분노반응, 행동조절장애 등을 일으킬 수도 있다. 이는 행동의 탈억제behavioral disinhibition 효과 때문이며 그 증상이 소량의 음주 후 비적응적 행동을 보이는 알코올 특이성 중독과 비슷하다. BZD은 소실반감기가 짧을수록 금단증상, 의존 및 내성의 위험성이, 길수록 약물축적에 따른 정신운동성 손상의 위험성이 각각 더 높다. 그러나 실제 임상에서 부작용은 약물의 반감기 보다는 고용량 때문인 경우가 더 흔하다.

(4) 임상 사용

수면제로서 BZD은 수용체 점유가 신속히 최고에 이른 다음에 수면 중에는 점차 감소하는 것이 바람직하다. 반면에 항불안제로서의 BZD은 수용체 점유가 일정하게 유지되어 항불안 작용을 지속하는 것이 중요하다. 대체로 소실반감기가 길거나 활성대사물이 존재하여 작용시간이 긴 약물(예, diazepam)은 항불안제로, 작용시간이 짧은 약물(예, triazolam)은 수면제로 분류된다. 그러나 실제 임상사용은 때로 그 경계가 불명할 때가 흔하다. 예컨대, lorazepam은 항불안제로 분류되지만, 수면제 용도로 사용하는 경우도 흔하다.

3) 수면제Hypnotics

(1) Z-class 수면제

비BZD계열이면서 GABA의 BZD 수용체에 작용하는 수면제로 세 종류의 약물이 사용되고 있다. zopiclon (cyclopyrrolone), zolpidem (imidazopyridine), zalepron (pyrazolopyrimidine)이 개발되어 사용 중인데, 국내에서는 zolpidem과 eszopiclone이 사용되고 있다. zolpidem은 GABA 수용체 복합체 중 α-1 수용체에 높은 친화력이 있는 약물로 ω1 수용체에는 선택적으로 결합하지만 다른 수용체들에는 친화성이 떨어져 BZD 계열 약물과는 달리 항불안, 근이완, 그리고 항경련 특성은 거의 없다. 특히 호흡 억제 기능이 적어 신체상태가 좋지 않은 환자에게 상대적으로 안전하게 사용할 수 있다. 이들 약물은 최고 혈중농도에 이르는 시간(zopiclon 0.5-2시간, zolpidem 1.6시간)과 소실반감기(zopiclon 5-6시간, zolpidem 1.5-2.4시간)가 짧으며, 활성대사물질이 없거나 미약하다. 따라서 효과가 신속하며 약물의 잔재효과가 적다. zolpidem은 서방형 제제(zolpidem CR)가 사용 중인데 소실반감기가 4.6시간으로 기존 제형에 비해 작용 시간이 길어지면서 수면유지장애에도 효과적으로 사용할 수 있다.

하지만 zolpidem이 작용하는 GABA의 α-1 수용체가 BZD 계열 약물의 전향적 기억상실과 관련되고, 중추신경계에 α-1 수용체가 광범위하게 분포되어 있어 zolpidem이 중추신경계에 미치는 영향이 예상보다 클 가능성이 있다. zolpidem을 처방 받은 환자에서 환각, 악몽, 섬망 등의 중추신경계 부작용이 보고되었고, zolpidem 복용 중 발생한 섬망의 중증도가 상대적으로 더 심하다는 보고도 있다. 최근에는 zolpidem이 야간 수면 중 이상식이행동을 잘 일으키는 것으로 보고되고 있다. 특히 고용량의 zolpidem(> 10 mg/d)은 이상수면행동의 위험성을 더욱 증가시켰고 BZD보다 zolpidem이 더 밀접한 관련성이 있었다. zolpidem이 혈중 단백 결합력이 높고 CYP 3A4 효소의 영향을 많이 받기 때문에 신체상태가 쇠약하고 여러 약물을 사용하는 신체 질환 환자에서는 약물의 대사 및 배설능력의 저하로 인해 혈중 농도가 상승할 가능성에 대한 주의가 필요하다.

(2) Melatonin agents

melatonin 제재들은 특히 일주기리듬 관련의 수면장애(수면이상지연증후군, 시차증후군, 교대근무증후군 등)에서 효과적일 것으로 추정된다. 시각교차상핵suprachiasmatic nucleus에 빛에 의해 조절 받는 melatonin이 작용하여 수면과 수면위상에 영향을 미친다. melatonin 수용체는 3종류(MT1, MT2, MT3)가 알려져 있는데, MT1 수용체는 신경발화neuronal firing를 억제하여 졸음을 일으키고 MT2 수용체는 다양한 일주기리듬의 위상이동phase shift에 관여한다. ramelteon은 melatonin 수용체 작용제로서 시각교차상핵의 MT1과 MT2 수용체에 선택적으로 작용하여 수면유도 및 일주기 리듬 조절에 관여하며 남용 위험이 적다. 소실반감기가 1-2.6시간으로서 입면기 장애의 불면증에 효과적이다. agomelatine은 melatonin 수용체 작용제이면서 5HT2c 수용체에 길항제로 작용하여 항우울 효과를 나타낸다.

6. 요약

① 신체질환이 있는 환자에게 정신약물을 사용할 때는 신체기능, 각 약물의 대사경로, 약역학 및 약동학적 상호작용, 신체질환에 따라 취약한 부작용 등을 고려해야 한다.

② haloperidol은 섬망의 치료에 일차 선택 약으로 사용되고 있다. haloperidol을 정맥주사로 사용하기도 하지만, QTc 간격이 남성에서 450 msec, 여성에서 470 msec 이상이면 haloperidol 정맥주사를 피해야 한다.

③ 신장기능이 저하된 환자에서는 risperidone, paliperidone, amisulpride를 사용하는 경우 용량을 줄이거나 사용을 피하는 것이 좋다.

④ 신체질환으로 약물을 복용 중인 환자가 갑자기 초조감을 호소하면 도파민 길항제 종류의 항구토제(clebopride, levosulpiride, metoclopramide 등) 복용 여부를 확인해 좌불안석akathisia을 배제해야 한다.

⑤ SNRI는 통증이나 폐경 후 안면홍조에 효과적이고, mirtazapine은 5HT2와 5HT3 수용체를 차단하여 식욕촉진, 수면유도 및 항구토 효과가 있다.

⑥ 세로토닌 재흡수를 차단하는 SSRI와 SNRI는 상부위장관 출혈 위험성을 높일 수 있다.

⑦ 유방암 치료를 위해 tamoxifen을 복용하는 환자가 CYP 2D6를 억제하는 약물인 paroxetine을 복용하면 항암효과를 떨어뜨려 질병경과를 악화시킬 수 있으니 주의해야 한다.

⑧ 프로락틴의 상승은 유방암의 재발 및 전이를 촉진할 수 있으므로 항정신병약물을 사용해야 하는 경우 risperidone, paliperidone, amisulpride, haloperidol을 피하고 aripiprazole이나 quetiapine을 사용하는 것이 좋다.

⑨ carbamazepine, lamotrigine과 같은 항경련제 사용 시 피부발진이 발생하면 가급적 약물 사용을 중단하고 전신 상태를 면밀히 관찰해야 한다.

⑩ 정신약물 사용이 신체질환을 악화시킬 수도 있으니 신중하게 약물을 선택해야 하고 심리사회적 접근을 포함한 다차원적 접근을 하는 것이 필요하다.

참고문헌

1. 권준수, 김성완, 안석균. 조현병스펙트럼 및 기타정신병적장애. 대한신경정신의학회 편. 신경정신의학. 서울:iMiS Company. 2017. p. 209-40.
2. 김성완, 김선영, 김성진, 김재민, 신일선, 윤진상. 일 대학병원에서 5년간 시행된 정신건강의학과 자문의뢰 분석. 정신신체의학 2011;19:28-33.
3. 김성완, 김선영, 김재민, 박민호, 윤정한, 신일선, 윤진상. 유방암 환자에서 항우울제의 사용. 대한정신약물학회지 2009;20:63-77.
4. 김성완, 이삼연, 김재민. 암환자의 우울증. 생물정신의학 2006;13:59-69.
5. 김성진, 김선영, 김성완, 신일선, 김재민, 윤진상. 일 대학병원에서 5개년 간 섬망에 대한 약물치료 경향. 대한정신약물학회지 2010;20:262-8.
6. 김용환, 김성완, 장지은, 김선영, 신일선, 김재민, 윤진상. 암환자에서 발생한 섬망 증상의 특성 및 진정수면제와의 연관성. 대한정신약물학회지 2010;21:150-5.
7. 윤진상, 김성완. 항불안제 및 수면제. 이홍식. 임상신경정신약물학. 서울: 엠엘커뮤니케이션; 2009. p.194-219.
8. 장지은, 김성완, 김용환, 김선영, 김재민, 신일선, 윤진상. 암환자 섬망의 중증도와 사망위험도의 관계. 생물치료정신의학 2011;17:131-9.
9. de Abajo FJ, García-Rodríguez LA. Risk of upper gastrointestinal tract bleeding associated with selective serotonin reuptake inhibitors and venlafaxine therapy: interaction with nonsteroidal anti-inflammatory drugs and effect of acid-suppressing agents. Arch Gen Psychiatry 2008;65:795-803.
10. Fait ML, Wise MG, Jachna JS. Lane RD, Gelenberg AJ. Psychopharmacology. In: Wise MG, Rundell JR, editors. Textbook of consultation-liason psychiatry; Psychiatry in the medically ill (2nd ed). Washington DC: The American Psychiatric Publishing; 2009. p.939-87.

11. Jeong BO, Kim SW, Kim SY, Kim JM, Shin IS, Yoon JS. Use of Serotonergic Antidepressants and Bleeding Risk in Patients Undergoing Surgery. Psychosomatics 2014;55:213-20.
12. Kim JM, Stewart R, Lee YS, Lee HJ, Kim MC, Kim JW, Kang HJ, Bae KY, Kim SW, Shin IS, Hong YJ, Kim JH, Ahn Y, Jeong MH, Yoon JS. Effect of Escitalopram vs Placebo Treatment for Depression on Long-term Cardiac Outcomes in Patients With Acute Coronary Syndrome: A Randomized Clinical Trial. JAMA 2018;320:350-8.
13. Kim SW, Shin IS, Kim JM, Kang HC, Mun JU, Yang SJ, Yoon JS. Mirtazapine for severe gastroparesis unresponsive to conventional prokinetic treatment. Psychosomatics 2006; 47:440-2.
14. Kim SW, Shin IS, Kim JM, Kim YC, Kim KS, Kim KM, Yang SJ, Yoon JS. The effectiveness of mirtazapine on nausea and insomnia in cancer patients with depression. Psychiatry Clin Neurosci 2008;62:75-83.
15. Kim SW, Shin IS, Kim JM, Lee JH, Lee YH, Yang SJ, Yoon JS. Effectiveness of switching to aripiprazole from atypical antipsychotics in patients with schizophrenia. Clin Neuropharmacol 2009;32:243-9.
16. Kim SW, Shin IS, Kim JM, Lee SH, Lee JH, Yoon BH, Yang SJ, Hwang MY, Yoon JS. Amisulpride versus risperidone in the treatment of depression in patients with schizophrenia: A randomized, open-label, controlled trial. Prog Neuropsychopharmacol Biol Psychiatry 2007;31:1504-9.
17. Kim SW, Shin IS, Kim JM, Park KH, Youn T, Yoon JS. Factors potentiating the risk of mirtazapine-associated restless legs syndrome. Hum Psychopharmacol 2008;23:615-20.
18. Kim SW, Shin IS, Kim JM, Yang SJ, Hwang MY, Yoon JS. Amisulpride improves obsessive-compulsive symptoms in schizophrenia patients taking atypical antipsychotics; An open-label switch study. J Clin Psychopharmacol 2008;28:349-52.
19. Kim SW, Shin IS, Kim JM, Yang SJ, Shin HY, Yoon JS. Bupropion may improve restless legs syndrome - a report of three cases. Clin Neuropharmacol 2005;28:298−301.
20. Kim SW, Yoo JA, Lee SY, Kim SY, Bae KY, Yang SJ, Kim JM, Shin IS, Yoon JS. Risperidone versus olanzapine for the treatment of delirium. Hum Psychopharmacol 2010;25:298-302.
21. Robinson MJ, Owen JA. Psychopharmacology. In: Levenson JL, editor. Textbook of Psychosomatic Medicine. Washington DC: The American Psychiatric Publishing;2005. p.871-922.

40

CHAPTER

정신신체의학에서의 정신치료

이경규, 박민철

고대의 의학은 동서양 모두 정신과 신체를 분리하지 않은 전인적 치료를 추구하여왔으나, 중세 서양에서 정신의학은 종교의 영역으로 넘어가 의학에서 거의 다뤄지지 않았다. 또한 데카르트의 정신과 신체를 두 가지로 구분하는 이분법적 접근 방법 때문에 의해 마음(정신)과 몸(신체)은 완전히 다른 영역으로 인식되는 시기가 있었다. 그러나 최근의 많은 연구들은 마음과 몸이 따로 구분되는 것이 아니라 뇌를 매개로 하여 서로 상호작용을 하고 있다는 명확한 증거들을 제시하고 있으며, 이러한 개념은 정신질환뿐만이 아니라 많은 신체질환에서도 적용되고 있는 바, 원인, 경과, 치료 등 모든 의학적 과정에 폭넓게 적용되고 있다.

신체질환을 앓고 있는 환자들은 많은 심리적 문제를 경험하게 되며 정신질환의 발병 위험이 높아진다. 또한 삶의 질 저하나 가족 및 직장생활에서의 문제점이 나타나기도 한다. 신체질환을 앓고 있는 환자에서의 정신치료는 신체질환이 없는 환자에서의 정신치료에 비해 정신치료 기법과 원칙을 좀 더 직접적이며 있는 그대로 적용한다. 그러므로 정신건강의학과 의사는 신체질환자들에게 어떤 형태의 정신치료 기법을, 그리고 어느 시기에 적절하게 치료를 할지에 대해 알고 있어야 한다.

적절한 의학적 치료는 환자의 기질적 병리, 정신내적 세계, 그리고 환자의 외부환경에 의한 긍정적 그리고 부정적 영향 모두의 상호작용에 대한 포괄적인 이해를 요구한다. 이는 Engel(1980)이 언급한 것처럼 마음-몸 즉 정신-신체의 상호작용을 연결하여 결과적으로 내분비 기능, 면역체계, 스트레스 반응, 병인론, 질병의 경과, 죽음에 대한 심리과정 등에 영향을 미치는 생물-심리-사회적 모델에 대한 인식, 이해 및 접근이 필요하다.

일반적으로 신체적 문제를 호소하는 환자는 네 가지의 군으로 나눌 수 있다. 첫째 군은 신체질환 그 자체에만 국한된 환자들로 대개 종합병원에서 치료를 받게 되고, 둘째 군은 알츠하이머 치매나 주정섬망처럼 신체적 그리고 정신증상 모두가 발현하는 질환을 앓고 있는 환자로서 정신건강의학과 전문병원이나 종합병원에서 정신의학적 자문을 통해 치료를 받는 환자들이다. 셋째 군은 '신체상태에 영향을 미치는 심리적 요인'을 가진 환자군으로 전통적인 정신신체장애를 앓고 있는 환자들로서 신체적 그리고 정신의학적 치료를 함께 받는 경우이다. 끝으로, 네 번째 군은 신체증상을 호소하지만 기질적 원인을 찾을 수 없는 신체증상장애 환자군으로서 신체적 치료에만 집착하고 정신의학적 치료에는 거부적인 환자군이다. 이 장에서는 일반적으로 정신건강의학과에서 다루는 넷째 군은 제외하고 나머지 세군을 대상으로 기술하기로 한다.

이 장은 정신신체의학에서 신체질환자의 정신치료에서 기본적으로 이해하고 숙지해야 할 내용인 질병역동을 포함한 신체질환에 대한 심리적 반응 및 병적 질병반응, 의학적 정신치료medical psychotherapy를 포함한 신체정신의학 및 신체질환자에서의 정신치료, 자문조정 정신의학에서의 정신치료적 개입 등을 다루고자 한다.

1. 신체질환에 대한 심리반응

신체 건강을 상실하면 이에 대한 심리반응이 나타나는데, 이는 우리 모두가 흔히 겪을 수 있는 상황이다. 건강의 상실은 중증의 신체질환에서 더욱 심하게 나타나지만, 환자에게 상징적 의미가 있다면 경증의 질환에서도 상당한 상실감을 일으킬 수 있다. 질병을 앓고 있는 시기 동안에는 신체질환, 정신내적 세계, 외부 환경과의 상호작용에 대한 개인적인 상징적 의미에 따라 언제 그리고 어느 정도로 이러한 신체질환에 대해 감정적으로 반응하게 되는지가 결정된다. 이는 사별에 대한 애도반응과 유사한 심리반응이다. 즉, 과거에 상실을 경험했던 경우에 나타났던 여러 감정적 반응인 부정, 불안, 분노, 우울 및 무력감 같은 일련의 감정상태를 경험하게 된다. 이 과정은 응급상황에서 두드러진다. 초기의 부정은 통증이나 불편감뿐만이 아니라 신체적 안녕과 평안을 잃는다는 불안으로 바뀌게 되고, 이 시기에는 가족, 친구나 동료, 심지어는 치료진에게도 분노하고 비난하게 된다. 건강의 상실을 받아들일 수밖에 없다는 것을 깨달음으로써 이 불안은 점차 무력감과 우울감으로 바뀌게 된다. 이 시기는 질병에 따른 한계상황과 사망할 수도 있다는 것을 받아들임으로써 점차 심리상태의 평형을 얻게 된다.

비정상적 심리반응은 신체질환에 의한 건강의 상실을 환자가 적절히 받아들이지 못하기 때문에 나타난다. 정서반응 모두를 완전히 부인할 수도 있지만, 대개 한 가지의 정서반응만을 심하게 경험한다. 이는 병적 애도반응과 유사한 정서장애, 행동장애, 대상관계 문제로 나타날 수도 있다. 초기의 신체건강을 악화시키는 요인은 마음-신체의 상호관계에서 유래한다. 이런 상호의존성이 있으므로 건강상실에 대한 감정반응을 해소해 주면 심리적 안녕뿐만이 아니라 결국에는 신체적 안녕도 회복시킨다. 만약 초기의 이런 애도작업이 없다면 질병의 초기 반응보다 더욱 고통스러운 정신-생리적 불균형을 동반한 병적 질병반응pathologic illness response이 뒤에 나타나게 된다. 흔한 신체질환에 대한 심리적·병적 질병반응으로는 부정반응, 불안반응, 분노반응, 우울반응, 의존반응 등이 있다.

1) 병적 질병반응

(1) 부정반응

부정은 외적 현실을 받아들이거나 인정하기를 거부하는 것으로, 고통스러운 인지나 감정 혹은 이 두 가지 모두를 제거하기 위한 일반적인 방어기제이면서 한편으로는 정신병적 방어기제이기도 하다. 적절한 평가나 현실수용을 하지 못한다면 부정은 비적응적으로 된다. 부정은 질병의 전 과정에서 나타날 수도 있는데, 질병의 발생기부터 시작하여 치료 초기와 회복기를 거쳐 재활기까지 지속되기도 한다. 때로 치료 비순응은 부정이 지속되고 있음을 의미하기도 한다. 감정의 안정을 유지하기 위해 지속되는 질병에 대한 무의식적 부정은 정확한 진단에 악영향을 미쳐서 적절한 시기에 치료를 받지 못하게 되어 결국 환자의 기질적 병변도 악화시키게 된다.

(2) 불안반응

신호불안signal anxiety은 위험에 대한 경보이며, 목적 지향적이고 자기방어적인 행동을 불러일으킨다. 환자는 본인의 질병이 어느 정도로 심하고 어느 정도의 범위인지에 대해 의문을 가지기 때문에 신체질환의 발병은 항상 불안을 동반하게 된다. 그리고 나타난 증상이 심각한 질병의 시작인지와 진단과정이나 질병경과 및 예후 등에 대한 의문을 가지며, 신체변형이나 쇠약해짐이 다른 사람에게 어떻게 받아들여질지를 걱정한다. 가족관계, 친구관계, 직업적 의무 및 일상생활 능력의 손실에 대해 고민한다. 즉 전반적인 삶의 질과 미래에 대한 영향을 평가하게 된다. 힘들긴 하지만 이 불안반응은 보통 적응적 반응으로 작용하여 적절한 시기에 의학적 관심을 불러일으키고 치료받게 한다. 그러나 때로 신체상태에 대해 과도한 관심을 보이는 병적 불안이 생기기도 한다. 이로 인해 환자는 진단과정에서부터 치료방법 등 모든 부분에 대하여 과잉반응하게 되며, 나쁜 영향을 미치는 집착으로까지 발전하기도 한다. 새로운 징후나 증상의 발현은 적절한 의학적 과거력에 대한 정보제공을 방해하고 일상생활에서 기쁨을 잘 느끼지 못하게 하며 의무를 수행하는 능력도 감소시킨다. 이러한 불안이 만성화되면 환자는 신체질환에 의한 불편함뿐만이 아니라 불쾌한 감정상태에 빠지게 된다. 더욱이 가족, 친지, 의료인 등으로부터 반복적이고 지속적으로 위로를 받으려고만 한다면, 점차 이들과의 관계가 악화되어 궁극적으로는 정서적 지지를 얻을 수 없게 된다. 이로 인해 병적 불안은 치료의 모든 과정에 해를 끼치고, 환자가 적절한 생활을 할 능력을 감소시킨다.

(3) 분노반응

건강상실에 대한 주된 심리반응으로써 분노를 표출하는 환자들은 애도반응에서와 같이 좌절, 분노, 적개심 등으로 나타난다. 자신의 불행에 대해 욕을 퍼부으며 "왜, 하필이면 나인가?"라고 의문을 가지며, 분노에 찬 나머지 신을 저주하기도 한다. 때로는 직접 자기 자신을 향하기도 하고 배우자나, 가족구성원, 친구 및 친지, 선조, 심지어는 의료인에게 화를 내기도 한다. 이 환자들에게는 도움과 지지뿐만이 아니라 노력이 많이 들기 때문에 환자를 돌보는 사람은 상실감과 불편을 느끼게 된다. 이로 인해 환자들은 더욱 불쾌해하고, 치료자는 치료 실패를 자주 경험하게 된다. 의료진은 환자 분노의 첫 번째 대상이 되기도 한다. 분노반응의 특징은 대인관계에서의 갈등으로도 나타난다. 질병에 대해 적응하기보다는 환자는 타인들과 많이 다투게 된다. 이러한 갈등은 은밀하게 나타나기도 하는데, 환자는 수동공격적 형태를 취하며 치료진을 조절한다는 쾌감을 느끼기도 한다. 전치displacement도 건강상실에 대한 분노의 위장된 하나의 방법이다. 결국 분노반응은 치료 비순응도를 증가시켜서 점차로 지지적 관계를 적대적 관계로 바꾼다. 이로써 치료의 질은 떨어질 뿐만이 아니라 힘든 질병상태를 극복하도록 돕는 지지체계에서 고립되고 만다.

(4) 우울반응

신체질환에 대해 우울반응으로 대처하는 환자들은 임상적 우울장애의 특징인 정서, 인지, 행동에서 변화를 보인다. 정도의 차이는 있지만, 우울반응의 강도는 경도의 적응장애에서부터 주요 우울장애에 이르기까지 다양하게 나타난다. 임상현상은 일반적으로 네 가지 영역에서 객관적이고 주관적인 징후 및 증상으로 나타난다. 첫째는 감정의 변화이다. 현저한 슬픔, 잦은 눈물, 무감동 그리고 자극민감성, 초조 및 경조증 증상까지 포함하는 감정의 변화를 동반하는 지속되는 기분의 저하로 나타난다. 둘째는 우울장애의 생리적 반응으로, 이는 신체기관에 영향을 미칠 수 있을 정도의 다양한 신체증상으로 나타난다. 셋째는 질병에 의해 일상생활이 변화하여 심각한 행동양식의 변화가 나타나거나 때로는 사회활동에서의 전반적인 위축이 나타나기도 한다. 마지막으로는 저하된 자신감이다. 건강이 병전상태로 회복될 수 있을까 하는 공포와 의심이 정서적 손상으로 나타난다. 이러한 부정적 사고는 심약감, 자책감 및 무가치감으로 특징되는 자기비난을 유발한다. 우울반응은 여러 방법으로 치료에 영향을 미친다. 즉 정신신체증상 자체가 신체질환의 진단을 복잡하게 만들어 의학적 평가나 치료를 더욱 어렵게 하거나 면역체계에도 악영향을 미쳐서 신체질병을 극복할 수 있는 능력을 감소시키기도 한다. 신체질환의 정도보다 더 큰 위협을 줄 정도로 우울장애가 심하게 나타나기도 한다. 심한 식욕감퇴 같은 신경식물neurovegetative 증상들은 수동적인 자해행동으로 발전할 수도 있고 의도적인 자살행동으로 나타날 수도 있다. 마지막으로 우울반응으로 인한 위축은 점차 통상적인 사회 지지체계에서 고립되게 한다. 그럼으로써 의료진과의 치료관계에 악영향을 미치거나 가족 및 친구들과의 관계도 멀어진다. 삶의 의지를 포기할 정도로 우울장애가 심할 수도 있다.

(5) 의존반응

신체질환에 걸리면 특정 증상과 질병에 대한 개인의 집착으로 생기는 심적 제한 같은 환자 내적 요인뿐만 아니라 병원규칙이나 치료방침에 따른 제한 같은 외적 요인들로 인해 환자의 자율성은 제한받는다. 적응의 한 방법으로 퇴행하게 되어 수동적인 초기 발달기 행동으로 돌아가게 된다. 그러므로 치료자는 환자가 스스로 조절할 수 있도록 돕는 동시에 환자의 줄어든 의무에 대해서도 좀 더 편안하게 느낄 수 있도록 도와야 한다. 다른 사람에게 관심과 책임을 지움으로써 환자 자신이 질병 때문에 생긴 고통스러운 감정을 견딜 수 있도록 돕는 것이 퇴행의 방어적 측면이다. 퇴행이 질병을 앓고 있는 동안에 심리적 평형의 유지에 도움이 되기는 하지만, 너무 광범위하거나 과도하거나 혹은 고정되어 있다면 치료에 방해가 되기도 한다. 즉 병자역할을 하면서 적극적으로 치료에 참여하지 않는다거나, 치료 후기에도 병전상태의 자율성을 회복하려 하지 않는다. 또는 신체 및 정서적 안녕이 상당한 정도의 무원감으로 바뀌는데도 영향을 미치기도 한다. 과도한 의존은 때로 치료 비순응으로 나타나기도 한다. 흡연 같은 유해한 습관을 지속하거나, 약물을 제대로 복용하지 않거나, 치료받기 전의 증상이 악화되어도 내버려 두기도 한다. 이런 동기는 의도적일 수도 무의식적일 수도 있는데, 의료진에게 지속적으로 의존하게 만든다. 신체상태의 악화뿐만이 아니라 병적 의존은 때로 지지체계를 파괴시키기도 한다. 지속적인 의존행동에 대해 가족들은 불쾌하게 여기거나 의료진들은 성가신 요구에 대한 역전이 반응 때문에 '미운 환자'로 여기게 된다. 이런 모든 행동은 뚜렷하게 혹은 은밀하게 나타나기도 한다. 이는 환자가 외견상으로는 치료에 순응하는 것처럼 위장하는 의존반응을 이해하는데 매우 중요하다. 환자가 계속 병적 상태로 있기를 바란다면 의사-환자 관계가 협조적인 관계에서 적대적 관계로 악화된다.

2) 질병역동

'질병역동illness dynamics'이란 삶의 특정 시기에 특정 질환에 대한 환자의 반응에 영향을 미치는 다양한 요인들을 의미한다. 이는 마음에 있는 의식적 그리고 무의식적 잔재물에서 유래하며, 이를 통하여 환자는 건강상실에 대해 개인적인 수용, 평가 및 방어를 한다. 질병역동의 주요 요인은 생물-심리-사회적 요인으로 나눌 수 있다(표 40-1).

표 40-1. 질병역동의 주요 요인

생물학적 요인	1) 질병의 성질, 심한 정도, 시간 경과 2) 이환된 신체기관, 신체부위 혹은 신체기능 3) 기저의 생리기능과 신체 회복성 4) 유전적 능력
심리적 요인	1) 자아기능의 성숙도와 대상관계 2) 성격유형 3) 생애주기의 단계 4) 치료적 관계에서의 대인관계적 측면 5) 과거의 정신건강의학과적 병력 6) 치료에 대한 태도와 연관된 치료효과의 과거력
사회적 요인	1) 가족관계 역동 2) 가족구성원의 질병관 3) 대인관계 기능의 수준 4) 문화적 태도

(Green SA, 1987)

이 생물적, 심리적, 사회적 세 요인의 상호관계에 의하여 병적 상태는 특별한 개인적 경험으로 바뀌게 된다. 이렇게 개인적 의미가 생김으로써, 모든 사람에게 동일한 진단과정이나 치료가 요구되는 같은 질병이 외관상으로는 다른 질병처럼 보이기도 한다. 그리고 질병역동은 환자에게 이로울 수도 혹은 해로울 수도 있다. 이러한 개인적 의미가 건강상실에 필수적으로 나타나는 애도반응을 강화시키는지 혹을 방해하는지에 따라 질병역동의 궁극적 영향이 결정된다. 즉 질병역동이 애도과정을 방해한다면 정신치료적 개입이 필요한 비적응적 병적 반응 시기에 있다는 것을 의미한다.

2. 정신치료

정신신체의학 및 자문 조정정신의학에서 사용하는 정신치료는 인지행동치료, 집단치료, 정신역동적 정신치료, 가족치료, 최면치료 및 정신교육 등이다.

1) 정신치료의 적용 시점

신체질환 경과 중 '언제 정신치료를 적용할 것인지'를 선택하는 것은 매우 중요하다. 다양한 질병의 특성과 경과 때문에 '언제 그리고 어떤 치료방법'을 선택할지에 대해 신중히 고려해야 한다. 진단기에는 주로 진단에 대한 정보와 치료선택 결정에 환자가 집착하게 된다. 그러므로 환자의 인지 및 감정 모두가 진단과정 자체에 몰두되어 있는 이 고통스러운 시기는 정신치료를 제공할 적합한 시점이 아니다. 그러나 심한 불안을 느끼는 경우에는 위기개입이 도움이 될 수 있다. 급성기가 지나 환자가 치료에 좀 더 참여하는 시기가 되었을 때, 어떤 환자는 급성기 치료의 의료진에게서 버림받는다는 느낌을 가질 수 있으며 질병의 의미에 대해 이해하려 하지 않거나 심지어는 미루기도 한다. 질병과 관련된 문제들이 치료의 초점이 되기도 하지만, 어떤 환자는 질병에 관한 모든 감정증상을 회피하고 질병과는 관계없는 정신사회적 혹은 대인관계에만 관심을 보이기도 한다. 말기 환자, 특히 임종환자에서는 우울장애가 빈번히 나타난다. 우울증상에는 항우울제가 도움이 되지만, 남은 삶을 재음미하기, 우울, 불안, 외로움, 상실, 길어지고 고통스러운 죽음에 대한 공포에 대해서, 또 죽음에 대한 준비 등에 대한 지지적인 역동적 기법이 도움이 된다.

수술이나 심장 도관삽입술을 받는 응급환자에 대한 정신치료 시에는 적용 시점을 잘 포착해야 한다. 악성 종양을 앓는 환자의 수술 전 정신치료 시에는 수술 후에 나타날 환자의 고통을 줄일 수 있도록 해야 하며, 수술 후에는 정신사회치료도 필요하다. 암 환자들에서 수술 직후나 진단 후 2개월이 지난 시점에서의 정신사회치료가 삶의 질을 유지하고 생존율도 증가시킨다고 알려져 있다. 당뇨환자들의 경우, 특히 소아 당뇨환자에서는 질병 초기에 가족중심의 정신사회치료적 개입이 장기적 대사조절을 호전시키지만 진단 몇 년 후에 특별한 문제들이나 합병증이 나타나는 경우에만 적용하기도 한다.

2) 정신치료의 종류

(1) 인지행동치료

인지행동치료는 신체질환자에서 보이는 정신증상을 다루는 데 효과적이다. 인지행동치료는 우울과 불안, 그리고 신체질환에서의 진단과 힘든 치료를 견딜 수 있도록 하고 치료순응도를 증가시킨다.

정신역동적 관점은 인격의 구조와 정신증상이 무의식에서 기인한다고 보고 접근하는 것으로 이러한 태도로 신체질환자에게 접근하는 것은 쉽지 않다. 그러나 인지행동적 관점은 이들 정신병리구조가 인지의 범위에 있다고 봄으로써 의식에 대해 알아봄으로써 좀 더 쉽게 접근할 수 있다. Beck(1989)의 인지모델은 이전의 사회학습, 발달력 및 주요 경험들이 자기 자신, 세계, 그리고 미래에 대한 의미와 가정assumption 혹은 인지의 기본틀schema의 집합set을 이룬다고 본다. 이 기본틀은 지각을 구성하며 행동을 관장하고 평가하는 역할을 한다. 특정 기본틀이 활성화된다면 주어진 시점에서 개인의 지각의 내용, 해석, 연상 및 기억에 영향을 미친다. 인격은 기본틀의 집합으로 이루어지므로, 때로는 기분장애에 취약한 사람이 될 수도 있다. 불안은 공포와 위험에 대한 과도한 느낌의 기능이지만, 우울장애는 슬픔과 상실의 인지에 기인하므로 이 두 감정의 치료 초점은 차이가 있다. 현재 우울장애에 대한 인지행동치료는 매우 잘 확립된 기법이다.

신체질환자의 정신사회적 문제들에 대한 인지치료, 인지행동치료, 행동치료가 효과적이란 보고가 많다. 이 치료법이 효과적이라고 알려진 신체질환으로는 류마티스 질환, 만성피로증후군, 제2형 당뇨병, 노인 신체질환자, 긴장성 두통, 건강염려증 및 다른 신체형 장애들, 골관절염, 류마티스 관절염, 만성통증, 과민성 장증후군 및 다양한 종양 등이 있다. 그 외 많은 신체질환에서 질병경과를 호전시킨다.

신체질환자에 대한 인지행동치료 초기에는 신체질환에 의한 고통과 불안 및 우울의 증상완화에 집중한다. 어떤 환자들에서는 적절한 치료, 치료순응도 및 삶의 질을 방해하는 정신사회적 문제에 초점을 맞추기도 한다. 이 경우에는 사회학습과 자기조절이론에 의거한 기법들을 이용한 자기책임의 강화가 주목표가 된다. 그리고 진단을 받아들여 적응하게 하거나, 불쾌한 의학적 치료과정 혹은 항암요법에 따른 오심, 뇌손상 후의 재활 등에 이용하기도 한다. 어떤 환자들에서는 건강교육, 소통, 자기주장 훈련, 감정조절, 정신사회적 지지 등을 적용하며, 암 환자들에서는 이완요법, 스트레스 관리 및 대처기법 훈련 등의 기법이 도움 된다. 치료방법이나 순응도 같은 의학적 대처에 환자의 협조가 필요하다. 신체증상장애 환자에서는 기저의 신체증상에 대한 비적응적 가정과 인지왜곡에 대한 증거를 반복적으로 물어보는 기법이 도움이 된다.

(2) 집단정신치료

집단정신치료란 질병과 관련된 문제를 공유하고 있는 다른 환자들과 어울려 집단을 형성하며 이들 다른 환자로부터 배우고 느끼게 하는 치료방법으로서, 비용 대비 효과적인 치료방법이다.

집단치료는 신체질환자에게 심리사회적 지지를 제공하는 일반적이고 효과적이며 효율적인 수단이다. 정신역동적, 실존주의적, 교육적, 인지행동적 집단치료 등 이론의 배경에 따라 다양한 형태의 방법이 있다.

성격장애자는 집단치료의 과정을 와해시키거나 다른 구성원 혹은 치료자와 어울리지 못하므로 집단치료에 참여시키는 것은 금기이다. 이런 환자는 집단으로부터 소외되므로 신체질병에 의한 스트레스가 더욱 심해진다. 신체질병에 대한 반응은 기존에 정신적 문제가 있는 개인에게서 다르게 나타날 수 있다. 특히 심한 성격적 문제가 있는 환자들은 진단이나 치료과정에서 겪는 고통의 해결, 질병으로 인한 직업상의 변화, 사회적 고립, 실존에 관한 문제 등에서 개인치료 혹은 집단치료를 통하여 도움을 받을 필요가 있다. 신체질환자를 위한 집단치료의 일반적 구성요소를 간략히 살펴보면 다음과 같다(표 40-2).

표 40-2. 신체질환자를 위한 집단치료의 일반적 구성요소

1) 사회적지지
2) 감정표현
3) 임종심리의 약화(detoxifying dying)
4) 삶의 우선순위의 재구성과 현실 속에서 살기
5) 가족지지의 강화
6) 치료자와의 소통증대
7) 증상조절
8) 집단치료 과정 목표들의 수행; 개별화, 정동표현, 지지집단의 상호작용, 적극적으로 대처하기

(Kaupp JW, Rapoport-Hubschman N, Spiege lD, 2005)

사회적 지지: 집단정신치료는 비슷한 문제에 대한 동질감을 가진 사람에게 새로운 사회지지체계를 제공한다. 질병에 의한 고립이나 공포를 느낄 때, 집단정신치료는 새롭고 중요한 사회관계를 제공한다. 다른 사람을 돕는 과정에서 자기 자신의 극복감이 커지며 자신감도 증가된다.

감정표현: 감정표현은 사회적 고립을 감소시키고 대처를 잘하게 한다. 억압된 대응기제는 긍정적 그리고 부정적 감정 모두의 표현을 감소시킨다. 감정억압은 가족구성원의 친밀감을 감소시키고, 감정과 관심의 직접적인 표현을 어렵게 한다. 고통스러운 감정을 다루는 집단정신치료는 이러한 문제를 해결하는 데 도움이 된다. 죽음에 대한 공포는 이런 문제를 표현하고 이해하고 인지하며 다룰 수 있는 장소와 시간이 있다면 조절이 쉬우며 집단의 일원이 되면 질병과 관련된 우울, 불안, 고통에서 쉽게 벗어날 수 있게 된다.

죽음 불안의 경감: 죽음에 대한 불안은 고립되면 심해지는데, 이는 죽음을 사랑하는 사람과의 이별로 받아들일 때 더욱 심해진다. 집단정신치료는 고통스럽거나 불안을 유발하는 문제를 회피하기보다는 구성원들이 더 잘 다룰 수 있도록 도우며 죽음에 대해 새로운 관점을 가질 수 있도록 한다. 훈습되면 환자는 생명 위협적인 문제에 대하여

감정-중심적 대응으로부터 문제-중심적 대응으로 바꾸어 다룰 수 있게 된다. 때로는 죽어가는 과정이 죽음 그 자체보다 더 위협적이기도 하다. 죽음 불안에 대한 논의는 죽음공포를 조절력의 상실, 이별 공포, 통증에 대한 불안 등으로 나누므로 집단치료에서는 이를 다루기가 쉽다. 애도과정도 다룰 수 있다.

삶의 우선 순위의 재구성과 현재에 살기: 질병으로 인해 생명이 짧아진다는 것을 수용하게 되면 삶의 우선순위에 대한 재평가가 필요하다. 죽음에 직면하면, 과거나 미래 지향적인 시각이 바로 앞날의 사실에 맞는 현실지향적 시각으로 바뀌게 된다. 삶의 목표를 재조명하고, 우선순위를 재구성하며 그리고 질병을 앓음으로서 생기는 이득을 다루면 증상이 완화되고 삶의 질이 증가된다.

가족지지의 강화: 집단치료는 소통증대, 환자의 요구 확인, 역할 유연성의 증가, 그리고 새로운 의학적, 사회적, 직업적, 재정적 문제에 대해 적응하는데 도움이 된다. 이는 가족 내 소통을 명확히 하는 것처럼 요구와 소망을 표현하는 문제들이 집단 내에서 다뤄지기 때문이다. 그리고 신체질환자 가족의 집단치료도 그들이 겪는 감정문제의 해결, 적극적 대응전략의 개발에 도움이 된다.

증상조절: 자기최면, 명상, 바이오피드백, 근육이완법 등을 이용하여 불안, 예기 오심 및 구토, 통증 등을 감소시킬 수 있다.

집단치료의 목표 수행: 집단정신치료에서 환자는 '집단, 그 자체'이지 개인정신치료 환자들을 집단으로 모은 것이 아니라는 인식이 필요하다. '지금 여기'에서 집단에 초점을 맞추고, 감정의 흐름을 좇는다. 또한 모든 구성원이 경험을 공유하는 평등한 기회를 가지고 적극적으로 참여하고 있다는 느낌을 갖도록 하며, 공유된 문제를 적극적으로 해결할 수 있다고 느끼게 한다. 치료자가 갖추고 수행해야 할 과제로는 다음과 같은 것이 중요하다.

개별화personalization: 치료자는 집단 외부의 일이나 다른 사람과의 토의를 직접 다루기보다는 집단 내의 상호작용으로 바꾸어 토의할 수 있어야 한다. 예를 들어 '남편이 불편하게 느껴진다'는 환자에게 "당신은 이 집단을 불편하게 느끼십니까?" 혹은 "이 집단 중에서 누군가를 불편하게 느끼십니까?"라는 말로 바꾸는 것이다.

감정표현affective expression: 치료자는 토의내용보다는 집단 내의 감정을 좇아야 한다. 예를 들면, 평소 조용한 구성원이 감정적 반응을 보인다면, "당신은 지금 흥분된 것처럼 보이는데 어떤 감정을 느끼셨나요?" 같이 물어보는 것이다. 감정표현은 자신의 약점이 잘 드러나게 되므로 이 경우에는 감정을 표현한 자신의 말이 항상 경청되고 자신이 인정받고 있다고 느끼게 해주어야 한다.

지지집단의 상호작용supportive group interaction: 치료자는 정해진 시각에 시작하고 끝내야 하며, 치료시간 내 중단이 생기지 않도록 해야 한다. 구성원 각자는 다른 사람의 문제 못지않게 본인의 문제가 중요하다는 것을 알아야 한다. 결석한 구성원에 대한 질문도 필요하며, 너무 말 없는 구성원에게는 말할 기회를 제공해야 한다. 집단 내에서 희생양을 만들지 말아야 한다. 치료자가 명심해야 할 것은 환자는 '집단 그 자체'라는 것이다.

적극적으로 대처하기active coping: 문제가 토의되기 시작하면, 토의를 피하거나 혹은 해결되지 않는 문제를 쌓아만 두지 말고 문제에 대응하는 방법을 직접 다루도록 치료자는 도와야 한다. 문제를 꺼내어 다루는 것 자체가 문제에 의해 생긴 무력감을 감소시킨다.

요약하면 신체질환자의 집단치료는 상기의 요소들을 포함하고 있다. 이런 기법들은 질병과 관련된 문제들에 대해 더욱 적극적인 자세를 취하게 한다. 집단치료의 치료자는 '지금 여기'와 집단 상호작용 자체에 초점을 맞추도록 함으로써 토의를 강화시키고, 개별화된 토의를 강조한다. 이리하여 집단 내의 관계, 감정, 대처경험들이 학습되며 구성원 간의 결속이 증강된다.

(3) 개인 정신역동정신치료

신체질환자에서 나타나는 문제들을 찾아내며 정신치료방법으로 정신분석적 개념을 이용하는 것이다. 기법의 선택은 현재의 진단, 치료, 질병경과, 예후 같은 요인들이 심리적, 유전적, 환경적, 사회적, 발달학적 요소들과의 상호작용에 따라 달라진다. 지지요법은 환자에 따라 인지 및 행동기법, 정신교육, 다른 의사의 자문 등을 이용하기도 한다. 치료목표는 환자가 현재의 문제에 대처하고, 증상을 완화시키며, 건강유지에 관한 적응적 선택을 강화시키는 것이다.

사회지지의 부족은 정신질환으로 이환, 좋지 않은 질병경과와 치료순응도, 그리고 사망률 증가의 예측인자이다. 그러므로 정신역동이론과 대상관계이론 및 대인관계이론 등에 의거한 개인 정신치료가 필요하다. 암환자, AIDS, 당뇨, 과민성 장증후군, 류마티스 관절염, 그리고 여러 만성 신체질환에도 효과적인 것으로 알려져 있다. 인격장애를 가진 환자, 치료저항성 신체증상, 만성 신체질환자 등이 단기 혹은 장기 정신역동치료에 효과적이다. 노인 신체질환자의 불안과 우울 치료에도 효과적인 것으로 알려져 있다.

① 지지정신치료(불안-억제 정신치료)

환자가 병전상태처럼 받아들일 수 있을 정도의 불안을 견디고 기능을 할 수 있도록 하는 정신치료방법이다. 집중정신치료에 비해 치료자가 좀 더 적극적이고 지지적이다. 주로 증상 완화에 초점을 맞춘다. 이 치료방법의 주요 목표를 살펴보면 다음과 같다. 첫째, 환자의 심리적 안녕에 부정적인 영향을 미치는 강력한 감정을 없애주는 것으로서, 이상 질병반응을 형성하는 무의식적 갈등이나 동기는 다루지 않고, 치료자가 일관된 격려와 지지를 제공하며, 외부 요인에 집중함으로써 신체질환으로 유발된 감정 기능장애를 줄이는 것이다. 지지정신치료는 환자에게 영향을 미치고 치료를 이끄는 치료자의 능력이 중요하므로 긍정적 전이의 형성과 유지가 기본적으로 갖춰져야 한다. 둘째, 환자 방어구조의 지지 및 강화가 목표가 된다. 환자의 방어구조를 앎으로써 현실검증력을 키우는 데 도움이 된다. 그리고 환자의 건강한 자아기능의 발견과 활성화를 시도하기도 한다. 셋째, 환자의 저하된 자신감의 증가이다. 병자역할 때문에 고립되지 않게 하고, 자신감을 키워주는 치료적 개입으로 신체질환자를 돕는다. 환자에 대한 치료자의 적극적인 흥미와 집중이 관심과 주의를 일으키고 환자의 무원감helplessness과 무망감hopelessness을 없앤다. 치료자는 환자에게 안심시키거나 충고를 할 수도 있다. 이런 적극적인 치료적 개입의 주 사용기법은 암시suggestion, 조작manipulation과 제반응abreaction 등이다.

② 집중정신치료(통찰-지향적, 표현적, 불안-유발 정신치료)

이는 급격한 감정적 변화turmoil of emotional upheaval를 활용하여 심리적 성숙의 강화를 추구하는 정신치료 방법이다. 기본적 치료과제는 환자들이 그들의 삶에 부정적으로 영향을 미치는 전반적인 고통스러운 감정을 깨닫고 견디고 이겨낼 수 있도록 돕는 것이다. 개인의 성적 충동 및 이로 인한 불안 그리고 이에 대한 방어란 영역, 과거와 현재 그리고 전이관계에서 나타나는 '일평생의 대상관계 형식lifelong patterns of object relationships'의 영역이란 두 영역간의 상호작용에 초점을 맞춘다. 치료자는 이 두 영역의 삼자triad 간의 역동 상호작용을 밝힘으로써 오랫동안 반복된 비적응적 양식에서 벗어날 수 있게 하여 의미 있는 통찰을 갖도록 환자를 돕는다. 이 치료방법은 알지 못하는 감정에 동반된 방어를 지속적으로 다루기는 하지만, 치료적 긴장이 의학적 치료를 어렵게 한다면 지지적 방법을 사용하기도 한다. 주로 직면confrontation, 명료화clarification, 해석interpretation의 정신치료 기법을 사용한다.

(4) 가족치료 및 부부치료

가족구성원에 환자가 생기면 다른 가족구성원에게도 상당한 악영향을 미친다. 때로는 심리적 지지에 대한 요구가 증가한다. 환자를 돕고 지지하는 가족구성원을 돕기 위한 가족치료는 초기에는 신체질환을 앓고 있는 소아청소년이나 정신질환자의 가족을 위하여 시작되었지만, 최근에는 만성질환이나 장애인의 가족을 위한 의학적 가족치료 medical family therapy로 바뀌고 있다.

가족은 인격발달에서 필수적인 집단이고, 상호관계에 대한 기본적 요구와 자기표현 및 수단 등을 경험하는 원천이며, 평형을 추구하는 복잡하고 진화하는 체계이다. 그러므로 신체질환 환자의 사회정신적 문제는 가족구성원 모두에게 영향을 미친다. 만성화된 신체질환은 가족체계의 일부가 되기도 한다. 중대한 신체질환의 진단은 가족체계의 평형을 깨뜨리며, 가족체계에 미치는 악영향은 진단, 발병, 경과, 예후, 고통의 정도 및 각 가족 고유의 특성에 의해 가족마다 다르게 나타난다.

환자는 질병과 관련된 스트레스 및 의존의 공포를 경험하지만, 가족은 환자를 돌보는 부담, 가정의 유지, 심각한 질환과 관련된 존재론적 공포의 영향을 받는다. 암이나 심각한 질환을 앓는 환자를 돌보는 다른 가족구성원에게 우울이나 불안이 빈번히 나타난다. 질병과정의 변화에 따라 지속적인 적응과 역할변화가 필요하다. 최근에는 암 환자 가족의 부담과 감정반응 및 스트레스조절 등도 정신종양학에서 중요한 주제로 다뤄지고 있다. 또한 신체질환 급성기의 지지기법, 가족구성원이 정신질환에 이환되는 것을 예방하는 기법, 기존의 가족기능에 이상이 있는 가족에 대한 치료기법 등이 개발되고 있다. 암, 천식, 낭포섬유증, 류마티스관절염, 제2형 당뇨병, 신장질환, 신체증상장애 등이 이 치료에 효과적인 질환이다.

치료는 천식의 악화나 잘못된 당뇨조절 같은 질병에 영향을 미치는 가족 상호관계를 다룬다. 신체질환자의 가족치료는 시간제한적이며 문제지향적이고 협동적인 기법이다. 그리고 이 치료법은 정신건강의학과 의사의 이론적 배경, 진단과 치료 및 질병 시기, 환자의 병전 성격과 삶의 주기 및 가족의 역할, 질병의 영향과 적응하는 정도 및 가족지지의 수준, 질병과 죽음에 대한 환자의 소신, 가족체계에서의 질병의 역할, 병전과 현재의 가족기능 상태 등에 의해 결정된다. 가족치료기법은 환자가 앓고 있는 동안에 가족구성원이 변화하는 환자의 요구에 적응할 수 있도록 돕는 기법이다. 개인 정신치료나 집단치료를 동시에 이용하는 것도 가족의 적응기능을 높여 준다.

결론적으로 신체질환자의 가족치료는 현재의 스트레스 요인, 감정증상, 애도와 상실, 소통 방법과 역기능적 상호작용, 그리고 환자의 질병행동을 강화시키거나 환자를 과도하게 방임하거나 고립시키는 등의 가족체계 내에서의 질병역할 등을 다룬다. 가족치료의 목표는 건설적 소통을 확립하고 가족구성원간의 상호관계를 향상시키며 가족체계의 구조를 긍정적으로 변화시키는 것이다.

(5) 최면치료

최면은 불안과 통증 같은 신체증상을 조절하는 데 효과적인 전통적 치료기법이다. 최면능력을 가진 환자들은 통증과 이에 따른 부수적 긴장을 제거하고 완화하는 자기최면법을 배우게 된다. 최면의 진통효과는 신체이완과 긴장조절이란 두 가지 기제에 의한다. 지각유발전위나 양전자방출 단층촬영술을 통해 규명된 것처럼, 최면기법은 통증자극에 대한 반응을 감소시킴으로써 뇌에서의 지각과정 자체를 변화시킨다. 과민성 장증후군과 천식에서의 증상완화 및 금연에 효과적이며, 전환증상에서는 해리현상 본질의 이해와 감별진단 및 치료에 효과적이다. 즉 최면치료는 정신-뇌-신체의 상호작용 조절을 강화하여 신체질환자의 증상조절에 도움이 되는 기법이다.

(6) 정신교육Psychoeducation

정신교육은 질병에 대한 치료의 기제를 이해하고, 치료순응도를 증가시키며, 질병을 조절하고 극복할 수 있다는 생각을 강화시키는 기법이다. 그러나 사람이나 상황에 따라, 아는 것이 많아져서 스트레스와 걱정 그리고 불안감이 증가하는 부정적인 결과를 보이기도 한다. 여기에는 다양한 기법이 적용되고 있다. 순수한 교육적 기법만으로는 질병적응의 강화, 삶의 질, 의학적 상태 등이 호전되지 않는 경우가 많다. 그러므로 정신교육과 인지행동기법을 자주 병용하여 사용한다. 기법이나 질병의 종류에 따라 불안이나 우울의 감소 그리고 자신감이나 삶의 질의 향상 같은 정신사회적 변인, 혹은 혈당조절과 호흡능력이나 면역상태의 호전 같은 의학적 상태나 생리적 요인에 직접 초점을 맞추기도 한다.

3) 의학적 정신치료Medical Psychotherapy

의료진이 환자의 신체질병에 의해 유발된 감정상태에 관심을 가지면 병적 질병반응의 발병을 예방할 수 있다. 그리고 모든 치료방법은 환자의 질병과 질병역동을 바탕으로 환자 개개인에 맞게 조정되어야 한다. 건강상실에 동반되는 애도반응을 위해 만들어진 기법이 필요한 환자도 있지만, 이 기법을 현재의 감정상태에 압도당한 환자에게는 적용할 수 없다. 이런 환자에게는 적응적 자아기능을 키울 수 있는 기법이 도움이 된다. 많은 환자들은 일차진료에서의 치료에 반응하지 않고 병적 반응 때문에 감정의 고통을 겪는다. 신체적, 심리적 안녕에 부정적 영향이 지속된다면 의학적 정신치료가 필요하다.

Marmor (1979)의 정의에 따르면 '의학적 정신치료'는 '정신건강의학과 수련을 받은 의사가 신체질환자에 대해 의도적으로 행하는 정신치료'를 의미한다. 그리고 Goldberg와 Green (1985)은 이 치료는 개인 질병의 생물학적, 심리적, 사회적 측면에 관하여 의사와 환자 간 소통을 통한 이해에 기초하며, 발병 시의 위기개입이나 지속하거나 변화하는 만성질환에도 이용할 수 있고, 지지 혹은 집중정신치료 방법을 이용한다고 하였다. 또한 개인의 정신성적 발달단계에 의거해 특정 환자에게 특정 형태의 단기정신치료를 적용하기도 하는데, 한시적이고 수동-의존적이며 실존적 기법인 Mann의 기법, 그리고 외디푸스 갈등을 중요시하며 친밀과 고립의 문제를 주로 다루는 정신역동적 기법인 Malan의 기법과 Sifneos의 기법 등이 있다.

그리고 치료자는 통상적인 정신치료 상황과는 달리 좀 더 유연하게 치료기법을 이용할 수 있으며, 질병역동으로 표현되는 개인의 특정한 생물심리사회적 문제에 따른 정신치료방법의 결정이 의학적 정신치료에서는 중요하다.

의학적 정신치료에서 정신치료 방법의 선택

병적 질병반응 치료에 사용되는 의학적 정신치료는 지지정신치료나 집중정신치료 중 하나를 선택하게 된다. 어떤 정신치료 방법을 적용할 것인가에 있어서 치료자의 유연성과 실용성이 필요하다. 환자의 질병역동을 주로 다룸으로써 나타나는 의학적 정신치료에서의 치료과제는 다음과 같은 점을 고려해야 한다. 첫째, 병적 질병반응 치료에서 어떤 한 가지 방법의 정신치료가 우선되는 경우가 있지만, 지지 혹은 집중정신치료기법이 서로 겹치기도 하므로 한 가지 형태만의 정신치료가 필요한 경우는 드물다. 둘째, 지지 혹은 집중정신치료방법 모두 환자에 대한 정신역동적 이해psychodynamic understanding를 기반으로 하지만, 각각 서로 다른 인지 및 행동에 적용되는 특성이 있다. 예를 들어 지지정신치료는 과도한 불안을 줄이기 위해 완화기법이나 탈감작법, 혹은 과도한 퇴행을 조절하기 위해 긍정 및 부정 강화법 같은 행동치료기법을 채택하기도 한다. 셋째, 개인 정신치료에서는 지지 및 집중정신치료가 주가 되지만 의학적 정신치료에서는 이 외에도 다양한 치료방법을 사용할 수 있다. 개인의 병적 질병반응을 가족치료나 부부치료 혹은 집단치료 등의 방법으로 치료하기도 한다. 마지막으로, 지지 및 집중정신치료 모두 의학적 정신치료에서는 환자의 병적 상태가 일회성 삽화란 배경에서 다룬다. 오래 앓는 질환의 발병 초기에 지지정신치료가 필요한 환자도 질병 이환의 전 기간 동안 지지정신치료가 필요하지는 않다. 심각한 질환의 어떤 시기에 적절한 대응기제가 다른 시기에도 적절한 것은 아니다. 질병이 악화되는 시기에는 지지정신요법이 반복적으로 필요한 환자도 질병이 완화된 시기에는 집중정신치료가 더 적합하기도 하다. 의학적 정신치료는 질병의 악화 시기 및 연이은 시기 동안의 병적 질병반응의 재발을 막고 적응적 자아기능을 강화시킨다. 위기개입처럼 새로운 대응기제의 획득, 자신감의 증대 및 특정 스트레스에 대한 공포의 감소를 목표로 하기도 한다. 증상완화에 대한 지각, 가족 및 친구들의 애정 어린 지지 및 질병을 조절할 수 있다는 능력을 회복하면 질병공포에서 벗어나게 된다.

의학적 정신치료에서는 병적 질병반응 치료 시 환자 개인에 맞는 적절한 개인 정신치료방법으로 지지 혹은 집중정신치료 중 하나를 선택한다. 이러한 선택에는 환자의 두드러진 방어기제 및 대상관계 위주의 객관적 임상소견에 대한 체계적인 평가가 필요하다. 이 요인들은 '환자가 최대한 도움을 받을 수 있는 정신치료기법 선택의 결정'을 의미하는 '정신치료 진단psychotherapy diagnosis'에 도움이 된다.

개인정신치료의 경우, 방법의 선택은 자아강도의 정도, 대상관계의 질, 환자의 자기탐색 의지 및 감정변화의 욕구, 치료적 관계에 대한 주의집중, 탐색해석trial interpretation에 대한 환자의 감응 등의 요소를 고려하여 결정해야 한다.

환자의 자아강도는 일반적으로 성적 발달정도, 적응정도, 지능, 교육적 및 직업적 성취도, 그리고 자율성 정도와 책임감 유지능력 등으로 측정한다. 더 자세한 자아강도 측정방법으로 '우세한 자아기제prevailing ego mechanisms'의 결정에 따른 방법이 있다. 예를 들면, 정신병적 기제를 많이 사용 경우에 집중정신치료는 금기이고, 신경증적 기제들과 정교한 기제를 많이 사용하는 경우에는 자아기능의 유연성과 탄력성이 있음을 의미하므로 집중정신치료가 적합하다. 대상관계의 질로 대인관계 능력정도를 전반적으로 알 수 있으며, 이는 불안을 견디는 능력에 대한 주요지표이기도 하다. 집중정신치료의 적합성을 평가하는 또 다른 요소로 환자의 자기탐색 의지 및 감정변화의 욕구가 있는데, 이는 상당한 정도의 지능이 있어야 하며 환자의 병식으로 표출되는 심리적으로 탐구할 수 있는 마음자세psychological mindedness도 어느 정도 있어야 한다. 환자-의사 간 치료관계에 대한 주의집중은 치료자의 능력 및 예견되는 치료목표에 대한 환자의 현실적 기대, 정신치료에서 감정 및 인지적으로 참여할 수 있는 환자능력, 그리고 호전과 악화가 반복되는 신체질환과 정신치료의 모든 시기 동안에도 치료자와 관계를 유지할 수 있는 환자능력을 포함한다. 환자의 어려움에 대해 공감적이고 적절한 이해를 바탕으로 한 소통을 함으로써 신뢰감을 증진시켜 궁극적으로는 정신치료가 잘 진행되게 한다.

4) 신체질환자에 대한 지지정신치료 시 일반적 고려사항

환자의 신체상태와 심리적 방어 간에 상호작용이 있다. 질병이 만성화됨에 따라 환자는 상대적으로 안정 혹은 불안정하게 되지만 지지정신치료는 대개 질병치료의 효과를 높일 수 있다. 신체질환 및 신체질환과 유사한 증세를 보이는 정신질환 간에 분명한 차이가 있지만, 치료적 접근법은 유사하다. 그 이유로는 첫째, 양군 환자 모두 정신건강의학과보다는 내·외과적 환경에서 진료하게 되고, 둘째, 만성피로증후군 같은 많은 질환들의 원인이 불명하다는 점이며, 셋째, 양군 환자 모두 정신의학적 요인을 받아들이려하지 않는다는 것이다. 그리고 순수한 생물학적, 심리적, 사회적 원인인 질병은 없으며, 진정한 생물정신사회적 접근만이 치료적으로 접근가능하다는 것을 의사가 알고 있기 때문이다.

(1) 지지정신치료와 정신건강의학과 자문 간의 차이점

신체질환자의 지지정신치료는 대개 입원상황에서 첫 정신건강의학과자문 시에 이뤄진다. 정신치료는 환자의 바람과 질병경과 및 예상 입원기간에 의해 결정된다. 생명을 위협하는 질병이 아닌 상황에서 지지정신치료와 정신건강의학과자문 간의 차이는 다음과 같다. 첫째, 지지정신치료는 질병에 대한 환자적응과 치료에 대해 최적의 결정을 할 수 있는 능력을 증가시키는 것에 초점을 맞추며, 환자의 행동을 호전시키는 데 초점을 맞추지는 않는다. 둘째, 지지정신치료는 퇴원 후에도 정신치료를 받을 수 있게 하는 것이 이상적이다. 셋째, 지지정신치료는 장기간의 문제를 다룰 수도 있다. 넷째, 지지정신치료자는 완전한 비밀보장의 조건하에 환자와 개인적인 계약을 맺는다.

지지정신치료를 하는 경우 치료자는 입원병실일지라도 앉아서 대화하는 것이 좋다. 이는 비록 평가시기일지라도 환자와의 공감을 높이는 유용한 행동이다. 그러나 환자의 시간을 뺏을 수도 있으므로 필히 환자의 허락을 받아야 한다.

(2) 성격유형에 따른 정신치료적 개입

질병유형에 따라 치료형태가 결정되기도 하지만 환자성격에 따라 어떤 치료방법을 선택할지가 결정되기도 한다. 평소에는 특별한 문제없이 지내던 사람도 입원과 치료로 인해 신체 및 심리적으로 기진맥진하기도 한다. 장기간의 비적응적 방어에 대한 통찰이 없는 인격장애를 가진 환자는 의학적 치료 상황에서 어려움을 경험하게 된다.

성격유형에 따른 정신치료적 개입방법은 다음과 같다. 구강성 환자들은 자신의 요구를 반복해서 조르므로 분명한 한계 속에서도 돌봄을 받고 있다고 느끼도록 분위기를 조성한다. 강박적인 환자들에게는 자세하고 과학적인 설명을 제공하고 환자 스스로 질병치료를 조절할 수 있도록 하며 지식화 방어기제를 도와준다. 변덕스럽고 성가신 히스테리성 환자에게는 어느 정도의 감정적 만족을 제공하지만 과하게 많이 제공하지는 않는 것이 도움이 된다. 과도한 자기확신에 차 있는 자기애적인 환자에게는 정보를 제대로 제공하여 만족할 수 있도록 하며, 의학적 결정에 있어서 서로 동급의 상대로 대한다. 치료자도 완벽하지도 않다는 것을 인정하고 환자의 전문적인 지위에 대해 도전하지 않도록 한다. 의심 많고 경계하는 편집증적인 환자에게는 병에 대한 환자의 생각은 허용하면서 정보는 제공하지만 논쟁하지 말고 심리적 거리를 유지하면서 환자 자신의 생각이나 감정을 유지하게 한다. 그러나 신체적으로 너무 편하게 하거나, 과도하게 심리적으로 안심시키지는 않도록 한다. 스스로 고립하는 분열성 환자에게는 비사회성을 어느 정도 수용하지만 완전한 철퇴는 허용하지 않는 것이 도움이 되며, 자율성을 허용하고 보호적인 친절한 태도로 대한다. 도움을 거부하는 자학적인 환자들에게는 과도하게 안심시켜주지 말고 어느 정도의 고통은 용인하며, 나아지려고 투쟁하는 데 따른 고통을 공감하고 최소한의 이득만 허용한다. 환자의 가족을 위한 고뇌도 인정해주는 것이 좋다. 경계성 인격장애 환자들은 명확한 한계를 설정하고 혼자 있지 않게 하고, 지속적인 신체자극과 구조화된 환경을 제공해주어야 한다. 또 환자의 요구에 따라서가 아니라 규칙적으로 자주 방문한다. 환자의 분리splitting란 정신병리 때문에 발생할 수 있는 치료진 간의 분열을 방지하기 위해 치료진 모두가 일관된 태도로 대해야 한다.

(3) 만성 신체질환자에서의 지지정신치료

만성 신체질환자의 지지정신치료에서 치료자는 환자의 적응력과 방어양식의 향상을 도모한다. 모든 만성질환자가 아니라 일부 환자만이 대상이 된다. 만성질환에 대한 환자의 방어적 적응은 치료를 어렵게 할 정도로 자신의 내면만으로 향하기도 한다. 증상이 호전된 상태에서는 덜 지지적이면서 좀 더 집중적인 정신치료를 시도할 수 있다.

(4) 심각한 신체질환자에서의 지지정신치료

신체질환은 스트레스를 일으키고, 심각한 질환을 앓고 있다는 인식은 위기상황을 만든다. 이때 애도반응과 유사한 인지 및 정서 반응이 나타난다. 애도반응이 주로 과거 사건에 초점을 맞춘다면 질병 스트레스는 현재 진행형이다.

건강상실에 대한 반응에 대해 두 가지 모델이 있다. 하나는 Kübler-Ross (1969)의 모델이고, 다른 하나는 Cassem과 Stewart(1975)의 모델이다. 전자는 임종을 맞이한 환자들에 대한 연구에서 나온 것으로 부정, 분노, 협상, 우울, 그리고 수용 같은 반응이고, 후자는 심근경색증을 앓고 있는 환자에 대한 연구결과로 불안, 부정, 우울이 일련으로 전개된다. 심각한 신체질환을 앓고 있는 환자의 정신치료는 복잡미묘하기도 하지만 일반 상식적 원칙을 포함해야 한다. Cassem과 Stewart는 이 경우에서의 정신치료 기본적인 원칙을 말하였는데, 이를 기본적 8 "C's"로 요약하였다. 이는 치료자의 역량competence, 자발성cheerfulness, 일관성consistency 및 환자에 대한 관심concern, 위안comfort, 소통communication, 그리고 자녀들children과 같이 있음을 허용함으로써 가족과의 응집cohesion 및 통합을 증대시켜야 한다는 것이다. 다음과 같은 원칙도 중요하다. 부정의 중요성을 인정하고 신체질병의 특이반응에 대한 해석으로 생기는 불편감을 조절하며 신체질병 및 그 영향에 대한 현실적 이해를 도와준다. 그리고 환자의 생의 계획이나 일의 완성에 미치는 영향에 대해 논의하고 환자가 쉽게 적응할 수 있도록 환경적으로 개입을 하고 지속적으로 돌보는 것 등이다.

3. 자문-조정 정신의학에서의 정신치료적 개입

1) 신체질환자에 대한 정신치료의 특성

(1) 전통적 정신치료와의 차이점

전통적 정신치료의 환자 선택기준으로 입원환자는 포함하지 않는다. 일반적으로 자문조정 정신건강의학과 의사는 환자를 직접 방문하게 된다. 그러므로 도움을 구하는 감정적 원인을 환자에게서는 찾기 어렵고 자문요청인에 의해 알게 되는 경우도 많고 정신치료에 대한 환자의 욕구나 수용성이 적은 경우가 많다.

또한 외래진료실, 침상 옆, 중환자실, 회의실 등 다양한 환경에서 환자를 만나게 되므로 사생활 보호가 되지 않는다. 만나는 시간은 수분에서 한 시간 이상까지로 다양하다. 만남의 초기에 치료방침을 결정해야 하기도 하며 정신건강의학과자문에 대한 준비가 안 된 경우도 많다. 정신건강의학과 진료에 대한 부정적 시각이 환자, 보호자 및 다른 의료진에서 나타나기도 한다. 그러나 잠시 만나더라도 치료동맹이 생길 수 있으며 1회의 병상 방문으로도 효과적인 정신치료개입이 가능하다.

잠시 만나보았음에도 불구하고 진단과 치료에 대해 요구받기도 한다. 그리고 증상완화와 왜곡의 명료화 및 치료진과의 비기능적 관계를 최소화하기 위해 환자의 성격유형, 방어기제 등에 맞추어 정신치료적 개입을 해야 한다.

(2) 정신치료의 범위 및 한계

자문조정 정신건강의학과 의사는 다양한 단기 정신치료기법 능력을 갖추어야 한다. 정신치료의 기간은 단기에서 장기간까지 다양하며 정신치료 방법도 개인, 집단, 가족치료까지 다양하기 때문이다.

초기의 치료적 접근에서 중요한 평가방법은 DSM-5의 정신질환 진단법을 적절히 이용하는 것인데, 예를 들어 정신증은 좀 더 구조화된 정신사회적 개입 및 약물치료가 필요하며, 주요우울장애의 초기에는 약물치료 같은 지지적 개입이 필요하다. 그리고 주요한 정신병리가 없는 경우에는 환자의 자아기능 정도 및 대인관계 성숙도가 의학적 정신치료의 형태를 결정하는 중요한 결정요소이다.

2) 자문조정 정신건강의학과 의사의 과제

종합병원에서 자문조정 정신건강의학과 의사는 즉각적인 위기상황에서부터 외래치료까지 연장되는 만성 질병에서 도움을 제공한다. 자문조정 정신건강의학과 의사의 중요한 과제 중의 하나는 환자가 신체질환을 앓으면서 겪게 되는 정신사회적 영향을 어떻게 다루는가 하는 것이다(표 40-3). 물론 다양한 내·외과적 술기에 대해서도 잘 알아야 한다. 환자에 적절한 정신치료방법을 선택해야 이러한 과제를 성공적으로 달성할 수 있다.

표 40-3. 자문조정 정신건강의학과의사의 가장 중요한 과제

1) 일차 진료의사에 의해 제시된 문제를 잘 파악하고 평가할 것
2) 치료동맹의 형성
3) '연상을 통한 면담기법'을 이용한 상세한 과거력의 수집
4) 인격구조와 방어기제의 평가(인격진단personality diagnosis)
5) 사실historical data에 근거한 이해, 공감, 의역translate, 정보제공, 소통 및 교육
6) 정신역동 공식화psychodynamic formulation의 도출
7) 환자 자존감의 강화
8) 선택적으로 전이소망을 충족시켜주기
9) 고통스러운 감정의 강도 줄이기
10) 반응을 정상화하기normalize reactions
11) 회복환경healing environment의 강화
12) 실제적인 치료법을 제공
13) 정신건강의학과 의사와 다른 의료진의 참여 정도를 규정하기

(Greenhill MH, 1981)

의학적 정신치료가 단시간에 그리고 환자에 대해 이론적으로 체계화하지 못한 상황에서 시행된다. 이때 종합병원 자문조정상황에서 인격유형을 판단하기 위해 Kahana와 Bibring (1964)이 개발한 '인격진단'이란 방법을 사용한다. 이는 정상 성격발달이론에 근거하며, 인격장애나 다른 정신병리에는 적용하지는 않는다. 성격구조와 성격발달에 대한 정신분석적 이론에 근거한 '인격진단'은 다른 인격유형을 가진 환자에서 나타나는 질병에 대한 의미를 파악할 수 있어 적절한 치료기법을 찾는 데 도움이 된다. 각 개인의 발달과정의 차이에 의해 나타난 병적이 아닌 행동을

밝히기 위해 Kahana와 Bibring은 7가지의 인격유형을 제시하였다(표 40-4). 각각의 인격유형에 따른 방어적이고 적응적인 대응전략은 질병이나 수술 같은 생명에 위협적인 상황에서 나름대로 역할을 한다. 그러나 순수한 형태로 나타나는 인격유형은 거의 없고, 임상현장에서는 대개 겹쳐서 나타난다.

표 40-4. 의학적 치료에서의 인격유형

인격유형	정신역동적 기술	질병행동	치료적 접근
의존적, 요구 많음	구강적	요구 재촉	도움받고 있다는 믿음이 생기게 하되 명확한 한계 설정
규칙적, 조절, 통제	강박적	자기-통제적	과학적 접근, 정보의 공유
고통 감내, 자기-희생	자학적	도움을 거부	과도하게 안심시키지 말고, 환자의 고통을 인정할 것
극적, 감정적	히스테리칼	변덕스럽고,성가심	침착한 전문가적인 접근
의심, 불평	편집증적	의심 많고 경계	논쟁하지 말고, 정보제공을 계속할 것
거만하고, 과장적	자기애적	지나친 확신	환자의 전문가적 입장을 인정해 줄 것
참여 않고, 냉담	분열성	고립 추구	비사회성은 받아주되 심한 철퇴는 허용말 것

(Kahana RJ, Bibling GL, 1964)

3) 자문조정 정신건강의학과 의사의 기본 술기

자문조정 정신건강의학과 의사는 특별한 단기정신치료기법만을 사용하지는 않지만, 정신역동이론에 대한 지식과 응용은 치료기술과 치료다양성을 높여 준다. 정신역동적 사고는 종합병원의 입원환자와 외래환자의 치료에서 효과적인 절충과 유연성을 제공한다. 자문조정 정신건강의학과 의사의 다양한 기법은 일반의학, 신경과학 및 정신약물학뿐만 아니라 정신분석학, 정신신체의학, 주요한 생의 사건과 외상에 대한 스트레스 이론 및 질병과 질병행동에 대한 생물심리사회적 개념을 바탕으로 한다.

(1) 치료다양성

자문조정 정신건강의학과 의사의 작업은 항상 정신치료적이다. 위기개입을 위한 일회성의 면담에서부터 광범위한 평가, 입원기간 및 퇴원 후의 추적치료까지에도 적용되며, 행동치료에서부터 정신역동적 치료까지 범위가 다양하다. 자문조정 정신건강의학과 의사가 갖춰야 할 정신치료적 기술은 숙련된 정신치료자와 유사하지만 치료다양성versatility이 더 많이 요구된다(표 40-5).

표 40-5. 자문조정 정신건강의학과의사가 갖춰야 할 정신치료적 술기

1) 정신분석/정신역동적 개념, 생물심리사회적 개념, 스트레스 이론, 일반의학, 신경과학, 정신약물학
2) 의학 및 정신의학적 면담 수행방법
3) 일상적인 대화와 공감적 경청에서 나타난 의미를 구체화하기
4) 언제 그리고 어떻게 환자의 문제를 직면시킬 것인지에 대한 숙달
5) 정신약물에 대한 부정적인 감정 갈등을 언제 그리고 어떻게 중화시킬지 알 것
6) 도움이 되는 지지환경holding environment을 형성시키기
7) 맞춤형 정신치료적 접근의 선택과 적용법
8) 언제, 어떻게 적절히 정신치료적 기법을 이용할지를 알 것
9) 비정신건강의학과 전문가 및 조정팀 구성원과 좋은 관계를 맺는 기술
10) 전문가의 영역을 벗어난 적절하지 못한 치료적 열정을 조절하여 주기
11) 정신치료와 정신약물요법을 적절히 이용하기

(Lipsitt DR. , 2005)

(2) 연상을 통한 병력 면담기법

'연상을 통한 병력 면담기법associative anamnesis'은 Deutsch (1939)가 언급한 정신분석적 자유연상기법에서 유래한 것으로, 자문조정 정신건강의학과 의사에게 적합한 면담기법의 일종이다. 이는 환자가 자신의 증상에 대해 언급을 많이 하게 하는 생리적 그리고 심리적 자료수집을 위한 면담기법이다. 또한 거의 동시에 나타나는 신체적 그리고 심리적 구성요소들을 관찰함으로써 더 잘 수행할 수 있다. 환자의 신체고통에 대한 공감적 관심은 치료동맹을 강화시킨다. 그리하여 좀 더 적극적인 치료자와의 면담에서 나타나는 핵심적인 신체 혹은 정서적 단어나 말을 반복함으로써 환자는 비록 자신의 질병에 대한 심리적 배경에 대한 깊은 깨달음이 없다 하더라도 필요한 정보를 치료자에게 제공하게 된다.

치료자는 이러한 자료수집 과정을 통해 환자의 인격구조, 주요 방어기제, 대인관계방식, 스트레스에 대한 적응과 대처방식, 개인역동 및 가족역동, 신체증상, 사회기술방법 등을 알게 된다. 연상기법은 적절히 시행된다면, 면담과정은 진단적일뿐만이 아니라 정신치료적이기도 하다. 그리고 이 면담기법을 통하여 자문조정 정신건강의학과 의사는 환자에게 위기개입을 하거나, 비정신건강의학과 의료인을 지지적으로 도와주거나 혹은 신체질환자를 심리적으로 좀 더 적절하게 돕는 방법을 찾을 수 있다.

(3) 예비평가

정신치료를 시작하기 전에 자문조정 정신건강의학과 의사는 미리 상황을 파악하여야 한다. 예비평가는 자문요청에 대한 이유를 알기 위해 환자를 면담하기 전에 여러 현장상황을 파악해야 한다. 최소한 정신건강의학과에 자문을 의뢰한 의사의 인식이 어떠한지를 알아보고 의무기록을 철저히 살펴보아야 한다. 담당간호사에게 환자에 대한 인상을 물어본다. 가족의 정보제공도 도움이 된다. 환자를 대면하기 전에 이러한 체계적 평가를 한다면, 환자와의 실제면담에서 핵심문제에 대한 접근이 가능하며 환자의 문제점에 대해 정신역동적 공식화가 가능하게 된다.

(4) 치료적 검사

검사 혹은 면담 자체가 실제로 매우 정신치료적이다. 숙련된 면담은 신뢰, 치료동맹, 제반응, 통찰, 태도변화, 지각이상의 교정, 암시, 명료화, 조작, 교육 및 해석 같은 정신치료의 구성요소를 가지고 있다. 입원환자와의 면담 시 무의

식을 다루어 불안을 증가시키지 않도록 하며, 치료동기에 대해서도 알아보지 않는다. 환자의 감정상태나 대인관계에 대해 너무 빨리 평가한다면, 환자는 때로 난처해하기도 한다. 일반적으로 정신건강의학과 의사들은 주요 호소를 넘어서까지 탐색하는 데 익숙하지만, 초기에는 자문의뢰의사에 의해 언급된 문제에 국한하여 평가하는 것이 좋다.

(5) 종합병원 환경에서 특별히 고려할 점

자문조정 정신건강의학과 의사는 종합병원의 환경에 맞춰 적절히 대응해 나가야 한다. 시간제약으로 인해 면담이 잘 이뤄지지 않을 수도 있고, 환자들이 신체문제에만 초점을 맞추기도 하여 자문 정신건강의학과 의사를 불편하게 만들 수도 있다. 환자가 통증에 집착하는 것을 부정적 치료반응으로 잘 못 해석할 수도 있다. 성공적 치료동맹형성과 치료효과를 얻기 위해서는 자문조정 정신건강의학과 의사가 환자의 삶이 특정시점에 어떤 위치에 있는지에 대해 공감적으로 이해해야 한다. 환자가 정신의학적 평가나 면담에 부정적일지라도 긍정적 치료동맹은 빨리 형성될 수도 있고, 짧은 시간 내에 편안하게 개인적인 자료를 충분히 드러내는 경우도 있다. 때로는 심도 깊은 질문이 나중에 통원치료를 할 때 집중정신치료에 적합한가를 평가하는 데 도움이 되기도 한다. 향후의 주치의뿐만 아니라 정신치료자와도 효과적인 소통을 함으로써 이러한 집중정신치료로의 변경을 적절하게 수행할 수 있다.

담당주치의가 "정신건강의학과 진료가 필요로 한 것 같지만 환자가 정서적으로 혼란해 할까 걱정스럽다"며 정신건강의학과 치료에 대해 부정적일 수도 있는데, 이는 정신의학의 본질에 대한 오해나 환자를 잘못 이해하고 있기 때문이다. 어떤 환자들은 정신건강의학과 의사를 만나는 것만으로도 안심하기도 하고, 어떤 환자들은 주치의가 정신건강의학과 진료를 원치 않는다는 것을 알고는 환자 자신이 직접 정신건강의학과자문을 요청하기도 한다. 입원하는 것 자체가 어느 정도 퇴행을 일으키므로 안심, 동정, 성의 및 공감을 제공하는 정신건강의학과 의사를 만나면, 치료동맹이 빨리 형성되어 환자는 정신건강의학과 치료를 쉽게 받아들인다.

환자에서 나타나는 질병경험과 입원에 의해 약화된 방어기제를 인정해야 하며, 때로는 퇴행이 투병이란 위기상황에 적응하는 데 유용하므로 자문조정 정신건강의학과 의사는 이를 받아들일 수 있어야 한다. 자문조정 정신건강의학과의사는 첫 면담에서 환자의 인격구조와 방어기제를 평가해야 한다. '환자가 앓고 있는 질병이 무엇인가를 아는 만큼, 앓고 있는 환자가 어떤 정신적 특성을 가지고 있는가를 아는 것이 중요하다'는 말처럼, 질병에 대한 환자의 적응양식과 특징을 알아야 하며, 이는 환자의 인격진단에 역점을 두는 의학적 정신치료에서 매우 중요하다.

(6) 정신역동 공식화

치료자는 여러 경로를 통해 얻은 자료를 이용하여 정신역동을 공식화해야 한다. 정신역동 공식화는 진단적 평가만이 아니라 차후의 정신치료적 개입에 중요한 지침이 된다. 정신역동 공식화에 필요한 요소는 표 40-6과 같다. 모든 환자에서 이들 모든 요소 모두를 파악할 수는 없으나, 이러한 정신역동 공식화는 환자가 자연스럽게 치료를 받도록 권고하는 데 도움이 된다.

표 40-6. 정신역동 공식화의 요소

1) 성격구조character structure: 인격진단
2) 현재 나타나는 문제: 자문요청의 이유
3) 현재의 질병에 대한 인식perception과 귀속attribution을 포함하는 환자의 이야기: 삶의 역사
4) 반응response을 불러일으키는 인생 사건이나 위기
5) 신체질환, 수술, 입원 같은 스트레스 시에 사용된 방어기제
6) 돌보는 사람 및 치료에 대한 반응의 예측인자로서의 과거의 약속engagement패턴
7) 정신치료적 개입의 지침 및 의사-환자관계, 현재의 질병에 대한 행동의 적절성, 치료에서 자문조정 정신건강의학과 의사의 역할에 대한 다른 치료진을 위한 지침 만들기

(Lipsitt DR. , 2005)

(7) 치료의 선택과 이행

정신역동 공식화를 하고 나면 어떤 정신치료방법을 선택하고 이행할지를 결정해야 한다. 초기에는 암시, 제반응, 조작 같은 기법을 사용하고 치료후반부에는 명료화와 해석 같은 기법을 사용한다. 많은 해석이 요구되는 시점이 오더라도 충분한 해석은 외래치료까지 기다려야 한다. 자문조정 정신건강의학과 의사는 종합병원에서 자주 접하게 되는 상황에서 필요한 정신치료기법을 적절히 적용할 수 있어야 한다(표 40-7).

표 40-7. 자문조정 정신건강의학과 의사의 종합병원에서의 통상적인 정신치료 활동

1) 환자가 고통, 공포 및 부정을 견디거나 극복할 수 있도록 돕기
2) 질병으로 와해된 환자 가족의 대처를 돕기
3) 내-외과적 치료의 강화
4) 환자의 상실이나 임종에 대한 애도반응의 극복을 돕기
5) 환자가 병자역할에 적응할 수 있도록 돕기
6) 자기표상, 대상표상 및 자아이상표상의 변화에 효과적으로 대처할 수 있도록 돕기
7) 치료계획에서 정신사회요인을 인지하고 이용할 수 있도록 치료진을 돕기

(Mohl PC, Burstein AG, 1982)

정신의학적 검사가 필요한 경우가 있다. 이러한 검사는 그 자체가 정신치료적이며, 추후방문도 치료적 개입이나 평가의 효과를 확고히 할 수 있다. 정신건강의학과 의사가 가교역할을 하기는 하지만, 팀의 일원으로 정신간호사, 사회사업가, 임상심리사 등이 환자의 급성 혹은 만성 애도반응의 극복을 도울 수도 있다. 다른 정신건강의학과 의사가 정신치료를 한다면 자문조정 정신건강의학과 의사는 정신약물치료만을 담당할 수 있다. 경우에 따라 '치료가 필요 없음'으로 답할 수도 있고 행동치료나 인치치료 혹은 집단치료를 제공하기도 한다. 자문조정 정신건강의학과 의사로서 지지정신치료와 집중정신치료를 선택할 때 여러 가지를 고려해야 한다. 이때 고려할 것은 환자의 인지기능의 수준, 정신증의 유무, 자살의도, 치명적인 행동, 치료자의 가용시간, 정신성적 발달수준, 치료환경, 교육정도, 대인관계 유형, 자율성 정도, 책임수행과 감정내성 및 감정표현능력, 변화하려는 동기의 정도, 갈등에 집중할 수 있는 능력, 통찰능력, 신뢰능력, 스트레스요인의 동정능력, 외부 지지체계 등이다.

환자의 적절한 대응기제의 발달 혹은 회복도 의학적 정신치료 목표 중의 하나이다. Hamburg와 Adams (1967)는 장기 신체질환자에서 성공적인 대처를 위해 갖춰야 할 정신치료적 목표를 제시하였다(표 40-8). 이 목표는 신체질환자에서의 정신치료의 목표와 유사하다.

표 40-8. 신체질환자의 성공적인 대처의 목표

1) 고통을 적게 만들 것
2) 자존심을 유지시킬 것
3) 주요 타인과의 관계를 유지시킬 것
4) 기분과 동기 및 순응도를 다룸으로써 신체기능의 회복 기회를 최대화할 것
5) 장기 정신치료를 준비할 것

(Hamburg D, Adams JE, 1967)

자문조정 정신건강의학과 의사는 짧은 입원기간과 증상에만 집중하는 최근의 의학조류에 맞춰 정신치료를 할 수 있어야 한다. 외래치료에서 정신치료를 하는 것도 도움이 된다. 성공적으로 외래치료로 전환하기 위해서는, 환자가 정신치료를 계속 받으려는 동기 및 정신치료에 대한 환자의 민감성, 또 어떤 기법이 잘 맞을지에 대한 평가가 필요하다.

4. 결론

정신신체질환자 및 신체질환을 앓고 있는 환자를 효과적으로 치료하기 위하여 질병역동을 포함한 신체질환에 대한 심리적 반응 및 병적 질병반응을 이해해야 하며 그 방법으로서 의학적 정신치료를 포함한 신체정신의학 및 신체질환자에서의 정신치료, 자문조정 정신의학에서의 정신치료적 개입 등으로 나누어 접근해야 할 것이다.

정신치료적 접근은 신체질환자에서 질병대처의 다양한 시기에 유용하다. 집중정신치료에서부터 인지행동치료, 집단치료, 가족치료 및 정신교육을 포함하는 정신치료기법들은 환자가 대처를 좀 더 잘 할 수 있도록 돕고, 고통을 줄여주며 치료순응도를 높인다. 그리고 통증을 감소시키며, 적절히 기능할 수 있도록 돕는다. 또한 질병에 적응을 잘 하게 되면 의료비용도 감소시킨다. 향후의 많은 연구를 통하여 가장 효과적인 치료법을 찾을 수 있고 이 치료의 어떤 요소들이 환자의 요구 그리고 질병유형과 질병시기에 적합한 치료법인지를 알게 될 것이다. 앞으로 더욱 많은 정신치료기법의 효과에 대한 정신생리적 기전에 대한 연구가 필요하다. 정신치료적 기법들이 현대의 의학적 치료에서 매우 중요한 요소라는 것은 분명하며, 이는 환자의 삶의 질 호전이란 측면에서는 더욱 그러하다.

참고문헌

1. Cassem NH, Stewart RS. Management and car of the dying patient. Int J Psychiatry Med 1975;6:293-304.
2. Deutsch F. The associative anamnesis. Psychoanal Q 1939;8:354-81.
3. Engel G. The need for a new medical model: A challenge for biomedicine. Science 1977;196:129-36.
4. Engel G. The clinical application of the biopsychosocial model. Am J Psychiatry 1980;137:535-44.
5. Goldberg R, Green S. Medical psychotherapy. Am Fam Physician 1985;31:173-8.
6. Green SA. Principles of Medical Psychotherapy. In: Stoudemire A, Fogel BS, editors. Principles of Medical Psychiatry. Orlando: Grune & Stratton;1987. p.1-22.
7. Greenhill MH. Liaison psychiatry. In: Arieti S, Brodie HKH, editors. American Handbook of Psychiatry, vol 7. New York: Basic Books;1981. p.672-702.
8. Hamburg D, Adams JE. A perspectives on coping behavior. Arch Gen Psychiatry 1967;17:277-84.

9. Kaupp JW, Rapoport-Hubschman N, Spiege lD. Psychosocial Treatments. In: Levenson JL. Textbook of Psychosomatic Medicine. Washington DC: American Psychiatric Publishing, Inc;2005. p.923-56.
10. Kübler-Ross E. On Death and Dying. New York: Macmillan;1969.
11. Lipsitt DR. Psychotherapy. In: Rundell JR, Wise MG, editors. Essentials of Consultation-Liaison Psychiatry. Washington DC: American Psychiatric Press;2005. p.589-606.
12. Marmor J. The physician as psychotherapist. In: Usdin G, Lewis JM, editors. Psychiatry in General Medical Practice. New York: McGraw-Hill;1979.
13. Mohl PC, Burstein AG. The application of Kohutian self-psychology to consultation-liaison psychiatry. Gen Hosp Psychiatry 1982;4:113-9.
14. Novalis PN, Rojcewicz Jr SJ, Peele R. Clinical Manual of Supportive Psychotherapy. Washington DC: American Psychiatric Press;2005. p.257-77.
15. White CA, Trief PM. Psychotherapy for medical patients. In: Gabbard GO, Beck JS, Whitehorn JC. Oxford Textbook of Psychotherapy. New York: Oxford University Press Inc.:2005. p.393-409.

41 CHAPTER

전기경련요법과 기타 뇌 자극 치료

이종하, 고영훈

정신의학 질환의 치료에서 약물 치료는 다양한 임상적, 치료적 근거를 가지고 있으며, 임상 현장에서 가장 흔하게 선택되고 있다. 하지만 다양한 약물 치료에도 반응이 없거나 효과가 부족한 환자들이 있으며, 임신, 약물 부작용 등으로 인하여 약물치료가 제한이 있는 경우들이 있다. 이러한 환자들을 치료하기 위해 약물 치료의 보조적 역할, 혹은 대체할 수 있는 치료들이 관심을 받고 있다. 이 중 가장 역사가 깊고, 그 효과가 널리 알려져 있으며, 현재에도 활발하게 시행되고 있는 치료가 전기경련치료electroconvulsive treatment, ECT이다. ECT에서 확인된 뇌 자극의 치료적 효과에 근거하여 최근에는 반복 경두개자기자극술repetitive transcranial magnetic stimulation, rTMS, 뇌심부자극술deep brain stimulation, DBS, 경두개 직류자극치료술transcranial direct current stimulation, tDCS 등의 치료 기법이 시행되고 있다. 본 장에서는 국내에서 현재 사용되고 있는 ECT, rTMS를 중심으로 뇌 자극 치료에 대해 알아보고자 한다

1. 전기경련치료electroconvulsive treatment

1938년 처음 소개된 전기경련치료electroconvulsive treatment, ECT는 80년이 넘는 시간 동안 심각한 정신 질환의 치료에 사용되어 왔다. 20세기 중반에 들어 비정형 항정신병약제와 항우울제의 개발 등 정신질환 치료약물의 개발로 인해 ECT의 사용이 감소하였지만, 현재도 치료 저항성 우울장애와 조현병의 치료로 선택되고 있다. ECT 기법과 마취방법의 개선을 통해 안전하게 시행할 수 있게 되었으며 다양한 연구를 통해 이전에 비해 더욱 체계화되고 효과적인 정신의학적 치료 도구로 발전하게 되었다. ECT의 높은 치료 효과와 낮은 부작용 발생 위험성에도 불구하고, 치료에 대한 접근성과 이해의 부족, 미디어의 부정적 묘사 등으로 사회적 편견이 남아있다. 이로 인해 치료에 거부감을 보이는 환자들도 있으며, ECT를 적절하게 활용하지 못하는 치료자들도 있다. 심각한 우울장애의 환자에서도 1% 이내로 시행되고 있다는 결과들도 있다. 반면에, ECT를 시행받은 환자들은 ECT에 대해 긍정적인 반응을 보일 뿐 아니라,

80% 이상의 환자들은 필요하다면 다시 시행하는 데 동의한다. 따라서 정신건강의학과 의사들은 ECT의 전반적인 측면에 대해 이해하고 ECT의 시행이 필요한 환자와 그 가족들에게 제안함에 있어 어려움이 없어야 한다.

1) 작용 기전

ECT는 양측성 전신경련의 발생과 동시에 기저핵과 시상과 같은 뇌의 심부 구조물이 영향을 받아야 충분한 효과를 나타낸다. 전신성 경련 후 뇌파는 60-90초 동안의 경련 후 억제 현상을 보이게 된다. 이후에는 높은 전위의 델타파와 세타파가 나타나며 30분이 지나면 경련 이전의 상태로 돌아오게 된다. 뇌파상 ECT 동안에는 이전에 비해 전위가 높아지고 파형이 느려지게 되는데 1개월에서 1년이 경과하여야 치료 이전의 상태로 회복된다. 양전자방출단층촬영 연구에서는 ECT에 의한 경련 중 뇌혈류가 증가하고, 포도당과 산소의 소비가 증가하며, 혈액-뇌 장벽의 투과도가 증가하지만, 경련 후에는 뇌혈류와 포도당의 소비가 감소함을 보여주었다. 이는 전두엽에서 특징적으로 나타나는 데 이러한 뇌대사의 감소 정도가 치료 효과와 상관관계가 있다는 주장도 있다. 최근의 신경화학적 연구들은 신경전달물질의 수용체와 2차 전달자second messenger의 변화에 관심을 두고 ECT의 치료 효과를 확인하고 있다. ECT 후에는 항우울제를 투여할 때처럼 시냅스 후 베타 아드레날린성 수용체의 하향조절이 확인되며, 세로토닌, 무스카린, 콜린, 도파민 시스템에도 영향을 주는 것으로 보고되고 있다. 2차 전달자 시스템에서는 G protein과 수용체의 결합, adenyl cyclase와 phospholipase C의 활성도, 세포 내 칼슘 유입의 조절에 영향을 주어 치료 효과가 나타나는 것으로 추정된다.

2) 적응증

ECT는 양극성 혹은 단극성 중증 우울삽화에서 효과적일 뿐 아니라 양극성장애의 조증 및 혼재성 삽화에서도 효과적이며, 조현정동장애 혹은 조현병의 급성기 증상이나 긴장증의 치료에도 효과적이라고 알려져 있다(표 41-1). 특별한 경우에는 ECT를 일차 치료로도 선택할 수 있다. 영양부족, 긴장증, 심한 초조agitation, 정신병적 증상으로 인한 심한 행동 문제의 반복, 자살과 같은 내과적 혹은 정신의학적인 이유로 우울장애의 호전이 빨리 나타나야 하는 경우나 다른 치료의 위험성이 ECT의 위험성을 넘어설 때 고려되어야 한다. 또한 환자가 과거의 ECT 치료에 반응이 좋았을 경우나 환자의 요청에 의해서도 일차 치료로 사용될 수 있다. 물론 환자가 정신약물의 부작용을 견디지 못하는 경우 혹은 상태가 악화되어 시간을 지연할 수 없거나 확실한 효과를 기대하는 경우에도 사용할 수 있다(표 41-2).

표 41-1. 전기경련치료의 적응증

주요우울삽화(단극성과 양극성)
조증
정신분열증(특히 정서적 증상이 두드러지거나 급성기에 시행)
긴장증
신경이완제 악성증후군

표 41-2. 일차 치료로서 전기경련 치료의 적응증

빠른 호전이 필요한 경우
심각한 자살
식사거부로 인한 영양실조
긴장증
초조증이 동반된 심한 정신병
다른 치료가 더 위험하다고 판단되는 경우
노인
임신
약물치료에 대한 효과가 부족
환자가 전기경련치료를 선호하는 경우
환자가 이전 전기경련치료에서 효과가 높았던 경우

(1) 우울장애

주요우울삽화를 갖는 환자에게 우선적으로 고려되는 치료는 항우울제 약물 치료이며 초기 약물치료에 대한 반응이 부족한 경우에는 비정형 항정신병약제를 추가하여 약물 치료를 고려한다. 우울삽화를 가진 환자들 중 ECT를 시행받는 환자들의 대부분은 약물 치료에 대한 반응이 부족하거나 심각한 부작용으로 인해 투약이 제한되거나 심한 우울 증상을 보고하는 환자들이다. 심각한 우울 증상을 보고하는 환자들 중에서, 자살 행동의 반복, 자살 사고에 대한 몰두와 같은 개인의 안전에 위협이 있는 경우에도 ECT가 권장된다. 앞서 언급한 것과 같이 우울장애 환자에서 ECT는 약물 치료 후 반응이 부족한 경우에 시행되는 경향이 있어 장기간 우울삽화가 유지되거나 자살 사고/행동이 반복되고 이로 인해 개인의 안전에 해가 되거나 사회경제적 손실이 유발될 수 있다. 따라서 증상의 심각도와 환자의 안전성을 고려하여 조기에 ECT를 고려할 필요가 있다(표 41-2).

(2) 조증삽화

ECT는 우울삽화 환자의 치료로 쓰이는 것뿐만 아니라 조증 삽화의 치료에도 효과적이다. 특히 약물 치료에 대한 반응이 부족한 환자에서 증상의 관해에 효과적이다. 조증삽화 환자에서 기분안정제와 비정형 항정신병제의 병합 치료는 효과가 높기 때문에 ECT가 흔하게 사용되지 않고 있다. 조절되지 않는 공격행동, 정신병적 증상의 지속, 긴장증, 반복적인 자살 행동이 동반될 경우 ECT가 권장된다.

(3) 조현병

조현병은 ECT의 치료 적응 질환 중에서 가장 흔하게 ECT가 이용되는 질환이다. 급성기와 만성기 조현병 치료에서 모두 이용될 수 있으며, 증상 유지기간이 짧은 조현병 환자에서 ECT의 반응이 더 좋다는 보고가 있다. ECT는 조현병의 양성증상과 음성증상 모두에 효과가 있지만, 음성증상보다는 양성증상에 더 효과가 높다는 보고들이 있다. 사회 문화에 따라 국가별로 ECT의 시행 빈도는 차이가 있을 수 있으며, 아시아지역이 다른 지역들에 비해 자주 ECT를 활용한다. ECT는 치료 저항성 조현병 환자의 치료에 효과적이며, ECT 단독 치료로 효과가 부족할 경우 항정신병제 치료와 같이 시행하는 것을 고려할 수 있다. clozapine 사용의 효과가 부족한 조현병 환자에서 ECT와

clozapine 치료를 병행하였을 때 단기/장기 치료 효과가 있었으며, 부작용으로는 섬망, 빈맥, 지속되는 경련sustained seizure 등을 주의하여야 한다.

(4) 긴장증

긴장증은 조현병과 주요우울장애 등의 질환에서 발생 가능한 증상으로 치료적 목적으로 ECT가 이용된다. 긴장증의 초기 치료로는 벤조디아제핀 등의 약물 치료를 진행하나, 약물 치료 효과가 부족하거나 긴장증으로 인해 식사 거부 등 일반적 건강 상태에 문제가 발생할 위험성이 있는 경우 시행할 수 있다.

(5) 신경이완제 악성증후군neuroleptic malignant syndrome, NMS

NMS는 항정신병약제 투약 중 드물게 발생하는 합병증으로 고열, 의식변화, 백혈구증가증, 근경직, 빈맥 등의 증상을 보인다. 유병률은 낮으나 초기에 적절한 치료적 개입을 하지 않으면 치명적이다. ECT는 NMS의 초기 치료 방법 중의 하나로 고려될 수 있으며, 특히 약물 치료에 반응하지 않는 NMS의 치료에 사용한다.

(6) 파킨슨병

ECT는 파킨슨병과 이와 동반된 정신증상 치료에 이용된다. 파킨슨병 환자가 주요우울장애 상을 경험하는 비율은 40-60%로 높게 나타나며 장기간 항파킨슨병 약제를 투약하는 환자들의 20-30%는 정신병적 증상을 보일 수 있다. ECT는 파킨슨병의 주요 증상인 운동 증상뿐만 아니라 동반된 정신질환에도 효과적인데, 그 기전은 ECT의 도파민 활성 효과에 기인한 것으로 보인다. 따라서 ECT는 항파킨슨 약제에 대해 저항을 보이거나 그 부작용을 견디지 못하는 환자에 있어서는 일차 치료로 고려할 수 있다. 또한 파킨슨병 초기에 ECT를 시행하는 경우 항파킨슨 약물의 용량과 부작용의 발현을 줄일 수 있는 장점도 있다.

(7) 그 밖의 치료 적응증

① 인지기능장애

인지 기능의 저하가 우울장애의 결과로 나타나는 가성치매의 경우, 일반적으로 우울장애의 호전에 따라 인지기능의 호전도 함께 나타나게 된다. 인지기능장애가 진행된 환자에서 우울 증상의 치료 목적으로 ECT를 시행하는 경우 ECT 후 인지 기능의 저하가 나타나는 경향을 보이지만, 인지기능장애에 대한 적절한 치료 후에는 기존의 인지 기능 수준으로 회복한다. ECT 후에 인지 기능의 저하가 나타나는 경우에는 주 1-2회로 치료 빈도를 줄이거나 단측 자극을 고려할 수 있다. 또한 공격행동 등의 심각한 행동문제가 동반된 치매 환자에서도도 ECT를 고려할 수 있다.

② 뇌전증지속상태status epilepticus

ECT는 치료저항성, 심각한 뇌전증이나 뇌전증지속상태 환자의 치료로 드물게 이용된다. ECT 동안에는 경련의 역치가 높아지므로 경련의 빈도가 줄어들게 되며, ECT에 의해 중첩된 경련으로 치료 효과를 기대할 수 있다. 효과가 길게 유지되지 않을 수 있다는 제한이 있으므로 다른 치료 방법으로 효과가 부족할 때 시도한다. 뇌전증과 동반되는 정신질환이 있는 경우에도 안전하게 ECT를 사용할 수 있는데, 뇌전증 환자의 경우에는 ECT 시행 시 항경련제를 조심스럽게 감량하는 것을 고려하며 경련의 발생을 예방하기 위해 뇌전증 치료 전문의와의 협력이 권장된다.

③ 섬망

섬망에서는 ECT가 일차 치료로 선택되지는 않지만 알코올 금단섬망, 루푸스나 장티푸스에 의한 섬망 등 특정 원인으로 발생하는 섬망의 경우에는 효과적이라고 보고되고 있다. 이들 환자에서 ECT가 사용되는 경우는 드물지만, 일반적인 치료로 반응을 보이지 않거나 빠른 치료 반응이 요구되는 환자에서는 사용될 수 있다.

④ 만성통증

만성통증은 정신질환 환자들에서 흔한 질환이다. ECT는 엔도르핀의 분비를 통해 통증 환자에서 어느 정도 효과를 볼 수 있다. 그러나 ECT가 통증과 우울장애가 동반된 환자에서만 효과적인지 혹은 통증 자체의 치료에도 유용한지에 대해서는 아직도 명확하지 않다.

3) 동의서 및 치료 전 평가

ECT를 시행하기 전, 치료자는 ECT의 효과, 치료 방법, 부작용을 포함한 정보를 제공하여야 하고 환자로부터는 반드시 동의서를 받아야 하며 가능하면 가족의 동의서도 함께 받는 것이 좋다. 특히 환자가 정신질환 등의 이유로 치료 과정에 대한 이해가 어려울 경우에는 가족에게 자세한 정보를 제공하여야 한다. 치료 전에는 내외과적 과거력, 뇌손상 유무, 뇌전증과 같은 신경학적 질환력, 정신건강의학과적 과거력에 대한 평가와 신체검사, 정신상태검사가 선행되어야 한다. 전혈구수, 전해질검사와 심전도검사 등을 시행하는 것이 필요하며 특히, 고령의 환자나 내과적 평가가 필요한 환자의 경우에는 관련된 검사를 시행하여 ECT 시행 전 건강상태를 평가한다. ECT 치료 과정에서 치아손상의 가능성이 있어, 필요시에는 치아에 대한 평가도 진행한다. 뇌 병변이 의심되거나 두부 외상의 과거력이 있는 환자의 경우, 공간점유병소와 같은 뇌의 기질적 이상, 뇌압 상승의 여부를 평가하기 위해 전산화단층촬영이나 뇌자기공명영상을 시행한다. 만일 뇌영상 자료가 없다면 안저검사를 통해 울혈유두의 여부를 확인하여야 한다. 뇌파 검사도 이전에 확인되지 않은 기질적 뇌병변을 확인하는 데 도움이 된다(표 41-3). 마취통증의학과와의 협력은 ECT 시행 전에 중요한 절차이며 정신건강의학과 의사와 마취통증의학과 의사의 협조는 필수적이다. 만약 과거력이나 신체검사, 혈액검사, 조절되지 않은 혈압 등 신체 검사상 이상 소견이 있다면 면밀한 평가를 위해 신경과 전문의 혹은 내과 전문의에게 자문을 의뢰하는 것이 바람직하다.

표 41-3. 전기경련치료 전의 평가 항목

내과적 정신의학적 과거력
신체검사
정신상태검사
전혈검사
전해질검사
간기능검사
심전도검사
마취과 자문
뇌전산화단층촬영 혹은 뇌자기공명영상
뇌파검사
흉부X선

ECT 시행 중 약물 치료의 병행 여부는 중요한 결정 사항이다. 일반적으로 과거력상 충분한 기간 동안 적절한 약물 치료를 하였음에도 효과가 부족하였던 약물들은 ECT 이전에 대부분 감량 후 중단한다. 항정신병약물의 경우, 정신병적 증상이나 초조 등의 증상이 소실될 때까지 용량을 감량하여 투여할 수 있다. lithium의 경우는 조절되지 않는 발작의 발생, 인지 기능 문제, 섬망을 유발할 수 있으므로 중단하는 것이 권장되며, 증상 조절을 위해 lithium을 투약해야 하는 경우에는 자세한 관찰이 필요하다. 최근 연구들에서는 ECT 단독으로 치료 효과가 부족하다고 판단될 경우, clozapine과 같은 항정신병약제의 병행이 고려될 수 있으며, ECT 단독 치료에 비해 효과가 높다는 보고들이 있다. 삼환계 항우울제는 심혈관계 문제를 유발할 수 있어 중단이 권장되며 theophylline의 혈중농도가 높은 환자에서는 경련 시간이 증가할 수 있다. 수면 목적의 벤조디아제핀은 치료 효과를 저하시킬 수 있기 때문에 감량 혹은 중단을 권장하며, 필요 시에는 비전형 항정신병약물이나 항히스타민제로 대체할 수 있다. 콜린에스테라아제 억제제cholinesterase inhibitor를 투여 중인 경우 무호흡 시간이 길어질 수 있으며, 벤조디아제핀을 비롯한 항전간제를 복용 중인 환자의 경우에는 경련의 역치가 높아질 수 있다.

4) 전기경련치료의 기법

(1) 전기경련치료의 순서

현대의학에서는 마취기술의 발달로 과거에 비해 보다 안전하게 ECT를 시행할 수 있게 되었다. 위역류의 예방을 위해 ECT 6-8시간 이전에는 약물을 비롯하여 아무것도 먹지 않아야 한다. 전형적인 ECT 시행 순서는 표 41-4와 41-5에 제시되어 있다.

표 41-4. 전기경련치료 전의 처방

저녁 9시 이후에는 입으로 어떤 음식이나 약물도 복용하지 않아야 한다.
전기경련치료을 위해 이송되기 전에 방광을 비워야 한다.
만약 심장약이나 위역류에 대한 약물이 처방되었다면 치료 2시간 전에 약간의 물과 함께 투여한다.

표 41-5. 전기경련치료의 순서

정맥 내 삽관을 시행한다.
glycopyrrolate 0.2–0.4 mg을 정맥 내 주사한다.
methohexital 0.5–1 mg/kg을 정맥 내 주사한다.
혈압계 커프를 오른쪽 발목에 감고 부풀린다.
succinylcholine 0.5–1.0 mg/kg을 정맥 내 주사한다.
암부백과 마스크를 이용하여 100% 산소를 공급한다.
바이트블럭을 위치하고 근이완이 확인되면 자극을 시행한다.

ECT 시행 전 팔에는 정맥 내 삽관을 유지하고 0.4–1.0 mg의 atropine이나 glycopyrrolate (0.01 mg/kg)을 정맥 주사하여 미주신경에 의한 서맥부정맥을 예방하여야 한다. glycopyrrolate는 atropine에 비해 심혈관계 보호 효과는 낮지만 혈뇌장벽의 투과도가 낮아서 인지기능의 장애나 오심과 같은 부작용이 적다. 전신마취는 작용시간이 짧으며 경련 후 부정맥의 발생이 적은 methohexital (0.5-1.0 mg/kg)이 주로 사용되고, thiopental (2.0-4.0 mg/kg)을 투여하기도 한다. 경련의 역치가 증가되어 경련 유발이 어려운 환자에서는 ketamine (1.5-2.0 mg/kg)을 투여할 수 있으나 정신병적 증상의 발생에 주의하여야 한다. 심박출량이 감소되었거나 경련의 역치가 증가된 노인 환자에서는 etomidate (0.15-0.6mg/kg)을 투여할 수 있다. 치료 빈도가 많거나 ECT에 의한 고혈압이나 빈맥을 줄이기 위해서 propofol (1.0-1.5 mg/kg)을 사용하기도 하지만 강력한 항경련 효과로 경련이 유발되지 않을 수 있어 주의가 필요하다. 근이완을 위해서 succinylcholine(0.5-1.25 mg/kg)을 투여하는데 succinylcholine 투여 전, 정맥 내 삽관이 없는 발목이나 팔목에 혈압 측정용 커프를 감은 뒤 부풀려서 임상의가 경련 여부를 확인할 수 있게 한다(cuffed-limb method). 환자가 의식이 없는 동안에는 마스크와 암부백을 이용하여 100% 산소를 공급해준다. succinylcholine 투여 100초 후에는 신경근육 차단이 완료되므로 전기적 자극을 통해 경련을 유도하고 커프를 감은 발목이나 팔목의 근운동이나 뇌파를 통해 경련을 확인하고 시간을 측정해서 기록해 둔다. 만약 경련이 일어나지 않거나 25초 미만으로 지속된다면 자극 강도를 높여서 다시 시행한다. 경련이 3분 이상 지속된다면 경련을 중단시켜야 한다. 대개는 투여된 마취약의 50-100% 용량으로 경련을 중단시킬 수 있지만 만약 경련이 중단되지 않는다면 midazolam 1-3 mg이나 diazepam 5-10 mg을 사용할 수 있다.

(2) 전극의 위치

전극은 주로 두 가지 형태로 사용되는데 전측두부에 양측으로 부착하거나 우측 전측두부에 편측으로 부착을 한다. 또 다른 방법으로 전두부에 양측으로 부착을 하기도 하는데 이는 효능이 높고 인지기능의 저하가 적다는 장점이 있다(그림 41-1). 전극의 위치 선택에는 다양한 의견이 있다. 양측 자극의 경우 효능이 빠르고 결과가 확실하다는 장점이 있으나 인지기능의 저하가 크다. 편측 자극의 경우 인지기능의 저하가 적다는 장점이 있으나 치료 효과가 부족한 환자에서는 양측 자극으로 변경해야 되는 문제가 생길 수 있다. 따라서 질환의 심각도에 따라 전극의 위치를 결정하는 것이 바람직하다. 자살의 위험성이 높거나 긴장증, 치료저항성 조증삽화, 정신병적 증상이 두드러지는 환자의 경우에는 양측 자극이 선호되며, 증상이 심하지 않은 환자의 경우에는 단측 자극이 선호된다. 치료 과정에서 치료 반응에 따라 임상의의 판단에 의해 전극의 위치는 변경이 가능하다. 즉, 환자가 6회 이상의 단측 ECT를 시행 후에도 증상의 호전이 없다면 양측으로 변경을 고려할 수 있으며, 반대로 양측 ECT를 시행 받은 환자가 인지기능의 손상이 문제가 된다면 단측으로 변경이 가능하다.

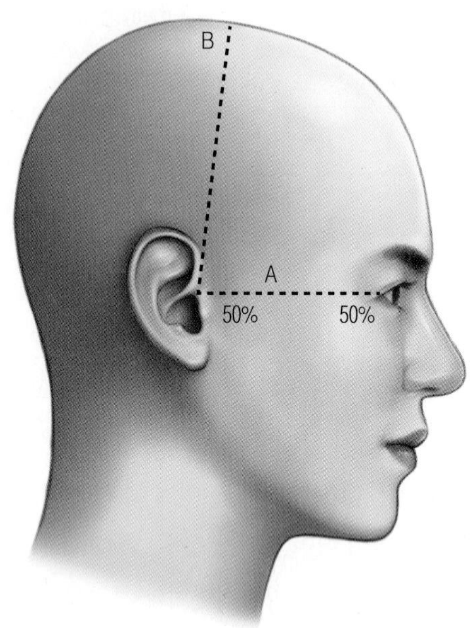

그림 41-1. **전극의 부착방법.** A는 양측 전극에 사용되는 전측두엽 부위로 좌우 동일한 위치에 부착하며, 단측 전극은 A의 위치에 부착하고 다른 전극은 우측(비우세성) 두정부에 부착한다.

(3) 자극의 강도

자극 강도를 선택하는 방법은 여러 가지가 있다. 환자의 연령에 따라 강도를 변화시키거나 연령이나 성별 등의 여러 특성을 종합적으로 고려하여 강도를 조절하기도 하며 모든 환자에서 다소 강한 강도로 동일하게 자극을 하기도 한다. 그러나 환자에 따라서는 경련의 역치가 40배까지 차이가 생길 수 있으므로 일부 환자들에서 효과적이라 하더라도 다른 환자에서는 과도한 자극으로 인지기능의 손상을 유발할 수도 있다. 따라서 환자 개개인에 맞추어 자극의 강도를 조절하는 것이 바람직하다. ECT 첫 회에 경련을 유발하는 자극의 강도를 결정하며, 점차적으로 강도를 높이는 방법을 사용한다. 그림 41-2는 국내에서 흔히 사용되며 전기자극에 대한 파라미터인 pulse width, frequency, duration을 변경하여 자극 강도(주울, joule, J)를 조절하는 기기이다.

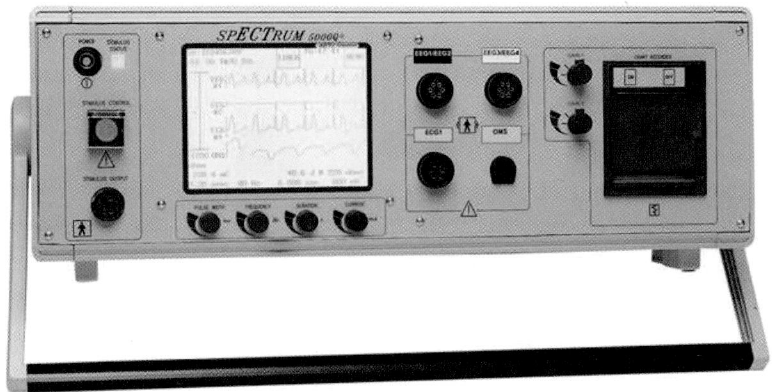

그림 41-2. spectrum 5000q, Mecta corporation

경련의 역치는 이전의 자극 강도와 경련이 발생하는 자극 강도의 중간점으로 결정한다. 예를 들면 20 J과 40 J에 경련을 나타내지 않았던 환자에서 80 J에 경련이 발생했다면 경련 역치는 60 J이 된다. 양측 ECT 치료에서 첫 번째 치료회기에서 적절한 경련이 유발되었을 경우, 두 번째 치료회기에서는 1차 치료에서 결정된 역치와 동일하거나 약간 높은 강도로 자극을 주고, 단측의 경우에는 2.5-6배 강도로 자극한다. 이후에는 자극강도를 5 J 증가시켜서 안정되게 경련역치를 넘어설 수 있도록 한다. 또는 역치 이하의 강도로 자극을 시작하여 단측성의 경우 100%, 양측성의 경우 50%씩 강도를 증가하면서 경련 역치를 결정하기도 한다. ECT 중에는 경련의 역치가 25-200% 증가하므로 빠른 효과를 위해서는 역치의 300% 정도의 강도가 선호되지만 인지기능의 저하를 예방하기 위해서는 낮은 강도의 자극이 필요할 수 있다.

충분한 시간의 경련이 발생하지 않는다면 한 번에 4회까지는 시도해 볼 수 있으며 경련이 자극 후 20-40초 후에 발생할 수도 있어 EEG를 확인하며 기다리는 시간이 필요하다. 경련 유발이 실패하게 되면 전극과 피부 사이의 접촉을 확인하고 자극 강도를 25-100% 증가시켜 본다. 또한 경련 유발의 실패가 반복되면 마취약제에 의한 영향일 가능성이 있으므로 경련역치에 영향을 주지 않는 마취제로의 변경도 고려해본다. 경련의 역치를 낮추기 위해서 과호흡을 시키거나 전기자극 5-10분 전에 500-2000 mg의 caffeine sodium benzoate을 정맥주사하는 방법도 있다.

일반적으로 전기경련치료는 1주일에 3회 시행한다. 우울장애의 경우 20회까지 가능하지만 평균 6-12회 시행하며, 조증은 8-20회, 정신분열증은 15회 이상 시행하는데 환자의 반응에 따라 달라질 수 있으며 긴장증이나 섬망의 치료에서는 1-4회 시행한다. 6-10회의 ECT 후에도 증상의 호전이 없다면 양측성 ECT로 변경하고 고강도(경련 역치의 3배) 치료를 시도해 보아야 한다. 대개는 환자가 병전 상태로 호전되는 시점에서 치료를 중단하게 되는데 2회 연속의 치료에도 호전 정도에 변화가 없다면 최대로 호전된 상태로 간주할 수 있다.

(4) 부작용

가장 문제가 되고 흔한 ECT의 부작용은 일시적인 인지기능의 손상이며 특히 언어성 기억의 손상이 두드러진다. 만약 환자가 심각한 인지기능의 손상이 나타난다면 임상의는 투여 중인 약물을 확인하고 ECT 빈도와 방법 등에 대해 재고해 보아야 한다(표 41-6). 양측 ECT를 사용하는 경우에는 단측으로의 변경을 고려하고 주 3회 시행하는 경우에는 2회나 1회로의 변경을 고려한다. 특히 양측의 경우에는 자극 강도의 변경을 고려하여야 한다. 이러한 변경에도 불구하고 인지기능의 손상이 심각하게 지속된다면 치료를 일시적으로 멈추거나 완전한 중단도 고려해야 한다. 치료 중단 후 적절한 치료 지속 시 기존의 인지 기능 수준으로 회복할 수 있다. 대부분의 경우에는 심각한 인지기능의 손상은 나타나지 않으며 인지기능의 손상도 환자의 증상 호전과 동반되어 같이 호전된다.

표 41-6. 심각한 인지기능의 손상이 나타날 때 고려해야 하는 항목

양측 자극에서 단측 자극으로의 변환
치료 빈도의 변경(주 2-3회에서 주 1회)
자극 강도의 감소
인지기능에 영향을 줄 수 있는 병용 약물의 검토

치료 직후 일시적으로 혼란 상태가 발생할 수 있으며 이는 마취 약제와 치료 자체의 영향으로 판단된다. 보통 30분 내외로 지속되며 회복실에서 안정을 취하는 동안 회복될 수 있다. 무호흡이 지속되거나 심혈관계 장애, 치료 사이의 경련 등이 있지만 발생하는 경우가 드물다. 사망은 ECT 치료 당 0.002%, 환자당 0.01%이므로 위험성은 상당히 낮다. 일시적으로 경한 부정맥이 ECT 중이나 직후에 흔히 나타날 수 있지만 치료가 필요하지는 않다. 근육통, 두통, 오심 등이 흔히 나타나지만 대개 자연히 소실되며 대증 치료가 도움이 될 수 있다. 치료 과정에서 치아 손상이나 혀를 깨무는 행동의 발생 위험성이 있을 수 있어 구강 내 치아보호장치를 이용하는 것을 권장한다.

(5) 전기경련치료의 유지치료

성공적인 치료 후, 적절한 약물 치료가 이루어지지 않으면 6개월 후 50%이상에서 재발 위험성이 있어 치료 후 적극적인 약물 치료가 필요하다. 치료 저항성이나 재발이 잦은 일부 환자에서는 급성기 치료 후에 유지치료로 ECT를 사용하기도 한다. 현재 다양한 유지치료가 제안되고 있지만 전형적으로는 4주 동안 매주 ECT를 시행하고 다음 8주 동안에는 2주마다, 이후 6-12개월 동안은 매달 ECT를 시행하는 일정을 사용한다. 약물만으로는 효과가 부족하며 이전에 ECT에 대한 반응이 좋았던 환자에서 고려할 수 있다.

4) ECT 치료 시 주의해야하는 신체적 상태

타과에서 자문을 의뢰받은 환자나 동반 질환이 있는 환자 중 심각한 내과적 질환을 가지고 있는 경우가 있으므로 ECT 방법에도 변화가 필요하다. 따라서 자문 의뢰 시 만날 수 있는 다양한 질환에서 ECT를 어떻게 사용할 것인지 숙지하여야 한다. ECT에 있어서 절대적인 금기는 없으나 일부 환자에서는 유의하여 사용하여야 한다. ECT의 위험을 증가시킬 수 있는 상황에 대해서는 표 41-7에서 제시되어 있다. 또한 표 41-8에는 ECT와 관련된 위험성으로 인해 ECT 기법의 변경이 필요한 정신/신체적 상태를 제시하고 있다.

표 41-7. 위험이 증가되는 상태

공간점유성(space-occupying) 뇌병소(뇌종양, 혈종 등)
두개강내압의 증가
최근 발생한 심근경색
최근 발생한 출혈성 뇌졸중
불안정성 동맥류
망막박리
갈색세포종
마취과정의 위험성을 가지고 있는 경우

표 41-8. 전기경련치료의 기법 변경이 요구되는 정신/신체적 상태

만성폐쇄성폐질환
천식
조절되지 않는 고혈압
관상동맥질환
심근경색의 과거력
심부정맥
치료 후 혼란 상태의 지속 및 반복
인지기능의 저하

(1) 중추신경계질환

ECT를 시행하기 전 모든 환자에서 뇌영상 검사와 뇌파 검사가 시행되는 것은 아니지만, 새롭게 의심되는 신경학적 증상이 있는 경우에는 검사를 고려해야 한다. ECT는 일시적으로 뇌혈류를 증가시켜 두개강내압을 상승시킬 수 있고 혈압 상승의 위험성이 있어 환자의 상태에 따라 치료 전 검사와 시행 여부를 결정한다.

① 중추신경계 종양

공간점유성 질환이 있는 환자의 경우에는 ECT 시행 시에 뇌탈출brain hernia을 유발할 수 있다. 이를 예방하기 위하여 항고혈압제, 스테로이드, 만니톨과 같은 삼투성이뇨제, 과호흡 등의 방법을 이용할 수 있다. 두개강 내 종양이 있는 환자에서는 ECT 수일 전부터 매일 40 mg의 덱사메타존을 투여함으로써 ECT 전후의 두개강내압을 안정화시킬 수 있으며 또 다른 방법으로 첫 ECT 24-48시간 전에 비경구적으로 스테로이드를 투여하고 이후에는 경구 투여를 유지함으로써 두개강내압을 안정화시킬 수 있다. 그러나 모든 뇌종양에서 위험성이 동일하지는 않아서 뇌수막종과 같이 작고 천천히 자라거나 석회화된 종양의 경우는 큰 악성종양에 비해 위험성이 낮다. 따라서 ECT의 절대적인 금기로 판단되는 뇌종양 환자의 경우에도 ECT를 고려할 수 있다.

② 경막하혈종

경막하혈종의 경우에도 잠재적으로 두개강내압을 증가시킬 수 있기 때문에 가능하다면 ECT 이전에 제거되어야 한다. 그러나 만성경막하혈종의 환자에서 ECT를 성공적으로 시행하였다는 보고도 있다.

③ 뇌졸중

최근에 발병한 뇌졸중 환자에서 ECT의 시행 시점에 대한 지침은 없지만, 경련이 뇌출혈을 재발시킬 수 있으므로 뇌졸중 후에는 ECT 시행 여부를 결정하는 것에 신중해야 한다. 만약 뇌졸중이 크거나 심각한 부종이 있거나 두개강내압이 높은 경우에는 ECT로 인해 뇌압 증가의 위험성이 있기 때문에, 보류하는 것이 바람직하다. 강직성마비가 있는 뇌출혈 환자나 척수신경 손상 환자에서는 succinylcholine의 신경근연접neuromuscular junction 탈분극 효과로 인하여 과칼륨혈증이 발생할 수 있으므로 비근육부분 수축 작용defasciculation을 갖는 curare를 사용할 수 있다. 허혈성 뇌혈관질환 환자에서는 저혈압의 발생 위험이 있으므로 항고혈압제의 정맥 주사는 주의하여야 하며 동맥류 환자에서도 혈

압을 조절한다면 안전하게 ECT를 시행할 수 있다. 극단적으로 우울감을 호소하거나 음식 섭취를 거부, 자살 위험성이 심각한 환자의 경우에는 효과-위험성을 고려하여 치료를 결정할 수 있다.

④ 뇌손상 혹은 개두술 환자

두개골 골절이나 개두술 환자에서는 두개골 결손이 있는 부위에 ECT 전극을 직접 부착하면 뇌 조직에 높은 전류가 흐르게 된다. 최근 두부외상을 받았던 환자의 경우에는 ECT 시행 시 경련이 지속되거나 뇌전증이 자연 발생하는 경우가 있으므로 항경련제의 투약이 필요할 수 있다.

⑤ 뇌실단락ventricular shunt

뇌실단락을 시행 받은 환자에서도 ECT를 안전하게 시행할 수 있으나 단락이 폐쇄되는 경우 두개내압이 증가될 수 있으므로 ECT 전에 뇌영상이나 안저검사를 통해 단락이 유지되고 있는 지 확인하여야 한다.

⑥ 중추신경계 감염

중추신경계 감염 환자의 경우 ECT 전에 감염에 대해서 적극적인 치료가 요구된다. 이론적으로 ECT에 의해 경련이 발생하는 경우 혈뇌장벽blood-brain barrier이 붕괴되어 감염이 전파되거나 패혈증이 발생할 수 있다. 치료가 완료된 후에는 안전하게 ECT를 시행할 수 있다.

(2) 심혈관 질환

전기적 자극을 시행받은 후 환자는 서맥, 빈맥, 혈압의 증가 등이 나타날 수 있다. 일시적으로 심전도상에서 이상소견이 관찰될 수 있기 때문에 주의 깊은 관찰이 필요하며 심혈관계 질환을 가지고 있는 환자의 경우, 치료를 시작하기 전 순환기내과 전문의와 협진이 필요하다.

① 심근경색과 허혈성 심질환

ECT를 시행 받는 환자에서 심장 부작용은 흔하지 않지만 ECT와 관련된 사망 원인으로는 심혈관계 부작용이 가장 흔하다. 최근에 심근경색을 경험한 환자는 ECT 전 최소 1개월 이상을 기다리는 것이 바람직하지만 환자의 정신의학적 상태가 심각한 경우에는 ECT를 고려할 수도 있다. 심장허혈의 위험을 줄이기 위해서는 nitrate를 사용하거나 베타차단제를 정맥주사 한 후 최대 산소포화도를 모니터링 하는 것이 필요하다. 고혈압이나 빈맥 환자에서는 labetalol 5-20 mg이나 esmolol 5-60 mg을 환자의 상태에 따라 정맥 주사하는 것이 추천되며 관상동맥 질환 환자에서는 nitroglycerine 페이스트나 설하분무제를 사용하는 것도 도움이 된다. 항고혈압제나 digoxin과 같이 정기적으로 처방되는 심장약의 경우 ECT 전 소량의 물과 함께 아침에 복용하면 순환기계의 상태를 최상으로 유지할 수 있다.

② 부정맥

교감신경 차단제를 복용하는 경우와 같이 서맥의 위험성이 있는 환자는 서맥이나 심장수축부전과 같은 부작용의 예방을 위해 ECT 전에 atropine이나 glycopyrrolate와 같은 항콜린 약물을 복용하여야 한다. 일부 임상가들은 모든 환자들에서 항콜린약제의 투여하고, 특히 첫 치료에서 자극강도를 적정화하는 경우에는 반드시 투약할 것을 권장하고 있다. 빈맥성부정맥 환자에서는 베타 차단제를 정맥주사할 수 있다. 일시적이고 가벼운 부정맥, 빈맥 혹은 고혈압이 ECT 후 수분간 나타날 수 있으나 대개는 자연히 소실된다.

③ 심박동기

심박동기를 사용하고 있는 환자들에서 성공적으로 ECT를 시행하였다는 보고들이 많이 있다. 전기자극은 심장까지 이르지 못하여 박동기에는 영향을 미치지 않기 때문에 심박동기를 시술받은 환자들도 안전하게 ECT를 시행할 수 있다. 심박동기 기능의 변화가 의심될 경우 순환기내과 전문의에게 진료를 의뢰하여야 한다.

(3) 기타 고려해야 하는 건강 상태

① 임신

정신약물로 인한 태아 기형의 발생 우려때문에 임신 중이나 수유기에는 약물치료가 제한적으로 이용되며, 이로 인해 ECT가 이용된다. 임신 중 정신병적 증상으로 인한 행동 문제나 임신 우울장애로 인한 자살의 위험성이 높은 경우에 ECT를 시행할 수 있다. ECT로 인해 흔히 발생할 수 있는 부작용으로는 조기 수축, 자궁수축, 질 출혈 등이 있으며, 임신 후기(3rd trimester)에 위험성이 증가한다. ECT를 처음 시행하기 전 임신과 관련된 검사와 산과의 자문을 통해 위험도를 평가해야 한다. ECT 시행 전후로 태아의 스트레스 여부를 평가하기 위해 태아에 대한 모니터링이 권장된다.

② 호흡기계 질환

천식이나 만성폐쇄성폐질환 환자의 경우 ECT 이전에 내과적으로 안정화 되어야 하며 호흡기내과 의사에게 평가를 의뢰하는 것이 바람직하다. 반응성 기도질환이 있는 환자의 경우에는 각 ECT 시행 전에 흡입성 기관지확장제 투여가 권장된다. theophylline이나 aminophylline의 경우 경련 시간을 연장시키거나 중첩성경련을 유발할 수 있으므로 가능하면 피하며 사용 시에는 15 μg/mL 이하로 투여하여야 한다.

③ 암

병원에 입원한 암환자의 25%가 우울장애를 경험하지만 과소진단되는 경향이 있으며, 정상적인 반응 또는 예상될 수 있는 문제라는 오해로 적극적인 치료가 이루어지지 않는 경우가 있다. 따라서 모든 암 환자에서 우울장애에 대한 체계적인 평가가 필요하다고 주장되고 있다. 실제 우울장애가 동반된 암환자에서 ECT를 사용한 자료는 제한적이지만 일부에서 암환자들이 화학요법과 ECT에 반응이 좋았다고 보고하고 있으며 심각한 자살의 위험성이 있는 경우 고려할 수 있다

④ 전신홍반성루푸스systemic lupus erythematosus, SLE

SLE 환자는 일반 내과 질환 환자보다 정신질환의 유병률이 높다. 스테로이드를 투여받는 많은 환자들에서 심각한 정신질환이 발생하지는 않으므로 스테로이드만이 SLE의 정신질환을 유발하는 것은 아니다. SLE는 중추신경계 증상을 보이는 일부 환자에서 긴장증을 유발하는 것으로 알려져 있다. 여러 증례에서 일반적인 치료에 반응하지 않는 환자에서 ECT가 뚜렷한 호전을 가져왔다고 보고하고 있다.

⑤ 노인 환자에서의 전기경련치료

연령이 증가하면 ECT에 대한 반응이 좋아지는 것으로 알려져 있다. ECT 시에는 심혈관계의 상태에 대해 주의 깊은 모니터링이 필요하며 골다공증이 있는 환자에서는 골절의 위험성이 있어 커프를 이용하는 방법cuffed limb method은 피하는 것이 좋다.

⑥ 소아청소년에서의 전기경련치료

소아청소년에서 ECT는 흔히 사용되는 치료도구는 아니지만 증상의 심각도와 약물 치료 반응에 따라 고려될 수 있다. 엄격하게 선정된 조증, 정신병적 우울장애, 긴장증, 조현병 환자에서 ECT가 효과적이라는 보고들이 있다.

⑦ 인간면역결핍바이러스human immunodeficiency virus질환과 후천성면역결핍증acquired immunodeficiency syndrome, AIDS

우울장애를 포함하여 AIDS의 신경정신증상은 많이 알려져 있다. 우울장애를 동반한 HIV 양성 환자나 AIDS 환자에서 보이는 우울장애나 긴장증에 ECT를 시도할 수 있다

2. 경두개 자기자극술

경두개자기자극술transcranial magnetic stimulation, TMS은 비침습적으로 대뇌피질의 신경세포를 자극하는 기술로서 ECT와는 달리 경련을 유발하지 않는다. 1985년 영국의 Barker에 의해 현대적 개념의 TMS가 소개된 이후 TMS는 여러 정신질환과 신경계 질환의 진단과 치료에 사용되고 있다. 초기 TMS는 운동피질을 자극하여 운동유발전위를 측정함으로써 다발성경화증, 뇌졸중, 파킨슨병 등의 질환의 검사나 진단에 이용되었지만 TMS가 피질의 활성화를 변화시킬 수 있다는 사실이 확인되면서 여러 정신질환에서의 치료적 효과에 대해 연구되고 있으며 그 중 우울장애에 대한 연구가 가장 활발히 진행되고 있다. TMS는 통증 없이 두피와 두개골을 지나 뇌의 특정 부위를 직접 자극하게 되며 ECT와는 달리 마취가 필요하지 않고 뇌 이외의 신체에 미치는 영향이 미미하여 보다 안전하게 시행할 수 있다는 장점이 있다.

1) 작용기전

TMS는 전자기 코일을 두피에 위치시킨 후 고강도의 전류를 단속시켜서 100-200 msec 지속되는 약 2 tesla의 강한 자기장을 발생하여 두뇌 피질을 자극하는 것이다. 자기장에 의해 뇌신경 조직에는 전류가 발생하고 이 전류에 의하여 뇌신경은 탈분극이 되며 이를 통해 치료적 효과를 보인다. TMS 자기 파동은 짧은 시간 강력하게 작용하여 피부, 연부조직, 두개골 등을 통과하지만 거리에 반비례하여 감소하며 코일로부터 약 3 cm 이상 깊이의 구조물에는 직접적으로 영향을 주지 못한다. 일반적으로 TMS의 자기 강도는 운동역치에 가깝게 설정하여 신경원의 탈분극이 충분히 이루어지도록 한다. TMS에 의한 직접적인 효과는 표면 피질 뉴런에 자극을 주는 것이며 이러한 작용이 시냅스 후 뉴런에 영향을 미치면서 피질하 영역을 포함하는 관심 회로에 영향을 주게 된다. TMS의 치료 방법은 자극 빈도stimulation frequency, 자극 강도pulse intensity, 치료 동안 자극 횟수, 총 치료를 받은 세션 수에 따라 영향을 받는다. TMS

를 주기적으로 빠르게 반복하는 것을 반복 TMSrepeated rhythmic TMS, rTMS라 하고 그 빈도에 따라 5Hz 이상의 경우 고빈도 rTMS라고 지칭하며 특히 50 Hz의 고빈도를 일정한 주기로 반복하는 burst TMS도 시도되고 있다. 1 Hz 미만의 저빈도 rTMS의 경우에는 피질 세포에 대해 억제 효과를 나타내고 그 이상의 rTMS의 경우에는 흥분 효과를 나타내는 것으로 알려져 있다.

2) 적응증

많은 신경정신질환들이 신경계망의 기능 장애로 추정되고 있기 때문에 신경계에 흥분성, 억제성 작용을 하는 rTMS의 임상적 응용에 대해 많은 연구들이 진행되고 있다. TMS는 기분장애 환자의 치료에 이용되며 특히 우울장애의 치료에 효과적이고 TMS 단독치료와 약물 치료와의 병행 치료 모두가 이용되고 있다. 6주간의 TMS 단독 치료 시 치료 반응률은 23.9-24.5%로 위약보다 높은 결과를 보였으며, 관해율도 14.2-17.4%로 나타났으며, 치료가 종료된 후에도 증상의 호전은 지속되었다. 또한 치료저항성 우울장애 환자에서도 효과적으로 보고되고 있으며 2008년 미국 식품의약국Food and Drug Administration, FDA에서 약물 치료로 효과가 부족한 우울장애 환자의 치료로서 인증을 받았다. 2013년 한국 식품의약품안전처에서도 우울장애의 치료로 rTMS가 승인을 받았다. 이 외에도 주의력결핍 과잉행동장애, 뚜렛장애, 강박장애, 외상후스트레스장애, 환청, 두통, 이명, 만성통증, 경련성 질환, 운동장애, 산후우울장애, 뇌졸중 후 우울장애, 전환장애, 파킨슨병 등에서 TMS 연구는 활발히 이루어지고 있으며, 효과가 보고되고 있다.

3) 치료 전 평가

rTMS 시행 전에는 경련 시 처치에 대해 준비가 되어 있어야 하며 산소와 응급처치 도구가 있는 방에서 시행하는 것이 좋다. 첫 치료의 시작 전에 운동역치를 측정하고 안전성을 고려하여 치료 변수를 설정하는 것이 바람직하다. 자기공명영상과 같이 TMS의 경우에도 자성에 영향을 받는다. 따라서 두부나 안구에 위치한 금속의 여부를 반드시 확인하여야 하며 동맥류의 클립과 같이 자성에 영향을 받지 않는 금속이라 하더라도 전류에 의해 발열의 가능성이 있으므로 TMS를 피하는 것이 좋다. 두개강내압의 증가, 심각한 심혈관질환, 뇌전증, 두부외상의 과거력, 기타 심한 내과 질환의 경우에는 위험과 이득에 대한 면밀한 평가가 사전에 이루어져야 한다. 치료 시작 전에는 반드시 운동역치에 영향을 줄 수 있는 상태나 특정 상황(수면시간, 카페인 음료, 벤조디아제핀, 항경련제, 항정신병약물, 항우울제 등의 약물 투여)에 대한 평가가 이루어져야 한다. 임신 중 TMS의 태아에 대한 영향은 아직 알려진 바가 없다. 따라서 임신 중 여성에서는 치료적인 이득이 위험을 넘어서지 않는다면 피하는 것이 좋다. 소아에서도 아직 안전성이 확립되지 않았기 때문에 뚜렷한 임상적 이득이 있는 경우에만 주의하여 사용한다.

4) rTMS의 기법

(1) rTMS 치료의 순서

치료가 시작하기 전 환자와 환자의 가족들에게 치료의 효과, 부작용 등에 대한 설명이 제공되어야 하며, 이에 대한 동의서를 작성한다. 동의서가 작성되면 치료 진행 동안의 위험성에 대한 평가를 시행하고 환자 개별 상태에 맞추어 치료를 진행한다. 또한 자장에 영향을 받을 수 있는 귀걸이, 머리핀 등의 제품을 가지고 있는지 확인하고 코일에서 멀리 떨어뜨려 둔다.

환자가 편안하게 의자에 앉도록 도와주고 머리의 움직임이 최소한이 되도록 부드러운 곳에 기대도록 한다. TMS 동안의 소음을 예방하기 위해 환자와 치료자가 모두 귀마개를 사용하고 치료 위치가 변경되지 않도록 수영모자를 이용할 수도 있다. TMS 동안의 수면은 피질의 활성화를 변화시킬 수 있으므로 치료 중 수면에 빠지지 않도록 주의한다.

치료 변수를 설정하기 전에 운동역치를 결정하여야 하는데 주로 우세 반구의 운동피질을 자극하여 단모지외전근abductor pollicis brevis의 수축에 필요한 최소한의 에너지를 운동역치로 정한다. 운동역치는 시간에 따라 변화되지 않고 안정적이므로 1-2주에 한 번씩 측정하는 것이 가능하다. 운동역치는 두 가지 방법으로 결정되는데 엄지손가락의 최소한의 수축을 시각적 측정하거나 운동유발전위motor evoked potential, MEP를 이용한다.

(2) 코일의 위치와 운동역치

운동역치를 결정하기 전에 자극의 위치를 선정하여야 한다. 치료자는 시상면sagittal plane에서 45도 각도로 이간선interauricular line을 따라 정수리로부터 5 cm 바깥쪽에서 처음 자극을 시작한다. 환자가 엄지손가락의 움직임이 느껴질 때까지 이간선을 따라 이동하면서 가장 적절한 위치를 찾는다. 위치가 결정되면 손바닥이 보이도록 하여 허리의 위치에서 팔을 편평한 곳에 두도록 하며 환자가 편안한 상태로 있도록 안내한다. 운동역치를 결정하는 동안에는 3-5초 동안의 시간을 두어서 TMS 소리에 학습된 반응이 나타나지 않도록 주의한다. 특히 1 Hz 이상의 자극은 운동역치를 높일 수 있기 때문에 자극 강도가 높아지는 문제가 생길 수 있다.

우울장애 환자에서 rTMS의 효과가 가장 널리 알려진 방법은 좌측 배부외측 전전두엽 부위로 코일을 위치하여 고빈도로 자극하는 방법으로 이는 운동역치가 결정된 지점에서 5cm 앞에 위치하고 있다. 우측 배부외측 전전두엽 부위를 자극하는 방법도 우울장애 치료에 효과적이라고 알려져 있으며, 이 부위에는 1 Hz 이하의 저빈도 rTMS로 자극한다. 질환에 따라 다양한 피질 부위를 자극하게 되는데 가장 중요한 점은 코일에서 자장이 가장 센 부위와 자극하고자 하는 피질의 부위 사이의 거리가 가장 짧도록 코일을 두피에 위치시키는 것이다(그림 41-3).

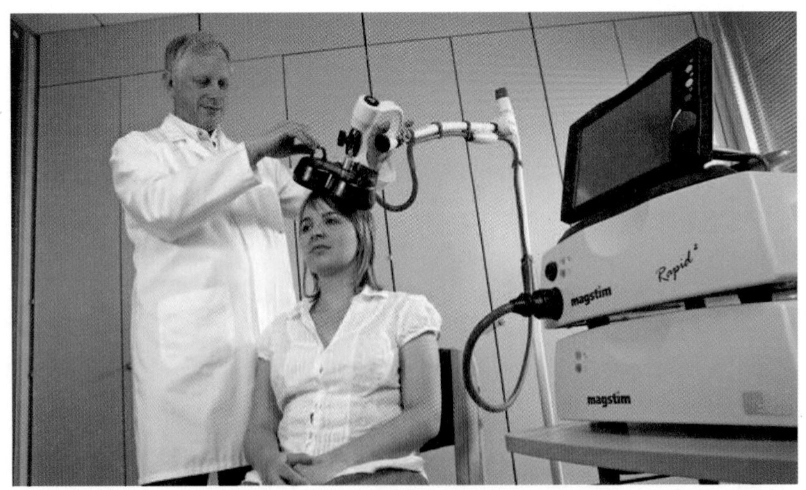

그림 41-3. Magstim Rapid², magstim corporation

(3) TMS의 위험성과 부작용

TMS는 위험성이 낮은 치료 방법이나 자성의 영향을 받기 때문에 자극 부위에 금속 물질이 있을 때 치료의 금기 사항이 된다. 뇌 자극기, 약물 펌프, 심박동기 등이 있을 경우에는 치료에 제한이 있으며, 뇌 심부자극기를 가지고 있는 환자에서는 TMS를 시행하였을 때 상대적으로 안전하였으나 뇌 심부자극기가 종료되었다는 보고가 있어 각별한 주의가 필요하다.

TMS에서 흔히 나타날 수 있는 부작용은 통증이며, 고강도와 고빈도로 자극될수록 통증이 심해지게 된다. TMS에 의한 통증 중 가장 흔한 증상은 두통으로 약 5-20%의 환자들이 긴장성 두통을 경험하며 이와 유사하게 안면부 통증을 호소하기도 한다. 이러한 두통이나 안면부 통증은 아스피린이나 아세트아미노펜과 같은 진통제가 효과적이다. 또한 TMS 치료 중 소음이 발생하게 되는데 이 때문에 이명이나 일시적인 청력의 장애가 생기기도 하며 이를 예방하기 위해 치료를 받는 동안 환자가 귀마개를 사용하는 것이 도움이 된다.

TMS에서 가장 주의해야 할 부작용은 경련이다. 일반적으로 TMS로 유발되는 경련은 영구적으로 지속되기보다는 자연히 소멸되는 경우가 대부분이며 약 30,000번의 치료 중 1번꼴의 낮은 빈도로 발생한다. 경련의 위험성은 뇌전증 환자나 경련 발작의 위험성이 있는 환자에서 높다. 경련은 치료 과정에서 발생하고, 치료 후에는 발생하지 않으며 뇌전증을 유발하지 않는다. 따라서 뇌전증의 가족력이 있거나 복용 중인 약물로 인해 경련 역치가 낮은 경우 두부 외상의 과거력이 있는 경우에 주의하여야 한다. 또한 경련의 위험성은 TMS의 치료 변수와 관련성이 있으며 고빈도의 rTMS 치료 환자에서 경련 유발의 보고가 있다. 일부 동물 실험에서는 rTMS의 경우 자극이 두부의 운동을 유발하여 피질의 미세한 기계적 손상을 일으킨다는 보고가 있었으나 인간에서의 이상은 확인되지 않았다. 또한 TMS와 rTMS는 자극 동안 인지기능의 저하를 유발할 수 있지만 이러한 변화가 자극 기간 이외에 지속된다는 증거는 없다. 그러나 rTMS는 신경정신증상을 호전시킬 수 있을 정도로 충분히 강력한 에너지를 가지고 있으므로 치료 후에도 인지기능에 영향을 미칠 가능성이 높아 인지기능의 저하가 있는 환자에서는 주의하여 사용하도록 한다.

3. 그 외의 뇌 자극 치료

1) 뇌심부자극술deep brain stimulation, DBS

DBS는 수술을 통한 침습적 신경조절 치료 방법으로 전극을 뇌 심부에 위치한 후 전기 자극을 통해 치료적 효과를 기대하는 치료이다. DBS는 현재 임상 현장에서 우선적으로 선택되는 치료 방법은 아니다. 다른 치료들과는 달리 침습적이므로 환자들의 거부감이 있을 수 있으며, 정신건강의학과 의사들의 임상 경험이 부족하고 정신질환에 대한 치료 효과의 근거가 부족하기 때문이다. 정신질환에서 일차적으로 고려되는 정신 치료와 적절한 약물 치료, 다른 뇌 자극 치료를 지속함에도 불구하고 치료에 대한 반응이 부족할 경우에 치료적 대안으로 고려할 수 있다.

(1) 작용 기전 및 기법

현재까지는 DBS의 치료적 기전이 명확하게 밝혀져 있지 않다. 치료의 대상이 되는 뇌의 부위로 전기적 자극을 통해, 뇌의 활성도를 조절하여 증상의 호전을 일으키나, 이에 대한 자세한 기전은 아직 연구가 필요한 단계이다. DBS는 수술적 처치 과정이 진행되어야 하기 때문에 신경외과 전문의와의 협업이 필수적이다. 두개골 천공 시행 후 경막을 절개하여 치료적 목표가 되는 뇌 심부 영역에 전극을 위치시키고 이를 조절할 수 있는 자극 발생기implanted pulse generator, IPG는 쇄골아래 부분에 위치시킨 후 이들 사이의 피하통로를 통해 전기자극기 연결선lead extension으로 연결한다. IPG를 통해 증상 조절을 위한 자극의 강도를 조절할 수 있으며 IPG는 배터리를 사용하고 있어 정기적으로 관리가 필요하다.

(2) 적응증

DBS는 주로 신경계 질환(본태성 떨림, 파킨슨병, 경직과 같은 운동장애와 뇌전증)의 치료로서 FDA의 인증을 받았으며, 정신질환 중에서는 강박장애의 치료로서 FDA의 인증을 받았다. DBS의 치료적 효과가 있을 것으로 기대되는 정신 질환은 (치료 저항성)우울장애, 뚜렛장애, 만성 통증, 물질 사용장애 등으로 최근 이에 대한 연구들이 진행되고 있다. 이 중 가장 활발한 연구가 진행되고 있는 분야는 치료저항성 우울장애이다. 치료저항성 우울장애 환자에서 DBS의 효과를 확인한 메타 분석에서 치료에 대한 반응률 56%, 관해율 35%로 치료적 효과가 있었으며 재발율은 14%로 평가되었다. 약물 치료나 다른 뇌 자극 치료에 반응이 없는 치료저항성 우울장애 환자의 치료적 대안으로 제시되었으나 치료 후 부작용의 발생에 주의하여야 하며 특히 자살 시도와 같은 심각한 부작용에 대해 주의해야 한다.

DBS는 수술적 처치 과정에서 발생할 수 있는 부작용과 적절하지 못한 전극의 위치로 인한 부작용의 위험성이 있다. 수술 과정과 관련하여 출혈이나 감염 혹은 뇌전증 발생의 위험성이 있으며 심박동기와 상호간에 영향을 미칠 수 있으므로 주의가 필요하다. 또한 전극이 목표가 되는 뇌의 부위가 아닌 다른 부위를 자극함으로서 우울 증상의 악화, (경)조증 삽화의 발생, 불안 등의 증상이 발생할 수 있으며 이러한 부작용 발생 시에는 전극의 위치를 변경 혹은 강도를 변화할 수 있다.

2) 경두개 직류자극치료술

경두개 직류자극치료술transcranial direct current stimulation, tDCS는 비침습적 뇌 자극 치료 방법으로 배부외측 전전두엽과 같은 특정 피질 부위를 1-2 mA의 약한 직류 전류로 자극하여 치료적 효과를 기대하는 방법이다(그림 41-4). TMS와 다른 뇌 자극치료 방법들과 비교하였을 때, tDCS는 치료에 대한 접근성이 높고 비용 효율적이라는 장점이 있다. 또한 TMS에 비해 부작용의 발생 위험성이 낮고 중추신경계 질환을 가지고 있는 환자들도 치료를 고려할 수 있다. 그 외의 발생할 수 있는 부작용으로는 치료 부위의 가려움, 피부의 발적, 열감, 저린 감각 등이 있으며, 이러한 부작용은 대부분 일시적이었다.

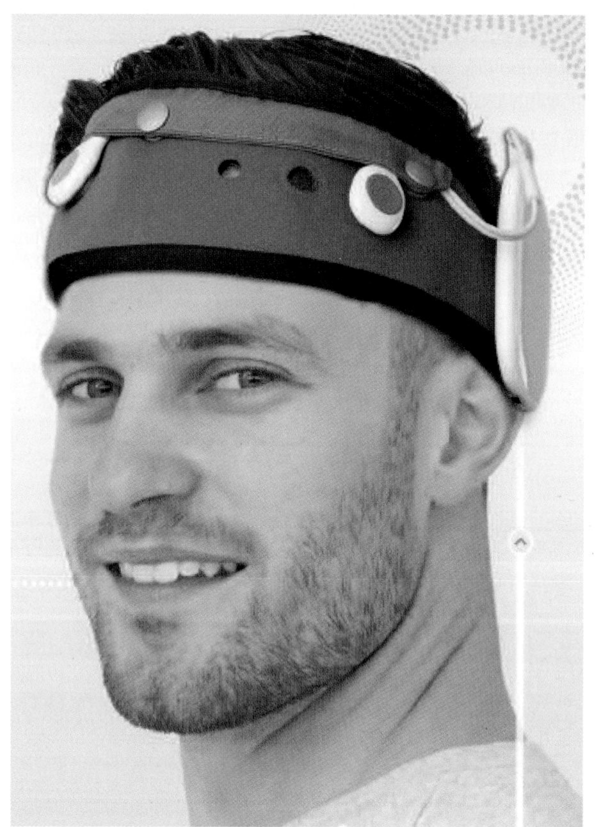

그림 41-4. MINDD STIM, Ybrain corporation

현재, 정신질환의 치료적 효과에 대한 연구들이 활발히 이루어지고 있으며 이 중 가장 많은 연구가 이루어진 질환은 주요우울장애이다. 주요우울장애 환자에서 tDCS의 치료 후 증상의 호전이 있었다는 연구 보고들이 있다. 최근의 메타 분석에서도 활성 tDCS는 우울장애에 치료 효과가 있으며, 치료 후에도 증상의 호전이 지속되었다고 보고하였다. tDCS의 인지 개선 효과에 대한 보고들도 있으며, 여러 정신질환과 신경질환의 치료 효과에 대한 연구들도 진행되고 있다. 현재까지 정신질환에 대해서 FDA 인증을 받지는 못하였으나 오프 라벨 사용이 가능하며 한국에서는 우울장애 약물치료중인 환자들의 주의력과 작업 기억개선, 우울 증상의 개선에 식품의약품안정처의 허가를 받았다.

참고문헌

1. 대한신경정신의학회. 신경정신의학. 3rd Edition. 아이엠이즈컴퍼니; 2017.
2. American Psychiatric Association Task Force on Electroconvulsive Therapy [Weiner RD, Coffey CE, Fochtmann L, Greenberg RM, Isenberg KE, Kellner CH, Sackeim H, Moench L]. The Practice of Electroconvulsive Therapy: Recommendations for Treatment, Training, and Privileging. 2nd Edition. Washington, DC: American Psychiatric Association; 2001.
3. Chanpattana W. Anesthesia for ECT. German J Psychiatry 2001;4:33-9.
4. George MS, Belmaker RH. Transcranial Magnetic Stimulation in Clinical Psychiatry. Arlington: American Psychiatric Publishing; 2007.
5. George MS, Lisanby SH, Sackeim HA. Transcranial Magnetic Stimulation: application in neuropsychiatry. Arch Gen Psychiatry 1999;56:300-11.

6. Hales RE, Yudofsky SC, Gabbard GO. Textbook of Psychiatry. 5th edition. Arlington: American Psychiatric Publishing; 2008.
7. Kadiyala PK, Kadiyala LD. Anaesthesia for electroconvulsive therapy: An overview with an update on its role in potentiating electroconvulsive therapy. Indian journal of anaesthesia. 2017 May;61(5):373.
8. Kellner CH, Obbels J, Sienaert P. When to consider electroconvulsive therapy (ECT). Acta Psychiatrica Scandinavica. 2019; Nov 27.
9. Lam RW, Tam EM. Clinician's Guide to Using Light Therapy. New York: Cambridge University Press; 2009.
10. Levenson JL. The American Psychiatric Association Publishing textbook of psychosomatic medicine and consultation-liaison psychiatry. American Psychiatric Pub; 2018 Aug 6.
11. Moffa AH, Martin D, Alonzo A, Bennabi D, Blumberger DM, Benseñor IM, Daskalakis Z, Fregni F, Haffen E, Lisanby SH, Padberg F. Efficacy and acceptability of transcranial direct current stimulation (tDCS) for major depressive disorder: an individual patient data meta-analysis. Progress in Neuro-Psychopharmacology and Biological Psychiatry. 2020 Apr 20;99:109836.
12. Rose D, Fleischmann P, Wykes T, Leese M, Bindman J. Patients' perspectives on burr holeelectroconvulsive therapy: systematic review. Bmj. 2003 Jun 19;326(7403):1363.
13. Stern TA, Massachusetts General Hospital Handbook of General Hospital Psychiatry. Elsevier - Health Sciences Division; 2017
14. Teodorczuk A, Emmerson B, Robinson G. Revisiting the role of electroconvulsive therapy in schizophrenia: Where are we now?. Australasian Psychiatry. 2019.
15. Wise MG, Rundell JR. The American Psychiatric Publishing Textbook of Consultation-Liaison Psychiatry: Psychiatry in the Medically Ill. 2nd edition. Washington, DC: American Psychiatric Publishing; 2002.
16. Wu Y, Mo J, Sui L, Zhang J, Hu W, Zhang C, Wang Y, Liu C, Zhao B, Wang X, Zhang K. Deep Brain Stimulation in TreatDepression: A Systematic Review and Meta-Analysis on Efficacy and Safety. Frontiers in Neuroscience. 2021.

42 CHAPTER

완화의료

박혜윤

제한된 예후를 가진 말기 혹은 임종기에 있는 환자의 정신심리문제를 다루는 것은 정신신체의학에서 중요한 한 분야이다. 이 시기에 있는 환자의 총체적인 고통과 삶의 질을 다루는 분야가 완화의료이다. 한국에서도 호스피스완화의료제도가 법제화되고 자문형/가정형 호스피스 등 다양한 형태가 가능해지면서 완화의료가 점차 발전하고 확산되고 있다. 정신건강의학과 의사는 기관의 여건에 따라 정신건강의학과 협진의 형태 혹은 완화의료팀의 한 일원으로 완화의료에 참여하게 된다.

이번 장에서는 완화의료의 기본 개념과 완화의료 세팅에 있는 환자에서 정신건강의학과 의사가 흔히 다루게 되는 주요 정신의학적 문제와 완화의료에서 정신건강의학과 의사의 다양한 역할을 살펴보고자 한다.

1. 완화의료의 역사와 개념

1) 완화의료의 역사

현대 완화의료는 역사적으로 1960년대 영국의 시슬리 손더스Cicely Saunders의 근대 호스피스운동에서 시작이 되었다. 손더스 박사는 죽어가는 암환자를 돌보면서 이들의 고통이 신체적인 면뿐만 아니라, 심리적, 사회적, 영적인 측면을 가지고 있다는 것을 알게 되면서 이를 총체적 고통total pain이라고 명명하였다. 그리고 암환자의 통증을 규칙적인 일정으로 충분히 조절하여 환자가 임종을 준비할 수 있도록 증상으로부터 자유롭게 해주는 것이 중요하다는 점도 강조하였다. 손더스 박사는 런던의 성 세인트 요셉 호스피스에서 말기 환자의 체계적인 의학적 돌봄을 제공하는 서비스를 제공하여 근대 호스피스의 개념을 만들었다. 하지만 '호스피스'라는 용어가 갖고 있는 부정적인 관습을 극복하고 의료적인 관점을 살리기 위해 '완화의료'라는 용어가 제안되어 대신 쓰이기 시작되었고, 이제 완화의료는 보건의료의 한 분야로 자리매김하고 있다.

한국의 완화의료는 1960년대 갈바리 의원에서 시작하여 일부 의료기관에서 제공하는 형태였으나 2002년부터 보건복지부 시범사업으로 제도화되기 시작하였고 2016년 병동형 호스피스의 급여화, 2016년 연명의료결정과 호스피스완화의료에 관한 법률의 제정, 자문형/가정형 호스피스의 도입 등으로 법률적인 틀과 제도의 기본을 갖추게 되면서 점차 확산되고 있다.

2) 완화의료의 개념

(1) 완화의료 정의

국제보건기구World Health Organization, WHO에서는 완화의료를 생명을 위협하는 질환life-threatening illness을 가진 환자와 가족의 고통을 줄이고 삶의 질을 증진시키는 보건의료서비스로 통증 등 신체적, 정신적, 사회적 어려움을 다룬다고 정의하고 있다.

완화의료의 특징을 언급하면 첫째, 완화의료는 총체적인 인간으로서 환자 중심의 돌봄 서비스를 지향한다. 그리고 환자를 돌보는 가족들까지도 그 서비스의 대상으로 하여 환자 사망 이후 사별돌봄까지도 포함한다. 둘째, 완화의료는 환자가 겪는 다양한 영역의 고통을 다루기 위해 다학제적 팀을 구성하여 접근한다. 셋째, 완화의료의 제공은 임종기/말기에 국한되지 않는다. WHO의 정의에서 볼 수 있듯이 더 이상 임종기/말기 시기만을 대상으로 하지 않고, 생명을 위협하는 질환을 가진 환자는 진단 시기나 치료 종료 여부와 관계없이 완화의료의 대상이 된다. 한국의 완화의료 제도는 아직까지 말기환자를 대상으로 하고 있으나 향후 확장될 가능성도 있다. 넷째, 완화의료에서는 증상의 조절 뿐만 아니라 어려운 치료적 의사결정을 돕는 것도 중요한 역할이다. 항암치료나 연명의료 등 특정 치료의 선택이나 중단은 환자와 가족에게 매우 어렵고 디스트레스를 초래하는 과정 중의 하나이고 환자의 의사를 존중하고 최선의 결정을 내리기 위하여 환자, 가족, 의사, 간호사 등 여러 주체의 커뮤니케이션을 촉진해야 할 필요성이 있기 때문이다. 따라서 완화의료에서는 환자의 뜻과 가치에 따라 치료의 목적goals of care을 명확히 하는 것을 돕는다.

(2) '좋은 죽음'의 정의

1972년 미국의 정신건강의학과 의사 Weisman은 '바람직한 죽음appropriate death'에 대해서 네 가지 기준을 언급하였다. ① 죽음에 대한 불안 등 내적인 갈등의 감소 ② 임종과정이 자신의 정체성이 유지됨 ③ 중요한 관계가 강화되거나 유지됨 ④ 제한이 있더라도 현실적이고 의미있는 목적(예. 손주의 출산을 보거나 가족행사에 참여)을 설정하고 달성함. 2017년 WHO에서는 '좋은 죽음good death'은 ① 환자, 가족, 돌봄제공자가 피할 수 있는 디스트레스와 고통으로부터 자유롭고, ② 환자와 가족의 바램과 전반적으로 맞추어지고, ③ 임상적, 문화적, 윤리적 기준과 일치하는 것이라고 하고 있다. 언급한 두 기준은 말기돌봄에서 추구해야 할 중요한 원칙을 제시하고 있다.

2. 말기환자의 주요 심리적 이슈

중증질환을 앓고 있거나 말기에 놓인 환자들은 여러 가지 심리적인 고통을 겪기 쉽다. 이들이 가질 수 있는 주요 심리적인 이슈를 살펴보고자 한다. 미국의 정신종양학자인 지미 C 홀랜드(J.C. Holland)는 암환자들은 죽음death, 장애disability, 의존dependency, 신체상/외모의 변화disfigurement, 관계의 변화 disruption of relation 등 5가지 영역에서 불안을 갖는다고 하여 '5D'을 말하기도 하였다. 완화의료를 제공하는 의료진들은 말기 환자들이 흔히 겪는 주요 심리적 이슈에 대해서 잘 알고 이를 고려하야 환자들에게 접근해야 한다.

1) 죽음/죽어가는 과정/불확실성에 대한 불안

죽음과 죽어가는 과정에 대한 불안은 모든 사람에게 감당하기 어려운 근원적인 불안이지만 말기 암환자에게는 곧 닥쳐올 상황에 대한 현실적인 것이기도 하다. 죽음은 살아있는 자들이 경험해 본 적이 없는 미지의 세계로 들어가는 것이자 그동안 이룩해놓은 삶과 이별하고 자신의 존재가 소멸하는 것이기 때문에, 불안의 정도는 죽음 그 자체 못지않게 죽어가는 과정에서 겪게 될지 모를 고통에 대한 불안도 상당히 크다. 현재 괴로운 증상의 정도가 심하거나 과거에 가족이나 지인의 사망 과정에서 조절되지 않는 고통을 목격한 경우에는 더욱 불안해할 수 있다. 죽음/죽어가는 과정에 대한 불안은 자신의 삶의 유한성에 대한 자각과 예후나 자신의 미래에 대한 불확실성에 대한 불안과 밀접한 관련이 있다.

2) 상실감

중증질환을 앓거나 말기에 놓인다는 것은 삶의 여러 영역에서 지속해서 상실을 경험하는 과정이기도 하다. 환자들은 신체적 건강을 포함한 삶의 여러 영역에서 상실을 경험하게 된다. 병이 침범한 부위에 따라 신체 기능(예. 대소변기능, 보행기능 등)을 잃거나 대인관계, 직장, 가정 내의 역할, 미래의 계획이나 꿈을 잃기도 한다. 죽어가는 과정은 달리 말하면 지속적인 상실의 과정으로 볼 수도 있다. 또 하나 환자들의 심리에 큰 영향을 미치는 이슈 중의 하나가 자기 통제력의 상실이다. 질병에 걸린다는 것 자체가 자신의 몸에 대한 통제력이 훼손되는 경험이기도 하고 자신의 몸뿐만 아니라 정신, 삶, 미래에 대한 통제력을 잃는 경험이 된다. 상실에 대해서 환자들의 반응에 대해 엘리자베스 퀴블러-로스는 부정, 분노, 타협, 우울 등의 심리적 반응을 보일 수 있다고 하였다.

3) 수치심과 죄책감, 타인에 대한 부담감

중증질환을 진단받고 잘 치료되지 않는 것은 어떤 이들에게는 삶의 실패로 느껴지고, 병에 걸린 자신이 부끄럽다고 수치심을 느끼기도 한다. 수치심을 경험하는 사람은 자신이 아프다는 것을 남에게 알리려고 하지 않고 아픈 모습을 보이기 싫어해서 고립을 자초하기도 한다. 흡연이나 술 등 건강에 도움이 되지 못한 생활습관을 가지고 있었거나 건강관리를 소홀히 했다고 생각했을 경우 자책 혹은 죄책감도 겪을 수 있다. 가족, 친구, 의료진 등 여러 사람의 도움에도 불구하고 자신의 병이 악화되는 것도 자신의 잘못으로 여기고 죄책감을 겪을 수 있다.

4) 고립감/외로움

중증질환으로 치료받고 상태가 악화되는 과정에서 환자들은 직장을 잃거나 취미활동을 하지 못하는 등 사회생활의 범위가 축소되어서 고립되기 쉽다. 앞에서 언급한 수치심이나 죄책감 등도 스스로를 고립시키는 원인이 되기도 한다. 사회적 지지망이 양호한 경우에도 환자들은 고립감이나 외로움을 느낄 수 있는데, 질병으로 인한 고통을 감내하는 것 그리고 자신은 건강한 가족들을 두고 죽음을 맞이해야 하는 상황이 자신이 가족이나 가까운 사람들과 점점 달라진다는 것을 체감하게 만들기 때문이다.

3. 주요 정신의학적 문제

1) 우울

우울은 중증신체질환 및 말기 환자에서 대표적인 정신의학적 문제이다. 우울은 정상적인 슬픈 감정부터 우울감을 동반한 적응장애, 지속적인 자살사고를 동반하는 주요우울장애까지 진단적으로 다양한 스펙트럼에서 나타날 수 있는 증상이다. 우울장애는 환자의 삶의 질과 대인관계에 미치는 영향이 크고 치료를 통해 호전될 수 있는 경우도 많아서 질환이 심각하거나 예후가 얼마 남지 않았다고 해서 우울장애에 대한 평가와 치료를 간과하지 않도록 해야 한다.

(1) 역학과 위험요인

한 역학연구에 따르면 완화의료세팅에서 38%의 환자들이 우울장애 스펙트럼의 문제를 보이고 14-16%의 환자들은 주요우울장애를 겪는 것으로 조사되어 일반인구집단의 2배 이상으로 추정된다. 치료되지 않은 우울장애는 환자의 치료와 삶의 질에 심각한 영향을 준다. 우울장애는 통증 등 신체증상을 악화시킬 수 있고 치료 동기를 떨어뜨려 치료에 대한 순응도에도 영향을 준다. 일부 연구에서는 우울장애는 암의 진행과 사망률에도 영향을 미치는 것으로 보고되었다. 가족과 의료진과의 대인관계에도 부정적인 영향을 준다. 우울장애는 자살과 빨리 죽고 싶은 소망desire for hastened death의 위험인자이기도 하다.

우울장애의 위험요인은 의학적/신체적 측면, 사회인구학적 측면, 정신적 측면으로 나눌 수 있다. 우울장애의 고위험군일 경우 우울장애에 대한 면밀한 관찰과 적극적인 지지를 제공하여 우울장애의 발병을 예방할 수 있고, 우울장애가 발병한 경우 교정가능한 요인을 파악하여 적극적으로 조절하면 치료에 도움이 될 수 있다.

표 42-1. 완화의료세팅에서 우울장애의 위험요인

1) 의학적/신체적 측면 조절되지 않는 통증 특정 암종: 췌장, 유방, 폐, 뇌전이 등 일부 약물: 스테로이드, 오피오이드 등 2) 사회인구학적 측면 젊은 나이(특히 어린 자녀를 둔 경우) 경제적 문제 사회 지지 기반이 약한 경우(독거, 가족 간 갈등 등) 3) 정신적 측면 영적 고통, 무희망감, 죄책감 무력감, 존재론적 고통 정신의학적 과거력: 우울장애, 자살시도, 알코올 등 물질 남용 등

(2) 평가와 진단

환자가 우울감을 호소할 때 의학적으로 어떠한 질환에 해당하는지 파악하고 주요우울장애가 있는지 평가한다. 신체질환자에서 우울장애를 진단할 때 체중이나 식욕의 변화, 불면, 정신운동성 지연, 피로 혹은 활력 상실 등의 신체/행동 증상에 해당되는 부분은 신체질환으로 인하여 발생할 수 있어 유의해야 하는데, 이것은 완화의료세팅에서도 매우 중요한 점이다. 특히 체중과 식욕의 변화는 암환자에서 흔히 구역과 구토, 항암치료나 장폐색증intestinal obstruction 등의 부작용으로 나타날 수 있고 조절되지 않는 호흡곤란이나 통증 등으로 인해 불면이나 피로가 동반될 수도 있다. 우울증상 중에서도 무가치감이나 부적절한 죄책감, 반복되는 죽음에 대한 생각이나 자살사고, 또는 신체증상이 호전된 후에도 지속되는 심한 우울감 등이 우울장애를 시사하는 중요한 지표이다.

우울장애를 진단할 때에는 정상적 우울감, 적응 장애, 애도 반응, 저활성형 섬망 등이 감별되어야 한다. 정상적인 우울감은 주요우울장애에서 보이는 우울감과 달리 일시적이고 때에 따라 기분이 쉽게 회복될 수 있으며, 일상생활에 미치는 영향이 현저하지 않다. 쇠약해지는 몸과 장애, 역할 상실, 예기되는 죽음에 대해 애도 반응grief reaction으로 우울감을 보일 수 있는데, 이때에는 자기비난이나 죄책감 등이 현저하거나 부적절하지 않다. 적응장애는 주요우울장애의 진단에는 부합하지 않으나 최근 나쁜 소식의 통보, 병의 진행 등 스트레스성 사건 이후 우울감이 나타나고 일상생활에 영향을 줄 정도일 경우에 진단을 내릴 수 있다. 저활성형 섬망은 의욕저하와 정신운동성 지체가 두드러지는 신체기능이 심각하게 저하된 환자나 고령의 환자에서 중요한 감별진단이다. 섬망의 경우 지남력과 주의집중력 저하가 동반되어 있으나, 구분이 어려울 때도 있다. 신체기능이 많이 떨어지거나 뇌종양 등으로 인하여 의사소통이 제한된 경우에는 환자가 겪는 증상과 심각도를 평가하기가 쉽지 않아 시간에 따른 변화와 보호자들의 관찰 소견 등을 종합하여 검토해야 한다.

중증질환자에서는 질환의 악화와 관련하여 절망감의 표현을 우울장애와 감별해야 할 때가 종종 있다. 사기저하demoralization 증후군도 임상에서 흔히 볼 수 있는데, 호주의 정신건강의학과 의사인 키세인(D.W. Kissane)에 따르면 사기저하는 삶에서 의미와 목적의 상실, 희망없음/실패감, 극복하고자 하는 동기가 없음, 사회적 고립 등이 나타나는 증후군으로 우울장애와 달리 정서적인 반응성이 보존되어 있고 지나친 절망이나 죄책감이 동반되지 않는다. 우울장애보다 기능저하는 현저하지 않으나, 무능감과 희망이 없다는 느낌 때문에 죽고 싶다는 갈망이나 자살사고로 이어질 수 있어서 주의가 필요하다. 빨리 죽고 싶은 갈망desire for hastened death도 절망의 문제와 관련이 있는데, 완화의료 병동 환자의 45%가 빨리 죽고 싶은 갈망을 느끼고 9-17%는 지속적으로 가지고 있다고 한다. 제한된 여명을 가지고 있는 상황이라고 하더라도 빨리 죽고 싶은 소망은 절망감과 관련된 문제일 가능성이 높다. 우울장애는 빨리 죽고 싶은 갈망에 영향을 주는 인자이지만 희망없음, 낮은 통제감, 인생의 목적이나 의미의 상실과도 연관이 있다.

우울감 혹은 절망감을 호소하는 환자에서는 자살위험성도 평가해야 하는데 말기 환자에게서 통제감과 자율성의 상실, 다른 사람에게 부담이 되는 것에 대한 두려움, 조절되지 않는 통증, 심각한 무망감, 취약한 사회적 지지 등이 자살사고의 위험인자로 알려져 있다.

(3) 치료

말기 환자의 우울장애도 효과적으로 조절될 수 있고 기대수명이 제한적이기 때문에 우울장애가 의심될 때에는 적극적으로 개입을 해야 한다. 환자의 예후와 현재 혹은 앞으로의 치료의 목표(예. 생명연장 혹은 증상조절)를 고려하여 그에 맞는 치료 계획을 수립한다. 특히 약물치료나 정신치료의 종류를 선택할 때 시간이 제한되어 있다는 점을 생각하여 결정하여야 하는데, 이러한 점은 완화의료세팅에서 우울장애 치료의 중요한 특징이기도 하다.

치료계획을 수립할 때 ① 정신의학적 평가뿐만 아니라 ② 환자의 임상적인 상태와 기능 수준, ③ (특히 환자에게 괴로움이 되고 있는)신체 증상, ④ 환자의 치료에 대한 선호도와 배경적 조건 등을 총체적으로 고려하여 치료계획을 수립한다. 이러한 과정을 통해서 우울장애에 영향을 미치는 인자들에 대한 파악하여 조정하는 의미도 있다. 예를 들어, 심한 통증을 제대로 조절해보지 않은 상태에서 우울장애가 진단되었다면 우울장애 치료 외에 적극적인 통증 조절을 받는 계획도 함께 수립한다.

완화의료세팅에서는 정신의학적 문제 이외에 신체적, 사회적 문제에 대해서 여러 의료진들의 도움을 받고 있으므로 전체 돌봄의 연속성을 고려하여 개입을 정한다. 말기 환자의 경우 총체적인 고통total pain 즉 여러 영역의 고통을 호소하는 경우가 많기 때문에 적절한 완화의료의 제공이 필요하며 이를 위해서는 다학제팀의 적절한 역할 분담이 필요하다.

우울장애의 중증도를 고려하여 개입방법을 선택하는데, 크게 약물치료와 정신사회적psychosocial intervention으로 나누어진다. 기본적으로 모든 환자에게 양질의 완화의료와 스스로 할 수 있는 스트레스 관리 기법을 제공한다. 또한 신체증상과 우울장애의 상호작용을 고려하여 약물을 선택할 때 신체 증상(예. 오심, 과진정, 변비 등)에 부정적인 영향을 주지 않거나 혹은 완화(예. 통증, 불면 등)하는 데 도움이 되도록 한다.

우울장애의 약물치료에서는 특정 항우울제가 더 우수하다는 증거는 없다. 신체 상태 및 증상, 부작용, 약물 상호작용 및 금기, 과거의 효과 및 환자의 선호도, 투약 경로, 효과가 나타나기 예상되는 기간 등을 고려해서 선택한다. 많은 경우 Escitalopram, Sertraline 등 내약성이 우수하고 약물상호작용이 적은 선택적세로토닌재흡수억제제 가 많이 고려된다. 신경병성 통증이나 상열감 등의 증상이 있을 경우에는 Duloxetine, Venlafaxine 등도 고려된다. 세로토닌 계열 약제를 사용할 경우 위장관 출혈, 오심 등 위장관계 부작용, 저나트륨혈증, QTc 연장 등의 부작용의 위험성을 검토해야 한다. 특히 신체질환 자체 혹은 치료를 위해 복용하는 약물들의 영향으로 적은 용량에도 부작용이 나타날 수 있으므로 저용량으로 시작하여 내약성을 확인하고 점진적으로 증량하는 전략이 선호된다. 삼환계 항우울제는 1차 약제로 권고되지 않으나 신경병성 통증 등 다른 부수적인 효과를 얻을 수 있을 때에는 고려해볼 만하다.

완화의료셋팅에서 제한된 기대여명 등 때문에 빠른 효과가 필요할 때 Methylphenidate 등 정신자극제가 효과적일 수 있으나 아직까지 우울장애에 대한 임상 시험 근거는 부족하다. 피로감, 마약성 진통제에 의한 진정 작용 감소에도 도움이 되나, 불안, 초조, 섬망 등이 악화될 수 있으므로 유의해야 한다. Mirtazapine은 오심과 불면, 입맛저하가 동반된 우울장애의 경우 유용하게 사용할 수 있다. Bupropion도 피로감과 졸리움 등이 동반될 때 고려할 수 있으나 간질발작의 역치를 낮출 수 있다. 일반적으로 우울삽화가 호전된 후 최소 6개월 동안 항우울제를 유지하지만, 완화의료세팅에서는 질병 경과와 신체 상태 등을 고려하여 신중하게 결정한다. 기대여명이 매우 짧은 상태가 되었을 때에 항우울제를 중단하는 것을 고려할 수 있다.

정신사회적 개입은 우울장애의 통상적인 치료 외에도 중증질환자의 특성을 반영하여 실존적 이슈를 다루는 의미기반 치료meaning-based therapy, 내러티브 치료narrative therapy, 미술치료 등 예술치료 등을 적용할 수 있다. 정신사회적 개입을 고려할 때에는 환자가 겪는 심리적 이슈와 치료를 수행할 수 있는 신체적인 상태, 환자의 선호 등을 고려하여 적용이 용이하고 효과적일 것으로 예상되는 방법을 선택한다. 예를 들어, 환자가 신체적으로 많이 쇠약한 상태에서는 장시간에 많은 에너지가 필요한 치료를 받기가 어렵다. 어떠한 방법을 선택하더라도 치료자는 지지적인 태도, 신체적, 정신적으로 쇠약해진 환자를 존중하고 지지적인 태도와 말기 환자의 심리적, 실존적 이슈를 다룰 수 있는 역량을 갖추는 것이 필요하다.

2) 불안

(1) 역학과 위험요인

완화의료세팅에서 불안의 유병율이 15%에서 28%로 보고된다. 불안 단독 보다는 불안과 우울이 혼재되어 있는 경우가 더 많다. 불안은 환자의 질환이 진행되고 신체상태가 악화되면서 증가된다. 캐나다에서 시행된 연구에 따르면 완화의료를 받는 암환자의 24%가 DSM-IV에 따른 불안 혹은 우울장애를 진단받았고 13.9%가 불안장애를 진단받았다. 연령이 어릴수록, 신체기능이 떨어질수록, 사회적 지지가 적을수록, 종교활동 참여가 적을수록 정신질환을 가질 위험이 올라갔다.

(2) 평가와 진단

불안은 기왕증의 악화와 질환 혹은 치료에 의한 증상, 적응적 문제로 나누어볼 수 있다. 기존에 불안 관련 질환을 갖고 있는 환자의 경우에는 질환이 악화되거나 호흡곤란이나 통증 등 조절되지 않는 신체적인 부담이 있을 때 재발하기 쉽다. 공포증 환자의 경우에는 닫힌 공간, 주사바늘, 고립상태에 대한 공포가 더욱 악화될 수 있다. 외상후스트레스장애는 이전의 외상 경험(예. 중환자실 치료)을 병원 방문이나 입원으로 악화될 수 있다. 다음으로, 저산소증, 패혈증, 조절되지 않는 통증이나 신체증상, 불면, 피로, 저혈당, 열, 고혈압, 좌불안석 같은 약의 부작용, 약물 금단, 등은 질환의 합병증 혹은 치료의 부작용으로 불안이 나타나거나 악화될 수 있는 흔한 상황이다. 심정지 혹은 호흡정지가 임박할 때, 폐색전증, 전해질 불균형, 탈수 등도 임종과정에서 흔한 불안 유발 요인이다. 진정 등 약물 부작용을 의심하여 벤조디아제핀이나 오피오이드 계열 약물을 급작스럽게 중단하는 것도 불안을 유발할 수 있어 주의가 필요하다. 완화의료세팅에서 의학적 상태에 의한 불안이 흔하지만 심리사회적 요인에 대한 고려는 대부분 필요하다. 병원이나 치료에 대한 두려움, 미래에 대한 불확실성, 정보의 부족, 사회적 고립, 가족 갈등, 희망이나 목적의 상실, 정신기능이나 독립성을 잃을지도 모른다는 두려움 등이 있다. 특히, 질환이 진행함에 따라 환자들은 질환의 진행, 경과, 치료의 결과, 죽음에 대한 불안을 경험하며 분리불안이나 경제상황에 대한 불안 등도 커진다. 이러한 맥락에 놓여 있는 상황에서 증상이 특정 불안장애에 해당하지 않는 경우 적응장애에 해당하는지 검토할 수 있다.

(3) 치료

불안의 치료 계획을 수립하는 기본적인 원칙은 우울과 동일하다. 비약물적 치료로 지지정신치료, 이완요법, 인지행동치료 등이 도움된다. 약물치료는 불안이 지속적일 경우에 다른 신체질환에서의 치료와 마찬가지로 세로토닌계 항우울제가 일차약제로 선택된다. 세로토닌계 항우울제 사용 시 고려할 점은 앞에서 기술하였다. 단기간에 빠른 불안 경감을 필요로 할 때에는 벤조디아제핀benzodiazepine이 효과적일 수 있다. 경구 투약이 어려운 경우, 오심이 심할 경우에도 벤조디아제핀은 유용하게 사용된다. 하지만 신체 상태가 좋지 않은 환자들은 섬망이나 호흡저하, 과다진정 등의 부작용에 민감하므로 신중하게 선택하여야 한다. 이 외에도 gabapentin, trazodone, quetiapine, valproic acid 등도 활용될 수 있다.

3) 섬망

(1) 역학과 위험요인

섬망은 완화의료 대상 환자들에게서 가장 흔하고 심각한 신경정신증상 중의 하나이다. 완화의료상황에서 유병율이 19%에서 85%까지 보고되며 임종기에 접어들게 되면 대부분의 환자가 다발성 장기부전이 오는 임종과정의 하나로 섬망을 보일 수 있다. 섬망은 환자뿐만 아니라 환자를 돌보는 간병가족과 의료진에게도 큰 부담을 준다고 알려져 있다. 완화의료셋팅에서는 다른 경우에 비하여 섬망의 진단과 중재가 쉽지 않으나, 말기상태에서도 약 33%의 암환자들이 섬망에서 회복된다고 보고되고 있어 섬망을 빨리 발견하여 치료하는 것이 중요하다.

완화의료상황에 있는 환자들은 섬망의 위험성이 경우가 많다. 이미 환자들은 복잡하거나 혹은 악화되고 있는 의학적 문제를 갖고 있고, 뇌기능에 영향을 줄 수 있는 다양한 약물치료와 시술들을 받고 있다. 섬망이 발생하기 쉬운 여러 선행요인predisposing factor을 갖고 있는 상황에서, 새로운 감염이나 마약성 진통제의 증량 등 촉발요인precipitating factor이 더해지면서 섬망이 발병하게 된다. 완화의료에서 흔하면서 가역적인 섬망의 원인인자로는 약물의 변화(오피오이드계, 벤조디아제핀, 항콜린성약물, 스테로이드 등 약물 투약의 시작과 증량, 감량, 중단 등의 변화), 감염, 변비, 요저류, 탈수 등이 있다. 이보다 덜 흔하지만 가역적인 요인으로는 대사이상(저나트륨혈증, 고나트륨혈증, 고혈당, 저혈당, 고칼슘혈증 등). 빈혈, 저산소증 등이 있으며 회복하기 어려운 요인으로는 주요장기부전과 중추신경계병변(뇌종양, 뇌전이, 비경련성간질중첩 등)이 있다.

(2) 평가와 진단

진행기 환자에서도 경우에 따라 섬망의 회복가능성이 있기 때문에 빠른 발견과 평가, 치료가 필요하다. 섬망의 진단기준은 일반적인 섬망과 마찬가지로 DSM-5 혹은 ICD-10 진단체계를 따른다. 섬망을 효과적으로 발견하고 평가하기 위하여 평가도구를 활용할 수 있는데, Confusion Assessment Method (CAM), Memorial Delirium Assessment Scale (MDAS), Delirium Rating Scale-Revised-98 (DRS-R-98) 등은 완화의료셋팅에서도 타당화가 되어 있는 도구이다.

완화의료세팅에서 섬망의 흔한 원인을 감별하기 위해 신경학적 검진을 포함한 신체진찰, 전해질, 혈중 포도당 수준 등의 혈액검사, 흉부X선검사, 산소포화도검사, 뇌전이 등을 감별하기 위해 뇌영상검사와 뇌척수액검사, 뇌파 등을 활용할 수 있으나 말기/임종기로 진행할수록 검사 자체가 환자에게 부담이 될 수 있으므로 완화의료세팅에서는 환자의 상태와 섬망의 교정 가능성 등을 염두에 두고 평가의 범위를 결정하도록 한다. 탈수, 혈중 포도당/전해질 이상, 저산소증 등은 완화의료세팅에서 비교적 교정이 가능한 섬망의 원인이다.

처방 중인 약물에 대한 검토도 필요하다. 말기 환자에서 증상 조절을 위해 마약성 진통제 등 여러 약물이 필요하고 신기능, 간기능, 위장관운동 등이 저하되어 있어 섬망 악화에 기여한다고 판단되더라도 약물의 감량이나 변경이 어려운 경우가 많다. 이러한 경우에는 약물 복용에 따른 환자의 이익과 위험/부담을 총체적으로 평가하여 결정을 해야 한다.

(3) 치료

섬망의 치료는 ① 환자와 가족에게 교육과 지지의 제공, ② 환자, 가족, 의료진의 안전 확보, ③ 원인 인자의 교정, ④ 증상의 조절의 네 가지 요소로 구성된다. 완화의료상황에서 환자의 상태에 따른 돌봄의 목적과 환자와 가족의 치료에 대한 바램, 섬망의 회복가능성, 환자가 겪고 있는 고통 등을 종합적으로 고려하여 치료 방침을 결정한다. 고통완화를 치료의 주목적으로 결정한 임종기 환자가 섬망이 의심된다면, 가능한 검사의 부담과 환자의 고통을 최소화하면서 가족과 의미있는 시간을 보낼 수 있도록 안전을 확보하고 환자의 고통을 덜 수 있는 방향으로 약물치료를 계획한다. 투약을 할 때에도 경구나 정맥투여 등 덜 침습적인 방법을 시도한다.

섬망은 환자와 가족에게 가장 부담이 되는 증상 중의 하나이며, 예견된 사별로 힘들어하는 보호자들에게 더욱 그러할 수 있다. 환자의 상태와 섬망의 회복가능성, 치료 방법에 대해서 교육하고 함께 결정하면서, 보호자가 환자를 돕기 위해 할 수 있는 일들을 구체적으로 알려주는 것이 도움이 된다. 보호자가 불안하고 혼란스러운 환자에게 정서적인 지지를 제공하도록 돕고 환자의 공격적인 언행을 자신에 대한 평소 감정의 표현으로 오해하지 않도록 도와준다. 말기 섬망의 경우에는 임종 과정에서 대부분 동반되는 자연스러운 과정임을 교육하여 죄책감을 갖지 않도록 지지하고 마지막까지 환자와 연결됨을 느끼면서 사별을 준비할 수 있도록 도와준다.

여러 연구에서 입증된 섬망의 다요소예방전략multicomponent prevention strategies과 비약물적 중재는 완화의료세팅에서도 유효하다. 비약물적 중재 방법으로 인지적으로 자극되는 활동에 참여시키되, 소음이나 TV 소리 등 과도한 자극은 줄이기, 지남력을 자주 제공하기, 친숙한 사람들이 간호하거나 자주 방문하기, 수면 환경을 잘 유지해서 적정수면을 취할 수 있도록 돕기, 양질의 영양공급과 적절한 대소변 관리, 적절한 수분 관리, 가능한 신체활동을 격려하기, 신체적 강박을 최소화하기, 시청각 기능 보조를 위해 안경/보청기 제공하기 등이 포함된다.

섬망의 약물치료에 관한 다양한 임상연구가 진행되고 있지만, 아직까지 섬망에서 미국식품의약국Food and Drug Administration의 승인을 받은 치료약제는 없다. 하지만 약물적 중재는 과활동성 섬망에서 행동과 수면의 조절, 환각 등 정신병적 증상을 완화하는데 널리 쓰이고 있다. 완화의료상황에서도 일반적인 신체질환자에서 섬망 치료와 유사하게 항정신병약물이 주로 사용된다. 특히 haloperidol은 경구 처방 뿐만 아니라 정맥 혹은 피하 투여도 가능하여 경구 복용이 어려운 말기 환자들을 대상으로 가장 널리 쓰이는 약제이다. 완화의료상황에서는 환자들의 상태가 점차 악화되어 장기기능이 떨어지고 체중과 신체기능이 현저히 감소하기 때문에 다른 신체질환자에서보다 저용량으로 시작하는 것이 좋다. 심한 초조와 공격성이 나타나는 환자의 경우 상당량의 약물이 필요하기도 하다. quetiapine, olanzapine, risperidone 등도 경구 복용이 가능한 환자들의 경우에 자주 처방되는 약물이다. 정좌불능증akathisia, 진전tremor 등 추체외로 증상과 QTc 연장, 진정, 항콜린성 부작용 등을 확인하며 사용한다. 완화의료를 받는 환자들을 대상으로 한 연구에서는 risperidone, haloperidol 경구 복용을 한 경우가 위약을 복용한 경우보다 증상 및 행동 문제가 더 높고 추체외로 부작용을 더 겪는 등 부정적인 효과를 보여서 이 그룹의 섬망 환자에서 항정신병약물의 적정한 사용에 대한 연구가 계속 필요하다. 알콜/벤조디아제핀 금단 섬망 혹은 항정신병약물로 진정효과가 떨어질 때에는 lorazepam 등 벤조디아제핀 병용을 고려한다. 최근 시행된 한 연구에서 haloperidol과 lorazepam의 병용투여가 haloperidol 단독투여에 비해 빠른 초조증상 감소를 보였다.

저활동성 섬망의 경우에는 과활동성 섬망의 경우보다 근거가 매우 부족하다. 일부 연구에서 저활동성 섬망이 있는 환자들이 지각 이상을 경험한다고 보고되어 고역가 항정신병약물을 소량 사용하기도 하나, 근거가 부족하기 때문에 환자에게 주는 유익/위험성 분석을 신중하게 하여 결정한다.

말기 섬망의 경우에는 haloperidol 혹은 haloperidol과 lorazepam을 병용하여 조절하게 된다. 이러한 투약에도 잘 조절이 되지 않은 임종기 환자에서 고통 완화의 필요에 따라 midazolam이나 propofol 같은 진정제의 지속적인 투약 즉, 완화적 진정palliative sedation 등도 고려해볼 수 있다. 완화적 진정은 임종할 때까지 지속적으로 하거나 밤 혹은 심한 증상을 보일 경우에만 간헐적으로 시행할 수도 있다. 하지만 완화적 진정을 시작한 이후 환자가 의사소통이 가능할 정도로 의식을 회복하지 못할 가능성도 있으므로 환자에게 주는 이익과 위험성과 환자/가족의 선호도, 의학적 상태 등을 충분히 고려하고 당사자들과 상의하여 결정하여야 한다. 가족들에게는 예견된 사별anticipatory grief에 대한 지지 및 임종 준비도 제공되어야 한다.

4. 완화의료상황에서 다루는 기타 문제들

1) 신체증상의 다학제적 접근

환자에게 고통스러운 신체증상의 조절은 완화의료에서 가장 중요한 과제이다. 통증, 구역/구토, 피로 등이 대표적인 예로, 다학제적 접근이 필요한 경우가 많다. 신체 증상이 통상적인 치료로 잘 조절되지 않거나 우울, 불면, 불안 등의 정신증상과 신체 증상이 상호영향을 주고 있을 때, 복잡한 심리사회적 이슈가 동반되어 있을 때 정신건강의학과 의사의 협력이 도움이 될 수 있다.

이 경우 정신건강의학과 의사는 신체 증상의 유발원인과 지속요인에서 심리사회적 영향을 검토하고 동반된 정신증상을 진단하고 상호관계를 함께 검토한다. 치료적 측면에서 마약성 진통제나 항구토제 등 통상적인 신체증상을 조절하는 약물 이외에 중추신경계에 작용하는 약물들 중에서 신체증상의 조절 효과를 갖고 있는 약물을 선택하거나 이완요법이나 인지행동치료, 지지정신치료 등을 제공하면서 증상 조절을 돕게 된다. 여러 의료진이 증상조절에 참여하고 있는 경우가 일반적이기 때문에 환자 상태와 치료계획에 관하여 의사소통하면서 목표를 공동으로 설정하고 역할 분담을 하는 것이 좋다. 특히 급성으로 악화된 증상을 조절할 경우에는 마약성진통제와 수면제 등 여러 약물이 동시에 시작되거나 증량되는 경우가 많아 약물상호작용으로 인한 부작용의 위험이 커지므로 환자의 전체 돌봄 계획을 잘 파악하는 것이 매우 중요하다.

2) 어려운 치료결정지원

중증질환이 악화될수록 환자와 가족들은 항암치료이나 투석치료의 중단, 신약임상시험의 참여, 연명의료결정, 말기돌봄장소의 결정 등 어려운 치료결정을 반복해서 하게 된다. 특히 치료의 목적이 바뀌는 때의 결정은 매우 어렵다. 항암치료의 중단 등 질병완치 혹은 생명연장 목적에서 증상의 완화를 목적으로 바꾸는 이행기transition period는 환자와 가족들이 질병의 치료가 어렵다는 상황을 받아들이면서 치료의 우선순위를 바꾸어야 하기 때문에 심리적으로도 매우 힘든 시기이다. 또한 환자가 말기로 갈수록 신체적으로 쇠약해지고 인지기능이 떨어질 수 있어 환자 주도의 의사결정을 하기 어려워지는 경우도 많다. 급성악화기에 연명의료결정을 논의할 때가 대표적인 예이다. 이러한 때에 정신건강의학과 의사는 환자와 가족의 질병 수용을 도와주어 원활하게 이행기를 지나갈 수 있게 도와주거나 환자의 정서적, 인지적 역량을 파악하여 의사결정능력을 평가하는 역할을 할 수 있다.

3) 가족 지지

가족 지지는 크게 말기/임종기 돌봄과 사별 시기로 나누어진다. 완화의료 상황의 특성상 말기/임종기 시기로 가면서 환자들의 상태가 악화될수록 환자가 간병 가족에게 더 의지하게 되면서 가족들도 신체적, 심리사회적 부담이 늘어나기 때문에 가족 지지의 필요가 점차 증가하게 된다. 또한 임종 전부터 가족들은 예견된 애도 반응을 보이면서 심리적인 어려움에 처할 수 있다. 완화의료서비스에서는 환자의 임종 이후에는 가족들에게 사별돌봄을 제공한다. 편지나 전화를 통한 주기적인 소통, 사별가족모임 등이 흔한 형태이다. 사별 슬픔이나 우울감으로 일상생활에 심각한 지장이 있거나 자살성이 의심되는 경우 등은 정신건강의학과 의사가 전문적인 개입을 통하여 가족의 회복을 돕는다.

5. 완화의료에서 정신치료

완화의료상황에 있는 환자들에게 지지적인 상담과 심리사회적 이슈를 다루는 정신치료는 매우 유용한 치료방법이다. 중증질환/말기질환을 갖고 있는 환자들은 신체적으로 취약하고 현실적으로 지속적인 상실과 죽음의 불안을 겪고 있기 때문에 이러한 여건에서 치료자는 능숙하게 소통하고 환자들의 실존적 이슈를 잘 다룰 수 있어야 한다. 어윈(Scott A. Irwin) 등은 완화의료에서 정신치료기술을 기본적인 접근, 지지적 정신치료, 완화의료에 특화된 정신치료의 세 단계로 나누었다.

1) 기본적인 접근

첫 번째 단계인 기본적인 접근은 완화의료상황에 있는 환자들을 보는 모든 의사들이 갖추어야 하는 기술로 '능숙한 의사소통'과 '환자와 함께 있기'가 해당한다. 중증질환/말기질환을 갖고 있는 환자들과 의사소통을 잘 하기 위해서는 질환과 치료 목표에 대한 이해, 총체적인 고통을 겪는 환자를 존중하고 공감하는 태도, 신체적 여건에 맞는 유연한 접근 등이 필요하다.

2) 지지정신치료

두 번째 단계인 지지정신치료는 대부분의 의사들과 모든 정신건강전문가에게 필요한 개입방법으로 환자들이 겪는 심리적 고통을 이해하고 정상화하고 가능한 지지자원을 활용하도록 돕는 것을 목표로 한다. 이 시기의 지지정신치료는 심리적으로 안전하고 존중받는 치료 관계의 성립, 감정적 표현의 허용, 유연성, 환자의 장점과 자원에 대한 탐색, 지난 삶에 대한 회고, 현재 문제와 걱정에 대한 표현 등을 활용하여 환자가 현재 상황을 잘 받아들이고 남아있는 시간을 의미있게 보낼 수 있도록 돕는다. 정신치료를 통해서 신체적, 실존적인 위기를 겪는 환자가 자신의 공포, 근심, 감정을 표현하고, 질환의 의미, 상실과 희망, 관계 등에 대해서 탐색하면서 이해받고 있다는 느낌을 제공한다. 환자가 가장 어두운 생각과 감정을 표현하더라도 치료자가 경청하고 이해주려고 하는 과정에서 환자는 상실의 아픔을 통과하고, 고립감을 넘어서고, 안전감과 통제감을 회복할 수 있게 된다.

3) 완화의료에 특수한 치료법

이 분류에는 암의 진행기 혹은 말기 상황에 놓인 환자의 심리적, 영적 안녕을 위해 개발된 치료법들이 해당된다.

(1) 의미중심치료 Meaning-centered psychotherapy

미국의 정신건강의학과 전문의인 브라이트바르트(W, Breitbart) 등이 개발한 치료법으로 빅터 프랭클의 로고테라피에서 개념을 착안하였다. 이 치료법은 말기 환자에서 의미를 발견하고 영적 안녕을 향상시키는 것을 목적으로 한다. 세션별로 주제가 정해진 8회기의 그룹치료로 진행되는데 개인치료로도 가능하다. 참여자들은 자신의 삶의 의미를 역사적, 태도적, 창의적, 경험적 측면에서 탐색한다. 무작위배정임상시험에서 의미감과 영적안녕, 불안 등에서 유의미한 효과가 있는 것으로 나타났다. 한국어판 치료매뉴얼이 출판되었다.

(2) 존엄치료 Dignity therapy

캐나다의 정신건강의학과 전문의 초치노프(H.M. Chochinov)가 개발한 삶의 회고를 기반으로 한 단기개인치료 프로그램이다. 삶을 회고하고 자신이 남기고 싶은 유산에 대한 9가지의 질문을 환자에게 하면서 인터뷰를 진행하고 인터뷰 내용을 치료자가 정리하여 환자에게 서면으로 제공한다. 무작위배정임상시험에서 존엄감, 영적 안녕에서 유의미한 효과를 보였다. 회기가 짧고 신체적, 정신적 부담이 크지 않고, 삶을 정리할 수 있는 기회를 주기 때문에 말기, 임종기에 임박한 환자에게도 적합하다.

(3) 암을 조절하며 의미있기 살기 Managing Cancer and Living Meaningfully, CALM

정신건강의학과 전문의 로딘(G Rodin)이 개발한 CALM 치료는 진행기 암환자의 네 가지 주요 심리사회적 디스트레스를 다루는 단기 개인정신치료 기법이다. 네 가지 주요 영역인 ① 증상조절과 의료진과의 의사소통, ② 가까운 사람과의 관계 변화, ③ 영적 안녕 혹은 삶의 의미와 목적, ④ 죽음을 직면하면서 미래에 대한 준비하기를 다루게 된다. 무작위배정임상시험에서 죽음에 대한 불안과 영적 안녕에서 유의미한 호전을 보였다.

언급한 치료들은 공통적으로 다가올 죽음이라는 현실을 직면하면서 자신의 삶의 의미를 본격적으로 다루고 있다. 어떠한 치료법을 활용하더라도 말기, 임종기 환자들을 보는 정신건강전문가들은 죽음과 삶의 의미, 희망 등의 실존적 이슈를 직접적으로 다루는데 능숙한 역량을 갖추어야 한다.

6. 완화의료에서 정신건강의학과 의사의 역할

앞에서 살펴보았듯이 완화의료상황에서 정신의학적인 문제가 흔하지만 현재까지 정신건강의학과 의사가 완화의료팀에 속해서 활동하는 경우는 많지 않고 정신건강의학과 안에서도 완화의료에 대한 관심은 제한적이다. 앞으로 말기 돌봄의 인프라가 확대되면서 정신건강의학과 의사의 참여도 증가되리라 예상된다. 특히 정신신체의학을 전공하는 정신건강의학과 의사는 질병과 약물 등 생물학과 인간 심리에 대한 이해, 약물치료와 상담을 동시에 할 수 있는 역량, 연구를 수행할 수 있는 역량을 갖추고 있기 때문에 생애 말기와 같이 환자와 가족의 신체적, 정신적, 사회적, 영적 요구를 종합적으로 돌보아야 하는 완화의료에 중요한 역할을 할 수 있는 장점을 갖고 있다. 표 42-2에 완화의료에서 정신건강의학과 의사에게 기대되는 세부적인 역할들을 정리하였다.

표 42-2 완화의료에서 정신건강의학과 의사의 역할

완화의료 환자들에 대한 협진
진단과 치료 제공: 우울장애, 불안장애, 불면, 적응장애, 물질남용, 섬망 등
- 약물치료
- 비약물적치료
- 정신치료
윤리적 문제 지원: 의사결정능력의 평가, 정신의학적 문제가 있는 환자의 의사결정지원, 갈등 중재
가족지지 및 사별돌봄
커뮤니케이션 문제의 도움
완화의료 의료진들의 소진과 자기 돌봄 도움
완화의료종사자와 수련의, 학생, 일반인 교육
연구

참고문헌

1. Agar MR, Lawlor PG, Quinn S, et al. Efficacy of Oral Risperidone, Haloperidol, or Placebo for Symptoms of Delirium Among Patients in Palliative Care: A Randomized Clinical Trial. JAMA Intern Med 2017;177(1):34-42.
2. Block SD, Assessing and Managing Depression in the Terminally ill Patient. Ann Intern Med. 2000;132:209-18.
3. Block SD, Perspectives on care at the close of life. Psychological considerations, growth, and transcendence at the end of life: the art of the possible. JAMA 2001;285(22):2898-905.
4. Cherny N, Fallon M, Kaasa S, Portenoy R, Currow D, Editors. The Oxford Textbook of Palliative Medicine, 5th Edition. New York: Oxford University Press; 2015.
5. Edelstein A, Alici Y, Breitbart W, ChochinovHM. Chapter 39 Palliative care. In: Levenson JL editor, The American Psychiatric

Association Publishing Textbook of Psychosomatic Medicine and Consultation-liaison Psychiatry, 3th Edition. Washington DC: American Psychiatric Association Publishing; 2018.

6. Fairman N, Hirst JM, Irwin SA. Clinical Manual of Palliative Care Psychiatry. Arlington: American Psychiatric Association Publishing; 2016.
7. Hui D, Frisbee-Hume S, Wilson A, et al. Effect of Lorazepam With Haloperidol vs Haloperidol Alone on Agitated Delirium in Patients With Advanced Cancer Receiving Palliative Care: A Randomized Clinical Trial. JAMA 2017;318(11):1047-56.

부록

두통 진료지침

1. 두통의 평가

1.1. 추가적인 평가, 검사, 혹은 관련과 의뢰 기준

임상질문 1.1 두통과 동반되었을 때, 심각한 뇌 내 이상의 가능성이 높아 보다 자세한 평가, 추가 검사, 그리고/또는 관련과 의뢰가 필요한 증상 및 징후는 무엇인가?

권고안 1.1.1 두통과 함께 다음 증상 중 하나 이상을 보이는 사람들은 자세히 평가할 것을 권고하 며, 추가 검사 그리고/또는 관련과 의뢰 필요성을 고려한다[Consensus, Weak recommendation, Agreement 100%]:

- 열이 나면서 심해지는 두통
- 갑자기 시작되어 5분 이내에 최고조에 달하는 두통
- 새롭게 발생한 신경학적 이상 증상
- 새롭게 발생한 인지기능 장애
- 성격의 변화
- 의식수준의 이상
- 최근(보통 3개월 이내)에 발생한 두부외상
- 기침, 발살바 조작(코와 입을 막은 상태에서 숨 쉬기), 또는 재채기할 때 발생하는 두통
- 운동할 때 발생하는 두통
- 기립성 두통(체위에 따라 변하는 두통)
- 거대세포동맥염을 시사하는 증상
- 급성폐쇄각녹내장의 증상 및 징후
- 두통의 양상이 상당한 변화를 보이는 경우.

권고안 1.1.2 새롭게 발생한 두통과 함께 다음 증상 중 하나 이상을 보이는 사람들에 대하여 추가 검사 그리고/또는 관련과 의뢰를 고려한다[Weak recommendation, Agreement 80%]:

- 면역력 저하(예를 들면, HIV 또는 면역억제제에 의한 면역력 저하) [VERY LOW]
- 20세 미만 그리고 악성 종양의 병력[VERY LOW/Consensus]
- 뇌로 전이된다고 알려진 악성 종양의 병력[VERY LOW/Consensus]
- 명확한 다른 원인이 없는 구토[Consensus]

1.2. 두통의 평가 및 진단을 위한 두통일기의 사용

임상질문 1.2 원발두통이나 약물과용두통이 의심되는 사람들의 진단을 위해 두통일기를 사용하는 경 우, 사용하지 않는 경우에 비하여 다음 항목들에 있어서 임상적으로 더 효과적인가?: 정확하게 진단 된 사람의 수, 양성예측도, 음성예측도, 민감도, 특이도

권고안 1.2.1 원발두통의 진단을 위하여 두통일기를 사용하는 것을 고려한다[LOW and VERY LOW/ Consensus, Weak recommendation, Agreement 89%].

권고안 1.2.2 두통일기를 사용하는 경우, 환자에게 최소 8주간 다음 사항들을 기록하게 하는 것을 권고 한다 [LOW, Strong recommendation, Agreement 90%]:

- 두통의 빈도, 지속시간 및 강도
- 연관되어 나타나는 증상들
- 두통 완화를 위해 복용한 모든 처방 약물 및 일반의약품
- 가능한 유발요인들
- 두통과 월경의 연관성.

2. 두통의 진단

2.1. 원발두통과 약물과용두통의 진단

임상질문 2.1 긴장형두통, 편두통(조짐 또는 무조짐), 군발두통, 그리고 약물과용두통의 주요 진단적 특징은 무엇인가?

○ 긴장형두통, 편두통(조짐 또는 무조짐) 및 군발두통

권고안 2.1.1 표에 나와있는 두통 특성들을 기준으로 긴장형두통, 편두통, 또는 군발두통을 진단하기를 권고한다[ICHD-II/Consensus, Strong recommendation, Agreement 100%].

<table>
<tr><th>두통 특성</th><th colspan="2">긴장형두통</th><th colspan="2">편두통(조짐 또는 무조짐)</th><th colspan="2">군발두통</th></tr>
<tr><td>통증 부위[1]</td><td colspan="2">양측</td><td colspan="2">편측 또는 양측</td><td colspan="2">편측(눈 주변, 눈 위, 그리고 머리/얼굴의 옆을 따라)</td></tr>
<tr><td>통증 양상</td><td colspan="2">압박감/조이는 느낌 (비박동성)</td><td colspan="2">박동성</td><td colspan="2">다양함(날카로움, 도려내는 듯함, 따끔거림, 욱신거림, 조임)</td></tr>
<tr><td>통증 세기</td><td colspan="2">경도 혹은 중등도</td><td colspan="2">중등도 이상</td><td colspan="2">고도 또는 고도 이상</td></tr>
<tr><td>생활에 미치는 영향</td><td colspan="2">일상 신체 활동에 의해 악화되지 않음</td><td colspan="2">일상 신체 활동에 의하여 악화되거나, 혹은 활동을 회피하게 됨.</td><td colspan="2">초조 또는 동요</td></tr>
<tr><td>기타 증상</td><td colspan="2">없음</td><td colspan="2">빛 그리고/또는 소리에 대한 과민성, 혹은 오심 그리고/ 또는 구토
조짐(aura)[2]
두통과 함께 또는 두통 없이 나타나는 증상들이면서:
• 완전히 가역적이며,
• 적어도 5분 이상에 걸쳐 나타나며,
• 5-60분 동안 지속됨. 전형적인 조짐 증상으로는:
• 빛, 점, 또는 선의 번쩍거림 그리고/또는 부분적인 시력 저하 등의 시각 증상들;
• 무감각 그리고/또는 저릿저릿함 같은 감각 증상들;
• 그리고/또는 언어 장애 등이 있음.</td><td colspan="2">두통과 동측으로:

• 결막출혈 그리고/또는 눈물
• 코막힘 그리고/또는 콧물
• 눈꺼풀부종
• 이마와 얼굴의 땀
• 동공수축 그리고/또는 눈꺼풀 처짐 등이 나타남.</td></tr>
<tr><td>두통 지속시간</td><td colspan="2">30분-지속적</td><td colspan="2">4-72시간</td><td colspan="2">15-180분</td></tr>
<tr><td>두통 빈도</td><td><15일/월</td><td>≥15일/월, 3개월 이상</td><td><15일/월</td><td>≥15일/월, 3개월 이상</td><td>이틀에 1번에서 하루 8번 사이의 발작 빈도[3], 관해기[4]>1개월</td><td>이틀에 1번에서 하루 8번 사이의 발 작빈도 3, 12개월 내 지속적 관해기[4]<1개월</td></tr>
<tr><td>진단</td><td>삽화긴장형두통</td><td>만성긴장형두통5</td><td>삽화편두통 (조짐 또는 무조짐)</td><td>만성편두통 (조짐 또는 무조짐)</td><td>삽화군발두통</td><td>만성군발두통</td></tr>
</table>

1 머리, 얼굴, 또는 목에서도 두통을 느낄 수 있음.
2 조짐편두통 진단에 관한 세부 내용은 권고안 2.1.2, 2.1.3 및 2.1.4를 참조 바람.
3 1회의 군발기(재발성 군발두통이 일어나 지속되는 기간) 중 재발성 두통의 빈도.
4 군발기들 사이의 무통증 기간.
5 만성편두통과 만성긴장형두통은 흔히 병발함. 편두통의 특성이 하나라도 보인다면, 만성편두통으로 진단함.

○ 조짐편두통

권고안 2.1.2 두통이 있든 없든 간에 다음과 같은 신경학적 증상들이 나타나는 사람들에게서 조짐 (aura)을 의심하기를 권고한다[ICHD-II/Consensus, Strong recommendation, Agreement 80%]:

- 완전히 가역적임, 그리고
- 한 번 일어나든 아니면 잇달아 일어나든, 최소 5분 이상에 걸쳐 점진적으로 나타남, 그리고
- 5-60분 동안 지속됨.

권고안 2.1.3 두통이 있든 없든 간에 권고안 2.1.2에 명시된 기준에 부합하는 전형적인 조짐 증상들 가 운데 1개 이상의 조짐을 보이는 경우, 조짐편두통으로 진단하기를 권고한다[ICHD-II/Consensus, Strong recommendation, Agreement 80%]:

- 양성적(예, 빛, 점, 또는 선이 번쩍거림) 그리고/또는 음성적(예, 부분적인 시력 저하) 시각 증상들
- 양성적(예, 저릿저릿함) 그리고/또는 음성적(예, 무감각) 감각 증상들
- 언어 장애.

권고안 2.1.4 편두통이 있든 없든 간에 권고안 2.1.2에 명시된 기준에 부합하는 다음과 같은 비전형 적 조짐 증상들을 보이는 경우, 추가 검사 그리고/또는 관련과 의뢰 필요성을 고려한다[ICHD-II/ Consensus, Weak recommendation, Agreement 100%]:

- 근력 저하, 또는
- 복시, 또는
- 한 쪽 눈에만 영향을 주는 시각 증상들, 또는
- 균형감각 저하, 또는
- 의식 수준 저하.

○ 약물과용두통

권고안 2.1.5 3개월 이상 다음 약을 복용하는 동안 두통이 발생하거나 악화되는 경우, 약물과용두통 가 능성에 유의하기를 권고한다[ICHD-II/Consensus, Strong recommendation, Agreement 100%]:
• 한 달에 10일 이상 트립탄제, 아편제, 에르고트제, 또는 복합진통제를 복용할 경우, 또는
한 달에 15일 이상 acetaminophen(paracetamol), aspirin, 또는 NSAID를 단독 복용 또는 병용한 경우.

2.2 원발두통의 진단 및 치료에서의 뇌영상 검사

임상질문 2.2 원발두통이 의심되는 환자에게 심각한 병인을 감별하기 위하여 뇌영상 검사를 시행할 경 우, 시행하지 않는 경우에 비하여 종양/암, 농양, 경막하 혈종, 수두증, 동정맥 기형 등의 이상을 발견 할 확률이 얼마나 큰가?

권고안 2.2.1 처음으로 군발두통 군발기[1]가 시작된 환자들에서의 뇌영상 검사 필요성에 대하여 관련과 전문의와 상의할 것을 권고한다[Consensus, Strong recommendation, Agreement 100%].

1 군발두통 군발기(bout of cluster headache): 재발성 군발두통이 일어나 지속되는 기간으로, 보통 수주 또는 수개월이다. 두 통은 이틀에 한 번에서 하루 8회까지 나타난다.

권고안 2.2.2 긴장형두통, 편두통, 군발두통, 또는 약물과용두통으로 이미 진단된 사람들에게 단지 안 심시키는 목적으로 뇌영상 검사를 하지 말 것을 권고한다[MODERATE to VERY LOW, Strong recommendation, Agreement 80%].

3. 두통의 치료

3.1 두통의 치료를 위한 두통일기의 사용

임상질문 3.1 원발두통이나 약물과용두통 환자들의 치료를 위해 두통일기를 사용하는 것이 사용하지 않 는 것에 비하여 다음 항목들에 있어서 임상적으로 더 효과적인가?: 두통에 대한 무작위대조시험(RCT) 에서의 임상 결과, 환자 및 치료자의 경험

권고안 3.1.1 두통 치료 중 다음과 같은 목적으로 두통일기를 사용하는 것을 고려한다[LOW, Weak recommendation, Agreement 100%]:
- 두통 빈도, 지속시간, 그리고 강도를 기록하기 위해,
- 두통 치료의 효과를 모니터 하기 위해,
- 두통 환자와 두통질환 및 그 영향에 대하여 상담할 때 기본 자료로 사용하기 위해.

3.2 긴장형두통의 급성기 치료

임상질문 3.2 긴장형두통의 급성기 약물치료에서, aspirin, NSAID, 아편제, acetaminophen (paracetamol)을 각각 투여한 경우, 위약을 투여한 경우에 비하여 다음의 통증 관련 지표가 호전되는 가?: 통증 소실까지의 시간, 2시간 내 두통의 반응 정도, 2시간 후 통증 소실, 통증의 강도 차이, 24시 간 내 두통의 반응 정도, 24시간 후 통증 소실, 기능적 건강 상태 및 건강 관련 삶의 질, 심각한 부작용 발생률

권고안 3.2.1 환자의 선호, 동반질환, 그리고 부작용 위험을 고려하면서, 긴장형두통의 급성기 치 료를 위해 aspirin, acetaminophen(paracetamol) 또는 NSAID를 고려한다[LOW, Weak recommendation, Agreement 90%].

권고안 3.2.2 긴장형두통의 급성기 치료를 위해 아편제를 처방하지 않기를 권고한다[Consensus, Strong recommendation, Agreement 100%].

3.3 긴장형두통의 예방 치료

임상질문 3.3 긴장형두통의 예방적 약물 치료에서, 안지오텐신전환효소억제제, 안지오텐신II수용체길 항제, 항우울제(SNRI, SSRI, TCA), 베타차단제 및 항경련제를 각각 투여하는 경우, 위약을 투여한 경우에 비하여 다음의 통증 관련 지표가 호전되는가?: 환자가 보고하는 두통 일수 · 빈도 및 강도의 변화, 기능적 건강 상태 및 건강 관련 삶의 질, 반응 환자 비율, 두통과 관련된 삶의 질, 의료자원 이 용, 급성기 약물치료 이용, 심각한 부작용 발생률

긴장형두통의 예방 치료에 대한 권고안을 도출할 만한 근거가 부족하다.

NICE 지침에서는 예방적 치료를 필요로 하는 순수한 형태의 긴장형두통이 드물며, 긴장형두통의 예방적 치료를 권고할 만한 근거가 충분치 않다는 데 동의하였다. 긴장형두통의 평가 과정에서 만성편두통의 진단에 부합되는 편두통 증상이 발견될 가능성이 높다.

3.4 조짐편두통 및 무조짐편두통의 급성기 치료

임상질문 3.4 조짐편두통 및 무조짐편두통의 급성기 약물치료에서, 항구토제, aspirin, NSAID, 아편 제, acetaminophen (paracetamol), 트립탄제, 에르고트제 및 스테로이드제를 각각 투여한 경우, 위약 을 투여한 경우에 비하여 다음의 통증 관련 지표가 호전되는가?: 통증 소실까지의 시간, 2시간 내 두 통의 반응 정도, 2시간 후 통증 소실, 통증의 강도 차이, 24시간 내 두통의 반응 정도, 24시간 후 통증 소실, 기능적 건강 상태 및 건강 관련 삶의 질, 심각한 부작용 발생률

권고안 3.4.1 편두통 급성기 치료를 위해, 환자의 선호, 동반질환, 그리고 부작용 위험을 고려하면서, 경구 트립탄제와 NSAID, 또는 경구 트립탄제와 acetaminophen (paracetamol)의 병용요법을 사용할 것을 권고한다[LOW and VERY LOW, Strong recommendation, Agreement 89%].

권고안 3.4.2 1가지 약만 복용하기를 선호하는 환자들의 편두통 급성기 치료를 위해, 그 환자의 선 호, 동반질환 그리고 부작용 위험을 참작하여, 경구 트립탄제, NSAID, aspirin (900 mg), 또는 acetaminophen (paracetamol)의 단독요법을 고려한다[MODERATE to VERY LOW, Weak recommendation, Agreement 78%].

권고안 3.4.3 트립탄제를 처방할 때, 구입비용이 가장 저렴한 트립탄제부터 시작하기를 권고하며; 이 트립탄제가 효과가 없는 경우, 1가지 이상의 대체 트립탄제를 시도하기를 권고한다[MODERATE to VERY LOW/Consensus, Strong recommendation, Agreement 100%].

권고안 3.4.4 구역 및 구토가 없더라도, 편두통 급성기 치료에 항구토제 첨가를 고려한다[VERY LOW/Consensus, Weak recommendation, Agreement 89%].

권고안 3.4.5 편두통 급성기 치료를 위해 에르고트제 또는 아편제를 제공하지 말 것을 권고한다[VERY LOW/Consensus, Strong recommendation, Agreement 90%].

권고안 3.4.6 편두통 급성기 치료용 경구 약물에 효과가 없거나 내약성이 없는 사람들에게는:

- metoclopramide 또는 prochlorperazine의 비경구약물을 권고한다[MODERATE to VERY LOW/Consensus, Strong recommendation, Agreement %]. 그리고
- 이전에 복용한 적이 없다면, 비경구 NSAID 또는 트립탄제를 위의 항구토제와 함께 투약하는 것을 고려한다 [LOW and VERY LOW/ Consensus, Weak recommendation, Agreement 75%].

임상질문 3.5 조짐편두통과 무조짐편두통의 예방적 약물치료에서, 안지오텐신전환효소억제제, 안지 오텐신 II수용체길항제, 항우울제(SNRI, SSRI, TCA), 베타차단제, 칼슘통로차단제, 항경련제 및 기타 세로토닌계 조절제를 각각 투여한 경우, 위약을 투여한 경우에 비하여 다음의 통증 관련 지표가 호전 되는가?: 환자가 보고하는 두통 일수 · 빈도 및 강도의 변화, 기능적 건강 상태 및 건강 관련 삶의 질, 반응 환자 비율, 두통과 관련된 삶의 질, 의료자원 이용, 급성기 약물치료 이용, 심각한 부작용 발생률

권고안 3.5.1 환자의 선호, 동반질환, 부작용 위험성, 그리고 두통이 환자의 삶의 질에 미치는 영향을 고려하면서, 편두통 예방 치료의 이점과 위험성을 환자와 논의할 것을 권고한다[Consensus, Strong recommendation, Agreement 100%].

권고안 3.5.2 환자의 선호, 동반질환, 그리고 부작용 위험성을 고려하면서 편두통 예방 치료를 위해 topiramate 또는 propranolol을 처방할 것을 권고한다.
가임 여성들에게 topiramate가 태아기형 위험성과 관련이 있고, 호르몬 피임제의 효과를 떨어뜨릴 수 있다는 사실을 알릴 것을 권고한다. 필요 시, 가임 여성들에게 적절한 피임법을 제공할 것을 권고 한다[HIGH to LOW, Strong recommendation, Agreement 89%].

권고안 3.5.3 환자의 선호, 동반질환, 그리고 부작용 위험성을 감안하면서, 편두통 예방 치료를 위해 amitriptyline을 고려한다[HIGH to VERY LOW, Weak recommendation, Agreement 90%].

권고안 3.5.4 편두통 예방 치료를 위해 gabapentin을 제공하지 말 것을 권고한다[HIGH to VERY LOW, Strong recommendation, Agreement 89%].

권고안 3.5.5 다른 형태의 예방 치료를 이미 받고 있으면서 편두통이 잘 조절되고 있는 사람들에게 는, 필요에 따라 현재의 치료를 계속할 것을 권고한다[Consensus, Strong recommendation, Agreement 100%].

권고안 3.5.6 예방 치료 시작 6개월 후, 편두통 예방 치료를 지속할 필요성을 검토하기를 권고한다[Consensus, Strong recommendation, Agreement 100%].

3.6 군발두통의 급성기 치료

임상질문 3.6 군발두통의 급성기 약물치료에서, 산소, aspirin, acetaminophen (paracetamol), 트립 탄제, 에르고트제, NSAID 및 아편제를 각각 투여한 경우, 위약을 투여한 경우에 비하여 다음의 통증 관련 지표가 호전되는가?: 통증 소실까지의 시간, 2시간 내 두통의 반응 정도, 30분 후 통증 감소, 기 능적 건강 상태 및 건강 관련 삶의 질, 심각한 부작용 발생률

권고안 3.6.1 군발두통 급성기 치료를 위해 산소[MODERATE and LOW] 그리고/또는 피하 또는 비 강 트립탄제를 권고한다[MODERATE, Strong recommendation, Agreement 86%].

권고안 3.6.2 군발두통 급성기 치료를 위해 산소를 사용하는 경우:
비-재호흡 마스크(non-rebreathing mask)와 산소 주머니(reservoir bag)를 착용한 상태 에서 분당 최소 12리터의 속도로 100% 산소를 사용할 것을 권고한다[MODERATE, Strong recommendation, Agreement %]; 그리고 가정에서 또는 이동 시 사용할 산소를 구비하기를 권고한다[MODERATE/Consensus, Strong recommendation, Agreement 100%].

권고안 3.6.3 피하 또는 비강 트립탄제를 사용할 경우, 제조사의 1일 최대 허용량을 감안하면서, 환자 의 군발기 과거력에 따라 계산된 충분한 용량의 트립탄제를 제공할 것을 권고한다[MODERATE, Strong recommendation, Agreement 100%].

권고안 3.6.4 군발두통 급성기 치료를 위해 acetaminophen(paracetamol), NSAID, 아편제, 에 르고트제, 또는 경구 트립탄제를 제공하지 말 것을 권고한다[VERY LOW/Consensus, Strong recommendation, Agreement 86%].

3.7 군발두통의 예방 치료

임상질문 3.7 군발두통의 예방적 약물 치료에서, 칼슘통로차단제, 스테로이드제, lithium, melatonin, 항경련제, 트립탄제 및 기타 세로토닌계 조절제를 각각 투여한 경우, 위약을 투여한 경우에 비하여 다 음의 통증 관련 지표가 호전되는가?: 환자가 보고하는 두통 일수 · 빈도 및 강도의 변화, 기능적 건강 상태 및 건강 관련 삶의 질, 반응 환자 비율, 두통과 관련된 삶의 질, 의료자원 이용, 급성기 약물치료 이용, 심각한 부작용 발생률

권고안 3.7.1 군발두통 군발기 중 예방 치료를 위해서는 verapamil을 고려한다. verapamil을 군발두통에 사용하는 것에 익숙하지 않은 경우, verapamil 복용 전 심전도 모니터링에 대한 조언 등 관련과 전문의 의 조언을 구할 것을 권고한다[LOW and VERY LOW, Strong recommendation, Agreement 86%].

권고안 3.7.2 군발두통이 verapamil에 반응하지 않는 경우 관련과 전문의의 조언을 구할 것을 권고한 다[Consensus, Strong recommendation, Agreement 100%].

3.8 약물과용두통의 치료

임상질문 3.8 약물과용두통의 가능성이 있는 환자에서, 약물중단 전략, 심리치료, 스테로이드제 투약 및 NSAID 투약을 시행한 경우, 위약을 투여하거나 다른 비약물적 치료를 시행한 경우에 비하여 다음 의 통증 관련 지표가 호전되는가?: 환자가 보고하는 두통 일수 · 빈도 및 강도의 변화, 기능적 건강 상 태 및 건강 관련 삶의 질, 반응 환자 비율, 두통과 관련된 삶의 질, 의료자원 이용, 급성기 약물치료 이 용, 심각한 부작용 발생률

권고안 3.8.1 과용하고 있는 약물의 사용을 중단하면 약물과용두통이 치료된다는 사실을 환자들에게 설명할 것을 권고한다[VERY LOW/Consensus, Strong recommendation, Agreement 100%].

권고안 3.8.2 환자들에게 과용하고 있는 급성기 두통 치료 약물의 복용을 최소 1개월 이상 중단하되, 점차적이 아니라 단번에 중단하도록 조언할 것을 권고한다[Consensus, Strong recommendation, Agreement 90%].

권고안 3.8.3 환자들에게 두통 증상이 개선되기 전에 일시적으로 악화될 수도 있으며 이와 관련된 금 단 증상도 생길 수 있다는 점을 조언하고, 필요에 따라 면밀한 추적 관찰 및 지원을 제공할 것을 권고 한다[Consensus, Strong recommendation, Agreement 100%].

권고안 3.8.4 약물과용두통 환자들에서 과용하고 있는 약물의 복용을 중단하는 것 외에도, 근본적 인 원발두통질환의 예방 치료를 고려한다[VERY LOW/Consensus, Weak recommendation, Agreement 89%].

권고안 3.8.5 모든 약물과용두통 환자에게 약물중단을 위한 입원을 권유하지는 말 것을 권고한다[VERY LOW/Consensus, Strong recommendation, Agreement 100%].

권고안 3.8.6 강력한 아편제를 복용하고 있거나, 연관된 동반질환을 가지고 있거나, 또는 과거에 과용 약물의 중단에 반복하여 실패한 적이 있는 환자들의 경우, 관련과 전문의에게 의뢰하는 것, 그리고/또는 입원하여 과용 약물을 중단하는 것을 고려한다[VERY LOW/Consensus, Weak recommendation, Agreement 90%].

권고안 3.8.7 과용 약물의 투약을 중단한지 4-8주 후 약물과용두통 진단의 적합성 여부와 추후 치료에 대해 검토할 것을 권고한다[Consensus, Strong recommendation, Agreement 100%].

3.9 원발두통의 정신사회적 치료

임상질문 3.9 원발두통 환자의 비약물치료로서 정신사회적 치료를 시행한 경우, 기존의 약물치료만 시 행하거나 다른 비약물적 치료를 시행한 경우에 비하여 다음의 통증 관련 지표가 호전되는가?: 환자가 보고하는 두통 일수 · 빈도 및 강도의 변화, 기능적 건강 상태 및 건강 관련 삶의 질, 반응 환자 비율, 두통과 관련된 삶의 질, 의료자원 이용, 급성기 약물치료 이용, 심각한 부작용 발생률

원발두통 환자의 정신사회적 치료에 대한 권고안을 도출할 만한 근거가 부족하다.

정신사회적 치료에 대한 연구에서 활성 대조군을 엄격히 설정하는 것이 어려운 경우가 많아 NICE 지침에 서 근거로 포함하기에 제한이 있었다. NICE 지침에서는 만성적인 두통에서 정신사회적 치료들의 사용에 대 한 근거를 강화하기 위한 연구를 권장하는 데 동의하였다. 추후의 진료지침은 더욱 다양한 비약물적 치료 선택 지를 제공할 수 있을 것이다.

[부록] 두통일기 양식의 예

1. 두통일기 양식 I

두통				증상과 유발인자			처치와 결과		
날짜	통증정도 0~10 (0=통증 없음, 10=가장 심함), 종류	지속 시간	일상 활동 제한 정도	수면	기분/ 스트레스	기타 증상과 유발 인자	사용 약 종류/양	약물 외 처치 방법 /양	처치의 효과 0~10 (0=전혀 없음, 10=가장 높음)
(예) 10/12	5 이마 주위 욱신거림	4시간	일할 수 있었음, 회의 참석함	전날 평소(7시간) 만큼 못 잠	업무 마감 기한이라 스트레스 받았음	피로	acetaminophen 650 mg X 2정	점심 때 15분 산책	4

2. 두통일기 양식 II

_________ 년 _____ 월

이름 : _______________ 생년월일 : _______________

○ 통증정도

날짜		1	2	3	4	5	6	7	8	9	10	11	12	13	14	15	16	17	18	19	20	21	22	23	24	25	26	27	28	29	30	31
통증 정도	아침																															
	점심																															
	저녁																															

통증 정도: 0-10점. (통증 없음=) 0 1 2 3 4 5 6 7 8 9 10 (=가장 심함)

○ 활동 제한 정도

날짜	1	2	3	4	5	6	7	8	9	10	11	12	13	14	15	16	17	18	19	20	21	22	23	24	25	26	27	28	29	30	31
활동 제한 정도																															

제한 정도: 0-3점. 0=제한 없었음, 1=평소 활동 꽤 수행함, 2=평소 활동에 제한이 있었음, 3=평소 활동 수행하지 못함, 휴식함(하루 종일 혹은 일부)

○ **증상 완화 약물**(급성기 두통 완화를 위해 쓰인 약제. 예, sumatriptan, acetaminophen 등)

날짜	1	2	3	4	5	6	7	8	9	10	11	12	13	14	15	16	17	18	19	20	21	22	23	24	25	26	27	28	29	30	31
종류: mg																															
완화 정도																															
종류: mg																															
완화 정도																															
종류: mg																															
완화 정도																															
종류: mg																															
완화 정도																															

두통 완화 정도: 0-3점. 0=완화되지 않음, 1=약간 완화됨, 2=어느 정도 완화됨, 3=완전히 완화됨

○ **예방 약물**(두통을 예방하기 위해 매일 복용하는 약제. 예, topiramate, amitriptyline 등)

날짜	1	2	3	4	5	6	7	8	9	10	11	12	13	14	15	16	17	18	19	20	21	22	23	24	25	26	27	28	29	30	31
종류 : mg																															
예방 정도																															
종류 : mg																															
예방 정도																															
종류 : mg																															
예방 정도																															

두통 예방 정도: 0-3점. 0=예방되지 않음, 1=약간 예방됨, 2=어느 정도 예방됨, 3=완전히 예방됨

○ 유발인자

날짜	1	2	3	4	5	6	7	8	9	10	11	12	13	14	15	16	17	18	19	20	21	22	23	24	25	26	27	28	29	30	31
유발인자																															

아래에 유발인자를 기입하고 두통이 있던 날에 해당하는 번호를 적어주세요.

유발인자 1.________________ 2.________________ 3.________________ 4.________________

○ 월경 주기

날짜	1	2	3	4	5	6	7	8	9	10	11	12	13	14	15	16	17	18	19	20	21	22	23	24	25	26	27	28	29	30	31
월경 주기																															

월경이 있었던 날에 ○로 표시하세요. 해당사항 없으면 비워두세요.

3. 두통일기 양식 III

__________ 년 ______ 월

이름 : ________________ 생년월일 : __________________

일	요일	시간	두통 정도 (0-10)	지속시간 (분/시간)	구역/ 구토	통증 조절 약물 (종류/양)	기타 (예: 유발요인, 기간, 부작용 등)
1							
2							
3							
4							
5							
6							
7							
8							
9							
10							
11							
12							
13							

두통 정도: 0-10점. (통증 없음=) 0 1 2 3 4 5 6 7 8 9 10 (=가장 심함)

일	요일	시간	두통 정도 (0–10)	지속시간 (분/시간)	구역/구토	통증 조절 약물 (종류/양)	기타 (예: 유발요인, 기간, 부작용 등)
14							
15							
16							
17							
18							
19							
20							
21							
22							
23							
24							
25							
26							
27							
28							
29							
30							
31							

두통 정도: 0-10점. (통증 없음=) 0 1 2 3 4 5 6 7 8 9 10 (=가장 심함)

[부록] 본 지침의 권고안에 포함된 약제 및 권장용량

긴장형두통	급성	경구acetaminophen (paracetamol)	1회 650-1300 mg, 1일 최대 3900 mg[1]
		경구 aspirin	1회 500-1500 mg[2], 1일 2-3회
		경구 NSAID[3]	ibuprofen 1회 200-400 mg, 1일 최대 1600 mg
			naproxen 1회 500-750 mg[4], 1일 최대 1250 mg
편두통	급성	경구 트립탄제[5]	sumatriptan 1회 50-100 mg, 1일 최대 300 mg
			rizatriptan 1회 5-10 mg, 1일 최대 30 mg
			almotriptan 1회 12.5 mg, 1일 최대 25 mg
			frovatriptan 1회 2.5 mg, 1일 최대 5 mg
			naratriptan 1회 2.5 mg, 1일 최대 5 mg
			zolmitriptan 1회 2.5 mg, 1일 최대 10 mg
		경구 NSAID[3]	ibuprofen 1회 400 mg, 1일 최대 1600 mg
			naproxen 1회 500-750 mg, 1일 최대 1250 mg
			aceclofenac 1회 100 mg, 1일 최대 200 mg
			tolfenamic acid 1회 200 mg, 1일 최대 600 mg
			diclofenac potassium 1회 50 mg, 1일 최대 200 mg
		비경구 NSAID	ketorolac 1회 10 mg, 1일 최대 90 mg
		경구 aspirin	1회 500-1500 mg[6], 1일 2-3회
		경구acetaminophen (paracetamol)	1회 650-1300 mg[7], 1일 최대 3900 mg
		경구 항구토제	metoclopramide 1회 10 mg, 1일 최대 30 mg (국내 식약처 허가 불포함)
			domperidone[8] 1회 10 mg, 1일 최대 30 mg (국내 식약처 허가 불포함)
		비경구 항구토제	metoclopramide 1회 10 mg, 1일 최대 30 mg (국내 식약처 허가 불포함)
			prochlorperazine (국내 미출시)
	예방	경구 항경련제	topiramate 1회 25-100 mg, 1일 최대 200 mg
		경구 베타차단제	propranolol 1회 10-40 mg, 1일 최대 160 mg (국내 식약처 허가 불포함)
		경구 TCA	amitriptyline 1회 10-25 mg, 1일 최대 150 mg (국내 식약처 허가 불포함)
군발두통	급성	100% 산소 12 L/min 4시간	가정/보행용 산소 발생장치의 적응증이 없음
		피하 또는 비강 트립탄제	국내 미출시
	예방	경구 칼슘통로차단제	verapamil 1회 40-80 mg, 1일 최대 240 mg[9] (국내 식약처 허가 불포함)

1 수용개발의 대상이 된 NICE 지침에서 근거로 포함한 연구에서는 acetaminophen (paracetamol)을 1회 500-1000 mg 용량으로 사용함.

2 aspirin의 용량은 약전의 내용을 기준으로 기재하였으며, NICE 지침에서 근거로 포함한 연구에서는 aspirin을 300 mg씩 하 루 2회 사용함.

3 NSAID는 국내에서 출시된 약제의 수가 많아, NICE 지침에서 근거로 포함한 약제인 ibuprofen과 naproxen의 용량만을 기 재함.

4 약전에는 편두통에서 naproxen의 1회 권장용량이 750 mg라고 기재되어 있음. NICE 지침에서 근거로 포함한 긴장형두통 관 련 연구에서는 500 mg의 용량을 사용하였기에, 권장용량을 500-750 mg이라고 기재함.

5 트립탄제는 약제의 종류가 많지 않아, 국내에서 출시된 모든 약제를 기재함. NICE 지침에서는 sumatriptan 및 rizatriptan 을 사용한 연구가 근거로 포함되었으며, 근거의 질 평가 대상이었던 'CHS-Migraine Prophylaxis, 2012' 및 'CHS-Acute Migraine, 2013'에서는 almotriptan, frovatriptan, naratriptan, zolmitriptan을 포함함.

6 NICE 지침에서는 경구 aspirin 900 mg 이상 사용할 것을 권고함.

7 NICE 지침에서 근거로 포함한 연구에서는 경구 acetaminophen (paracetamol)을 500-1000 mg로 사용함.

8 NICE 지침에서는 domperidone 관련 연구가 근거로 포함되지 않았으나, 'CHS-Migraine Prophylaxis, 2012'에는 포함되어 있어 기재함.

9 NICE 지침에서 근거로 포함한 연구에서는 verapamil을 120 mg씩 하루 3회 사용함.

※ 단, 본 표의 내용은 2018년 8월 기준 약전의 권장용량을 바탕으로 작성되었으며, 건강한 성인에 대한 권장용량임. 본 표의 내용이 이 시점에서의 기존 근거 및 약전을 바탕으로 하여 진료행위를 권장할지라도, 개별적인 환자 사례에 따른 의사의 판단을 완전히 대신할 수는 없음.

정신건강의학과 자문 평가 및 회신 양식

- 환자번호: ________________ (환자위치: ________________)
- 이름: ________________ • 성별/나이: ☐ 남자 ☐ 여자/ ________________
- 의뢰과: __________ /의뢰의: __________ /의뢰일자: __________ /의뢰차수: __________
- 의뢰환경: ☐ 병실 ☐ 외래 ☐ 응급실 ☐ 중환자실

1. 주소(증상 시작): ______________________________ (일/주/월/년 전)

2. 의뢰 사유 및 증상:

(이전 협진 내용) ______________________________

____

____

(현재 의뢰 사유) ______________________________

____

____

정보제공자: ☐ 환자 ☐ 보호자(______) ☐ 의뢰의사 ☐ 간호사

3. 정신의학적 과거력: ☐ 없음 ☐ 입원(______회) ☐ 외래(부터 까지) ☐ 약물치료

☐ 비약물적 치료:

진단명: ________________

처방 약물: ______________________________

(정신건강의학과에서 처방받은 약물에 한함)

4. 사회력 및 가족력:

☐ 정신의학적 가족력: ______________________________

☐ 보호의무자 있음(________)

☐ 교육연수: ____년/ ☐ 직업: __________

☐ 음주: ________________ ☐ 흡연: ________________

☐ 기타물질: ______________________________

5. 내외과적 현재 진단 및 과거력:

현재 입원의 주 진단: ______________________________

(수술의 경우 수술명: ______________ /현재 수술 후 ______ 일째)

계통적 문진 □ 특이소견 없음 □ 시행불가

- 일반적 소견: □ 특이소견 없음 □ 있음 (□ 유의미한 체중변화 □ 발열) □ 기타: ______________
- 신경학적: □ 특이소견 없음 □ 있음 (□ 두통 □ 어지럼증 □ 감각이상 □ 위약감/마비) □ 기타: ________
- 안과/이비인후과: □ 특이소견 없음 □ 있음 (□ 시력이상 □ 청력이상) □ 기타: ______________
- 순환기: □ 특이소견 없음 □ 있음 (□ 흉통 □ 두근거림 □ 호흡곤란) □ 기타: ______________
- 호흡기: □ 특이소견 없음 □ 있음 (□ 기침 □ 호흡곤란 □ 천명) □ 기타: ______________
- 소화기: □ 특이소견 없음 □ 있음 (□ 복통 □ 오심/구토 □ 소화불량 □ 설사 □ 변비) □ 기타: ________
- 피부/내분비: □ 특이소견 없음 □ 있음 (□ 발진 □ 알레르기: _____) □ 기타: ______________
- 비뇨기: □ 특이소견 없음 □ 있음 (□ 배뇨이상: ____) □ 기타: ______________

내외과적 병력 □ 특이소견 없음 □ 시행불가

- 신경계 질환: □ 있음 (□ 뇌출혈/뇌경색 □ 파킨슨병 □ 뇌전증 □ 뇌 외상) □ 기타: ______________
- 순환기 질환: □ 있음 (□ 고혈압 □ 심부전 □ 부정맥 □ 심혈관질환) □ 기타: ______________
- 호흡기 질환: □ 있음 (□ 천식 □ 만성폐쇄성호흡기질환 □ 폐렴 □ 결핵) □ 기타: ______________
- 소화기 질환: □ 있음 (□ 위염/식도염 □ 간염/간경변) □ 기타: ______________
- 내분비 질환: □ 있음 (□ 당뇨 □ 지질이상 □ 갑상선기능이상: _____) □ 기타: ______________
- 면역계 질환: □ 있음 (□ 자가면역성 질환: _________ □ 에이즈) □ 기타: ______________
- 근골격계 질환 및 통증: □ 관절염: ________ □ 통증: ________ □ 기타: ______________
- 비뇨생식계 질환: □ 있음(□ 신부전 □ 요로감염 □ 전립선질환: ________) □ 기타: ______________
- □ 암: ______________________________
- □ 이식: ________ □ 수술력: ______________________________
- □ 임신: ____________
- □ 기타 상세기술: ______________________________

6. 현재 투약(정신건강의학과 이외 타과에서 처방받은 약물):

☐ 진정수면제/항불안제:

☐ 마약성 진통제: ______

☐ 항우울제/기분조절제/항정신병약물: ______

☐ 기타 타과 약물 상세기술: ______

______

7. 활력 징후: ☐ 특이소견 없음 ☐ 특이소견 있음: ______

8. 검사 소견:

☐ 정신건강의학과 내 검사(☐ 심리/인지기능 검사 ☐ 정량화 뇌파 검사): ☐ 특이소견 없음 ☐ 특이소견 있음: ______

______

☐ 뇌영상검사(☐ CT ☐ MRI/A, ☐ PET/SPECT): ☐ 특이소견 없음 ☐ 특이소견 있음: ______

______

☐ 뇌파: ☐ 특이소견 없음 ☐ 특이소견 있음: ______

☐ 심전도: ☐ 특이소견 없음 ☐ 특이소견 있음: ______

☐ 일반혈액검사: ☐ 특이소견 없음 ☐ 특이소견 있음: ______

☐ 전해질: ☐ 특이소견 없음 ☐ 특이소견 있음: ______

☐ 간기능검사: ☐ 특이소견 없음 ☐ 특이소견 있음: ______

☐ 신기능검사: ☐ 특이소견 없음 ☐ 특이소견 있음: ______

☐ 갑상선기능검사: ☐ 특이소견 없음 ☐ 특이소견 있음: ______

☐ 소변검사: ☐ 특이소견 없음 ☐ 특이소견 있음: ______

☐ 흉부검사(☐ X-ray ☐ CT): ☐ 특이소견 없음 ☐ 특이소견 있음: ______

☐ 복부검사(☐ USG ☐ CT ☐ MRI): ☐ 특이소견 없음 ☐ 특이소견 있음: ______

☐ 기타 상세기술: ______

9. 현재 식이상태:

☐ 상식 ☐ 유동식 ☐ 미음 ☐ 금식 ☐ 경관영양 ☐ 비경구영양

10. 정신상태검사:

전반적 외모, 태도 및 행동: ____________________

발화: ____________________

기분/정동: ____________________

사고 과정/형식/내용: ____________________

착각/환각: ____________________

인지: ____________________

(지남력 있음: ☐ 시간 ☐ 장소 ☐ 사람)

수면: ____________________

식욕 및 식이: ____________________

자타해 위험: ☐ 위험 없음

☐ 자살 위험 있음(☐ 자살 사고/☐ 자살 계획 __________ /☐ 자살 시도 __________)

☐ 자해 위험 혹은 공격적 행동 있음: ____________________

☐ 타해 위험 혹은 공격적 행동 있음: ____________________

11. 정신의학적 진단:

주 진단: ____________________

감별 진단: ____________________

고려되어야 할 정신사회적 스트레스 요인: ____________________

12. 치료적 제언 및 계획:

투약: ____________________

비약물적 치료: ____________________

필요한 추가검사: ____________________

추적 평가 계획: ☐ 재협진 의뢰 (____일 이내) ☐ 전과 ☐ 정신건강의학과 외래

Index

국문 찾아보기

ㄱ

ㄴ

ㄷ

ㄹ

ㅁ

ㅂ

ㅅ

ㅇ

ㅈ

ㅊ

ㅋ

ㅌ

ㅍ

ㅎ

번호

영문 찾아보기

A

B

C

D

E

F

G

H

I

K

L

M

N

O

P

R

S

T